LES MANDARINS

ŒUVRES DE SIMONE DE BEAUVOIR

nrf

Romans

L'INVITÉE.
LE SANG DES AUTRES.
TOUS LES HOMMES SONT MORTELS.
LES MANDARINS.

Théâtre

LES BOUCHES INUTILES.

Essais. Littérature. Philosophie

LE DEUXIÈME SEXE, I : LES FAITS ET LES MYTHES.
LE DEUXIÈME SEXE, II : L'EXPÉRIENCE VÉCUE.
L'AMÉRIQUE AU JOUR LE JOUR.
LA LONGUE MARCHE, essai sur la Chine.
MÉMOIRES D'UNE JEUNE FILLE RANGÉE.
LA FORCE DE L'AGE.

Collection « Les Essais »

PYRRHUS ET CINÉAS.
POUR UNE MORALE DE L'AMBIGUÏTÉ.
PRIVILÈGES.

SIMONE DE BEAUVOIR

LES MANDARINS

roman

GALLIMARD

à NELSON ALGREN

CHAPITRE PREMIER

I

Henri jeta un dernier regard sur le ciel : un cristal noir. Mille avions saccageant ce silence, c'était difficile à imaginer; pourtant les mots se carambolaient dans sa tête avec un bruit joyeux : offensive stoppée, débâcle allemande, je vais pouvoir partir. Il tourna le coin du quai. Les rues sentiraient l'huile et la fleur d'oranger, des gens jacasseraient aux terrasses illuminées, il boirait du vrai café au son des guitares. Ses yeux, ses mains, sa peau avaient faim : quel long jeûne! Il monta lentement l'escalier glacé.

— Enfin! Paule l'étreignait comme si elle l'avait retrouvé après de longs dangers; par-dessus son épaule, il regarda le sapin clinquant que reflétaient à l'infini les grands miroirs; la table était chargée d'assiettes, de verres, de bouteilles; des touffes de gui et de houx gisaient en vrac au pied d'un escabeau; il se dégagea et lança son pardessus sur le divan.

— As-tu entendu la radio? il y a de bonnes nouvelles.

— Ah! dis-moi vite. Elle n'écoutait jamais la radio, elle ne voulait apprendre les nouvelles que de sa bouche.

— Tu n'as pas remarqué comme il fait clair ce soir? on parle de mille avions sur les arrières de von Rundstedt.

— Mon Dieu! alors ils ne reviendront pas.

— Il n'a jamais été question qu'ils reviennent.

Pour être sincère, l'idée lui avait traversé la tête à lui aussi. Paule sourit mystérieusement : « J'avais pris mes précautions.

— Quelles précautions?

— Au fond de la cave, il y a un cagibi; j'ai demandé à la concierge de le dégager : tu te serais caché là.

— Tu n'aurais pas dû parler de ça à la concierge : c'est comme ça qu'on crée des paniques. »

Elle serrait dans sa main gauche les pointes de son châle, elle avait l'air de protéger son cœur.

— Ils t'auraient fusillé, dit-elle. Toutes les nuits je les entends : ils frappent, j'ouvre, je les vois.

Immobile, les yeux mi-clos, elle semblait vraiment entendre des voix.

— Ça n'arrivera pas, dit Henri gaiement.

Elle ouvrit les yeux et laissa retomber ses mains.

— La guerre est vraiment finie?

— Il n'y en a plus pour longtemps. Henri installa l'escabeau sous la grosse poutre qui barrait le plafond : « Veux-tu que je t'aide?

— Les Dubreuilh vont venir m'aider.

— Pourquoi les attendre? »

Il prit le marteau; Paule posa la main sur son bras : « Tu ne vas pas travailler?

— Pas ce soir.

— Tu dis ça tous les soirs. Il y a maintenant plus d'un an que tu n'as rien écrit.

— Ne t'inquiète pas : j'ai envie d'écrire.

— Ce journal te prend trop de temps; regarde à quelle heure tu rentres. Je suis sûre que tu n'as rien mangé. Tu n'as pas faim?

— Pas pour l'instant.

— Tu n'es pas fatigué?

— Mais non. »

Sous ces yeux qui le dévoraient avec sollicitude il se sentait un grand trésor fragile et dangereux : c'était ça qui le fatiguait. Il monta sur l'escabeau et se mit à frapper sur un clou à petits coups prudents : la maison n'était pas jeune.

— Je peux même te dire ce que j'écrirai : ça sera un roman gai.

— Qu'est-ce que tu veux dire? dit Paule d'une voix inquiète.

— Juste ce que je dis : j'ai envie d'écrire un roman gai.

Pour un peu il l'aurait inventé sur place ce roman, ça l'aurait amusé d'y réfléchir à voix haute, mais Paule rivait sur lui un regard si intense qu'il se tut.

— Passe-moi la grosse touffe de gui.

Il suspendit avec précaution la boule verte piquée de petits yeux blancs, et Paule lui tendit un autre clou. Oui, la guerre était finie : du moins pour lui; ce soir c'était une vraie fête; la paix commençait, tout recommençait : les fêtes, les loisirs, le plaisir, les voyages, peut-être le bonheur, sûrement la liberté. Il acheva d'accrocher au long de la poutre le gui, le houx, les guirlandes de cheveux d'ange.

— Ça va? demanda-t-il en descendant de l'escabeau.

— C'est parfait. Elle s'approcha du sapin, redressa une des bougies : « S'il n'y a plus de danger, tu vas partir pour le Portugal?

— Naturellement.

— Tu ne travailleras encore pas pendant ce voyage?

— Je ne suppose pas. »

Elle tripotait d'un air hésitant une des boules dorées qui se balançaient aux branches et il dit les mots qu'elle attendait :

— Je suis désolé de ne pas t'emmener.

— Je sais bien que ça n'est pas de ta faute. Ne te désole pas : j'ai de moins en moins envie de courir le monde. A quoi ça sert-il? Elle sourit : « Je t'attendrai; attendre, quand c'est dans la sécurité, ce n'est pas ennuyeux. »

Henri eut envie de rire : A quoi ça sert-il? Quelle question! Lis-

bonne. Porto. Cintra. Coïmbre. Les beaux noms! Et il n'avait même
pas besoin de les prononcer pour sentir la joie lui sauter à la gorge.
Il lui suffisait de se dire : Je ne serai plus ici; je serai ailleurs. Ailleurs :
c'était un mot encore plus beau que les plus beaux noms.

— Tu ne vas pas t'habiller? demanda-t-il.

— J'y vais.

Elle monta l'escalier intérieur et il s'approcha de la table. Réflexion
faite, il avait faim mais dès qu'il avouait un appétit l'inquiétude ravageait les traits de Paule; il coucha un morceau de pâté sur une tranche
de pain et mordit dedans. Il se dit avec décision : « En revenant du
Portugal, j'irai m'installer à l'hôtel. » C'est tellement agréable de rentrer le soir dans une chambre où personne ne vous attend! Même au
temps où il était amoureux de Paule, il avait toujours tenu à avoir ses
quatre murs à lui. Seulement, entre 39 et 40 Paule tombait chaque
nuit morte sur son cadavre affreusement mutilé : quand il lui avait
été rendu, comment aurait-il osé rien lui refuser? Et puis le couvre-
feu rendait cette combinaison commode. « Tu pourras toujours t'en
aller », disait-elle : il n'avait pas encore pu. Il saisit une bouteille et
enfonça le tire-bouchon dans le liège crissant. En un mois Paule s'ha-
bituerait à se passer de lui : et si elle ne s'habituait pas, tant pis. La
France n'était plus une prison, les frontières s'ouvraient, la vie ne
devait plus être une prison. Quatre ans d'austérité, quatre ans à ne
s'occuper que des autres : c'est beaucoup, c'est trop. Il était temps
qu'il s'occupe un peu de lui. Et pour ça il avait besoin d'être seul et
d'être libre. Ce n'est pas facile de se retrouver au bout de quatre ans;
il y avait un tas de choses qu'il devait tirer au clair. Lesquelles? eh
bien, il ne le savait pas clairement, mais là-bas, tout en se promenant
dans les petites rues qui sentent l'huile, il essaierait de faire le point.
De nouveau il eut un coup au cœur : le ciel serait bleu, du linge flot-
terait aux fenêtres. Il marcherait, les mains dans les poches, en touriste, au milieu de gens qui ne parleraient pas sa langue et dont les
soucis ne le concerneraient pas. Il se laisserait vivre, il se sentirait vivre :
ça suffirait peut-être pour que tout devienne clair.

— Que c'est gentil! tu as débouché toutes les bouteilles! Paule descendait l'escalier à petits pas soyeux.

— Décidément, tu es vouée au violet! dit-il avec un sourire.

— Mais tu adores le violet! dit-elle. Il adorait le violet depuis dix
ans : dix ans, c'est long. « Tu ne l'aimes pas cette robe?

— Oh! elle est très jolie, dit-il avec empressement. Je pensais seulement qu'il y a d'autres couleurs qui t'iraient bien : le vert par exemple,
lança-t-il au hasard.

— Le vert? tu me vois en vert? »

Elle s'était plantée devant une des glaces, l'air désemparé; c'était
tellement inutile! en vert ou en jaune, jamais il ne la retrouverait telle
que dix ans plus tôt il l'avait désirée quand elle lui avait tendu d'un
geste nonchalant ses longs gants violets. Il lui sourit : « Viens danser.

— Oui, dansons », dit-elle d'une voix si ardente qu'Henri se glaça.

Leur vie commune avait été tellement morne pendant cette dernière
année que Paule elle-même avait paru s'en dégoûter; mais elle avait
brusquement changé au début de septembre; à présent dans toutes ses
paroles, ses baisers, ses regards, il y avait un frémissement passionné.
Quand il l'enlaça, elle se colla à lui et elle murmura :

— Tu te rappelles, la première fois que nous avons dansé ensemble?

— A la Pagode, oui; tu m'as dit que je dansais très mal.

— C'était le jour où je t'ai révélé le Musée Grévin; tu ne connaissais pas le Musée Grévin, tu ne connaissais rien, dit-elle d'une voix
attendrie. Elle appuya son front contre la joue d'Henri : « Je nous
revois. »

Lui aussi, il se revoyait. Ils étaient montés sur un socle au milieu du
Palais des Mirages et partout autour d'eux leur couple s'était multi-
plié à l'infini parmi des forêts de colonnes : « Dis-moi que je suis la
plus belle des femmes. — Tu es la plus belle des femmes. — Et tu
seras l'homme le plus glorieux du monde. » Il tourna les yeux vers un
des grands miroirs : leur couple enlacé se répétait à l'infini au long d'une
allée de sapins et Paule lui souriait d'un air émerveillé. Est-ce qu'elle
ne se rendait pas compte que ça n'était plus le même couple?

— On a frappé, dit Henri; il se précipita vers la porte; c'était les
Dubreuilh, chargés de paniers et de cabas; Anne serrait dans ses bras
une gerbe de roses et Dubreuilh avait jeté sur son épaule d'énormes
grappes de piments rouges; Nadine les suivait, l'air maussade.

— Joyeux Noël!

— Joyeux Noël!

— Vous savez la nouvelle? l'aviation a enfin pu donner.

— Oui, mille avions!

— Ils sont nettoyés.

— C'est la fin.

Dubreuilh déposa sur le divan la brassée de fruits rouges : « Voilà
pour décorer votre petit bordel.

— Merci », dit Paule sans chaleur. Ça l'agaçait que Dubreuilh appe-
lât ce studio son bordel : à cause de toutes ces glaces et de ces tentures
rouges, disait-il. Il inspectait la pièce : « Il faut les suspendre à la poutre
du milieu; ça sera plus joli que ce gui.

— J'aime le gui, dit Paule, d'une voix ferme.

— C'est bête le gui, c'est rond, c'est historique; et puis c'est un
parasite.

— Accrochez les piments en haut de l'escalier, le long de la balustrade, suggéra Anne.

— Ici ça serait beaucoup mieux, dit Dubreuilh.

— Je tiens à mon gui et à mon houx, dit Paule.

— Bon, bon; vous êtes chez vous », dit Dubreuilh; il fit signe à
Nadine : « Viens m'aider. »

Anne déballait des rillettes, du beurre, des fromages, des gâteaux.
« Ça c'est pour le punch », dit-elle en posant sur la table deux bouteilles de rhum. Elle mit un paquet dans les mains de Paule : « Tiens,

c'est ton cadeau; et voilà pour vous, dit-elle en tendant à Henri une pipe de terre, une serre d'oiseau étreignant un petit œuf; exactement la pipe que Louis fumait, quinze ans plus tôt.

— C'est formidable; voilà quinze ans que j'ai envie d'une pipe pareille, comment avez-vous deviné?

— Parce que vous me l'avez dit!

— Un kilo de thé! tu me sauves la vie, s'exclama Paule, et comme il sent bon : du vrai thé! »

Henri se mit à tailler des tartines; Anne les enduisait de beurre et Paule de rillettes tout en observant anxieusement Dubreuilh qui enfonçait des clous à grands coups de marteau.

— Vous savez ce qui manque ici? cria-t-il à Paule. Un grand lustre en cristal. Je vous en trouverai un.

— Mais je n'en veux pas!

Dubreuilh suspendit les grappes de piment et descendit l'escalier.

— Pas mal! dit-il en examinant son travail d'un œil critique. Il s'approcha de la table et ouvrit un sachet d'épices; ça faisait des années qu'à la moindre occasion il confectionnait ce punch dont il avait recueilli la recette à Haïti. Appuyée à la balustrade, Nadine mâchonnait un piment; à dix-huit ans, en dépit de ses vagabondages dans des lits français et américains, elle semblait encore en plein âge ingrat.

— Ne mange pas le décor, lui cria Dubreuilh. Il vida une bouteille de rhum dans le saladier et se tourna vers Henri : « J'ai rencontré Samazelle avant-hier, et je suis bien content parce qu'il a l'air disposé à marcher avec nous. Vous êtes libre demain soir?

— Je ne peux pas quitter le journal avant onze heures, dit Henri.

— Passez à onze heures, dit Dubreuilh; on doit discuter le coup et je voudrais beaucoup que vous soyez là. »

Henri sourit : « Je ne vois pas bien pourquoi.

— Je lui ai dit que vous travaillez avec moi, mais votre présence aura plus de poids.

— Je ne pense pas qu'un type comme Samazelle y attache beaucoup d'importance, dit Henri en continuant à sourire. Il doit bien savoir que je ne suis pas un homme politique.

— Mais il pense comme moi qu'il ne faut plus abandonner la politique aux politiciens, dit Dubreuilh. Venez, même si ce n'est que pour un petit moment; il a un groupe intéressant derrière lui, Samazelle, des types jeunes, il nous les faut.

— Écoutez, vous n'allez pas encore parler de politique! dit Paule d'une voix fâchée. C'est fête ce soir.

— Et alors? dit Dubreuilh. Les jours de fête, c'est défendu de parler de ce qui intéresse?

— Mais pourquoi tenez-vous à embarquer Henri dans cette histoire! dit Paule. Il se fatigue déjà assez et il vous a dit vingt fois que la politique l'ennuie.

— Je sais, vous me prenez pour un vicieux qui essaie de débaucher ses petits camarades, dit Dubreuilh en souriant. Mais la politique n'est pas un vice, ma beauté, ni un jeu de société. Si une nouvelle guerre éclatait dans trois ans, vous seriez la première à vous plaindre.

— Ça c'est du chantage! dit Paule. Quand cette guerre aura fini de finir, personne n'aura envie d'en recommencer une autre.

— Vous croyez que ça compte, les envies des gens! » dit Dubreuilh.

Paule allait répondre, mais Henri lui coupa la parole : « Vraiment, dit-il, sans mauvaise volonté, je n'ai pas de temps.

— Le temps ne manque jamais, dit Dubreuilh.

— A vous, non, dit Henri en riant; mais moi je suis un être normal; je ne peux pas travailler vingt heures d'affilée ni me passer de sommeil pendant un mois.

— Mais moi non plus! dit Dubreuilh. Je n'ai plus mes vingt ans. On ne vous en demande pas tant », ajouta-t-il en goûtant le punch d'un air inquiet.

Henri le regarda gaiement : vingt ans ou quatre-vingts, Dubreuilh aurait toujours l'air aussi jeune à cause de ces yeux énormes et rieurs qui dévoraient tout. Quel fanatique! Par comparaison Henri était tenté souvent de se juger dissipé, paresseux, inconsistant; mais c'était inutile de se forcer. A vingt ans, il admirait tant Dubreuilh qu'il s'était cru obligé de le singer; résultat : il avait tout le temps sommeil, il se bourrait de drogues, il sombrait dans l'imbécillité. Il fallait qu'il en prît son parti : privé de loisirs, il perdait le goût de vivre et du même coup celui d'écrire, il se transformait en machine. Pendant quatre ans il avait été une machine, maintenant il tenait avant tout à redevenir un homme.

— Je me demande à quoi mon inexpérience pourrait bien vous servir, dit-il.

— Ça a ses bons côtés, l'inexpérience, dit Dubreuilh; il eut un petit sourire : « Et puis à l'heure qu'il est, vous avez un nom qui représente beaucoup, pour beaucoup de gens. » Son sourire s'accentua : « Samazelle a traîné avant la guerre dans toutes les fractions et fractions de fractions, mais ce n'est pas pour ça que je veux l'avoir : c'est parce qu'il est un héros du maquis, son nom porte. »

Henri se mit à rire; jamais Dubreuilh ne lui semblait plus ingénu que lorsqu'il se voulait cynique; Paule avait raison de l'accuser de chantage : s'il avait cru à l'imminence d'une troisième guerre, il n'aurait pas été de si bonne humeur. La vérité c'est qu'il voyait s'ouvrir des possibilités d'action et qu'il grillait de les exploiter. Henri se sentait moins enthousiaste. Évidemment, il avait changé depuis 39. Autrefois, il était de gauche parce que la bourgeoisie le dégoûtait, parce que l'injustice l'indignait, parce qu'il considérait tous les hommes comme des frères : de beaux sentiments généreux qui ne l'engageaient à rien. Il savait maintenant que s'il voulait vraiment se désolidariser de sa classe, il fallait qu'il paie de sa personne. Malefilatre, Bourgoin, Picard avaient laissé leur peau à la lisière du petit bois, mais il penserait toujours à eux comme à des vivants. Il était attablé avec eux devant un civet de lapin, ils buvaient du vin blanc, et sans beaucoup y croire, ils parlaient de l'avenir; quatre grivetons; mais la guerre finie ça ferait de nouveau un bourgeois, un paysan, deux métallos; Henri avait compris à cet instant qu'aux yeux des trois autres et aux siens, il apparaîtrait comme un privilégié plus ou moins honteux, mais consentant, il ne serait plus des leurs; pour rester leur copain, il n'y aurait qu'un moyen : continuer à faire des choses avec eux. Il avait mieux compris encore quand en 41 il avait travaillé avec le groupe de Bois-Colombes; au début ça n'avait pas marché tout seul. Flamand l'exaspérait en répétant à tout bout de champ : « Tu comprends, moi je suis un ouvrier, je raisonne comme un ouvrier. » Mais grâce à lui Henri avait touché du doigt quelque chose qu'il ignorait auparavant, dont désormais il sentirait toujours la menace : la haine. Il l'avait désarmée : dans l'action commune, ils l'avaient reconnu pour leur camarade; mais si jamais il redevenait un bourgeois indifférent, elle renaîtrait et à bon droit. A moins qu'il ne fasse la preuve du contraire, il était un ennemi pour des centaines de millions d'hommes, un ennemi de l'humanité. Il ne voulait de ça à aucun prix : il ferait la preuve. Le malheur, c'est que l'action avait changé de figure. La Résistance était une chose, la politique une autre. C'était loin de passionner Henri, la politique. Et il savait ce que signifiait un mouvement comme celui qu'envisageait Dubreuilh : comités, conférences, congrès, meetings, on parle, on parle; et il faut sans fin manœuvrer, transiger, accepter des compromis boiteux; temps perdu, concessions rageuses, sombre ennui, rien de plus rebutant. Diriger un journal, ça c'était un travail qu'il aimait; mais évidemment l'un n'empêchait pas l'autre et même, les deux se complétaient; impossible d'utiliser *L'Espoir* comme alibi. Non, Henri ne se sentait pas le droit de se défiler; il essaierait seulement de limiter les frais.

— Mon nom, quelques actes de présence, je ne peux pas vous refuser ça, dit-il. Mais il ne faut pas me demander beaucoup plus.

— Je vous demanderai sûrement plus, dit Dubreuilh.

— En tout cas, pas tout de suite. D'ici mon départ, j'ai du travail par-dessus la tête.

Dubreuilh planta son regard dans les yeux d'Henri : « Ça tient toujours, ce projet de voyage?

— Plus que jamais. Dans trois semaines au plus tard je m'en vais. »

Dubreuilh dit d'une voix fâchée : « Ce n'est pas sérieux!

— Ah! je suis tranquille! dit Anne en le regardant d'un air narquois. Si vous aviez envie d'aller vous promener, vous iriez et vous expliqueriez que c'est la seule chose intelligente à faire.

— Mais je n'en ai pas envie, c'est ma supériorité, dit Dubreuilh.

— Je dois dire que les voyages, ça me semble un mythe », dit Paule; elle sourit à Anne : « Une rose que tu m'apportes me donne plus que les jardins de l'Alhambra après quinze heures de train.

— Oh! ça peut être passionnant un voyage, dit Dubreuilh; mais en ce moment, c'est encore bien plus passionnant d'être ici.

— Eh bien, moi, j'ai tellement envie d'être ailleurs qu'au besoin je partirais à pied avec des pois secs plein mes souliers, dit Henri.

— Et *L'Espoir*, vous le plaquez comme ça pendant un mois?

— Luc s'en tirera très bien sans moi », dit Henri.

Il les regarda tous les trois avec étonnement. « Ils ne se rendent pas compte! » Toujours les mêmes têtes, le même décor, les mêmes conversations, les mêmes problèmes, plus ça change et plus c'est pareil : à la fin, on se sent mourir tout vif. L'amitié, les grandes émotions historiques, il avait apprécié tout ça à son prix; mais maintenant il avait besoin d'autre chose : un besoin si violent que ça aurait été dérisoire d'essayer de s'en expliquer.

— Joyeux Noël!

La porte s'ouvrait : Vincent, Lambert, Sézenac, Chancel, toute l'équipe du journal. Ils apportaient des bouteilles et des disques, leurs joues étaient roses de froid, ils chantaient à tue-tête la rengaine des journées d'août :

> *Nous ne les reverrons plus.*
> *C'est fini, ils sont foutus.*

Henri leur sourit joyeusement; il se sentait aussi jeune qu'eux et en même temps il avait l'impression de les avoir tous un peu créés. Il se mit à chanter avec eux; soudain l'électricité s'éteignit, le punch flambait, les épis de Noël crépitaient, Lambert et Vincent aspergeaient Henri d'étincelles; Paule allumait sur le sapin les bougies enfantines.

— Joyeux Noël!

Ils arrivaient par couples, par groupes; ils écoutaient la guitare de Django Reinhardt, ils dansaient, ils buvaient, tous riaient. Henri enlaça Anne et elle dit d'une voix émue : « C'est juste comme la veille du débarquement; le même endroit, les mêmes gens!

— Oui. Et maintenant, c'est arrivé.

— Pour nous, c'est arrivé », dit-elle.

Il savait ce qu'elle pensait : en cette minute des villages belges brûlaient, la mer déferlait sur les campagnes hollandaises. Pourtant ici c'était un soir de fête : le premier Noël de paix. Il faut bien que ce soit fête, quelquefois, sinon à quoi serviraient les victoires? C'était fête; il reconnaissait cette odeur d'alcool, de tabac et de poudre de riz, l'odeur des longues nuits. Mille jets d'eau couleur d'arc-en-ciel dansaient dans sa mémoire; avant-guerre, il y avait eu tant de nuits : dans les cafés de Montparnasse où on se saoulait de cafés-crème et de mots, dans les ateliers qui sentaient la peinture à l'huile, dans les petits dancings où il serrait dans ses bras la plus belle des femmes, Paule; et toujours dans l'aube aux rumeurs métalliques une voix doucement délirante murmurait en lui que le livre qu'il était en train d'écrire serait bon et que rien n'était plus important au monde.

— Vous savez, dit-il, j'ai décidé d'écrire un roman gai.

— Vous? Anne le regarda d'un air amusé : « Quand commencez-vous?

— Demain. »

Oui, il avait hâte soudain de redevenir ce qu'il était, ce qu'il avait toujours voulu être : un écrivain. Il reconnaissait aussi cette joie inquiète : je commence un nouveau livre. Il allait parler de toutes ces choses qui étaient en train de renaître : les aubes, les longues nuits, les voyages, la joie.

— Vous avez l'air de bien bonne humeur, ce soir, dit Anne.

— Je le suis. J'ai l'impression de sortir d'un long tunnel. Pas vous? Elle hésita : « Je ne sais pas. Il y a tout de même eu de bons moments dans ce tunnel.

— Bien sûr. »

Il sourit à Anne. Elle était jolie, ce soir, et il la trouvait romanesque, dans son tailleur austère. Si elle n'avait pas été une vieille amie et la femme de Dubreuilh, il lui aurait volontiers fait un doigt de cour. Il la fit danser plusieurs fois de suite, et puis il invita Claudie de Belzunce qui, en grand décolleté, couverte de bijoux de famille, était venue s'encanailler avec l'élite intellectuelle. Il invita Jeannette Cange, Lucie Lenoir. Toutes ces femmes, il les connaissait trop : mais il y aurait d'autres fêtes, il y aurait d'autres femmes. Henri sourit à Preston qui s'avançait à travers le studio, en titubant légèrement; c'était le premier Américain de connaissance qu'Henri eût rencontré en août et ils étaient tombés dans les bras l'un de l'autre.

— J'ai tenu à venir célébrer avec vous! dit Preston.

— Célébrons, dit Henri.

Ils burent, et Preston se mit à parler sentimentalement des nuits de New York. Il était un peu saoul et il s'appuyait sur l'épaule d'Henri. « Vous devez venir à New York, répétait-il d'une voix impérieuse. Je garantis que vous serez un grand succès.

— Bien sûr, j'irai à New York, dit Henri.

— En arrivant, louez un petit avion, c'est la meilleure manière de voir le pays, dit Preston.

— Je ne sais pas piloter.

— Oh! c'est plus facile que de conduire une auto.

— J'apprendrai à piloter », dit Henri.

Oui, le Portugal n'était qu'un début; ensuite, il y aurait l'Amérique, le Mexique, le Brésil, et peut-être l'U. R. S. S., la Chine: tout. Henri conduirait de nouveau des autos, il piloterait des avions. L'air gris-bleu était lourd de promesses, l'avenir s'élargissait à l'infini.

Soudain, il se fit un silence. Henri vit avec surprise que Paule s'asseyait au piano. Elle commença à chanter. Il y avait bien longtemps que ça ne lui était pas arrivé. Henri essaya de l'écouter d'une oreille impartiale : jamais il n'avait réussi à se faire une idée exacte sur la valeur de cette voix; certainement ce n'était pas une voix indifférente : par instants on aurait cru entendre, emmitouflé de velours, l'écho d'une cloche de bronze. Une fois de plus il se demanda : « Pourquoi au juste a-t-elle laissé tomber? » Sur le moment, il avait vu dans son sacrifice une bouleversante preuve d'amour; plus tard, il s'était étonné que Paule éludât toutes les occasions de tenter sa chance et il s'était demandé si elle n'avait pas pris prétexte de leur amour pour se dérober à l'épreuve.

Les applaudissements éclatèrent; il applaudit avec les autres et Anne murmura : « Sa voix est toujours aussi belle. Si elle reparaissait en public, je suis sûre qu'elle aurait du succès.

— Vous croyez? il est un peu tard, non? dit Henri.

— Pourquoi donc? En reprenant quelques leçons... » Anne regarda Henri d'un air un peu hésitant : « Il me semble que ça serait bien pour elle. Vous devriez l'encourager.

— Peut-être », dit-il.

Il dévisagea Paule qui écoutait en souriant les compliments empor-tés de Claudie de Belzunce. Évidemment ça lui changerait la vie; le désœuvrement ne lui valait rien. « Et moi, ça me simplifierait les choses! » se dit-il. Après tout pourquoi pas? Ce soir tout semblait possible. Paule deviendrait célèbre, elle se passionnerait pour sa carrière, il serait libre, il se promènerait partout, et il aurait par-ci par-là des amours joyeuses et brèves. Pourquoi pas? Il sourit et s'approcha de Nadine qui debout à côté du poêle mastiquait du chewing-gum d'un air morne :

— Pourquoi ne dansez-vous pas?

Elle haussa les épaules : « Avec qui?

— Avec moi si vous voulez. »

Elle n'était pas jolie, elle ressemblait trop à son père et c'était gênant de retrouver ce visage bourru au-dessus d'un corps de jeune fille; les yeux étaient bleus comme ceux d'Anne mais si froids qu'ils semblaient à la fois usés et puérils; pourtant, sous la robe de lainage, la taille était plus souple, les seins plus affirmés qu'Henri ne l'eût pensé.

— C'est la première fois que nous dansons ensemble, dit-il.

— Oui. Elle ajouta : « Vous dansez bien.

— Ça vous étonne?

— Je comprends. Aucun de ces petits morveux ne sait danser.

— Ils n'ont guère eu l'occasion d'apprendre.

— Je sais, dit-elle. On n'a eu l'occasion de rien. »

Il lui sourit; même laide, une femme jeune est une femme; il aimait son odeur austère d'eau de Cologne, de linge frais. Elle dansait mal, mais c'était sans importance, il y avait ces voix jeunes, ces rires, le cho-rus de cette trompette, le goût du punch, au fond des miroirs ces sapins fleuris de flammèches, derrière les rideaux un pur ciel noir. Dubreuilh était en train de faire un numéro de prestidigitation : il découpait en morceaux un journal et le raccommodait d'un tour de main; Lambert et Vincent se battaient en duel avec des bouteilles vides, Anne et Lachaume chantaient un grand opéra; des trains, des avions, des bateaux tournaient autour de la terre et on pouvait y mon-ter.

— Vous ne dansez pas mal, dit-il poliment.

— Je danse comme un veau; mais je m'en fous : je n'aime pas danser. Elle l'examina avec soupçon : « Les petits zazous, le jazz, les caves qui puent le tabac et la sueur, ça vous amuse, vous?

— De temps en temps. » Il demanda : « Qu'est-ce qui vous amuse?
— Rien. »

Elle avait répondu d'une voix si farouche qu'il la dévisagea avec curiosité; il se demandait si c'était la déception ou le plaisir qui l'avaient jetée dans tant de bras. Peut-être le trouble adoucissait-il la dure charpente de son visage. La tête de Dubreuilh sur un oreiller, à quoi ça ressemblait-il?

— Quand je pense que vous allez au Portugal, vous êtes drôlement verni, dit-elle avec rancune.

— Bientôt ça sera de nouveau facile de voyager, dit-il.

— Bientôt! vous voulez dire dans un an, dans deux ans! Comment vous êtes-vous débrouillé?

— Ce sont les services de propagande française qui m'ont demandé des conférences.

— Évidemment, personne ne me demandera des conférences, à moi, murmura-t-elle. Vous en ferez beaucoup?

— Cinq ou six.

— Et vous vous baladerez pendant un mois!

— Il faut bien que les vieilles gens aient des compensations, dit-il gaiement.

— Et lesquelles a-t-on quand on est jeune? dit Nadine; elle soupira avec bruit : « Si au moins il se passait des choses.

— Quelles choses?

— Depuis le temps qu'on est soi-disant en révolution! et puis rien ne bouge...

— En août ça a tout de même un peu bougé, dit Henri.

— En août on racontait que tout allait changer, et c'est juste pareil qu'avant : c'est toujours ceux qui travaillent le plus qui bouffent le moins, et tout le monde continue à trouver ça très bien.

— Personne ici ne trouve ça bien, dit Henri.

— Mais tout le monde s'en arrange, dit Nadine d'une voix irritée. Déjà, c'est assez dégoûtant d'être obligé de perdre son temps à travailler : si c'est pour ne même pas manger à sa faim, moi j'aimerais mieux me faire gangster.

— Je suis bien d'accord, nous sommes tous d'accord, dit Henri. Mais attendez un peu, vous êtes trop pressée. »

Nadine l'interrompit : « Vous parlez si on me l'a expliqué en long et en large à la maison, qu'il faut attendre; mais je me méfie des explications. » Elle haussa les épaules : « Pour de vrai, personne n'essaie rien.

— Et vous? dit Henri en souriant. Est-ce que vous essayez quelque chose?

— Moi? Je n'ai pas l'âge qu'il faut, dit Nadine; je compte pour du beurre. »

Henri se mit à rire franchement

— Ne vous désolez pas; ça viendra, l'âge; ça viendra vite!

— Vite! il faut trois cent soixante-cinq jours pour faire une année!

dit Nadine. Elle baissa la tête et pendant un moment elle rumina en silence; brusquement elle leva les yeux : « Emmenez-moi.

— Où ça? dit Henri.

— Au Portugal. »

Il sourit : « Ça ne me paraît pas très possible.

— Il suffirait que ça le soit un peu. » Il ne répondit pas et elle demanda d'une voix insistante : « Pourquoi ça n'est pas possible?

— D'abord on ne me donnerait pas deux ordres de mission.

— Allons donc! vous connaissez tout le monde. Dites que je suis votre secrétaire. » La bouche de Nadine riait mais son regard était passionnément sérieux. Il dit sérieusement :

— Si j'emmenais quelqu'un, ça serait Paule.

— Elle n'aime pas les voyages.

— Mais elle serait contente de m'accompagner.

— Ça fait dix ans qu'elle vous voit tous les jours, et elle n'en a pas fini : un mois de plus ou de moins, qu'est-ce que ça peut lui faire?

De nouveau Henri sourit : « Je vous rapporterai des oranges. »

Le visage de Nadine se durcit, et Henri eut devant les yeux le masque intimidant de Dubreuilh : « Vous savez que je n'ai plus huit ans.

— Je sais.

— Non; pour vous je serai toujours la sale môme qui donnait des coups de pied dans la cheminée.

— Pas du tout; la preuve c'est que je vous ai invitée à danser.

— Oh! c'est une soirée de famille. Mais vous ne m'inviteriez pas à sortir avec vous. »

Il la dévisagea avec sympathie. En voilà une au moins qui souhaitait changer d'air; elle souhaitait un tas de choses : d'autres choses. Pauvre môme! c'est vrai qu'elle n'avait eu l'occasion de rien. L'Ile-de-France à bicyclette, c'est à peu près tout ce qu'elle avait fait comme voyage; une austère jeunesse, et puis ce garçon était mort; elle semblait s'être vite consolée, mais ça devait être tout de même un sale souvenir.

— Eh bien, vous vous trompez, dit-il. Je vous invite.

— C'est vrai? Les yeux de Nadine brillaient. Elle devenait beaucoup plus gentille à regarder quand son visage s'animait.

— Le samedi soir je ne vais pas au journal : retrouvons-nous à huit heures au Bar Rouge.

— Et qu'est-ce qu'on fera?

— Vous déciderez.

— Je n'ai pas d'idée.

— D'ici là j'en aurai. Venez boire un verre.

— Je ne bois pas, mais je mangerais bien encore un sandwich.

Ils s'approchèrent du buffet; Lenoir et Julien étaient en train de se disputer : c'était chronique. Chacun reprochait à l'autre d'avoir trahi sa jeunesse de la manière qui n'était pas la bonne. Autrefois, trouvant l'extravagance du surréalisme trop mesurée, ils avaient fondé ensemble le mouvement « para-humain ». Lenoir était devenu professeur de

sanskrit et il écrivait des poèmes hermétiques; Julien était bibliothécaire et il avait cessé d'écrire, peut-être parce qu'après de précoces
succès il avait redouté une mûre médiocrité.

— Qu'est-ce que tu en penses? dit Lenoir. Il faut prendre des
mesures contre les écrivains collabo, non?

— Ce soir je ne pense pas! dit Henri gaiement.

— Mauvaise tactique de les empêcher de publier, dit Julien; pendant que vous rédigerez à tour de bras vos libelles, eux ils prendront
tout leur temps et ils écriront de bons livres.

Une main impérieuse se posa sur l'épaule d'Henri : Scriassine.

— Regarde ce que j'apporte : du whisky américain; j'ai pu en passer deux bouteilles; le premier réveillon parisien : c'est une bonne
occasion pour les boire.

— Magnifique! dit Henri. Il remplit un verre de bourbon qu'il tendit à Nadine.

— Je ne bois pas, dit-elle d'un air offensé.

Elle tourna les talons et Henri porta le verre à sa bouche; il avait
tout à fait oublié ce goût; à vrai dire, autrefois il buvait plutôt du scotch,
mais comme il avait aussi oublié le goût du scotch ça ne faisait
guère de différence :

— Qui veut un coup de vrai whisky?

Luc s'approcha, en traînant ses gros pieds goutteux, Lambert et
Vincent le suivaient. Ils remplirent leurs verres.

— J'aime mieux une bonne fine, dit Vincent.

— Ce n'est pas mauvais, dit Lambert sans conviction; il interrogea
du regard Scriassine : « C'est vrai qu'ils en boivent douze par jour,
en Amérique?

— *Ils*, qui ça *ils?* dit Scriassine. Il y a cent cinquante millions d'Américains et ils ne ressemblent pas tous aux héros d'Hemingway. » Sa
voix était désagréable; il n'était pas souvent aimable avec les types
plus jeunes que lui; il se tourna délibérément vers Henri :

— Je viens de causer sérieusement avec Dubreuilh; je suis très
inquiet.

Il avait l'air préoccupé; c'était son air habituel; on aurait dit que
tout ce qui se passait là où il était et même là où il n'était pas le concernait personnellement. Henri n'avait aucune envie de partager ses inquiétudes. Il demanda du bout des lèvres :

— Pourquoi donc?

— Ce mouvement qu'il est en train de constituer, je pensais qu'il
aurait pour but essentiel de décrocher le prolétariat du P. C. Et ce
n'est pas du tout ce que Dubreuilh semble envisager, dit Scriassine
d'une voix sombre.

— Non, pas du tout, dit Henri.

Il pensa avec accablement : « Voilà le genre de conversation que j'aurai à subir à longueur de journée, quand je me serai laissé embringuer par Dubreuilh. » De nouveau il se sentit envahi de la tête aux
pieds par une envie dévorante d'être ailleurs.

Scriassine le regarda dans les yeux : « Tu marches avec lui?

— A très petits pas, dit Henri. La politique, ce n'est pas mon fort.

— Tu n'as sans doute pas compris ce que Dubreuilh est en train de mijoter », dit Scriassine. Il fixa sur Henri un regard réprobateur : « Il rassemble une gauche soi-disant indépendante mais qui accepte l'unité d'action avec les communistes.

— Oui, je sais, dit Henri. Alors?

— Eh bien, il fait leur jeu; il y a un tas de gens que le communisme effraie et qu'il va rapprocher d'eux.

— Ne me dis pas que tu es contre l'unité d'action, dit Henri. Ça serait joli si la gauche commençait à se diviser!

— Une gauche asservie aux communistes! c'est une mystification, dit Scriassine. Si vous êtes décidés à marcher avec eux, inscrivez-vous au P. C. ça sera plus franc.

—Pas question. Sur un tas de points, on n'est pas d'accord! » dit Henri.

Scriassine haussa les épaules : « Alors d'ici trois mois les staliniens vous dénonceront comme social-traîtres.

— On verra », dit Henri.

Il n'avait aucune envie de poursuivre la discussion mais Scriassine plongea son regard dans le sien : « On m'a dit que L'Espoir a beaucoup de lecteurs dans la classe ouvrière. C'est vrai?

— C'est vrai.

— Ainsi tu as en main le seul journal non communiste qui atteigne le prolétariat! tu te rends compte de tes responsabilités?

— Je me rends compte.

— Si tu mets L'Espoir au service de Dubreuilh, tu es complice d'une manœuvre dégoûtante, dit Scriassine. Dubreuilh a beau être ton ami ajouta-t-il, il faut le contrer.

— Écoute, pour ce qui est du journal, il ne sera jamais au service de personne : ni de Dubreuilh ni de toi, dit Henri.

— Il faudra bien qu'un de ces jours L'Espoir définisse son programme politique, dit Scriassine.

— Non. Je n'aurai jamais de programme a priori, dit Henri. Je tiens à dire ce que je pense, comme je le pense, sans me laisser enrégimenter.

— Ça ne tient pas debout », dit Scriassine.

La voix placide de Luc s'éleva soudain : « Nous ne voulons pas de programme politique parce que nous voulons sauver l'unité de la Résistance. »

Henri se versa un verre de bourbon. « Tout ça c'est des conneries! » grommela-t-il entre ses dents. Luc n'avait que ces mots à la bouche : l'esprit de la Résistance, l'unité de la Résistance. Et Scriassine voyait rouge dès qu'on lui parlait de l'U. R. S. S. Ils auraient mieux fait de s'en aller délirer chacun dans son coin. Henri vida son verre. Il n'avait pas besoin qu'on lui donne de conseils, il avait ses idées à lui sur ce que doit être un journal. Bien sûr, L'Espoir serait amené à prendre parti politiquement : mais en toute indépendance. Si Henri avait gardé le journal, ce n'était pas pour en faire un canard pareil à ceux d'avant-guerre; en ce temps-là, toute la presse bluffait le public à coups d'auto-rité; on avait vu le résultat : privés de leur oracle quotidien, les gens avaient été complètement désorientés. Aujourd'hui, tout le monde s'entendait à peu près sur l'essentiel, finies les polémiques et les cam-pagnes partisanes : il fallait en profiter pour former les lecteurs au lieu de leur bourrer le crâne. Non pas leur dicter des opinions, mais leur apprendre à juger par eux-mêmes. Ce n'était pas simple; souvent ils exigeaient des réponses; il ne fallait pas leur donner une impression d'ignorance, de doute, d'incohérence. Mais justement, c'était ça la gageure : mériter leur confiance au lieu de la leur voler. La preuve que la méthode rendait, c'est qu'on achetait *L'Espoir* un peu partout. « Pas la peine de reprocher aux communistes leur sectarisme si on est aussi dogmatique qu'eux », se dit Henri. Il interrompit Scriassine :

— Tu ne crois pas qu'on pourrait remettre cette discussion à un autre jour?

— Soit; prenons rendez-vous, dit Scriassine. Il tira un carnet de sa poche. Je pense qu'il est urgent de confronter nos positions.

— Attendons jusqu'à mon retour de voyage, dit Henri.

— Tu pars en voyage? Un voyage d'information?

— Non, d'agrément.

— Maintenant?

— Eh oui! dit Henri.

— Est-ce que ce n'est pas une désertion? dit Scriassine.

— Une désertion? dit Henri gaiement. Je ne suis pas soldat. Il désigna du menton Claudie de Belzunce : « Tu devrais faire danser Claudie, cette dame très nue qui a des bijoux partout; c'est une vraie femme du monde et elle t'admire beaucoup.

— Les femmes du monde, c'est un de mes vices », dit Scriassine avec un petit sourire. Il secoua la tête : « J'avoue que je ne comprends pas. »

Il alla inviter Claudie; Nadine dansait avec Lachaume, Dubreuilh et Paule tournaient autour de l'arbre de Noël : elle n'aimait pas Dubreuilh, mais souvent il réussissait à la faire rire.

— Tu as joliment scandalisé Scriassine! dit Vincent gaiement.

— Ça les scandalise tous que je parte en voyage, dit Henri. Dubreuilh le premier.

— Ils sont formidables! dit Lambert. Tu en as fait plus qu'eux, non? Tu as bien le droit de prendre des vacances!

« Décidément, se dit Henri, c'est avec les jeunes que je m'entends le mieux. » Nadine l'enviait, Vincent et Lambert le comprenaient : eux aussi, dès qu'ils avaient pu, ils s'étaient dépêchés d'aller voir ce qui se passait ailleurs, ils s'étaient tout de suite fait inscrire comme cor-respondants de guerre. Il resta longtemps avec eux et ils se racontèrent pour la centième fois les fameuses journées où ils avaient occupé les bureaux du journal, où on vendait *L'Espoir* au nez des Allemands pen-dant qu'Henri écrivait son éditorial avec un revolver dans son tiroir.

Ce soir, il trouvait un charme tout neuf à ces vieilles histoires parce qu'il les entendait de très loin : il était couché sur du sable tendre, la mer était bleue, il pensait avec nonchalance à des temps révolus, à des amis lointains et il s'enchantait d'être seul et libre; il était heureux.

Soudain il se retrouva dans le studio rouge, à quatre heures du matin. Beaucoup de gens étaient déjà partis, tous allaient partir, et il resterait avec Paule. Il faudrait lui parler, la caresser.

— Petit chou, ta soirée était un chef-d'œuvre, dit Claudie en embrassant Paule. Et tu as une voix merveilleuse. Si tu voulais, tu serais une des lionnes de l'après-guerre.

— Je n'en demande pas tant, dit Paule gaiement.

Non, elle n'avait pas ce genre d'ambition. Il savait ce qu'elle souhaitait : se retrouver la plus belle des femmes dans les bras de l'homme le plus glorieux du monde; et ça ne serait pas un petit travail que de la faire changer de rêve. Les derniers invités s'en allaient : brusquement le studio fut vide; il y eut du bruit dans l'escalier, des pas martelèrent le silence de la rue et Paule se mit à ramasser les verres oubliés sous les fauteuils.

— Claudie a raison, dit Henri; ta voix est toujours aussi belle. Voilà si longtemps que je ne t'avais pas entendue! Pourquoi ne chantes-tu plus jamais?

Le visage de Paule s'éclaira : « Tu aimes ma voix? Tu veux que je chante pour toi, quelquefois?

— Bien sûr. » Il sourit : « Tu ne sais pas ce que m'a dit Anne : c'est que tu devrais recommencer à chanter en public. »

Paule le regarda d'un air scandalisé : « Ah! non! ne me parle pas de ça. C'est une affaire réglée depuis longtemps.

— Et pourquoi? dit Henri. Tu as vu comme ils ont applaudi? Ils étaient tous remués. Il y a un tas de boîtes qui s'ouvrent en ce moment et les gens ont envie de vedettes neuves... »

Paule l'interrompit : « Non, je t'en supplie, n'insiste pas. M'exhiber en public : ça me ferait horreur. N'insiste pas », répéta-t-elle d'une voix implorante.

Il la dévisagea avec perplexité : « Horreur? dit-il d'un ton incertain. Je ne comprends pas : ça ne te faisait pas horreur autrefois, et tu n'as pas vieilli, tu sais, tu as même encore embelli.

— C'était une autre époque de ma vie, dit Paule, une époque enterrée à jamais. Je chanterai pour toi et pour personne d'autre », ajouta-t-elle avec tant de passion qu'Henri se tut. Mais il se promit de revenir à la charge. Il y eut un silence et elle dit : « Nous montons?

— Montons. »

Paule s'assit sur le lit; elle détacha ses boucles d'oreilles et fit glisser ses bagues : « Tu sais, dit-elle d'une voix apaisée, si j'ai eu l'air de blâmer ton voyage, je m'excuse.

— Quelle idée! tu as bien le droit de ne pas aimer les voyages et de le dire », dit Henri. Ça le mettait mal à l'aise de penser que pendant toute la soirée elle avait scrupuleusement entretenu ce remords.

— Je comprends parfaitement que tu aies envie de partir, dit-elle; je comprends même très bien que tu veuilles partir sans moi.

— Ce n'est pas que je veuille.

Elle l'interrompit d'un geste. « Tu n'as pas besoin d'être poli. » Elle posa ses mains à plat sur ses genoux; les yeux fixes, le buste très droit, elle avait l'air d'une calme pythie. « Je n'ai jamais songé à t'enfermer dans notre amour. Tu ne serais pas toi-même si tu ne souhaitais pas des horizons nouveaux, des aliments nouveaux. » Elle se pencha en avant et posa sur lui son regard figé. « Il me suffit de t'être nécessaire. »

Henri ne répondit pas. Il ne voulait ni la désespérer, ni l'encourager. « Si du moins je pouvais lui en vouloir! » pensait-il. Mais non, pas un grief.

Paule se leva et sourit; son visage redevint humain; elle mit ses mains sur les épaules d'Henri, sa joue contre sa joue : « Tu pourrais te passer de moi?

— Tu sais bien que non.

— Oui, je sais, dit-elle gaiement; tu me dirais le contraire que je ne te croirais pas. »

Elle marcha vers la salle de bains; c'était impossible de ne pas lui abandonner de temps à autre un lambeau de phrase, un sourire; elle embaumait ces reliques dans son cœur et elle leur extorquait des miracles quand par hasard sa foi vacillait. « Mais malgré tout, au fond, elle sait que je ne l'aime plus », se dit-il pour se rassurer. Il commença à se déshabiller et enfila son pyjama. Elle le savait, soit, mais ça n'avançait à rien tant qu'elle n'y consentait pas. Il entendit un bruit de soie froissée, puis un bruit d'eau et de cristal : ces bruits qui lui coupaient la respiration, autrefois. Il se dit avec malaise : « Non, pas ce soir. » Paule apparut dans l'embrasure de la porte, les cheveux épars sur les épaules, grave et nue; elle était presque aussi parfaite qu'autrefois, seulement pour Henri toute cette beauté ne signifiait plus rien. Elle se glissa sous les draps et se serra contre lui sans un mot : il ne trouvait aucun prétexte pour la repousser; déjà elle soupirait avec extase en se collant plus étroitement à lui; il se mit à caresser l'épaule, les flancs familiers, et il sentit que son sang affluait docilement dans son sexe : tant mieux; Paule n'aurait pas été d'humeur à se contenter d'un baiser sur la tempe et ça prendrait bien moins de temps de la satisfaire que de s'expliquer. Il embrassa la bouche brûlante qui s'ouvrit sous la sienne selon la routine ordinaire; mais au bout d'un instant, Paule quitta ses lèvres, et il l'entendit avec gêne murmurer de vieux mots qu'il ne lui disait plus jamais : « Je suis toujours ta belle grappe de glycine?

— Toujours.

— Et tu m'aimes? dit-elle en posant la main sur le sexe gonflé. C'est vrai que tu m'aimes toujours? »

Il ne se sentait pas le courage de provoquer un drame; il était résigné à tous les aveux et elle le savait : « C'est vrai.

— Tu es à moi?

— Je suis à toi.

— Dis-moi que tu m'aimes, dis-le.

— Je t'aime. »

Elle eut un long râle crédule; il l'étreignit avec violence, il étouffa sa bouche sous ses lèvres; sans attendre il entra en elle : pour avoir plus vite fini. En elle il faisait rouge comme dans le studio trop rouge; elle se mit à gémir et à crier des mots, comme autrefois. Mais autrefois l'amour d'Henri la protégeait; ses cris, ses plaintes, ses rires, ses morsures étaient des offrandes sacrées; aujourd'hui il était couché sur une femme égarée qui disait des paroles obscènes et dont les griffes faisaient mal. Il avait horreur d'elle et de lui. La tête renversée, les yeux clos, les dents nues, elle était si totalement donnée, si affreusement perdue qu'il eut envie de la gifler pour la ramener sur terre, de lui dire : C'est toi, c'est moi et nous faisons l'amour, c'est tout. Il lui semblait violer une morte ou une folle et il n'arrivait pas à se délivrer de son plaisir. Quand enfin il se laissa retomber sur Paule, il entendit un gémissement triomphant; elle murmura :

— Tu es heureux?

— Bien sûr.

— Je suis tellement heureuse! dit-elle; elle le regardait avec des yeux illuminés où brillaient des larmes. Il cacha contre son épaule ce visage à l'éclat insoutenable. « Les amandiers seront en fleur..., se dit-il en fermant les yeux. Et il y aura des oranges sur les orangers. »

II

Non, ce n'est pas aujourd'hui que je connaîtrai ma mort; ni aujourd'hui, ni aucun jour. Je serai morte pour les autres sans jamais m'être vue mourir.

J'ai refermé les yeux, mais sans pouvoir me rendormir. Pourquoi la mort a-t-elle de nouveau traversé mes rêves? elle rôde, je la sens qui rôde. Pourquoi?

Je n'ai pas toujours su que je mourrais. Enfant, j'ai cru en Dieu. Une robe blanche et deux ailes lustrées m'attendaient dans les vestiaires du ciel : je souhaitais crever les nuées. Je m'étendais sur mon édredon, les mains jointes, et je m'abandonnais aux délices de l'au-delà. Parfois dans mon sommeil je me disais : « Je suis morte » et ma voix vigilante me garantissait l'éternité. Le silence de la mort, c'est avec horreur que je l'ai découvert. Une sirène expirait au bord de la mer; pour l'amour d'un jeune homme elle avait renoncé à son âme immortelle et il ne restait d'elle qu'un peu d'écume blanche sans souvenir, sans voix. Je me disais pour me rassurer : « C'est un conte! »

Ce n'était pas un conte. C'est moi la sirène. Dieu est devenu une idée abstraite au fond du ciel et un soir je l'ai effacée. Je n'ai jamais regretté Dieu : il me volait la terre. Mais un jour, j'ai compris qu'en renonçant à lui je m'étais condamnée à mort; j'avais quinze ans; dans l'appartement désert, j'ai crié. En reprenant mes sens, je me suis demandé : « Comment les autres gens font-ils? Comment ferai-je? Est-ce que je vais vivre avec cette peur? »

Du moment où j'ai aimé Robert, je n'ai plus jamais eu peur, de rien. Je n'avais qu'à prononcer son nom et j'étais en sécurité. Il travaille dans la pièce voisine : je peux me lever et ouvrir la porte... Mais je reste couchée : je ne suis pas certaine qu'il n'entende pas lui aussi ce petit bruit rongeur. La terre craque sous nos pieds; au-dessus de nos têtes, il y a un abîme, et je ne sais plus qui nous sommes, ni ce qui nous attend.

Je me suis redressée en sursaut, j'ai ouvert les yeux : comment admettre que Robert soit en danger? comment le tolérer? Il ne m'a rien dit de vraiment inquiétant, il n'a rien dit de neuf. Je suis fatiguée, j'ai trop bu, c'est un petit délire de quatre heures du matin. Mais qui peut décider à quelle heure on y voit clair? N'est-ce pas quand je croyais être encore en sécurité que je délirais? et est-ce que je le croyais vraiment?

Je ne peux pas me rappeler; nous n'étions pas très attentifs à notre propre vie. Les événements seuls comptaient : l'exode, le retour, les sirènes, les bombes, les queues, nos réunions, les premiers numéros de *L'Espoir*. Dans le studio de Paule une chandelle brune crachait des escarbilles, avec deux boîtes de conserves nous avions fabriqué un réchaud où nous faisions brûler du papier, la fumée nous piquait les yeux. Dehors il y avait des flaques de sang, le claquement des balles, le grondement des canons et des tanks; c'était en nous tous le même silence, la même faim, le même espoir. Chaque matin nous étions réveillés par la même question : la croix gammée flotte-t-elle encore sur le Sénat? c'était la même fête dans nos cœurs lorsque nous dansions carrefour Montparnasse autour d'un feu de joie. Et puis l'automne a passé et tout à l'heure, tandis qu'aux lumières de l'arbre de Noël nous achevions d'oublier nos morts, je me suis avisée que nous recommencions à exister, chacun pour soi. « Tu crois que le passé peut ressusciter? » demandait Paule; et Henri m'a dit : « J'ai envie d'écrire un roman gai. » Ils peuvent de nouveau parler à voix haute, publier leurs livres, ils discutent, ils s'organisent, ils font des projets, c'est pour ça qu'ils sont tous heureux : enfin, presque tous; ce n'est pas le moment que je devrais choisir pour me tourmenter. C'est fête cette nuit : le premier Noël de paix; le dernier Noël à Buchenwald, le dernier Noël sur terre, le premier Noël que Diégo n'a pas vécu. Nous dansions, nous nous embrassions autour de l'arbre scintillant de promesses, et ils étaient nombreux, ah! si nombreux à ne pas être là! Personne n'avait recueilli leurs dernières paroles et ils n'étaient enterrés nulle part : le vide les avait engloutis. Deux jours après la Libération Geneviève avait touché un cercueil : était-ce bien le bon? On n'avait pas retrouvé le corps de Jacques; un camarade prétendait qu'il avait enterré des carnets sous un arbre : quels carnets? quel arbre? Sonia avait fait demander un pull-over et des bas de soie, et puis elle n'avait plus jamais rien demandé. Où étaient les os de Rachel et ceux de la très belle Rosa? Dans ses bras qui tant de fois avaient étreint le doux corps de Rosa, Lambert serrait Nadine, et Nadine riait comme au temps où Diégo la serrait dans ses bras. Je regardais l'allée de sapins au fond des grands miroirs, et je pensais : Voici les bougies, le houx, le gui qu'ils ne voient pas; tout ce qui m'est donné, je le leur vole. « On les a abattus. » Qui le premier? son père ou lui? la mort n'entrait pas dans ses plans : a-t-il su qu'il allait mourir? s'est-il révolté, résigné? comment savoir? et maintenant qu'il est mort, quelle importance?

Pas d'anniversaire, pas de tombe : c'est pour ça que je le cherche encore à tâtons à travers cette vie qu'il aimait avec tumulte. Je tends la main vers la poire électrique, je la laisse retomber: dans mon secré-taire il y a une photographie de Diégo mais j'aurai beau la regarder pendant des heures, jamais je ne retrouverai sous la broussaille des cheveux son visage de chair, ce visage où tout était trop grand : les yeux, le nez, les oreilles, la bouche. Il était assis dans le bureau et Robert demandait : « En cas de victoire nazie, que feriez-vous? » Il a répondu : « La victoire nazie n'entre pas dans mes plans. » Ses plans, c'était d'épouser Nadine et de devenir un grand poète. Il aurait réussi, peut-être : à seize ans, il savait déjà changer les mots en braise; peut-être n'avait-il besoin que de très peu de temps : cinq ans, quatre ans. Il vivait si vite. Nous nous pressions autour du radiateur électrique, et je m'amusais à le regarder dévorer Hegel ou Kant : il tournait les pages aussi rapidement que s'il eût feuilleté un roman policier; et le fait est qu'il comprenait. Seuls ses rêves étaient lents.

Il passait chez nous presque tout son temps. Son père était un Juif espagnol qui s'entêtait à gagner de l'argent dans les affaires; il se disait protégé par le consul d'Espagne. Diégo lui reprochait son luxe et une opulente maîtresse blonde. Notre austérité lui plaisait. Et puis il était à l'âge où on admire, il admirait Robert : il était venu un jour lui appor-ter ses poèmes et c'est ainsi que nous l'avions connu. Dès l'instant où il avait rencontré Nadine, il lui avait donné impétueusement son amour : son premier, son unique amour; elle avait été bouleversée de se sentir enfin nécessaire. Elle avait installé Diégo à la maison. Il avait de l'af-fection pour moi, bien qu'il me trouvât trop raisonnable. Le soir, Nadine exigeait que j'aille la border, comme naguère, et couché à côté d'elle il me demandait : « Et moi? vous ne m'embrassez pas? » Je l'em-brassais. Cette année-là nous avons été des amies, ma fille et moi. Je lui savais gré d'être capable d'un sincère amour; elle m'était reconnais-sante de ne pas avoir contrarié son cœur. Pourquoi l'aurais-je fait? Elle n'avait que dix-sept ans : mais nous pensions Robert et moi qu'il n'est jamais trop tôt pour le bonheur.

Ils savaient être heureux avec tant de fougue! Près d'eux, je retrou-vais ma jeunesse. « Venez dîner avec nous, viens, ce soir c'est fête », disaient-ils en me tiraillant chacun par un bras. Ce jour-là, Diégo avait volé à son père une pièce d'or : il aimait mieux prendre que recevoir, c'était de son âge; il avait monnayé sans peine son trésor et il avait passé l'après-midi avec Nadine sur les montagnes russes de Luna Park. Quand je les rencontrai le soir dans la rue, ils étaient en train de dévorer une énorme tarte achetée dans l'arrière-boutique d'un boulanger : c'était leur manière de s'ouvrir l'appétit. Robert, convié par téléphone, refusa de quitter son travail; moi je les accompagnai. Leurs visages étaient barbouillés de marmelade, leurs mains noires de toute la poussière des foires, et il y avait dans leurs yeux l'arrogance des criminels heureux; le maître d'hôtel crut certainement qu'ils venaient dépenser en hâte l'argent d'un mauvais coup. Il nous désigna une table tout au fond et demanda avec une politesse glacée : « Monsieur n'a pas de veston? » Sur le vieux chandail troué de Diégo, Nadine jeta sa propre veste, découvrant un corsage froissé et sali : on nous servit cependant. Ils commandèrent d'abord des glaces, et des sardines, et puis des steaks, des frites, des huîtres et encore des glaces. « De toute manière, ça se mélange dans l'estomac », m'expliquaient-ils en pataugeant à pleine bouche dans l'huile et dans la crème. Ils étaient si joyeux de manger à leur faim! J'avais beau faire, nous avions toujours plus ou moins faim. « Mange, mangez », me disaient-ils avec autorité. Et ils mirent dans leurs poches des morceaux de pâté pour Robert.

Ce fut à peu de temps de là qu'un matin les Allemands sonnèrent chez M. Serra : le consul d'Espagne avait été changé sans qu'il en fût avisé. Diégo avait dormi chez son père, cette nuit-là. La blonde ne fut pas inquiétée. « Dites à Nadine de ne pas avoir peur pour moi, dit Diégo. Je reviendrai parce que je veux revenir. » Ce furent les derniers mots qu'on recueillit de lui; toutes ses autres paroles se sont englouties à jamais, lui qui aimait tant parler.

C'était le printemps, le ciel était très bleu, les pêchers étaient roses. Quand nous roulions à bicyclette, Nadine et moi, entre les jardins pavoisés, il y avait dans nos poumons la gaieté des week-ends de paix. Les gratte-ciel de Drancy crevaient brutalement ces mensonges. La blonde avait versé trois millions à un Allemand nommé Félix qui nous transmettait des messages des prisonniers et qui avait promis de les faire évader; deux fois, à travers des lorgnettes, nous pûmes apercevoir Diégo à une lointaine fenêtre; on avait rasé ses boucles laineuses et ce n'était plus tout à fait lui qui nous souriait : son image mutilée flottait hors du monde.

Par un après-midi de mai nous avons trouvé les grandes casernes désertes; des paillasses prenaient l'air sur le rebord des fenêtres ouvertes sur des chambres vides. On nous dit au café où nous garions nos bicyclettes que trois trains avaient quitté la gare dans la nuit. Debout contre la muraille des barbelés, nous avons guetté longtemps. Et soudain nous avons distingué très loin, très haut, deux silhouettes solitaires qui se penchaient vers nous. Le plus jeune a agité son béret d'un grand geste triomphal : Félix n'avait pas menti, Diégo n'avait pas été embarqué. La joie nous suffoquait tandis que nous roulions vers Paris.

« Ils sont dans un camp de prisonniers américains, nous dit la blonde, ils vont bien, ils prennent des bains de soleil. » Mais elle ne les avait pas vus; nous leur avons envoyé des chandails, du chocolat; ils nous remerciaient par la bouche de Félix; mais aucun message écrit ne nous parvenait plus; Nadine a réclamé un signe : la bague de Diégo, une mèche de cheveux; mais justement on les avait changés de camp, ils étaient quelque part, loin de Paris. Peu à peu leur absence a cessé de se situer en aucun lieu : ils furent absents, rien de plus. N'être nulle part, ne plus être, ça ne fait pas beaucoup de différence. Il n'y a rien eu de changé quand Félix dit enfin avec mauvaise humeur : « Il y a bien longtemps qu'on les a abattus. »

Nadine a hurlé pendant des nuits. Du soir au matin, je la gardais dans mes bras. Et puis elle a retrouvé le sommeil; d'abord Diégo venait dans ses rêves la nuit et il avait un air méchant. Un peu plus tard, son fantôme même s'est évaporé. Elle a raison, ce n'est pas vrai que je la blâme. Que faire d'un cadavre? Je sais : on les utilise pour confectionner des drapeaux, des boucliers, des fusils, des décorations, des porte-voix et aussi des bibelots d'appartement : mieux vaut encore laisser leurs cendres en paix. Des monuments ou de la poussière : et ils avaient été nos frères. Mais nous n'avons pas le choix : pourquoi nous ont-ils quittés? Qu'ils nous laissent en paix eux aussi. Oublions-les. Restons entre nous. Nous avons déjà bien assez à faire avec nos vies. Les morts sont morts; pour eux, il n'y a pas de problèmes; mais nous les vivants, après cette nuit de fête, nous allons nous réveiller; et alors comment vivrons-nous?

Nadine riait avec Lambert, un disque tournait, le plancher tremblait sous nos pieds, les flammèches bleues vacillaient. Je regardais Sézenac qui était couché de tout son long sur un tapis : il rêvait sans doute aux jours glorieux où il se promenait dans Paris avec son fusil en bandoulière. Je regardais Chancel qui avait été condamné à mort par les Allemands et échangé à la dernière minute contre un de leurs prisonniers; et Lambert dont le père avait dénoncé la fiancée, et Vincent qui avait achevé de sa main douze miliciens. Que vont-ils faire de ce passé si lourd, si court, et de leur avenir informe? Est-ce que je saurai les aider? Aider c'est mon métier : je peux les étendre sur un divan et leur faire raconter leurs rêves; mais je ne ressusciterai pas Rosa, ni les douze miliciens que Vincent a achevés de sa main. Et même si je réussis à neutraliser leur passé, quel avenir ai-je à leur offrir? J'estompe les peurs, je lime les rêves, je rogne les désirs, j'adapte, j'adapte, mais à quoi les adapterai-je? Je ne vois plus rien autour de moi qui tienne debout.

Décidément, j'ai trop bu; ce n'est pas moi qui ai créé le ciel et la terre, personne ne me demande de comptes : pourquoi est-ce que je suis tout le temps en train de m'occuper des autres? je ferais aussi bien de m'occuper un peu de moi. J'appuie ma joue contre l'oreiller; je suis là, c'est moi : l'ennui, c'est que sur moi, je ne trouve rien à penser. Oh! si on me demande qui je suis, je peux montrer mon fichier;

pour devenir analyste, j'ai dû me faire analyser; on m'a trouvé un complexe d'Œdipe assez prononcé qui explique mon mariage avec un homme de vingt ans plus âgé que moi, une nette agressivité par rapport à ma mère, quelques tendances homosexuelles qui se sont convenablement liquidées. Je dois à mon éducation catholique un surmoi fortement développé : c'est là la raison de mon puritanisme et de la déficience de mon narcissisme. L'ambivalence des sentiments que je porte à ma fille provient de mon inimitié à l'égard de ma mère, de mon indifférence envers moi-même. Mon histoire est des plus classiques, elle s'est très docilement pliée aux cadres prévus. Aux yeux des catholiques mon cas est aussi fort banal : j'ai cessé de croire en Dieu lorsque j'ai découvert les tentations de la sensualité; mon mariage avec un incroyant a achevé de me perdre. Socialement, nous sommes Robert et moi des intellectuels de gauche. Rien de tout cela n'est tout à fait inexact. Me voilà donc clairement cataloguée et acceptant de l'être, adaptée à mon mari, à mon métier, à la vie, à la mort, au monde, à ses horreurs. C'est moi, tout juste moi, c'est-à-dire personne.

N'être personne, c'est somme toute un privilège. Je les regardais aller et venir à travers le studio eux tous qui avaient des noms, et je ne les enviais pas. Robert, soit, il était prédestiné; mais les autres, comment osent-ils? Comment peut-on être assez arrogant ou assez étourdi pour se jeter en pâture à une meute d'inconnus? leurs noms se salissent dans des milliers de bouches; les curieux crochètent leur pensée, leur cœur, leur vie : si j'étais livrée moi aussi à la cupidité de tous ces chiffonniers, je finirais par me prendre pour un monceau d'ordures. Je me félicitais de n'être pas quelqu'un.

Je me suis approchée de Paule; la guerre n'a pas abattu son élégance agressive; elle portait une longue jupe de soie aux reflets violets, et à ses oreilles des grappes d'améthystes.

— Tu es bien belle ce soir, dis-je.

Elle jeta un coup d'œil sur une des grandes glaces.

— Oui, je suis belle, dit-elle tristement.

Elle était belle, mais sous ses yeux il y avait des cernes assortis à la couleur de sa toilette; au fond, elle savait très bien qu'Henri aurait pu l'emmener au Portugal, elle en savait plus long qu'elle ne le prétendait.

— Tu dois être contente : tu l'as réussi ton réveillon!

— Henri aime tant les fêtes, dit Paule. Ses deux mains chargées de bagues d'évêque lissaient machinalement la soie changeante de sa robe.

— Tu ne vas pas nous chanter quelque chose? ça me ferait plaisir de t'entendre.

— Chanter? dit-elle avec surprise.

— Oui, chanter, dis-je en riant; tu as oublié qu'autrefois tu chantais?

— Autrefois, c'est loin, dit-elle.

— Plus maintenant; maintenant c'est de nouveau comme autrefois.

— Tu crois? Son regard plongea tout au fond de mes yeux et on

aurait cru qu'il interrogeait par-delà mon visage une boule de verre :
« Tu crois que le passé peut ressusciter? »

Je savais quelle réponse elle attendait de moi, et j'ai ri avec un peu
de gêne : « Je ne suis pas un oracle. »

— Il faut que Robert m'explique ce que c'est que le temps », dit-elle
d'un ton méditatif.

Elle était prête à nier l'espace et le temps avant d'admettre que
l'amour pût n'être pas éternel. J'avais peur pour elle. Elle avait compris
pendant ces quatre ans qu'Henri ne lui accordait plus qu'une affection
ennuyée; mais depuis la Libération, je ne sais quel espoir fou s'était
réveillé dans son cœur.

— Tu te rappelles ce *negro spiritual* que j'aimais tant? tu ne veux
pas nous le chanter?

Elle a marché vers le piano, elle a soulevé le couvercle. Sa voix était
un peu sourde, mais toujours aussi émouvante. J'ai dit à Henri : « Elle
devrait paraître de nouveau en public. » Il a eu l'air étonné. Quand les
applaudissements se furent éteints, il s'est approché de Nadine et ils
se sont mis à danser : je n'aimais pas la façon dont elle le regardait.
Elle non plus, je n'avais aucun moyen de l'aider. Je lui avais donné
ma seule robe décente et prêté mon plus joli collier : c'était tout ce
que je pouvais faire. Inutile d'explorer ses rêves : je sais. Ce dont elle
a besoin, c'est de l'amour que Lambert est tout prêt à lui donner;
mais comment l'empêcher de le saccager? Pourtant, quand Lambert
était entré dans le studio, elle avait dévalé quatre à quatre le petit escalier du haut duquel elle nous surveillait d'un air de blâme; elle s'est
figée sur la dernière marche, embarrassée par son élan; il s'est avancé
vers elle, il lui a souri gravement :

— Je suis si heureux que tu sois venue!

Elle a dit d'un ton brusque :

— Je suis venue pour te voir.

Il était vraiment beau ce soir dans son élégant complet sombre;
il s'habille avec une recherche austère de quadragénaire; il a des manières
cérémonieuses, une voix posée, et il surveille ses sourires; mais le
désarroi de son regard, la douceur de sa bouche révèlent sa jeunesse.
Nadine est flattée par son sérieux, et rassurée par sa faiblesse; elle le
dévisageait avec une complaisance un peu niaise :

— Tu t'es bien amusé? il paraît que c'est si joli l'Alsace!

— Tu sais, dès qu'un paysage est militarisé, il devient lugubre.

Ils ont été s'asseoir sur une marche de l'escalier, ils ont causé, dansé
et ri pendant un long moment; et puis pour changer ils ont dû se disputer : avec Nadine ça finit toujours comme ça. Maintenant Lambert
était assis à côté du poêle, l'air fâché, et il n'était pas question d'aller
les chercher aux deux bouts du studio et de joindre leurs mains.

J'ai marché vers le buffet et j'ai bu un verre de fine. Mon regard est
descendu le long de ma jupe noire et s'est arrêté sur ma jambe : c'était
drôle de penser que j'avais une jambe, personne ne s'en doutait, pas
même moi; elle était mince et décidée sous sa robe de soie couleur de

pain brûlé, elle en valait bien une autre; et un jour elle serait enterrée sans avoir jamais existé : ça semblait injuste. J'étais absorbée à la contempler quand Scriassine est venu vers moi :

— Vous n'avez pas l'air de beaucoup vous amuser?

— Je fais ce que je peux.

— Il y a trop de jeunes gens, les jeunes gens ne sont jamais gais. Et beaucoup trop d'écrivains. D'un mouvement de menton, il désigna Lenoir, Pelletier, Cange : « Ils écrivent tous, n'est-ce pas?

— Tous.

— Vous, vous n'écrivez pas? »

Je dis en riant : « Grand Dieu non! »

Ses manières abruptes me plaisaient. Autrefois j'avais lu comme tout le monde son livre fameux *Le Paradis rouge*, mais surtout j'avais été émue par son ouvrage sur l'Autriche nazie : c'était bien mieux qu'un reportage, un témoignage passionné. Il avait fui l'Autriche après la Russie et il s'était fait naturaliser français; mais il avait passé ces quatre années en Amérique et nous l'avions rencontré pour la première fois cet automne. Il avait tout de suite tutoyé Robert et Henri, mais il n'avait jamais paru remarquer mon existence. Son regard se détourna de moi : « Je me demande ce qu'ils vont devenir.

— Qui?

— Les Français en général et ceux-ci en particulier. »

A mon tour je l'examinai; ce visage triangulaire, aux pommettes saillantes, aux yeux vifs et durs, à la bouche mince et presque féminine, ce n'était pas un visage français; l'U. R. S. S. était pour lui un pays ennemi, il n'aimait pas l'Amérique : pas un endroit sur terre où il se sentît chez lui.

— Je suis revenu de New York sur un bateau anglais, dit-il avec un petit sourire. Le steward m'a dit un jour : « Les pauvres Français, ils ne savent pas s'ils ont gagné la guerre ou s'ils l'ont perdue. » Ça me semble résumer assez bien la situation.

Il y avait dans sa voix une complaisance qui m'irrita. Je dis : « Les noms qu'on donne aux événements passés, c'est sans intérêt; ce qui est en question, c'est l'avenir.

— Justement, dit-il avec vivacité, pour réussir l'avenir, il faut regarder le présent en face; et j'ai l'impression que les gens d'ici ne se rendent pas du tout compte. Dubreuilh me parle d'une revue littéraire, Perron d'un voyage d'agrément : ils ont l'air de s'imaginer qu'ils pourront vivre comme avant la guerre.

— Et le ciel vous a envoyé pour leur dessiller les yeux? »

Ma voix était sèche et Scriassine sourit :

— Savez-vous jouer aux échecs?

— Très mal.

Il continuait à sourire, et toute pédanterie s'était effacée de son visage : nous étions depuis toujours d'intimes amis, des complices; j'ai pensé : Le voilà qui me fait du charme slave; mais le charme agissait, j'ai souri moi aussi.

— Aux échecs, quand j'assiste du dehors à une partie, je vois les coups bien plus lucidement que les joueurs, même si je ne suis pas plus fort qu'eux. Eh bien, ici c'est pareil : j'arrive du dehors; alors, je vois.

— Quoi?

— L'impasse.

— Quelle impasse?

Soudain c'est avec anxiété que je l'interrogeais; pendant si longtemps nous avions vécu entre nous, coude à coude et sans témoin : ce regard venu d'ailleurs m'inquiétait.

— Les intellectuels français sont dans une impasse. C'est leur tour, ajouta-t-il avec une espèce de satisfaction; leur art, leur pensée ne garderont un sens que si une certaine civilisation réussit à se maintenir; et s'ils veulent la sauver, il ne leur restera plus rien à donner à l'art ni à la pensée.

— Ce n'est pas la première fois que Robert fait activement de la politique, dis-je. Et ça ne l'a jamais empêché d'écrire.

— Oui, en 34 Dubreuilh a sacrifié beaucoup de son temps à la lutte antifasciste, dit Scriassine d'une voix urbaine; mais elle lui semblait moralement conciliable avec des préoccupations littéraires. Il ajouta avec une espèce de colère : « En France vous n'avez jamais senti dans toute son urgence la pression de l'histoire; en U. R. S. S., en Autriche, en Allemagne, c'était impossible de l'éluder. C'est pourquoi moi par exemple je n'ai pas écrit.

— Vous avez écrit.

— Croyez-vous que je ne rêvais pas aussi à d'autres livres? mais il n'en était pas question. » Il haussa les épaules : « Il fallait avoir derrière soi une sacrée tradition d'humanisme pour s'intéresser à des problèmes de culture face à Staline et à Hitler. Évidemment, reprit-il, au pays de Diderot, de Victor Hugo, de Jaurès, on s'imagine que la culture et la politique marchent la main dans la main. Paris s'est longtemps pris pour Athènes. Athènes n'existe plus, c'est fini.

— Pour ce qui est de sentir la pression de l'histoire, je crois que Robert pourrait vous rendre des points, dis-je.

— Je n'attaque pas votre mari, dit Scriassine avec un petit sourire qui refusait toute portée à mes paroles; il les réduisait à une explosion de loyauté conjugale. En fait, ajouta-t-il, je considère que les deux plus grands esprits de ce temps sont Robert Dubreuilh et Thomas Mann. Mais justement : si je prédis qu'il abandonnera la littérature, c'est que je fais confiance à sa lucidité. »

Je haussai les épaules; s'il voulait m'amadouer, il s'y prenait mal : je déteste Thomas Mann.

— Jamais Robert ne renoncera à écrire, dis-je.

— Ce qu'il y a de remarquable dans l'œuvre de Dubreuilh, dit Scriassine, c'est qu'il a su concilier de hautes exigences esthétiques avec une inspiration révolutionnaire. Dans sa vie il avait réalisé un équilibre analogue : il organisait les comités de Vigilance, et il écrivait des romans. Mais, justement, c'est ce bel équilibre qui est devenu impossible.

— Robert en inventera un autre, comptez sur lui, dis-je.

— Il sacrifiera ses exigences esthétiques, dit Scriassine. Son visage s'illumina; il demanda d'un air triomphant : « Avez-vous étudié la préhistoire?

— Guère plus que les échecs.

— Mais vous savez peut-être que pendant une vaste période les peintures murales et les objets trouvés dans les fouilles témoignent d'un progrès artistique continu. Brusquement, dessins et sculptures disparaissent, on constate une éclipse de plusieurs siècles coïncidant avec l'essor de nouvelles techniques. Eh bien, nous abordons une ère où pour des raisons différentes l'humanité sera en proie à des problèmes qui ne lui laisseront plus le luxe de s'exprimer.

— Les raisonnements par analogie ne prouvent pas grand-chose, dis-je.

— Laissons tomber cette comparaison, dit Scriassine d'une voix patiente. Je suppose que vous avez vécu cette guerre de trop près pour bien la comprendre; c'est tout autre chose qu'une guerre : la liquidation d'une société et même d'un monde; le commencement de la liquidation. Les progrès de la science et de la technique, les changements économiques vont à tel point bouleverser la terre que nos manières mêmes de penser et de sentir en seront révolutionnées : nous aurons du mal à nous rappeler qui nous avons été. Entre autres, l'art et la littérature ne nous sembleront plus que des divertissements périmés. »

Je secouai la tête et Scriassine reprit avec feu :

— Voyons, quelle portée gardera le message des écrivains français le jour où l'hégémonie du monde appartiendra à l'U. R. S. S. ou aux U. S. A.? Personne ne les comprendra plus; on ne parlera même plus leur langage.

— On dirait que cette perspective vous réjouit, dis-je.

Il haussa les épaules : « Voilà bien une réflexion de femme; elles sont incapables de rester sur un terrain objectif.

— Restons-y, dis-je. Objectivement, il n'est pas prouvé que le monde doive devenir américain ou russe.

— A plus ou moins longue échéance, c'est pourtant fatal. » Il m'arrêta d'un geste et me fit un joli sourire slave : « Je vous comprends. La libération est encore toute fraîche; vous nagez tous en pleine euphorie; pendant quatre ans vous avez beaucoup souffert; vous pensez que vous avez assez payé : on ne paie jamais assez », dit-il avec une brusque âpreté. Il me regarda dans les yeux : « Savez-vous qu'il y a à Washington une faction très puissante qui voudrait prolonger la campagne d'Allemagne jusqu'à Moscou? De leur point de vue, ils ont raison. L'impérialisme américain comme le totalitarisme russe exigent une expansion illimitée : il faudra qu'un des deux l'emporte. » Sa voix s'attrista : « Vous vous croyez en train de fêter la défaite allemande : mais c'est la Troisième Guerre mondiale qui s'ouvre.

— Ce sont vos pronostics personnels, dis-je.

— Je sais que Dubreuilh croit à la paix et aux chances d'une Europe », dit Scriassine; il sourit avec indulgence : « Il arrive même aux grands esprits de se tromper. Nous serons annexés par Staline ou colonisés par l'Amérique.

— Alors il n'y a pas d'impasse, dis-je gaiement. Inutile de s'en faire : ceux que ça amuse d'écrire n'ont qu'à continuer.

— Écrire s'il n'y a personne pour vous lire, quel jeu idiot!

— Quand tout est foutu, il ne reste qu'à jouer à des jeux idiots. »

Scriassine se tut et puis un sourire rusé passa sur son visage : « Certaines conjonctures seraient tout de même moins défavorables que d'autres, dit-il d'un ton de confidence. Au cas où l'U. R. S. S. gagnerait, pas de problème : c'est la fin de la civilisation et notre fin à tous. Au cas où ce serait l'Amérique, le désastre serait moins radical. Si nous réussissons à lui imposer certaines valeurs, à maintenir certaines de nos idées, on peut espérer que les générations futures renoueront un jour avec notre culture et nos traditions : mais il faut envisager la mobilisation intégrale de toutes nos possibilités.

— Ne me dites pas qu'en cas de conflit vous souhaiteriez la victoire de l'Amérique! dis-je.

— De toute façon, l'histoire doit fatalement aboutir à l'avènement d'une société sans classe, dit Scriassine : c'est l'affaire de deux ou trois siècles. Pour le bonheur des hommes qui vivront dans l'intervalle, je souhaite ardemment que la révolution se fasse dans un monde dominé par l'Amérique et non par l'U. R. S. S.

— Dans un monde dominé par l'Amérique, j'ai comme une idée que la révolution se fera drôlement attendre, dis-je.

— Et vous imaginez ce que serait une révolution faite par les staliniens? La révolution : elle était bien belle en France, vers 1930. En U. R. S. S. je vous réponds qu'elle l'était déjà moins. » Il haussa les épaules : « Vous vous préparez de drôles de surprises! Le jour où les Russes occuperont la France vous commencerez à vous rendre compte. Malheureusement il sera trop tard!

— Une occupation russe : vous n'y croyez pas vous-même, dis-je.

— Hélas! » dit Scriassine. Il soupira : « Enfin, soit; soyons optimistes. Admettons que l'Europe ait ses chances. On ne pourrait la sauver que par une lutte de tous les instants. Pas question de travailler pour soi. »

A mon tour, je me tus; tout ce que souhaitait Scriassine c'était réduire au silence les écrivains français, je comprenais bien pourquoi; et ses prophéties n'avaient rien de convaincant; pourtant sa voix tragique éveillait un écho en moi : « Comment allons-nous vivre? » La question me lancinait depuis le début de la soirée; depuis combien de jours et de semaines?

Scriassine me menaça du regard : « De deux choses l'une; ou bien des hommes comme Dubreuilh et Perron regarderont la situation en face, ils s'engageront dans une action qui les exigera tout entiers; ou bien ils tricheront, ils s'obstineront à écrire : leurs œuvres seront coupées de la réalité et privées de tout avenir; ce seront des travaux d'aveugles, aussi navrants que la poésie des alexandrins. »

C'est difficile de discuter avec un interlocuteur qui tout en parlant du monde et d'autrui parle sans arrêt de soi-même. Je ne pouvais pas me rassurer sans le blesser. Je dis tout de même :

— C'est oiseux d'enfermer les gens dans des dilemmes; la vie les fait toujours éclater.

— Pas en ce cas. Alexandrie ou Sparte, il n'y a pas d'autre choix. Il vaut mieux se dire ces choses-là aujourd'hui, ajouta-t-il avec une espèce de douceur : les sacrifices cessent d'être douloureux quand on les a derrière soi.

— Je suis sûre que Robert ne sacrifiera rien.

— Nous en reparlerons dans un an, dit Scriassine. Dans un an ou bien il aura déserté ou il n'écrira plus; je ne pense pas qu'il déserte.

— Il ne cessera pas d'écrire.

Le visage de Scriassine s'anima : « Qu'est-ce qu'on parie? Une bouteille de champagne?

— Je ne parie rien du tout. »

Il sourit : « Vous êtes comme toutes les femmes; il vous faut des étoiles fixes au ciel et des bornes kilométriques sur les routes.

— Vous savez, dis-je en haussant les épaules, elles ont drôlement valsé pendant ces quatre ans, les étoiles fixes.

— Oui, mais vous restez tout de même persuadée que la France sera toujours la France et Robert Dubreuilh, Robert Dubreuilh; sinon vous vous croiriez perdue.

— Dites donc, dis-je gaiement, votre objectivité me paraît bien douteuse.

— Je suis obligé de vous suivre sur votre terrain : vous ne m'opposez que des convictions subjectives » dit Scriassine. Un sourire réchauffa ses yeux inquisiteurs.

— Vous prenez les choses très au sérieux, n'est-ce pas?

— Ça dépend.

— On m'avait prévenu, dit-il, mais j'aime bien les femmes sérieuses.

— Qui vous a prévenu?

D'un geste vague il désigna tout le monde et personne : « Les gens.

— Qu'est-ce qu'ils vous ont dit?

— Que vous étiez distante et austère, mais je ne trouve pas. »

Je serrai les lèvres pour ne pas poser d'autre question; le piège des miroirs, j'ai su le déjouer; mais les regards, qui peut résister à ce gouffre vertigineux? Je m'habille en noir, je parle peu, je n'écris pas et tout ça me compose une figure et les autres la voient. Je ne suis personne, c'est facile à dire : je suis moi. Qui est-ce? où me rencontrer? Il faudrait être de l'autre côté de toutes les portes, mais si c'est moi qui frappe, ils se tairont. J'ai senti soudain mon visage qui me brûlait, j'aurais voulu l'arracher.

— Pourquoi n'écrivez-vous pas? dit Scriassine.

— Il y a bien assez de livres.

— Ce n'est pas la seule raison. Il me fixait de ses petits yeux fureteurs : « La vérité c'est que vous ne voulez pas vous exposer.

— M'exposer à quoi?

— Vous avez l'air très sûre de vous, mais au fond vous êtes extrêmement timide. Vous êtes de ces gens qui mettent leur orgueil dans ce qu'ils ne font pas. »

Je l'interrompis : « N'essayez pas de me faire ma psychologie, je la connais dans les coins : je suis psychiatre.

— Je sais. » Il me sourit : « Est-ce qu'on ne pourrait pas dîner ensemble un de ces soirs? On est si perdu dans ce Paris tout noir; on ne connaît plus personne. »

Je pensai brusquement : « Tiens, pour lui j'ai des jambes. » Je tirai mon carnet; je n'avais aucune raison de refuser.

— Dînons ensemble, dis-je. Voulez-vous le 3 janvier?

— D'accord. A huit heures au bar du Ritz; ça va?

— Ça va.

Je me sentais mal à l'aise; oh! ce qu'il pensait de moi après tout, ça m'était égal; quand je devine au fond d'une conscience étrangère ma propre image, j'ai toujours un moment de panique, mais ça ne dure pas, je passe outre; ce qui me déconcertait, c'est d'avoir aperçu Robert à travers des yeux qui n'étaient pas les miens. Était-il vraiment dans une impasse? Il avait attrapé Paule par la taille, il la faisait tourner en rond et de son autre main il dessinait je ne sais quoi dans l'air; peut-être lui expliquait-il le cours du temps, en tout cas elle riait, il riait, il n'avait pas l'air en danger; s'il avait été en danger, il l'aurait su : il ne se trompe pas souvent et il ne se ment jamais. J'allai me cacher dans l'embrasure d'une fenêtre, derrière un rideau rouge. Scriassine avait dit beaucoup de sottises, mais il avait posé certaines questions dont je ne pouvais pas si facilement me débarrasser. Pendant toutes ces semaines, j'avais fui les questions; on a tant attendu ce moment : la Libération, la victoire, je voulais en profiter; il serait toujours temps demain de penser au lendemain. Eh bien, voilà que j'y pensais et je me demandais ce que Robert en pensait. Ses doutes ne se traduisent jamais par de l'abattement, mais par un excès d'activité : est-ce que ces conversations, ces lettres, ces coups de téléphone, ces débauches de travail nocturne ne dissimulaient pas une inquiétude? Il ne me cache rien, mais tout de même ça lui arrive de garder provisoirement pour lui certains soucis. « Et d'ailleurs, pensais-je avec remords, cette nuit encore il a dit à Paule : On est à la croisée des chemins. » Il le disait souvent et c'est par lâcheté que j'évitais de donner leur vrai poids à ces mots. « La croisée des chemins. » Donc aux yeux de Robert, le monde était en danger. Pour moi le monde, c'est lui : il était en danger! Tandis que nous revenions bras dessus bras dessous le long des quais à travers les ténèbres familières, sa voix volubile ne suffisait pas à me rassurer. Il avait énormément bu et il était très gai; quand il est resté enfermé pendant des jours et des nuits, la moindre sortie devient une épopée; cette soirée prenait dans sa bouche tant de relief qu'il me semblait l'avoir traversée en aveugle. Lui, il avait des yeux tout autour de la tête, et douze paires d'oreilles; je l'écoutais, mais en sourdine je continuais à m'interroger. Ces mémoires qu'il avait écrits avec passion pendant toute la guerre, il ne les achevait pas, pourquoi? Était-ce un symptôme? De quoi?

— Infortunée Paule! c'est une catastrophe pour une femme d'être aimée par un littérateur, disait Robert; elle a cru à tout ce que Perron lui racontait sur elle.

J'essayai de concentrer mon intérêt sur Paule :

— J'ai peur que la Libération ne lui ait porté à la tête, dis-je. L'an dernier elle ne se faisait plus guère d'illusions; et voilà qu'elle recommence à jouer à l'amour fou; mais elle y joue seule.

— Elle voulait absolument me faire dire que le temps n'existe pas, dit Robert. Il ajouta : « Le meilleur de sa vie est derrière elle. Maintenant que la guerre est finie elle espère retrouver le passé.

— On a tous espéré ça, non? » demandais-je. Ma voix m'avait paru rieuse mais Robert serra mon bras.

— Qu'est-ce qui ne va pas?

— Rien, tout va très bien, dis-je d'un ton dégagé.

— Allons! allons! je sais ce que ça veut dire quand tu prends ta voix de dame du monde, dit Robert. Je suis sûr qu'en ce moment ça tourne dur dans cette tête. Combien de verres de punch as-tu bus?

— Sûrement moins que vous; et le punch n'y est pour rien.

— Ah! tu avoues! dit Robert d'un ton triomphant; il y a quelque chose et le punch n'y est pour rien : quoi donc?

— C'est Scriassine, dis-je en riant; il m'a expliqué que les intellectuels français étaient foutus.

— Il voudrait bien!

— Je sais; mais il m'a fait peur tout de même.

— Une grande fille de ton âge qui se laisse influencer par le premier prophète venu! Je l'aime bien Scriassine; il s'agite, il divague, il bouillonne, l'œil bouge autour de lui; mais il ne faut pas le prendre au sérieux.

— Il dit que la politique va vous manger, que vous n'écrirez plus!

— Et tu l'as cru? dit Robert gaiement.

— C'est pourtant vrai que vous n'achevez pas vos souvenirs, dis-je.

Robert hésita une seconde : « C'est un cas spécial, dit-il.

— Pourquoi donc?

— Je donne tellement d'armes contre moi dans ces mémoires!

— C'est pour ça que le livre vaut ce qu'il vaut, dis-je vivement. Un homme qui ose se découvrir, c'est si rare! Et finalement quand il ose, il gagne la partie.

— Oui, une fois qu'il est mort », dit Robert. Il haussa les épaules : « Me voilà rentré dans la vie politique, j'ai un tas d'ennemis : tu te rends compte de leur jubilation le jour où ces souvenirs paraîtraient?

— Vos ennemis trouveront toujours des armes contre vous, celles-là ou d'autres, dis-je.

— Imagine ces mémoires dans les mains de Lafaurie, ou de Lachaume, ou du petit Lambert. Ou dans celles d'un journaliste », dit Robert.

Coupé de toute vie politique, de tout avenir, de tout public, ignorant même si ce livre serait jamais publié, Robert avait retrouvé en l'écrivant la solitude anonyme du débutant qui se risque sans repère, sans garde-fou, à l'aventure. A mon avis, il n'avait jamais rien écrit de meilleur. Je dis avec impatience :

— Alors quand on fait de la politique, on n'a plus le droit d'écrire des livres sincères?

— Si, mais pas des livres scandaleux, dit Robert. Et tu sais bien qu'aujourd'hui il y a mille choses dont un homme ne peut pas parler sans scandale. Il sourit : « A vrai dire, tout ce qui est individuel prête au scandale. »

Nous avons fait quelques pas en silence : « Vous avez passé trois ans à écrire ces souvenirs, ça vous est égal de les jeter au fond d'un tiroir?

— Je n'y pense plus. Je pense à un autre livre.

— Quoi donc?

— Je t'en parlerai dans quelques jours. »

Je dévisageai Robert avec soupçon : « Et vous croyez que vous trouverez le temps de l'écrire?

— Bien sûr.

— Oh! ça ne me semble pas si sûr : vous n'avez pas une minute à vous.

— En politique, c'est le début qui est le plus dur : ensuite ça se tasse. »

Sa voix m'a paru trop ronde; j'ai insisté : « Et si ça ne se tassait pas? Vous laisseriez tomber votre mouvement ou vous cesseriez d'écrire?

— Tu sais, ça n'aurait rien de tragique si je m'arrêtais un moment, dit Robert avec un sourire. J'en ai noirci du papier dans ma vie! »

Mon cœur s'est serré : « Vous disiez l'autre jour que votre œuvre est devant vous.

— Je le pense toujours; mais elle peut attendre.

— Attendre : un mois? un an? dix ans? demandai-je.

— Écoute, dit Robert d'une voix conciliante, un livre de plus ou de moins sur terre, ce n'est pas tellement important. Et la situation est passionnante; rends-toi compte : c'est la première fois que la gauche tient son sort dans ses mains, c'est la première fois qu'on peut tenter un rassemblement indépendant des communistes sans risquer de servir la droite : on ne va pas laisser passer cette chance! je l'ai attendue toute ma vie.

— Moi, je trouve vos livres très importants, dis-je. Ce qu'ils apportent aux gens, c'est quelque chose d'unique. Tandis qu'un travail politique, vous n'êtes pas le seul à pouvoir vous en charger.

— Je suis le seul qui puisse le mener à mon idée, dit Robert gaiement. Tu devrais me comprendre : les comités de Vigilance, la résistance, c'était bien utile; mais ça restait négatif. Aujourd'hui, il s'agit de construire : c'est autrement intéressant.

— Je comprends très bien; mais votre œuvre m'intéresse encore davantage.

— Nous avons toujours pensé qu'on n'écrit pas pour écrire, dit Robert. A certains moments d'autres formes d'action sont plus urgentes.

— Pas pour vous, dis-je. Vous êtes d'abord un écrivain.

— Tu sais bien que non, dit Robert avec reproche. Ce qui compte d'abord pour moi, c'est la révolution.

— Oui, dis-je. Mais le meilleur moyen que vous ayez de servir la révolution, c'est d'écrire vos livres. »

Robert secoua la tête : « Ça dépend des circonstances. Nous sommes à un moment critique : il faut d'abord gagner la partie sur le terrain politique.

— Et qu'est-ce qui arrivera si on ne la gagne pas? dis-je. Vous ne croyez pas vraiment qu'on risque une nouvelle guerre?

— Je ne crois pas qu'une nouvelle guerre éclate demain, dit Robert. Mais ce qu'il faut éviter c'est qu'il se crée dans le monde une situation de guerre : en ce cas on recommencera tôt ou tard à se taper dessus. Il faut éviter aussi que cette victoire ne soit exploitée par le capitalisme. » Il haussa les épaules : « Il y a un tas de choses qu'il faut empêcher, avant de s'amuser à écrire des livres que personne ne lira peut-être jamais. »

Je m'arrêtai pile au milieu de la chaussée : « Quoi? Vous pensez vous aussi que les gens vont se désintéresser de la littérature!

— Ma foi, ils vont avoir beaucoup d'autres chats à fouetter! » dit Robert.

Sa voix était décidément trop ronde. Je dis avec indignation : « Ça n'a pas l'air de vous émouvoir. Mais ça serait horriblement triste un monde sans littérature et sans art.

— De toute façon à l'heure qu'il est il y a des millions d'hommes pour qui la littérature c'est zéro! dit Robert.

— Oui, mais vous comptiez bien que ça changerait.

— J'y compte toujours, qu'est-ce que tu crois? dit Robert. Mais justement, si le monde se décide à changer, on traversera sans doute une période où il ne sera guère question de littérature. »

Nous entrions dans le bureau et je m'assis sur le bras du fauteuil de cuir; oui, j'avais bu trop de punch, les murs tournaient autour de moi. Je regardai la table sur laquelle Robert écrivait nuit et jour depuis vingt ans. Maintenant il en avait soixante; si cette période durait longtemps, il risquait de ne jamais en voir la fin : ça ne pouvait pas lui être si indifférent que ça.

— Voyons, vous pensez que votre œuvre est encore devant vous; vous disiez il y a cinq minutes que vous alliez commencer un nouveau livre : ça suppose qu'il y ait des gens pour vous lire...

— Oh! c'est le plus probable, dit Robert. Mais enfin l'autre hypothèse est aussi à envisager. Il s'assit dans le fauteuil, près de moi : « Elle n'est pas si terrible que tu dis, ajouta-t-il gaiement. La littérature est faite pour les hommes et non les hommes pour la littérature.

— Pour vous, ça serait très triste, dis-je. Si vous n'écriviez plus, vous ne seriez plus du tout heureux.

— Je ne sais pas », dit Robert. Il sourit : « Je n'ai pas d'imagination. »

Il en a; et je me rappelais comme il était anxieux le soir où il m'a dit : « Mon œuvre est encore devant moi! » Il tient à ce que cette œuvre pèse, à ce qu'elle reste. Il a beau protester : il est avant tout un écrivain. Au commencement peut-être il ne songeait qu'à servir la révolution, la littérature n'était qu'un moyen : elle est devenue une fin, il l'aime pour elle-même, tous ses livres le prouvent; et en particulier ces mémoires qu'il ne veut plus publier : il les a écrits pour le plaisir d'écrire. Non, la vérité c'est que ça l'ennuyait de parler de lui, et cette répugnance n'était pas de bon augure.

— Moi j'en ai, dis-je.

Les murs tournaient, mais je me sentais très lucide, beaucoup plus lucide qu'à jeun. A jeun on a trop de défense, on s'arrange pour ne pas savoir ce qu'on sait. Soudain j'y voyais clair. La guerre finissait : une nouvelle histoire commençait où rien n'était plus garanti. L'avenir de Robert n'était pas garanti : il était possible qu'il cesse d'écrire, et même que toute son œuvre passée s'engloutisse dans le vide.

— Qu'est-ce que vous pensez pour de vrai? demandai-je. Que les choses tourneront bien ou mal?

Robert se mit à rire : « Ah! moi je ne suis pas prophète! Tout de même, on a beaucoup d'atouts en main, ajouta-t-il.

— Mais combien de chances de gagner?

— Tu veux que je te fasse le grand jeu? ou préfères-tu le marc de café?

— Ce n'est pas la peine de vous moquer de moi, dis-je. On peut bien se poser des questions, de temps en temps.

— Je m'en pose, tu sais », dit Robert.

Il s'en posait et plus sérieusement que moi; moi je n'agissais pas, c'est pour ça que je devenais facilement pathétique; je me rendais compte que j'avais tort, mais avec Robert ça me coûte si peu d'avoir tort!

— Vous ne posez que celles auxquelles vous pouvez répondre, dis-je.

Il rit de nouveau : « De préférence oui. Les autres ne servent pas à grand-chose.

— Ça n'est pas une raison pour ne pas les poser », dis-je. Ma voix devenait agressive, mais ce n'est pas à Robert que j'en avais : à moi-même plutôt, à mon aveuglement de ces dernières semaines : « Je voudrais tout de même me faire une idée de ce qui va nous arriver, dis-je.

— Tu ne crois pas qu'il est bien tard, que nous avons bu beaucoup de punch et que nous aurons des idées plus claires demain matin? » dit Robert.

Demain matin les murs ne tangueraient plus, les meubles et les bibe-lots seraient bien en ordre, toujours dans le même ordre, mes idées

aussi et je recommencerais à vivre au jour le jour, sans tourner la tête
en arrière, en regardant devant moi à bonne distance, je ne m'occuperais plus de ces menus charivaris dans mon cœur. J'étais fatiguée de
cette hygiène. Je regardai le coussin sur lequel Diégo s'asseyait au
coin de la cheminée; il disait : « La victoire nazie n'existe pas dans
mes plans. » Et puis on l'avait abattu.

— Les idées sont toujours trop claires! dis-je. La guerre est gagnée,
voilà une idée claire. Eh bien, moi j'ai trouvé que c'était une drôle
de fête, ce soir, avec tous ces morts qui n'étaient pas là!

— C'est tout de même différent de se dire que leur mort a servi
à quelque chose ou à rien du tout, dit Robert.

— Celle de Diégo n'a servi à rien du tout, dis-je. Et même si elle
avait servi? Je dis avec irritation : « Ça arrange bien les vivants, ce
système où tout se dépasse vers autre chose; mais les morts restent
morts; on les trahit : on ne les dépasse pas.

— On ne les trahit pas forcément, dit Robert.

— On les trahit quand on les oublie et aussi quand on les utilise,
dis-je. Un regret, ça doit être inutile, ou alors ce n'est plus un vrai
regret. »

Robert hésita : « Je suppose que je ne suis pas doué pour les regrets,
dit-il d'un air perplexe. Les questions auxquelles je ne peux pas
répondre, les événements auxquels je ne peux rien changer, je ne m'en
occupe pas beaucoup. Je ne dis pas que j'aie raison, ajouta-t-il.

— Oh! dis-je. Je ne dis pas que vous ayez tort. De toute façon,
les morts sont morts et nous, nous vivons : les regrets n'y changent
rien. »

Robert posa sa main sur la mienne : « Ne t'invente donc pas de
remords. Nous mourrons aussi tu sais; ça nous rapproche bien d'eux. »

Je retirai ma main; en cet instant toute amitié m'était ennemie; je
ne voulais pas être consolée, pas encore.

— Ah! c'est vrai que votre maudit punch m'a barbouillé le cœur,
dis-je. Je vais aller dormir.

— Va dormir. Et demain on se posera toutes les questions que tu
voudras, même celles qui ne servent à rien, dit Robert.

— Et vous? vous n'allez pas dormir?

— Je crois que je vais plutôt prendre une douche et travailler.

« Évidemment, Robert est mieux armé que moi contre les regrets,
me suis-je dit en me couchant. Il travaille, il agit, alors l'avenir existe
pour lui plus que le passé. Et il écrit : tout ce qui tombe hors de son
action, le malheur, l'échec, la mort, il leur fait leur part dans ses livres,
et il se sent quitte. Moi je n'ai aucun recours; ce que je perds, nulle
part je ne le récupère et rien ne rachète mes infidélités. » Soudain je
me suis mise à pleurer. J'ai pensé : « Ce sont mes yeux à moi qui
pleurent; il voit tout, mais pas avec mes yeux. » Je pleurais, et pour
la première fois depuis vingt ans j'étais seule : seule avec mes remords,
avec ma peur. Je me suis endormie et j'ai rêvé que j'étais morte. Je
me suis réveillée en sursaut et la peur était toujours là. Depuis une

heure, je me débats contre elle; elle est encore là, et la mort continue à rôder. J'allume, j'éteins; si Robert voit de la lumière sous ma porte, il s'inquiétera; c'est inutile; cette nuit il ne peut pas m'aider. Quand j'ai voulu lui parler de lui, il a éludé mes questions : il se sait en danger. C'est pour lui que j'ai peur. Jusqu'ici j'ai toujours fait confiance à son destin; jamais je n'ai essayé de prendre sa mesure : la mesure de toutes choses, c'était lui; j'ai vécu avec lui comme en moi-même, sans distance. Mais soudain, je n'ai plus confiance, en rien. Ni étoile fixe, ni borne, Robert est un homme, un homme de soixante ans faillible et vulnérable que le passé ne protège plus et que l'avenir menace. Je m'adosse à l'oreiller, les yeux ouverts. Il faut que je m'arrange pour prendre du recul, pour le voir, comme si je ne l'avais pas aimé pendant vingt ans sans jamais hésiter.

C'est difficile. Il y a eu un temps où je le voyais à distance; mais j'étais trop jeune, je le regardais de trop loin. Des camarades me l'avaient montré du doigt à la Sorbonne, on parlait énormément de lui avec un mélange d'admiration et de scandale. On chuchotait qu'il buvait et qu'il courait les bordels. Ça, ça m'aurait plutôt attirée; j'étais mal guérie de mon enfance pieuse; à mes yeux le péché manifestait avec pathétique l'absence de Dieu et si on m'avait dit que Dubreuilh violait les petites filles je l'aurais pris pour une espèce de saint. Mais ses vices restaient mineurs et les gloires trop bien établies m'agaçaient. Quand je commençai à suivre ses cours, j'étais décidée à le tenir pour un faux grand homme. Évidemment il était différent de tous les autres professeurs; il s'amenait en coup de vent, il était toujours en retard de quatre ou cinq minutes; pendant un instant il nous inspectait de ses gros yeux malins et puis il se mettait à parler, d'un ton très amical ou très agressif. Il y avait quelque chose de provocant dans son visage bourru, dans sa voix violente, dans ses éclats de rire qui nous paraissaient parfois un peu fous. Il portait du linge très blanc, ses mains étaient soignées, il était impeccablement rasé, si bien que ses blousons, ses chandails, ses gros souliers ne pouvaient pas s'excuser par de la négligence. Il préférait le confort à la décence avec une désinvolture que je déclarai affectée. J'avais lu ses romans et je ne les avais guère aimés; j'attendais qu'ils me délivrent quelque message exaltant, et ils me parlaient de gens quelconques, de sentiments frivoles, d'un tas de choses qui ne me semblaient pas essentielles. Quant à ses cours, ils étaient intéressants, d'accord, mais enfin il ne disait rien de génial; et il était tellement sûr d'avoir raison que ça me donnait une irrésistible envie de le contredire. Oh! j'étais convaincue moi aussi que la vérité était à gauche; depuis mon enfance je trouvais à la pensée bourgeoise une odeur de bêtise et de mensonge, une très mauvaise odeur; et puis j'avais appris dans l'Évangile que les hommes sont tous égaux, tous frères, et ça je continuais à y croire dur comme fer. Seulement, pour mon âme long-

temps gavée d'absolu, le vide du ciel rendait toute morale dérisoire
et Dubreuilh s'imaginait qu'il pouvait y avoir un salut sur cette terre;
je m'en suis expliquée dans ma première dissertation. « La révolution,
bon, disais-je, et puis après? » Quand il m'a rendu mon papier, huit
jours plus tard à la sortie du cours, il s'est vivement moqué de moi :
mon absolu, c'était selon lui un rêve abstrait de petite bourgeoise incapable de faire face à la réalité. Je n'avais pas les moyens de lui tenir
tête, il gagnait à tous les coups, forcément, mais ça ne prouvait rien
et je le lui ai dit. Nous avons recommencé à discuter la semaine suivante et cette fois-ci il a cherché à me convaincre et non à m'accabler.
J'ai dû reconnaître qu'en tête à tête il n'avait pas du tout l'air de se
prendre pour un grand homme. Il s'est mis à me parler souvent après
les cours, parfois il me raccompagnait jusqu'à ma porte, en faisant des
détours, et puis nous sommes sortis ensemble l'après-midi, le soir :
nous ne causions plus de morale, ni de politique, ni d'aucun sujet
élevé. Il me racontait des histoires, et surtout il m'emmenait promener;
il me montrait des rues, des squares, des quais, des canaux, des cimetières, des zones, des entrepôts, des terrains vagues, des bistrots, un
tas de coins de Paris que je ne connaissais pas; et je m'apercevais que
je n'avais jamais vu les choses que je croyais connaître. Avec lui tout
prenait mille sens : les visages, les voix, les vêtements des gens, un
arbre, une affiche, une enseigne au néon, n'importe quoi. Du coup,
j'ai relu ses romans. Et j'ai compris que je n'y avais rien compris.
Dubreuilh donnait l'impression d'écrire capricieusement, pour son
seul plaisir, des choses tout à fait gratuites; et pourtant, le livre fermé,
on se retrouvait bouleversé de colère, de dégoût, de révolte, on voulait
que les choses changent. A lire certains passages de son œuvre, on
l'aurait pris pour un pur esthète : il a le goût des mots; et il s'intéresse
sans arrière-pensée à la pluie et au beau temps, aux jeux de l'amour
et du hasard, à tout; seulement il n'en reste pas là : soudain vous vous
trouvez jeté dans la foule des hommes et tous leurs problèmes vous
concernent. Voilà pourquoi je tiens tant à ce qu'il continue d'écrire.
Je sais par moi-même ce qu'il apporte à ses lecteurs. Entre sa pensée
politique et ses émotions poétiques, il n'y a pas de distance. C'est
parce qu'il aime tant la vie qu'il veut que tous les hommes en aient
largement leur part; et parce qu'il aime les hommes, tout ce qui appartient à leur vie le passionne.
 Je relisais ses livres, je l'écoutais, je l'interrogeais, j'étais si occupée
que je ne pensais pas à me demander pourquoi au juste il se plaisait
avec moi : déjà le temps me manquait pour déchiffrer ce qui se passait
dans mon propre cœur. Quand il m'a prise dans ses bras, une nuit,
au milieu des jardins du Carrousel, j'ai dit avec scandale : « Je n'em-
brasserai qu'un homme que j'aimerai. » Il m'a répondu tranquillement : « Mais vous m'aimez! » Et aussitôt j'ai su que c'était vrai. Si
je ne m'en étais pas avisée c'est que c'était arrivé trop vite : avec lui,
tout allait tellement vite! c'est même ce qui m'a d'abord subjuguée;
les autres gens étaient si lents, la vie si lente. Lui, il brûlait le temps

et il bousculait tout. Du moment où j'ai su que je l'aimais, je l'ai suivi avec enthousiasme de surprise en surprise. J'apprenais qu'on pouvait vivre sans meubles et sans horaire, se passer de déjeuner, ne pas se coucher de la nuit, dormir l'après-midi, faire l'amour dans les bois aussi bien que dans un lit. Ça m'a paru simple et joyeux de devenir une femme entre ses bras; quand le plaisir m'effrayait, son sourire me rassurait. Une seule ombre sur mon cœur : les vacances approchaient et l'idée d'une séparation me terrorisait. Robert s'en est rendu compte, évidemment : est-ce pour ça qu'il m'a proposé de nous marier? alors cette idée ne m'a pas même effleurée : à dix-neuf ans, il semble aussi naturel d'être aimée par l'homme qu'on aime que par des parents respectés ou par Dieu tout-puissant.

« Mais je t'aimais! » m'a répondu Robert, beaucoup plus tard. Dans sa bouche, que signifient au juste ces mots? M'aurait-il aimée un an plus tôt, quand il était encore pris corps et âme dans la bagarre politique? et cette année-là, pour se consoler de son inaction n'aurait-il pas pu en choisir une autre? Voilà bien le genre de questions qui ne servent à rien, passons. Ce qui est sûr c'est qu'il a voulu mon bonheur avec emportement et qu'il n'a pas manqué son coup. Jusque-là je n'étais pas malheureuse, non, mais je n'étais pas heureuse non plus. Je me portais bien, alors j'avais des moments de joie mais je passais le plus clair de mon temps à me désoler. Sottise, mensonge, injustice, souffrance : autour de moi c'était un chaos très noir. Et quelle absurdité, ces journées qui se répètent de semaine en semaine, de siècle en siècle, sans aller nulle part! Vivre, c'était attendre la mort pendant quarante ou soixante ans en piétinant dans du néant. Voilà pourquoi j'étudiais avec tant de zèle : il n'y avait que les livres et les idées qui tenaient le coup, eux seuls me semblaient réels.

Grâce à Robert, les idées sont descendues sur terre et la terre est devenue cohérente comme un livre, un livre qui commence mal mais qui finira bien; l'humanité allait quelque part, l'histoire avait un sens, et ma propre existence aussi; l'oppression, la misère enfermaient la promesse de leur disparition, le mal était déjà vaincu, le scandale balayé. Le ciel s'est refermé au-dessus de ma tête et les vieilles peurs m'ont quittée. Ce n'est pas à coups de théories que Robert m'en a délivrée : il m'a démontré que la vie se suffisait en vivant. La mort, il s'en fichait complètement, et ses activités n'étaient pas des divertissements : il aimait ce qu'il aimait, il voulait ce qu'il voulait, il ne fuyait rien. Somme toute, je ne demandais qu'à lui ressembler. Si j'avais mis la vie en question, c'était surtout parce que je m'ennuyais à la maison : et maintenant je ne m'ennuyais plus. Robert avait tiré du chaos un monde plein, ordonné, purifié par cet avenir qu'il produisait : ce monde était le mien. La seule question, c'était de m'y tailler ma place à moi. Être la femme de Robert, ça ne me suffisait pas; jamais avant de l'épouser je n'avais envisagé de faire une carrière d'épouse. D'autre part, je ne songeai pas une minute à m'occuper activement de politique. Dans ce domaine, les théories peuvent me passionner et j'ai quelques sentiments forts mais la pratique me rebute. Je dois avouer que je manque de patience : la révolution est en marche, mais elle marche si lentement, à petits pas si incertains! Pour Robert, si une solution est meilleure qu'une autre, elle est bonne, un moindre mal, il le tient pour un bien. Il a raison, bien sûr, mais sans doute n'ai-je pas tout à fait liquidé mes vieux rêves d'absolu : ça ne me satisfait pas. Et puis l'avenir me paraît bien lointain, j'ai peine à m'intéresser aux hommes qui ne sont pas encore nés, j'ai plutôt envie d'aider ceux qui se trouvent vivre juste en ce moment. C'est pour ça que ce métier me tentait. Oh! je n'ai jamais pensé qu'on pût du dehors apporter à quelqu'un un salut préfabriqué, mais souvent ce sont des niaiseries qui séparent les gens de leur bonheur, et je voulais les en débarrasser. Robert m'a encouragée; là-dessus, il se sépare des communistes orthodoxes : il croit qu'il peut y avoir un usage valable de la psychanalyse dans la société bourgeoise et que peut-être elle aura encore un rôle à jouer dans une société sans classe; ça lui semblait même un travail passionnant, de repenser la psychanalyse classique à la lumière du marxisme. Le fait est que ça m'a passionnée. Mes journées étaient aussi pleines que la terre autour de moi. Chaque matin se réveillait la joie du précédent matin et je me retrouvais le soir enrichie de mille nouveautés. C'est une grande chance à vingt ans de recevoir le monde de la main qu'on aime! c'est une grande chance d'y occuper exactement sa place! Robert a aussi réussi ce tour de force : il m'a protégée de l'isolement sans me priver de la solitude. Tout nous était commun : pourtant j'avais mes amitiés, mes plaisirs, mon travail, mes soucis à moi. Je pouvais à mon gré passer la nuit dans la tendresse d'une épaule, ou bien comme aujourd'hui seule dans ma chambre, en jeune fille. Je regarde ces murs, le rai de lumière sous la porte : combien de fois ai-je connu cette douceur : m'endormir pendant qu'il travaille à portée de ma voix? Il y a des années déjà qu'entre nous le désir s'est usé; mais nous étions trop étroitement unis pour que l'union de nos corps pût avoir une grande importance; en y renonçant, nous n'avons pour ainsi dire rien perdu. Je pourrais croire que c'est une nuit d'avant-guerre. Cette inquiétude même qui me tient éveillée n'est pas neuve. Souvent l'avenir du monde a été bien noir. Qu'y a-t-il donc de changé? Pourquoi est-ce que la mort est revenue rôder? Elle continue à rôder : pourquoi?

Quel entêtement insensé! J'ai honte. Pendant ces quatre ans, en dépit de tout, je me suis persuadée qu'après-guerre nous allions retrouver l'avant-guerre. Tout à l'heure encore je disais à Paule : « Maintenant, c'est de nouveau comme autrefois. » Voilà que j'essaie de me dire : Autrefois, c'était juste comme maintenant. Mais non, je mens : ce n'est pas ça, ça ne sera plus jamais comme autrefois. Autrefois, les crises les plus inquiétantes, j'étais sûre au fond qu'on en sortirait; Robert devait s'en sortir, forcément; son destin me garantissait celui du monde, et réciproquement. Mais avec ce passé derrière nous, comment se fier encore à l'avenir? Diégo est mort, il y a eu trop de morts, le scandale est revenu sur terre, le mot de bonheur n'a plus de sens :

autour de moi, c'est de nouveau le chaos. Peut-être que le monde s'en
sortira; mais quand? C'est trop long, deux ou trois siècles, nos jours
à nous sont comptés : si la vie de Robert s'achève dans l'échec, dans
le doute et le désespoir, rien ne rattrapera ça, jamais.

On bouge doucement dans son bureau; il lit, il réfléchit, il tire des
plans. Va-t-il réussir? Et sinon quoi? Pas besoin d'envisager le pire,
personne ne nous a dévorés; simplement, nous végétons au hasard
d'une histoire qui n'est plus la nôtre, Robert est réduit au rôle de témoin
passif : qu'est-ce qu'il fera de sa peau? Je sais à quel point la révolution
lui tient aux moelles : elle est son absolu à lui; sa jeunesse l'a marqué
pour toujours. Pendant toutes ces années où il a grandi parmi des maisons et des vies couleur de suie, le socialisme était son seul espoir; il
n'y a pas cru par générosité, ni par logique, mais par besoin. Devenir
un homme, ça signifiait pour lui devenir comme son père un militant.
Il lui en a fallu beaucoup pour l'écarter de la politique : la déception
furieuse de 14, sa rupture avec Cachin deux ans après Tours, son
impuissance à réveiller dans le parti socialiste la vieille flamme révolutionnaire. A la première occasion il s'est de nouveau jeté dans l'action;
et en ce moment il est plus passionné que jamais. Je me dis pour me
rassurer qu'il a bien de la ressource. Après notre mariage, pendant
ces années qu'il a passées sans militer, il a beaucoup écrit et il était
heureux. Mais d'abord, l'était-il? Ça m'arrangeait de le croire; et jusqu'à cette nuit je n'ai jamais osé épier ce qu'il se dit seul à seul : je
ne me sens plus très sûre de notre passé. S'il a voulu si vite un enfant,
c'est sans doute parce que je ne suffisais pas à justifier son existence;
peut-être aussi cherchait-il une revanche contre cet avenir sur lequel
il n'avait plus de prise. Oui, ce désir de paternité me paraît bien signi-
ficatif. Significative aussi la tristesse de notre pèlerinage à Bruay. Nous
nous promenions dans les rues de son enfance, il me montrait l'école
où son père enseignait, et la sombre bâtisse à neuf ans il avait entendu
Jaurès; il me racontait ses premières rencontres avec le malheur quotidien, avec le travail sans espoir; il parlait trop vite, d'un ton trop
détaché; et soudain il a dit d'une voix agitée : « Rien n'a changé; mais
moi j'écris des romans. » J'ai voulu croire à une émotion fugitive;
Robert était bien trop gai pour que je lui suppose de sérieux regrets.
Mais, après le congrès d'Amsterdam, pendant toute l'époque où il a
organisé les comités de Vigilance, j'ai vu qu'il pouvait être beaucoup
plus gai encore et j'ai dû m'avouer la vérité : auparavant il rongeait son
frein. S'il se retrouve condamné à l'impuissance, à la solitude, tout lui
semblera vain, même d'écrire; surtout d'écrire. Entre 25 et 32, tout en
rongeant son frein, il écrivait, oui. Mais c'était bien différent. Il était
resté lié avec les communistes et certains socialistes; il gardait l'espoir
de l'unité ouvrière et d'une victoire finale; je sais par cœur ce mot de
Jaurès qu'il répétait à tout bout de champ : « L'homme de demain sera
le plus complexe, le plus riche de vie qu'ait jamais connu l'histoire. »
Il était convaincu que ses livres aidaient à bâtir l'avenir et que l'homme
de demain les lirait : alors évidemment, il écrivait. Devant un avenir

barré, ça ne garderait aucun sens. Si ses contemporains ne l'écoutent plus, si la postérité ne le comprend plus, il n'a qu'à se taire.

Et alors? qu'est-ce qu'il va devenir? Une créature vivante qui se change en écume, c'est affreux, mais il y a un sort pire : celui du paralytique à la langue nouée. Mieux vaut la mort. En viendrai-je à souhaiter un jour la mort de Robert? Non. Ce n'est pas imaginable. Il a eu déjà des coups durs, il s'en est toujours sorti, il s'en sortira encore. Je ne sais pas comment, mais il inventera quelque chose. Ce n'est pas impossible, par exemple, qu'il s'inscrive un jour au parti communiste; bien sûr en ce moment il n'y songe pas, il critique trop violemment leur politique : mais supposons que leur ligne change; supposons qu'il n'existe en dehors des communistes aucune gauche cohérente : plutôt que de rester inactif, je me demande si Robert ne finirait pas par les rejoindre. Je n'aime pas cette idée. Ça lui serait plus dur qu'à n'importe qui de se plier à des mots d'ordre avec lesquels il ne serait pas d'accord. Sur la tactique à suivre, il a toujours eu ses idées bien à lui. Et puis il a beau s'essayer au cynisme, je sais bien qu'il restera toujours fidèle à sa vieille morale; l'idéalisme des autres le fait sourire : il a aussi le sien; il y a certains procédés communistes qu'il ne pourra jamais encaisser. Non cette solution n'en est pas une. Trop de choses le séparent d'eux; son humanisme n'est pas le même que le leur. Non seulement il ne pourrait plus rien écrire de sincère, mais il serait obligé de renier tout son passé.

« Tant pis! » me dira-t-il. Tout à l'heure il disait : « Un livre de plus ou de moins, ça n'a pas grande importance. » Mais est-ce qu'il le pense vraiment? Moi j'attache beaucoup de valeur aux livres, j'en attache peut-être trop. Au temps de ma propre préhistoire, je les préférais au monde réel : il m'en est resté quelque chose; ils ont gardé pour moi un petit goût d'éternité. Oui, c'est une des raisons qui me font prendre l'œuvre de Robert tellement à cœur : si elle périt, nous redevenons tous les deux périssables; l'avenir n'est plus qu'une tombe. Robert ne voit pas les choses comme ça : mais il n'est pas non plus un militant exemplaire parfaitement oublieux de lui-même; il espère bien laisser un nom derrière lui, un nom qui signifie beaucoup, pour beaucoup de gens. Et puis écrire, c'est ce qu'il aime le plus au monde, c'est sa joie, c'est son besoin, c'est lui-même. Y renoncer ça serait un suicide.

Eh bien, il n'aurait qu'à se résigner à écrire sur commande, d'autres le font : d'autres, mais pas Robert. A la rigueur je l'imagine militant à contrecœur : mais écrire c'est une autre affaire; s'il ne pouvait plus s'exprimer à sa guise, la plume lui tomberait des mains.

Ah! je la vois, l'impasse. Robert tient solidement à quelques idées et nous étions sûrs avant la guerre qu'elles s'incarneraient un jour dans la réalité; toute sa vie il s'est employé à la fois à les enrichir et à préparer leur incarnation : mais supposons que celle-ci ne doive jamais se produire? L'humanisme que Robert a toujours défendu, supposons que la résolution s'accomplisse contre lui? Qu'est-ce que Robert peut faire? S'il aide à bâtir un avenir hostile à toutes les valeurs auxquelles il croit, son action est absurde; mais s'il s'entête à maintenir des valeurs qui ne descendront jamais sur terre, il devient un de ces vieux rêveurs auxquels il tient avant tout à ne pas ressembler. Non, dans cette alternative, aucun choix n'est possible : c'est, en tout cas, l'échec, l'impuissance; pour Robert, c'est mourir tout vif. Voilà pourquoi il se jette avec cette passion dans la lutte : il me dit que la situation lui offre une chance qu'il a attendue toute sa vie, soit; mais elle comporte aussi un danger plus grave qu'aucun de ceux qu'il a connus, et il le sait. Oui, j'en suis sûre, tout ce que je viens de me dire, il se le dit aussi. Il se dit que pour lui l'avenir sera peut-être une tombe, qu'il s'y engloutira sans laisser plus de trace que Rosa et Diégo. Et c'est même pire; peut-être les hommes de demain le regarderont-ils comme un attardé, une dupe, un mystificateur; inutile ou coupable, un déchet. Il se peut qu'un jour il soit tenté de se voir lui-même avec leurs yeux cruels : alors il finira sa vie dans le désespoir. Robert désespéré : c'est un scandale plus intolérable que la mort même. Je veux bien consentir à ma mort, à la sienne : pas à son désespoir. Non. Je ne supporterai pas de m'éveiller demain et les jours qui suivront avec cette énorme menace à l'horizon. Non. Mais je peux répéter cent fois : non, non et non, je n'y changerai rien. Je m'éveillerai devant cette menace demain et les jours qui suivront. Une certitude, on pourrait du moins en mourir; mais cette peur sans fond, il va falloir la vivre.

CHAPITRE II

I

Le lendemain matin la radio confirma la débâcle allemande. « C'est vraiment la paix qui commence » se répéta Henri en s'asseyant à sa table. « Enfin je peux écrire ! » Il décida : « Je m'arrangerai pour écrire tous les jours. » Quoi au juste ? Il ne savait pas, et il s'en félicitait; les autres fois il savait trop. Ce coup-ci il essaierait de s'adresser au lecteur sans préméditation, comme on écrit à un ami; et il réussirait peut-être à lui dire toutes ces choses qui n'avaient jamais trouvé place dans ses livres trop construits. Tant de choses qu'on voudrait retenir avec des mots et qui se perdent ! Il leva la tête et regarda à travers la fenêtre le ciel froid. Dommage de penser que cette matinée allait être perdue; tout semblait si précieux, ce matin : le papier blanc, l'odeur d'alcool et de tabac refroidi, la musique arabe qui montait du café voisin; Notre-Dame était froide comme le ciel, un clochard dansait au milieu de la ruelle, il portait une énorme collerette en plumes de coq bleues et deux filles endimanchées le regardaient en riant. C'était Noël, c'était la débâcle allemande et quelque chose recommençait. Oui, tous ces matins, tous ces soirs qu'il avait laissés filer entre ses doigts pendant ces quatre ans, pendant trente ans Henri allait essayer de les récupérer; on ne peut pas tout dire, d'accord, mais on peut tout de même tenter de rendre le vrai goût de sa vie : chacune a un goût, qui n'est qu'à elle, et il faut le dire, ou ce n'est pas la peine d'écrire : « Parler de ce que j'ai aimé, de ce que j'aime, de ce que je suis. » Il dessina un bouquet. Qui était-il ? Qui retrouvait-il après cette longue absence ? C'est difficile, du dedans, de se définir et de se limiter. Il n'était pas un maniaque de la politique ni un fanatique de l'écriture, ni un grand passionné; il se sentait plutôt quelconque; mais somme toute ça ne le gênait pas. Un homme comme tout le monde, qui parlerait sincèrement de lui, il parlerait au nom de tout le monde, pour tout le monde. La sincérité : c'était la seule originalité qu'il dût viser, la seule consigne qu'il eût à s'imposer. Il ajouta une fleur à son bouquet. Ce n'est pas si facile d'être sincère. Il n'envisageait pas de se confesser. Et qui dit roman dit mensonge. Ah ! il verrait ça plus tard. Pour l'instant, il ne fallait surtout pas s'embarrasser de problèmes; partir au hasard, commencer n'importe comment : par les jardins d'El-Oued sous la lune. Le papier était nu, il fallait en profiter.

— Tu as commencé ton roman gai? demanda Paule.

— Je ne sais pas.

— Comment tu ne sais pas? Tu ne sais pas ce que tu écris?

— Je me fais une surprise, dit-il en riant.

Paule haussa les épaules; pourtant c'était vrai : il ne voulait pas savoir; il fixait en désordre sur le papier un tas de moments de sa vie, ça l'amusait énormément et il ne demandait rien de plus. Le soir où il alla retrouver Nadine il abandonna son travail à regret. Il avait dit à Paule qu'il sortait avec Scriassine : il avait appris pendant cette dernière année à économiser sa franchise; ces simples mots : « Je sors avec Nadine » auraient provoqué tant de questions et tant de commentaires qu'il en avait préféré d'autres; mais c'était vraiment absurde de se cacher pour sortir cette fille ingrate, qu'il regardait comme une espèce de nièce; c'était surtout absurde de lui avoir donné ce rendez-vous. Il poussa la porte du Bar Rouge et s'approcha de la table où elle était assise entre Lachaume et Vincent.

— Pas de bagarre aujourd'hui?

— Zéro, dit Vincent avec dépit.

Les jeunes s'entassaient dans ce boyau rouge moins pour se retrouver entre camarades que pour affronter leurs adversaires : toutes les factions politiques y étaient représentées. Henri venait souvent y passer un moment; il aurait bien aimé s'asseoir et causer à bâtons rompus avec Lachaume et Vincent tout en regardant les gens; mais Nadine se leva tout de suite.

— Vous m'emmenez dîner?

— Je suis venu pour ça.

Dehors, il faisait noir, le trottoir était couvert d'une boue glacée : qu'est-ce qu'il allait bien pouvoir faire de Nadine? Il demanda : « Où voulez-vous aller? chez l'Italien?

— Chez l'Italien. »

Elle n'était pas contrariante; elle le laissa choisir leur table, elle commanda comme lui des *peperoni* et un *ossobuco;* elle approuvait tout ce qu'il disait avec un air réjoui qui parut bientôt suspect à Henri : en vérité, elle ne l'écoutait pas, elle mangeait avec une hâte placide en souriant à son assiette; il laissa tomber la conversation sans qu'elle parût s'en apercevoir. La dernière bouchée avalée, elle s'essuya la bouche d'un geste large :

— Et maintenant, où m'emmenez-vous?

— Vous n'aimez ni le jazz, ni la danse?

— Non.

— On peut essayer le Tropique du Cancer.

— C'est marrant?

— Vous en connaissez, vous, des boîtes marrantes? au Tropique on n'est pas mal pour causer.

Elle haussa les épaules : « Pour causer, les bancs du métro sont très bien »; son visage s'éclaira : « Il y a des boîtes que j'aime bien : celles où on voit des dames nues.

— Pas possible? ça vous amuse?

— Oh! oui; c'est plus drôle dans les bains turcs, mais même les cabarets c'est pas mal.

— Vous ne seriez pas un rien vicieuse? dit Henri en riant.

— C'est possible, dit-elle sèchement. Qu'est-ce que vous proposez de mieux? »

Regarder des femmes nues en compagnie de cette grande fille qui n'était ni vierge ni femme, on ne pouvait rien imaginer de plus incongru; mais enfin Henri s'était chargé de la distraire et il manquait d'inspiration. Ils s'assirent « Chez Astarté » devant un seau à champagne; la salle était encore vide; autour du bar les entraîneuses bavardaient. Nadine les examina longuement.

— Si j'étais un homme, tous les soirs je ramènerais une bonne femme différente.

— Tous les soirs une femme différente : ça finit par être la même.

— Sûrement pas; la petite brune, et la rousse qui a de si jolis faux seins, sous leurs robes, ça n'est pas du tout pareil. Elle appuya son menton contre la paume de sa main et dévisagea Henri : « Ça ne vous amuse pas les femmes?

— Pas comme ça.

— Comme quoi?

— Eh bien, j'aime bien les regarder quand elles sont jolies, danser avec elles, ou causer.

— Pour causer, il vaut mieux des hommes », dit Nadine; son regard devint soupçonneux : « En somme, pourquoi m'avez-vous invitée? je ne suis pas jolie, je danse mal et je ne cause pas bien. »

Il sourit : « Vous ne vous rappelez pas? vous m'avez reproché de ne jamais vous inviter.

— Chaque fois qu'on vous reproche de ne pas faire une chose, vous la faites?

— Et pourquoi avez-vous accepté mon invitation? » dit Henri.

Elle lui coula un regard si naïvement provocant qu'il fut déconcerté; est-ce que vraiment, comme le prétendait Paule, elle ne pouvait pas voir un homme sans s'offrir à lui?

— Il ne faut jamais rien refuser, dit-elle d'un ton sentencieux.

Pendant un moment elle battit son champagne en silence; la conversation se remit à clapoter, mais de temps en temps Nadine se taisait avec insistance, elle regardait fixement Henri, et il y avait sur son visage un air de reproche étonné. « Je ne peux tout de même pas l'embarquer » se disait-il; elle ne lui plaisait qu'à moitié, il la connaissait trop, c'était trop facile, et puis ça l'aurait gêné à cause des Dubreuilh; il essayait de remplir les silences, mais par deux fois elle bâilla avec affectation. Lui aussi, il trouvait le temps long. Quelques couples dansaient : surtout des Américains et des filles, et puis un ou deux faux ménages de province. Il décida de s'en aller dès que les girls auraient fait leur numéro et il fut soulagé quand il les vit enfin s'amener. Elles étaient six, en soutien-gorge et slip pailleté, coiffées de hauts-de-formes aux couleurs françaises et américaines; elles ne dansaient ni bien ni mal, elles étaient laides sans excès, c'était un spectacle sans intérêt et qui ne prêtait pas à rire; pourquoi Nadine avait-elle l'air si réjouie? Quand les filles détachèrent leur soutien-gorge pour découvrir leurs seins paraffinés, elle jeta sur Henri un coup d'œil sournois : « Laquelle vous plaît le plus?

— Elles se valent.

— La blonde à gauche, vous ne trouvez pas qu'elle a un ravissant petit nombril?

— Mais une gueule bien triste. »

Nadine se tut; elle inspectait les femmes d'un regard expert et un peu blasé; quand elles furent sorties, à reculons, agitant d'une main leur slip, de l'autre plaquant contre leur sexe leur chapeau tricolore, Nadine demanda :

— Est-ce que c'est plus important d'avoir une jolie gueule, ou d'être bien faite?

— Ça dépend.

— De quoi?

— De l'ensemble, et aussi des goûts.

— Quelle note je mérite dans l'ensemble et à votre goût?

Il la toisa : « Je vous le dirai dans trois ou quatre ans : vous n'êtes pas finie de faire.

— On n'est jamais fini avant d'être mort », dit-elle d'une voix fâchée. Son regard errait tout autour de la salle, il s'arrêta sur la danseuse à la triste figure qui était venue s'asseoir au bar, vêtue d'une petite robe noire : « C'est vrai qu'elle a l'air triste. Vous devriez l'inviter à danser.

— Ce n'est pas ça qui l'égaierait beaucoup.

— Ses copines ont des types; elle a l'air d'un laissé-pour-compte. Invitez-la donc, qu'est-ce que ça vous coûte? » dit-elle avec une soudaine véhémence; sa voix s'adoucit et se fit suppliante : « Juste une fois!

— Si vous y tenez tant », dit Henri.

La blonde le suivit sur la piste sans enthousiasme; elle était banalement niaise et il ne voyait pas du tout pourquoi Nadine s'intéressait à elle; à vrai dire les caprices de Nadine commençaient à l'ennuyer. Quand il revint s'asseoir près d'elle, elle avait rempli les deux coupes de champagne et les contemplait d'un air méditatif.

— Vous êtes très gentil, dit-elle en lui faisant les yeux doux; elle sourit brusquement : « Est-ce que vous devenez drôle quand vous êtes saoul?

— Quand je suis saoul je me trouve très drôle.

— Et les autres qu'est-ce qu'ils en pensent?

— Quand je suis saoul je ne m'occupe pas de ce qu'ils pensent. » Elle désigna la bouteille : « Saoulez-vous.

— Avec du champagne je n'irai pas loin.

— Combien de coupes pouvez-vous boire sans être saoul?

— Des tas.

— Plus de trois?

— Certainement. »

Elle le regarda d'un air incrédule : « Je voudrais bien voir ça. Vous avaleriez ces deux coupes d'un trait ça ne vous ferait rien?

— Rien du tout.

— Allez-y.

— Pour quoi faire?

— Les gens se vantent toujours : il faut les mettre au pied du mur.

— Après ça, vous me demanderez de marcher sur la tête? dit Henri.

— Après, vous pourrez rentrer vous coucher. Buvez; coup sur coup. »

Il avala une des coupes et il sentit un choc au creux de l'estomac; elle lui mit l'autre coupe dans la main :

— On a dit coup sur coup.

Il avala l'autre coupe.

Il se réveilla couché dans un lit, nu, à côté d'une femme nue qui l'avait empoigné par les cheveux et qui lui secouait la tête; il murmura : « Qui est là?

— C'est Nadine; réveille-toi, il est tard. »

Il ouvrit les yeux; l'électricité était allumée, c'était une chambre inconnue, une chambre d'hôtel; oui, il se rappelait le bureau, l'escalier; avant il avait bu du champagne, sa tête lui faisait mal.

— Qu'est-ce qui est arrivé? je ne comprends pas.

— Ton champagne, il était coupé de marc, à soixante-dix, dit Nadine avec un grand rire.

— Tu as foutu du marc dans le champagne?

— Un peu! c'est un truc dont je me sers souvent avec les Américains quand j'ai besoin qu'ils soient saouls; elle sourit : « C'était le seul moyen de t'avoir.

— Et tu m'as eu?

— Si on peut dire.

Il se toucha le crâne : « Je ne me rappelle rien.

— Oh! il n'y avait pas de quoi. »

Elle bondit hors du lit, sortit un peigne de son sac et nue devant l'armoire à glace elle commença à se peigner; comme son corps était jeune! avait-il vraiment serré contre lui ce mince buste aux épaules rondes, aux seins légers? Elle surprit son regard : « Ne me regarde pas comme ça! Elle saisit sa combinaison et l'enfila en hâte.

— Tu es très jolie!

— Ne dis pas de bêtises! dit-elle d'une voix rogue.

— Pourquoi te rhabilles-tu : viens. »

Elle secoua la tête et il dit avec un peu d'inquiétude : « As-tu quelque chose à me reprocher? j'étais saoul tu sais. »

Elle revint vers le lit et embrassa Henri sur une joue : « Tu as été très gentil. Mais je n'aime pas recommencer, ajouta-t-elle en s'éloignant; pas le même jour. »

C'était vraiment vexant de ne rien se rappeler; elle enfilait ses socquettes et il se sentait mal à l'aise, couché nu sous ces draps : « Je vais me lever : tourne-toi.

— Tu veux que je me tourne?

— S'il te plaît. »

Elle se planta dans un coin, le nez au mur, les mains derrière le dos comme une écolière en pénitence; tout de suite elle demanda d'une voix moqueuse : « Ça ne suffit pas?

— Ça suffit », dit-il en bouclant la ceinture de son pantalon.

Elle l'examina d'un air critique : « Ce que tu es compliqué!

— Moi?

— Tu en fais des histoires pour te mettre au lit et pour en sortir.

— Quel mal de crâne tu m'as foutu! » dit Henri.

Il regrettait qu'elle n'eût pas voulu recommencer. Elle avait un joli corps et c'était une drôle de fille.

Quand ils furent assis devant de faux cafés, dans le petit Biard qui s'éveillait à côté de la gare Montparnasse, il demanda gaiement : « En somme pourquoi tenais-tu à coucher avec moi?

— Pour faire connaissance.

— C'est toujours comme ça que tu fais connaissance?

— Quand on couche avec quelqu'un, ça brise la glace; on est bien mieux ensemble qu'avant, non?

— La glace est brisée, dit Henri en riant. Mais pourquoi voulais-tu tant faire connaissance avec moi?

— Je voulais que tu me trouves gentille.

— Je te trouve très gentille. »

Elle le regarda d'un air à la fois malicieux et embarrassé : « Je veux que tu me trouves assez gentille pour m'emmener au Portugal.

— Ah! c'est donc ça! » Il posa sa main sur le bras de Nadine : « Je t'ai dit que c'était impossible.

— A cause de Paule? mais puisqu'elle ne vient pas avec toi, je peux bien venir.

— Mais non, tu ne peux pas : ça la rendrait très malheureuse.

— Ne lui dis pas.

— Ça serait un trop gros mensonge; il sourit : d'autant plus qu'elle le saurait.

— Alors, pour lui éviter une peine, tu me prives d'un truc dont j'ai tellement envie?

— Tu en as tellement envie?

— Un pays où il y a du soleil et de quoi bouffer : je vendrais mon âme pour y aller.

— Tu as eu faim pendant la guerre?

— Tu parles! remarque que pour ça, maman était formidable; elle se tapait des quatre-vingts kilomètres à vélo pour nous ramener un kilo de champignons ou un bout de charogne; mais ça n'empêchait pas. Le premier Américain qui m'a foutu sa caisse de rations dans les bras, j'étais folle.

— C'est pour ça que tu aimais tant les Américains?

— Oui; et puis au début ça m'amusait. » Elle haussa les épaules : « Maintenant, ils sont trop organisés, ça n'est plus drôle. Paris est de nouveau sinistre. » Elle regarda Henri d'un air suppliant : « Emmène-moi. »

Il aurait bien aimé lui faire ce plaisir; donner à quelqu'un un vrai bonheur, c'est si réconfortant! mais comment faire encaisser ça à Paule?

— Ça t'est déjà arrivé d'avoir des histoires, dit Nadine, et Paule s'en est arrangée.

— Qui t'a raconté ça?

Nadine rit d'un air sournois : « Une femme qui parle de ses amours à une autre femme, ça cause fort. »

Oui, Henri avait avoué à Paule quelques infidélités qu'elle avait excusées avec superbe; la difficulté aujourd'hui c'est qu'une explication l'amènerait fatalement ou à s'enferrer dans un mensonge dont il ne voulait plus, ou à revendiquer cruellement sa liberté, et pour ça le courage lui manquait. Il murmura :

— Un voyage d'un mois, c'est une autre affaire.

— Mais on se quitterait au retour; je ne veux pas te prendre à Paule! Nadine rit avec insolence : « Je veux me promener, c'est tout. »

Henri hésita. Se promener dans les rues inconnues, s'asseoir aux terrasses des cafés, avec une femme qui lui rirait au visage; le soir dans la chambre d'hôtel retrouver son jeune corps tiède; oui, c'était tentant. Et puisqu'il était décidé à en finir avec Paule, qu'est-ce qu'il gagnait à attendre? Le temps n'arrangeait rien, au contraire.

— Écoute, dit-il, je ne peux rien te promettre. Dis-toi bien que ce n'est pas une promesse : mais je vais essayer de parler à Paule et si ça me semble possible de t'emmener, eh bien, d'accord.

II

Je regardai avec découragement le petit tableau. Deux mois plus tôt j'avais dit à l'enfant : « Dessine une maison », et il avait dessiné une villa avec ses toits, sa cheminée, sa fumée; pas une fenêtre; pas une porte, et tout autour une haute grille noire aux barreaux pointus. « Maintenant, dessine une famille », et il avait dessiné un homme qui donnait la main à un petit garçon. Voilà qu'aujourd'hui il avait encore peint une maison sans porte, entourée de barreaux noirs et acérés : nous n'avancions pas. Était-ce un cas particulièrement difficile, ou était-ce moi qui ne savais pas le traiter? Je rangeai le dessin dans un dossier. Je ne savais pas, ou je ne voulais pas? Peut-être la résistance de l'enfant traduisait-elle celle que je sentais en moi : cet inconnu qui était mort deux ans plus tôt à Dachau, ça me faisait horreur de le chasser du cœur de son fils. « Alors, je devrais abandonner cette cure », me dis-je. Je restai debout à côté de ma table de travail. J'avais deux heures devant moi, j'aurais pu classer mes notes, mais je ne me décidais pas. Bien sûr, je me suis toujours posé un tas de questions; guérir, c'est souvent mutiler; dans une société injuste, l'équilibre individuel, qu'est-ce que ça

vaut? Mais ça me passionnait d'avoir à inventer en chaque cas une
réponse. Mon but n'était pas de procurer à mes malades un confort
intérieur fallacieux; si je cherchais à les délivrer de leurs chimères
intimes, c'était pour les rendre capables d'affronter les vrais problèmes
qui se posent dans le monde; et chaque fois que j'y réussissais, j'esti-
mais avoir fait un travail utile; la tâche est si vaste, elle réclame la coo-
pération de tous : c'est ce que je pensais hier. Mais ça supposait que
tout homme sensé avait un rôle à jouer dans une histoire qui achemi-
nait l'humanité vers le bonheur. Je ne crois plus à cette belle harmonie.
L'avenir nous échappe, il se fera sans nous. Alors à s'en tenir au présent,
quel avantage y a-t-il à ce que le petit Fernand devienne rieur et étourdi
comme les autres enfants? « Je file un bien mauvais coton, me dis-je.
Si ça dure, il ne me restera qu'à fermer mon cabinet. » Je marchai
vers la salle de bains, j'en rapportai une cuvette et une brassée de vieux
journaux, et je m'agenouillai devant la cheminée où brûlaient sans
entrain des boulets de papier; j'humectai les feuilles imprimées, je
commençai à les pétrir. J'avais moins de répugnance qu'autrefois pour
ce genre de travaux; avec l'aide de Nadine et quelquefois un coup de
main de la concierge je tenais tant bien que mal la maison. Du moins,
pendant que je triturais ces vieux journaux, j'étais sûre de faire quelque
chose d'utile. L'ennui c'est que ça n'occupait que mes mains. J'ai réussi
à ne plus penser au petit Fernand, ni à mon métier, mais je n'y gagnai
pas grand-chose; le disque a recommencé à tourner dans ma tête :
« A Stavelot, il n'y a plus assez de cercueils pour enterrer tous les enfants
assassinés par les S. S... » Nous, nous avions échappé; mais ailleurs c'était
arrivé. On avait caché en hâte les drapeaux, noyé les armes, les hommes
avaient fui vers les champs, les femmes s'étaient barricadées derrière
les portes, et dans les rues abandonnées à la pluie on avait entendu
leurs voix rauques; cette fois, ils n'arrivaient pas en conquérants magna-
nimes, ils revenaient avec la haine et la mort au cœur. Ils étaient repartis; mais du village en fête, il ne restait qu'une terre calcinée et des
monceaux de petits cadavres.
Une coulée de froid me fit frissonner : Nadine avait ouvert brusquement la porte :
— Pourquoi ne m'as-tu pas demandé de t'aider?
— Je croyais que tu t'habillais.
— Il y a longtemps que je suis prête. Elle s'agenouilla à côté de moi
et empoigna un journal. « Tu as peur que je ne sache pas? C'est quand
même à ma portée. »
Le fait est qu'elle s'y prenait mal : elle mouillait trop le papier, elle
ne le comprimait pas assez; malgré tout j'aurais dû l'appeler. Je l'inspectai.
— Laisse-moi t'arranger un peu, dis-je.
— Pour qui ça? pour Lambert?
J'allai chercher dans mon armoire une écharpe et une broche
ancienne et je lui tendis les escarpins à semelle de cuir dont m'avait
fait cadeau une cliente qui se croyait guérie. Elle hésita :

— Mais tu sors ce soir : qu'est-ce que tu vas mettre?

— Personne ne regardera mes pieds, dis-je en riant.

Elle prit les souliers et grommela : « Merci! ».

J'eus envie de répondre : « Il n'y a pas de quoi! » Mes soins, mes libéralités la mettaient mal à l'aise parce qu'elle ne m'en était pas vraiment reconnaissante et qu'elle se le reprochait; je la sentais qui hésitait entre la gratitude et le soupçon, tandis qu'elle pétrissait maladroitement des boulets. Elle avait raison de se méfier; mon dévouement, ma générosité, c'était la plus injuste de mes ruses : je la mettais dans son tort alors que je ne cherchais qu'à éluder ses remords. Remords parce que Diégo était mort, parce que Nadine n'avait pas de robe de fête, parce qu'elle riait mal et que la morosité la rendait laide. Remords parce que je ne savais pas me faire obéir d'elle et parce que je ne l'aimais pas assez. Il aurait été plus honnête de ne pas l'étourdir de mes bienfaits. Peut-être l'aurais-je soulagée si je l'avais prise dans mes bras en lui disant : « Ma pauvre petite fille, pardonne-moi de ne pas t'aimer davantage. » Si je l'avais tenue dans mes bras, peut-être aurais-je été défendue contre ces petits cadavres qu'on n'avait pas les moyens d'enterrer.

Elle leva la tête : « Tu as reparlé à papa de ce secrétariat?

— Pas depuis avant-hier, non. » J'ajoutai avec empressement : « La revue ne sort qu'en avril, on a tout le temps.

— Mais j'ai besoin de savoir à quoi m'en tenir », dit Nadine; elle jeta un boulet dans le feu : « Je ne comprends vraiment pas pourquoi il est contre.

— Il te l'a dit : il trouve que tu vas perdre ton temps. » Un métier, des responsabilités de grande personne : moi je pensais que ça serait bon pour Nadine; mais Robert était plus ambitieux.

— Et la chimie, ce n'est pas du temps perdu? dit-elle avec un haussement d'épaules.

— Personne ne t'oblige à faire de la chimie.

C'est pour nous offenser que Nadine avait choisi la chimie; elle n'en était que trop punie.

— Ce n'est pas la chimie qui m'emmerde, dit-elle, c'est d'être étudiante. Papa ne se rend pas compte : je suis bien plus vieille que tu n'étais à mon âge; je veux faire quelque chose de réel.

— Tu sais bien que je suis d'accord, dis-je. Et sois tranquille, si ton père voit que tu ne changes pas d'avis, il finira par dire oui.

— Il dira oui : je sais sur quel ton! dit Nadine d'un air boudeur.

— Nous le convaincrons, dis-je. Tu sais ce que je ferais si j'étais toi : j'apprendrais tout de suite à taper à la machine.

— Tout de suite, je ne peux pas, dit-elle. Elle hésita et puis elle me regarda avec un peu de défi : « Henri m'emmène avec lui au Portugal.»

J'ai été prise au dépourvu : « Vous avez décidé ça hier? ai-je demandé d'une voix qui cachait mal mon déplaisir.

— Il y a longtemps que je l'avais décidé », dit Nadine; elle ajouta sur un ton agressif : « Naturellement tu me blâmes? tu me blâmes à cause de Paule? »

Je roulai un boulet humide entre mes paumes : « Je pense que tu vas te rendre malheureuse.

— Ça me regarde.

— En effet. »

Je n'ajoutai rien; je savais que mon silence l'irritait mais elle m'agace quand elle repousse d'un ton coupant les explications qu'elle souhaite; elle veut que je lui force la main et moi je répugne à entrer dans son jeu. Je fis tout de même un effort : « Henri ne t'aime pas, dis-je; il n'est pas en humeur d'aimer...

— Tandis que Lambert, il serait assez con pour m'épouser? dit-elle avec hostilité.

— Je ne t'ai jamais poussée à te marier, dis-je; le fait est que Lambert t'aime. »

Elle m'interrompit : « D'abord, il ne m'aime pas; il ne m'a seulement jamais demandé de coucher avec lui, même que l'autre nuit, au réveillon, je lui ai fait des avances et qu'il m'a envoyée bondir.

— C'est qu'il attend autre chose de toi.

— Si je ne lui plais pas, c'est son affaire; d'ailleurs, je comprends qu'après avoir eu une fille comme Rosa on soit difficile; et je te prie de croire que je m'en contrebalance. Seulement ne viens pas me raconter qu'il en pince pour moi. » La voix de Nadine se montait. Je haussai les épaules.

— Fais ce que tu veux! dis-je. Je te laisse libre; qu'est-ce que tu demandes de plus?

Elle toussota, comme elle faisait toujours quand elle était intimidée : « Entre Henri et moi il ne s'agit que d'une aventure. Au retour, on se quitte.

— Franchement, Nadine, tu y crois?

— Oui, j'y crois, dit-elle avec trop de conviction.

— Quand tu auras passé un mois avec Henri, tu tiendras à lui.

— Pas du tout. » De nouveau le défi s'alluma dans ses yeux : « Si tu veux savoir, j'ai couché avec lui hier et ça ne m'a rien fait du tout. »

Je détournai les yeux : je ne tenais pas à savoir. Je dis sans avouer ma gêne : « Ce n'est pas une raison. Je suis sûre qu'au retour, tu voudras le garder : il ne voudra pas.

— C'est à voir, dit-elle.

— Ah! tu en conviens : tu espères le garder. Tu te trompes : tout ce qu'il souhaite à l'heure qu'il est, c'est sa liberté.

— Il y a une partie à jouer : ça m'amuse.

— Calculer, manœuvrer, guetter, attendre, ça t'amuse! et tu ne l'aimes même pas!

— Peut-être que je ne l'aime pas, dit-elle, mais je le veux. »

Elle jeta dans la grille une poignée de boulets

— Avec lui, je vivrai, tu comprends?

— On n'a besoin de personne pour vivre, dis-je avec humeur.

Elle regarda autour d'elle : « Tu appelles ça vivre! Franchement, ma pauvre maman, tu crois que tu as vécu? Causer avec papa la moitié de la journée et soigner des cinglés pendant l'autre moitié, tu parles d'une existence! » Elle se releva et épousseta ses genoux; sa voix s'exaspérait : « Ça m'arrive de faire des sottises, je ne dis pas; mais j'aimerais mieux finir dans un bordel que de me promener dans la vie avec des gants de chevreau glacé : jamais tu ne les enlèves, tes gants. Tu passes ton temps à donner des conseils; et qu'est-ce que tu connais des hommes? Et je suis bien sûre que jamais tu ne te regardes dans la glace et que tu n'as jamais de cauchemars. »

C'était sa tactique de m'attaquer chaque fois qu'elle était dans son tort ou simplement qu'elle doutait d'elle-même; je ne répondis rien et elle marcha vers la porte; sur le seuil elle s'arrêta et elle demanda d'une voix plus calme :

— Tu viendras prendre une tasse de thé avec nous?...

— Tu n'auras qu'à m'appeler.

Je me levai, j'allumai une cigarette. Que pouvais-je faire? Je n'osais plus rien faire. Quand Nadine a commencé à chercher et à fuir Diégo de lit en lit, j'ai tenté d'intervenir : mais elle avait découvert trop brutalement le malheur, elle en restait trop égarée de révolte et de désespoir pour qu'on pût avoir prise sur elle. Dès que j'ai essayé de lui parler, elle s'est bouché les oreilles, elle a crié, elle s'est enfuie : elle n'est rentrée à la maison qu'à l'aube. Sur ma demande, Robert a entrepris de la raisonner; ce soir-là, elle n'a pas été retrouver son capitaine américain, elle est restée enfermée dans sa chambre; mais le lendemain elle a disparu en laissant un mot : « Je m'en vais. » Toute une nuit, tout un jour, toute une nuit encore Robert l'a cherchée, moi j'attendais à la maison. L'horrible attente! Vers quatre heures du matin un barman de Montparnasse a téléphoné. J'ai trouvé Nadine couchée sur une banquette du bar, ivre morte, avec un œil au beurre noir. « Laisse-la donc libre. Il ne faut pas la buter », m'a dit Robert. Je n'avais pas le choix. Si j'avais continué à lutter, Nadine se serait mise à me haïr et elle aurait fait exprès de me narguer. Mais elle sait que j'ai cédé à contre-cœur et que je la blâme : elle m'en veut. Peut-être n'a-t-elle pas tout à fait tort; si je l'avais aimée davantage, nos rapports auraient été différents : peut-être aurais-je su l'empêcher de mener une vie que je blâme. Je restai longtemps debout à regarder les flammes en me répétant : « Je ne l'aime pas assez. »

Je ne l'ai pas désirée; c'est Robert qui a souhaité tout de suite un enfant. J'en ai voulu à Nadine de déranger notre tête-à-tête. J'aimais trop Robert et je ne m'intéressais pas à moi pour que ça m'attendrisse de retrouver ses traits ou les miens chez cette petite intruse. Je constatai sans indulgence ses yeux bleus, ses cheveux, son nez. Je la grondai le moins possible, mais elle a senti mes réticences : je lui ai toujours été suspecte. Aucune petite fille n'a mis plus d'acharnement à triompher de sa rivale dans le cœur de son père; et jamais elle ne s'est résignée à appartenir à la même espèce que moi; quand je lui

expliquai qu'elle allait bientôt être réglée et ce que ça signifiait, elle
m'a écoutée avec une attention hagarde et puis elle a fracassé contre
le sol son vase préféré. Après la première souillure, sa colère a été si
puissante qu'elle est restée pendant dix-huit mois sans saigner. Diégo
avait créé entre nous un climat nouveau : elle avait possédé enfin un
trésor qui n'appartenait qu'à elle, elle s'était sentie mon égale et une
amitié était née entre nous. Mais après, tout est devenu pire; à présent
tout est pire.

— Maman.

Nadine m'appelait. En suivant le corridor, je calculai : Si je reste
trop longtemps, elle dira que j'accapare ses amis; si je pars trop vite,
elle pensera que je les méprise. Je poussai la porte; il y avait Lambert,
Sézenac, Vincent, Lachaume; pas de femme, Nadine n'avait aucune
amie. Ils buvaient du café américain autour d'un radiateur électrique;
elle me tendit une tasse d'une eau noire et âcre.

— Chancel s'est fait descendre, dit-elle brusquement.

Je ne connaissais pas beaucoup Chancel; mais dix jours plus tôt,
je l'avais vu rire avec les autres autour de l'arbre de Noël; Robert avait
peut-être raison : il n'y a pas tant de distance entre les vivants et les
morts; pourtant, ces futurs morts qui buvaient leur café en silence
avaient l'air honteux, comme moi, d'être si vivants. Les yeux de Sézenac étaient encore plus vides que de coutume, il ressemblait à un Rimbaud décérébré. J'ai demandé :

— Comment est-ce arrivé?

— On ne sait rien, dit Sézenac. Son frère a reçu un mot disant qu'il
était mort au champ d'honneur.

— Est-ce qu'il ne l'a pas fait exprès?

Sézenac haussa les épaules : « Peut-être.

— Peut-être aussi qu'on ne lui a pas demandé son avis, dit Vincent.
Ils ne lésinent pas sur le matériel humain, nos généraux, c'est des grands
seigneurs. »

Au milieu de son visage blême, ses yeux injectés de sang avaient l'air
de deux plaies; et sa bouche ressemblait à une cicatrice; on ne s'apercevait pas d'abord que ses traits étaient réguliers et fins. La face de
Lachaume au contraire était placide et tourmentée comme un rocher.

— Question de prestige! dit-il. Si on veut encore jouer à la grande
puissance, il nous faut un nombre convenable de morts.

— Et puis, dis donc, désarmer les F. F. I., c'était pas mal : mais si
on pouvait les liquider en douce, ça arrangerait encore mieux ces messieurs, dit Vincent; sa cicatrice béa dans une espèce de sourire.

— Qu'est-ce que tu insinues? demanda Lambert d'une voix sévère
en regardant Vincent dans les yeux. De Gaulle a donné à de Lattre
l'ordre de se débarrasser de tous les communistes? Si c'est ça que tu
veux dire, dis-le : aie au moins ce courage.

— Pas besoin d'ordre, dit Vincent. Ils se comprennent à demi-mot.

Lambert haussa les épaules : « Tu n'y crois pas toi-même.

— C'est peut-être vrai, dit Nadine d'une voix agressive.

— Bien sûr que ce n'est pas vrai.

— Qu'est-ce qui le prouve? dit-elle.

— Ah! tu as attrapé la technique, dit Lambert. On invente un fait de toutes pièces, et après ça on vous demande de prouver qu'il est faux! Évidemment, je ne peux pas te démontrer que Chancel n'a pas été tué d'une balle dans le dos. »

Lachaume sourit : « Vincent n'a pas dit ça. »

Ça se passait toujours ainsi. Sézenac se taisait; Vincent et Lambert se chamaillaient et au bon moment Lachaume intervenait; généralement il reprochait à Vincent son gauchisme et à Lambert ses préjugés petits-bourgeois. Nadine se rangeait dans un camp ou dans un autre, selon ses humeurs. J'évitai de me mêler à leur dispute; elle fut plus véhémente que de coutume, sans doute parce que la mort de Chancel les avait plus ou moins bouleversés. De toute façon, Vincent et Lambert n'étaient pas faits pour s'entendre. Lambert sentait le fils de famille; avec sa canadienne et son fin visage malsain, Vincent avait plutôt l'air d'un voyou; il y avait quelque chose de pas très rassurant dans ses yeux, mais je n'arrivais tout de même pas à croire qu'il avait tué de vrais hommes, avec un vrai revolver. Chaque fois que je le voyais, j'y pensais, mais sans arriver à y croire. Peut-être Lachaume avait-il tué aussi, d'ailleurs, mais il n'en avait parlé à personne et ça ne le dérangeait pas.

Lambert se tourna vers moi : « Même avec des copains, on ne peut plus parler, dit-il. Ah! ce n'est pas drôle, Paris en ce moment. Je me demande si Chancel n'a pas eu raison, je ne dis pas de se faire ratatiner, mais d'aller se battre. »

Nadine le regarda d'un air fâché : « Tu n'y es jamais à Paris! dit-elle.

— J'y suis assez pour trouver que c'est sinistre. Et quand je me promène sur le front je ne me sens pas fier.

— Tu as pourtant fait tout ce qu'il fallait pour être correspondant de guerre! dit-elle d'une voix aigre.

— J'aimais encore mieux ça que de rester ici; mais c'est une demi-mesure.

— Oh! si tu t'emmerdes à Paris, personne ne te retient, dit Nadine dont le visage était franchement courroucé. Il paraît que de Lattre aime les jolis garçons. Va donc jouer au héros, va.

— Ça vaut d'autres jeux », grommela Lambert en fixant sur elle un regard lourd de sous-entendus.

Nadine le toisa un moment : « Tu ne serais pas mal en grand blessé, avec des bandages partout. » Elle ricana : « Seulement ne compte pas sur moi pour te rendre visite à l'hôpital. D'ici quinze jours je serai au Portugal.

— Au Portugal?

— Perron m'emmène comme secrétaire, dit-elle d'un ton négligent.

— Eh bien, il en a de la chance, dit Lambert; il t'aura pour lui tout seul, pendant tout un mois!

— Tout le monde n'est pas aussi dégoûté que toi, dit Nadine.

— Oui, ces temps-ci les hommes sont faciles, dit Lambert entre ses dents, faciles comme des femmes.

— Tu es grossier! » dit Nadine.

Je me demandais avec agacement comment ils se laissaient prendre à leurs puériles manœuvres! J'étais sûre pourtant qu'ils auraient pu s'aider à revivre; ensemble ils auraient réussi à vaincre ces souvenirs qui les unissaient et les séparaient. Mais peut-être était-ce justement pour ça qu'ils se déchiraient : chacun détestait dans l'autre sa propre infidélité. En tout cas, intervenir eût été la pire maladresse. Je les laissai se chamailler et je quittai la pièce. Sézenac me suivit dans l'antichambre.

— Je peux vous dire un mot?

— Allez-y.

— C'est un service, dit-il, un service que je voulais vous demander.

Je me rappelais comme il avait grande allure, le 25 août, avec sa barbe, son fusil, son foulard rouge : un vrai soldat de 48. A présent ses yeux bleus étaient morts, sa face bouffie; et j'avais remarqué en lui serrant la main que ses paumes étaient moites.

— Je dors mal, dit-il. J'ai... j'ai des douleurs. Une fois un ami m'a donné un suppositoire d'eubine et ça m'a beaucoup soulagé. Seulement les pharmaciens exigent une ordonnance...

Il me regardait d'un air suppliant.

— Quel genre de douleurs?

— Oh! partout. Dans la tête. Des cauchemars surtout...

— On ne guérit pas les cauchemars avec de l'eubine.

Son front devint moite comme ses mains :

— Je vais tout vous dire. J'ai une amie; une amie que j'aime beaucoup, je voudrais l'épouser; mais je... je ne peux rien faire avec elle si je ne prends pas d'eubine.

— L'eubine, c'est à base d'opium, dis-je. Vous en prenez souvent?

Il eut l'air effarouché : « Oh! non; seulement une fois de temps en temps, quand je passe la nuit avec Lucie.

— Tant mieux; on a vite fait de s'intoxiquer avec ces trucs-là. » Il me regardait d'un air suppliant, la sueur perlait sur son front : « Venez donc me voir demain matin, dis-je; je verrai si je peux vous donner cette ordonnance. »

Je regagnai ma chambre; certainement il était déjà plus ou moins intoxiqué; quand avait-il commencé à se droguer? pourquoi? Je soupirai. Encore un que j'allais étendre sur le divan et essayer de vider. Par moments, ils m'excédaient, tous ces gisants; dehors, debout sur leurs pieds, ils jouaient tant bien que mal leur rôle d'adultes; ici, ils redevenaient des nourrissons au derrière breneux et c'était à moi de les laver de leur enfance. Cependant, je parlais d'une voix impersonnelle qui était la voix de la raison, de la santé. Leur vraie vie était ailleurs : la mienne aussi; ça n'était pas étonnant que je sois fatiguée d'eux et de moi.

J'étais fatiguée. « Des gants de chevreau glacé » disait Nadine. « Distante, intimidante » avait dit Scriassine; est-ce ainsi que je leur apparaissais? Est-ce ainsi que j'étais? Je me rappelais mes colères d'enfance, et les battements de mon cœur adolescent, et les fièvres de ce mois d'août; mais tout ça c'était loin déjà. Le fait est que plus rien ne bougeait au-dedans de moi. Je passai un peigne dans mes cheveux, je retouchai mon maquillage. On ne peut pas persévérer indéfiniment dans la peur, on se fatigue; et puis Robert commençait un livre, il était d'excellente humeur; je ne me réveillais plus la nuit avec des suées d'angoisse; mais je restais abattue. Je ne voyais aucune raison d'être triste, non; ce qu'il y a c'est que ça me rend malheureuse de ne pas me sentir heureuse, j'ai sans doute été trop gâtée. Je pris mon sac, mes gants et j'allai frapper chez Robert. Je n'avais aucune envie de sortir.

— Vous n'avez pas trop froid? vous ne voulez pas un petit feu de papier?

Il recula son fauteuil, me sourit : « Je suis très bien. »

Bien sûr. Robert se trouvait toujours bien. Il s'était nourri joyeusement pendant deux ans de choucroute aux navets et de rutabagas; il n'avait jamais froid : à croire qu'il produisait lui-même sa chaleur à la manière des yogis; quand je rentrerais vers minuit il serait encore en train d'écrire, drapé dans son plaid écossais, et il s'étonnerait : « Mais quelle heure est-il donc? » Il ne m'avait encore parlé que confusément de son nouveau livre, mais j'avais l'impression qu'il en était content. Je m'assis.

— Nadine vient de m'annoncer une drôle de nouvelle, dis-je : elle accompagne Perron au Portugal.

Il leva vivement les yeux vers moi : « Ça te contrarie?

— Oui; Perron, ce n'est pas le genre de type qu'on ramasse et qu'on laisse tomber : elle va se mettre à tenir beaucoup trop à lui. »

Robert posa sa main sur la mienne : « Ne t'en fais donc pas pour Nadine; d'abord ça m'étonnerait qu'elle s'attache à Perron; et en tout cas, elle se consolera vite.

— Elle ne va tout de même pas passer sa vie à se consoler! » dis-je.

Robert se mit à rire : « Il n'y a rien à faire! ça te choquera toujours que ta fille couche à tort et à travers comme un garçon. J'en faisais autant à son âge. »

Jamais Robert n'avait voulu considérer que Nadine n'était pas un garçon; je dis : « Ce n'est pas pareil; Nadine s'agrippe à un homme après l'autre parce que quand elle est seule elle ne se sent pas vivre; c'est ça qui m'inquiète.

— Écoute, on comprend bien qu'elle ait peur d'être seule; c'est encore tout frais l'histoire de Diégo. »

Je secouai la tête : « Ce n'est pas seulement à cause de Diégo.

— Je sais, tu prétends qu'il y a de notre faute », dit-il d'un ton sceptique. Il haussa les épaules : « Elle changera, elle a tout le temps de changer.

— Espérons-le. » Je regardai Robert avec insistance : « Vous savez, ça serait très important pour elle d'avoir une occupation à laquelle elle s'intéresserait vraiment. Donnez-le-lui ce poste de secrétaire; elle vient encore de m'en parler; elle y tient énormément.

5

— Ça n'a pourtant rien de passionnant, dit Robert. Taper des enveloppes et tenir des fichiers à longueur de journée : intelligente comme elle est, c'est un crime.

— Elle se sentira utile, ça l'encouragera, dis-je.

— Elle peut faire tellement mieux! Qu'elle continue donc ses études.

— Pour l'instant elle a besoin de faire bien quelque chose, et elle serait une bonne secrétaire. » J'ajoutai : « Il ne faut pas trop demander aux gens. »

Pour moi les exigences de Robert avaient toujours été toniques, mais elles avaient fini par décourager Nadine. Il ne lui donnait pas d'ordres : il lui faisait confiance, il attendait, et elle se piquait au jeu; elle avait lu trop jeune des livres trop sévères, elle avait participé trop précocement aux conversations des adultes. Et puis elle s'était fatiguée de ce régime, elle s'était dépitée d'abord contre elle-même, et elle prenait maintenant une espèce de revanche en s'appliquant à décevoir Robert. Il me regarda avec perplexité, comme chaque fois qu'il pressent dans mes paroles un reproche.

— Si tu crois vraiment que c'est ce qui lui convient... dit-il. Tu sais mieux que moi.

— Je crois vraiment, dis-je.

— Alors, soit.

Il avait cédé bien facilement : ça prouvait que Nadine n'avait que trop réussi à le désappointer; quand il ne peut plus se donner sans réserve à une affection ou à une entreprise, Robert a vite fait de s'en désintéresser : « Évidemment, un métier qui la rendrait indépendante de nous, ça serait encore mieux, dis-je.

— Mais ce n'est pas ce qu'elle veut : elle veut jouer l'indépendance », dit Robert avec sécheresse. Il n'avait plus envie de parler de Nadine et je ne pouvais pas lui insuffler de l'enthousiasme pour un projet qu'il désapprouvait. Je laissai tomber. Il dit d'un ton soudain animé :

— Je ne comprends vraiment pas que Perron fasse ce voyage.

— Il a envie de vacances, dis-je; moi je comprends. J'ajoutai avec chaleur : « Je trouve qu'il a bien le droit de prendre un peu de bon temps; il en a fait assez...

— Il en a fait plus que moi, dit Robert, mais ce n'est pas la question. » Il me regarda d'un air impérieux : « Pour que le S. R. L. démarre, il nous faut un journal.

— Je sais », dis-je. J'ajoutai avec hésitation : « Je me demande...

— Quoi?

— Si Henri vous le cédera jamais, ce journal, il y tient tant.

— Il n'est pas question qu'il nous le cède, dit Robert.

— Il est question qu'il se mette aux ordres du S. R. L.

— Mais il en fait partie; et il aurait tout avantage à adopter un programme défini : un journal sans programme politique, ça ne tient pas debout.

— C'est leur idée.

— Tu appelles ça une idée! » Robert haussa les épaules.

— « Perpétuer l'esprit de la Résistance par-delà les fractions ! » : c'est bon pour ce pauvre Luc, ce genre de salade. L'esprit de la Résistance, tiens, ça me fait penser à l'esprit de Locarno. Perron ne donne pas dans les tables tournantes. Je suis tranquille, il finira par marcher ; seulement en attendant, on perd du temps.

J'avais peur que Robert ne se préparât une mauvaise surprise ; quand il est buté sur un projet, il prend les gens pour de simples outils. Ce journal, Henri s'y était donné corps et âme, c'était sa grande aventure, il ne se laisserait pas volontiers dicter des programmes.

— Pourquoi ne lui en avez-vous pas encore parlé ? demandai-je.

— Il ne pense qu'à aller se promener.

Robert avait l'air si mécontent que je suggérai :

— Essayez de le convaincre de rester.

Pour Nadine ça m'aurait arrangée qu'Henri renonçât à ce voyage ; mais pour lui je l'aurais regretté : il s'en faisait une telle fête.

— Tu le connais bien ! dit Robert. Quand il est buté, il est buté ! Il vaut mieux que j'attende son retour. Il ramena la couverture autour de ses genoux : « Ce n'est pas pour te chasser ! dit-il gaiement, mais d'ordinaire tu détestes être en retard... »

Je me levai : « Vous avez raison ; il faut que je parte. Vous êtes sûr que vous ne voulez pas venir ?

— Oh ! non ! je n'ai aucune envie de parler politique avec Scriassine ; toi, il t'épargnera peut-être.

— Souhaitons-le », dis-je.

Dans les périodes où Robert se claustrait, ça m'arrivait souvent de sortir sans lui ; mais ce soir, quand je fonçai dans le froid, dans le noir, je regrettais d'avoir accepté l'invitation de Scriassine. Oh ! je me comprenais : j'étais un peu fatiguée de voir toujours les mêmes têtes ; les amis, je les connaissais trop ; pendant quatre années nous avions vécu coude à coude, ça tenait chaud ; maintenant notre intimité s'était refroidie, elle sentait le renfermé, sans bénéfice ; j'avais cédé à l'attrait de la nouveauté. Mais qu'allions-nous trouver à nous dire ? Moi non plus, je n'avais aucune envie de parler politique. Je m'arrêtai dans le vestibule du Ritz et je m'examinai dans une glace ; pour rester élégante malgré les cartes de textile il aurait fallu y penser sans cesse ; j'avais préféré ne plus m'en soucier du tout : avec ma redingote défraîchie et mes souliers à semelle de bois, je n'avais vraiment pas bonne mine. Mes amis me prenaient telle que j'étais ; mais Scriassine arrivait d'Amérique où les femmes sont si soignées, il allait remarquer mes sabots. « Je n'aurais pas dû tant me laisser aller », pensai-je.

Bien entendu, le sourire de Scriassine ne le trahit pas. Il baisa ma main, ce que je déteste ; une main c'est plus nu qu'un visage, ça me gêne qu'on la regarde de si près.

— Que prendrez-vous ? demanda-t-il. Un martini ?

— Va pour un martini.

Le bar était plein d'officiers américains et de femmes bien habillées ; la chaleur, l'odeur des cigarettes, le goût coupant du gin me montèrent

tout de suite à la tête et je me sentis contente d'être là. Scriassine avait
passé quatre ans en Amérique, le grand pays libérateur, le pays où les
fontaines crachent des flots de jus de fruits et de crème glacée : je l'interrogeai avidement. Il répondait de bonne grâce pendant que je buvais
un second martini. Nous avons été dîner dans un petit restaurant où
je me gorgeai sans scrupule de viande rouge et de choux à la crème.
A son tour, Scriassine me faisait parler : c'était difficile de répondre à
ses questions trop précises. Si j'essayais de retrouver le goût quotidien
de mes journées — l'odeur de la soupe aux choux dans la maison bar-
ricadée par le couvre-feu, ce silence dans mon cœur quand Robert
tardait à rentrer d'une réunion clandestine — il m'interrompait avec
autorité; il écoutait très bien, on sentait que les mots faisaient en lui
un long chemin : mais il fallait parler pour lui, non pour soi; il demandait des renseignements pratiques : Comment s'y prenait-on pour fabriquer de faux papiers, pour imprimer *L'Espoir*, pour le distribuer? Et
il réclamait aussi de vastes fresques : Dans quel climat moral vivions-
nous? Je m'appliquai à le satisfaire; mais j'y réussissais mal : tout avait
été pire ou plus supportable que ce qu'il imaginait; les vrais malheurs
ce n'est pas à moi qu'ils étaient arrivés, et pourtant ils avaient hanté
ma vie : comment parler de la mort de Diégo? les mots étaient trop
pathétiques pour ma bouche, trop secs pour sa mémoire. Ce passé, je
n'aurais voulu pour rien au monde le recommencer; et pourtant il
prenait à distance une sombre douceur. Je comprenais que Lambert
s'ennuyât dans cette paix qui nous rendait à nos vies sans nous rendre
nos raisons de vivre. En retrouvant à la porte du restaurant le froid,
l'obscurité, je me rappelais avec quel orgueil nous les affrontions
naguère; maintenant, j'avais envie de lumière, de chaleur : moi aussi,
j'avais envie de quelque chose d'autre; Scriassine venait de se jeter
sans provocation dans une longue diatribe et je souhaitais qu'il chan-
geât bientôt de sujet; il reprochait furieusement à de Gaulles on voyage
à Moscou.
    — Ce qui est grave, me dit-il d'une voix accusatrice, c'est que tout
le pays a l'air de l'approuver. Voir Perron et Dubreuilh, des hommes
honnêtes, marcher la main dans la main avec les communistes, c'est un
déchirement sans nom pour quelqu'un qui sait.
    — Robert ne marche pas avec les communistes, dis-je pour l'apaiser.
Il essaie de créer un mouvement indépendant.
    — Il m'en a parlé; mais il a bien spécifié qu'il n'entend pas travailler
contre les staliniens. A côté d'eux, mais pas contre eux! dit Scriassine
avec accablement.
    — Vous ne voudriez tout de même pas qu'il fasse de l'anticommu-
nisme, en ce moment! dis-je.
    Scriassine me regarda sévèrement : « Vous avez lu mon livre, *Le
Paradis rouge?*
    — Bien sûr.
    — Alors vous avez une idée de ce qui nous arrivera quand nous aurons
fait cadeau de l'Europe à Staline.

— Ce n'est pas de ça qu'il s'agit, dis-je.

— C'est exactement ce dont il s'agit.

— Mais non! il faut gagner la partie contre la réaction, et si la gauche commence à se diviser, elle est perdue.

— La gauche! » dit Scriassine d'une voix ironique; il eut un geste coupant : « Ah! ne parlons pas de politique; j'ai horreur de parler politique avec les femmes.

— Ce n'est pas moi qui ai commencé, dis-je.

— C'est juste, dit-il avec une gravité inattendue; je m'excuse. »

Nous sommes revenus nous asseoir dans le bar du Ritz et Scriassine a commandé deux whiskies. Ce goût me plaisait parce que c'était un goût nouveau; et Scriassine avait le grand mérite de ne pas m'être familier. Cette soirée était imprévue et c'est pourquoi elle exhalait un antique parfum de jeunesse : autrefois il y avait des soirées qui ne ressemblaient pas aux autres; on rencontrait des gens inconnus qui disaient des paroles inattendues; et quelquefois, quelque chose arrivait. Des tas de choses étaient arrivées depuis cinq ans : au monde, à la France, à Paris, à d'autres; pas à moi. Est-ce qu'il ne m'arriverait plus jamais rien?

— C'est drôle d'être ici, dis-je.

— Pourquoi drôle?

— La chaleur, le whisky, ce bruit, ces uniformes...

Scriassine regarda autour de lui : « Je n'aime pas cet endroit; on m'y a réquisitionné une chambre, parce que je suis correspondant d'une revue France-Amérique »; il sourit : « Heureusement ça va devenir beaucoup trop cher pour moi, je serai obligé de m'en aller.

— Vous ne pouvez pas partir sans y être obligé?

— Non; c'est pourquoi je trouve l'argent très corrupteur. » Un éclat de gaieté rajeunit son visage : « Dès que j'en ai, je me dépêche de m'en débarrasser.

— Victor Scriassine, n'est-ce pas? » Un petit vieillard chauve aux yeux très doux s'était approché de notre table.

— Oui. Dans les yeux de Scriassine je lisais de la méfiance, mais aussi une sorte d'espoir.

— Vous ne me reconnaissez pas? J'ai beaucoup vieilli depuis Vienne. Manès Goldman; je m'étais promis si jamais je vous rencontrais de vous dire merci : merci pour votre livre.

— Manès Goldman! bien sûr! dit Scriassine avec chaleur. Vous vivez en France, maintenant?

— Depuis 35. J'ai passé une année au camp de Gurs, mais j'en suis sorti juste à temps... Il parlait d'une voix plus douce encore que son regard, si douce qu'elle semblait morte. « Je ne veux pas vous déranger; je suis content d'avoir serré la main de l'homme qui a écrit *Vienne la brune*.

— Je suis content de vous avoir revu », dit Scriassine.

Le petit Autrichien s'était déjà éloigné à pas feutrés; il disparut par la porte vitrée, derrière un officier américain. Scriassine l'avait suivi des yeux; il dit brusquement :

— Encore une défaite!

— Une défaite?

— J'aurais dû le faire asseoir, lui parler; il voulait quelque chose, et je ne sais pas son adresse, je ne lui ai pas donné la mienne. Il y avait de la colère dans la voix de Scriassine.

— S'il veut vous retrouver, il s'adressera ici.

— Il n'osera pas; c'était à moi de prendre les devants, de l'interroger; ce n'était pourtant pas difficile! Un an à Gurs, et je suppose que pendant quatre autres années il s'est caché. Il a mon âge et on dirait un vieillard. Certainement il espérait quelque chose; et je l'ai laissé partir!

— Il n'avait pas l'air déçu. Peut-être bien qu'il voulait seulement vous remercier.

— C'est le prétexte qu'il se donnait. Scriassine vida son verre d'un trait : « Et c'était si simple de lui dire de s'asseoir; quand on pense à tout ce qu'on pourrait faire et qu'on ne fait pas! toutes les occasions qu'on laisse échapper! on n'a pas l'idée, pas l'élan; au lieu d'être ouvert on est fermé; c'est ça le plus grand péché : le péché par omission. » Il parlait sans m'associer à son monologue, dans une passion de remords : « Moi pendant ces quatre ans j'étais en Amérique, au chaud, en sécurité, bien nourri.

— Vous ne pouviez pas rester ici, dis-je.

— J'aurais pu me cacher moi aussi.

— Je ne vois pas à quoi ça aurait servi.

— Quand mes camarades ont été déportés en Sibérie, j'étais à Vienne; d'autres ont été assassinés à Vienne par les chemises brunes et j'étais à Paris; et j'étais à New York pendant l'occupation de Paris. La question est de savoir si ça sert à quelque chose de rester vivant. »

L'accent de Scriassine me touchait; nous aussi, quand nous pensions aux déportés, nous avions honte : nous ne nous reprochions rien, mais nous n'avions pas assez souffert.

— Les malheurs qu'on ne partage pas, c'est comme si on en était coupable, dis-je; j'ajoutai : « C'est odieux de se sentir coupable. »

Brusquement Scriassine me sourit d'un air de secrète connivence : « Ça dépend. »

Pendant un instant je scrutai ce visage rusé et tourmenté : « Vous voulez dire qu'il y a certains remords qui nous protègent contre d'autres. »

Il me regarda à son tour : « Vous n'êtes vraiment pas sotte. En général je n'aime pas les femmes intelligentes : peut-être parce qu'elles ne sont pas assez intelligentes; alors elles veulent se donner des preuves, elles parlent tout le temps et elles ne comprennent rien. Ce qui m'a frappé la première fois que je vous ai vue, c'est votre manière de vous taire. »

Je me mis à rire : « Je n'avais guère le choix.

— Nous parlions tous beaucoup, Dubreuilh, Perron, moi-même; vous écoutiez d'un air tranquille...

— Vous savez, dis-je, c'est mon métier d'écouter.

— Oui, mais il y a la manière »; il hocha la tête : « Vous devez être une très bonne psychiatre; si j'avais dix ans de moins, je me remettrais entre vos mains.

— Ça vous tente, de vous faire analyser?

— Maintenant c'est trop tard; un homme fait : c'est un homme qui s'est servi de ses déficiences et de ses tares pour se construire; on peut le démolir, mais pas le guérir.

— Ça dépend de quelle maladie.

— Il n'y en a qu'une qui compte : être soi-même, justement soi. » Son visage était désarmé soudain par une sincérité presque insupportable; la tristesse confiante de sa voix m'alla au cœur; je dis avec élan : « Il y a plus malade que vous.

— Comment ça?

— Il y a des gens, on se demande en les voyant comment ils peuvent se supporter; on se dit qu'à moins d'être gâteux ils devraient se faire horreur : ce n'est pas l'effet que vous produisez. »

Le visage de Scriassine restait grave : « Vous ne vous faites jamais horreur?

— Non »; je souris : « Mais j'ai très peu de rapports avec moi-même.

— C'est pour ça que vous êtes si reposante, dit Scriassine; je vous ai tout de suite trouvée reposante : vous aviez l'air d'une jeune fille bien élevée qui laisse causer les grandes personnes.

— J'ai une fille de dix-huit ans, dis-je.

— Ça ne veut rien dire. D'ailleurs, je ne peux pas souffrir les jeunes filles. Mais une femme qui ressemble à une jeune fille, c'est charmant. » Il m'examina avec minutie :

— C'est drôle; dans le milieu où vous vivez, toutes les femmes sont très affranchies : et vous on se demande si vous avez jamais trompé votre mari.

— Trompé : quel mot affreux! nous sommes libres Robert et moi et nous ne nous cachons rien.

— Mais vous n'avez jamais usé de cette liberté?

Je dis avec un peu de gêne : « A l'occasion. » Je vidai mon verre de martini par contenance. Il n'y avait pas eu beaucoup d'occasions; sur ce point j'étais très différente de Robert; ça lui paraissait normal de ramasser dans un bar une jolie putain et de passer une heure avec elle. Moi je n'aurais jamais accepté pour amants des hommes dont je n'aurais pas pu faire des amis et mon amitié était exigeante. Pendant ces cinq années j'avais vécu chaste, sans regret et je pensais que je le demeurerais à jamais; c'était naturel que ma vie de femme fût finie : il y avait tant d'autres choses qui étaient finies, à jamais...

Scriassine me dévisageait en silence :

— En tout cas, je parierais qu'il n'y a pas eu beaucoup d'hommes dans votre vie.

— C'est juste, dis-je.

— Pourquoi?

— Ça ne s'est pas trouvé.

— Si ça ne s'est pas trouvé, c'est que vous n'avez guère cherché.

— Pour tout le monde je suis la femme de Dubreuilh, ou le docteur Anne Dubreuilh : ça n'inspire que le respect.

Il rit : « Je ne suis pas tellement tenté de vous respecter. »

Il y eut un petit silence et je dis :

— Pourquoi est-ce qu'une femme affranchie coucherait avec toute la terre?

Il me regarda sévèrement : « Si un homme pour qui vous auriez quelque sympathie vous proposait de but en blanc de passer la nuit avec lui, le feriez-vous?

— Ça dépendrait.

— De quoi?

— De lui, de moi, des circonstances.

— Supposons que je vous le propose, maintenant.

— Je ne sais pas. »

Je le voyais venir depuis un bon moment, mais j'étais quand même prise au dépourvu.

— Je vous le propose : c'est oui ou c'est non?

— Vous allez trop vite, dis-je.

— J'ai horreur des simagrées : faire la cour à une femme, c'est avilissant pour soi et pour elle. Je ne suppose pas que vous aimiez les marivaudages...

— Non. Mais j'aime réfléchir avant de prendre une décision.

— Réfléchissez.

Il commanda deux autres whiskies. Non, je n'avais pas envie de coucher avec lui ni avec aucun homme; mon corps était installé depuis trop longtemps dans une torpeur égoïste : par quelle perversion aurais-je dérangé son repos? D'ailleurs, ça semblait impossible. Je m'étais souvent ébahie que Nadine se donnât si aisément à des inconnus; entre ma chair solitaire et l'homme qui buvait solitairement à mes côtés, il n'y avait pas le moindre lien. Me penser nue dans ses bras nus, c'était aussi incongru que d'y supposer ma vieille mère. Je dis :

— Attendons de voir comment cette soirée tournera.

— C'est absurde, dit-il. Comment voulez-vous que nous parlions politique ou psychologie avec cette question qui nous rôdera dans la tête? Vous devez bien savoir ce que vous allez décider : dites-le tout de suite.

Son impatience m'assurait qu'après tout je n'étais pas ma vieille mère; il fallait bien croire que j'étais, ne fût-ce que pour une heure, désirable, puisqu'il me désirait. Nadine soutenait qu'il était aussi indifférent de se mettre au lit qu'à table : peut-être avait-elle raison; elle m'accusait d'aborder la vie avec des gants de chevreau glacé; était-ce vrai? Qu'arriverait-il si j'ôtais mes gants? Si je ne les ôtais pas ce soir, les enlèverais-je jamais? « Ma vie est finie », me disais-je raisonnablement; mais contre toute raison il me restait encore beaucoup d'années à tuer.

Je dis brusquement : « Soit, ce sera oui.

— Ah! voilà une bonne réponse », dit-il d'une voix encourageante de médecin ou de professeur. Il voulut prendre ma main, mais je refusai cette récompense.

— Je voudrais un café. J'ai peur d'avoir trop bu.

Il sourit : « Une Américaine demanderait un autre whisky, dit-il. Mais vous avez raison : ça serait moche si un de nous deux n'avait plus toute sa tête. »

Il commanda deux cafés et il y eut un silence gêné. J'avais dit oui en grande partie par sympathie pour lui, à cause de cette intimité précaire qu'il avait su créer entre nous : et maintenant ce oui glaçait ma sympathie. Dès que nos tasses furent vides, il dit :

— Montons dans ma chambre.

— Tout de suite?

— Pourquoi non? Vous voyez bien que nous ne trouvons plus rien à nous dire.

J'aurais voulu avoir le temps de m'habituer à ma décision ; j'espérais que de notre pacte naîtrait peu à peu une complicité. Mais le fait est que je ne trouvais rien à dire.

— Montons.

La chambre était encombrée de valises; il y avait deux lits de cuivre, dont l'un était couvert de vêtements et de papiers; sur une table ronde, des bouteilles de champagne vides. Il m'a prise dans ses bras, j'ai senti sur ma bouche une bouche violente et gaie; oui, c'était possible, c'était facile; quelque chose m'arrivait : autre chose. Je fermai les yeux, j'entrai dans un rêve aussi lourd que la réalité et dont je me réveillerais à l'aube, le cœur léger. Alors j'ai entendu sa voix. « On dirait que la jeune fille est intimidée. Nous ne ferons pas de mal à la jeune fille ; nous la déflorerons, mais sans lui faire du mal. » Ces mots qui ne s'adressaient pas à moi m'éveillèrent durement. Je n'étais pas venue ici pour jouer à la pucelle violée, ni à aucun autre jeu. Je m'arrachai de son étreinte.

— Attendez.

Je me réfugiai dans la salle de bains, je fis une toilette hâtive en repoussant toutes les pensées : il était trop tard pour penser. Il me rejoignit dans le lit avant qu'aucune idée n'ait eut le temps de lever en moi et je m'agrippai à lui : à présent il était mon seul espoir. Ses mains arrachèrent ma combinaison, elles caressaient mon ventre, et je m'abandonnais à la houle noire du désir; emportée, ballottée, submergée, soulevée, précipitée; par instants je tombais à pic dans le vide; j'allais échouer dans l'oubli, dans la nuit, quel voyage! Sa voix me rejeta sur le lit : « Faut-il que je fasse attention? — Si c'est possible. — Tu n'es pas bouchée? » La question était si brutale que j'eus un haut-le-corps : « Non, dis-je. — Ah! pourquoi? » C'était difficile de repartir; de nouveau je me recueillis sous ses mains, je rassemblai le silence, je me collai à sa peau et je dévorai sa chaleur par tous mes pores : mes os, mes muscles fondaient à ce feu et la paix s'enroulait autour de moi en soyeuses spirales quand il dit impérieusement : « Ouvre les yeux. »

Je soulevai mes paupières, mais elles pesaient lourd, elles retom-
baient d'elles-mêmes sur mes yeux que la lumière blessait. « Ouvre
les yeux, disait-il. C'est toi, c'est moi. » Il avait raison, et je ne voulais
pas nous fuir. Mais d'abord il fallait que je m'habitue à cette présence
insolite : ma chair; regarder son visage étranger, et sous son regard
me perdre en moi-même, c'était trop à la fois. Je le regardai puisqu'il
l'exigeait : je m'arrêtai à mi-chemin du trouble, dans une région sans
lumière et sans nuit où je n'étais ni corps ni chair. Il rejetait le drap
et dans le même instant je pensais que la chambre était mal chauffée
et que je n'avais plus un ventre de jeune fille; je livrai à sa curiosité
une dépouille qui n'avait ni froid ni chaud. Sa bouche taquina mes
seins, rampa sur mon ventre, et descendit vers mon sexe. Je refermai
hâtivement les yeux, je me réfugiai tout entière dans le plaisir qu'il
m'arrachait : un plaisir lointain, solitaire, comme une fleur coupée;
là-bas, la fleur mutilée s'exaltait, s'effeuillait, et il bredouillait pour lui
seul des mots que j'essayais de ne pas entendre; mais moi je m'ennuyais.
Il revint vers moi, un instant sa chaleur me ranima; avec autorité il
mit son sexe dans ma main; je le flattai sans enthousiasme et Scriassine
dit avec reproche :
    — Tu n'as pas un vrai amour pour le sexe de l'homme.
    Cette fois il me marquait un mauvais point. Je pensais : « Comment
aimer ce morceau de chair si je n'aime pas tout l'homme? et pour cet
homme-ci où prendrais-je de la tendresse? » Il y avait dans ses yeux
une hostilité qui me décourageait : pourtant je n'étais pas coupable
envers lui, pas même par omission.
    Je ne sentis pas grand-chose quand il entra en moi; et tout de suite
il recommença à dire des mots. Ma bouche était pleine de ciment, je
n'aurais pas pu faire passer un soupir entre mes mâchoires. Il se tut
un moment et puis il dit : « Regarde. » Je secouai faiblement la tête :
ce qui se passait là-bas me concernait si peu que si j'avais regardé, je
me serais fait l'effet d'un voyeur. Il dit : « Tu as honte! la jeune fille
a honte! » Ce triomphe l'occupa un moment puis de nouveau il parla :
« Dis-moi ce que tu sens? dis-le-moi. » Je restai muette. Je devinais
une présence en moi, sans vraiment la sentir, comme on s'étonne de
l'acier du dentiste dans une gencive engourdie. « As-tu du plaisir? Je
veux que tu aies du plaisir. » Sa voix s'irritait, elle exigeait des comptes :
« Tu n'en as pas? ça ne fait rien : la nuit est longue. » La nuit serait
trop courte, l'éternité trop courte : la partie était perdue, je le savais.
Je me demandais comment en finir : on est bien désarmée quand on
se trouve la nuit seule, nue, dans des bras ennemis. Je desserrais les
dents, je m'arrachais des mots. « Ne vous occupez pas tant de moi
laissez-moi... — Pourtant tu n'es pas froide, dit-il avec colère. Tu
résistes avec la tête. Mais je te forcerai...
    — Non, dis-je. Non... » C'était trop difficile de m'expliquer. Il y
avait une vraie haine dans ses yeux et j'eus honte de m'être laissé
prendre à un mirage douceâtre de bien-être charnel : un homme, ce
n'est pas un hammam, je m'en apercevais.

— Ah! tu ne veux pas! disait-il. Tu ne veux pas! Tête de mule!
Il me frappa légèrement au menton; j'étais trop lasse pour m'évader
dans la colère; je me mis à trembler : un poing qui s'abat; mille poings...
« La violence est partout », pensai-je; je tremblais et des larmes se
mirent à couler.

Maintenant il embrassait mes yeux, il murmurait : « Je bois tes
larmes », il y avait sur son visage une tendresse conquérante qui le
ramenait à son enfance et j'eus pitié de lui autant que de moi : nous
étions tous deux aussi perdus, aussi déçus. Je caressais ses cheveux,
je m'imposais le tutoiement rituel.

— Pourquoi me détestes-tu?

— Ah! c'est forcé, dit-il avec regret. C'est forcé.

— Moi je ne te déteste pas. J'aime bien être dans tes bras.

— C'est vrai?

— C'est vrai.

En un sens c'était vrai; quelque chose se passait : c'était manqué,
triste, ridicule, mais c'était réel. Je souris :

— Tu me fais passer une drôle de nuit : jamais je n'ai passé une
pareille nuit.

— Jamais? même avec de jeunes gens? tu ne mens pas?

Les mots avaient menti pour moi : j'endossai leur mensonge.

— Jamais.

Il me serra contre lui avec fougue; et puis de nouveau il entra en
moi. « Je veux que tu jouisses en même temps que moi, dit-il. Tu
veux? tu me diras : C'est maintenant... »

Je pensais avec agacement : Voilà ce qu'ils ont trouvé : la synchro-
nisation! comme si ça prouvait quelque chose; comme si ça pouvait
tenir lieu d'entente. Même si nous jouissions ensemble, en serions-
nous moins séparés? Je sais bien que mon plaisir n'a pas d'écho dans
son cœur, et si j'attends le sien avec impatience, c'est seulement pour
être délivrée. Cependant j'étais vaincue : j'acceptai de soupirer, de
geindre; pas très adroitement, j'imagine, puisqu'il me demanda :

— Tu n'as pas joui?

— Si, je t'assure.

Il était vaincu lui aussi, car il n'insista pas. Presque tout de suite
il s'endormit contre moi et je m'endormis aussi. Son bras en travers
de ma poitrine me réveilla.

— Ah! tu es là! dit-il; il ouvrit les yeux. « Je faisais un cauchemar;
je fais toujours des cauchemars. » Il me parlait de très loin, du fond des
ténèbres :

— Tu n'as pas un endroit où tu pourrais me cacher?

— Te cacher?

— Oui; ça serait bon de disparaître; on ne pourrait pas disparaître
ensemble, quelques jours?

— Je n'ai pas d'endroit; et je ne peux pas partir.

— C'est dommage, dit-il. Il demanda : « Tu n'as jamais de cauchemars, toi?

— Pas souvent.

— Ah! je t'envie. J'ai besoin de quelqu'un près de moi, la nuit.

— Mais il va falloir que je parte, dis-je.

— Pas tout de suite. Ne t'en va pas. Ne me laisse pas. » Il saisit mon épaule : j'étais une bouée; dans quel naufrage? Je dis :

— J'attendrai que tu dormes. Tu veux qu'on se revoie demain?

— Bien sûr. Je serai à midi au café-tabac à côté de chez toi. Ça va?

— Entendu. Tâche de dormir tranquillement.

Quand sa respiration s'épaissit, je me glissai hors du lit; c'était dur de m'arracher à cette nuit qui collait à ma peau; mais je ne voulais pas éveiller les soupçons de Nadine; chacune avait sa manière de duper l'autre : elle me disait tout, je ne lui disais rien. Tout en réajustant devant la glace un masque de décence, je pensai qu'elle avait pesé sur ma décision et je lui en voulus. En un sens je ne regrettais rien. On apprend tant de choses sur un homme, dans un lit! bien plus qu'en l'obligeant à divaguer pendant des semaines, sur un divan. Seulement, pour ce genre d'expérience j'étais trop vulnérable.

J'ai été très occupée toute la matinée; Sézenac n'est pas venu mais j'ai eu beaucoup d'autres clients. Je n'ai pu penser que sourdement à Scriassine : j'avais besoin de le revoir. Notre nuit me restait sur le cœur, inachevée, absurde, et j'espérais qu'en nous parlant nous réussirions à la conclure, à la sauver. Je suis arrivée au café la première : un petit café très rouge, aux tables lisses, où j'achetais souvent des cigarettes mais où je ne m'étais jamais assise; dans les boxes, des couples chuchotaient; je commandai un faux porto; j'avais l'impression d'être dans une ville étrangère et je ne savais plus bien ce que j'attendais. Scriassine est arrivé en coup de vent :

— Je m'excuse; j'avais dix rendez-vous.

— C'est gentil d'être venu quand même.

Il me sourit : « Bien dormi?

— Très bien. »

Il commanda lui aussi un faux porto puis il se pencha vers moi; il n'y avait plus rien d'hostile dans son visage :

— Je voudrais vous poser une question?

— Posez-la.

— Pourquoi avez-vous accepté si facilement de monter dans ma chambre?

Je souris : « Par sympathie, dis-je.

— Mais vous n'étiez pas saoule?

— Pas du tout.

— Et vous n'avez pas regretté?

— Non. »

Il hésita; je sentais qu'il souhaitait pour son catalogue intime une note critique détaillée : « Je voudrais savoir; à un moment vous m'avez dit que jamais vous n'aviez passé une pareille nuit : était-ce vrai? »

Je ris avec un peu de gêne : « Oui et non.

— Ah! c'est ce que je pensais, dit-il, déçu. Ça n'est jamais vrai.

— C'est vrai sur le moment; ça l'est moins le lendemain. »

Il avala d'un trait le vin poisseux et j'enchaînai : « Vous savez ce qui m'a glacée : c'est que par moments vous aviez l'air tellement hostile. »

Il haussa les épaules : « Ça ne pouvait pas s'éviter!

— Pourquoi? la lutte des sexes?

— Nous ne sommes pas du même bord. Je veux dire politiquement. »

Un instant je restai stupéfaite : « La politique tient si peu de place dans ma vie!

— L'indifférence aussi est une prise de position, dit-il sèchement; dans ce domaine-là, voyez-vous, si on n'est pas entièrement avec moi on est très loin de moi.

— Alors vous n'auriez pas dû me demander de monter dans votre chambre », dis-je avec reproche.

Un sourire rusé plissa ses yeux :

— Mais ça m'est égal qu'une femme soit loin de moi, si je la désire : je pourrais très bien coucher avec une fasciste.

— Ça ne vous est pas égal puisque vous étiez hostile.

Il sourit encore :

— Au lit, ça n'est pas mauvais de se détester un peu.

— C'est horrible, dis-je. Je le dévisageai : « Vous ne sortez pas facilement de vous-même! dis-je. Vous pouvez rejoindre les gens dans la pitié, dans le remords : sûrement pas dans la sympathie.

— Ah! c'est vous qui me faites ma psychologie aujourd'hui, dit-il. Continuez : j'adore ça. »

Il y avait dans ses yeux la même avidité maniaque que lorsqu'il m'épiait, la nuit : je n'aurais pu la supporter que chez un enfant ou un malade.

— Vous croyez que la solitude ça peut se briser à coups d'autorité : en amour il n'y a rien de plus maladroit.

Il marqua le coup!

— En somme, cette nuit a été un échec?

— Plus ou moins.

— La recommencerais-tu?

J'hésitai.

— Oui. Je n'aime pas rester sur un échec.

Son visage durcit : « C'est une mauvaise raison », dit-il. Il haussa les épaules : « On ne fait pas l'amour avec la tête. »

C'était bien mon avis : si ses paroles et ses désirs m'avaient blessée, c'est qu'ils venaient de son cerveau. Je dis : « Je suppose que nous avons trop de tête tous les deux.

— Alors il vaut mieux ne pas recommencer, dit-il.

— C'est ce que je pense aussi. »

Oui, un second échec aurait été pire; et une réussite n'était pas concevable : nous ne nous aimions pas du tout; les mots mêmes étaient inutiles, il n'y avait rien eu à sauver et cette histoire ne comportait pas de conclusion; nous avons encore échangé poliment quelques balivernes et je suis rentrée à la maison.

Je ne lui en veux pas; je m'en veux à peine. D'ailleurs comme Robert me l'a dit tout de suite, c'est sans grande importance : rien qu'un souvenir qui traîne dans nos mémoires et qui ne concerne que nous. Seulement quand je suis remontée dans ma chambre, je me suis promis que plus jamais je n'essaierais d'arracher mes gants de chevreau glacé : « C'est trop tard, ai-je murmuré en jetant un coup d'œil sur ma glace. Maintenant mes gants sont greffés à ma peau, pour les ôter il faudrait m'écorcher. » Non, ce n'était pas seulement la faute de Scriassine si les choses avaient tourné comme ça; c'était aussi la mienne. Je m'étais couchée dans ce lit par curiosité, par défi, par fatigue et pour me prouver je ne savais trop quoi : j'avais sûrement prouvé le contraire. Je restais plantée devant la glace. Je pensais vaguement que j'aurais pu avoir une vie différente; j'aurais pu m'habiller, m'exhiber, connaître les petits plaisirs de la vanité ou les grandes fièvres des sens. C'était trop tard. Et soudain j'ai compris pourquoi mon passé me semble parfois celui d'une autre; c'est à présent que je suis une autre : une femme de trente-neuf ans, une femme qui a un âge!

J'ai dit à voix haute : « J'ai un âge! » Avant la guerre, j'étais trop jeune pour que les années me pèsent; ensuite pendant cinq ans je me suis tout à fait oubliée. Je me retrouve pour apprendre que je suis condamnée : ma vieillesse m'attend, aucun moyen de lui échapper; déjà je l'entrevois au fond du miroir. Oh! je suis encore une femme, je saigne encore chaque mois, rien n'est changé; seulement maintenant, je sais. Je soulève mes cheveux : ces stries blanches, ce n'est plus une curiosité ni un signe : un commencement; ma tête va prendre, vivante, la couleur de mes os. Mon visage peut encore paraître lisse et dru, mais d'un instant à l'autre, le masque va s'effondrer, dénudant des yeux enrhumés de vieille femme. Les saisons se recommencent, les défaites se réparent : mais il n'y a aucun moyen d'arrêter ma décrépitude. « Il n'est même plus temps de m'inquiéter, pensais-je en me détournant de mon image. Il est trop tard même pour les regrets; il n'y a qu'à continuer. »

CHAPITRE III

Nadine vint chercher Henri plusieurs soirs de suite au journal; une nuit même ils montèrent de nouveau dans une chambre d'hôtel, sans grand profit. Pour Nadine, faire l'amour était évidemment une occupation ennuyeuse : Henri s'ennuya vite lui aussi. Mais il aimait bien sortir avec Nadine, la voir manger, l'entendre rire, parler avec elle. Elle était aveugle à beaucoup de choses; mais elle réagissait vivement à ce qu'elle voyait et sans jamais tricher; il se disait qu'elle serait un plaisant compagnon de voyage et il était touché par son avidité. Chaque fois elle demandait :

— Tu as parlé?

— Pas encore.

Elle baissait la tête d'un air si désolé qu'il se sentait en faute; du soleil, de quoi manger, un vrai voyage, tout ce dont elle avait été privée, voilà qu'il l'en privait encore. Puisqu'il était décidé à une rupture, autant l'en faire profiter; d'ailleurs, même dans l'intérêt de Paule, il valait mieux qu'il s'expliquât avant de partir plutôt que de la laisser se consumer d'espoir pendant leur séparation. Loin d'elle, il se sentait dans son droit : il ne lui avait guère joué de comédie; elle se mentait quand elle feignait de croire à la résurrection d'un passé mort et enterré. Mais quand il se retrouvait près d'elle, il s'avisait qu'il avait ses torts lui aussi : « Suis-je un salaud d'avoir cessé de l'aimer? se demandait-il en la regardant aller et venir à travers le studio. Ou est-ce que ç'a été une faute de l'aimer? » Il était au Dôme avec Julien et Louis et à une table voisine il y avait cette belle femme couleur de glycine qui lisait *La Mésaventure* avec affectation; elle avait posé sur le guéridon de longs gants violets; en passant devant elle, il avait dit : « Vous avez de bien beaux gants! — Ils vous plaisent? ils sont à vous. — Et qu'est-ce que j'en ferai? — Vous les garderez en souvenir de notre rencontre. » Ensemble, ils avaient velouté leur regard; quelques heures plus tard il la serrait contre lui, nue, et il disait : « Tu es trop belle! » Non, il ne pouvait pas se condamner. C'était naturel qu'il eût été ébloui par la beauté de Paule, par sa voix, par le mystère de son langage, par la sagesse lointaine de son sourire. Elle était un peu plus âgée que lui, elle connaissait un tas de petites choses qu'il ignorait et qui lui paraissaient bien plus importantes que les grandes. Ce qu'il admirait le plus en elle, c'était le mépris où elle tenait les biens de ce monde; elle planait dans une région surnaturelle où il désespérait de la rejoindre; et il était bouleversé qu'elle daignât se faire chair entre ses bras. « Bien sûr je me suis un peu monté la tête », s'avoua-t-il. Elle avait cru aux serments d'éternité et au miracle d'être elle-même; c'est sans doute là qu'il avait été coupable : quand il avait exalté Paule avec démesure pour prendre ensuite trop lucidement sa mesure. Oui, des torts ils en avaient tous les deux, ce n'était pas la question : la question c'était de sortir de là. Il retournait des phrases dans sa bouche : s'en doutait-elle? en général quand il gardait le silence, elle était prompte à l'interroger.

— Pourquoi changes-tu ces bibelots de place? demanda-t-il.

— Tu ne trouves pas que c'est plus joli comme ça?

— Ça t'ennuierait de t'asseoir une minute?

— Je t'agace?

— Pas du tout; mais je voudrais te parler.

Elle eut un petit rire crispé : « Comme tu as l'air solennel! Tu ne vas pas me dire que tu ne m'aimes plus?

— Non.

— Alors tout le reste m'est égal », dit-elle en s'asseyant; elle se pencha vers lui d'un air patient, un peu railleur : « Parle, mon amour; je t'écoute.

— S'aimer, ne pas s'aimer : ça n'est pas la seule question, dit-il.

— Pour moi, c'est la seule.

— Pas pour moi, tu le sais; d'autres choses comptent.

— Oui, je sais : ton travail, les voyages; je ne t'en ai jamais détourné.

— Il y a autre chose aussi à quoi je tiens, je te l'ai dit souvent : ma liberté. »

Elle sourit de nouveau : « Ne me raconte pas que je ne te laisse pas libre!

— Aussi libre qu'une vie commune le permet; mais pour moi liberté, ça veut dire d'abord solitude. Tu te souviens, quand je me suis installé ici, on avait convenu que c'était seulement pour la durée de la guerre.

— Je ne pensais pas t'être lourde », dit-elle. Elle ne souriait plus.

— Personne ne pourrait l'être moins que toi. Mais je trouve que c'était mieux quand on vivait chacun de son côté.

Paule sourit : « Tu me retrouvais ici chaque nuit; tu disais que sans moi tu ne pouvais pas dormir. »

Il avait dit ça pendant un an, pas davantage, mais il ne protesta pas; il dit : « D'accord; mais je travaillais dans ma chambre, à l'hôtel...

— C'était une de tes lubies de jeune homme, cette chambre, dit-elle d'une voix indulgente. Pas de promiscuité, pas de collage : avoue que c'était bien abstrait, ton code; je ne peux pas croire que tu le prennes encore au sérieux.

— Mais non, ce n'est pas abstrait. La vie commune, ça amène à la fois de la tension et du laisser-aller; je me rends compte que je suis souvent désagréable, ou négligent et que ça te fait de la peine. Il vaut mieux ne se voir que quand on en a vraiment envie.

— J'ai toujours envie de te voir, dit-elle avec reproche.

— Moi quand je suis fatigué, ou de mauvaise humeur, ou quand je travaille, je préfère être seul. »

La voix d'Henri était sèche; de nouveau Paule sourit :

— Tu vas être seul tout un mois. On verra au retour si tu n'as pas changé d'avis...

— Non, je n'en changerai pas, dit-il fermement.

Brusquement le regard de Paule vacilla; elle murmura : « Jure-moi une chose.

— Quoi?

— Jamais tu ne t'installeras avec une autre femme?...

— Tu es folle! Quelle idée! Bien sûr je te le jure.

— Alors, tu peux reprendre tes chères habitudes de jeune homme », dit-elle d'un ton résigné.

Il la dévisagea avec curiosité : « Pourquoi m'as-tu demandé ça? »

De nouveau le regard de Paule s'affola; elle garda un moment le silence : « Oh! je sais qu'aucune autre femme n'aura jamais ma place dans ta vie, dit-elle d'un ton faussement calme. Mais je m'attache à des symboles. » Elle fit un mouvement pour se lever, comme si elle avait craint d'en entendre davantage; il l'arrêta :

— Attends, dit-il; il faut que je te parle tout à fait franchement; je ne vivrai jamais avec une autre, jamais. Mais, c'est sans doute à cause de l'austérité de ces quatre années : j'ai envie de nouveauté, d'aventures; j'ai envie d'histoires sans importance avec des femmes.

— Mais tu en as une, n'est-ce pas? dit Paule posément; avec Nadine.

— Comment le sais-tu?

— Tu mens très mal.

Parfois elle était si aveugle! et parfois si perspicace! il était déconcerté; il dit avec gêne : « J'ai été idiot de ne pas t'en parler; mais j'avais peur de te faire de la peine, et sans raison; il ne s'est presque rien passé, et ça ne durera pas longtemps.

— Oh! rassure-toi! je ne suis pas jalouse d'une enfant; surtout pas de Nadine! Elle se rapprocha d'Henri et s'assit sur le bras de son fauteuil : « Je te l'ai dit la nuit de Noël : un homme comme toi n'est pas asservi aux mêmes lois que les autres. Il y a une forme banale de fidélité que je ne réclamerai jamais de toi. Amuse-toi avec Nadine, et avec qui tu voudras. » Elle caressa gaiement les cheveux d'Henri : « Tu vois que je respecte ta liberté!

— Oui », dit-il; il était soulagé et déçu, cette victoire trop facile ne le menait à rien. Du moins fallait-il la pousser jusqu'au bout : « En fait, Nadine n'a pas l'ombre d'un sentiment pour moi, ajouta-t-il; tout ce qu'elle veut c'est que je l'emmène en voyage; mais il est bien entendu qu'au retour nous nous quitterons.

— En voyage?

— Elle va m'accompagner au Portugal.

— Non! » dit Paule. Brusquement son masque serein vola en éclats, Henri eut devant lui un visage de chair et d'os, aux lèvres tremblantes, aux yeux luisants de larmes : « Tu m'as dit que tu ne pouvais pas m'emmener!

— Tu n'y tenais pas, alors je ne me suis pas acharné.

— Je n'y tenais pas! Mais j'aurais donné une main pour aller avec toi. Seulement j'ai compris que tu voulais être seul. Je veux bien me sacrifier à ta solitude, cria-t-elle avec révolte, mais pas à Nadine, non!

— Seul ou avec Nadine, ça ne fait pas beaucoup de différence, dit-il avec mauvaise foi : puisque tu n'es pas jalouse d'elle.

— Ça fait toute la différence du monde! dit-elle d'une voix bouleversée. Seul, j'étais avec toi, nous restions ensemble. Le premier voyage d'après-guerre : tu n'as pas le droit de le faire avec une autre.

— Écoute, dit-il, si tu vois là un symbole quelconque, tu as bien tort. Nadine a envie de voir le monde, c'est une pauvre gosse qui n'a jamais rien vu; ça me fait plaisir de la promener : ça ne va pas plus loin.

— Alors, si vraiment ça ne va pas plus loin, dit Paule lentement, ne l'emmène pas. » Elle regarda Henri d'un air suppliant : « Je te le demande au nom de notre amour. »

Ils se toisèrent un instant en silence; tout le visage de Paule n'était que prière; mais Henri se sentait soudain aussi buté que s'il avait eu à affronter, au lieu d'une femme aux abois, des tortionnaires en armes : « Tu viens de me dire que tu respectais ma liberté, dit-il.

— Oui, dit-elle d'un ton farouche; mais si tu voulais te détruire, je t'en empêcherais. Je ne te laisserai pas trahir notre amour.

— Autrement dit, je suis libre de faire ce que tu veux, dit-il d'une voix ironique.

— Oh! que tu es injuste! dit-elle dans un sanglot. J'accepte tout de toi, tout! Mais là je sais que je ne dois pas accepter. Personne d'autre que moi ne doit partir avec toi.

— C'est toi qui le décrètes, dit-il.

— Mais c'est évident!

— Pas à mes yeux.

— Parce que tu t'aveugles, parce que tu veux t'aveugler! Écoute, dit-elle d'une voix raisonnable, tu ne tiens pas à cette fille et tu vois quelle peine tu me fais : ne l'emmène pas. »

Henri garda le silence; il n'y avait pas grand-chose à répondre à cet argument; il en voulut à Paule, comme si elle avait usé contre lui d'une contrainte physique.

— Ça va, je ne l'emmènerai pas! dit-il. Il se leva et marcha vers l'escalier : « Seulement ne viens plus me parler de liberté! »

Paule le suivit et posa les mains sur ses épaules :

— Ta liberté, c'est de me faire souffrir?

Il se dégagea brusquement : « Si tu décides que tu souffres quand je fais ce que j'ai envie de faire, il faut que je choisisse entre ma liberté et toi. »

Il fit un pas et elle appela d'une voix inquiète : « Henri! » Il y avait de la panique dans ses yeux : « Qu'est-ce que tu veux dire?

— Ce que je dis?

— Tu ne vas pas faire exprès d'abîmer notre amour? »

Henri se retourna vers elle : « Bon! Eh bien, puisque tu y tiens, expliquons-nous une bonne fois! » dit-il. Il était assez irrité contre elle pour aller enfin jusqu'au bout de la vérité : « Il y a un malentendu entre nous. Nous ne nous faisons pas la même idée de l'amour...

— Il n'y a aucun malentendu, dit Paule précipitamment. Je sais ce que tu vas me dire : l'amour est toute ma vie et tu veux qu'il soit seulement une chose dans ta vie. Je le sais, et je suis d'accord.

— Oui, mais à partir de là des questions se posent, dit Henri.

— Mais non! dit Paule. Ah! tout ça c'est stupide, ajouta-t-elle d'une voix agitée. Tu ne vas pas remettre notre amour en question parce que je te demande de ne pas partir avec Nadine!

— Je ne partirai pas avec elle, c'est entendu. Mais c'est de bien autre chose qu'il s'agit...

— Oh! écoute, dit Paule brusquement. Finissons-en. Si tu as absolument besoin de l'emmener pour te prouver que tu es libre, je préfère encore que tu l'emmènes. Je ne veux pas que tu penses que je te tyrannise.

— Je ne l'emmènerai certainement pas, si tu dois te ravager pendant tout ce voyage!

— Je me ravagerai encore bien plus si tu t'amuses à démolir notre amour par rancune. » Elle haussa les épaules : « Tu en es bien capable : tu attaches tant d'importance à tes moindres caprices. »

Elle le regarda d'un air implorant; elle attendait qu'il réponde : « Je ne te garderai pas rancune »; elle pouvait attendre longtemps. Elle soupira : « Tu m'aimes, mais tu ne veux rien sacrifier à notre amour. Il faut que ce soit moi qui donne tout.

— Paule, dit-il d'une voix amicale, si je fais ce voyage avec Nadine, je te répète qu'au retour je cesserai de la voir et qu'entre toi et moi rien ne sera changé. »

Elle se tut. « C'est du chantage ce que je fais là, pensa Henri, c'est un peu ignoble. » Le plus moche c'est que Paule aussi en était consciente; elle allait jouer la générosité tout en sachant qu'elle acceptait un marché assez sordide. Mais quoi? il faut vouloir ce qu'on veut. Il voulait emmener Nadine.

— Tu feras ce que tu voudras, dit Paule. Elle soupira : « Je suppose que j'attache trop d'importance aux symboles. Pour de vrai, que cette fille t'accompagne ou pas, ça ne fait guère de différence.

— Ça ne fait aucune différence », dit Henri avec autorité.

Paule ne revint pas sur la question les jours suivants, seulement chacun de ses gestes, chaque silence, signifiait : « Je suis sans défense, et tu en abuses. » C'est vrai qu'elle n'avait aucune arme, pas la moindre : mais ce dénuement même était un piège. Il ne laissait à Henri d'autre issue que de se faire victime ou bourreau; il n'avait aucune envie de jouer les victimes; l'ennui c'est qu'il n'était pas non plus un bourreau. Il se sentait plutôt mal dans sa peau le soir où il rejoignit Nadine sur un quai de la gare d'Austerlitz.

— Tu n'es pas en avance, dit-elle d'un air bougon.

— Je ne suis pas en retard.

— Dépêchons-nous de monter : si le train partait.

— Il ne partira pas avant l'heure.

— On ne sait jamais.

Ils montèrent et choisirent un compartiment vide. Un long moment Nadine resta plantée d'un air perplexe entre les deux banquettes, et puis elle s'assit à côté de la fenêtre, le dos tourné à la locomotive; elle ouvrit sa valise et entreprit de s'installer avec des soins méticuleux de vieille fille : elle enfilait une robe de chambre, des pantoufles, elle enroulait une couverture autour de ses jambes, elle calait un oreiller sous sa tête; du cabas qui lui tenait lieu de sac elle tira une tablette de chewinggum; alors elle se rappela l'existence d'Henri et sourit d'un air engageant :

— Elle a gueulé Paule quand elle a vu que décidément tu m'emmenais ?

Henri haussa les épaules : « Évidemment ça ne lui a pas fait plaisir.

— Qu'est-ce qu'elle a dit?

— Rien qui te concerne, dit-il sèchement.

— Mais ça m'amuse de savoir.

— Ça ne m'amuse pas de te raconter. »

Elle sortit de son cabas un tricot grenat et se mit à faire cliqueter ses aiguilles tout en mâchonnant son chewing-gum : « Elle exagère », pensa Henri avec humeur; peut-être le provoquait-elle exprès, parce qu'elle soupçonnait que les remords d'Henri s'attardaient dans le studio rouge; Paule l'avait embrassé sans larmes : « Fais un beau voyage ». Mais en ce moment, elle pleurait. « J'écrirai tout de suite en arrivant », se dit-il. Le train s'ébranlait, il filait à travers un triste crépuscule de banlieue et Henri ouvrit un roman policier; il jeta un coup d'œil sur le visage renfrogné, en face de lui. Pour l'instant, il ne pouvait rien contre la tristesse de Paule, ça n'était pas la peine de gâcher le plaisir de Nadine par-dessus le marché; il fit un effort et dit avec allant :

— Demain à cette heure-ci nous traverserons l'Espagne.

— Oui.

— Ils ne m'attendent pas si tôt à Lisbonne, nous aurons deux jours tout à nous.

Elle ne répondit rien; un moment elle continua à tricoter avec application; et puis elle s'étendit sur la banquette, elle enfonça des boules de cire dans ses oreilles, se banda les yeux avec un foulard et tourna sa croupe vers Henri. « Moi qui espérais me faire récompenser des larmes de Paule par des sourires! » se dit-il avec ironie; il acheva son roman et éteignit; il n'y avait plus de peinture bleue sur les vitres, mais les plaines étaient toutes noires sous un ciel sans étoiles, il faisait froid dans le compartiment; pourquoi était-il dans ce train, en face de cette étrangère qui respirait bruyamment? Soudain ça semblait impossible que le passé fût au rendez-vous.

« Elle pourrait tout de même être un peu plus aimable! » se dit-il le lendemain matin avec rancune, sur la route qui conduisait à Irun; Nadine n'avait pas même souri lorsqu'en sortant de la gare d'Hen-

daye ils avaient senti sur leur peau le soleil et le vent léger; pendant
qu'il faisait viser leurs passeports, elle bâillait sans retenue; maintenant, elle marchait devant lui à grands pas garçonniers; il portait les
deux lourdes valises, il avait chaud sous ce soleil nouveau et il regardait sans plaisir les fortes jambes un peu velues dont les socquettes
soulignaient l'ingrate nudité. Une barrière s'était refermée derrière
eux, pour la première fois depuis six ans il foulait un sol qui n'était
pas français; une barrière se leva devant eux et il entendit le cri de
Nadine : « Oh!» C'était ce gémissement passionné qu'il avait en vain
cherché à lui arracher par ses caresses.

— Oh! regarde!

Au bord de la route, près d'une maison incendiée, était dressé un
éventaire : des oranges, des bananes, du chocolat; Nadine s'élança,
elle saisit deux oranges et en tendit une à Henri; à la vue de cette joie
facile que deux kilomètres séparaient inexorablement de la France, il
sentit dans sa poitrine cette chose noire et dure, qui depuis quatre ans
lui tenait lieu de cœur, se changer en étoupe; il avait regardé sans broncher les photographies des enfants hollandais agonisant de faim : et
voilà qu'il avait envie de s'asseoir sur le bord du fossé, la tête dans ses
mains, et de ne plus bouger.

Nadine avait retrouvé sa bonne humeur; elle se gorgea de fruits et
de bonbons à travers les campagnes basques et les déserts castillans;
elle regardait en souriant le ciel d'Espagne. Ils passèrent encore une
nuit couchés dans la poussière des banquettes; le matin ils suivirent
une rivière bleu pâle qui serpentait parmi des oliviers et qui se changea
en fleuve, puis en lac. Et le train s'arrêta : Lisbonne.

— Tous ces taxis!

Une file de taxis attendait dans la cour de la gare; Henri posa les
valises à la consigne et il dit à un des chauffeurs : « Promenez-nous. »
Nadine serrait son bras en criant de terreur tandis qu'ils dévalaient
à une allure qui paraissait vertigineuse les rues abruptes où ferraillaient
les tramways : ils avaient perdu l'habitude de rouler en auto. Henri
riait lui aussi en serrant le bras de Nadine; il tournait la tête à droite,
à gauche, avec une joie incrédule : le passé était au rendez-vous. Une
ville du Sud, une ville brûlante et fraîche avec à l'horizon la promesse
de la mer et un vent salé battant ses promontoires : il la reconnaissait.
Et pourtant elle l'étonnait plus qu'autrefois Marseille, Athènes, Naples,
Barcelone, parce qu'aujourd'hui toute nouveauté touchait au prodige;
elle était belle cette capitale au cœur sage, aux collines désordonnées,
avec ses maisons glacées de couleurs tendres et ses grands bateaux
blancs.

— Laissez-nous quelque part dans le centre, demanda-t-il. Le taxi
s'arrêta sur une grande place entourée de cinémas et de cafés; aux terrasses étaient assis des hommes en complets sombres : pas de femmes;
les femmes se bousculaient dans la rue commerçante qui descendait
vers l'estuaire; tout de suite Henri et Nadine tombèrent en arrêt :

— Tu te rends compte!

Du cuir, du vrai cuir épais et souple dont on devinait l'odeur; des valises en peau de porc, des gants de pécari, des blagues à tabac fauves, et surtout ces souliers, aux épaisses semelles de crêpe, des souliers dans lesquels on marcherait sans faire de bruit et sans se mouiller les pieds. De la vraie soie, de la vraie laine, des complets en flanelle, des chemises de popeline. Henri réalisa soudain qu'il était plutôt minable avec son complet de fibranne et ses souliers craquelés qui rebiquaient du bout; et parmi ces femmes qui portaient des fourrures, des bas de soie, de fins escarpins, Nadine avait l'air d'une clocharde.

— Demain on va s'acheter des choses, dit-il; des tas de choses!

— Ça n'a pas l'air vrai! dit Nadine. Dis donc, qu'est-ce qu'ils diraient s'ils voyaient ça les gens de Paris!

— Juste ce que nous disons, dit Henri en riant.

Ils s'arrêtèrent devant une pâtisserie, et cette fois ce ne fut pas la convoitise, mais le scandale qui figea le regard de Nadine; lui aussi, il resta un moment pétrifié d'incrédulité et il poussa Nadine par l'épaule : « Entrons. »

A part un vieillard et un petit garçon, il n'y avait que des femmes autour des guéridons, des femmes aux cheveux huileux, accablées de fourrures, de bijoux et de cellulite qui s'acquittaient religieusement de leur gavage quotidien. Deux petites filles aux nattes noires, qui portaient en bandoulière un ruban bleu et un tas de médailles à leur cou, dégustaient d'un air réservé un épais chocolat surchargé de crème fouettée.

— Tu en veux? dit Henri.

Nadine fit oui de la tête; quand la serveuse eut posé la tasse devant elle, elle la porta à ses lèvres, et le sang se retira de son visage. « Je ne peux pas », dit-elle; elle ajouta sur un ton d'excuse : « Mon estomac n'a plus l'habitude. » Mais son malaise n'était pas venu de son estomac; elle avait pensé à quelque chose ou à quelqu'un. Il ne lui posa pas de question.

La chambre d'hôtel était tendue de cretonnes pimpantes; il y avait dans la salle de bains de l'eau chaude, du vrai savon, des peignoirs en tissu éponge. Nadine retrouva toute sa gaieté. Elle exigea de frotter Henri au gant de crin et quand sa peau fut de la tête aux pieds rouge et brûlante, elle le renversa en riant sur le lit. Elle fit l'amour avec tant de bonne humeur qu'on aurait cru qu'elle y prenait plaisir. Ses yeux brillaient le lendemain matin tandis qu'elle palpait de sa main rude les lainages opulents, les soieries : « Est-ce qu'il y avait d'aussi beaux magasins à Paris?

— Il y en avait de bien plus beaux. Tu ne t'en souviens pas?

— Je n'allais pas dans les beaux magasins, j'étais trop petite. » Elle regarda Henri avec espoir : « Tu crois que ça reviendra un jour?

— Un jour, peut-être.

— Mais comment sont-ils si riches ici? Je croyais que c'était un pays pauvre.

— C'est un pays pauvre où il y a des gens très riches. »

Ils achetèrent, pour eux et pour les gens de Paris, des étoffes, des bas, du linge, des souliers, des sweaters. Ils déjeunèrent dans un sous-sol tapissé d'affiches multicolores où des toreros à cheval défiaient des taureaux furieux. « Viande ou poisson : ils ont tout de même des restrictions! » dit Nadine en riant. Ils mangèrent des beefsteaks couleur de cendre. Et puis, chaussés tous deux de souliers d'un jaune agressif mais aux semelles luxueuses, ils escaladèrent les rues pavées de cailloux ronds qui montaient vers les quartiers populeux; à un carrefour des enfants aux pieds nus regardaient sans rire un petit guignol décoloré; la chaussée devenait étroite, les façades écaillées, le visage de Nadine s'assombrit.

— C'est dégueulasse cette rue, il y en a beaucoup comme ça?

— Je crois bien que oui.

— Ça n'a pas l'air de t'indigner?

Il n'était pas en humeur de s'indigner. En vérité, c'est même avec un élancement de plaisir qu'il revoyait le linge bariolé séchant aux fenêtres ensoleillées, au-dessus d'un trou d'ombre. Ils suivirent en silence une sentine et Nadine s'arrêta au milieu d'un escalier aux pavés gras : « C'est dégueulasse! répéta-t-elle. Allons-nous-en.

— Oh! continuons encore un peu », dit Henri.

A Marseille, à Naples, au Pirée, dans le Bario-Chino il avait passé des heures à errer dans ces ruelles criardes; bien sûr, alors comme aujourd'hui il souhaitait qu'on en finisse avec toute cette misère; mais ce vœu restait abstrait, jamais il n'avait eu envie de fuir : cette violente odeur humaine l'étourdissait. C'était du haut en bas de la colline le même grouillement vivant, le même ciel bleu brûlait par-delà les toits; il semblait à Henri que d'un instant à l'autre il allait retrouver dans toute son intensité la vieille joie; c'est elle qu'il poursuivait de ruelle en ruelle : mais il ne la retrouvait pas. Les femmes accroupies devant les portes faisaient griller des sardines sur des morceaux de charbon de bois; l'odeur du poisson défraîchi couvrait celle de l'huile chaude; leurs pieds étaient nus; ici tout le monde marchait pieds nus. Dans les caves ouvertes sur la rue, pas un lit, pas un meuble, pas une image : des grabats, des enfants couverts de gourme et de loin en loin une chèvre; dehors pas une voix gaie, pas un rire, des yeux morts. La misère était-elle plus désespérée ici que dans les autres villes? ou bien est-ce qu'au lieu de s'endurcir on se sensibilise au malheur? Le bleu du ciel semblait cruel au-dessus de l'ombre malsaine, et Henri se sentait gagné par la consternation muette de Nadine. Ils croisèrent une femme vêtue de haillons noirs, un enfant accroché à son sein nu, qui courait d'un air hagard, et Henri dit brusquement :

— Ah! tu as raison, allons-nous-en.

Mais ça n'avait servi à rien de s'en aller, Henri s'en rendit compte dès le lendemain au cours du cocktail donné par le consulat français. La table était chargée de sandwiches et de gâteaux fabuleux, les femmes portaient des robes aux couleurs oubliées, tous les visages riaient, on parlait français, la colline de Grâce était bien loin, dans un pays tout à fait étranger dont les malheurs ne concernaient pas Henri. Il riait poliment avec les autres, quand le vieux Mendoz das Viernas l'entraîna dans un coin du salon; il portait un col dur, une cravate noire, il avait été ministre avant la dictature de Salazar; il posa sur Henri un regard méfiant :

— Quelle impression vous a faite Lisbonne?

— C'est une bien belle ville! dit Henri. Le regard s'assombrit et Henri ajouta avec un sourire : « Je dois dire que je n'ai pas encore vu grand-chose.

— D'ordinaire, les Français qui viennent ici s'arrangent pour ne rien voir du tout, dit das Viernas avec rancune. Votre Valéry : il a admiré la mer, les jardins; pour le reste, un aveugle. » Le vieux fit une pause : « Est-ce que vous tenez vous aussi à vous boucher les yeux?

— Au contraire! dit Henri. Je ne demande qu'à m'en servir.

— Ah! d'après ce qu'on m'avait dit de vous, c'est ce que j'espérais, dit das Viernas d'une voix radoucie. Nous allons prendre rendez-vous pour demain et je me charge de vous montrer Lisbonne. Une belle façade, oui! mais vous verrez ce qu'il y a derrière!

— J'ai déjà fait un tour hier sur la colline de Grâce, dit Henri.

— Mais vous n'êtes pas entré dans les maisons! Je veux que vous constatiez par vous-même ce que les gens mangent, comment ils vivent : vous ne me croiriez pas. » Das Viernas haussa les épaules : « Toute cette littérature sur la mélancolie portugaise et son mystère! c'est pourtant simple : sur sept millions de Portugais, il y en a soixante-dix mille qui mangent à leur faim. »

Impossible de se défiler : Henri passa la matinée suivante à visiter des taudis. L'ancien ministre avait convoqué des amis en fin d'après-midi tout exprès pour les lui faire rencontrer : impossible de refuser. Ils portaient tous des complets sombres, des cols durs, des melons, ils parlaient avec cérémonie mais de temps en temps la haine transfigurait leurs visages raisonnables. C'était d'anciens ministres, d'anciens journalistes, d'anciens professeurs que leur refus de se rallier au régime avait ruinés; ils avaient tous des parents et des amis déportés, ils étaient pauvres et traqués; ceux qui s'obstinaient encore à agir savaient que l'île d'enfer les guettait : un médecin qui soignait gratuitement des miséreux, qui essayait d'ouvrir un dispensaire ou d'introduire un peu d'hygiène dans les hôpitaux était aussitôt suspect; quiconque organisait un cours du soir, quiconque accomplissait un geste généreux ou simplement charitable était un ennemi de l'Église et de l'État. Ils s'entêtaient pourtant. Et ils voulaient croire que la ruine du nazisme entraînerait la fin de ce fascisme cagot. Ils rêvaient de renverser Salazar et de créer un Front National analogue à celui qui s'était reconstitué en France. Ils se savaient bien seuls : les capitalistes anglais avaient de gros intérêts au Portugal, les Américains négociaient avec le gouvernement l'achat de bases aériennes aux Açores. « La France est notre seul espoir », répétaient-ils. Ils suppliaient : « Dites aux Français la vérité; ils ne savent pas, s'ils savaient ils viendraient à notre secours. » Ils imposèrent à Henri des rendez-vous quotidiens; on l'accablait de faits, de chiffres, on lui dictait des statistiques, on le promenait dans les faubourgs affamés : ce n'était pas exactement le genre de vacances qu'il avait rêvé, mais il n'avait pas le choix. Il promettait de toucher l'opinion par une campagne de presse : la tyrannie politique, l'exploitation économique, la terreur policière, l'abêtissement systématique des masses, la honteuse complicité du clergé, il dirait tout. « Si Carmona apprenait que la France est prête à nous soutenir, il marcherait avec nous », affirmait das Viernas. Il avait connu autrefois Bidault et il pensait à lui proposer une sorte de traité secret : en échange de son appui, le futur gouvernement portugais pourrait offrir à la France des transactions avantageuses touchant les colonies d'Afrique. C'était difficile de lui expliquer sans grossièreté à quel point ce projet était chimérique!

— Je verrai Tournelle, son chef de cabinet, promit Henri la veille de son départ pour l'Algarve. C'est un camarade de Résistance.

— Je vais mettre au point un projet précis que je vous confierai à votre retour, dit das Viernas.

Henri était content de quitter Lisbonne. Les services français lui prêtaient une auto pour qu'il fît commodément sa tournée de conférences, il était invité à en disposer aussi longtemps qu'il souhaitait, et ça serait enfin de vraies vacances. Malheureusement ses nouveaux amis comptaient bien qu'il passerait sa dernière semaine à conspirer avec eux : ils allaient rassembler une documentation exhaustive et arranger des rencontres avec certains communistes des chantiers de Zamora. Pas question de refuser.

— Ça fait qu'on a tout juste quinze jours pour se balader, dit Nadine d'un ton boudeur.

Ils dînaient dans une guinguette, de l'autre côté du Tage; une serveuse avait posé sur la table des tronçons de merluche frite et une bouteille de vin d'un rose sale; à travers la vitre ils apercevaient les lumières de Lisbonne qui s'étageaient entre le ciel et l'eau.

— En quinze jours, avec une auto, on en voit du pays! dit Henri. Tu te rends compte de la chance qu'on a!

— Justement : c'est dommage de ne pas en profiter.

— Tous ces types qui comptent sur moi, ça serait moche de les décevoir, non?

Elle haussa les épaules : « Tu ne peux rien pour eux.

— Je peux parler en leur nom; c'est mon métier; ou alors ça n'est pas la peine d'être journaliste.

— Peut-être ça n'est pas la peine.

— Ne pense pas déjà au retour, dit-il d'un ton conciliant; on va faire un fameux voyage. Et regarde donc ces petites lumières au bord de l'eau, comme c'est joli.

— Qu'est-ce que ça a de joli? » dit Nadine. C'était le genre de questions irritantes qu'elle se plaisait à poser. Il haussa les épaules : « Non, sérieusement, reprit-elle, pourquoi trouves-tu ça joli?

— C'est joli, c'est tout. »

Elle appuya son front contre la vitre : « Ça serait peut-être joli si on ne savait pas ce qu'il y a derrière; mais quand on le sait... C'est encore une tromperie, conclut-elle avec hargne; je déteste cette sale ville. »

C'était une tromperie, sans aucun doute; et pourtant il ne pouvait pas s'empêcher de trouver ces lumières jolies; la chaude odeur de la misère, ses joyeux bariolages, il ne s'y laissait plus prendre; mais ces petites flammes qui scintillaient le long des eaux sombres, elles le touchaient, envers et contre tous : peut-être parce qu'elles lui rappelaient un temps où il ignorait ce qui se cache derrière les décors; peut-être n'aimait-il ici que le souvenir d'un mirage. Il regarda Nadine; dix-huit ans, et pas un mirage dans sa mémoire! Lui au moins il avait eu un passé. « Et un présent, un avenir, protesta-t-il en lui-même. Heureusement il reste encore des choses à aimer! »

Il en restait, heureusement! Quel plaisir d'avoir de nouveau un volant entre les mains, et ces routes devant soi, à perte de vue! Après toutes ces années, Henri était intimidé, le premier jour; l'auto semblait douée d'une vie personnelle; d'autant plus qu'elle était lourde, mal suspendue, bruyante et plutôt capricieuse; et pourtant, voilà qu'elle obéissait aussi spontanément qu'une main.

— Comme ça va vite, c'est formidable! disait Nadine.

— Tu t'es déjà promenée en bagnole, non?

— A Paris, dans des jeeps; mais je n'ai jamais roulé si vite.

Ça aussi, c'était un mensonge, la vieille illusion de liberté et de puissance, mais elle y consentait sans scrupule. Elle baissait toutes les vitres, elle buvait goulûment le vent et la poussière. Si Henri l'avait écoutée, ils ne seraient jamais descendus de voiture; ce qu'elle aimait, c'était filer le plus vite possible, entre la route et le ciel; elle s'intéressait à peine aux paysages. Et pourtant, comme ils étaient beaux! Le poudroiement doré des mimosas, les sages paradis primitifs que répétaient à l'infini les orangers aux têtes rondes, les délires de pierre de Batalha, le duo majestueux des escaliers qui montaient entrelacés vers une église blanche et noire, les rues de Beja où traînaient les cris anciens d'une nonne en mal d'amour. Dans le Sud à l'odeur d'Afrique, des petits ânes tournaient en rond pour arracher un peu d'eau au sol aride; on apercevait de loin en loin, au milieu des agaves bleus qui poignardaient la terre rouge, la fausse fraîcheur d'une maison lisse et blanche comme le lait. Ils remontèrent vers le nord par des routes où les pierres semblaient avoir volé aux fleurs leurs couleurs les plus violentes : des violets, des rouges, des ocres; et puis les couleurs redevinrent des fleurs parmi les douces collines du Minho. Oui, un beau décor, et qui se déroulait trop vite pour qu'on eût le temps de penser à ce qui se cachait par derrière. Au long des côtes de granit, comme sur les routes brûlantes de l'Algarve, les paysans marchaient pieds nus, mais on n'en rencontrait pas souvent. C'est à Porto la Rouge, où la crasse a la couleur du sang, que la fête s'acheva. Sur les murs des taudis, plus sombres encore et plus humides que ceux de Lisbonne, et grouillants d'enfants nus, on avait apposé des écriteaux : « Insalubre. Défense d'habiter ici. »

Des fillettes de quatre à cinq ans, vêtues de sacs troués, fouillaient dans les poubelles. Pour déjeuner, Henri et Nadine se cachèrent au fond d'un boyau obscur, mais ils devinaient des visages collés aux vitres du restaurant. « Je déteste les villes! » dit Nadine avec fureur. Elle resta enfermée toute la journée dans sa chambre et le lendemain sur les routes, c'est à peine si elle desserra les dents. Henri n'essaya pas de la dérider.

Au jour fixé pour leur retour, ils s'arrêtèrent pour déjeuner dans un petit port à trois heures de Lisbonne; ils laissèrent la voiture devant l'auberge pour escalader une des collines qui dominaient la mer; au sommet se dressait un moulin blanc, coiffé de tuiles vertes; on avait fixé à ses ailes de petites jarres de terre cuite au col étroit où le vent chantait. Henri et Nadine descendirent en courant la colline entre les oliviers tout en feuilles et les amandiers tout en fleur et la musique puérile les poursuivait. Ils se laissèrent tomber sur le sable de la crique; des barques aux voiles rouillées hésitaient sur la mer pâle.

— Nous serons bien ici, dit Henri.

— Oui, dit Nadine d'un air maussade; elle ajouta : « Je meurs de faim.

— Évidemment : tu n'as rien mangé.

— Je demande des œufs à la coque et on m'apporte un bol d'eau tiède et des œufs crus.

— La morue était très bonne; les fèves aussi.

— Une seule goutte d'huile et mon estomac débordait. » Elle cracha avec colère : « Il y a de l'huile dans ma salive. »

D'un geste décidé elle arracha son chemisier.

— Qu'est-ce que tu fais?

— Tu ne vois pas?

Elle ne portait pas de soutien-gorge et couchée sur le dos elle offrait au soleil la nudité de ses seins légers.

— Non, Nadine : si quelqu'un venait.

— Il ne viendra personne.

— Ça te plaît de le croire.

— Je m'en fous; je veux sentir le soleil. Seins au vent, les cheveux abandonnés au sable, elle regardait le ciel, avec reproche : « Il faut bien en profiter puisque c'est le dernier jour. »

Il ne répondit pas et elle dit d'une voix geignarde :

— Tu tiens vraiment à rentrer à Lisbonne ce soir?

— Tu sais bien qu'on nous attend.

— On n'a pas vu la montagne; et ils disaient tous que c'est le plus beau : en huit jours, on pourrait encore faire une fameuse virée.

— Puisque je te dis que j'ai des gens à voir.

— Tes vieux messieurs à col dur? ils feraient très bien dans les vitrines du Musée de l'Homme; mais comme révolutionnaires, laisse-moi rire.

— Moi je les trouve touchants, dit Henri. Et tu sais, ils prennent de gros risques.

— Ils causent beaucoup. Elle fit ruisseler le sable entre ses doigts :
« Des mots, comme il dit le frère; des mots.

— C'est toujours facile de prendre des supériorités sur les gens qui
entent quelque chose, dit-il avec un peu d'agacement.

— Ce que je leur reproche c'est de ne rien tenter pour de vrai, dit-
elle avec irritation. Au lieu de tant bavarder, je descendrais Salazar
un bon coup.

— Ça n'avancerait pas à grand-chose.

— Ça avancerait qu'il serait mort. Comme dit Vincent, du moins
la mort ça ne pardonne pas. » Elle regardait la mer d'un air méditatif :
« Si on était décidé à se faire sauter avec lui, on pourrait sûrement avoir
sa peau.

— N'essaie pas! » dit Henri en souriant; il posa sa main sur le bras
incrusté de sable : « J'aurais bonne mine, tu te rends compte!

— Ça ferait une belle fin, dit Nadine.

— Tu es si pressée d'en finir? »

Elle bâilla : « Ça t'amuse de vivre?

— Ça ne m'ennuie pas », dit-il gaiement.

Elle se redressa sur un coude et l'examina avec curiosité : « Explique-
moi. Écrivailler comme tu fais du matin au soir, ça te remplit vraiment
l'existence?

— Quand j'écris, oui, ça me remplit l'existence, dit-il. J'ai même
salement envie de m'y remettre.

— Comment ça t'est venu, de vouloir écrire?

— Oh! ça remonte loin », dit Henri.

Ça remontait loin, mais il ne savait trop quelle importance accorder
à ses souvenirs.

— Quand j'étais jeune, ça me semblait magique un livre.

— Moi aussi j'aime les livres, dit Nadine vivement. Seulement il
y en a déjà tant! A quoi ça sert d'en fabriquer un de plus?

— On n'a pas tout à fait les mêmes choses à dire que les autres : on
a sa vie à soi, ses rapports à soi avec les choses, avec les mots.

— Et ça ne te gêne pas de penser que des types ont écrit des trucs
tellement supérieurs à ce que tu pondras, toi? dit Nadine d'un ton
vaguement irrité.

— Au début, je ne le pensais pas, dit Henri en souriant; on est arrogant tant qu'on n'a rien fait. Et puis une fois qu'on est dans le coup,
on s'intéresse à ce qu'on écrit et on ne perd plus de temps à se comparer.

— Oh! bien sûr, on s'arrange! dit-elle d'une voix boudeuse en se
laissant retomber de tout son long sur le sol.

Il n'avait pas su lui répondre : c'est bien difficile d'expliquer pourquoi
on aime écrire à quelqu'un qui n'aime pas ça. D'ailleurs pouvait-il
se l'expliquer à lui-même? Il ne s'imaginait pas qu'on le lirait éternellement, et pourtant quand il écrivait, il se sentait installé dans l'éternité;
ce qu'il réussissait à couler dans des mots lui semblait sauvé, absolument; qu'y avait-il de vrai là-dedans? dans quelle mesure n'était-ce

ça aussi qu'un mirage? Voilà une des choses qu'il aurait dû tirer au clair pendant ces vacances, mais en fait il n'avait rien tiré au clair du tout. Ce qui était certain, c'est qu'il éprouvait une pitié presque angoissée pour toutes ces vies qui ne tentaient même pas de s'exprimer : celles de Paule, d'Anne, de Nadine. « Tiens! pensa-t-il. A l'heure qu'il est, mon livre a paru! » Il y avait longtemps qu'il n'avait pas affronté le public et ça l'intimidait de penser que des gens étaient en train de lire son roman et d'en parler. Il se pencha sur Nadine et lui sourit.

— Ça va?

— Oui; on est bien ici! dit-elle d'un ton un peu geignard.

— On est bien.

Il mêla ses doigts à ceux de Nadine et se colla au sable chaud; entre la mer nonchalante que le soleil décolorait et le bleu impérieux du ciel, il y avait du bonheur en suspens; pour qu'il pût s'en saisir, il aurait peut-être suffi d'un sourire de Nadine : elle devenait presque jolie quand elle souriait; mais le visage piqué de taches de rousseur restait inerte; il dit : « Pauvre Nadine. »

Elle se redressa brusquement : « Pourquoi pauvre? »

Elle était sûrement à plaindre mais il ne savait trop pourquoi : « Parce que ce voyage t'a déçue.

— Oh! tu sais, je n'en attendais pas tant.

— Il y a eu pourtant de bons moments.

— Il pourrait y en avoir encore »; le bleu froid de ses yeux se réchauffa : « Laisse tomber ces vieux rêveurs; on n'était pas venus pour ça. Promenons-nous. Amusons-nous tant qu'il nous reste de la chair sur les os. »

Il haussa les épaules : « Tu sais bien que ça n'est pas si facile de s'amuser.

— Essayons. Une grande balade dans les montagnes, ça serait bien, non? tu aimes te balader. Tandis que ces réunions, ces enquêtes, ça t'assomme.

— Bien sûr.

— Alors? qu'est-ce qui t'oblige à faire des choses qui t'emmerdent? c'est une vocation?

— Rends-toi compte : est-ce que je peux leur expliquer à ces pauvres vieux que leurs malheurs n'intéressent personne, que le Portugal est trop petit, que tout le monde s'en fout? » Henri se pencha sur Nadine en souriant : « Est-ce que je peux?

— Tu peux leur téléphoner que tu es malade et nous filons vers Evora.

— Ça leur briserait le cœur, dit Henri. Non, je ne peux pas.

— Dis que tu ne veux pas, dit Nadine aigrement.

— Soit, dit-il avec impatience, je ne veux pas.

— Tu es encore pire que ma mère », grommela-t-elle en piquant du nez dans le sable.

Henri se laissa tomber de tout son long à côté d'elle. « Amusons-nous. » Autrefois, il savait s'amuser; les rêves des vieux conspirateurs il les aurait sacrifiés d'un élan à ces joies qu'il avait connues, autrefois. Il ferma les yeux. Il était couché sur une autre plage à côté d'une femme à la chair dorée, vêtue d'un paréo fleuri, la plus belle des femmes, Paule; des palmes oscillaient au-dessus de leurs têtes, et à travers les roseaux ils regardaient s'avancer dans la mer, encombrées par leurs robes, leurs voiles, leurs bijoux, de grosses juives rieuses; la nuit parfois ils épiaient les femmes arabes qui s'aventuraient dans l'eau, enveloppées de leurs suaires; ou bien dans la taverne aux soubassements romains ils buvaient un épais sirop de café; ou bien ils s'asseyaient sur la place du marché et Henri fumait le narguilé en devisant avec Amour Harsine; et puis ils rentraient dans la chambre pleine d'étoiles, et ils tombaient sur le lit. Mais les heures qu'Henri se rappelait à présent avec le plus de nostalgie, c'était ces matinées qu'il passait sur la terrasse de l'hôtel entre le bleu du ciel et l'odeur passionnée des fleurs; dans la fraîcheur du jour naissant, dans l'ardeur de midi, il écrivait, et sous ses pieds le ciment était brûlant lorsque enfin étourdi de soleil et de mots il descendait dans l'ombre du patio boire un anis glacé. C'était le ciel, les lauriers-roses, les eaux violentes de Djerba qu'il était venu rechercher ici, c'était la gaieté de ses nuits bavardes, et surtout la fraîcheur et l'ardeur de ses matins. Pourquoi ne retrouvait-il pas ce goût brûlant et tendre qu'avait eu autrefois sa vie? Pourtant, il l'avait désiré ce voyage, pendant des jours il n'avait pensé à rien d'autre; pendant des jours il avait rêvé qu'il se couchait sur le sable, au soleil; et maintenant il était là, il y avait du soleil, du sable : c'est au-dedans de lui que quelque chose manquait. Il ne savait plus bien ce que voulaient dire les vieux mots : bonheur, plaisir. Nous n'avons que cinq sens, et ils s'ennuient si vite. Déjà son regard s'ennuyait de glisser sans fin sur ce bleu qui n'en finissait pas d'être bleu. On avait envie de crever ce satin, de déchirer la douce peau de Nadine.

— Il commence à faire frais, dit-il.

— Oui. Brusquement elle se colla à lui; à travers sa chemise, il sentit contre sa poitrine les jeunes seins nus. « Réchauffe-moi. »

Il la repoussa doucement. « Habille-toi. Revenons au village.

— Tu as peur qu'on nous voie? » Les yeux de Nadine luisaient, un peu de sang lui était monté aux joues; mais il savait que sa bouche restait froide. « Qu'est-ce que tu crois qu'on nous ferait? On nous lapiderait? demanda-t-elle d'un air alléché.

— Lève-toi; il est temps de rentrer. »

Elle pesait sur lui de tout son poids et il résistait mal au désir qui l'engourdissait; il aimait son jeune buste, sa peau limpide; si seulement elle avait consenti à se laisser bercer par le plaisir au lieu de gambader dans le lit avec une impudeur voulue... Elle l'observait, les yeux mi-clos, sa main descendait vers le pantalon de toile.

— Laisse-moi... laisse-toi faire.

Sa main, sa bouche étaient habiles, mais il détestait le triomphe assuré qu'il avait lu dans ses yeux chaque fois qu'il avait cédé. « Non, dit-il. Non. Pas ici. Pas ainsi. »

Il se dégagea et se redressa; le chemisier de Nadine gisait sur le sable et il le lui jeta sur les épaules.

— Pourquoi? dit-elle avec dépit; elle ajouta d'une voix traînante : « Peut-être qu'en plein air, ça aurait été un peu plus amusant. »

Il époussetait le sable qui poudrait ses vêtements.

— Je me demande si tu seras jamais une femme, murmura-t-il d'un ton faussement indulgent.

— Oh! tu sais, des femmes qui aiment se faire tringler, je suis sûre qu'il n'y en a pas une sur cent : c'est un genre qu'elles se donnent, par snobisme.

— Allons, ne nous disputons pas, dit-il en lui prenant le bras. Viens. Nous allons t'acheter des gâteaux et du chocolat que tu mangeras dans l'auto.

— Tu me traites comme une enfant, dit-elle.

— Non. Je sais très bien que tu n'es pas une enfant. Je te comprends mieux que tu ne crois.

Elle le regarda avec méfiance et un petit sourire perla sur ses lèvres. « Oh! je ne te déteste pas toujours », dit-elle.

Il pressa un peu plus fort son bras, et ils marchèrent en silence vers le village. La lumière mollissait; les barques rentraient au port : des bœufs les halaient vers la grève. Debout ou assis en cercle les villageois regardaient. Les chemises des hommes, les amples jupes des femmes étaient carrelés de couleurs joyeuses : mais cette gaieté était figée dans une morne immobilité; les fichus noirs encadraient des visages de pierre; les yeux fixés sur l'horizon n'espéraient rien. Pas un geste, pas une parole. On aurait dit qu'une malédiction avait flétri toutes les langues.

— Ils me donnent envie de crier, dit Nadine.

— Je suppose qu'ils ne t'entendraient même pas.

— Qu'est-ce qu'ils attendent?

— Rien. Ils savent qu'ils n'attendent rien.

Sur la grand-place, la vie balbutiait faiblement. Des enfants criaillaient; assises sur le bord du trottoir, les veuves des pêcheurs péris en mer mendiaient. Les premiers temps, Henri et Nadine avaient regardé avec colère les bourgeoises aux fourrures épaisses qui répondaient majestueusement aux mendiants : « Prenez patience! » A présent, ils s'enfuyaient comme des voleurs quand les mains se tendaient vers eux : il y en avait trop.

— Achète-toi quelque chose, dit Henri en arrêtant Nadine devant la pâtisserie.

Elle entra; deux enfants aux crânes rasés écrasaient leur nez contre la vitre; quand elle reparut, les bras chargés de sacs de papier, ils crièrent. Elle s'arrêta.

— Qu'est-ce qu'ils disent?

Il hésita : « Que tu as de la chance de pouvoir manger quand tu as faim.

— Oh! »

D'un geste furieux, elle jeta dans leurs bras les sacs gonflés.

— Non. Je vais leur donner de l'argent, dit Henri.

Elle l'entraîna. « Laisse, ils m'ont coupé l'appétit, ces sales mor-
pions.

— Tu avais faim.

— Je te dis que je n'ai plus faim. »

Ils montèrent dans l'auto et pendant un moment ils roulèrent en
silence; Nadine dit d'une voix étranglée :

— On aurait dû aller dans un autre pays.

— Où ça?

— Je ne sais pas. Mais toi, tu dois savoir.

— Non, je ne sais pas, dit-il.

— Il doit quand même y avoir un pays où on puisse vivre, dit-elle.

Brusquement, elle fondit en larmes et il la regarda avec stupeur : les
larmes de Paule étaient naturelles comme la pluie; mais voir pleurer
Nadine, c'était presque aussi gênant que s'il eût surpris Dubreuilh en
train de sangloter. Il passa un bras autour de ses épaules et l'attira
vers lui.

— Ne pleure pas. Ne pleure pas. Il caressait les cheveux rêches;
pourquoi n'avait-il pas su la faire sourire? pourquoi avait-il le cœur
lourd? Nadine essuya ses larmes et se moucha bruyamment.

— Mais toi, quand tu étais jeune, tu as été heureux? dit-elle.

— Oui; j'ai été heureux.

— Tu vois!

Il dit : « Toi aussi, tu seras heureuse, un jour. »

Il aurait fallu la serrer plus fort et lui dire : « Moi je te rendrai heureuse. » En cet instant, il en avait envie : une envie d'un instant d'engager toute sa vie. Il ne dit rien. Il pensa brusquement : « Le passé
ne se recommence pas; le passé ne se recommencera pas. »

— Vincent! Nadine se rua vers la sortie. Vêtu de son uniforme de
correspondant de guerre, Vincent agitait la main en souriant. Nadine
glissa sur ses semelles crêpe et se rétablit en s'accrochant au bras de
Vincent : « Salut, toi!

— Salut les voyageurs! » dit Vincent gaiement; il siffla d'admiration : « Comment que tu es fringuée!

— Une vraie dame, hein? dit Nadine en pivotant sur elle-même;
avec son manteau de fourrure, ses bas, ses escarpins, elle avait l'air
élégante et presque féminine.

— Donne-moi ça! dit Vincent en s'emparant du grand sac de marin
qu'Henri halait derrière lui : « C'est un cadavre?

— Cinquante kilos de bouffe! dit Henri. Nadine ravitaille sa famille;
comment les ramener jusqu'au quai Voltaire, c'est le problème.

— Il n'y a pas de problème, dit Vincent d'un air triomphant.

— Tu as volé une jeep? dit Nadine.

— Je n'ai rien volé. »

Il traversa avec décision la cour d'arrivée et s'arrêta devant une petite auto noire : « Elle est bien, non?

— Elle est à nous? dit Henri.

— Oui; Luc s'est enfin démerdé; qu'est-ce que tu en dis?

— Elle est petite, dit Nadine.

— Ça va nous rendre salement service », dit Henri en ouvrant la portière. Tant bien que mal ils entassèrent les bagages à l'arrière.

— Tu m'emmèneras promener? demanda Nadine.

— Tu n'es pas cinglée? dit Vincent. C'est un instrument de travail. Évidemment, avec toute votre cargaison on est un peu serrés, concéda-t-il; il s'assit au volant et la voiture démarra avec des hoquets douloureux.

— Tu es sûr que tu sais conduire? demanda Nadine.

— Si tu m'avais vu l'autre nuit foncer en jeep, sans phare, sur des chemins minés, tu ne m'insulterais pas gratuitement. Vincent regarda Henri : « Je pose Nadine et je t'amène au journal?

— D'accord. Comment ça va, *L'Espoir?* Je n'en ai pas vu un seul numéro dans ce sacré pays. On paraît toujours sur format timbre-poste?

— Toujours; ils ont autorisé deux nouveaux canards, mais ils ne nous trouvent pas de papier; Luc te racontera mieux que moi : je rentre tout juste des armées.

— Mais le tirage n'a pas baissé?

— Je ne crois pas. »

Henri avait hâte de se retrouver au journal; seulement Paule avait sans aucun doute téléphoné à la gare, elle savait que le train n'avait pas eu de retard; elle attendait, les yeux rivés sur la pendule, épiant tous les bruits. Quand ils eurent laissé Nadine dans la cage de l'ascenseur au milieu de ses bagages, Henri dit :

— Réflexion faite, je passerai d'abord chez moi.

— Mais les copains t'attendent, dit Vincent.

— Dis-leur que je serai au journal d'ici une heure.

— Alors, je te laisse la Rolls, dit Vincent. Il arrêta l'auto devant le dispensaire pour chiens et demanda : « Je sors les valises?

— Seulement la plus petite; merci. »

Avec regret Henri poussa la porte qui heurta bruyamment une poubelle; le chien de la concierge se mit à aboyer; avant même qu'Henri ait frappé, Paule ouvrit :

— C'est toi! c'est bien toi! Un moment elle resta immobile dans ses bras et puis elle recula : « Tu as bonne mine; tu es bronzé! ce n'était pas trop fatigant ce retour? » Elle souriait mais il y avait un petit muscle qui tressaillait spasmodiquement au coin de sa bouche.

— Pas du tout. Il posa la valise sur le divan : « Voilà pour toi.

— Que tu es gentil!

— Ouvre-la. »

Elle l'ouvrit : des bas de soie, des sandales de daim, un sac assorti,

7

des étoffes, des écharpes, des gants, il avait choisi chaque article avec un soin inquiet, il fut un peu déçu parce qu'elle regardait sans rien toucher, sans se pencher, d'un air ému et vaguement indulgent : « Tu es si gentil! » répéta-t-elle; elle tourna vivement son regard vers lui : « Ta valise à toi, où est-elle?

— En bas, dans la voiture. Parce que tu sais peut-être que *L'Espoir* a obtenu une voiture : Vincent est venu me chercher avec, dit-il d'une voix animée.

— Je vais téléphoner à la concierge pour qu'on monte ta valise, dit Paule.

— Ce n'est pas la peine », dit Henri. Il enchaîna très vite : « Comment as-tu passé le mois? il n'a pas fait trop mauvais? tu es un peu sortie?

— Un peu », dit-elle d'un ton évasif. Son visage s'était figé.

— Qui as-tu vu? qu'est-ce que tu as fait? raconte-moi.

— Oh! c'est sans intérêt, dit-elle. Ne parlons pas de moi. Elle enchaîna avec vivacité, mais d'une voix distraite : « Tu sais que ton livre est un triomphe.

— Je ne sais rien; ça marche vraiment?

— Oh! les critiques n'ont rien compris, bien entendu; mais ils ont flairé le chef-d'œuvre.

— Je suis bien content », dit-il avec un sourire contraint; il aurait bien aimé poser quelques questions mais le vocabulaire de Paule lui était insupportable. Il changea de sujet : « Tu as vu les Dubreuilh? qu'est-ce qu'ils deviennent?

— J'ai entrevu Anne; elle a beaucoup de travail. »

Elle répondait du bout des lèvres; et il était si impatient de reprendre contact avec sa vie! Il demanda :

— Tu n'as pas gardé les numéros de *L'Espoir?*

— Je ne les ai pas lus.

— Non?

— Tu n'écrivais pas dedans; et j'avais d'autres choses à penser. Elle chercha son regard et son visage se ranima : « J'ai beaucoup pensé pendant ce mois, et j'ai compris beaucoup de choses. Je regrette la scène que je t'ai faite avant ton départ; je regrette sincèrement.

— Oh! ne parlons pas de ça! dit-il. D'abord tu ne m'as fait aucune scène.

— Si! dit-elle, et je te répète que je le regrette. Vois-tu, je sais depuis longtemps qu'une femme ne peut pas être tout pour un homme tel que toi; pas même toutes les femmes; mais je ne l'acceptais pas vraiment. Maintenant je suis prête à t'aimer dans une totale générosité, pour toi, non pour moi. Tu as ta mission et elle doit passer avant tout.

— Quelle mission? »

Elle réussit un sourire : « Je me suis rendu compte que souvent j'ai dû t'être très lourde; je comprends que tu aies eu envie de retrouver un peu de solitude. Mais tu peux être rassuré : la solitude, la liberté, je te les promets. » Elle regarda Henri avec intensité : « Tu es libre, mon amour, sache-le bien; d'ailleurs tu viens de le prouver, non?

— Oui », dit-il; il ajouta faiblement : « Mais je t'ai expliqué...

— Je me rappelle, dit-elle; mais je t'affirme qu'étant donné le changement qui s'est produit en moi, tu n'as plus aucune raison d'aller t'installer à l'hôtel. Écoute : tu as envie d'indépendance, d'aventures; mais tu as aussi envie de moi?

— Bien sûr.

— Alors reste ici; tu n'auras pas à le regretter, je te le jure; tu verras quel travail s'est fait en moi et comme désormais je te serai légère. »

Elle se leva et tendit la main vers le récepteur : « Le neveu de la concierge va te monter ta valise. »

Henri se leva aussi et marcha vers l'escalier intérieur. « Plus tard », se dit-il. Il ne pouvait pas recommencer à la torturer dès les premières minutes : « Je vais me décrasser un peu, dit-il. Ils m'attendent au journal. Je suis juste venu t'embrasser.

— Je comprends très bien », dit-elle tendrement.

« Elle va s'appliquer à me prouver que je suis libre, pensa-t-il sans bienveillance en s'asseyant dans la petite auto noire. Oh! mais ça ne va pas durer, je ne ferai pas long feu chez elle », se promit-il avec rancune; et il décida : « Dès demain je vais m'occuper de régler ça. » Pour l'instant il ne voulait plus penser à elle; il était si content de se retrouver à Paris! Dans les rues, il faisait gris, les gens avaient eu froid et faim cet hiver, mais enfin ils portaient tous des souliers; et puis on pouvait leur parler, parler pour eux; ce qui était si déprimant au Portugal c'était de se sentir le témoin tout à fait inutile d'un malheur étranger. En descendant de voiture, il regarda avec tendresse la façade de l'immeuble. Comment *L'Espoir* avait-il marché? était-ce vrai que son roman avait du succès? Il monta vivement l'escalier et tout de suite il y eut une clameur; une banderole barrait le plafond du couloir : Bienvenue au voyageur. Debout contre les murs, ils faisaient la haie, en guise d'épées ils brandissaient leurs stylos et ils chantaient un couplet inintelligible où Salazar rimait avec sale hasard; Lambert seul manquait; pourquoi?

— Tous au bar! cria Luc; il posa lourdement sa main sur l'épaule d'Henri : « C'était bien?

— Tu es drôlement bronzé!

— Vise-moi ces godasses.

— Tu nous ramènes un reportage?

— Tu as vu la chemise! »

Ils palpaient le complet, la cravate, ils s'exclamaient, ils posaient question sur question pendant que le barman remplissait les verres. Lui aussi il interrogeait; le tirage avait un peu baissé, mais on allait de nouveau paraître sur grand format, et ça rétablirait les choses; il y avait eu une histoire avec la censure, rien de grave; tout le monde disait du bien de son livre, c'était fou le courrier qu'il avait reçu, il trouverait sur son bureau toute la collection de *L'Espoir*, on pourrait peut-être obtenir en douce un supplément de papier par Preston, l'Amerlaud, ça permettrait de faire paraître un magazine le dimanche, il y avait beaucoup d'autres choses à discuter. Il se sentait un peu hébété par trois nuits de mauvais sommeil, par ce bruit, ces voix, ces rires, ces problèmes; hébété et heureux. Quelle idée d'aller chercher au Portugal un passé mort et enterré quand le présent était si joyeusement vivace.

— Je suis drôlement content d'être revenu! dit-il avec élan.

— On n'est pas mécontent de te revoir, dit Luc. Il ajouta : « On commençait même à avoir besoin de toi; tu vas avoir du boulot, je te préviens.

— Je l'espère bien. »

Les machines à écrire cliquetaient; ils se dispersèrent dans les couloirs avec des glissades et des rires : comme ils semblaient jeunes au sortir d'un pays où tout le monde était sans âge! Henri poussa la porte de son bureau et il s'assit dans son fauteuil avec une satisfaction de vieux rond-de-cuir. Il étala devant lui les derniers numéros de *L'Espoir* : les signatures habituelles, une bonne mise en pages, on ne perdait pas un pouce de papier. Il sauta un mois en arrière et se mit à parcourir les numéros l'un après l'autre; on s'était très bien passé de lui, et c'était ça qui prouvait sa réussite : *L'Espoir* n'était pas seulement une aventure de guerre, c'était une entreprise bien solide; excellents les papiers de Vincent sur la Hollande et davantage encore ceux de Lambert sur les camps; décidément, ils avaient su trouver le ton : pas de niaiseries, pas de mensonges, pas de boniments; *L'Espoir* touchait les intellectuels par sa probité et il accrochait le gros public parce qu'il était tellement vivant. Un seul point faible : les papiers de Sézenac étaient minables.

— Je peux entrer?

Lambert souriait timidement dans l'embrasure de la porte.

— Bien sûr! où te caches-tu? tu aurais bien pu venir à la gare, sale lâcheur.

— J'ai pensé qu'il n'y aurait pas place pour quatre, dit Lambert d'un air gêné; et leur petite fête... ajouta-t-il avec une moue; il s'interrompit : « Seulement, maintenant, je te dérange?

— Pas du tout; assieds-toi donc.

— C'était bien ce voyage? » Lambert haussa les épaules : « On a dû te le demander vingt fois.

— C'était bien et mal; un beau décor, et sept millions de meurt-la-faim.

— Ils ont de beaux tissus », dit Lambert en examinant Henri avec approbation; il sourit : « C'est la mode, là-bas, les souliers orange?

— Orange ou citron; mais c'est du beau cuir. Pour les riches, il y a de tout, c'est ça le plus moche; je te raconterai, mais donne-moi d'abord des nouvelles d'ici. Je viens de lire tes articles : ils sont bien, tu sais.

— On aurait dit une composition de français, dit Lambert d'une voix ironique : décrivez vos impressions pendant la visite d'un camp de déportés; je crois qu'on a été plus de vingt à traiter le sujet. » Son visage s'éclaira : « Tu sais ce qui est fameusement bien : ton bouquin; j'étais vanné, j'avais roulé une nuit et un jour sans fermer l'œil quand je l'ai commencé : et je l'ai lu d'un trait, je n'ai pas pu dormir avant de l'avoir fini.

— Tu me fais plaisir! » dit Henri.

C'est embarrassant les compliments; pourtant Lambert lui avait fait vraiment plaisir; c'est tout juste comme ça qu'il avait rêvé d'être lu : tout au long d'une nuit, par un jeune impatient. Rien que pour ça ça valait la peine d'écrire : surtout pour ça.

— J'ai pensé que ça t'amuserait de voir les critiques, dit Lambert. Il jeta sur la table une grosse enveloppe jaune : « J'y ai été de mon petit couplet, moi aussi.

— Bien sûr que ça m'amuse, merci », dit Henri.

Lambert le regarda d'un air un peu anxieux : « Tu as écrit là-bas?

— Un reportage.

— Mais maintenant tu vas nous donner un autre roman?

— Je m'y remettrai dès que j'aurai le temps.

— Trouve le temps, dit Lambert. J'ai pensé pendant ton absence... » Il rougit : « Il faut que tu te défendes.

— Contre qui? » dit Henri en souriant.

De nouveau Lambert hésita : « Il paraît que Dubreuilh t'attend avec impatience. Ne te laisse pas embarquer dans son machin...

— J'y suis déjà plus ou moins embarqué, dit Henri.

— Eh bien, dépêche-toi de t'en sortir. »

Henri sourit : « Non. Ça n'est plus possible aujourd'hui de rester apolitique. »

Le visage de Lambert se rembrunit : « Ah! alors tu me blâmes?

— Pas du tout. Je veux dire que pour moi ce n'est plus possible. Nous n'avons pas le même âge.

— Qu'est-ce que l'âge y fait? demanda Lambert.

— Tu verras. On comprend des choses, on change. » Il sourit : « Je te promets que je trouverai du temps pour écrire.

— Il faut, dit Lambert.

— Mais dis donc, toi qui prêches si bien, où sont-elles ces nouvelles que tu m'avais annoncées?

— Elles ne valent rien, dit Lambert.

— Apporte-les-moi et puis on ira dîner ensemble un de ces soirs et je t'en parlerai.

— D'accord », dit Lambert. Il se leva. « Je suppose que tu ne veux pas la recevoir, mais il y a la petite Marie-Ange Bizet qui veut absolument t'interviewer; elle attend depuis deux heures; qu'est-ce que je lui dis?

— Que je ne donne jamais d'interview et que j'ai du travail par-dessus la tête. »

Lambert referma la porte derrière lui et Henri vida sur la table l'enveloppe jaune. Sur une chemise gonflée, la secrétaire avait inscrit : *Courrier roman*. Il hésita une seconde. Il avait écrit ce roman pendant la guerre sans penser au sort qui l'attendait, il n'était même pas sûr

qu'aucun sort l'attendît : et maintenant le livre était publié, les gens
l'avaient lu; voilà qu'Henri était jugé, discuté, classé comme si souvent il jugeait et discutait les autres. Il éparpilla les coupures et se mit
à les parcourir. Paule disait : « Un triomphe » et il avait pensé qu'elle
exagérait; mais le fait est que les critiques employaient eux aussi de
grands mots. Lambert était évidemment partial, Lachaume aussi, et
tous ces jeunes critiques qui venaient de naître avaient une bienveillance décidée pour les écrivains résistants; mais les lettres chaleureuses
envoyées par des amis et par des inconnus confirmaient le verdict de
la presse. Vraiment, même sans se monter la tête, il y avait de quoi
être content : ces pages écrites avec émotion avaient ému. Henri s'étira
gaiement. C'était quelque chose d'un peu miraculeux qui venait de
se produire. Deux ans plus tôt, des rideaux épais voilaient les vitres
badigeonnées de bleu, il était coupé de la ville noire et de toute la
terre, son stylo hésitait au-dessus du papier : aujourd'hui, ces rumeurs
incertaines dans sa gorge étaient devenues dans le monde une voix
vivante; les secrets mouvements de son cœur s'étaient changés en vérité
pour d'autres cœurs. « J'aurais dû expliquer à Nadine, se dit-il. Si
les autres ne comptent pas, ça n'a pas de sens d'écrire. Mais s'ils
comptent, c'est énorme de susciter par des mots leur amitié, leur
confiance; c'est énorme d'entendre résonner en eux ses pensées à toi. »
Il leva les yeux : la porte s'ouvrait.

— J'ai attendu deux heures, dit une voix plaintive; tu peux bien
m'accorder un quart d'heure. Marie-Ange se planta devant son bureau :
« C'est pour *Lendemain*, un grand machin en première page, avec photo.

— Écoute, je ne donne jamais d'interview.

— Justement; comme ça le mien vaudra de l'or. »

Henri secoua la tête et elle reprit avec indignation : « Tu ne vas pas
ruiner ma carrière pour une question de principe? »

Il sourit; pour elle, ça signifiait tant un quart d'heure d'entretien et
lui, ça lui coûtait si peu! A vrai dire il était même en humeur de parler
de lui. Parmi les gens qui aimaient son livre, il y en avait sûrement
qui souhaitaient mieux connaître l'auteur; il avait envie de les renseigner. Pour que leur sympathie s'adressât vraiment à lui.

— Ça va, dit-il. Qu'est-ce que tu veux que je te dise?

— Eh bien, d'abord, d'où sors-tu?

— Mon père était pharmacien à Tulle.

— Après? dit-elle.

Henri hésita; ce n'est pas commode de se mettre de but en blanc
à parler de soi.

— Vas-y, dit Marie-Ange. Raconte-moi un ou deux souvenirs d'enfance.

Des souvenirs, il en avait, comme tout le monde, mais ils ne lui
semblaient guère importants : sauf ce dîner, dans la salle à manger
Henri II, pendant lequel il s'était délivré de la peur.

— Bon, en voilà un, dit-il. Ce n'est presque rien, mais pour moi
ç'a été le commencement de beaucoup de choses.

Marie-Ange le regarda d'un air encourageant, le crayon en suspens au-dessus de son bloc-notes, et il reprit :

— Le grand sujet de conversation entre mes parents, c'était les catastrophes qui menaçaient le monde : le péril rouge, le péril jaune, la barbarie, la décadence, la révolution, le bolchevisme; je voyais ça comme d'horribles monstres qui allaient bouffer toute l'humanité. Ce soir-là, mon père prophétisait comme d'habitude : la révolution était imminente, la civilisation sombrait, et ma mère opinait d'un air terrorisé. Brusquement j'ai pensé : « Mais de toute façon ceux qui gagneront, ça sera des hommes. » Peut-être ce n'est pas exactement ces mots-là que je me suis dit, mais c'était le sens. Henri sourit : « L'effet a été miraculeux. Plus de monstres : on était sur terre, entre créatures humaines, entre soi.

— Et alors? dit Marie-Ange.

— Alors, depuis ce jour j'ai fait la chasse aux monstres », dit-il.

Marie-Ange regarda Henri d'un air perplexe :

— Mais ton histoire, comment finit-elle?

— Quelle histoire?

— Celle que tu viens de commencer, dit-elle avec impatience.

— Il n'y a pas d'autre fin. Elle est finie, dit Henri.

— Ah! dit Marie-Ange; elle ajouta plaintivement : « J'aurais voulu quelque chose de pittoresque!

— Oh! mon enfance n'a rien eu de pittoresque, dit Henri. La pharmacie m'assommait et ça me vexait de vivre en province. Heureusement j'avais un oncle à Paris qui m'a fait entrer à *Vendredi.* »

Il s'arrêta; sur ses premières années à Paris, il voyait un tas de choses à dire, mais il ne savait pas lesquelles choisir.

— *Vendredi,* c'était un journal de gauche, dit Marie-Ange. Tu avais déjà des idées de gauche?

— J'avais surtout horreur de toutes les idées de droite.

— Pourquoi ça?

Henri réfléchit : « J'étais ambitieux quand j'avais vingt ans; c'est justement pour ça que j'étais démocrate. Je voulais être le premier : mais le premier parmi des égaux. Si la course était truquée au départ, l'enjeu perdait toute valeur. »

Marie-Ange griffonna sur son carnet; elle n'avait pas l'air intelligent. Henri chercha des mots faciles. « Entre un chimpanzé et le dernier des hommes, il y a tellement plus de différence qu'entre celui-ci et Einstein! Une conscience qui témoigne de soi, c'est un absolu. » Il allait ouvrir la bouche mais Marie-Ange le devança :

— Parle-moi de tes débuts.

— Quels débuts?

— Tes débuts dans la littérature.

— J'ai toujours plus ou moins écrivaillé.

— Tu avais quel âge quand *La Mésaventure* a paru?

— Vingt-cinq ans.

— C'est Dubreuilh qui t'a lancé?

— Il m'a beaucoup aidé.

— Comment as-tu fait sa connaissance?

— On m'a envoyé l'interviewer : c'est lui qui m'a fait parler; il m'a dit de revenir le voir et je suis revenu...

— Donne des détails, dit Marie-Ange d'une voix plaintive. Tu racontes très mal. Elle le regarda dans les yeux :

— De quoi parlez-vous quand vous êtes ensemble?

Il haussa les épaules : « De tout et de rien, comme tout le monde.

— Il t'a encouragé à écrire?

— Oui. Et quand j'ai eu fini *La Mésaventure*, il l'a fait lire à Mauvanes qui l'a pris tout de suite...

— Tu as eu un gros succès?

— Un bon succès d'estime. Tu sais, c'est drôle...

— Oui, raconte-moi quelque chose de drôle! » dit-elle d'un air alléché. Henri hésita :

— C'est drôle comme on commence par faire de grands rêves de gloire : et puis au premier petit succès, on est tout content...

Marie-Ange soupira :

— Les titres de tes autres bouquins et les dates, je les ai. Tu as été mobilisé?

— Dans l'infanterie, comme deuxième classe. Je n'ai jamais voulu être officier. Blessé le 9 mai au Mont Dieu, près de Vouziers, évacué à Montélimar; revenu à Paris en septembre.

— Qu'est-ce que tu as fait au juste dans la Résistance?

— Luc et moi nous avons fondé *L'Espoir* en 1941.

— Mais tu as eu d'autres activités?

— C'est sans intérêt; laisse tomber.

— Soit. Ton dernier livre, quand l'as-tu écrit exactement?

— Entre 41 et 43.

— As-tu commencé autre chose?

— Non; mais je vais le faire.

— Quoi? un roman?

— Un roman; mais c'est encore très vague.

— J'ai entendu parler d'une revue?

— Oui; je m'occuperai avec Dubreuilh d'une revue mensuelle qui paraîtra chez Mauvanes et qui s'appellera *Vigilance*.

— Qu'est-ce que c'est ce parti politique que Dubreuilh est en train de créer?

— Ça serait trop long à l'expliquer.

— Mais encore?

— Va le lui demander.

— On ne peut pas l'approcher. Marie-Ange soupira : « Vous êtes drôles. Moi si j'étais célèbre, je me ferais interviewer tout le temps.

— Alors, tu n'aurais le temps de rien faire et tu ne serais pas célèbre du tout. Maintenant tu vas être bien gentille et me laisser travailler.

— Mais j'ai encore des tas de questions : quelles impressions rapportes-tu du Portugal? »

Henri haussa les épaules : « C'est dégueulasse.

— Pourquoi?

— Pour tout.

— Explique-toi un peu; je ne peux pas dire simplement à mes lecteurs : C'est dégueulasse.

— Eh bien, dis-leur que le paternalisme de Salazar est une ignoble dictature et que les Américains devraient se dépêcher de le vider, dit Henri d'une voix rapide. Malheureusement ce n'est pas pour demain : il va leur vendre des bases aériennes aux Açores. »

Marie-Ange fronça les sourcils et Henri ajouta : « Si ça te gêne, n'en parle pas; je vais casser le morceau dans *L'Espoir*.

— Si, j'en parlerai! » dit Marie-Ange. Elle regarda Henri d'un air profond : « Quelles raisons intérieures t'ont poussé à faire ce voyage?

— Écoute, tu n'es pas obligée pour réussir dans le métier de poser des questions idiotes. Et je te répète que ça suffit : va-t'en bien gentiment.

— J'aurais voulu des anecdotes.

— Je n'en ai pas. »

Marie-Ange s'éloigna à petits pas. Henri se sentit un peu déçu : elle n'avait pas posé les questions qu'il aurait fallu, il n'avait rien dit de ce qu'il avait à dire. Après tout, qu'avait-il à dire au juste? « Je voudrais que mes lecteurs sachent qui je suis, mais je ne suis pas bien fixé moi-même. » Enfin, d'ici quelques jours, il allait se remettre à son livre et il essaierait de se définir avec méthode.

Il recommença de dépouiller son courrier; que de dépêches et de coupures de presse à examiner, de lettres à écrire, de gens à rencontrer! Luc l'avait prévenu : il avait du travail. Il passa les jours suivants calfeutré dans son bureau; il ne rentrait chez Paule que pour dormir, et c'est tout juste s'il trouvait le temps de rédiger son reportage que les protes venaient lui arracher feuillet par feuillet. Après ses trop longues vacances, ça lui plaisait cette débauche d'activité. Il reconnut sans enthousiasme la voix de Scriassine au téléphone.

— Dis donc, espèce de lâcheur, voilà quatre jours que tu es rentré et on ne t'a pas encore vu. Viens tout de suite à l'Isba, rue Balzac.

— Je regrette, j'ai du travail.

— Ne regrette rien, viens : on t'attend pour boire le champagne de l'amitié.

— Qui m'attend? dit Henri gaiement.

— Moi, entre autres, dit la voix de Dubreuilh; et Anne, et Julien. J'ai cinquante choses à vous dire. Qu'est-ce que vous foutez donc? Vous ne pouvez pas sortir de votre trou une heure ou deux?

— Je comptais passer chez vous demain, dit Henri.

— Passez donc à l'Isba tout de suite.

— Ça va, je m'amène.

Henri raccrocha et sourit; il avait bien envie de revoir Dubreuilh. Il décrocha le récepteur et appela Paule :

— C'est moi. Les Dubreuilh et Scriassine nous attendent à l'Isba.

L'Isba, oui; je ne sais pas plus que toi; je passe te prendre avec la bagnole.

Une demi-heure plus tard, il descendait avec Paule un escalier flanqué de cosaques chamarrés; elle portait une longue robe, toute neuve et, réflexion faite, le vert ne lui allait pas bien.

— Quel drôle d'endroit, murmura-t-elle.

— Avec Scriassine, il faut s'attendre à tout.

Dehors, la nuit était si déserte, si muette que le luxe de l'Isba semblait inquiétant : on aurait dit l'antichambre perverse d'une salle de tortures. Les murs capitonnés étaient badigeonnés de sang, du sang dégoulinait dans les plis des tentures et les chemises des musiciens tziganes étaient satinées de rouge.

— Ah! vous voilà! vous leur avez échappé? dit Anne.

— Ils ont l'air sain et sauf, dit Julien.

— Nous venons d'être attaqués par des journalistes, dit Dubreuilh.

— Des journalistes armés d'appareils photographiques, dit Anne.

— Dubreuilh a été formidable, dit Julien d'une voix enthousiaste et bégayante. Il a dit... Je ne sais plus ce qu'il a dit, mais c'était salement bien envoyé. Un peu plus, il leur rentrait dedans...

Ils parlaient tous à la fois, sauf Scriassine qui souriait d'un air un peu supérieur.

— J'ai vraiment cru que Robert allait cogner, dit Anne.

— Il a dit : Nous ne sommes pas des singes savants, dit Julien d'un air illuminé.

— J'ai toujours considéré mon visage comme ma propriété personnelle, dit Dubreuilh avec dignité.

— Ce qu'il y a, dit Anne, c'est que pour des gens comme vous, la nudité commence au visage; montrer votre nez et vos yeux, c'est déjà de l'exhibitionnisme.

— On ne photographie pas les exhibitionnistes, dit Dubreuilh.

— C'est un tort, dit Julien.

— Bois, dit Henri en tendant à Paule un verre de vodka. Bois, nous avons beaucoup de retard. Il vida son verre et demanda : « Mais comment a-t-on su que vous étiez ici?

— C'est vrai, dirent-ils en se regardant avec surprise. Comment?

— Je suppose que le maître d'hôtel a téléphoné, dit Scriassine.

— Mais il ne nous connaît pas, dit Anne.

— Il me connaît », dit Scriassine. Il mordilla sa lèvre inférieure avec un air confus de femme prise en faute. « Je voulais qu'il vous traite selon vos mérites : alors je lui ai dit qui vous étiez.

— Eh bien, tu m'as l'air d'avoir réussi un joli coup », dit Henri. La puérile vanité de Scriassine l'étonnait toujours.

Dubreuilh éclata de rire : « Il nous a dénoncés, lui-même! On n'inventerait pas ça! » Il se tourna vivement vers Henri : « Alors ce voyage? En fait de vacances, on dirait que vous avez passé votre temps en conférences et en enquêtes.

— Oh! je me suis tout de même promené, dit Henri.

— Votre reportage donnerait plutôt envie d'aller se promener ailleurs : triste pays !

— C'était triste, mais c'était beau, dit Henri gaiement. C'est surtout triste pour les Portugais.

— Je ne sais pas si vous l'avez fait exprès, dit Dubreuilh : mais quand vous dites que la mer était bleue, le bleu devient une couleur sinistre.

— Ça l'était quelquefois, pas toujours. » Henri sourit : « Vous savez comme c'est quand on écrit.

— Oui, dit Julien. Il faut mentir pour ne pas être vrai.

— En tout cas, je suis content d'être rentré, dit Henri.

— Mais vous n'êtes pas pressé de revoir vos amis ?

— Si, j'étais très pressé, dit Henri. Tous les matins je me disais que j'allais faire un saut chez vous, et puis brusquement il était plus de minuit.

— Oui, dit Dubreuilh d'un ton grondeur. Eh bien, débrouillez-vous demain pour mieux surveiller votre montre; il faut que je vous mette au courant d'un tas de choses. » Il sourit : « Je crois que nous sommes en train de prendre un bon départ.

— Vous commencez à recruter ? Samazelle s'est décidé ? demanda Henri.

— Il n'est pas d'accord sur tout; mais on arrivera à un compromis, dit Dubreuilh.

— Pas de conversations sérieuses cette nuit ! » dit Scriassine; il fit signe à un maître d'hôtel qui portait un monocle arrogant : « Deux Mumm brut.

— Est-ce absolument nécessaire ? dit Henri.

— Lui, ce sont les ordres. » Scriassine suivait des yeux le maître d'hôtel : « Il a drôlement décollé depuis 39; c'est un ancien colonel.

— Tu es un habitué de ce bouge ? dit Henri.

— Chaque fois que j'ai envie de me briser le cœur, je viens écouter cette musique.

— Il y a tant de moyens moins coûteux ! dit Julien. D'ailleurs, tous les cœurs sont en morceaux depuis longtemps, conclut-il d'un air vague.

— Mon cœur ne se brise qu'au jazz, dit Henri; tes tziganes, c'est plutôt les pieds qu'ils me cassent.

— Oh ! dit Anne.

— Le jazz ! dit Scriassine, j'ai écrit des pages définitives sur le jazz dans Les Fils d'Abel.

— Croyez-vous qu'on écrive jamais rien de définitif ? dit Paule d'une voix hautaine.

— Je ne discute pas, vous lirez, dit Scriassine. L'édition française va sortir incessamment. » Il haussa les épaules. « Cinq mille exemplaires, c'est dérisoire ! Pour les livres de valeur, il devrait y avoir des mesures d'exception. A combien as-tu tiré ?

— Eh bien, à cinq mille, dit Henri.

— Absurde. Parce qu'enfin tu as écrit le livre de l'occupation. Un pareil bouquin devrait tirer à cent mille.

— Va t'expliquer avec le ministre de l'Information », dit Henri.
L'enthousiasme impérieux de Scriassine l'avait agacé; entre amis on
évite de parler de ses livres : ça embarrasse tout le monde et ça n'amuse
personne.

— Nous allons sortir une revue le mois prochain, dit Dubreuilh.
Eh bien, pour obtenir du papier, je vous jure que ç'a été une affaire!

— C'est que le ministre ne sait pas son métier, dit Scriassine. Je lui
en trouverais, moi, du papier.

Quand il s'attaquait de sa voix didactique à un problème technique,
Scriassine était intarissable. Tandis qu'il inondait complaisamment
la France de papier, Anne dit à voix basse : « Vous savez, je crois que
depuis vingt ans aucun livre ne m'avait touchée autant que votre roman;
c'est un livre... juste ce qu'on avait envie de lire après ces quatre ans.
Il m'a tant émue que plusieurs fois j'ai dû le fermer et partir me promener à travers les rues pour me calmer. » Elle rougit brusquement : « On
se sent bête quand on dit ces choses-là, mais c'est bête aussi de ne pas
les dire; ça ne peut pas faire de peine.

— Ça fait même plaisir, dit Henri.

— Vous avez touché beaucoup de gens, dit Anne; tous ceux qui n'ont
pas envie d'oublier », ajouta-t-elle avec une espèce de passion. Il lui
sourit avec sympathie; elle portait ce soir une robe écossaise qui la
rajeunissait, elle était bien maquillée; en un sens, elle avait l'air beaucoup plus jeune que Nadine. Nadine ne rougissait jamais.

Scriassine installa sa voix :

— Cette revue peut être un instrument de culture et d'action tout à
fait considérable, mais à condition qu'elle n'exprime pas seulement les
tendances d'une petite chapelle. J'estime qu'un homme comme Louis
Volange doit faire partie de votre équipe.

— Pas question, dit Dubreuilh.

— Une défaillance d'intellectuel, ça n'est pas si grave, dit Scriassine.
Quel est l'intellectuel qui ne s'est jamais trompé? Il ajouta d'une voix
sombre : « Est-ce qu'il faut supporter toute sa vie le poids de ses fautes?

— Être membre du parti en U. R. S. S. en 1930, ça n'était pas une
faute, dit Dubreuilh.

— Si on n'a pas le droit de se tromper, c'était un crime.

— Ça n'est pas une affaire de droit, dit Dubreuilh.

— Comment osez-vous vous ériger en juges? dit Scriassine, sans l'écouter. Connaissez-vous les raisons de Volange, ses excuses? êtes-vous sûrs
que tous les gens que vous acceptez dans votre équipe valent mieux que
lui?

— Nous ne jugeons pas, dit Henri. Nous prenons parti, c'est très
différent. »

Volange avait été assez adroit pour ne pas se compromettre sérieusement; mais Henri s'était bien juré de ne plus jamais lui serrer la main;
d'ailleurs il n'avait pas été surpris quand il avait lu les articles que Louis
écrivait en zone libre : depuis qu'ils avaient quitté le lycée, leur amitié
s'était changée en une inimitié presque avouée.

Scriassine haussa les épaules d'un air désabusé et il fit signe au maître d'hôtel : « Une autre bouteille! » De nouveau il examinait à la dérobée le vieil émigré : « Ça ne vous frappe pas, cette tête? les poches sous les yeux, le pli de la bouche, tous les symptômes de la déchéance; avant la guerre il y avait encore de la morgue sur ce visage; mais ça les ronge la veulerie, la crapulerie de leur caste; et leur trahison. »

Il fixait sur l'homme un regard fasciné et Henri pensa : « C'est son ilote. » Lui aussi il s'était enfui de son pays et chez lui on l'appelait un traître; c'était sans doute ce qui expliquait sa vanité : il n'avait d'autre patrie ni d'autre témoin que lui-même; alors il lui fallait s'assurer que quelque part au monde son nom signifiait quelque chose.

— Anne! s'exclama Paule; quelle horreur!

Anne vidait son verre de vodka dans sa coupe de champagne :

— Ça anime le champagne, expliqua-t-elle. Essaie donc, c'est très bon.

Paule secoua la tête.

— Pourquoi ne bois-tu rien? dit Anne. C'est plus gai quand on boit.

— Boire, ça me saoule, dit Paule.

Julien se mit à rire. « Vous me faites penser à cette jeune fille — une jeune fille charmante que j'avais rencontrée devant la porte d'un petit hôtel, rue Montparnasse — qui me disait : « Oh! moi, vivre, ça me tue... »

— Elle ne l'a pas dit, dit Anne.

— Elle aurait pu le dire.

— D'ailleurs, elle avait raison, dit Anne d'une voix sentencieuse d'ivrogne. Vivre, c'est mourir un peu...

— Taisez-vous, bon Dieu! dit Scriassine. Si vous n'écoutez pas, au moins laissez-moi écouter! »

L'orchestre venait d'attaquer avec emportement *Les Yeux noirs*.

— Laissons-le se briser le cœur, dit Anne.

— Sur les brisées d'un cœur brisé... murmura Julien.

— Mais taisez-vous!

Ils se turent. Scriassine les yeux fixés sur les doigts dansants des violonistes écoutait d'un air éperdu quelque ancien souvenir. Il croyait viril d'imposer ses caprices; mais on lui cédait comme à une femme nerveuse, cette docilité aurait dû lui être suspecte : elle le lui était peut-être... Henri sourit en regardant Dubreuilh qui tambourinait sur la table; sa courtoisie paraissait infinie si on ne la mettait pas trop longtemps à l'épreuve : on s'apercevait vite qu'elle avait des limites. Henri avait bien envie de causer tranquillement avec lui, mais il était sans impatience; il n'aimait ni le champagne, ni la musique tzigane, ni ce faux luxe : n'empêche que c'était une fête d'être assis à deux heures du matin dans un endroit public. « Nous sommes de nouveau chez nous », se dit-il. Anne, Paule, Julien, Scriassine, Dubreuilh : « mes amis »; le mot crépita dans son cœur avec la gaieté d'un épi de Noël.

Pendant que Scriassine applaudissait avec furie, Julien entraîna Paule sur la piste; Dubreuilh se tourna vers Henri :

— Tous ces types que vous avez vus là-bas, ils espèrent une révolution?

— Ils espèrent; malheureusement Salazar ne tombera pas avant que Franco ne soit vidé et les Américains n'ont pas l'air pressé.

Scriassine haussa les épaules :

— Je comprends qu'ils n'aient pas envie de créer des bases communistes sur la Méditerranée.

— Par peur du communisme, tu irais jusqu'à endosser Franco? dit Henri d'une voix incrédule.

— Je crains que vous ne compreniez pas bien la situation, dit Scriassine.

— Rassurez-vous, dit Dubreuilh gaiement, nous la comprenons très bien.

Scriassine ouvrit la bouche mais Dubreuilh l'arrêta en riant : « Oui, vous voyez loin : mais vous n'êtes tout de même pas Nostradamus; sur ce qui se passera dans cinquante ans, vous n'avez pas plus de lumières que nous. Ce qui est sûr, c'est que pour l'instant, le danger stalinien est une invention américaine. »

Scriassine regarda Dubreuilh d'un air soupçonneux : « Vous parlez exactement comme un communiste.

— Ah pardon! Un communiste ne dirait pas tout haut ce que je viens de dire, dit Dubreuilh. Quand on attaque l'Amérique, ils vous accusent de faire le jeu de la cinquième colonne.

— La consigne changera bientôt, dit Scriassine. Vous les précédez de quelques semaines, c'est tout. » Il fronça les sourcils : « On me demande souvent sur quels points vous vous séparez des communistes; et j'avoue que je suis en peine pour répondre. »

Dubreuilh se mit à rire : « Ne répondez pas.

— Dis donc! dit Henri. Je croyais que c'était défendu les conversations sérieuses. »

D'un haussement d'épaules agacé, Scriassine signifia que la frivolité n'était plus de mise : « C'est une dérobade? demanda-t-il en fixant sur Dubreuilh un regard accusateur.

— Mais non, je ne suis pas communiste, vous le savez bien, dit Dubreuilh.

— Je le sais mal. » Le visage de Scriassine changea; il sourit de son air le plus charmeur : « Vraiment, j'aimerais connaître votre point de vue.

— Je trouve qu'en ce moment les communistes se foutent dedans, dit Dubreuilh. Je sais bien pourquoi ils soutiennent Yalta, ils veulent laisser à l'U. R. S. S. le temps de se relever : mais le résultat, c'est que le monde va se retrouver divisé en deux camps qui auront toutes les raisons de se taper dessus.

— C'est tout ce que vous leur reprochez? une erreur de calcul? demanda Scriassine avec sévérité.

— Je leur reproche de ne pas y voir plus loin que le bout de leur nez. »

Dubreuilh haussa les épaules : « La reconstruction, c'est très joli : mais pas par n'importe quel moyen. Ils acceptent l'aide américaine; un de ces jours, ils s'en mordront les doigts : de fil en aiguille la France va tomber sous la coupe de l'Amérique. »

Scriassine vida sa coupe de champagne et la reposa bruyamment sur la table : « Voilà une prédiction bien optimiste! » Il enchaîna d'une voix sérieuse : « Je n'aime pas l'Amérique; je ne crois pas à la civilisation atlantique; mais je souhaite l'hégémonie américaine parce que la question qui se pose aujourd'hui, c'est celle de l'abondance : et seule l'Amérique peut nous la donner.

— L'abondance? pour qui? à quel prix? » dit Dubreuilh. Il ajouta d'une voix indignée : « Ça sera joli le jour où nous serons colonisés par l'Amérique!

— Vous préférez que l'U. R. S. S. nous annexe? » dit Scriassine. Il arrêta Dubreuilh d'un geste : « Je sais : vous rêvez d'une Europe unie, autonome, socialiste. Mais si elle refuse la protection des U. S. A., elle tombera fatalement dans les mains de Staline. »

Dubreuilh haussa les épaules : « L'U. R. S. S. ne veut rien annexer du tout.

— De toute façon, cette Europe ne se fera pas, dit Scriassine.

— C'est vous qui le dites! » dit Dubreuilh. Il reprit vivement : « En tout cas, ici, en France, nous avons un but bien précis : c'est de réaliser un vrai gouvernement de front populaire; pour ça il faut une gauche non communiste qui tienne le coup. » Il se tourna vers Henri : « Il ne faut plus perdre de temps. En ce moment les gens ont l'impression que l'avenir est ouvert : n'attendons pas qu'ils soient découragés. »

Scriassine avala un verre de vodka et s'abîma dans la contemplation du maître d'hôtel; il renonçait à parler raison à des fous.

— Vous disiez que c'était bien parti? dit Henri.

— C'est parti; mais maintenant il faut continuer. Je voudrais que vous rencontriez Samazelle le plus tôt possible. Et samedi il y a réunion du comité, je compte sur vous.

— Laissez-moi souffler, dit Henri. Il regarda Dubreuilh avec un peu d'inquiétude. Ça ne serait pas facile de se défendre contre ce bon sourire exigeant.

— J'ai retardé la discussion pour que vous puissiez y assister, dit Dubreuilh avec un peu de reproche.

— Vous n'auriez pas dû, dit Henri. Je vous assure que vous surestimez ma compétence.

— Et vous votre incompétence! dit Dubreuilh. Il regarda Henri avec sévérité : « Vous avez fait un tour complet de la situation pendant ces quatre jours, elle a salement évolué! Vous avez dû vous rendre compte que la neutralité n'est plus possible.

— Mais je n'ai jamais été neutre! dit Henri. J'ai toujours accepté de marcher avec le S. R. L.

— Parlons-en : votre nom et quelques actes de présence, voilà tout ce que vous m'avez promis.

— N'oubliez pas que j'ai un journal sur les bras, dit Henri vivement.

— Justement; c'est surtout à votre journal que je pensais : il ne peut plus rester neutre.

— Mais il ne l'est pas! dit Henri avec surprise.

— Qu'est-ce qu'il vous faut! » Dubreuilh haussa les épaules : « Être du côté de la Résistance, ça ne constitue plus un programme.

— Je n'ai pas de programme, dit Henri; mais chaque fois qu'il y a lieu, *L'Espoir* prend parti.

— Mais non, il ne prend pas parti; pas plus que les autres journaux d'ailleurs; vous vous disputez sur des vétilles, mais vous vous entendez tous pour noyer le poisson. » Il y avait de la colère dans la voix de Dubreuilh : « Du *Figaro* à *L'Humanité*, vous êtes tous des mystificateurs; vous dites oui à de Gaulle, oui à Yalta, oui à tout; vous faites semblant de croire qu'il y a encore une Résistance et que nous sommes en marche vers le socialisme : un qui a solidement débloqué dans ses derniers éditoriaux c'est votre ami Luc. Pour de vrai, nous piétinons, on a même commencé à faire marche arrière : et pas un de vous n'ose casser le morceau!

— Je croyais que vous étiez d'accord avec *L'Espoir*, dit Henri. Son cœur s'était mis à battre plus vite; il se sentait abasourdi; pendant ces quatre jours il avait coïncidé avec ce journal comme on coïncide avec sa propre vie; et soudain *L'Espoir* était mis en accusation, et par Dubreuilh!

— D'accord sur quoi? dit Dubreuilh. *L'Espoir* n'a pas de ligne. Vous déplorez tous les jours qu'on n'ait pas fait les nationalisations. Et après? ce qui serait intéressant c'est de dire qui les freine, et pourquoi.

— Je ne veux pas me placer sur un terrain de classes, dit Henri. Les réformes se feront quand l'opinion les exigera : j'essaie de monter l'opinion; pour ça il ne faut pas que j'indispose la moitié de nos lecteurs...

— Vous n'imaginez pas que la lutte des classes est dépassée? demanda Dubreuilh d'un air soupçonneux.

— Non.

— Alors ne venez pas me parler de l'opinion, dit Dubreuilh. Il y a d'un côté le prolétariat qui veut les réformes, et de l'autre la bourgeoisie qui n'en veut pas. La petite bourgeoisie flotte parce qu'elle ne sait plus bien où est son intérêt; mais n'espérez pas l'influencer : c'est la situation qui décidera.

Henri hésita. La lutte des classes n'était pas dépassée : ça condamnait-il tout appel à la bonne volonté des gens, à leur bon sens?

— Ses intérêts sont complexes, dit-il. Je ne suis pas du tout sûr qu'on ne puisse pas agir sur elle.

Dubreuilh fit un geste, mais Henri l'arrêta : « Autre chose, dit-il vivement. Les ouvriers qui lisent *L'Espoir*, c'est parce que ça les change de *L'Huma*, ça les aère; si je me place sur le même terrain que les journaux communistes, cu bien je répéterai les mêmes choses qu'eux, ou bien je prendrai parti contre eux : et les ouvriers me laisseront tomber. »

Il ajouta d'une voix conciliante : « Je touche beaucoup plus de gens que vous n'en rassemblez. Je suis obligé d'avoir une plate-forme beaucoup plus large.

— Oui, vous touchez beaucoup de gens, dit Dubreuilh. Mais vous venez de dire vous-même pourquoi! Si votre journal plaît à tout le monde, c'est qu'il ne gêne personne. Il n'attaque rien, il ne défend rien, il élude tous les vrais problèmes. On le lit avec agrément : mais comme on lit une gazette locale. »

Il y eut un silence. Paule était revenue s'asseoir à côté d'Anne : elle semblait outragée et Anne très gênée; Julien avait disparu; Scriassine s'était arraché à sa méditation, il regardait tour à tour Henri et Dubreuilh avec l'air de juger les coups; mais il n'y avait pas de partie. Henri était désarçonné par la violence de cette attaque.

— Où voulez-vous en venir? dit-il.

— Mettez donc carrément les pieds dans le plat, dit Dubreuilh, et situez-vous par rapport au P. C.

Henri dévisagea Dubreuilh avec soupçon; il lui arrivait souvent de se mêler avec feu des affaires des autres, mais souvent aussi on s'apercevait qu'il en avait fait en vérité sa propre affaire : « En somme, c'est le programme du S. R. L. que vous me proposez.

— Oui, dit Dubreuilh.

— Vous ne voulez tout de même pas que *L'Espoir* devienne le journal du mouvement?

— Ça serait normal, dit Dubreuilh. La faiblesse de *L'Espoir* vient de ce qu'il ne représente rien; d'autre part, sans journal le mouvement n'a à peu près aucune chance de réussir. Comme nos buts sont les mêmes...

— Nos buts, mais pas nos méthodes », dit Henri. Il pensa avec regret : « Voilà donc pourquoi Dubreuilh était si impatient de me voir! » Toute sa gaieté était tombée. « Est-ce qu'on ne peut pas passer une soirée entre amis sans parler de politique? » se dit-il. Ça n'avait rien de si urgent, cette conversation; Dubreuilh aurait pu la différer d'un jour ou deux : il était devenu aussi maniaque que Scriassine.

— Précisément, vous auriez avantage à changer de méthode, dit Dubreuilh.

Henri secoua la tête : « Je vous montrerai des lettres que je reçois; des lettres d'intellectuels surtout : des instituteurs, des étudiants; ce qui leur plaît dans *L'Espoir*, c'est sa bonne foi. Si j'affiche un programme, je perds leur confiance.

— Bien sûr. Les intellectuels sont ravis quand on les encourage à n'être ni chair ni poisson, dit Dubreuilh. Leur confiance... Comme disait l'autre : pour quoi faire?

— Donnez-moi deux ou trois ans, et je vous les amène par la main au S. R. L., dit Henri.

— Vous croyez ça? eh bien, vous êtes un sacré idéaliste! dit Dubreuilh.

— Possible, dit Henri avec un peu d'irritation. En 41 aussi je me

8

suis fait traiter d'idéaliste. » Il ajouta d'une voix décidée : « J'ai mes idées sur ce que doit être un journal. »

Dubreuilh eut un geste évasif : « Nous en reparlerons. Mais croyez-moi : d'ici six mois *L'Espoir* s'alignera sur notre politique; ou ça ne sera plus qu'une feuille de chou.

— Soit, nous en reparlerons dans six mois », dit Henri.

Il se sentait fatigué soudain et désemparé. La proposition de Dubreuilh l'avait pris de court. Il était absolument décidé à ne pas y donner suite. Mais il avait besoin de se retrouver seul pour reprendre ses esprits. « Je dois rentrer », dit-il.

Paule garda le silence pendant tout le trajet, mais dès qu'ils se retrouvèrent chez eux, elle attaqua :

— Tu ne vas pas lui donner ce journal?

— Bien sûr que non, dit Henri.

— Tu es vraiment sûr? dit-elle. Dubreuilh le veut et il est têtu.

— Je suis têtu aussi.

— Mais tu finis toujours par lui céder, dit Paule dont la voix explosa brusquement. Pourquoi as-tu accepté d'entrer dans ce S. R. L.? Comme si tu n'avais pas déjà assez de travail! Tu es revenu depuis quatre jours, et nous n'avons pas causé cinq minutes, tu n'as pas écrit une ligne de ton roman!

— Je m'y remets demain matin. Ça commence à se tasser au journal.

— Ce n'est pas une raison pour te mettre de nouvelles corvées sur les bras. La voix de Paule se montait : « Dubreuilh t'a rendu un service il y a dix ans; il ne va pas te le faire payer toute ta vie.

— Mais, Paule, ce n'est pas pour lui rendre service que je vais travailler avec lui : ça m'intéresse. »

Elle haussa les épaules : « Allons donc!

— Puisque je te le dis.

— Tu y crois à ce qu'ils racontent : qu'il va y avoir de nouveau la guerre? demanda-t-elle avec un peu d'inquiétude.

— Non, dit Henri. Il y a peut-être des agités en Amérique, mais ils n'aiment pas la guerre, là-bas. Ce qui est vrai c'est que le monde va sérieusement changer : en mieux ou en pire. Il faut tâcher que ce soit en mieux.

— Le monde a tout le temps changé. Et avant-guerre tu le laissais changer sans t'en mêler », dit Paule.

Henri monta l'escalier avec décision : « Ce n'est plus l'avant-guerre, dit-il dans un bâillement.

— Mais pourquoi ne vivrait-on pas comme avant la guerre?

— Les circonstances sont différentes; et moi aussi. » Il bâilla de nouveau : « J'ai sommeil. »

Il avait sommeil; mais quand il fut couché à côté de Paule, il ne put pas dormir : c'était la faute du champagne, de la vodka, de Dubreuilh. Non, il ne lui céderait pas *L'Espoir* : c'était une de ces évidences qui se passaient de justification; mais il aurait tout de même aimé se trouver quelques bonnes raisons. Un idéaliste : était-ce vrai? et d'abord qu'est-ce que ça veut dire? Évidemment dans une certaine mesure il croyait à la liberté des gens, à leur bonne volonté, au pouvoir des idées. « Vous n'imaginez pas que la lutte des classes est dépassée? » Non; il ne l'imaginait pas : mais que devait-il en conclure? Il s'étendit sur le dos; il avait envie d'une cigarette, mais il aurait réveillé Paule et elle aurait été trop heureuse de distraire son insomnie; il ne bougea pas. « Mon Dieu! se dit-il avec un peu d'angoisse, comme on est ignorant! » Il lisait beaucoup pourtant, mais des connaissances dignes de ce nom il n'en avait guère qu'en littérature, et encore! Jusqu'ici ça ne l'avait pas gêné. Pas besoin de compétences spéciales pour faire de la Résistance, ni pour fonder un journal clandestin : il avait cru que ça continuerait comme ça. Il s'était sans doute trompé. Qu'est-ce que l'opinion? qu'est-ce qu'une idée? Que peuvent les mots, sur qui, dans quelles circonstances? Si on dirige un journal, il faudrait pouvoir répondre à ces questions; et de fil en aiguille, elles mettent tout en jeu. « On est bien forcé de décider dans l'ignorance! » se dit Henri; même Dubreuilh avec toute sa science, il agissait souvent à l'aveuglette; Henri soupira : il ne pouvait pas se contenter de cette défaite; il y a des degrés dans l'ignorance : le fait est qu'il était particulièrement mal préparé à la vie politique. « Je n'ai qu'à me mettre à l'ouvrage », se dit-il. Mais s'il voulait approfondir les choses, il en avait pour des années : économie, histoire, philosophie, jamais il n'en aurait fini! Rien que pour être à peu près au net avec le marxisme, quel travail! Il ne serait plus question d'écrire. Et il voulait écrire. Alors? il n'allait tout de même pas laisser tomber *L'Espoir* faute de connaître dans les coins le matérialisme historique. Il ferma les yeux. Il y avait quelque chose d'injuste dans cette affaire! Il se sentait obligé, comme tout le monde, de s'occuper de politique : mais alors ça n'aurait pas dû exiger un apprentissage spécial; si c'était un domaine réservé à des techniciens, qu'on ne lui demande pas de s'en mêler.

« Ce qu'il me faut, c'est du temps! » pensa Henri en se réveillant. « Le seul problème, c'est de trouver du temps. » La porte du studio venait de s'ouvrir et de se refermer. Paule était déjà sortie; rentrée, elle circulait dans la pièce à pas prudents. Il rejeta ses couvertures. « Si je vivais seul, ça me gagnerait des heures! » Plus de conversations oiseuses, plus de repas organisés : il regarderait les quotidiens, en buvant un café au petit Biard du coin, il travaillerait jusqu'au moment où il se rendrait au journal; un sandwich lui tiendrait lieu de déjeuner; le boulot fini, il souperait rapidement et il lirait tard dans la nuit. Comme ça il réussirait à mener de front *L'Espoir*, son roman, des lectures. « Je vais parler à Paule ce matin même », décida-t-il.

— Tu as bien dormi? dit Paule gaiement.

— Très bien.

Elle disposait des fleurs sur la table en chantonnant; depuis le retour d'Henri, elle était toujours gaie, avec ostentation : « Je t'ai fait du vrai café; et il reste du beurre frais. »

Il s'assit et se mit à enduire de beurre un morceau de pain grillé :
« Tu as mangé?

— Je n'ai pas faim.

— Tu n'as jamais faim.

— Oh! je mange, je t'assure; je mange très bien. »

Il mordit dans sa tartine; que faire? il ne pouvait pas la nourrir à
la sonde : « Tu t'es levée bien tôt.

— Oui; je ne pouvais plus dormir. » Elle posa sur la table un gros
album doré sur tranche : « J'en ai profité pour classer tes photos du
Portugal. » Elle ouvrit l'album et désigna l'escalier de Braga : Nadine
assise sur une marche souriait.

— Tu vois que je ne cherche pas à fuir la vérité, dit-elle.

— Mais je le sais bien.

Elle ne fuyait pas la vérité, elle passait au travers, c'était bien plus
déconcertant. Elle tourna quelques pages. « Même sur tes photos d'enfant tu avais déjà ce sourire méfiant; comme tu te ressembles! » Il
l'avait aidée autrefois à rassembler ces souvenirs; aujourd'hui ça lui
semblait vain; il s'agaçait que Paule s'entêtât encore à l'exhumer, à
l'embaumer.

— Te voilà, quand je t'ai connu!

— Je n'ai pas l'air malin, dit-il en repoussant l'album.

— Tu étais jeune; tu étais exigeant, dit-elle.

Elle se planta devant Henri et dit avec une brusque passion :

— Pourquoi as-tu donné une interview à *Lendemain?*

— Ah! le nouveau numéro a paru?

— Oui. Je l'ai rapporté. Elle alla chercher le magazine au fond du
studio et le jeta sur la table : « Nous avions décidé que tu n'accepterais
jamais d'interview.

— S'il fallait s'en tenir à toutes les décisions qu'on prend...

— Celle-ci était sérieuse. Tu disais que quand on commence à sourire aux journalistes, on est mûr pour l'Académie française.

— J'ai dit beaucoup de choses.

— Ça m'a fait physiquement mal quand j'ai vu ta photo qui s'étalait dans le journal, dit-elle.

— Tu es ravie quand tu y vois mon nom.

— D'abord je ne suis pas ravie. Et c'est très différent. »

Paule n'en était pas à une contradiction près, mais celle-ci agaçait
particulièrement Henri : elle le voulait le plus glorieux de tous les
hommes, et elle affectait de mépriser la gloire; c'est qu'elle s'entêtait
à se rêver telle qu'il l'avait rêvée, jadis : hautaine, sublime; et en
même temps, bien sûr, elle vivait sur terre, comme tout le monde.
« Et ce n'est pas une vie bien drôle, pensa-t-il avec une brusque pitié,
c'est naturel qu'elle ait besoin de compensation. »

Il dit d'un ton conciliant :

— J'ai voulu aider cette gosse; c'est une débutante, elle se débrouille
mal.

Paule lui sourit tendrement : « Et puis tu ne sais pas dire non. »

Il n'y avait aucune arrière-pensée dans son sourire; il sourit aussi :
— Je ne sais pas dire non.

Il étala devant lui l'hebdomadaire. Sur la première page, sa photographie souriait. Entretien avec Henri Perron. Il se moquait bien de ce que Marie-Ange pensait de lui; pourtant devant ces lignes imprimées il retrouvait un peu de la foi naïve du paysan qui lit la Bible : comme si à travers ces phrases qu'il avait suscitées lui-même il avait pu enfin apprendre qui il était. « Dans l'ombre de la pharmacie de Tulle, la magie des bocaux rouges et bleus... Mais l'enfant sage hait cette vie étriquée, l'odeur des médicaments, les rues mesquines de sa ville natale... Il grandit et l'appel de la grande ville se fait plus pressant... Il s'est juré de s'élever au-dessus des grisailles de la médiocrité; dans un coin secret de son cœur, il espère même monter un jour plus haut que tous les autres... Une providentielle rencontre avec Robert Dubreuilh... Ébloui, déconcerté, partagé entre l'admiration et le défi, Henri Perron échange ses rêves d'adolescent contre une vraie ambition d'homme; il travaille avec acharnement... Un tout petit livre et c'est assez pour que soudain la gloire entre dans sa vie : il a vingt-cinq ans. Brun, les yeux exigeants, une bouche sévère, direct, ouvert, et cependant secret... » Il rejeta le journal. Marie-Ange n'était pas idiote, elle le connaissait assez bien, et elle avait fait de lui un sous-Rastignac pour midinettes.

— Tu as raison, dit-il. Il faut refuser de parler aux journalistes. Pour eux une vie, ce n'est qu'une carrière et le travail, rien d'autre qu'un moyen de parvenir. Ce qu'ils appellent réussite c'est le bruit qu'on fait et le fric qu'on gagne. Impossible de les faire sortir de là.

Paule sourit avec indulgence : « Remarque que cette petite a dit des choses gentilles sur ton bouquin; seulement elle est comme les autres. Ils admirent sans comprendre.

— Ils n'admirent pas tant que ça, tu sais, dit Henri. C'est le premier roman qui paraît depuis la Libération : alors ils sont obligés d'en dire du bien. »

A la longue, c'était plutôt gênant, ce concert d'éloges; il démontrait l'opportunité de son livre mais ne renseignait aucunement sur ses mérites. Henri finissait même par penser qu'il devait son succès à des malentendus. Lambert croyait qu'il avait voulu à travers l'action collective exalter l'individualisme, et Lachaume au contraire qu'il prêchait le sacrifice de l'individu à la collectivité. Tous soulignaient le caractère édifiant du roman. Pourtant c'était presque un hasard si Henri avait situé cette histoire pendant la Résistance; il avait pensé à un homme, et aussi à une situation; à un certain rapport entre le passé de son personnage et la crise qu'il traversait; et à beaucoup d'autres choses dont aucun critique ne parlait. Était-ce sa faute ou celle des lecteurs? Le public avait aimé un livre tout à fait différent de celui qu'Henri avait cru lui soumettre.

— Qu'est-ce que tu vas faire aujourd'hui? demanda-t-il d'une voix affectueuse.

— Rien de spécial.

— Mais encore?

Elle réfléchit : « Eh bien, je vais téléphoner à ma couturière pour regarder avec elle ces belles étoffes que tu m'as rapportées.

— Et après?

— Oh! J'ai toujours des choses à faire, dit-elle gaiement.

— C'est-à-dire que tu ne fais rien », dit Henri. Il regarda Paule avec sévérité : « J'ai beaucoup pensé à toi pendant ce mois. Je trouve criminel que tu passes tes journées à végéter entre ces quatre murs.

— Tu appelles ça végéter! » dit Paule. Elle sourit avec douceur et comme autrefois il y avait toute la sagesse du monde dans son sourire : « Quand on aime, on ne végète pas.

— Mais aimer ce n'est pas une occupation. »

Elle l'interrompit :

— Je te demande pardon, moi, ça m'occupe.

— J'ai repensé à ce que je te disais le soir de Noël, reprit-il; et je suis sûr que j'avais raison : il faut que tu te remettes à chanter.

— Il y a des années que je vis comme en ce moment, dit Paule. Pourquoi t'inquiètes-tu brusquement?

— Pendant la guerre, on pouvait se contenter de tuer le temps, mais la guerre est finie. Écoute-moi, dit-il avec autorité, tu vas aller dire au vieux Grépin que tu veux recommencer à travailler; moi je t'aiderai à choisir des chansons; je vais même essayer de t'en écrire et j'en demanderai aux copains : tiens, ça serait tout à fait dans les cordes de Julien, je suis sûr qu'il t'écrira des chansons charmantes. Brugère nous les mettra en musique : tu verras ce répertoire que tu auras, d'ici un mois! Le jour où tu seras prête Sabririo t'entendra et je te garantis qu'il te fera passer en vedette au club 45. A partir de là, tu es lancée. »

Il se rendit compte qu'il avait parlé volubilement, et avec trop d'allant; Paule le dévisageait avec un air de reproche étonné : « Et alors? dit-elle. Je serai davantage à tes yeux si j'ai mon nom sur des affiches? »

Il haussa les épaules : « Que tu es sotte! Bien sûr que non. Mais c'est mieux de faire quelque chose que de ne rien faire. J'essaie d'écrire; toi tu devrais chanter puisque tu es douée pour ça.

— Je vis, je t'aime : ce n'est pas rien.

— Tu joues sur les mots, dit-il avec impatience. Pourquoi ne veux-tu pas essayer? tu es devenue si paresseuse? ou tu as peur? ou quoi?

— Écoute, dit-elle d'une voix qui se durcit soudain, même si toutes ces vanités : le succès, la célébrité avaient encore un sens pour moi, je n'irais pas commencer à trente-sept ans une carrière de second ordre. Quand je t'ai sacrifié cette tournée au Brésil, c'était un renoncement définitif. Je n'ai aucun regret; mais ne revenons pas là-dessus. »

Henri ouvrit la bouche pour protester; ce sacrifice qu'elle avait décidé d'enthousiasme, sans le consulter, voilà qu'elle avait l'air de l'en rendre responsable! Il se contint et il dévisagea Paule avec perplexité. Il n'avait jamais su si elle méprisait vraiment la célébrité ou si elle craignait de ne pas l'atteindre.

— Ta voix est aussi belle qu'autrefois, dit-il. Et toi aussi.

— Mais non, dit-elle avec impatience. Elle haussa les épaules : « Je sais : il y aura une poignée d'intellectuels qui pour te faire plaisir décréteront pendant quelques mois que j'ai du génie; et puis bonsoir. J'aurais pu être Damia ou Édith Piaf; j'ai laissé passer ma chance; tant pis pour moi, restons-en là. »

Elle ne deviendrait sans doute pas une grande vedette; mais il suffirait qu'elle ait un peu de succès, et elle rabattrait ses prétentions. De toute façon, sa vie serait moins minable si elle s'intéressait activement à quelque chose. « Et moi, ça m'arrangerait drôlement! » se dit-il. Il savait bien que c'était sa propre vie qui était en question, plus encore que celle de Paule.

— Même si tu ne touches pas le grand public, ça vaut la peine, dit-il. Tu as ta voix, tes dons à toi. Ça serait intéressant d'essayer d'en tirer tout ce que tu peux. Je suis sûr que ça te donnerait de vraies joies.

— J'ai beaucoup de joies dans ma vie, dit-elle. Son visage s'exalta : « Tu ne sembles pas comprendre ce qu'est mon amour pour toi.

— Mais si! » dit-il avec vivacité. Il ajouta d'une voix méchante : « Mais tu n'irais pas jusqu'à faire, pour l'amour de moi, ce que je te demande.

— Si tu avais de vraies raisons de me le demander, je le ferais, dit-elle gravement.

— Seulement tu préfères tes raisons aux miennes.

— Oui, dit-elle avec tranquillité, parce qu'elles sont meilleures. Tu me parles d'un point de vue tout extérieur, un point de vue mondain qui n'est pas vraiment le tien.

— Je ne vois pas quel est ton point de vue à toi! » dit-il avec humeur. Il se leva; inutile de discuter, il essaierait plutôt de la mettre devant le fait accompli : il lui apporterait des chansons, il prendrait des rendez-vous pour elle. « Ça va, n'en parlons plus. Mais tu as tort. »

Elle sourit sans répondre : « Tu vas travailler?

— Oui.

— A ton roman?

— Oui.

— C'est bien », dit-elle.

Il monta l'escalier. Ça le démangeait de se remettre à écrire. Et il se félicitait à l'idée que ce roman-ci ne serait pas édifiant pour un sou : il n'avait encore aucune idée précise de ce qu'il allait faire; sa seule consigne, c'était de s'amuser gratuitement à être sincère. Il étala ses brouillons devant lui : presque cent pages; c'était bien de les avoir laissées reposer pendant un mois, il allait les relire d'un œil neuf. D'abord il s'abandonna au plaisir de retrouver coulés en phrases réfléchies un tas d'impressions et de souvenirs; et peu à peu une inquiétude lui vint. Qu'est-ce qu'il allait faire de tout ça? ça n'avait ni queue ni tête, ces griffonnages. Il y avait quelque chose de commun entre eux, un certain climat : l'avant-guerre. Et justement, c'était ça qui gênait Henri, soudain. Il avait pensé vaguement : « Essayer de rendre le goût de ma

vie » comme s'il s'était agi d'un parfum étiqueté, marque déposée, le
même à travers toutes les années. Mais par exemple ce qu'il disait sur
les voyages, ça concernait exclusivement le jeune homme de vingt-
cinq ans qu'il était en 1935; rien à voir avec ce qu'il avait éprouvé au
Portugal. Son histoire avec Paule était également datée : ni Lambert,
ni Vincent, ni aucun des garçons qu'il connaissait n'auraient aujourd'hui
de telles réactions; et d'ailleurs, avec cinq années d'occupation derrière
elle, une jeune femme de vingt-sept ans serait très différente de Paule.
Il y avait une solution; c'était de situer délibérément son roman aux
environs de 1935; mais il n'avait aucune envie de composer un roman
« d'époque », évoquant un monde dépassé. Ce qu'il souhaitait au contraire en traçant ces lignes, c'était se jeter tout vif sur le papier; alors
il fallait écrire cette histoire au présent en transposant les personnages
et les événements. « Transposer : quel mot irritant! quel mot idiot!
se dit-il; c'est insensé les libertés qu'on prend avec des personnages
de roman; on les transporte d'un siècle à l'autre, on les balade d'un pays
dans un autre, on colle le présent de celui-ci avec le passé de celui-là,
en y insérant des phantasmes personnels : si on y regarde de près, ce
sont tous des monstres et tout l'art consiste à empêcher le lecteur d'y
regarder de trop près. Bon; ne transposons pas; on peut fabriquer de
toutes pièces des bonshommes qui n'auront plus rien de commun avec
Paule, avec Louis, avec moi-même; je l'ai fait d'autres fois, mais ce
coup-ci, c'est la vérité de ma propre expérience que je voulais rendre... »
Il repoussa la liasse de brouillons. Rassembler des matériaux au hasard :
mauvaise méthode. Il fallait s'y prendre comme d'habitude, partir
d'une forme globale, d'une intention précise. Laquelle? quelle vérité
est-ce que je souhaite exprimer? Ma vérité : qu'est-ce que ça signifie
au juste? Il regardait stupidement la page blanche. Plonger dans le
vide, les mains vides, c'est intimidant! Peut-être n'ai-je plus rien à
dire, pensa-t-il; mais il lui semblait au contraire qu'il n'avait jamais
rien dit. Il avait tout à dire, comme tout le monde, en tout temps. Tout,
c'est trop. Il se rappelait un vieux rébus déchiffré au fond d'une assiette :
« On entre, on crie, et c'est la vie : on crie, on sort, et c'est la mort. »
Qu'ajouter? Nous habitons tous la même planète, nous naissons d'un
ventre et nous engraisserons des vers; on a tous la même histoire :
pourquoi décider qu'elle est mienne et que c'est à moi de la raconter?
Il bâilla; il n'avait pas assez dormi, et cette feuille nue lui donnait le
vertige; il tombait au fond de l'indifférence; on ne peut rien écrire dans
l'indifférence; il fallait remonter à la surface de la vie, là où les instants
et les individus comptent, un à un. Mais non, tout ce qu'il retrouvait,
s'il secouait sa torpeur, c'était du souci. *L'Espoir*, une gazette locale :
est-ce vrai? Quand j'essaie d'agir sur l'opinion, suis-je un idéaliste?
Au lieu de rêver devant ce papier, il aurait mieux fait d'étudier sérieusement Marx. Oui, c'était urgent : il fallait qu'il s'établisse un programme et qu'il se mette à bûcher ferme. Il aurait dû le faire depuis
longtemps. Son excuse, c'est que les événements l'avaient pris de court,
il avait paré au plus pressé. Mais il y avait eu aussi de l'étourderie dans

son cas : depuis la Libération il vivait dans une espèce d'euphorie que
rien ne justifiait. Il se leva. Ce matin il était incapable de se concentrer
sur un travail quelconque, sa conversation avec Dubreuilh l'avait trop
secoué. Et puis il avait laissé sa correspondance inachevée la veille, il
fallait qu'il parle à Sézenac, il était anxieux de savoir si Preston lui pro-
curerait du papier, et il n'avait pas encore remis au quai d'Orsay la
lettre du vieux das Viernas. «Bon! je vais la porter tout de suite», décida-
t-il.

— Pourrais-je voir cinq minutes M. Tournelle? de la part d'Henri
Perron. Je suis chargé d'un message pour lui.

— Si vous voulez inscrire votre nom et le motif de la visite, dit la
secrétaire en tendant à Henri un formulaire imprimé.

Il sortit un stylo : quel motif? le respect d'une chimère; il savait
combien cette démarche était vaine; il écrivit : confidentiel : « Voilà. »

La secrétaire saisit la fiche d'un air indulgent et se dirigea vers la
porte; son sourire, la dignité de sa démarche signifiaient clairement
qu'un chef de cabinet est un monsieur trop important pour qu'on le
dérange sans préméditation. Henri regarda avec pitié l'épaisse enveloppe blanche qu'il tenait à la main; il avait été au bout de la comédie,
mais maintenant on ne pouvait plus éluder la réalité : le pauvre das
Viernas allait se heurter à une réponse cruelle ou au silence.

La secrétaire réapparut : « M. Tournelle se fera un plaisir de vous
fixer un rendez-vous le plus tôt possible; vous pouvez me laisser votre
message, je le lui transmettrai dans un instant.

— Merci beaucoup », dit Henri. Il lui tendit l'enveloppe : jamais
elle ne lui avait paru aussi absurde qu'entre les mains de cette compétente jeune femme. Enfin, bon, il avait fait ce qu'on lui avait demandé
de faire, la suite ne le regardait plus. Il décida de passer au Bar Rouge;
c'était l'heure de l'apéritif, Lachaume s'y trouvait sûrement et il voulait le remercier de son article. En poussant la porte, il aperçut Nadine
qui était assise entre Lachaume et Vincent; elle dit d'une voix fâchée :

— On ne te voit pas souvent.

— Je travaille.

Il s'attabla à côté d'elle et commanda un turin-gin.

— On parlait de toi, dit gaiement Lachaume; de ton interview dans
Lendemain; c'est bien que tu casses le morceau : je veux dire, à propos
de la politique alliée en Espagne.

— Pourquoi vous ne le cassez pas vous-mêmes? dit Vincent.

— Nous ne pouvons pas; pas en ce moment, mais c'est bien que
quelqu'un le fasse.

— Marrant! dit Vincent.

— Tu ne veux rien comprendre, dit Lachaume.

— Je comprends très bien.

— Non tu ne comprends pas.

Henri but son turin-gin en écoutant distraitement. Lachaume ne
perdait pas une occasion d'expliquer le présent, le passé, l'avenir revus
et corrigés par le parti; mais on ne pouvait pas lui en vouloir : à vingt

ans il avait découvert à la fois dans le maquis l'aventure, la camaraderie, le communisme, ça excusait son fanatisme. « Je l'aime bien parce
que je lui ai rendu service », pensa Henri avec ironie. Il l'avait caché
pendant trois mois dans le studio de Paule, il lui avait procuré de faux
papiers, en le quittant il lui avait fait cadeau de son unique manteau.

— Dis donc, je te remercie de ton article, dit-il abruptement; il
est vraiment gentil.

— J'ai dit ce que je pensais, dit Lachaume. D'ailleurs tout le monde
est de mon avis : c'est un fameux bouquin.

— Oui, c'est marrant, dit Nadine. Pour une fois tous les critiques
sont d'accord : on dirait qu'ils enterrent quelqu'un ou qu'ils décernent
un prix de vertu.

— Il y a de ça! dit Henri. « Petite vipère, pensa-t-il avec une rancune amusée. Elle a juste trouvé les mots que je ne voulais pas me
dire. » Il sourit à Lachaume : « Tu t'es gouré sur un point : jamais
mon type ne deviendra communiste. »

— Qu'est-ce que tu veux qu'il devienne d'autre? »

Henri se mit à rire : « Eh bien, ce que je suis devenu! »

Lachaume rit aussi : « Justement! » Il regarda Henri dans les yeux :
« Dans moins de six mois le S. R. L. n'existera plus et tu auras compris
que l'individualisme ne paie pas. Tu t'inscriras au P. C. »

Henri secoua la tête : « Je vous rends bien plus de services comme
ça. Tu es bien content que j'aie cassé le morceau à votre place. Et à
quoi ça avancerait que *L'Espoir* rabâche ce que rabâche *L'Huma?* Je
fais un travail bien plus utile en essayant de faire penser les gens, en
posant les questions que vous ne posez pas, en disant certaines vérités
que vous ne dites pas.

— Il faudrait faire ce travail en étant communiste, dit Lachaume.

— On ne me laisserait pas!

— Mais si. Bien sûr en ce moment il y a trop de sectarisme dans le
parti; mais c'est la faute des circonstances; ça ne durera pas indéfiniment. » Lachaume hésita : « Ne le répète pas; mais les copains et moi
on espère avoir bientôt une revue à nous, une revue un peu en marge,
dans laquelle on discuterait le coup tout à fait librement.

— Une revue, ce n'est pas un quotidien, dit Henri. Et pour ce qui
est d'être libre, je demande à voir. » Il regarda Lachaume avec amitié : « Ça serait quand même drôlement bien si tu avais une revue à
toi : tu crois que ça va marcher?

— Il y a de bonnes chances. »

Vincent se pencha en avant et regarda Lachaume avec défi : « Si
tu as vraiment ton franc-parler, explique-leur, aux camarades, que
c'est dégueulasse d'accueillir à bras ouverts tous les salopards soi-
disant repentis.

— Nous? on accueille les collabos à bras ouverts? Va donc dire ça
aux lecteurs du *Figaro,* ça les déridera un peu.

— Il y a un tas de crapules que vous dédouanez en douce.

— N'embrouille pas tout, dit Lachaume : quand on décide de passer l'éponge, c'est que le type est récupérable.

— Si tu vas par là, comment savoir si les gars qu'on a descendus n'étaient pas récupérables?

— A ce moment-là, il n'y avait pas de question; il fallait les abattre.

— A ce moment-là! Moi je les ai tués pour toute ma vie! » Vincent sourit avec malice. « Mais je vais te dire une bonne chose : c'était tous des fumiers, il n'y a pas d'exception; et ce qui reste à faire, c'est de descendre tous ceux qu'on a oubliés.

— Qu'est-ce que tu veux dire? demanda Nadine.

— Je veux dire qu'on devrait s'organiser », dit Vincent. Son regard chercha celui d'Henri.

— Organiser quoi? des expéditions punitives? dit Henri en riant.

— Tu sais qu'à Marseille ils sont en train de coffrer tous les maquisards comme criminels de droit commun, dit Vincent. Il faut les laisser faire?

— Le terrorisme n'est pas un remède, dit Lachaume.

— Non, dit Henri. Il regarda Vincent : « On m'a parlé de bandes qui s'amusent à jouer aux justiciers. S'il s'agit de règlements de comptes personnels, je comprends. Mais des types qui s'imagineraient sauver la France en abattant un collabo par-ci par-là, ce sont des malades ou bien des cons.

— Je sais : ce qui est sain c'est de s'inscrire au P. C. ou au S. R. L.! » dit Vincent. Il secoua la tête : « Vous ne m'aurez pas.

— On se passera de toi! » dit Henri d'une voix amicale.

Il se leva et Nadine se leva aussi :

— Je t'accompagne.

Elle s'était prise à son déguisement de femme; elle avait essayé de se maquiller; mais ses cils ressemblaient à des épines d'oursin et il y avait des traînées noires sous ses yeux. Aussitôt dehors elle demanda : « Tu déjeunes avec moi?

— Non; j'ai à faire au journal.

— A cette heure-ci?

— A toute heure.

— Alors, dînons ensemble.

— Non; je reste au journal très tard. Et après je vais voir ton père.

— Oh! ce journal! tu n'as que ce mot à la bouche! ça n'est tout de même pas le centre du monde!

— Je ne dis pas ça.

— Non, mais tu le penses. » Elle haussa les épaules : « Alors, quand se voit-on? »

Il hésita : « Vraiment, Nadine, ces temps-ci, je n'ai pas une minute.

— Ça t'arrive tout de même de te mettre à table et de manger, non? Je ne vois pas pourquoi je ne m'assiérais pas en face de toi. » Elle regarda Henri bien en face : « A moins que ça ne t'emmerde.

— Bien sûr que non.

— Alors?

« — Soit. Viens me prendre demain entre neuf et dix.

— Entendu. »

Il avait bien de la sympathie pour Nadine, ça ne l'emmerdait pas de la voir, mais ce n'était pas la question; la question c'est qu'il lui fallait organiser sa vie avec la plus stricte économie : il n'avait pas de place pour Nadine.

— Pourquoi as-tu répondu si durement à Vincent? enchaîna Nadine, tu n'aurais pas dû.

— J'ai peur qu'il ne fasse des sottises.

— Des sottises! Dès qu'on veut agir, vous appelez ça des sottises. Tu crois que ça n'est pas la pire connerie d'écrire des livres? on t'applaudit, tu te rengorges; mais après ça les gens rangent le bouquin dans un coin et personne n'y pense plus.

— C'est mon métier, dit-il.

— Drôle de métier.

Ils continuèrent à marcher en silence et devant la porte du journal Nadine dit sèchement : « Bon, je vais me rentrer. A demain.

— A demain. »

Elle restait plantée devant lui d'un air indécis : « Entre neuf et dix, c'est bien tard; on n'aura le temps de rien faire. On ne peut pas commencer la soirée un peu plus tôt?

— Je ne suis pas libre avant. »

Elle haussa les épaules : « Alors, à neuf heures et demie. Mais à quoi ça sert d'être célèbre et tout si on ne prend pas le temps de vivre? »

« Vivre, pensa-t-il tandis qu'elle tournait brusquement les talons, dans leur bouche, ça veut toujours dire s'occuper d'elles. Mais il y a plus d'une manière de vivre! » Il aimait cette odeur de vieille poussière et d'encre fraîche. Les locaux étaient encore vides, le sous-sol silencieux : bientôt, tout un monde allait surgir de ce silence, un monde qui était sa création. « Personne ne mettra la main sur *L'Espoir* », se répéta-t-il. Il s'assit devant son bureau et s'étira. Allons, pas la peine de s'énerver. Il ne céderait pas le journal; du temps, on arrive toujours à en trouver; et quand il aurait dormi une bonne nuit, son travail marcherait mieux.

Il liquida rapidement son courrier et il regarda sa montre; il avait rendez-vous avec Preston dans une demi-heure, ça lui laissait largement le temps de s'expliquer avec Sézenac. « Voulez-vous m'appeler Sézenac? » demanda-t-il à sa secrétaire. Il s'assit devant son bureau. C'est très joli de faire confiance aux gens; seulement il y avait un tas de gars qui auraient bien volontiers pris la place de Sézenac et qui la méritaient plus que lui. La chance qu'on s'entêtait à donner à l'un, on en privait arbitrairement un autre, ça n'était guère acceptable. « Dommage! » se dit Henri. Il se rappelait comme Sézenac avait grande allure lorsque Chancel le lui avait amené; pendant un an il avait été le plus zélé des agents de liaison; peut-être avait-il besoin de circonstances extraordinaires : blême, bouffi, les yeux vitreux, il traînait à la remorque de Vincent et il n'était plus capable d'écrire deux phrases cohérentes.

— Ah! te voilà! assieds-toi.

Sézenac s'assit sans un mot; et Henri s'avisa soudain qu'il avait travaillé un an avec lui mais qu'il ne le connaissait pas du tout; les autres, il était plus ou moins au courant de leur vie, de leurs goûts, de leurs idées : celui-ci s'était toujours tu : « Je voudrais savoir si tu vas oui ou non te décider à nous passer autre chose que des torchons », dit-il d'une voix plus sèche qu'il ne l'aurait souhaité.

Sézenac haussa les épaules avec un air d'impuissance.

— Qu'est-ce qui ne va pas? tu es mal foutu? tu as des emmerdements?

Sézenac roulait un mouchoir entre ses mains et regardait fixement le plancher; c'était vraiment difficile de trouver un contact avec lui.

— Qu'est-ce qui ne va pas? répéta Henri. Moi je veux bien te donner encore une chance.

— Non, dit Sézenac. Le journalisme, ça ne me botte pas.

— Les premiers temps ça ne marchait pas si mal.

Sézenac eut un vague sourire : « Chancel m'aidait un peu.

— Il ne te faisait tout de même pas tes articles?

— Non » dit Sézenac sans assurance. Il secoua la tête : « Pas la peine d'insister, ce n'est pas un boulot qui me plaise.

— Tu aurais pu le dire plus tôt », dit Henri avec un peu d'agacement. Il y eut un nouveau silence et Henri demanda : « Qu'est-ce que tu voudrais faire?

— Ne t'inquiète pas, je me débrouillerai.

— Mais encore?

— Je donne des leçons d'anglais; et puis on m'a promis des traductions. » Il se leva : « Tu as été chic de me garder si longtemps.

— Si jamais tu as envie de nous envoyer un papier...

— Si ça se trouve.

— Est-ce que je peux faire quelque chose pour toi?

— Tu pourrais me prêter mille balles, dit Sézenac.

— En voilà deux mille, dit Henri; mais ça n'est pas une solution. »

Sézenac enfouit son mouchoir dans sa poche et, pour la première fois, il sourit : « C'est une solution provisoire : ce sont les plus sûres. » Il poussa la porte : « Merci.

— Bonne chance », dit Henri. Il se sentait déconcerté; on aurait dit que Sézenac n'attendait que l'occasion de s'enfuir. « J'aurai de ses nouvelles par Vincent », pensa-t-il pour se rassurer; mais ça l'ennuyait un peu de n'avoir pas su le faire parler. Il sortit son stylo et étala devant lui son papier à lettres. Preston serait là dans un quart d'heure. Il ne voulait pas trop penser à ce magazine avant d'être sûr, mais il avait des projets plein la tête; tous les hebdos qui paraissaient en ce moment étaient minables, ça n'en serait que plus amusant de lancer un truc vraiment bien.

La secrétaire entrebâilla la porte :

— Mr. Preston est là.

— Faites-le entrer.

Dans ses vêtements civils, Preston n'avait pas du tout l'air d'un Américain; seule la perfection de son français le rendait un peu suspect. Il aborda presque tout de suite la question.

— Votre ami Luc a dû vous dire que nous nous sommes rencontrés plusieurs fois pendant votre absence, dit-il. Nous avons déploré ensemble la condition de la presse française qui est vraiment navrante. Ce serait une grande joie pour moi d'aider votre journal en vous fournissant un supplément de papier.

— Ah! ça nous arrangerait bien! dit Henri. Bien entendu, on ne peut pas envisager de modifier notre format, ajouta-t-il, nous sommes solidaires des autres journaux. Mais rien ne nous interdit de sortir le dimanche un magazine, et ça, ça ouvre un tas de possibilités.

Preston sourit d'un air rassurant : « Pratiquement, il n'y a pas de problème, dit-il. Ce papier, vous pouvez l'avoir demain. » Il alluma longuement sa cigarette à un briquet de laque noire : « Il faut que je vous pose très franchement une question : la ligne politique de *L'Espoir* ne va pas changer?

— Non, dit Henri. Pourquoi?

— *L'Espoir* représente à mes yeux exactement le guide dont votre pays a besoin, dit Preston, et c'est pourquoi mes amis et moi nous voulons l'aider. Nous admirons votre indépendance d'esprit, votre courage, votre lucidité... »

Il se tut mais sa voix restait en suspens.

— Alors? dit Henri.

— J'ai suivi avec beaucoup d'intérêt le commencement de votre reportage sur le Portugal; mais j'ai été un peu surpris ce matin de lire dans une interview que vous aviez l'intention, à propos du régime Salazar, de critiquer la politique américaine en Méditerranée.

— Je trouve en effet cette politique regrettable, dit Henri un peu sèchement. Il y a longtemps que Franco et Salazar auraient dû être liquidés.

— Les choses ne sont pas si simples, vous le savez bien, dit Preston; il va sans dire que nous comptons bien aider les Espagnols et les Portugais à retrouver les libertés démocratiques : mais en temps voulu.

— Le temps voulu, c'est tout de suite, dit Henri. Il y a des condamnés à mort dans les prisons de Madrid. Chaque jour compte.

— C'est bien mon avis, dit Preston; et c'est celui auquel le State Department va certainement se ranger. Il sourit : « C'est pourquoi il me paraît inopportun d'alerter contre nous l'opinion française. »

Henri sourit aussi : « Les politiciens ne sont jamais pressés; il me paraît utile de les mettre au pied du mur.

— Ne vous faites pas trop d'illusions, dit Preston aimablement. Votre journal est très apprécié dans les milieux politiques américains. Mais n'espérez pas que vous influencerez Washington.

— Oh! je ne l'espère pas », dit Henri. Il ajouta vivement : « Je dis ce que je pense, c'est tout. Vous me félicitiez de mon indépendance...

— Justement, cette indépendance vous allez la compromettre », dit Preston. Il regarda Henri avec reproche : « En ouvrant cette campagne, vous feriez le jeu de ceux qui veulent nous présenter comme des impérialistes. » Il ajouta : « Vous vous placez à un point de vue humanitaire avec lequel je sympathise pleinement, mais qui n'est pas valable politiquement. Laissez-nous un an : et la république sera rétablie en Espagne, dans les meilleures conditions.

— Je n'ai pas l'intention d'ouvrir une campagne, dit Henri; je veux tout juste signaler certains faits.

— Mais ces faits seront utilisés contre nous », dit Preston.

Henri haussa les épaules : « Ça ne me regarde pas. Je suis journaliste. Je dis la vérité; c'est mon métier. »

Preston dévisagea Henri : « Si vous êtes sûr qu'une certaine vérité entraînera des conséquences néfastes, vous la dites? »

Henri hésita : « Si j'étais certain que la vérité soit nuisible, alors je ne vois qu'une solution : je démissionnerais; j'abandonnerais le journalisme. »

Preston sourit d'un air engageant :

— Est-ce que ce n'est pas là une morale bien formelle?

— J'ai des amis communistes qui m'ont posé exactement la même question, dit Henri. Mais ce n'est pas tant la vérité que je respecte, ce sont mes lecteurs. J'admets qu'en certaines circonstances la vérité puisse être un luxe : c'est peut-être bien le cas en U. R. S. S., dit-il en souriant; mais en France, aujourd'hui, je ne reconnais à personne le droit de l'accaparer. Peut-être que pour un politicien, c'est moins simple; mais moi je ne suis pas du côté de ceux qui manœuvrent : je suis avec ceux qu'on essaie de manœuvrer; ils comptent que je les renseigne du mieux que je peux, et si je me tais ou si je mens je les trahis.

Il s'arrêta, un peu honteux de ce long discours; ce n'est pas seulement à Preston qu'il l'avait adressé; il se sentait vaguement traqué et il se défendait au hasard, contre tout le monde.

Preston secoua la tête : « Nous en revenons au même malentendu; ce que vous appelez renseigner, j'y vois une manière d'agir. Je crains que vous ne soyez victime de l'intellectualisme français. Moi, je suis un pragmatiste. Vous ne connaissez pas Dewey?

— Non.

— Dommage. On nous connaît très mal en France. C'est un grand philosophe. » Preston fit une pause : « Notez bien que nous ne refusons pas du tout qu'on nous critique. Personne n'est plus ouvert que l'Américain aux critiques constructives. Expliquez-nous comment garder l'affection des Français et nous vous écouterons avec le plus grand intérêt. Mais la France est mal placée pour juger notre politique méditerranéenne.

— Je ne parlerai qu'en mon nom, dit Henri avec agacement. Bien ou mal placé, on a toujours le droit de donner son avis. »

Il y eut un silence et Preston dit enfin :

— Vous comprenez évidemment que si *L'Espoir* prend parti contre l'Amérique, je ne peux plus lui conserver ma sympathie.

— Je comprends, dit Henri sèchement. Vous comprendrez de votre côté que je ne puisse envisager de soumettre *L'Espoir* à votre censure.

— Mais qui parle de censure! dit Preston d'un air choqué. Tout ce que je souhaite, c'est de vous voir rester fidèle à cette neutralité dont vous vous étiez fait une règle.

— Justement, j'y reste fidèle, dit Henri avec une brusque colère. *L'Espoir* n'est pas à vendre pour quelques kilos de papier.

— Oh! si vous le prenez sur ce ton! dit Preston; il se leva : « Croyez que je regrette.

— Moi je ne regrette rien », dit Henri.

Toute la journée il s'était senti vaguement irrité : eh bien, il avait là une belle occasion de se mettre en colère. Il avait été idiot d'imaginer que Preston allait jouer les Père Noël. C'était un agent du State Department et Henri avait fait preuve d'une naïveté impardonnable en discutant avec lui comme avec un ami. Il se leva et marcha vers la salle de rédaction.

— Eh bien, mon pauvre Luc, envolé le magazine, dit-il en s'asseyant au bord de la grande table.

— Non? dit Luc. Pourquoi? Sa face était bouffie et vieillotte comme celle d'un nain; dès qu'il était contrarié, il paraissait au bord des larmes.

— Parce que cet Amerlaud veut nous interdire d'ouvrir la bouche contre l'Amérique : il m'a à peu près mis le marché en main.

— Pas possible! il avait l'air d'un si bon type!

— En un sens, c'est flatteur, dit Henri, nous sommes très convoités. Tu ne sais pas ce que Dubreuilh a suggéré hier soir? que *L'Espoir* devienne le journal du S. R. L.

Luc leva vers Henri un visage consterné : « Tu as refusé?

— Bien sûr.

— Tous ces partis qui ressuscitent, ces factions, ces mouvements, il faut rester en dehors de tout ça », dit Luc d'une voix suppliante.

Les convictions de Luc étaient si entières que même lorsqu'on les partageait on était tenté de l'inquiéter, un tout petit peu : « C'est pourtant vrai que l'unité de la Résistance n'est plus qu'un mot, dit Henri, et qu'il va falloir définir clairement notre position.

— Ce sont eux qui sabotent l'unité! dit Luc avec une brusque passion. Le S. R. L., ils appellent ça un regroupement; en fait, ils créent une nouvelle scission.

— Non, la scission c'est la bourgeoisie qui la crée; et quand on prétend se situer par-delà la lutte des classes, on risque de faire son jeu.

— Écoute, dit Luc, la ligne politique du journal, c'est toi qui en décides, tu as plus de tête que moi; mais s'inféoder au S. R. L., c'est une autre histoire : là, je suis contre, absolument. » Son visage se raffermit : « Je t'ai épargné le détail de nos difficultés, question finances, mais je t'ai prévenu que ça n'allait pas fort. Si on se met à la remorque d'un mouvement qui ne signifie pas grand-chose, pour personne, ça n'arrangera pas nos affaires.

— Tu penses qu'on perdrait encore des lecteurs? dit Henri.

— Évidemment! et alors on est liquidés.

— Oui, ça paraît plus que probable », dit Henri.

Tant qu'à acheter une minuscule feuille de chou, les provinciaux préféraient leurs canards locaux aux journaux parisiens, le tirage avait beaucoup baissé; en retrouvant son format normal, il n'était même pas sûr que *L'Espoir* retrouve sa clientèle; en tout cas, il ne pourrait pas s'offrir le luxe d'une crise. « Décidément, je ne suis qu'un idéaliste! » pensa Henri; il avait objecté à Dubreuilh des histoires de confiance, d'influence, de rôle à jouer; et la vraie réponse était inscrite dans les chiffres : Nous ferons faillite. C'était un de ces arguments robustes contre lesquels ni les sophismes ni la morale ne peuvent rien; il avait hâte de l'utiliser.

Henri arriva à dix heures quai Voltaire, mais l'attaque prévue ne se déclencha pas tout de suite. Comme d'habitude Anne apporta sur un chariot roulant une espèce de souper : du saucisson portugais, du jambon, une salade de riz, et pour fêter le retour d'Henri une bouteille de meursault. Ils échangèrent à bâtons rompus des impressions de voyage et les derniers potins parisiens. A vrai dire Henri ne se sentait guère d'humeur combative. Il était content de se retrouver dans ce bureau; ces livres usagés, mais pour la plupart dédicacés, les tableaux signés de noms connus et qui n'avaient pas été achetés, les bibelots exotiques qui étaient tous des souvenirs de voyage, toute cette vie discrètement privilégiée il l'appréciait à distance, et en même temps c'était ici son vrai foyer; il y était au chaud, dans l'intimité de sa vie à lui.

— On est vraiment bien chez vous, dit-il à Anne.

— N'est-ce pas? dès que je sors, je me sens perdue, dit-elle gaiement.

— Il faut dire que Scriassine avait choisi un endroit à faire peur, dit Dubreuilh.

— Oui, quel bouge! mais l'un dans l'autre c'était une bonne soirée, dit Henri; il sourit : « Sauf la fin.

— La fin? non, moi c'est le moment des *Yeux noirs* que j'ai trouvé dur », dit Dubreuilh d'un air innocent.

Henri hésita; peut-être que Dubreuilh avait décidé de ne pas revenir à la charge trop vite; il n'y avait qu'à profiter de sa discrétion, ça serait dommage de gâcher ce moment; mais Henri était impatient de confirmer sa secrète victoire.

— Vous avez traîné *L'Espoir* plus bas que terre, dit-il d'une voix gaie.

— Mais non... dit Dubreuilh avec un sourire.

— Anne est témoin! Tout n'était pas faux dans votre procès, ajouta Henri. Mais je voulais vous dire : votre proposition de lier *L'Espoir* au S. R. L., j'y ai repensé, j'en ai même parlé avec Luc : c'est tout à fait hors de question.

Le sourire de Dubreuilh s'effaça : « J'espère que ce n'est pas votre dernier mot, dit-il. Parce que sans journal, le S. R. L. ne sera jamais rien. Et ne me dites pas qu'il y en a d'autres : aucun n'a exactement notre tendance. Si vous refusez, qui acceptera?

— Je sais, dit Henri. Seulement rendez-vous compte : en ce moment *L'Espoir* est en crise, comme la plupart des journaux; je pense qu'on s'en sortira, mais pendant longtemps on aura du mal à boucler notre budget. Or, le jour où nous décidons de devenir l'organe d'un parti politique, le tirage baisse immédiatement : nous ne sommes pas en mesure de tenir le coup.

— Le S. R. L. n'est pas un parti, dit Dubreuilh. C'est un mouvement assez large pour que vos lecteurs ne s'effarouchent pas.

— Parti ou mouvement, pratiquement, c'est pareil, dit Henri. Tous ces ouvriers communistes ou communisants dont je vous parlais, ils achètent volontiers en même temps que *L'Huma* un journal d'information, mais pas un autre canard politique. Même si le S. R. L. marche la main dans la main du P. C., ça n'y change rien : *L'Espoir* deviendra suspect dès qu'il se sera collé une étiquette. » Henri haussa les épaules : « Le jour où nous ne serons plus lus que par les membres du S. R. L., on pourra mettre la clef sous la porte.

— Les membres du S. R. L. deviendront infiniment plus nombreux quand nous aurons l'appui d'un journal, dit Dubreuilh.

— En attendant il y aura une longue période de battement, dit Henri, et ça suffira à nous couler, ce qui n'est l'intérêt de personne.

— Non, ça n'est l'intérêt de personne », concéda Dubreuilh; il garda un moment le silence; du bout de ses doigts il tapotait son buvard : « Évidemment, il y a un risque, dit-il.

— Un risque qu'on ne peut pas se permettre de courir », dit Henri. Dubreuilh réfléchit encore un instant, et il dit avec un soupir : « Il faudrait de l'argent.

— Justement, nous n'en avons pas.

— Nous n'en avons pas », reconnut Dubreuilh d'une voix rêveuse. Bien sûr, il ne s'avouait pas si facilement vaincu, il retournait encore des espoirs dans sa tête; mais l'argument avait porté, il ne revint pas à la charge pendant la semaine qui suivit; Henri le vit souvent pourtant, il tenait à lui prouver sa bonne volonté : il eut deux entrevues avec Samazelle, il assista aux réunions du comité, il promit de publier le manifeste dans *L'Espoir*. « Fais ce que tu veux, disait Luc, du moment qu'on reste indépendant. »

On restait indépendant, c'était une chose acquise : encore fallait-il savoir qu'en faire, de cette indépendance. En septembre, tout paraissait si simple : un peu de bon sens et de bonne volonté, et ça suffisait, on était paré. Maintenant, les problèmes n'arrêtaient pas de se poser, et chacun remettait tout en question. Lachaume avait signalé avec tant d'effusion les articles d'Henri sur le Portugal que *L'Espoir* allait passer pour un instrument du P. C. : fallait-il démentir? Henri ne voulait pas perdre ce public d'intellectuels qui aimaient *L'Espoir* pour son impartialité; il ne voulait pas non plus indisposer ses lecteurs communistes; cependant, en ménageant tout le monde, il se condamnait à l'insignifiance, et par là il contribuait à endormir les gens. Alors quoi? Il retournait la question dans sa tête, tout en marchant vers le Scribe où Lambert l'attendait pour dîner. Quoi qu'il décidât, il céderait à une humeur et non à une évidence; malgré toutes ses résolutions, il en était toujours au même point : il n'en savait pas assez, il ne savait rien. « Ça serait tout de même logique de se renseigner d'abord et de parler ensuite », se dit-il. Mais ce n'est pas comme ça que les choses se passent. D'abord, il faut parler, c'est urgent; ensuite, les événements vous donnent raison ou tort. « C'est justement ce qu'on appelle bluffer, se dit-il avec déplaisir. Moi aussi, je bluffe mes lecteurs. » Il s'était promis de dire aux gens des choses qui les éclaireraient, qui les aideraient à penser, des choses vraies, et maintenant il bluffait. Que faire? Il ne pouvait pas fermer les bureaux, renvoyer tout le personnel, et se confiner pendant un an dans une chambre avec des livres! Le journal devait vivre, et pour qu'il vive Henri était obligé de s'y consacrer tout entier au jour le jour. Il s'arrêta devant le Scribe; il était content de dîner avec Lambert; ça l'ennuyait un peu d'avoir à lui parler de ses nouvelles, mais il espérait que Lambert n'y attachait pas trop d'importance. Il fit tourner la porte tambour; on se serait cru brusquement transporté sur un autre continent : il faisait chaud; hommes et femmes portaient des uniformes américains, l'air sentait le tabac blond et dans les vitrines s'étalaient des colifichets luxueux. Lambert s'avança en souriant, déguisé lui aussi d'un uniforme de lieutenant; dans la salle de restaurant qui servait de cantine aux correspondants de guerre, il y avait sur les tables du beurre et des prismes de pain très blanc.

— Tu sais, on peut avoir du vin français dans ce drug-store, dit Lambert gaiement. Nous allons manger aussi bien qu'un prisonnier de guerre allemand.

— Ça t'indigne toi que les Amerlauds nourrissent correctement leurs prisonniers?

— Pas ça spécialement, quoique vraiment ça la fout mal dans les coins où les Français bouffent des briques. C'est l'ensemble qui est moche : comme ils ménagent les Fritz, y compris les nazis, et comment ls traitent les types des camps.

— Je voudrais bien savoir si c'est vrai qu'ils interdisent les camps à la Croix-Rouge française, dit Henri.

— C'est la première chose que je vais vérifier, dit Lambert.

— Décidément, nous ne sommes pas chauds pour l'Amérique ces temps-ci, dit Henri en remplissant son assiette de spam et de nouilles.

— Il n'y a pas lieu de l'être! Lambert fronça les sourcils : « Dommage que ça fasse tellement plaisir à Lachaume.

— Je pensais à ça en venant, dit Henri. Tu dis un mot contre le P. C. : tu fais le jeu de la réaction! Tu critiques Washington : te voilà communiste. A moins qu'on ne te soupçonne d'appartenir à la cinquième colonne.

— Heureusement une vérité en corrige une autre », dit Lambert.

Henri haussa les épaules : « Il ne faut pas trop s'y fier. Tu te souviens, la nuit du réveillon nous disions que *L'Espoir* ne devait pas se laisser enrégimenter. Eh bien, ce n'est pas commode.

— Il n'y a qu'à continuer à parler selon notre conscience! dit Lambert.

— Tu te rends compte! dit Henri. Tous les matins j'explique à cent mille types ce qu'ils doivent penser : et sur quoi est-ce que je me guide? sur la voix de ma conscience! » Il se versa un verre de vin : « C'est de l'escroquerie! »

Lambert sourit : « Cite-m'en des journalistes qui soient plus scrupuleux que toi, dit-il affectueusement. Tu dépouilles toi-même toutes les dépêches, tu contrôles tout.

— Au jour le jour, je tâche d'être honnête, dit Henri. Mais justement, ça ne me laisse pas une minute pour étudier à fond les choses dont je parle.

— Va! tes lecteurs sont très contents comme ça, dit Lambert. Je connais un tas d'étudiants qui ne jurent que par *L'Espoir*.

— Je ne m'en sens que plus coupable! » dit Henri.

Lambert le regarda d'un air inquiet : « Tu ne vas pas te mettre à étudier toute la journée des statistiques?

— C'est ce que je devrais faire! » dit Henri. Il y eut un petit silence et brusquement Henri se décida : autant se débarrasser au plus vite de cette corvée.

— Je t'ai rapporté tes nouvelles, dit-il. Il sourit à Lambert : « C'est drôle, tu as un tas d'expériences derrière toi, tu les as vécues très fort, et souvent tu m'en as très bien parlé; tes reportages sont toujours pleins de choses. Et puis dans tes nouvelles tu ne fais rien passer. Je me demande pourquoi.

— Tu les trouves mauvaises? dit Lambert. Il haussa les épaules : « Je t'avais prévenu.

— Ce qu'il y a c'est que tu n'y as rien mis de toi », dit Henri.

Lambert hésita : « Les choses qui me touchent vraiment ne sont intéressantes pour personne. »

Henri sourit : « On sent trop que celles dont tu parles ne te touchent pas du tout. On dirait que tu as écrit ces histoires comme on fait un pensum.

— Oh! je me doutais bien que je n'étais pas doué », dit Lambert.

Il souriait, mais d'un air contraint. Henri eut l'impression qu'en fait il attachait beaucoup d'importance à ces nouvelles.

— Qui est doué, qui ne l'est pas? On ne sait pas trop ce que ça veut dire, dit Henri. Non. Tu as eu tort de choisir des sujets qui te soient tellement extérieurs, c'est tout. La prochaine fois, mets-toi davantage dans le coup.

— Je ne saurais pas, dit Lambert. Il eut un petit rire : « Je suis le type parfait du pauvre petit intellectuel incapable de devenir jamais un créateur.

— Ne débloque pas! dit Henri. Ces nouvelles ne prouvent rien; c'est normal qu'on rate son coup, la première fois. »

Lambert secoua la tête : « Je me connais. Je ne ferai jamais rien de valable. Et c'est minable un intellectuel qui ne fait rien.

— Tu feras quelque chose si tu y tiens. D'autre part, être un intellectuel, ce n'est pas une tare!

— Ce n'est pas une grâce, dit Lambert.

— J'en suis un, et tu veux bien m'accorder ton estime.

— Toi, c'est différent, dit Lambert.

— Mais non. Je suis un intellectuel. Ça m'agace qu'on fasse de ce mot une insulte : les gens ont l'air de croire que le vide de leur cerveau leur meuble les couilles. »

Il cherchait le regard de Lambert, mais Lambert regardait obstinément son assiette; il dit : « Je me demande bien ce que je vais devenir quand la guerre sera finie.

— Tu ne veux pas rester dans le journalisme?

— Correspondant de guerre, ça se défend; mais correspondant de paix, ça ne va plus », dit Lambert. Il ajouta d'une voix animée : « Faire du journalisme comme tu en fais toi, ça vaut le coup : c'est une vraie aventure. Mais être rédacteur, même à *L'Espoir*, il faudrait que j'aie besoin de gagner ma vie pour que ça ait un sens. D'autre part, vivre en rentier ça me donnerait mauvaise conscience. » Il hésita : « Ma mère m'a laissé trop d'argent : j'ai mauvaise conscience de toute façon.

— Tout le monde en est là, dit Henri.

— Oh! toi, tout ce que tu possèdes c'est ce que tu gagnes, il n'y a pas de question.

— On n'a jamais sa conscience en règle, dit Henri. Par exemple manger ici et m'interdire les restaurants de marché noir : c'est puéril. Nous avons tous nos ruses. Dubreuilh feint de prendre l'argent pour un élément naturel; il en a énormément mais il ne fait rien pour en gagner, il n'en refuse jamais à personne, et il laisse à Anne le soin de l'administrer. Elle, elle se débrouille en ne le considérant pas comme sien : c'est pour son mari et sa fille qu'elle le dépense, elle leur fait une existence confortable dont elle profite. Moi ce qui m'aide c'est que j'ai beaucoup de mal à boucler mon budget : alors j'ai l'impression que je ne possède rien de trop; c'est aussi une manière de tricher.

— C'est tout de même différent. »

Henri secoua la tête : « Quand la situation est injuste, tu ne peux pas la vivre correctement; c'est bien pour ça qu'on est amené à faire de la politique : pour essayer de changer la situation.

— Je me demande quelquefois si je ne devrais pas refuser cet argent, dit Lambert, mais à quoi ça servirait-il? Il hésita : « Et puis j'avoue que la pauvreté me ferait peur.

— Essaie plutôt de l'employer utilement.

— Eh bien, justement : comment? qu'est-ce que je peux en faire?

— Il y a bien des choses auxquelles tu tiens?

— Je me demande... dit Lambert.

— Tu aimes des choses, non? tu n'aimes rien? dit Henri avec un peu d'impatience.

— J'aimerais bien des camarades, mais depuis la Libération on n'arrête pas de se disputer; les femmes, elles sont idiotes ou insupportables; les bouquins, j'en ai par-dessus la tête, et pour ce qui est de voyager, la terre est aussi triste partout. Et puis, depuis quelque temps je ne sais plus distinguer le bien du mal, conclut-il.

— Comment ça?

— Il y a un an, c'était simple comme une image d'Épinal; maintenant on s'aperçoit que les Américains sont des brutes aussi racistes que les nazis et qu'ils se foutent qu'on continue à crever dans les camps; les camps, il paraît qu'il y en a en U. R. S. S. qui ne sont pas jolis non plus; on fusille certains collabos et d'autres aussi salauds on les couvre de fleurs.

— Si tu t'indignes, c'est que tu crois encore à certaines choses.

— Non, franchement, quand on commence à se poser des questions, rien ne résiste. Il y a des tas de valeurs qu'on prend pour accordées : au nom de quoi? Au fond, pourquoi la liberté, pourquoi l'égalité, quelle justice a un sens? pourquoi préférer les autres à soi-même? Un type qui n'a cherché qu'à jouir de la vie comme mon père, est-ce qu'il a eu tellement tort? » Lambert regarda Henri avec inquiétude : « Je te scandalise?

— Pas du tout; il faut se poser ces questions.

— Il faudrait surtout que quelqu'un y réponde, dit Lambert dont la voix s'échauffait. On nous casse les pieds avec la politique : mais pourquoi une politique plutôt qu'une autre? Nous avons besoin d'abord d'une morale, d'un art de vivre. » Lambert regarda Henri avec un peu de défi : « C'est ça que tu devrais nous donner; ça serait plus intéressant que d'aider Dubreuilh à rédiger des manifestes.

— Une morale, ça enveloppe forcément une attitude politique, dit Henri. Et inversement : c'est vivant la politique.

— Je ne trouve pas, dit Lambert. En politique on ne se soucie que de trucs qui n'existent pas : l'avenir, les collectivités; alors que ce qui est concret c'est le moment présent, ce sont les individus un à un.

— Mais les individus sont intéressés par l'histoire collective, dit Henri.

— Le malheur, c'est qu'en politique on ne revient jamais de l'histoire à l'individu, dit Lambert. On se perd dans les généralités et les cas particuliers, tout le monde s'en fout. »

Lambert avait parlé d'une voix si revendicante qu'Henri le regarda avec curiosité : « Par exemple?

— Eh bien, par exemple, prends la question de la culpabilité. Politiquement, abstraitement, un individu qui a travaillé avec les Allemands est un salaud, on lui crache dessus, il n'y a pas de problème. Maintenant si tu en vois de près un en particulier, ce n'est plus du tout la même chose.

— Tu penses à ton père? dit Henri.

— Oui; il y a quelque temps que je voulais te demander conseil : dois-je vraiment m'entêter à lui tourner le dos?

— L'an dernier, tu parlais de lui sur un tel ton! dit Henri avec surprise.

— Parce qu'à ce moment-là je croyais qu'il avait dénoncé Rosa; mais là-dessus, il m'a convaincu : il n'y est pour rien; tout le monde savait qu'elle était Juive. Non, mon père a fait de la collaboration économique, c'est déjà assez moche; mais enfin il va être traîné devant les tribunaux et sans doute condamné; il est vieux...

— Tu l'as revu?

— Une fois; et depuis il m'a envoyé plusieurs lettres, des lettres qui m'ont plutôt bouleversé, je t'avoue.

— Si tu as envie de te réconcilier avec lui, tu es bien libre, dit Henri. Mais je croyais que vous aviez de très mauvais rapports? ajouta-t-il.

— Quand je t'ai connu, oui. » Lambert hésita et il dit avec effort : « C'est lui qui m'a élevé. Je crois qu'à sa manière il m'aimait beaucoup; seulement, il ne fallait pas lui désobéir.

— Avant de connaître Rosa, tu ne lui avais jamais désobéi? demanda Henri.

— Non. C'est ce qui l'a rendu fou de colère : c'était la première fois que je lui tenais tête », dit Lambert. Il haussa les épaules : « Ça m'a plutôt arrangé de penser qu'il l'avait dénoncée; comme ça il n'y avait plus de problème : je l'aurais bien tué de ma main à ce moment-là.

— Mais comment en es-tu venu à le soupçonner?

— Des copains m'ont mis cette idée en tête : Vincent entre autres. Mais je lui en ai reparlé : il n'a absolument aucune preuve, pas la moindre. Mon père a juré sur la tombe de ma mère que c'était faux; et maintenant que je suis de sang-froid, je suis sûr qu'il n'aurait jamais fait une chose pareille. Jamais.

— Ça semble plutôt monstrueux », dit Henri. Il hésita. Lambert souhaitait son père innocent, comme deux ans plus tôt il l'avait souhaité coupable, sans preuves; il n'y avait sans doute aucun moyen de connaître la vérité.

— Vincent donne volontiers dans le roman noir, dit Henri. Écoute, si tu ne soupçonnes plus ton père, si personnellement tu ne lui en veux plus, ce n'est pas à toi de jouer les justiciers. Revois-le, fais ce qui te plaît, et ne t'occupe de personne.

— Tu crois vraiment que je peux? dit Lambert.

— Qui t'en empêche?

— Tu ne penses pas que ce serait une preuve d'infantilisme? Henri dévisagea Lambert avec surprise : « D'infantilisme? » Lambert rougit : « Je veux dire, de lâcheté?

— Mais non. Ça n'est pas lâche de vivre comme on sent.

— Oui, tu as raison; je vais lui écrire, dit Lambert. J'ai bien fait de te parler », ajouta-t-il d'une voix reconnaissante. Il plongea sa cuiller dans la colle rose qui tremblait dans son assiette : « Tu pourrais tellement nous aider, murmura-t-il. Pas seulement moi : il y a un tas de jeunes qui sont dans mon cas.

— Vous aider à quoi? dit Henri.

— Tu as le sens du concret. Tu devrais nous apprendre à vivre au
jour le jour. »

Henri sourit : « Une morale, un art de vivre, ça n'entre guère dans
mes plans. »

Lambert leva vers lui des yeux brillants : « Oh ! je me suis mal exprimé.
Je ne pensais pas à des traités théoriques. Mais tu tiens à des choses,
tu crois à des valeurs. Alors tu devrais nous montrer ce qu'il y a d'aimable sur cette terre. Et aussi la rendre un peu plus habitable en écrivant de beaux livres. Il me semble que c'est ça le rôle de la littérature. »

Lambert avait débité ce petit discours d'une haleine. Henri eut l'impression qu'il l'avait préparé d'avance et qu'il attendait depuis des jours
le moment de le placer : « La littérature n'est pas forcément gaie, dit-il.

— Si, forcément ! dit Lambert. Même ce qui est triste devient gai
quand on en fait de l'art. » Il hésita : « Gai, ce n'est peut-être pas le
mot ; mais enfin, ça se justifie. » Il s'arrêta tout à fait et rougit : « Oh !
je ne veux pas te dicter tes livres. Simplement, il ne faut pas que tu
oublies que tu es avant tout un écrivain, un artiste.

— Je ne l'oublie pas, dit Henri.

— Je sais, mais... » De nouveau Lambert se troubla : « Par exemple
ton reportage sur le Portugal, il est très bien, mais je me rappelle des
pages sur la Sicile, autrefois. On regrette un peu de ne rien trouver de
pareil.

— Si jamais tu vas au Portugal, tu n'auras pas envie de décrire des
grenadiers en fleur, dit Henri.

— Ah ! je voudrais que cette envie te revienne, dit Lambert d'une
voix pressante. Pourquoi pas ? On a bien le droit de se promener au
bord de la mer sans s'inquiéter du prix des sardines.

— Le fait est que je n'ai pas pu, dit Henri.

— Après tout, reprit Lambert avec véhémence, on a fait de la Résistance pour défendre l'individu, son droit à être lui-même et à être
heureux ; il est temps de récolter ce qu'on a semé.

— Le malheur, c'est qu'il y a quelques milliards d'individus pour qui
ce droit reste lettre morte », dit Henri. Il haussa les épaules : « Je pense
que c'est justement parce qu'on a commencé à s'intéresser à eux qu'on
ne peut plus s'arrêter.

— Alors chacun doit attendre que tout le monde soit heureux avant
d'essayer de l'être ? dit Lambert. L'art et la littérature, c'est renvoyé
à l'âge d'or ? Pourtant, c'est justement maintenant qu'on en aurait
besoin !

— Je ne dis pas qu'il ne faut plus écrire », dit Henri. Il hésita. Le
reproche de Lambert lui avait été au cœur ; oui il y avait bien d'autres
choses à dire sur le Portugal, ce n'est pas tout à fait sans regret qu'il les
avait écartées. Un artiste, un écrivain : c'était ça qu'il voulait être, il
ne fallait pas l'oublier. Il s'était fait de grandes promesses autrefois :
il était temps de les tenir. Des succès de jeunesse, un livre trop opportun qu'on vantait à tort et à travers : il voulait autre chose : « En fait,
reprit-il, je suis justement en train d'écrire un roman selon ton cœur.

Un roman tout à fait gratuit, où je raconte des trucs pour mon seul plaisir.

— C'est vrai? » dit Lambert. Son visage s'éclaira : « Tu en es loin? ça marche?

— Les commencements, c'est toujours un peu ingrat; mais ça marche! dit Henri.

— Oh! je suis drôlement content! dit Lambert. Ça serait tellement dommage si tu te laissais manger!

— Je ne me laisserai pas manger », dit Henri.

— Il avance ton roman gai? demanda Paule.

— Oui, il avance, dit Henri.

Elle s'étendit sur le lit, derrière lui, et il devinait sur sa nuque son regard méditatif; un regard, ça ne fait pas de bruit, il aurait eu mauvaise grâce à la chasser, mais ça lui pesait. Il fit un effort pour ramener son attention sur son roman. Il avait pris des décisions pendant ce mois, il s'était résigné à situer son histoire en 1935; c'était peut-être une erreur, voilà des jours que les phrases séchaient au bout de son stylo.

« Oui, c'est une erreur », se dit-il avec décision. Il voulait parler de lui : eh bien, il n'avait plus rien à voir avec ce qu'il était en 1935. Son indifférence politique, sa curiosité, son ambition, tout ce parti pris d'individualisme, que c'était court, que c'était niais! Ça supposait un avenir sans heurt, avec progrès garanti, une fraternité immédiate entre les hommes, une postérité amicale : ça supposait surtout de l'égoïsme et de l'étourderie. Oh! il aurait sans doute pu se trouver des excuses. Mais il écrivait ce livre pour essayer de dire la vérité de sa vie, et non pour en expliquer les fautes. « Il faut l'écrire au présent », décida-t-il. Il relut les dernières pages. Dommage de penser que ce passé allait être définitivement enterré : l'arrivée à Paris, les premières rencontres avec Dubreuilh, le voyage à Djerba. « Oh! je l'ai vécu, ça suffit! » se dit-il. Mais si on allait par là, le présent aussi se suffisait, la vie se suffisait : le fait est qu'elle ne se suffisait pas puisqu'il avait besoin d'écrire pour se sentir tout à fait vivant. Enfin, tant pis; de toute façon on ne peut pas tout sauver. La question c'était de savoir ce qu'il avait à dire sur lui, aujourd'hui. « Où en suis-je? qu'est-ce que je veux? » Drôle de chose : si on tient tant à s'exprimer, c'est parce qu'on se sent singulier, et on n'est pas même capable de dire en quoi. « Qui suis-je? » Il ne se le demandait pas autrefois; autrefois les autres gens étaient tous définis, ils avaient des limites : lui pas; ses livres et sa vie étaient devant lui, ça lui permettait de récuser tous les jugements qu'on portait sur lui et de considérer tout le monde, même Dubreuilh, avec un peu de condescendance, du haut de son œuvre future. Mais maintenant, il lui fallait s'avouer qu'il était un homme fait : les jeunes gens le traitaient en aîné, les adultes comme un des leurs, et certains lui témoignaient même de la considération. Fait, limité, fini, lui et pas un autre,

rien d'autre que lui : qui? En un sens, c'était ses livres qui en décideraient; mais inversement pour les écrire il lui fallait connaître sa propre
vérité. A première vue, le sens de ces mois qu'il venait de vivre était
assez clair, mais si on regardait de plus près, tout se brouillait. Aider les
gens à mieux penser, à mieux vivre, est-ce que ça lui tenait vraiment
à cœur ou n'était-ce qu'une rêverie humanitaire? S'intéressait-il vraiment au sort d'autrui, ou seulement à la paix de sa conscience? Et la
littérature : qu'est-ce que c'était devenu pour lui? Vouloir écrire, c'est
bien abstrait quand on n'a rien d'urgent à dire. Sa plume restait en
suspens et il pensa avec agacement que Paule voyait qu'il n'écrivait
pas. Il se retourna : « Tu vas aller chez Grépin demain matin? » demanda-
t-il.

Paule eut un petit rire : « Toi, quand tu as une idée dans la tête!

— Écoute, cette chanson te va comme un gant, tu dis que tu l'aimes,
la musique de Bergère est ravissante, Sabririo t'entendra le jour où
tu voudras : tu peux bien y mettre du tien! Au lieu de somnoler sur
ce lit, tu travaillerais ta voix que ça n'en serait pas plus mal, je t'assure.

— Je ne somnole pas.

— En tout cas maintenant que je t'ai pris ce rendez-vous, tu vas
y aller?

— Je veux bien aller chez Grépin et apprendre à bien chanter ta
chanson, dit-elle.

— Mais tu ne passeras pas d'audition, c'est ça que tu veux dire? »
Elle sourit : « Quelque chose comme ça.

— Tu me décourages!

— Reconnais que je ne t'ai jamais encouragé! » Elle sourit de nouveau : « Ne t'occupe donc pas de moi », dit-elle tendrement.

Il aurait bien mieux aimé s'occuper d'elle une bonne fois et ne plus
la sentir comme ça derrière lui en train de l'épier; mais peut-être s'en
rendait-elle compte. Il avait parlé à Sabririo, écrit deux chansons,
composé tout un répertoire, et téléphoné à Grépin, il avait fait tout
ce qu'il pouvait faire pour elle. Elle voulait bien chanter pour lui, et
même plutôt trop souvent pour son goût : mais elle restait butée dans
son refus. Il se remit à aligner sans joie des phrases mortes.

Il y avait deux heures qu'il s'ennuyait devant son papier quand on
frappa avec entrain à la porte du studio. Il regarda sa montre : minuit
dix : « On a frappé. »

Paule somnolait sur le lit, elle se redressa : « Est-ce que j'ouvre? »

On frappa de nouveau et ils entendirent une voix gaie : « C'est
Dubreuilh; je vous dérange? »

Ils descendirent ensemble l'escalier et Paule ouvrit la porte : « Il
n'est rien arrivé?

— A qui? dit Dubreuilh en souriant. J'ai vu de la lumière, j'ai pensé
que je pouvais monter; il est à peine minuit. Vous alliez vous coucher? » Déjà il s'était assis dans le fauteuil de cuir où il s'asseyait d'habitude.

— J'avais justement envie de boire un verre! dit Henri, et je n'aurais pas osé le boire seul. C'est mon mauvais ange qui vous amène.

— Du cognac? demanda Paule en ouvrant le placard.

— Avec plaisir. Dubreuilh tourna vers Henri un visage épanoui :
« Je vous apporte toute chaude une nouvelle qui va beaucoup vous intéresser.

— Quoi donc?

— Nous avions plus ou moins renoncé à l'idée de faire de *L'Espoir*
le journal du S. R. L. à cause de la crise financière qui pouvait s'ensuivre...

— Oui », dit Henri. Il prit le verre que Paule lui tendait et but une
gorgée avec une vague inquiétude.

— Eh bien, je sors de chez un type pourri de fric qui est prêt à
nous soutenir en cas de besoin. Vous n'avez pas entendu parler d'un
certain Trarieux? un gros marchand de souliers qui a fait un peu de
Résistance?

— Ça me dit quelque chose.

— Il a des millions par-dessus la tête, et une admiration sans bornes
pour Samazelle : heureuse combinaison qui l'amène à aider très substantiellement le S. R. L. Ce soir, Samazelle m'a traîné chez lui. Il
est prêt à financer le meeting de juin, et il fournira tous les capitaux
nécessaires si *L'Espoir* devient le journal du mouvement.

— Samazelle a de bien belles relations, dit Henri. Il vida son verre
d'un trait; il était légèrement agacé par la gaieté trop communicative
de Dubreuilh.

— Samazelle, c'est le genre de type qui dîne en ville, dit Dubreuilh
en riant. Vous et moi c'est la dernière chose qu'on peut obtenir de nous,
j'aimerais mieux quêter sur les places; mais lui ça lui plaît, et il plaît.
Tant mieux, parce que comme ça il ramasse du fric : je ne sais pas où
nous en serions sans lui question finances. Il a connu Trarieux pendant
l'occupation et il l'a cultivé.

— Il est S. R. L. ce cordonnier avec tous ses millions?

— Ça vous étonne?

Paule s'était assise en face de Dubreuilh, elle fumait une cigarette
en le regardant fixement, d'un air hostile. Elle allait ouvrir la bouche
et Henri devinait sa voix indignée; il la prévint :

— Je ne vous dirai pas que votre proposition m'enthousiasme.

Dubreuilh haussa les épaules : « Vous savez, tous les journaux vont
être obligés tôt ou tard d'accepter des subsides privés; la presse libre :
encore un joli bobard!

— *L'Espoir* s'est bien rétabli, dit Henri. Nous pouvons nous suffire longtemps si nous restons ce que nous sommes.

— Vous vous suffisez : et après? dit Dubreuilh vivement. Je
comprends bien : vous avez créé *L'Espoir* tout seul, vous aimeriez
tenir le coup tout seul; je comprends, répéta-t-il. Mais pensez au rôle
que vous avez à jouer! vous vous êtes rendu compte pendant ce mois
du besoin que le S. R. L. a d'un journal, non?

— Si, dit Henri.

— Et vous êtes d'accord sur l'importance de notre tentative. Alors?

— Si ce monsieur finance *L'Espoir*, il voudra y mettre son nez, dit Henri.

— Ah! ça, pas question! dit Dubreuilh. Il n'interviendrait absolument pas dans la direction du journal. Au fond, vous seriez bien plus indépendant avec un pareil commanditaire que vous ne l'êtes maintenant, parce qu'enfin, vous voilà ligoté par la peur de perdre vos lecteurs.

— Ça m'a l'air d'un drôle de philanthrope, votre bonhomme.

— Si vous voyiez le type, vous comprendriez tout de suite, dit Dubreuilh.

— Je ne peux tout de même pas croire qu'il ne m'imposerait aucune condition, dit Henri.

— Aucune, je vous le garantis; c'est une chose absolument réglée.

— Tout ça, ce ne sont pas des propos en l'air, vous en êtes bien sûr?

— Écoutez, parlez-lui vous-même! dit Dubreuilh, Vous n'avez qu'à l'appeler au téléphone : il est prêt à signer demain. »

Dubreuilh avait parlé avec tant de vivacité qu'Henri sourit : « Attendez un peu! il faut d'abord que je voie Luc. Et puis même si nous décidions de nous déclarer pour le S. R. L., on essaiera peut-être de s'en tirer tout seuls : je préférerais beaucoup.

— Personnellement, je suis persuadé que *L'Espoir* ne perdra pas ses lecteurs, dit Dubreuilh. Je suis tout à fait d'accord pour tenter le coup sans Trarieux. » Il hésita : « Il vaudrait tout de même mieux que vous ayez une conversation avec lui.

— Il ne me dira rien de plus qu'à vous, dit Henri. Et je ne tiens pas à ce qu'il m'offre son fric tant que je peux l'empêcher.

— Comme vous voudrez. » Dubreuilh regarda Henri d'un air inquiet : « Je vous en prie, tâchez de vous décider vite. On a déjà perdu tant de temps!

— C'est grave, vous savez, ce que vous me demandez là, dit Henri; il n'y a pas que moi en jeu. Tâchez de votre côté d'être un peu patient.

— J'y suis bien obligé », dit Dubreuilh avec un soupir. Il se leva et fit un grand sourire à Paule : « Vous ne venez pas faire un tour avec moi?

— Où ça? dit Paule.

— N'importe où; c'est une belle nuit; une vraie nuit d'été.

— Non, j'ai sommeil, dit Paule avec mauvaise grâce.

— Moi aussi, dit Henri.

— Tant pis; je me promènerai tout seul, dit Dubreuilh en marchant vers la porte. A samedi.

— A samedi. »

Henri verrouilla la porte; quand il se retourna, Paule était debout en face de lui, le visage en tumulte : « C'est insensé! il veut te voler ton journal!

— Écoute, il ne s'agit pas d'un vol », dit Henri. Il bâilla avec affectation; c'était dans ces cas-là qu'il supportait le plus mal de discuter avec Paule : quand elle était de son avis. Lui aussi il était irrité : l'étrange tour de passe-passe! il avait suffi que Dubreuilh demandât ce journal pour se créer des droits sur lui. « Mes répugnances personnelles, il s'en fout; son amitié ne pèse pas lourd quand il a décidé de se servir de vous. »

— Tu aurais dû l'envoyer promener, dit Paule. Jamais il ne te prendra au sérieux; tu seras éternellement le petit jeune homme qu'il a lancé dans la littérature et qui lui doit tout.

— Après tout, il n'exige rien d'extraordinaire, dit Henri; je suis au S. R. L. et je dirige *L'Espoir* : c'est plutôt naturel que les deux trucs fusionnent.

— Tu ne seras plus ton maître, tu seras obligé de prendre leurs ordres. La voix de Paule tremblait d'indignation : « Et puis tu vas être plongé jusqu'au cou dans la politique; tu n'auras plus une minute à toi. Déjà tu te plains de manquer de temps pour ton roman...

— Ne t'affole donc pas; rien n'est encore décidé, dit Henri. Je n'ai absolument pas dit que j'acceptais. »

La rancune d'Henri se dissipait tandis qu'il écoutait les protestations de Paule; leur véhémence même en faisait paraître les motifs frivoles : c'était tout juste ceux qu'Henri ruminait en lui-même. « Je m'insurge parce que je crains d'être dévoré par la politique, parce que je redoute de nouvelles responsabilités, parce que je souhaite des loisirs, et surtout rester le maître chez moi. » Des raisons très futiles en somme. Quand il s'amena au journal le lendemain, il espérait du fond du cœur que Luc lui en fournirait de meilleures.

Mais Luc était débordé par les événements. Décidément Lachaume avait rendu un mauvais service à *L'Espoir;* on chuchotait qu'Henri était aux ordres des communistes; c'était d'autant plus irritant qu'en ce moment il leur reprochait un tas de choses : la confusion qu'ils établissaient entre la Résistance et le parti, leur chauvinisme, la démagogie de leur propagande électorale, leurs indulgences éhontées et leurs sévérités arbitraires à l'égard des collabos. Mais les journaux de droite exploitaient complaisamment l'équivoque; beaucoup de lecteurs se plaignaient, Lambert demandait qu'on prît des mesures, la plupart des types du journal se sentaient mal à l'aise; Luc aussi. « Étiquette pour étiquette, dit-il quand Henri lui eut exposé la situation, il vaut encore mieux représenter le S. R. L. que de passer pour communistes. » C'était à peu près l'avis général. « Moi je ne crois ni au S. R. L. ni au P. C., c'est du pareil au même, dit Vincent. Décide à ton idée. »

« En somme, ils sont tous d'accord, conclut Henri quand il se retrouva seul dans son bureau. Ils ne voient aucune raison de refuser. » Son cœur se serra : il allait donc être obligé d'accepter. Le S. R. L. avait besoin d'un journal et il représentait une chance qu'on n'avait pas le droit de refuser. Le monde hésitait entre la guerre et la paix, l'avenir dépendait peut-être d'un impondérable : ça serait un crime de ne pas tout tenter en faveur de la paix. Henri regarda le bureau, le fauteuil, les murs, il écouta le ronron des rotatives et il lui sembla soudain

qu'il s'éveillait d'un long rêve de futilité. *L'Espoir*, il l'avait jusqu'ici
considéré comme une espèce de jouet : l'attirail complet du petit impri-
meur, grandeur nature, un joujou magnifique; et c'était un instrument,
une arme; on avait le droit de lui demander compte de l'usage qu'il
en faisait. Il marcha vers la fenêtre. Oh! il exagérait un peu : il n'était
pas tellement futile; l'euphorie de septembre s'était dissipée depuis
longtemps, il s'agitait beaucoup à propos de ce journal; mais tout de
même il pensait n'avoir de compte à rendre qu'à lui-même. Il se trom-
pait bien. « C'est drôle, se dit-il. Dès qu'on fait un truc convenable,
au lieu de vous conférer des droits, ça vous crée des devoirs. » Il avait
fondé *L'Espoir* et ça l'amenait à se jeter corps et âme dans la foire politique. Il imaginait déjà les intrusions de Samazelle, ses harangues, les
coups de téléphone de Dubreuilh, les colloques, les consultations, les
disputes, les transactions. Il s'était promis : « Je ne me laisserai pas
manger. » Eh bien, le sort en était jeté : il allait être mangé. Il sortit
de son bureau et descendit l'escalier. Sous le brouillard, la ville cette
nuit avait l'air d'une immense gare : il avait aimé le brouillard, les
gares. Maintenant il n'aimait plus rien : il s'était déjà laissé manger.
C'est pour ça que quand il essayait de parler de lui, il ne trouvait rien
à dire. « Tu tiens à des choses, dis-moi lesquelles. » Lesquelles? Il
n'aimait ni Paule ni Nadine; voyager ça ne le tentait guère; ça ne lui
arrivait plus jamais de lire pour son plaisir, ni de se promener ni
d'écouter de la musique; il ne faisait plus jamais rien pour son plaisir.
Jamais plus il ne tombait en arrêt au coin d'une rue, jamais il ne s'amusait d'un souvenir. Des gens à voir, des choses à faire : il vivait comme
un ingénieur dans un univers d'instruments; pas étonnant qu'il soit
devenu plus sec qu'un caillou. Il hâta le pas; ça lui faisait horreur, cette
sécheresse. Il s'était tant promis la nuit de Noël qu'il allait se retrouver : et il ne retrouvait rien. Par-dessus le marché, il était tout le temps
mal dans sa peau, tout le temps sur la défensive, tendu, irritable, irrité.
Il savait très bien que toutes ces corvées qu'il s'infligeait, il s'en acquit-
tait mal, ça ne lui rapportait que des remords. « Je n'en sais pas assez
long, je n'y vois pas clair, je prends parti à la légère, je n'ai pas le temps,
je n'aurai jamais le temps. » C'était excédant, ce refrain. Et il ne cesserait plus de l'entendre, tout allait être pire qu'avant, infiniment pire.
Mangé, dévoré, nettoyé jusqu'à l'os. Il ne serait plus question d'écrire.
Écrire, c'est un mode de vie, il allait en choisir un autre, et il n'aurait
plus rien à communiquer à personne. « Je ne veux pas », se dit-il
avec révolte. Non, ses répugnances n'étaient pas futiles; avec un peu
de pathétique il pouvait au contraire se dire qu'il y avait là pour lui
une question de vie ou de mort : sa vie ou sa mort d'écrivain étaient
en jeu : il fallait qu'il se défende. « Après tout, le S. R. L. ne tient pas
entre ses mains le sort de l'humanité, pensa-t-il. Ni moi entre les
miennes le sort du S. R. L. » Il se l'était dit souvent : « On se prend
beaucoup trop au sérieux. Pour de vrai nos actes ne pèsent pas lourd,
ce monde ne pèse pas lourd : il est fibreux, poreux, sans consistance. »
Les passants se hâtaient à travers la brume comme s'il avait été impor-

tant qu'ils arrivent un peu plus tôt ici ou là; pour finir, ils mourront tous et moi aussi : comme ça allège la vie. On ne peut rien contre la mort, alors on ne peut rien pour personne, on ne doit rien à personne : inutile de s'empoisonner l'existence. Qu'il fasse donc ce qu'il était capable de faire. Laisser tomber *L'Espoir* et le S. R. L., quitter Paris, s'installer dans un coin du Midi et se consacrer à écrire. « Récolter ce qu'on a semé », disait Lambert. Essayer d'être heureux sans attendre que tout le monde le soit. Pourquoi pas? Henri imaginait le mas solitaire, les pins, l'odeur du maquis. « Mais qu'est-ce que j'écrirai? » Il continua à marcher, la tête vide. « Le piège est bien fait, se dit-il. Au moment où on croit lui échapper, il se referme sur vous. » Récupérer le passé, sauver le présent avec des mots, c'est bien joli : mais ça ne peut se faire qu'en les racontant aux autres; ça n'a de sens que si le passé, si le présent, si la vie pèsent lourd. Si ce monde n'a pas d'importance, si les autres hommes ne comptent pas, à quoi bon écrire? Il ne reste qu'à bâiller d'ennui. La vie, ça ne se détaille pas, il faut la prendre en bloc, c'est tout ou rien : seulement on n'a pas le temps pour tout, voilà le drame. De nouveau la sarabande se déchaîna dans la tête d'Henri. Il tenait à ce journal; et ses soucis à propos de la guerre, de la paix, de la justice n'étaient pas des fariboles. Pas question de jeter tout ça par-dessus bord; et cependant il était un écrivain, il voulait écrire. Jusqu'ici il s'était débrouillé pour tout concilier tant bien que mal : plutôt mal. S'il cédait à Dubreuilh, il ne s'en tirerait plus. Alors que faire? céder? ne pas céder? Agir? écrire? Il rentra se coucher.

Au bout de quelques jours, Henri se sentait toujours aussi hésitant. « Oui ou non? » Ça finissait par le mettre de mauvaise humeur, cette obsession. Il s'en rendit compte quand il aperçut dans l'embrasure de la porte le visage souriant de Lachaume : « Tu peux m'accorder cinq minutes? »

Lachaume passait souvent au journal voir Vincent; et quand il s'amenait dans le bureau d'Henri il était toujours le bienvenu; mais cette fois Henri dit d'une voix trop sèche : « J'aimerais mieux demain; j'ai un article à finir.

— C'est que je voudrais te parler aujourd'hui », dit Lachaume sans se déconcerter. Il s'assit avec décision.

— Et de quoi donc?

Lachaume regarda Henri avec une espèce de sévérité :

— D'après ce que dit Vincent, il serait question que *L'Espoir* s'inféode au S. R. L.?

— Vincent est bien bavard, dit Henri. Il en est question tout à fait en l'air.

— Ah! j'aime mieux ça! dit Lachaume.

— Pourquoi donc? Qu'est-ce que ça peut te faire? dit Henri d'un ton un peu agressif.

— Ça serait une grave erreur, dit Lachaume.

— Qu'est-ce que ça aurait de grave? dit Henri.

— Je pensais bien que tu ne te rendais pas compte, dit Lachaume, c'est pour ça que j'ai voulu te prévenir. Sa voix se durcit : « Dans le parti, on considère que le S. R. L. est en train de devenir un mouvement anticommuniste. »

Henri se mit à rire : « En effet! je n'aurais jamais trouvé ça tout seul!

— Il n'y a pas de quoi rire! dit Lachaume.

— Tu as le rire difficile! » dit Henri. Il regarda Lachaume avec ironie : « Tu couvres *L'Espoir* de fleurs, un peu trop même pour mon goût; et Dubreuilh qui dit les mêmes choses que moi, il est contre vous! Qu'est-ce qui s'est passé? ajouta-t-il. Lafaurie était tout ce qu'il y a d'amical la semaine dernière.

— Un mouvement comme le S. R. L. est très équivoque, dit Lachaume de sa voix posée. D'une part, il attire des gens à gauche, c'est un fait; mais du moment où il s'annexe un journal, où il organise un meeting, alors c'est qu'il a l'intention de nous noyauter. Au début, le P. C. souhaitait une alliance : mais quand ils se déclarent contre nous, on est bien forcés d'être contre eux.

— Tu veux dire que si le S. R. L. avait été un petit groupe effacé, silencieux, travaillant docilement dans votre ombre, vous l'auriez toléré ou même encouragé? mais s'il se met à exister pour son compte, l'union sacrée ne joue plus?

— Je te répète qu'il cherche à nous noyauter, dit Lachaume; alors il n'y a plus d'union sacrée.

— Oui, c'est comme ça que vous raisonnez! dit Henri. Eh bien, un conseil en vaut un autre : ne commencez pas à attaquer le S. R. L. Vous ne ferez croire à personne que c'est un mouvement anticommuniste; et vous donnerez raison à tous ceux qui tiennent le Front National pour une mystification. C'est donc vrai que vous ne supportez pas l'existence d'une gauche en dehors de vous!

— Il n'est pas question pour l'instant d'attaquer publiquement le S. R. L., dit Lachaume; on l'a à l'œil, c'est tout. » Il regarda Henri d'un air grave : « Du jour où il disposera d'un journal, il deviendra dangereux; ne leur cède pas *L'Espoir*.

— Dis donc, c'est du chantage, dit Henri. S'il renonce à avoir un journal, le S. R. L. peut vivoter tranquille, c'est bien ça?

— Du chantage! dit Lachaume avec reproche. Si le S. R. L. se tient à sa place, on reste amis; sinon, non. C'est logique. »

Henri haussa les épaules : « Quand Scriassine m'affirmait qu'on ne peut pas travailler avec vous, je ne voulais pas le croire. Eh bien, il avait raison. On a le droit de vous obéir au doigt et à l'œil, rien de plus.

— Tu ne veux pas comprendre! » dit Lachaume. Il ajouta d'une voix pressante : « Pourquoi ne pas rester indépendant? c'était ta force.

— Si je marche avec le S. R. L., je dirai juste les mêmes choses qu'avant, dit Henri. Des choses que tu approuves.

— Mais tu les diras au nom d'une certaine faction et elles prendront un autre sens.

— Tandis que jusqu'ici on pouvait supposer que j'étais d'accord avec le P. C. sur toute la ligne? Ça vous arrangeait?

— C'est vrai que tu es d'accord, dit Lachaume avec ardeur. Si tu en as marre de jouer au franc-tireur, viens avec nous. Le S. R. L., de toute façon, c'est sans avenir : jamais ils n'auront le prolétariat. Au P. C. si tu parles, il y a des gens qui t'écoutent; là tu peux faire un vrai travail.

— Mais c'est un travail qui ne me plaît pas », dit Henri. Et il pensa avec irritation : « Ils m'ont bel et bien annexé. » Lachaume continuait à l'exhorter; il aurait dû se rendre compte que ça ne donnait pas envie de se rapprocher d'eux, ce genre d'histoire. Est-ce qu'il était venu prévenir Henri en ami, ou bien le manœuvrer? Sans doute les deux allaient ensemble, c'était ça le plus moche. Henri dit brusquement :

— Nous perdons notre temps et il faut que je finisse mon article.

Lachaume se leva : « Dis-toi bien que c'est l'intérêt de Dubreuilh d'avoir L'Espoir, mais ce n'est pas le tien.

— Compte sur moi pour défendre mes intérêts », dit Henri.

Ils se serrèrent la main plutôt froidement.

Dubreuilh avait été averti du revirement du P. C.; Lafaurie lui avait poliment enjoint de renoncer à l'idée d'un meeting. « Ils ont peur que nous ne prenions trop d'importance, dit Dubreuilh; ils essaient de nous intimider : mais si nous tenons bon, ils n'oseront pas nous attaquer, pas sérieusement. » Il était décidé à tenir bon et Henri était bien d'accord. Mais il fallait tout de même porter la question devant le comité : c'était une consultation de pure forme, le comité finissait toujours par se ranger à l'avis de Dubreuilh. « Que de temps perdu! » pensait Henri en écoutant le brouhaha des voix passionnées. Il regarda à travers la fenêtre le beau ciel bleu : « Je ferais bien mieux d'aller me promener! » se dit-il. La première journée de printemps; le premier printemps de paix : et il n'avait pas trouvé une minute pour en profiter. Le matin, il y avait eu la conférence avec les correspondants de guerre américains, et puis le conciliabule avec les Nord-Africains; il avait déjeuné d'un sandwich en parcourant les journaux et maintenant il était enfermé dans ce bureau. Il regarda les autres : pas un qui ait seulement envie d'ouvrir la fenêtre. La voix de Lenoir tremblait de passion et de timidité, il bégayait presque : « Si ce meeting doit apparaître comme hostile au parti communiste, je le considère comme néfaste.

— Il est néfaste s'il ne dénonce pas la tyrannie du P. C., dit Savière; c'est de cette lâcheté que la gauche est en train de mourir.

— Je ne crois pas être un lâche, dit Lenoir. Mais je veux avoir le droit de chanter avec mes camarades la nuit où ils allumeront des feux de joie.

— Voyons, nous sommes au fond tous d'accord, il ne s'agit que d'une question de tactique », dit Samazelle.

Dès qu'il prenait la parole, tout le monde se taisait, il n'y avait pas place pour une autre voix à côté de la sienne; elle était énorme et béate, quand il la faisait rouler dans sa bouche on aurait dit qu'il lampait du vin rouge. Il expliquait que le meeting constituait en soi une déclaration d'indépendance à l'égard du P. C. et qu'il convenait donc que le

contenu des discours fût neutre, voire amical. Il parlait si adroitement
que Savière pensa qu'il s'agissait d'une manœuvre destinée à assurer
la rupture avec les communistes tout en mettant les torts de leur côté,
tandis que Lenoir comprit qu'on maintenait l'alliance à tout prix.
« Mais à quoi sert cette habileté? se demanda Henri. Masquer nos
différends, ce n'est pas les surmonter. » Pour l'instant, Dubreuilh imposait facilement ses décisions. « Mais si la situation se tendait, par exemple
si les communistes nous attaquaient, quelles seraient les réactions de
chacun? » Lenoir était fasciné par les communistes; seuls ses goûts
littéraires et son amitié pour Dubreuilh le retenaient de s'inscrire.
Savière au contraire avait peine à maîtriser ses rancunes d'ancien militant socialiste. Samazelle, Henri ne savait pas trop ce qu'il pensait, il
se méfiait vaguement de lui. C'était le type achevé du politicien. A cause
de sa corpulence et de la chaleur rauque de sa voix, il avait l'air solidement enraciné dans la terre, on imaginait qu'il aimait avec vigueur les
gens, les choses; mais en vérité ils ne lui servaient qu'à alimenter son
impétueuse vitalité : c'est d'elle seule qu'il se grisait. Comme il aimait
parler! et à n'importe qui! Ça lui allait bien de dîner en ville! Quand
un homme attache plus d'importance au son de sa voix qu'au sens de
ses paroles, où est sa sincérité? Bruneau et Morin étaient sincères, mais
hésitants; tout juste ces intellectuels dont parlait Lachaume qui veulent
se sentir efficaces sans sacrifier leur individualisme : « Comme moi,
se dit Henri; comme Dubreuilh. Tant qu'on peut marcher avec les
communistes sans en être, ça va; mais si jamais ils décidaient de nous
excommunier, ça créerait un sacré problème. » Henri leva les yeux vers
le ciel bleu. Inutile de vouloir le résoudre aujourd'hui, on ne pouvait
pas même le poser concrètement : toutes les perspectives changeraient
si l'attitude du P. C. changeait. Ce qui était sûr, c'est qu'il fallait refuser de se laisser intimider; tout le monde en convenait et ces débats
étaient oiseux. « Pendant ce temps, il y a des types qui pêchent à la
ligne », se dit Henri. Il n'aimait pas la pêche, mais les pêcheurs l'aimaient, ils avaient bien de la chance.

Quand enfin le comité se fut prononcé à l'unanimité en faveur du
meeting, Samazelle s'approcha d'Henri :

— Il faut que ce meeting soit un succès! dit-il. Il y avait un vague
reproche dans sa voix.

— Oui, dit Henri.

— Pour ça, il faudrait que le rythme du recrutement s'accentue
considérablement, dit Samazelle.

— C'est souhaitable.

— Vous vous rendez compte que si nous avions un journal, nous
serions assurés d'une audience beaucoup plus large.

— Je sais, dit Henri.

Il examinait sans gaieté le solide visage au sourire abondant. « Si je
marche, c'est à lui que j'aurai affaire, au moins autant qu'à Dubreuilh »,
pensa-t-il. Samazelle était d'une infatigable activité.

— Il serait urgent de connaître votre réponse, dit Samazelle.

— J'ai prévenu Dubreuilh qu'il me fallait quelques jours de réflexion.

— Oui, il y a quelques jours de ça, dit Samazelle.

« Décidément, je ne l'aime pas », se répéta Henri. Et il se dit avec blâme : « Voilà bien une réaction d'individualiste! » Un allié, ce n'est pas nécessairement un ami : « D'ailleurs, qu'est-ce qu'un ami? » se demanda-t-il, en serrant la main de Dubreuilh. Amis : jusqu'à quel point? A quel prix? Si je ne cède pas, que deviendra cette amitié?

— Vous n'oubliez pas qu'il y a des manuscrits qui vous attendent à *Vigilance?* dit Dubreuilh.

— J'y passe tout de suite, dit Henri.

Il se serait volontiers intéressé davantage à cette revue, ça l'amusait d'aider Dubreuilh à rassembler des textes, à les choisir; mais c'était toujours le même refrain : il aurait fallu du temps pour lire avec soin les manuscrits, pour écrire aux auteurs, pour causer avec eux. Pas question; il devait se borner à feuilleter hâtivement des écrits anonymes. « Je bâcle tout », pensa-t-il en s'installant au volant de la petite auto noire. Cette belle journée aussi, il la bâclait. De jour en jour, on finit par bâcler sa vie.

— Tu es venu chercher ton courrier? dit Nadine. Elle lui tendit d'un air important une grosse enveloppe jaune; elle prenait très au sérieux son rôle de secrétaire : « Et voilà les Argus, si tu veux y jeter un coup d'œil.

— Un autre jour », dit Henri. Il examina avec compassion les liasses de papier empilées sur la table; des cahiers noirs, rouges, verts, des paquets de feuillets, mal ficelés, des registres : tant de manuscrits, et pour son auteur, chacun est unique...

— Donne-moi la liste de ceux que tu emportes, demanda Nadine en s'affairant parmi ses fiches.

— Je prends ce paquet, dit Henri. Et aussi ce machin-là; ça semble plutôt bon, dit-il en désignant un roman dont la première page lui avait plu.

— Le livre du petit Peulevey? Il a l'air gentil, ce rouquin, mais qu'est-ce qu'il peut écrire à cet âge-là? il n'a pas plus de vingt-deux ans. Elle posa sur le cahier une main impérieuse : « Laisse-le-moi. Je te l'apporterai ce soir.

— Je ne suis pas sûr du tout que ça soit bien...

— Je veux le regarder, dit Nadine. C'était sa seule passion cette curiosité gloutonne. « On se voit ce soir? ajouta-t-elle d'un ton méfiant.

— C'est entendu. A dix heures, au bistrot du coin.

— Tu ne viens pas chez Marconi avant? on fête la chute de Berlin, il y aura tous les copains.

— Je n'ai pas le temps.

— Il paraît que Marconi a des disques dernier cri; moi, je m'en balance, mais tu prétends que tu aimes le jazz.

— J'aime le jazz, mais j'ai à faire.

— Entre cinq heures et dix heures, tu ne peux pas trouver une minute?

— Non. A sept heures, je vais voir Tournelle qui m'a enfin donné un rendez-vous. »

Nadine haussa les épaules : « Il va te rire au nez!

— Je m'en doute. Mais je veux pouvoir écrire au pauvre das Viernas que je lui ai parlé de vive voix. »

Nadine acheva de dresser sa liste en silence :

— Bon, alors à ce soir, dit-elle en relevant la tête.

Henri lui sourit : « A ce soir. »

Il la retrouverait à dix heures; vers onze heures, ils monteraient ensemble dans le petit hôtel en face du journal : c'est elle qui avait insisté pour coucher de nouveau avec lui; c'était une consolation de penser que cette journée aride s'ouvrirait dans quelques heures sur une nuit tiède et rose. Henri s'assit de nouveau dans sa voiture et partit vers le journal. La nuit était loin encore, et l'après-midi allait s'achever sans joie. Entendre du jazz inédit, boire avec des camarades, sourire à des femmes, oui, il aurait bien aimé ça; mais ses minutes étaient comptées : au journal, il y avait déjà des gens qui comptaient ses minutes. Il aurait aimé arrêter l'auto le long du quai, s'accouder au parapet, regarder l'eau ensoleillée; ou bien filer vers les campagnes timides qui entourent Paris : il aurait aimé un tas de choses. Mais non. Cette année encore les vieilles pierres de Paris allaient reverdir sans lui. « Jamais de halte : rien n'existe que l'avenir et il recule indéfiniment. Et voilà ce qu'on appelle agir! » Discussions, conférences : aucune de ces heures n'avait été vécue pour elle-même. Maintenant il allait commencer son éditorial, voir Tournelle, et il aurait juste le temps avant dix heures d'achever son article et de descendre aux marbres. Il arrêta la voiture devant l'immeuble du journal; c'était encore une chance qu'on ait obtenu cette bagnole, sans elle, il n'aurait jamais pu venir à bout de tout ce qu'il avait à faire. Il ouvrit la portière et son regard effleura le tableau de bord. 2.327. Il relut le chiffre avec surprise. Il était sûr qu'hier soir le compteur marquait 2.102. Ils n'étaient que quatre à avoir la clef du garage : Lambert était en Allemagne, Luc avait passé sa matinée au journal, et pourquoi Vincent aurait-il fait 225 kilomètres entre minuit et midi? ça n'était pas le genre de type à promener une gueuse, il avait un goût trop exclusif pour les bordels. D'ailleurs où aurait-il trouvé l'essence? et puis il aurait prévenu, on prévenait toujours. Henri monta l'escalier et sur le seuil de son bureau il s'immobilisa. Cette histoire de kilométrage l'intriguait. Il marcha vers la salle de rédaction et posa sa main sur l'épaule de Vincent :

— Dis donc...

Vincent se retourna et sourit; Henri hésita. Ça n'était pas même un soupçon; mais tout à l'heure, en lisant l'entrefilet de *France-Soir*, au bas de la première page, il s'était rappelé un certain sourire de Vincent, au Bar Rouge; et maintenant Vincent souriait, et il repensait à cet entrefilet. Il laissa sa question en suspens et demanda : « Tu viens boire un verre?

— Ce n'est jamais de refus », dit Vincent.

Ils montèrent jusqu'au bar, et s'assirent devant un guéridon, près de la porte qui s'ouvrait sur la terrasse. Henri commanda deux vins blancs et il reprit : « Dis donc, c'est toi qui as pris la bagnole ce matin?

— La bagnole? non.

— C'est bizarre; il faut que quelqu'un d'autre que nous ait les clefs. Je l'ai rentrée hier soir à minuit et depuis quelqu'un a fait 225 kilomètres.

— Tu as dû te tromper dans les chiffres, dit Vincent.

— Non, je suis sûr que non; j'avais noté qu'on venait juste de dépasser 2.100. » Henri prit un temps : « Luc était ici ce matin. Si ce n'est pas toi qui as sorti la voiture, je me demande vraiment qui c'est. Il faut que je tire ça au clair.

— Qu'est-ce que ça peut te faire? » dit Vincent. Il y avait quelque chose d'insistant dans sa voix et Henri le dévisagea un instant en silence :

— Je n'aime pas les mystères, dit-il.

— C'est un bien petit mystère!

— Crois-tu?

De nouveau il y eut un silence et Henri demanda :

— C'est toi qui l'as prise?

Vincent sourit : « Écoute, je vais te demander un service. Oublie cette histoire; oublie-la à fond. La bagnole n'est pas sortie depuis hier soir, c'est tout. »

Henri vida son verre; 225 kilomètres; Attichy est à 100 kilomètres de Paris environ. L'entrefilet de *France-Soir* rapportait que le docteur Baumal, suspect d'avoir travaillé avec la Gestapo et qui venait de bénéficier d'un non-lieu, avait été trouvé à l'aube assassiné dans sa maison d'Attichy. Henri examina de nouveau Vincent. Ça sentait le roman-feuilleton, cette histoire; et Vincent souriait, en chair et en os, il était bien réel. Henri se leva. A Attichy il y avait un cadavre bien réel, et les meurtriers se trouvaient quelque part, en chair et en os.

— On serait mieux sur la terrasse pour causer, dit-il.

— Oui, c'est une belle journée, dit Vincent en s'avançant vers le parapet par-dessus lequel on apercevait le miroitement des toits de Paris.

— Où étais-tu cette nuit? dit Henri.

— Tu tiens à le savoir? dit Vincent.

Il souriait à ses pensées. Henri dit brusquement :

— Tu étais à Attichy.

Le visage de Vincent changea; il regarda ses mains; elles ne tremblaient pas. Il leva vivement les yeux sur Henri :

— Qu'est-ce qui te fait dire ça?

— C'est trop clair, dit Henri.

En fait, il avait jeté des mots sans y croire; et soudain c'était vrai. Vincent faisait partie d'un de ces gangs; cette nuit, il était à Attichy.

— C'est si clair que ça? dit Vincent d'une voix dépitée. Il était désolé de s'être laissé si facilement percer à jour, et tout le reste semblait lui être parfaitement indifférent.

Henri le saisit par l'épaule : « Tu n'as pas l'air de te rendre compte : c'est moche ce genre d'histoires, c'est parfaitement moche.

— Le docteur Baumal, dit Vincent d'une voix tranquille, c'est lui qu'on appelait rue de la Pompe pour s'occuper des gars qui étaient tombés dans les pommes; il les ranimait, et on recommençait à leur tortiller les doigts de pied. Il a fait ce boulot pendant deux ans. »

Henri serra plus fort l'épaule osseuse : « Oui, c'était un beau salaud. Et alors? à quoi ça avance, un salaud de moins sur terre? Descendre des collabos en 43, bien d'accord. Mais maintenant, ça ne sert à rien, c'est quasi sans risque, ça n'est ni de l'action, ni du travail, ni même du sport : juste un petit jeu malsain. Il y a tout de même mieux à faire.

— Tu reconnais que l'épuration est une comédie dégueulasse, dit Vincent.

— Ça aussi, c'est une comédie, également dégueulasse, dit Henri. Tu veux que je te dise? ajouta-t-il d'une voix irritée. Ça vous crève le cœur que l'aventure soit finie, vous faites semblant de la prolonger. Mais bon Dieu! ce n'était pas l'aventure qui comptait : c'était les trucs qu'on défendait.

— On défend toujours les mêmes choses », dit Vincent de sa voix tranquille. On aurait cru qu'il discutait un problème de casuistique tout à fait abstrait : « Tu sais, reprit-il, ces petits faits divers sont bien utiles pour rafraîchir la mémoire des gens. Ils en ont salement besoin. Tiens : la semaine dernière j'ai croisé Lambert qui se promenait avec son père : il y a une indiscrète pointe d'abus, non?

— Je lui ai conseillé de le revoir s'il en avait envie, dit Henri. Ça ne regarde que lui. Rafraîchir la mémoire des gens! reprit-il en haussant les épaules. Il faut être cinglé pour croire que ça changera rien à rien.

— Qui change quelque chose, à quoi? dit Vincent d'un ton ironique.

— Tu sais pourquoi on est en panne? dit Henri avec colère. Parce qu'on n'est pas assez nombreux. C'est ta faute à toi, à tes copains, à tous les gars qui s'amusent à des conneries au lieu de faire du vrai travail.

— Tu veux que je m'inscrive au S. R. L.? dit Vincent d'une voix ironique.

— Ça vaudrait drôlement mieux! dit Henri. Enfin, rends-toi compte : à quoi ça rime, de faire des cartons sur de vagues salauds dont tout le monde se fout? La droite ne s'en porte pas plus mal. »

Vincent lui coupa la parole : « Lachaume dit que le S. R. L. sert la réaction et Dubreuilh que le P. C. trahit le prolétariat : va donc t'y reconnaître! » Il marcha délibérément vers la porte-fenêtre : « Oublie cette histoire. Je te promets que je ne me servirai plus de l'auto, ajouta-t-il avec un sourire.

— Je me fous de l'auto », dit Henri.

Vincent coupa court : « Ne t'occupe pas du reste. » Ils traversèrent le bar et Vincent demanda :

— Tu viens chez Marconi, tout à l'heure?

— Non. J'ai trop de travail.

— Dommage! pour une fois qu'on peut se réjouir tous ensemble d'une même chose! On aurait bien aimé t'avoir!

— J'aurais aimé aussi.

Ils descendirent l'escalier en silence; Henri aurait voulu ajouter quelque chose, un argument convaincant : il ne trouvait rien. Il se sentait très déprimé. Vincent avait douze macchabées derrière lui, il essayait de les oublier en continuant à tuer; et entre-temps, il se saoulait beaucoup : il allait se saouler ferme chez Marconi. On ne pouvait pas le laisser continuer comme ça. Mais comment l'en empêcher? « Il y a quelque chose de pourri quelque part », se dit Henri. Tant de choses à faire! Et tant de types qui ne savaient que faire! Ça aurait dû coller : et puis ça ne collait pas. « Je vais l'envoyer faire un long reportage, très loin », décida-t-il. Mais ce n'était qu'une solution provisoire. Il aurait fallu avoir quelque chose de solide à offrir à Vincent. Si le S. R. L. avait mieux marché, s'il avait vraiment représenté un espoir, Henri aurait pu lui dire : « Nous avons besoin de toi. » Pour l'instant, on était loin de compte.

Quand Henri s'amena au Quai d'Orsay deux heures plus tard, il était morose. Il n'avait que trop prévu l'accueil aimable de Tournelle, son sourire circonspect.

— Dis à ton ami das Viernas que sa lettre sera prise en considération, mais conseille-lui la patience, dit Tournelle. Je me charge de faire parvenir ta réponse par la valise, ajouta-t-il, tu n'auras qu'à la remettre à ma secrétaire; mais sois tout de même très prudent.

— Bien sûr; le pauvre vieux est déjà bien assez suspect! Henri regarda Tournelle avec un peu de reproche : « Ce sont des rêveurs, ils ne se rendent pas compte des choses; mais ils ont tout de même bien raison de vouloir flanquer Salazar en l'air.

— Évidemment qu'ils ont raison! dit Tournelle; il y avait une espèce de rancune dans sa voix et Henri le dévisagea avec plus d'attention.

— Alors, tu ne trouves pas qu'on devrait essayer de les aider d'une manière ou d'une autre? dit-il.

— Quelle manière?

— Moi je ne sais pas : c'est ton rayon. »

Tournelle haussa les épaules : « Tu connais la situation aussi bien que moi. Comment veux-tu que la France fasse quelque chose pour le Portugal ou pour qui que ce soit, quand elle ne peut rien pour elle-même! »

Henri regarda avec inquiétude le visage irrité. Tournelle avait été un des premiers à organiser la Résistance, il n'avait jamais douté de la victoire : ça ne lui ressemblait pas, cet aveu de défaite.

— Nous avons tout de même un peu de crédit, dit Henri.

— Tu crois ça? Tu es de ces gens qui se sentent fiers parce que la France est invitée à San Francisco? Qu'est-ce que tu t'imagines? La vérité c'est que nous ne comptons plus.

— Nous ne pesons pas lourd, soit, dit Henri. Mais enfin nous pouvons parler, défendre des points de vue, exercer des pressions...

— Je me rappelle, dit Tournelle d'un ton amer. On voulait sauver l'honneur pour que la France puisse parler aux Alliés la tête haute; il y a des types qui se sont fait bousiller pour ça : c'est bien du sang perdu!

— Tu ne vas pas me dire qu'il ne fallait pas résister, dit Henri.

— Je ne sais pas. Tout ce que je sais c'est que ça ne nous a pas avancés à grand-chose! Tournelle mit la main sur l'épaule d'Henri : « Ne va pas répéter ce que je te dis là!

— Bien sûr que non! » dit Henri.

Tournelle ramena sur ses lèvres un sourire mondain :

— Je suis content d'avoir eu cette occasion de te revoir!

— Moi aussi, dit Henri.

Il enfila d'un pas rapide les corridors et traversa la cour. Il avait le cœur serré. « Pauvre das Viernas. Pauvres vieux bonshommes! » Il revoyait leurs cols durs, leurs melons, cette colère raisonnable dans leurs yeux; ils disaient : « La France est notre seul espoir »; il n'y avait pas d'espoir, nulle part, pas plus en France qu'ailleurs. Il traversa la chaussée et s'accouda au parapet du quai. Du Portugal, la France gardait encore l'éclat têtu des étoiles mortes, et Henri s'y était laissé prendre. Soudain, il découvrait qu'il habitait la capitale moribonde d'un tout petit pays. La Seine coulait dans son lit, la Madeleine, la Chambre des députés étaient à leur place, l'obélisque aussi : on aurait pu croire que la guerre avait miraculeusement épargné Paris. « Nous voulions le croire », pensa Henri en engageant la voiture sur le boulevard Saint-Germain où fleurissaient fidèlement les marronniers; ils s'étaient tous laissé complaisamment duper par ces maisons, ces arbres, ces bancs qui imitaient si exactement le passé; mais en vérité, elle avait été anéantie, l'orgueilleuse Cité dressée sur le cœur du monde. Henri n'était plus que le citoyen négligeable d'une puissance de cinquième ordre; et *L'Espoir*, une gazette locale, dans le genre du *Petit Limousin*. Il monta d'un pas morne l'escalier du journal. « La France ne peut rien. » Renseigner, indigner, passionner des gens qui ne peuvent rien, à quoi ça mène-t-il? Ce reportage sur le Portugal, Henri l'avait soigné comme s'il avait dû soulever l'opinion d'un pôle à l'autre. Et Washington s'en foutait bien, et le Quai d'Orsay n'y pouvait rien. Il s'assit à son bureau et relut le début de son article : à quoi bon? Les gens le liraient, ils hocheraient la tête, ils jetteraient le journal dans la corbeille à papier, et fini! Quelle importance ça avait-il que *L'Espoir* restât ou non indépendant, qu'il eût plus ou moins de lecteurs, ou même qu'il fît faillite? « Ça ne vaut pas la peine de m'entêter! » pensa Henri brusquement. Dubreuilh et Samazelle croyaient pouvoir l'utiliser, ce journal; ils croyaient aussi que la France aurait encore un rôle à jouer si elle ne restait pas isolée : tous les espoirs étaient de leur côté; en face, rien que du vide. « Alors? Pourquoi ne pas téléphoner que j'accepte? » se dit Henri; il regarda un long moment l'appareil, sur son bureau; mais sa main ne se décidait pas. Il se remit à son article.

— Allô, Henri? c'est Nadine. Il y avait un frémissement hagard dans sa voix : « Tu ne m'as pas oubliée? »

Il regarda sa montre avec surprise : « Mais non, j'allais descendre, il n'est pas plus de dix heures un quart, non?

— Dix heures dix-sept.

— Eh bien, j'avais du travail. »

Il raccrocha avec impatience. Pour ça, elle avait le don : elle s'arrangeait toujours pour gâcher leurs rencontres. Pendant cette journée aride, il avait souvent pensé à ce moment où il serrerait dans ses bras son corps lisse et frais; alors il aurait enfin sa part de printemps. Et voilà que d'un seul coup la rancune submergeait son désir. « Encore une qui se croit des droits sur moi? se disait-il en descendant l'escalier. Ça suffit de Paule... » Il poussa la porte du petit café; Nadine lisait d'un air posé en buvant une eau minérale.

— Alors? tu ne peux pas attendre vingt minutes?

Elle leva la tête : « Excuse-moi. Je ne voulais pas te bousculer. Mais c'est plus fort que moi. Dès que je commence à attendre, il me semble que je ne reverrai plus jamais la personne que j'attends.

— On ne disparaît pas comme ça.

— Tu crois? »

Il détourna la tête avec un peu de honte; il se rappelait soudain qu'elle avait dix-huit ans et de lourds souvenirs.

— Tu as commandé quelque chose?

— Oui, ils ont des beefsteaks ce soir. Elle ajouta avec un sourire conciliant : « Tu as aussi bien fait de ne pas venir chez Marconi, ce n'était pas drôle.

— Vincent s'est saoulé?

— Comment le sais-tu?

— Il se saoule toujours. Tu devrais bien essayer de le convertir.

— Oh, Vincent! il a tous les droits, dit Nadine d'une voix rêveuse. Il est si différent des autres : c'est un archange... »

Elle fixa son regard sur Henri : « Alors? tu as vu Tournelle?

— Je l'ai vu. Il dit qu'on ne peut rien faire.

— Je savais bien qu'on se cassait le cul pour rien, dit Nadine.

— Mais je le savais aussi, dit-il.

— Alors ce n'était vraiment pas la peine! » dit Nadine. Son visage était de nouveau boudeur; elle tendit à Henri le cahier noir : « Je t'ai apporté le manuscrit.

— Qu'est-ce que ça vaut?

— Il raconte des trucs sur l'Indochine qui sont très amusants, dit Nadine d'une voix impartiale.

— Tu penses qu'on peut en passer des morceaux dans la revue?

— Oh! sûrement; moi, je passerais même tout. » Elle regarda le manuscrit avec une espèce de rancune : « Il ne faut pas avoir de pudeur pour oser parler de soi comme ça; je ne pourrais jamais. »

Henri lui sourit : « Tu n'as jamais envie d'écrire?

— Jamais, dit Nadine avec emphase. D'abord je ne comprends pas qu'on écrive quand on n'a pas de génie.

— Quelquefois j'ai l'impression qu'écrire ça t'aiderait », dit Henri.

Le visage de Nadine se durcit :

— Ça m'aiderait? A quoi?

— A te débrouiller dans la vie.

— Je me débrouille très bien, merci, dit-elle en attaquant son beef-steak. Vous êtes marrants, ajouta-t-elle, pire que des drogués.

— Pourquoi des drogués?

— Les drogués veulent droguer tout le monde; vous voulez que tout le monde écrive.

Henri ouvrit le manuscrit et de nouveau les phrases dactylographiées résonnèrent en lui avec un bruit clair, sec et gai comme une pluie de petits cailloux.

— Pour un garçon de vingt-deux ans, c'est vraiment bien, dit-il.

— Oui, c'est bien, dit-elle; elle haussa les épaules. Comment peux-tu t'exciter à propos d'un type que tu ne connais même pas?

— Je ne m'excite pas; je constate qu'il a du talent.

— Et alors? Il n'y a pas assez d'écrivains de talent sur cette terre? Explique-moi, reprit-elle d'un air buté; quel besoin avez-vous, papa et toi, de découvrir des chefs-d'œuvre en herbe?

— Si on écrit, c'est qu'on croit à la littérature, dit Henri. Ça fait plaisir qu'elle s'enrichisse d'un bon livre.

— Tu veux dire que ça rejaillit sur vos propres activités et que ça les justifie?

— D'une certaine manière, oui.

— C'est ce que je pensais, dit-elle d'une voix satisfaite. L'intérêt que vous portez aux jeunes, au fond c'est de l'égoïsme.

— Oh! quel cynisme à bon marché!

— Ce n'est pas toujours par égoïsme qu'on agit?

— Disons qu'en tout cas il y a des formes d'égoïsme plus ou moins agréables pour autrui.

Il ne voulait surtout pas discuter; elle était en train de se gratter les dents avec un bout d'allumette et il se sentait franchement agacé. Elle laissa tomber l'allumette sur le carreau : « Toi aussi tu penses que j'ai eu tort de prendre ce secrétariat?

— Pourquoi me demandes-tu ça? tu t'en tires très bien.

— Ce n'est pas dans l'intérêt du secrétariat que je parle, mais dans le mien. J'ai eu raison ou tort? »

A vrai dire, il n'en pensait pas grand-chose; malgré tout son cynisme, Nadine aurait été étonnée si elle avait su à quel point ses problèmes le laissaient indifférent.

— Évidemment, tu aurais pu continuer tes études, dit-il du bout des lèvres.

— Je voulais être indépendante.

Travailler à la revue de son père, c'était une drôle d'indépendance; en vérité, elle s'appliquait à mépriser ses parents, voire à les haïr, mais elle n'aurait pas supporté que leur vie ne fût pas la sienne : elle avait besoin de les narguer sur place. Il dit mollement : « Tu es le meilleur juge.

— Alors, tu trouves que j'ai eu raison?

— Tu as raison de faire ce qui te plaît. » Il répondait à contrecœur, parce qu'il savait que Nadine adorait parler d'elle mais que tout jugement, fût-il bienveillant, la blessait. A vrai dire, il n'y avait rien ce soir dont il eût envie de parler; tout ce qu'il souhaitait, c'était de se mettre au lit avec elle.

— Tu sais ce que tu ferais si tu étais gentille?

— Quoi?

— Tu traverserais la rue avec moi.

Le visage de Nadine se rembrunit : « Quand tu me vois, ça n'est que pour ça, dit-elle avec dépit.

— Je ne pensais pas t'insulter. »

Elle dit plaintivement : « Je voulais causer.

— Eh bien causons! Tu veux un cognac?

— Tu sais bien que non.

— Toujours aussi sobre qu'une enfant de Marie. Pas de cigarette non plus?

— Non. »

Il commanda un cognac, alluma une cigarette :

— De quoi voulais-tu causer?

Sa voix n'était pas aimable; mais Nadine ne se laissa pas déconcerter :

— J'ai envie de m'inscrire au P. C.

— Inscris-toi.

— Mais qu'est-ce que tu en dis?

— Il n'y a rien à dire, dit-il vivement. A toi de savoir ce que tu veux faire.

— Mais j'hésite, ça n'est pas si simple; c'est pour ça que je voudrais qu'on en cause.

— Les discussions ne convainquent jamais personne.

— Avec d'autres gens, tu discutes, dit Nadine dont la voix brusquement s'aigrit. Avec moi, tu ne veux jamais; je suppose que c'est parce que je suis une femme; les femmes, c'est tout juste bon à se faire baiser.

— Je passe mes journées à palabrer, dit-il. Si tu savais comme on finit par en avoir marre.

Le fait est qu'avec Lambert ou Vincent, il ne se serait pas dérobé; Nadine avait besoin de secours autant qu'eux; mais il avait appris à ses dépens que venir en aide à une femme, c'était toujours lui concéder un droit; du moindre don, elles faisaient une promesse; il se tenait sur la défensive.

— Ce que je pense, c'est que si tu entres au parti tu n'y resteras pas longtemps, dit-il avec effort.

— Oh! tu sais, vos scrupules d'intellectuels, c'est pas ça qui me dévore. Ce qui est sûr, dit-elle passionnément, c'est que si j'avais été inscrite, je n'aurais pas eu de tels remords quand on voyait au Portugal ces mômes qui crevaient de faim.

Il garda le silence; oui, se débarrasser une bonne fois de tous les remords, c'est bien tentant; mais si on ne s'inscrit que pour ça, on manque sûrement son coup.

— A quoi penses-tu? dit Nadine.

— Je pensais que si tu as envie de t'inscrire, il faut le faire.

— Mais toi, tu aimes mieux rester au S. R. L. que d'entrer au P. C.?

— Pourquoi est-ce que j'aurais changé d'avis? dit Henri.

— Alors, tu penses qu'être communiste, c'est bon pour moi et pas pour toi?

— Il y a un tas de choses que je n'encaisse pas chez eux : si toi tu les encaisses, vas-y.

— Tu vois, tu ne veux pas discuter! dit-elle.

— Je discute.

— Du bout des lèvres. Tu as l'air de tellement t'ennuyer avec moi! ajouta-t-elle avec reproche.

— Mais non, je ne m'ennuie pas. Mais ce soir je suis vraiment abruti.

— Tu es toujours abruti quand tu me vois.

— Parce que je te vois le soir; tu sais bien que je n'ai pas d'autre moment libre.

Il y eut un court silence et elle dit : « Écoute, je vais te demander quelque chose; mais naturellement tu refuseras...

— Quoi?

— Ton prochain week-end, passe-le avec moi.

— Mais je ne peux pas », dit-il. De nouveau la rancune lui monta à la gorge; elle lui refusait ce corps dont il avait envie, et elle exigeait du temps, de l'attention... « Tu sais bien que je ne peux pas.

— A cause de Paule?

— Exactement.

— Comment un homme peut-il accepter de rester toute sa vie l'esclave d'une femme qu'il n'aime plus?

— Je ne t'ai jamais dit que je ne tenais pas à Paule.

— Tu as pitié d'elle et tu as des remords; toutes ces cuisines sentimentales, c'est tellement dégueulasse. Quand on n'a plus de plaisir à voir les gens, on laisse tomber, c'est tout.

— En ce cas il ne faut jamais rien demander à personne, dit-il en la regardant avec insolence. Et surtout ne pas s'indigner si on vous répond : non.

— Je ne me serais pas indignée si tu m'avais dit franchement : Je n'ai pas envie de passer ce week-end avec toi, au lieu de me parler de tes devoirs. »

Henri eut un petit rire. « Non, pensa-t-il, cette fois je ne me laisserai pas prendre au coup de la franchise : elle réclame la vérité, elle l'aura. » Il dit tout haut : « Admettons que je te le dise franchement?

— Tu n'auras pas à me le dire deux fois. »

Elle prit sur la table son sac et le ferma d'un coup sec. « Je ne suis pas le genre sangsue, dit-elle, je ne m'accroche pas; et d'ailleurs, sois bien tranquille : je ne t'aime pas. » Elle le dévisagea un instant en silence :

« Comment peut-on aimer un intellectuel! Vous avez une balance à
la place du cœur et une petite cervelle au bout de la queue. Et au fond,
conclut-elle, vous êtes tous des fascistes.

— Je ne te suis pas.

— Vous ne traitez jamais les gens à égalité, vous disposez d'eux selon
la petite jugeote de votre conscience; votre générosité, c'est de l'impérialisme, et votre impartialité de la suffisance. »

Elle parlait sans colère, rêveusement; elle se leva et elle eut un petit
rire appliqué :

— Oh! ne prends pas cet air souffreteux. Ça t'emmerde de me voir,
et au fond ça ne m'amuse plus beaucoup : il n'y a pas de drame; on
se causera quand on se rencontrera. Sans rancune.

Elle disparut dans la nuit de la rue, et Henri demanda l'addition.
Il n'était pas content de lui. « Pourquoi ai-je été si vache avec elle? »
Elle l'agaçait, mais il l'aimait bien. « Je m'agace trop souvent, se dit-il.
Tout m'agace : il y a quelque chose qui ne tourne pas rond. » Il vida
son verre de vin. Pas étonnant : il passait ses journées à faire des choses
qu'il n'avait pas envie de faire, il vivait du matin au soir à contrecœur.
« Comment en suis-je venu là? » A première vue, ça ne semblait pas
tellement ambitieux ce qu'il s'était proposé au lendemain de la Libération : retrouver sa vie d'avant-guerre, et l'enrichir de quelques activités neuves; il croyait qu'il pourrait diriger *L'Espoir* et travailler au
S. R. L. sans cesser pour ça d'écrire ni d'être heureux : il ne pouvait
pas. Pourquoi? Ce n'était pas une question de temps; s'il y avait vraiment tenu, il se serait débrouillé cet après-midi pour flâner dans les
rues ou pour aller chez Marconi. Et juste maintenant, il avait du temps
pour travailler, il pouvait demander du papier au garçon, mais cette
idée lui soulevait le cœur. « Drôle de métier! » disait Nadine. Elle avait
raison. Les Russes étaient en train de saccager Berlin, la guerre s'achevait ou une autre commençait : comment pouvait-on s'amuser à raconter des histoires qui ne sont jamais arrivées. Il haussa les épaules : ça
aussi c'est le genre de prétexte qu'on se donne quand le travail ne marche
pas. La guerre menaçait, la guerre avait éclaté, et il s'amusait encore à
raconter des histoires : pourquoi pas maintenant? Il sortit du café. Il
se rappelait une autre nuit, une nuit de brouillard, où il s'était prédit
que la politique allait le manger : ça y était, il était mangé. Mais pourquoi
ne s'était-il pas mieux défendu? D'où venait cette sécheresse intérieure
qui le paralysait? Pourquoi ce garçon dont il tenait le manuscrit entre
les mains trouvait-il des choses à dire, et lui pas? Il avait eu vingt-deux
ans et des choses à dire, il marchait dans ces rues en rêvant à son livre :
le livre... Il ralentit le pas. Ce n'était plus les mêmes rues. Autrefois,
elles étaient éblouissantes de lumière et elles sillonnaient la capitale du
monde; aujourd'hui, la lueur d'un réverbère perçait de loin en loin la
nuit et on remarquait alors combien la chaussée était étroite et les
maisons décrépies. La Ville Lumière s'était éteinte. Si un jour elle brillait de nouveau, la splendeur de Paris serait celle des capitales déchues :
Venise, Prague, Bruges la Morte. Pas les mêmes rues, pas la même ville,

pas le même monde. Henri s'était promis la nuit de Noël de dire avec
des mots les douceurs de la paix : mais cette paix était sans douceur.
Les rues étaient maussades, la chair de Nadine morose; ce printemps
n'avait rien à lui offrir : le ciel bleu, les bourgeons obéissaient à la routine des saisons, ils étaient sans promesse. « Dire le goût de ma vie. »
Elle n'avait plus de goût parce que les choses n'avaient plus de sens.
Et voilà pourquoi écrire n'avait plus de sens. Là encore Nadine avait
raison : les petites lumières le long du Tage, on ne peut pas se plaire
à les décrire quand on sait qu'elles éclairent une ville qui crève de faim.
Et les gens qui crèvent de faim ne sont pas un prétexte à phrases. Le
passé n'avait été que mirage : le mirage dissipé, que restait-il? Du malheur, des dangers, des tâches incertaines, un chaos. Henri avait perdu
un monde : on ne lui rendait rien en échange. Il n'était nulle part, il
ne possédait rien, il n'était rien : il ne pouvait parler de rien. « Eh bien,
je n'ai qu'à me taire, pensa-t-il. Si j'en prends vraiment mon parti, je
cesserai d'être écartelé. Je ferai peut-être de meilleur cœur les corvées
que je suis obligé de faire. » Il s'arrêta devant le Bar Rouge; à travers
la vitre, il aperçut Julien assis solitairement sur un tabouret. Il poussa
la porte et il entendit qu'on chuchotait son nom. La veille encore il
en aurait été touché; mais tandis qu'il se frayait un chemin à travers la
cohue indigène, il s'en voulut de s'être laissé duper par un piètre mirage :
être un grand écrivain au Guatemala ou au Honduras, quel dérisoire
triomphe! Jadis il croyait habiter un lieu privilégié du monde d'où
chaque mot se propageait à travers la terre entière; mais à présent, il
savait que toutes ses paroles mouraient à ses pieds.

— Trop tard! dit Julien.
— Pourquoi trop tard?
— Le cassage de gueule, tu l'as manqué. Oh! rien de fameux, ajouta-
t-il. Ils ne savent même plus se casser la gueule proprement.
— A propos de quoi?
— Un type a appelé Pétain « le maréchal », dit Julien d'une voix
incertaine. Il tira de sa poche un flacon plat : « Tu veux du vrai scotch?
— Je veux.
— Mademoiselle, un autre verre et un autre soda, je vous prie »,
dit Julien. Il remplit à mi-hauteur le verre d'Henri.
— Fameux! dit Henri; il avala une large rasade : « J'avais besoin
d'un petit remontant : j'ai eu une journée si bien remplie, c'est fou!
tu n'as pas remarqué comme on se sent vide après une journée bien
remplie?
— Les journées sont toujours remplies, il n'y manque jamais une
heure : les bouteilles, c'est différent malheureusement. »
Julien toucha le cahier qu'Henri avait posé sur le comptoir :
« Qu'est-ce que c'est que ça? des documents secrets?
— Un roman de jeune homme.
— Dis à ton jeune homme d'en faire des papillotes pour sa petite
sœur; qu'il se mette bibliothécaire, comme moi, c'est un métier ravissant, et puis c'est plus sain. Tu as remarqué : si tu as vendu du beurre

ou des canons aux Boches, on te pardonne, on t'embrasse, on te décore; mais si tu as écrit un mot de trop ici ou là, alors : en joue! feu! Tu devrais faire un articulet là-dessus.

— J'y pense.

— Tu penses à tout, hein? » Julien vida le flacon de scotch dans les verres. « Dire que tu peux remplir des colonnes et des colonnes pour réclamer des nationalisations! Travail et justice : tu crois que ça sera marrant? et la nationalisation des bites, c'est pour quand? » Il leva son verre : « Aux massacres de Berlin!

— Les massacres?

— Qu'est-ce que tu crois qu'ils font à Berlin cette nuit, les bons Cosaques? massacres et viols! Tu parles d'un foutoir. C'est la victoire, quoi! notre victoire. Tu ne te sens pas fier?

— Ah! tu ne vas pas me faire chier toi aussi avec la politique.

— Ah! non. Merde pour la politique! dit Julien.

— Si tu veux dire que ce monde n'est pas très drôle, dit Henri, je pense comme toi.

— Moi aussi. Regarde-moi ce bouge : ça s'appelle un bar. Même les ivrognes ne parlent que de relever la France. Et les femmes! pas une femme gaie dans le quartier, rien que des bouleversantes. »

Julien descendit de son tabouret : « Tiens! viens donc à Montparnasse avec moi. Là-bas du moins on trouve des jeunes filles charmantes; peut-être pas de vraies, vraies jeunes filles, mais bien complaisantes et pas bouleversantes pour deux sous. »

Henri secoua la tête : « Je rentre me coucher.

— Tu n'es pas drôle non plus, dit Julien avec dégoût. Non; pour une après-guerre, ça n'est vraiment pas réussi!

— Ça n'est pas réussi! » dit Henri. Il suivit des yeux Julien qui marchait avec dignité vers la porte; lui non plus, il n'était pas drôle, il tournait plutôt à l'aigre. Mais somme toute, pourquoi ça serait-il spécialement drôle, l'après-guerre? Oui, sous l'occupation, elle était bien belle : vieille histoire. Assez fredonné la chanson des lendemains; demain, c'était devenu aujourd'hui, ça ne chantait plus. Pour de vrai, Paris avait été détruit et tout le monde était mort à la guerre. « Moi aussi », se dit Henri. Et après? ce n'est pas gênant d'être mort si on renonce à faire semblant de vivre. Fini d'écrire, fini de vivre. Une seule consigne : agir. Agir en équipe, sans s'occuper de soi, semer, encore semer, ne jamais récolter. Agir, s'unir, servir, obéir à Dubreuilh, sourire à Samazelle. Il téléphonerait : « Le journal est à vous. » Servir, s'unir, agir. Il commanda un double cognac.

CHAPITRE IV

Survivre, habiter de l'autre côté de sa vie : après tout, c'est très confortable; on n'attend plus rien, on ne craint plus rien, et toutes les heures ressemblent à des souvenirs. C'est ce que j'ai découvert pendant l'absence de Nadine : quel repos! Les portes de l'appartement ne claquaient plus, je pouvais causer avec Robert sans frustrer personne et veiller tard la nuit sans qu'on frappe à ma porte; j'en profitais. J'aimais surprendre le passé au fond de chaque instant. Il suffisait d'une minute d'insomnie : la fenêtre ouverte sur trois étoiles ressuscitait tous les hivers, les campagnes gelées, Noël; dans le bruit des poubelles remuées, tous les matins de Paris s'éveillaient depuis mon enfance. C'était toujours le même vieux silence dans le bureau de Robert tandis qu'il écrivait, les yeux rougis, sourd, insensible; et comme il m'était familier le murmure de ces voix agitées! Ils avaient des visages nouveaux, ils s'appelaient aujourd'hui Lenoir, Samazelle; mais l'odeur du tabac gris, ces voix violentes, ces rires conciliants, je les reconnaissais. Le soir, j'écoutais les récits de Robert, je regardais nos bibelots immuables, nos livres, nos tableaux et je me disais que la mort était peut-être plus clémente que je ne l'avais soupçonné.

Seulement, il avait fallu me barricader dans ma tombe. Voilà que dans les rues mouillées on croisait des hommes en pyjamas rayés : les premiers déportés qui rentraient. Sur les murs, dans les journaux, des photographies nous révélaient que pendant toutes ces années nous n'avions pas même pressenti ce que signifiait le mot « horreur »; de nouveaux morts venaient grossir la foule des morts que nos vies trahissaient; et dans mon cabinet je voyais apparaître des survivants qui, eux, ne pouvaient pas se reposer dans le passé. « Je voudrais tant dormir une nuit sans me souvenir », suppliait cette grande fille aux joues encore fraîches, mais dont les cheveux étaient blancs. D'ordinaire, je savais me défendre; tous les névrosés qui, pendant la guerre, avaient contenu leur folie, prenaient aujourd'hui des revanches frénétiques et je ne leur accordais qu'un intérêt professionnel; mais devant ces revenants, j'avais honte : honte de n'avoir pas assez souffert et d'être là indemne, prête à les conseiller du haut de ma santé. Ah! les questions que je m'étais posées me semblaient bien vaines : quel que fût l'avenir du monde, il fallait aider ces hommes et ces femmes à oublier, à se guérir. Le seul problème, c'est que j'avais beau prendre sur mes nuits, mes journées étaient bien trop courtes.

D'autant plus que Nadine est rentrée à Paris. Elle traînait après elle un grand sac de marin plein de saucissons couleur de rouille, de jambons, de sucre, de café, de chocolat; de sa valise elle a sorti des gâteaux gluants de sucre et d'œufs, des bas, des souliers, des écharpes, des étoffes, de l'eau-de-vie. « Avouez que je ne me suis pas mal débrouillée! » disait-elle fièrement. Elle portait une jupe écossaise, un chemisier rouge bien coupé, un manteau de fourrure vaporeuse, des souliers à semelle crêpe : « Dépêche-toi de te faire faire une robe, ma pauvre mère, tu es quand même trop cloche », me dit-elle en jetant dans mes bras un tissu duveteux aux riches couleurs d'automne. Pendant deux jours elle nous a décrit impétueusement le Portugal; elle racontait mal; elle dessinait à grands gestes des phrases que ses mots ne parvenaient pas à remplir; et il y avait dans sa voix une instensité inquiète : on aurait dit qu'elle avait besoin de nous éblouir pour prendre plaisir à se souvenir. Elle a inspecté la maison avec importance.

— Tu ne te rends pas compte : ces carreaux! ces planchers! Non, maintenant que les clients rappliquent tu ne peux plus t'en tirer toute seule.

Robert insistait lui aussi; moi, j'avais un peu de répugnance à me faire servir mais Nadine disait que c'était des scrupules petits-bourgeois; elle m'a trouvé du jour au lendemain une femme de ménage jeune, soignée, zélée qui s'appelait Marie. J'ai bien failli d'ailleurs lui donner son congé dès la première semaine. Robert était sorti, brusquement, comme ça lui arrivait souvent ces jours-ci, et il avait laissé ses papiers en vrac sur la table; en entendant du bruit dans son bureau, j'ai entrebâillé la porte et j'ai vu Marie penchée sur des feuillets manuscrits.

— Qu'est-ce que vous fabriquez?

— Je fais de l'ordre, dit Marie placidement; je profite que Monsieur n'est pas là.

— Je vous ai dit de ne jamais toucher à ces papiers; et vous n'étiez pas en train de ranger, vous lisiez!

— Je ne peux pas lire l'écriture de Monsieur, dit-elle avec regret; elle me sourit; elle avait un terne petit visage que son sourire ne réveillait pas : « C'est si drôle de voir Monsieur écrire toute la journée : est-ce qu'il tire tout ça de sa tête? Je voulais voir à quoi ça ressemblait sur le papier. J'ai rien abîmé. »

J'ai hésité, et finalement le cœur m'a manqué; passer sa journée à nettoyer et à ranger, quel ennui! Malgré son air endormi, elle ne semblait pas idiote, je comprenais qu'elle essayât de se distraire.

— Ça va, dis-je, mais ne recommencez pas. J'ajoutai : « Ça vous amuse, la lecture?

— Je n'ai jamais le temps pour, dit Marie.

— Votre journée est finie maintenant?

— A la maison il y a six enfants et je suis l'aînée. »

« C'est dommage qu'elle ne puisse pas apprendre un vrai métier », me dis-je; je pensais vaguement à lui en parler, mais je ne la voyais guère et elle était très réservée.

— Lambert n'a pas téléphoné, m'a fait remarquer Nadine quelques
jours après son retour. Il sait pourtant bien qu'Henri est rentré, et
moi aussi.

— Tu lui as répété vingt fois avant de partir que c'est toi qui lui
ferais signe : il a peur de t'ennuyer.

— Oh! s'il boude, c'est son affaire. Mais tu vois qu'il peut se passer
de moi.

Je ne répondis pas et elle ajouta d'un ton agressif :

— Je voulais te dire : tu t'es bien gourée à propos d'Henri. Tomber
amoureuse d'un type comme ça, à d'autres! il est si sûr de lui; et puis
il est ennuyeux, conclut-elle avec humeur.

Certainement elle n'avait aucune tendresse pour lui; pourtant les
jours où elle devait le rencontrer, elle se maquillait avec un soin tout
particulier, et quand elle rentrait elle était plus hargneuse que de coutume; ça n'est pas peu dire; tout prétexte lui était bon pour piquer des
colères. Un matin, elle s'est amenée dans le bureau de Robert en agitant un journal d'un air vengeur :

— Regardez ça!

Sur la première page de *Lendemain*, Scriassine souriait à Robert qui
regardait devant lui d'un air furieux.

— Ah! ils m'ont eu! dit Robert en saisissant l'hebdomadaire; c'était
l'autre soir à l'Isba, dit-il à Nadine; je leur ai dit de foutre le camp,
mais ils m'ont eu!

— Et ils t'ont pris avec ce sale type, dit-elle d'une voix étranglée
de colère; ils l'ont fait exprès.

— Scriassine n'est pas un sale type, dit Robert.

— Tout le monde sait qu'il est vendu à l'Amérique; c'est dégueulasse; qu'est-ce que tu vas faire?

Robert haussa les épaules : « Que veux-tu que je fasse? »

— Un procès; on n'a pas le droit de photographier les gens malgré
eux. »

Les lèvres de Nadine tremblaient; ça lui a toujours été odieux que
son père soit quelqu'un de connu; quand un nouveau professeur ou
un examinateur lui demandait : « Vous êtes la fille de Robert Dubreuilh »,
elle se figeait dans un mutisme hargneux; elle est fière de lui, pourtant,
mais elle voudrait qu'il soit célèbre sans que ça se sache.

— Un procès, ça ferait trop de bruit, dit Robert; non, on n'a pas
d'armes. Il rejeta le journal : « Tu as dit quelque chose de très juste
l'autre jour, que pour nous la nudité commence au visage. »

J'étais toujours étonnée de la fidélité avec laquelle il me rappelait
des paroles que j'avais complètement oubliées; il leur prêtait généralement plus de sens que je ne leur en avais donné; il prêtait toujours,
à tout le monde.

— La nudité commence au visage, et l'obscénité avec la parole,
reprit-il. On décrète que nous devons être des statues ou des spectres;
et dès qu'on nous surprend à exister en chair et en os on nous accuse
d'imposture. C'est pour ça que le moindre geste prend si facilement

une allure de scandale : rire, parler, manger, autant de flagrants délits.

— Eh bien, arrangez-vous pour ne pas vous laisser surprendre, dit Nadine dont la voix s'exaspérait.

— Écoute, dis-je, il n'y a pas de quoi faire un drame.

— Oh! toi! bien sûr! Si on te marche sur le pied, tu penses qu'on a marché sur un pied qui se trouve par hasard être le tien.

En fait, ça ne me plaisait pas non plus tout ce battage qu'on faisait autour de Robert. Bien qu'il n'ait rien publié depuis 39 — sauf des articles dans *L'Espoir* — on parlait de lui de manière bien plus tapageuse qu'avant la guerre. On l'avait vivement supplié de briguer l'Académie et de demander la Légion d'honneur, les journalistes le traquaient, et on imprimait sur lui des tas de mensonges. « La France fait mousser ses spécialités régionales : culture et haute couture » me disait-il. Il s'agaçait lui aussi de ce bruit oiseux autour de lui, mais qu'y faire? J'avais beau expliquer à Nadine que nous n'y pouvions rien, elle piquait une crise chaque fois qu'elle lisait un écho sur Robert ou qu'elle voyait dans les journaux une photo de Jui.

Voilà que de nouveau les portes claquaient dans la maison, les meubles valsaient, des livres s'abattaient avec fracas sur le plancher. Ce branle-bas commençait de bonne heure. Nadine dormait peu, elle estimait que dormir c'était perdre son temps; quoiqu'elle ne sût trop que faire de son temps. Chaque occupation lui paraissait vaine au prix de toutes celles qu'elle lui sacrifiait : elle ne se décidait pour aucune; quand je la voyais assise, l'air maussade, devant sa machine à écrire, je lui demandais : « Tu fais des progrès?

— Je ferais mieux d'étudier ma chimie, je vais me faire coller.

— Étudie ta chimie.

— Mais il faut qu'une secrétaire sache taper. » Elle haussait les épaules : « Et c'est tellement absurde de s'encombrer la tête de formules. Quel rapport ça a avec la vraie vie?

— Lâche la chimie si ça t'ennuie tant.

— Tu m'as dit vingt fois qu'il ne faut pas se conduire comme une girouette. »

Elle avait l'art de retourner contre moi tous les conseils dont j'avais ennuyé son enfance.

— Il y a des cas où il est stupide de s'entêter.

— Mais ne t'affole donc pas! je ne suis pas aussi incapable que tu le prétends; je le réussirai cet examen.

Un après-midi, elle a frappé à la porte de ma chambre : « Lambert est venu nous voir, dit-elle.

— Te voir, dis-je.

— Il repart après-demain pour l'Allemagne, il tient à te dire au revoir. » Elle ajouta avec une vivacité geignarde :

— Viens donc; ça ne serait pas gentil de ne pas venir.

Je la suivis dans le living-room; mais je savais qu'en vérité Lambert ne m'aimait guère. Sans doute — et non sans raison — me rendait-il responsable de tout ce qui le blessait chez Nadine : son agressivité, sa mauvaise foi, son entêtement. Je supposais aussi qu'il n'aurait été que trop enclin à se chercher une mère dans une femme plus âgée que lui et qu'il se raidissait contre cette tentation infantile. Son visage au nez retroussé, aux joues un peu molles, trahissait un cœur et une chair hantés par des rêves de soumission.

— Tu ne sais pas ce que Lambert me raconte? dit Nadine avec animation; les Américains n'ont pas rapatrié un déporté sur dix, ils les laissent pourrir sur place.

— Les premiers jours, il y en a la moitié qui ont claqué parce qu'on les a gorgés de saucisson et de conserves, dit Lambert; maintenant on leur donne une soupe le matin et le soir un café avec un quignon de pain; et ils crèvent du typhus comme des mouches.

— Il faudrait que ça se sache, dis-je; il faudrait qu'on proteste.

— Perron va le faire; mais il veut des faits précis et c'est difficile parce qu'ils interdisent les camps à la Croix-Rouge française. C'est justement pour ça que je repars.

— Emmène-moi avec toi, dit Nadine.

Lambert sourit : « Je ne demanderais pas mieux.

— Qu'est-ce que j'ai dit de drôle? dit Nadine d'une voix fâchée.

— Tu sais bien que c'est impossible, dit Lambert; on ne laisse passer que les correspondants de guerre.

— Il y a des femmes qui sont correspondants de guerre.

— Mais pas toi; et maintenant c'est trop tard, on n'accepte plus personne. D'ailleurs n'aie pas de regret, ajouta-t-il; ce n'est pas un métier que je te conseillerais. »

C'était pour lui-même qu'il parlait mais Nadine crut sentir dans sa voix une nuance protectrice : « Pourquoi? ce que tu as fait, je peux le faire, non?

— Tu veux voir les photos que j'ai rapportées?

— Montre », dit-elle avec avidité.

Il jeta les photos sur la table. J'aurais mieux aimé ne pas les regarder, mais je n'avais pas le choix. Les photos des charniers, c'était encore supportable; ils étaient trop nombreux, et puis comment plaindre des os? Mais que faire de nous-mêmes en face des images des vivants? Tous ces yeux...

— J'en ai vu de bien pires, dit Nadine.

Lambert reprit les photographies sans répondre et il dit d'un ton encourageant : « Tu sais que si tu as envie de faire du reportage, ça ne serait pas difficile; tu n'aurais qu'à en parler à Perron; en France même, il y aurait un tas d'enquêtes possibles. »

Nadine l'interrompit : « Ce que je veux c'est voir le monde comme il est; après ça, aligner des mots, ça ne m'intéresse pas.

— Je suis sûr que tu réussirais, dit Lambert avec chaleur. Tu as du culot, tu sais faire parler les gens, tu es débrouillarde, tu passerais partout. Et pour ce qui est de torcher un papier, ça s'apprend vite.

— Non, dit-elle d'un air têtu. Quand on écrit, on ne dit jamais la vérité; le reportage de Perron sur le Portugal : tout passe à travers. Les tiens, je suis sûre que c'est pareil; je n'y crois pas; c'est pour ça que je veux voir les trucs de mes yeux; mais je n'essaierai pas d'en faire des salades et d'aller les vendre.

Le visage de Lambert s'était assombri; je dis vivement : « Moi je trouve les papiers de Lambert drôlement convaincants; l'infirmerie de Dachau, on a l'impression de l'avoir visitée soi-même.

— Qu'est-ce que ça prouve, tes impressions? » dit Nadine d'une voix impatiente. Il y eut un petit silence et elle demanda :

— Est-ce que Marie va apporter le thé; oui ou merde? Elle appela avec autorité : « Marie. »

Marie apparut sur le seuil de la pièce en blouse de travail bleue et Lambert se leva en souriant :

— Marie-Ange! qu'est-ce que tu fais ici?

Elle devint toute rouge et tourna les talons; je l'arrêtai : « Vous pouvez répondre. »

Elle dit en regardant fixement Lambert :

— Je suis la femme de ménage.

Lambert était devenu très rouge lui aussi et Nadine les dévisageait avec soupçon : « Marie-Ange? tu la connais? Marie-Ange qui? »

Il y eut un silence consterné et elle dit brusquement : « Marie-Ange Bizet. »

Je sentis la colère me monter aux joues : « La journaliste? » Elle haussa les épaules :

— Oui, dit-elle. Je m'en vais, je m'en vais tout de suite. Ne prenez pas la peine de me chasser.

— Vous êtes venue nous espionner à domicile? comme saloperie on ne fait pas mieux!

— Je ne savais pas que vous connaissiez des journalistes, dit-elle avec un coup d'œil vers Lambert.

— Qu'est-ce que tu attends pour la gifler! cria Nadine. Elle a entendu toutes nos conversations, elle a fouillé partout, elle a lu nos lettres, elle va tout raconter, à tout le monde...

— Oh! vous, avec votre grande voix, vous ne me faites pas peur, dit Marie-Ange.

J'ai eu juste le temps de retenir Nadine en la saisissant aux poignets; elle aurait facilement étendu Marie-Ange sur le plancher; avec moi, c'était seulement l'audace qui lui manquait pour se dégager d'un sursaut. Marie-Ange marcha vers la porte et je la suivis; dans l'antichambre elle me demanda avec calme :

— Vous ne voulez pas que je finisse quand même les carreaux?

— Non. Ce que je veux, c'est savoir quel journal vous a envoyée.

— Aucun. Je suis venue de moi-même. J'ai pensé que je ferais un joli papier qui se vendrait facilement. Vous savez, ce qu'ils appellent un profil, dit-elle d'un ton professionnel.

— Oui; eh bien, je vais aviser les journaux, et celui qui achètera votre salade, ça lui coûtera cher.

— Oh! je n'essaierai même pas de le vendre, c'est foutu maintenant. Elle ôta sa blouse bleue et enfila son manteau : « Ça fait que j'en suis pour mes huit jours de ménage. Je déteste faire le ménage! » ajouta-t-elle avec désespoir.

Je n'ai rien répondu mais elle a sans doute senti que ma colère fléchissait, car elle a osé un minuscule sourire : « Vous savez, je n'ai jamais pensé à faire un article indiscret, dit-elle d'une voix de petite fille. Je cherchais seulement une atmosphère.

— C'est pour ça que vous avez fouillé dans nos papiers?

— Oh! je fouillais pour mon plaisir. » Elle ajouta d'un ton boudeur : « Bien sûr, ça vous est facile de m'engueuler, je suis dans mon tort... Mais vous croyez que c'est commode de percer? Vous, vous êtes la femme d'un type célèbre, c'est du tout cuit. Moi, il faut que je me débrouille toute seule. Écoutez, dit-elle, donnez-moi une chance : je vous l'apporte demain cet article, et vous rayez tout ce qui ne vous plaît pas?

— Et puis vous le passerez sans coupure!

— Non, je vous jure. Si vous voulez, je peux vous donner des armes contre moi : une confession bien plate, signée, vous me tiendrez. Dites, acceptez! je vous en ai lavé de la vaisselle. Et j'ai quand même eu du culot, non?

— Vous en avez encore. »

J'hésitai; si on m'avait raconté cette histoire, j'aurais en rêve traîné par les cheveux et précipité du haut de l'escalier l'impudente qui avait violé notre vie privée. Mais voilà, elle était là, une petite fille noiraude et osseuse, sans beauté et qui avait tant envie de percer. Je dis enfin :

— Mon mari ne donne jamais d'interview. Il n'acceptera pas.

— Demandez-lui : puisque le travail est déjà fait... Je téléphonerai demain matin, ajouta-t-elle rapidement. Vous ne m'en voulez pas, n'est-ce pas? Je déteste quand on m'en veut. Elle eut un petit rire confus. « Moi je ne peux jamais en vouloir à personne.

— Je ne sais pas très bien non plus!

— Ça, c'est un comble! » cria Nadine en surgissant du corridor, avec Lambert : « Tu lui laisses publier son papier! tu lui fais des sourires! à cette moucharde... »

Marie-Ange avait ouvert la porte d'entrée qu'elle claqua précipitamment derrière elle.

— Elle a promis de me soumettre son article.

— Cette moucharde! répéta Nadine d'une voix aiguë. Elle a lu mon journal, elle a lu les lettres de Diégo, elle... Sa voix se cassa; Nadine était secouée par une colère brutale comme ses colères d'enfant : « Et on la récompense! il fallait la battre!

— Elle m'a fait pitié.

— Pitié! tu as toujours pitié de tout le monde! de quel droit? » Elle me regardait avec une espèce de haine : « Au fond c'est du mépris; il n'y a jamais de vraie mesure entre les gens et toi.

— Calme-toi, ce n'est pas si grave.

— Oh! je sais, moi j'ai tort, naturellement; moi tu ne m'excuses jamais. Tu as bien raison! je n'en veux pas de ta pitié!

— C'est une bonne fille, tu sais, dit Lambert; un peu arriviste mais gentille.

— Eh bien, va donc la féliciter toi aussi. Cours-y. »

Brusquement Nadine courut vers sa chambre dont elle claqua la porte avec fracas.

— Je suis désolé, dit Lambert.

— Ça n'est vraiment pas de votre faute.

— Les journalistes, aujourd'hui, ils ont des mœurs d'indicateur de police. Je comprends que Nadine soit en colère; à sa place, moi aussi, je verrais rouge.

Il n'avait pas besoin de la défendre contre moi, mais ça partait d'une bonne intention : « Oh! je comprends aussi, dis-je.

— Eh bien, je m'en vais, dit Lambert.

— Bon voyage », dis-je; j'ajoutai : « Vous devriez venir voir Nadine plus souvent; elle a beaucoup d'amitié pour vous, vous savez. »

Il sourit d'un air gêné : « Ça ne se dirait guère!

— Elle a été déçue que vous ne lui donniez pas signe de vie plus tôt; c'est pour ça qu'elle n'était pas très aimable.

— Mais elle m'avait dit de ne pas téléphoner le premier.

— Ça lui aurait fait plaisir que vous l'appeliez quand même. Elle a besoin d'être très sûre d'une amitié pour s'y donner.

— Elle n'a aucune raison de douter de la mienne », dit Lambert; brusquement, il ajouta : « Je tiens énormément à Nadine.

— Alors arrangez-vous pour qu'elle s'en rende compte.

— Je fais de mon mieux »; il hésita et puis il me tendit la main : « En tout cas, je viendrai dès mon retour », dit-il.

Je rentrai dans ma chambre sans oser frapper à la porte de Nadine. Comme elle était injuste! c'est vrai que les autres je leur cherche volontiers des excuses et que l'indulgence assèche le cœur; si j'ai pour elle des exigences, c'est qu'elle n'est pas un cas sur lequel je me penche; entre elle et moi il y a une vraie mesure qui est ce bruit de rongeur, ce bruit de souci dans ma poitrine.

Elle a grogné pour le principe quand l'insignifiant article de la petite Bizet a paru; mais son humeur s'est bien améliorée quand les bureaux de *Vigilance* se sont ouverts; aux prises avec des tâches précises, elle s'est montrée une excellente secrétaire et ça l'a rendue toute fière. Ç'a été un succès que le premier numéro de la revue, Robert et Henri étaient tout contents, ils préparaient le suivant avec ardeur. Robert débordait d'affection pour Henri depuis qu'il l'avait convaincu de lier le sort de *L'Espoir* à celui du S. R. L., et je m'en félicitai parce qu'en somme, c'était son seul véritable ami. Julien, Lenoir, les Pelletier, les Cange, on passait de bons moments avec eux, mais ça n'allait pas bien loin. Parmi les vieux camarades socialistes, certains avaient collaboré, d'autres étaient morts dans les camps, Charlier se soignait en Suisse, ceux qui restaient fidèles au parti blâmaient Robert qui le leur rendait bien.

Lafaurie avait été déçu qu'il fondât le S. R. L. au lieu de rallier le communisme, leurs rapports manquaient de chaleur. Robert n'avait pour ainsi dire plus de contact avec les hommes de son âge, mais il préférait ça : toute sa génération, il la tenait pour responsable de cette guerre qu'elle n'avait pas su empêcher; il estimait n'avoir gardé que trop d'attaches avec son passé; il voulait travailler avec des hommes jeunes; la politique, l'action avaient aujourd'hui une figure et des méthodes nouvelles auxquelles il voulait s'adapter. Ses idées mêmes, il estimait qu'il devait les réviser : voilà pourquoi il répétait avec tant d'insistance que son œuvre était encore devant lui. Dans l'essai qu'il était en train d'écrire, il cherchait à réaliser la synthèse de ses vieilles pensées et d'une vision nouvelle du monde. Ses buts étaient les mêmes qu'autrefois : par-delà ses objectifs immédiats, le S. R. L. se proposait de maintenir l'espoir d'une révolution égale à ses intentions humanistes; mais Robert était convaincu à présent qu'elle ne s'accomplirait pas sans de rudes sacrifices; l'homme de demain ne serait pas celui que Jaurès définissait avec trop d'optimisme. Alors quel sens, quelles chances gardaient les vieilles valeurs : la vérité, la liberté, la morale individuelle, la littérature, la pensée? si on voulait les sauver, il fallait les réinventer. C'est ça que Robert essayait, ça le passionnait et je me disais avec satisfaction qu'il avait retrouvé un heureux équilibre entre l'écriture et l'action. Évidemment il était très occupé, mais il aimait ça. Moi aussi, ma vie était pleine. Robert, Nadine, mes clients, mon livre : il n'y avait pas place dans mes journées pour un regret, pour un désir. La jeune fille aux cheveux blancs dormait sans cauchemar, à présent; elle s'était inscrite au parti communiste, elle avait pris des amants, elle avait pris trop d'amants et elle buvait immodérément; ça n'était pas une merveille d'équilibre, mais enfin elle dormait. Et j'étais contente cet après-midi-là parce que le petit Fernand avait enfin dessiné une villa qui avait des fenêtres et des portes : pour la première fois, pas de grille. Je venais de téléphoner à sa mère quand la concierge a apporté le courrier. Robert et Nadine étaient à la revue, c'était jour de réception, j'étais seule dans l'appartement. J'ai décacheté la lettre de Romieux : et j'ai eu peur comme si brusquement on m'avait projetée dans la stratosphère. Un congrès de psychanalyse aurait lieu à New York en janvier, on m'invitait; on pouvait m'organiser des conférences en Nouvelle-Angleterre, à Chicago, au Canada. J'ai étalé la lettre sur la cheminée, et je l'ai relue avec scandale. Comme j'ai aimé les voyages! à part quelques personnes, je n'ai rien mieux aimé au monde. Mais c'était une de ces choses que je pensais finies à jamais. Si encore on m'avait proposé une promenade en Belgique, ou en Italie, mais New York! Je ne pouvais pas détacher mon regard de ce mot insensé. New York avait toujours été pour moi une ville de légende et depuis longtemps je ne croyais plus aux miracles; il ne suffisait pas de ce morceau de papier pour bousculer le temps, l'espace et le sens commun. J'ai enfoui la lettre dans mon sac et je suis partie à grands pas dans les rues. On se moquait de moi en haut lieu; quelqu'un était en train de me jouer un tour et j'avais besoin de Robert pour conjurer cette mystification. Je montai avec précipitation l'escalier de la maison Mauvanes :

— Tiens, c'est toi? dit Nadine avec une espèce de blâme.

— Comme tu vois.

— Papa est occupé, dit-elle d'un air important.

Elle trônait devant une table, au milieu du grand bureau qui servait de salle d'attente. Ils étaient nombreux à attendre : des jeunes, des vieux, des hommes, des femmes, une vraie cohue. Avant-guerre, Robert recevait pas mal de visites, mais ça n'avait rien à voir avec cette foule. Ce qui devait lui faire plaisir, c'est qu'il y avait surtout des jeunes gens. Sans doute beaucoup venaient ici par curiosité, par oisiveté, par arrivisme : mais beaucoup aussi aimaient les livres de Robert et s'intéressaient à son action. Allons! il ne parlait pas dans le désert, ses contemporains avaient encore des yeux pour le lire, des oreilles pour l'écouter.

Nadine se leva : « Six heures! on ferme! » cria-t-elle d'une voix bourrue. Elle accompagna vers la porte les visiteurs déçus et tourna la clef dans la serrure.

— Quelle cohue! dit-elle en riant. A croire qu'ils s'attendaient à un buffet gratuit. Elle ouvrit la porte de communication : « La voie est libre. »

Du seuil Robert me sourit : « Tu t'es donné des vacances?

— Oui; j'ai eu envie de faire un tour. »

Nadine se tourna vers son père :

— C'est marrant de te voir officier : on dirait un prêtre dans son confessionnal.

— Je me fais plutôt l'effet d'un diseur de bonne aventure.

Brusquement, comme si elle eût pressé sur un bouton, Nadine se mit à rire avec éclat : ses crises de gaieté étaient rares, mais stridentes : « Regardez ça! »

Elle nous montrait du doigt une valise aux coins usés; sur le cuir fané était collée une étiquette : *Ma vie* par Joséphine Mièvre. « Tu parles d'un manuscrit! dit-elle entre deux hoquets. C'est son vrai nom. Et tu ne sais pas ce qu'elle m'a dit? » Dans ses yeux humides de plaisir, il y avait une lueur de triomphe : rire, c'était sa revanche. « Elle m'a dit : « Moi, Mademoiselle, je suis un document vivant! » Soixante ans. Elle habite Aurillac. Elle raconte tout depuis le début. »

D'un coup de pied, elle souleva le couvercle. Des liasses et des liasses de papier rose, couvertes d'encre verte, sans une rature. Robert ramassa un feuillet, le parcourut, le rejeta : « Ça n'est même pas ridicule.

— Il y a peut-être des passages cochons », dit Nadine avec espoir. Elle s'agenouilla devant la valise. Tant de papier, tant d'heures! Des heures tièdes sous la lampe au coin du feu dans l'odeur provinciale de la salle à manger, des heures si pleines et si vides, si délicieusement justifiées, si sottement perdues.

— Non, ça n'est pas drôle! Nadine se releva avec impatience; il n'y avait plus trace de gaieté sur son visage... « Alors, on les met?

— Cinq minutes, dit Robert.

— Dépêche-toi : ça pue la littérature ici.

— Quelle odeur ça a, la littérature?

— Une odeur de vieux monsieur qui se néglige. »

Ça n'était pas une odeur; mais pendant trois heures l'air avait été saturé d'espoir, de crainte, de dépit, et on respirait à travers le silence cette informe tristesse qui succède aux fièvres stériles. Nadine sortit de son tiroir un tricot grenat dont elle fit cliqueter les aiguilles avec importance. A l'ordinaire, elle était prodigue de son temps mais dès qu'on lui demandait un peu de patience, elle s'empressait de démontrer qu'aucun de ses instants ne devait être gaspillé. Mon regard s'attarda sur son bureau. Il y avait quelque chose de provocant dans cette couverture noire où s'étalaient en grosses lettres rouges les mots *Poèmes élus. René Douce*. J'ouvris le cahier.

— Les prés sont vénéneux mais jolis en automne...

Je tournai une page. « J'ai heurté, savez-vous, d'incroyables Florides... »

— Nadine!

— Quoi?

— Un type qui envoie, signés de son nom, des morceaux choisis d'Apollinaire, Rimbaud, Baudelaire... Il ne peut quand même pas supposer qu'on va s'y tromper.

— Ah! je sais de quoi il retourne, dit Nadine avec indifférence. Ce pauvre con a filé vingt mille balles à Sézenac pour qu'il lui vende des poèmes de lui : tu parles que Sézenac n'allait pas s'amuser à lui fournir de l'inédit.

— Mais quand il va se ramener, il faudra bien lui dire la vérité, dis-je.

— Ça ne fait rien, Sézenac a palpé; ça m'étonnerait que le client ose protester; d'abord, il n'a aucun recours et il sera bien trop honteux.

— Il fait des trucs comme ça, Sézenac? dis-je avec étonnement.

— Comment crois-tu qu'il se débrouille? dit Nadine. Elle jeta son tricot dans le tiroir. « Quelquefois ses combines sont marrantes.

— Payer vingt mille francs pour signer des poèmes qu'on n'a pas écrits, ça me laisse rêveur, dit Robert.

— Pourquoi? si on tient à voir son nom imprimé », dit Nadine; elle ajouta entre ses dents, pour moi seule, car devant son père elle expurgeait son langage : « Autant payer que de se casser le cul à faire le boulot. »

En arrivant au bas de l'escalier, elle demanda d'un air méfiant : « On va boire un verre au bistrot d'en face, comme l'autre jeudi?

— Mais oui », dit Robert.

Le visage de Nadine s'éclaira et en s'asseyant devant le guéridon de marbre, elle dit gaiement : « Avoue que je te défends drôlement bien!

— Oui. »

Elle regarda son père avec inquiétude : « Tu n'es pas content de moi ?

— Oh ! moi, je suis enchanté ; c'est plutôt pour toi : ça ne te mènera pas à grand-chose.

— Les métiers ne mènent jamais à rien, dit Nadine avec une soudaine raideur.

— Ça dépend. Tu me disais l'autre jour que Lambert t'avait suggéré de faire du reportage ; ça me semblerait tout de même plus intéressant.

— Oh ! si j'étais un homme, je ne dis pas, dit Nadine. Mais un reporter féminin ça n'a pas une chance sur mille de réussir. » Elle arrêta d'un geste nos protestations. « Pas ce que moi j'appelle réussir, dit-elle avec hauteur. Les femmes, ça végète toujours. »

Je hasardai : « Pas toujours.

— Tu crois ? » Elle ricana : « Regarde-toi par exemple : tu t'en tires, soit, tu as des clients ; mais enfin, tu ne seras jamais Freud. »

Elle avait gardé l'habitude infantile de me prendre à parti avec malveillance lorsque son père était présent. Je dis :

— Entre être Freud et ne rien faire, il y a beaucoup d'intermédiaires.

— Je fais quelque chose : je suis secrétaire.

— Si tu es contente comme ça, après tout c'est le principal, dit Robert hâtivement.

Je regrettais qu'il n'eût pas su tenir sa langue ; il avait gâché le plaisir de Nadine, sans profit ; je lui avais souvent fait la leçon, mais il ne se décidait pas à renoncer aux ambitions qu'il avait nourries pour Nadine. Elle dit d'un ton agressif :

— De toute façon, ça a tellement peu d'importance aujourd'hui le sort d'un individu.

— Ton sort a beaucoup d'importance à mes yeux, dit Robert en souriant.

— Mais il ne dépend ni de toi ni de moi ; c'est pour ça qu'ils me font bien rire tous ces petits mecs qui veulent être quelqu'un. Elle toussota et dit sans nous regarder : « Le jour où j'aurai le courage de faire quelque chose de difficile, je me lancerai dans la politique.

— Qu'est-ce que tu attends pour travailler au S. R. L. ? dit Robert.

Elle avala d'un trait son verre d'eau de Vittel :

— Non, je ne suis pas d'accord. Finalement vous êtes contre les communistes.

Robert haussa les épaules : « Crois-tu que Lafaurie serait aussi amical s'il pensait que je travaille contre eux ? »

Nadine eut un petit sourire : « Il paraît que Lafaurie va te demander de ne pas tenir ton meeting, dit-elle.

— Qui t'a dit ça ? demanda Robert.

— Lachaume, hier ; ils ne sont pas contents du tout ; ils trouvent que le S. R. L. fait fausse route. »

Robert haussa les épaules : « Peut-être bien que Lachaume et sa bande de petits gauchistes ne sont pas contents : mais ils ont tort de se prendre pour le Comité central. J'ai encore vu Lafaurie la semaine dernière.

— Lachaume l'a vu avant-hier, dit Nadine. Je t'assure, reprit-elle, c'est sérieux. Ils ont tenu un grand conseil de guerre et décidé qu'il fallait prendre des mesures. Lafaurie va venir te parler. »

Robert garda un moment le silence : « Si c'est vrai, c'est à désespérer de tout! dit-il.

— C'est vrai, dit Nadine. Ils disent qu'au lieu de travailler en accord avec eux ton S. R. L. prêche une politique contraire à la leur, que ce meeting est une déclaration d'hostilité, que tu divises la gauche, et qu'ils vont être obligés d'ouvrir une campagne contre toi. » Il y avait de la complaisance dans la voix de Nadine; elle ne mesurait sans doute pas la portée de ce qu'elle disait; quand nous avons de sérieux ennuis, elle en est bouleversée, mais nos petites contrariétés la divertissent.

— Obligés! dit Robert; ça c'est admirable! et c'est moi qui divise la gauche! Ah! ils n'ont pas changé, ajouta-t-il avec colère, ils ne changeront jamais! Ce qu'ils auraient voulu, c'est que le S. R. L. leur obéisse au doigt et à l'œil; au premier signe d'indépendance, ils nous taxent d'hostilité!

— Forcément si tu n'es pas de leur avis ils te donnent tort, dit Nadine d'une voix raisonnable. Tu fais tout juste pareil.

— On peut avoir des avis différents et maintenir l'unité d'action, dit Robert : c'était ça l'idée du Front National.

— Ils te trouvent dangereux, dit Nadine; ils disent que tu prêches la politique du pire, que tu veux saboter la reconstruction.

— Écoute, dit Robert, mêle-toi de politique ou ne t'en mêle pas, mais ne joue pas les perroquets. Si tu te servais de ta propre cervelle, tu comprendrais que c'est leur politique à eux qui est catastrophique.

— Ils ne peuvent pas agir autrement qu'ils ne font, dit Nadine. S'ils cherchaient à prendre le pouvoir, l'Amérique interviendrait tout de suite.

— Ils ont besoin de gagner du temps, d'accord. Mais ils pourraient s'y prendre autrement, dit Robert. Il haussa les épaules : « Je veux bien admettre que leur position est difficile; ils sont plus ou moins coincés. Depuis que la S. F. I. O. est morte ils sont obligés de jouer tous les rôles à la fois, ils font la gauche de la gauche et sa droite, tour à tour. Mais c'est pour ça qu'ils devraient souhaiter l'existence d'un autre parti de gauche.

— Eh bien! Ils ne le souhaitent pas », dit Nadine.

Elle se leva brusquement; elle était satisfaite d'avoir produit son petit effet et elle ne tenait pas à se laisser entraîner dans une discussion où évidemment elle n'aurait pas eu le dessus : « Je vais me balader. »

Nous nous sommes levés nous aussi et nous sommes revenus à pied le long des quais :

— Je vais téléphoner immédiatement à Lafaurie! me dit Robert. Dire qu'il serait si nécessaire de se tenir les coudes! et ils le savent! Mais jamais ils ne supporteront qu'une gauche existe en dehors d'eux. Le P. S. n'est plus rien, alors ce Front National-là, oui, ils en veulent bien. Mais un mouvement jeune qui a l'air de bien démarrer, c'est autre chose...

Il continuait à parler avec colère, et tout en l'écoutant, je pensai :
« Je ne veux pas le quitter. » Naguère ça ne me gênait pas de le quitter :
nous nous aimions comme nous vivions, à travers l'éternité. Mais je
sais maintenant que nous n'avons qu'une vie, déjà sérieusement enta-
mée et que l'avenir menace. Robert n'est pas invulnérable. Et soudain
il me semblait même fragile. Il s'était lourdement trompé en comptant
sur la bienveillance des communistes; et devant leur hostilité, de graves
problèmes se posaient. « Ça y est : la voilà, l'impasse », me suis-je
dit. Il ne pouvait ni renoncer à son programme, ni le maintenir contre
les communistes : et il n'existait pas de solution intermédiaire. Peut-
être les choses s'arrangeraient-elles : à condition que les communistes
se décident à tolérer le meeting. Le sort de Robert n'était pas dans ses
mains à lui, mais entre les leurs : j'avais horreur de penser ça. Ils pouvaient démolir d'un mot le bel équilibre que Robert s'était construit.
Non, ce n'était pas le moment de l'abandonner. En entrant dans le
bureau, je dis d'une voix ironique :

— Regardez donc ce que je reçois!

Je tendis à Robert la lettre de Romieux et son visage changea :
j'y déchiffrai cette joie qui aurait dû être la mienne : « Mais c'est magnifique! pourquoi ne me disais-tu rien?

— Je ne vais pas m'en aller trois mois, dis-je.

— Et pourquoi? » Il me regarda avec surprise : « Ça sera un voyage
sensationnel. »

Je murmurai : « J'ai bien trop à faire ici.

— Qu'est-ce qui te prend? d'ici janvier tu as le temps de tout régler.
Nadine est assez grande pour se passer de toi; et moi aussi, ajouta-t-il
en souriant.

— C'est loin l'Amérique, dis-je.

— Je ne te reconnais pas! » dit-il. Il m'examina d'un air critique :
« Ça te fera beaucoup de bien de te remuer un peu.

— Nous allons nous balader à bicyclette cet été.

— Comme dépaysement, ça ne va pas loin! » dit Robert; il sourit :
« Je suis tranquille! Si on venait t'annoncer que ce projet est à l'eau,
tu serais bien attrapée.

— C'est possible. »

Il avait raison : j'y tenais déjà à ce voyage; et justement, c'était une
des choses qui m'inquiétaient. Tous ces souvenirs, ces désirs qui se
réveillent, quel embarras! Pourquoi venait-on déranger ma sage petite
vie de morte? Ce soir-là, Robert s'indignait avec Henri contre Lafaurie, ils s'encourageaient à tenir bon : si le S. R. L. devenait une vraie
force, les communistes seraient obligés de compter avec lui, on retrouverait l'union. J'écoutais, et je m'intéressais bien à ce qu'ils disaient :
pourtant il y avait sous mon crâne un tohu-bohu d'images idiotes. Ça
n'allait pas mieux le lendemain; assise devant ma table de travail, je
suis restée une heure à me demander : « J'accepte? je n'accepte pas? »
J'ai fini par me lever et par décrocher le téléphone : inutile de prétendre
travailler. J'avais promis à Paule de passer la voir un de ces jours,

autant y aller maintenant. Bien entendu, elle était chez elle, seule, et je suis partie à pied vers sa maison. J'aime bien Paule, et en même temps elle me fait un peu horreur. Souvent le matin, je sens sur moi l'ombre étouffante de tous les malheurs qui sont en train de se réveiller, et c'est à elle d'abord que je pense; j'ouvre les yeux, elle les ouvre et tout de suite il fait noir dans son cœur. Je me dis : « A sa place, je ne pourrais pas supporter cette vie »; je sais bien que cette place, c'est elle qui l'occupe, c'est certainement plus tolérable que si c'était moi. Paule est capable de rester enfermée pendant des heures et des semaines sans rien faire, sans voir personne et de ne pas s'ennuyer; elle réussit encore à ne pas s'avouer qu'Henri ne l'aime plus du tout; mais un de ces jours la vérité finira par éclater, et alors, qu'arrivera-t-il? Qu'est-ce qu'on peut bien lui conseiller? Chanter? Mais ça ne suffira pas à la consoler.

J'approchai de sa maison et mon cœur se serra. Ça lui allait bien d'habiter dans ce village de malchanceux. Je ne sais où ils s'étaient cachés pendant l'occupation, mais ce printemps avait ressuscité leurs loques, leurs goitres, leurs plaies; il y en avait trois qui étaient assis contre les grilles du square, à côté d'une plaque de marbre fleurie d'un bouquet fané; le visage rougi de vin et de colère, un homme et une femme se disputaient un sac de toile cirée noire; ils bredouillaient avec violence des insultes, mais leurs mains crispées sur le cabas remuaient à peine : le troisième les regardait gaiement. Je m'engageai dans une petite rue; des portes de bois déteint barricadaient les entrepôts où les chiffonniers venaient au matin déverser papiers et ferrailles; d'autres portes, vitrées, s'entrouvraient sur des salles d'attente où des femmes étaient assises avec des chiens sur leurs genoux; j'avais lu sur des prospectus que dans ces dispensaires on soignait et tuait sans douleur « les oiseaux et les petits animaux ». Je m'arrêtai devant une pancarte : CHAMBRES MEUBLÉ et je sonnai. Il y avait toujours une énorme poubelle en bas de l'escalier et dès qu'on montait les premières marches un chien noir se mettait à aboyer sauvagement. Paule, qui avait le goût de la mise en scène, obtenait un facile coup de théâtre quand elle ouvrait à un visiteur neuf la porte de son studio : moi-même j'étais chaque fois étonnée par cette brusque splendeur; par ses accoutrements aussi : elle préférait ses rêves à la règle et elle semblait toujours un peu déguisée. Quand elle m'ouvrit, elle portait une grande robe d'intérieur en taffetas d'un mauve changeant et des souliers découpés, à talons très hauts, dont les lanières s'enroulaient autour de ses jambes : sa collection de souliers aurait fait pâlir un fétichiste.

— Viens vite te réchauffer, dit-elle en m'entraînant vers le grand feu de bois.

— Il ne fait pas froid.

Elle jeta un regard vers les fenêtres calfeutrées.

— On dit ça. Elle s'assit et se pencha vers moi avec une grave sollicitude : « Comment vas-tu?

— Ça va; mais j'ai du travail par-dessus la tête. Les gens n'ont plus leur ration quotidienne d'horreur; alors ils recommencent à se torturer.

— Et ton livre?

— Il avance. »

Je répondais comme elle interrogeait, par politesse; je savais bien qu'elle ne s'était jamais souciée de mes travaux.

— Et ça t'intéresse vraiment? demanda-t-elle.

— Ça me passionne.

— Tu as de la chance! dit Paule.

— De faire un travail qui m'intéresse?

— De tenir ton sort dans tes mains à toi.

Ça n'était guère l'impression que je me faisais, mais il ne s'agissait pas de moi; je dis avec chaleur :

— Tu ne sais pas ce que je pense depuis que je t'ai entendue à Noël? c'est que tu devrais faire quelque chose de ta voix. C'est bien beau de te dévouer à Henri, mais enfin, tu comptes toi aussi...

— Tiens! j'ai justement eu de grandes discussions avec Henri à ce sujet, dit-elle avec indifférence; elle secoua la tête : « Non, je ne chanterai plus en public.

— Pourquoi? je suis sûre que tu aurais du succès.

— Qu'est-ce que ça m'apporterait? » dit-elle; elle sourit : « Mon nom sur les affiches, ma photographie dans les journaux : vraiment ça ne m'intéresse pas. J'aurais pu avoir tout ça depuis bien longtemps, et je n'en ai pas voulu. Tu m'as mal comprise, ajouta-t-elle; je ne souhaite aucune gloire personnelle; un grand amour me semble une chose bien plus importante qu'une carrière; tout ce que je regrette, c'est que sa réussite ne dépende pas que de moi.

— Mais rien ne t'oblige à choisir, dis-je. Tu peux continuer à aimer Henri, et chanter. »

Elle me regarda gravement : « Un grand amour ne laisse rien de disponible à une femme. Je sais quelle entente il y a entre Robert et toi, ajouta-t-elle; mais ce n'est pas ce que j'appelle un grand amour. »

Je ne voulais pas discuter son vocabulaire ni ma vie : « Toutes ces journées que tu passes ici, toute seule, tu aurais le temps de travailler.

— Ce n'est pas une question de temps »; elle me sourit avec un air de reproche : « Pourquoi penses-tu que j'ai renoncé au chant, il y a dix ans? parce que j'ai compris qu'Henri m'exigeait tout entière...

— Tu dis qu'il t'a conseillé lui-même de te remettre à travailler.

— Mais si je le prenais au mot, il serait consterné! dit-elle gaiement. Il ne supporterait pas qu'une seule de mes pensées ne lui appartienne pas.

— Quel égoïsme!

— Ce n'est pas égoïste d'aimer »; elle flatta tendrement sa jupe soyeuse : « Oh! il ne me demande rien; il ne m'a jamais rien demandé. Mais je sais que mon sacrifice est nécessaire non seulement à son bonheur, mais à son œuvre, à son accomplissement. Et à présent plus que jamais.

— Pourquoi est-ce que sa réussite à lui te paraît si importante et pas la tienne?

— Oh! je me moque bien qu'il soit célèbre ou non, dit-elle avec véhémence. C'est autre chose qui est en jeu.

— Quoi donc? »

Elle se leva brusquement : « J'ai préparé du vin chaud : tu en veux?

— Avec plaisir. »

Je l'écoutais qui remuait dans la cuisine, et je me demandais avec malaise : « Qu'est-ce qu'elle pense, pour de vrai? » Elle affirmait qu'elle méprisait la gloire; pourtant c'est au moment où le nom d'Henri avait commencé à enfler, où on avait fêté en lui un héros de la Résistance et l'espoir de la jeune littérature que Paule avait réintégré sa peau d'amoureuse. Je me rappelais comme elle était morne et désabusée, un an plus tôt. Comment sentait-elle au juste cet amour? pourquoi refusait-elle de s'en évader par le travail? comment voyait-elle le monde autour d'elle? J'étais enfermée avec elle entre ces murs rouges, nous regardions le feu, nous échangions des mots : mais je ne savais pas ce qui se passait dans sa tête. Je me suis levée, j'ai marché vers la fenêtre et j'ai soulevé le rideau. Le soir tombait, un homme déguenillé prome- nait au bout d'une laisse un luxueux danois; sous l'inscription mys- térieuse « Spécialité d'oiseaux rares et saxons », un singe enchaîné à la barre d'une fenêtre semblait lui aussi interroger avec perplexité le cré- puscule. Je laissai retomber le rideau. Qu'avais-je espéré? Voir un instant avec les yeux de Paule ce décor familier? saisir sur ce décor la couleur de ses jours? Non. Jamais le petit sapajou ne verrait avec des yeux d'homme. Jamais je ne me glisserais dans une autre peau.

Paule revint de la cuisine en portant avec solennité un plateau d'ar- gent sur lequel fumaient deux bols : « Tu l'aimes bien sucré, n'est-ce pas? »

Je humai la lave rouge au parfum brûlant : « Ça m'a l'air délicieux. »

Elle but quelques gorgées avec recueillement comme si elle eût inter- rogé un philtre de vérité : « Pauvre Henri! murmura-t-elle.

— Pauvre? pourquoi?

— Il traverse une crise difficile; et j'ai peur qu'avant d'en sortir il n'ait beaucoup à souffrir.

— Quelle crise? il a l'air en pleine forme et ses derniers articles sont parmi les meilleurs qu'il ait jamais écrits.

— Des articles! » Elle me regarda avec une espèce de colère : « Autre- fois, il méprisait le journalisme, il y voyait tout juste un gagne-pain; il se tenait à l'écart de la politique, il voulait être un homme seul.

— Mais les circonstances ont changé, Paule.

— Qu'importent les circonstances! dit-elle avec passion. Il ne faut pas qu'il change, lui. Pendant la guerre, il risquait sa vie, ça c'était grand; mais aujourd'hui la grandeur ça serait de se refuser au siècle.

— Et pourquoi donc? » dis-je.

Elle haussa les épaules sans répondre, et j'ajoutai avec un peu d'aga- cement : « Il t'a sûrement expliqué pourquoi il s'occupe de politique; moi, je l'approuve, absolument. Tu ne crois pas que tu devrais lui faire confiance?

— Il est en train de s'engager sur des chemins qui ne sont pas les siens, dit-elle d'un ton catégorique. Je le sais, et je peux même t'en donner la preuve.

— Ça m'étonnerait, dis-je.

— La preuve, dit-elle avec emphase, c'est qu'il est devenu incapable d'écrire.

— Peut-être qu'en ce moment il n'écrit pas, dis-je, ça ne signifie pas qu'il n'écrira plus.

— Je ne prétends pas être infaillible, dit Paule; mais Henri, rends-toi compte, c'est moi qui l'ai fait; je l'ai créé comme il crée les personnages de ses livres, et je le connais comme il les connaît. Il est en train de trahir sa mission; c'est à moi de l'y reconduire. Et voilà pourquoi je ne peux pas penser à m'occuper de moi-même.

— Tu sais, on n'a pas d'autre mission que celle qu'on se donne.

— Henri n'est pas un écrivain comme les autres.

— Ils sont tous différents. »

Elle secoua la tête : « S'il n'était qu'un écrivain, ça ne m'intéresserait pas : il y en a tant! Quand je l'ai pris, à vingt-cinq ans, il ne songeait qu'à la littérature; mais j'ai su tout de suite que je pourrais le faire monter beaucoup plus haut. Ce que je lui ai appris c'est que sa vie et son œuvre devaient être une seule réussite : une réussite si pure, si absolue qu'elle servît d'exemple au monde. »

Je pensais avec inquiétude que si elle tenait ce genre de langage à Henri, il devait être sérieusement excédé.

— Tu veux dire qu'un homme doit soigner sa vie autant que ses livres? dis-je. Mais ça ne lui interdit pas de changer.

— A condition qu'il change en accord avec lui-même. Moi j'ai beaucoup évolué, mais c'est ma propre voie que j'ai suivie.

— On n'a pas des chemins tracés d'avance, dis-je. Le monde n'est plus le même, personne n'y peut rien; il faut essayer de s'adapter. Je lui souris : « Moi aussi pendant quelques semaines j'ai eu l'illusion qu'on allait retrouver l'avant-guerre; mais c'était de la sottise. »

Paule contemplait le feu d'un air têtu : « Ce n'est pas le temps qui est vrai », dit-elle. Elle se retourna brusquement vers moi : « Tiens! pense à Rimbaud, que vois-tu?

— Ce que je vois?

— Oui. Quelle image de lui?

— Sa photo de jeune homme.

— Tu vois! il y a un Rimbaud, un Baudelaire, un Stendhal; ils ont été plus vieux, plus jeunes, mais toute leur vie tient en une seule image. Il y a un seul Henri, et moi je serai toujours moi, le temps n'y peut rien, la trahison ne vient pas de lui mais de nous.

— Ah! tu embrouilles tout, dis-je. Quand tu auras soixante-dix ans, tu seras toujours toi, mais tu auras d'autres rapports avec les gens, avec les choses »; j'ajoutai : « Avec ton miroir. »

— Je ne me suis jamais beaucoup regardée dans les miroirs. » Elle me considéra avec un peu de méfiance : « Qu'est-ce que tu veux prouver? »

Un instant je gardai le silence; nier le temps : tout le monde en est
tenté sans doute; je l'étais souvent. J'enviais vaguement à Paule sa
certitude butée :

— Tout ce que je dis, c'est qu'on vit sur terre et qu'il faut s'y résigner. Tu devrais laisser Henri faire ce qui lui plaît, et t'occuper un
peu de toi.

— Tu parles comme si Henri et moi nous étions deux êtres distincts, dit-elle rêveusement; peut-être y a-t-il là un genre d'expérience
incommunicable.

J'avais perdu tout espoir de la convaincre; de quoi, d'ailleurs? Je
ne savais même plus. Je lui dis tout de même :

— Vous êtes distincts, la preuve c'est que tu le critiques.

— Il y a une part superficielle de lui-même contre laquelle je lutte
et qui nous sépare, oui, dit-elle. Mais fondamentalement, nous sommes
un seul être. Je l'ai senti souvent autrefois; je me rappelle même avec
netteté ma première illumination : j'en ai été presque effrayée; c'est
étrange, tu sais, de se perdre absolument en un autre. Mais quelle
récompense quand on retrouve l'autre en soi! Elle fixait sur le plafond un regard inspiré : « Sois sûre d'une chose : mon heure reviendra.
Henri me sera rendu tel qu'il est dans sa vérité, tel que je l'aurai
rendu à lui-même. »

Il y avait dans sa voix une violence presque désespérée, et je renonçai à discuter davantage; je dis avec allant : « N'empêche, ça te ferait
du bien de voir du monde, de bouger un peu. Tu ne veux pas m'accompagner chez Claudie, jeudi prochain? »

Le regard de Paule redescendit sur terre; on aurait dit qu'elle avait
atteint quelque orgasme intérieur, et qu'elle se retrouvait délivrée,
légère; elle me sourit :

— Oh! non, je ne veux pas, dit-elle; elle est venue me voir la semaine
dernière, je suis gavée de Claudie pour des mois. Tu sais qu'elle a
installé Scriassine chez elle? Je me demande comment il a accepté
ça...

— Je suppose qu'il n'avait plus le rond.

— Tu parles d'un harem! dit Paule.

Elle éclata d'un grand rire qui la rajeunissait de dix ans; c'est comme
ça qu'elle était autrefois avec moi. En présence d'Henri, elle se guin-
dait et aujourd'hui on avait l'impression qu'elle sentait sans répit son
regard sur elle. Peut-être aurait-elle retrouvé sa gaieté, si elle avait
eu le courage de vivre pour son compte. « Je n'ai pas su lui parler, j'ai
été maladroite », me dis-je avec reproche en la quittant. Cette existence qu'elle menait n'était pas normale, et par instants elle déraison-
nait ferme. Mais je n'aurais guère été capable aujourd'hui de lui faire
sérieusement la leçon. Une existence normale : qu'y a-t-il de plus déraisonnable? C'est fou le nombre de choses auxquelles on est obligé de
ne pas penser pour aller sans dérailler d'un bout de la journée à l'autre,
c'est fou le nombre de souvenirs qu'il faut refuser, de vérités qu'il faut
éluder. « Voilà pourquoi j'ai peur de partir », me dis-je. A Paris, près

de Robert, j'évite sans trop de peine les pièges, je les ai repérés, il y a des sonnettes d'alarme qui m'avertissent des dangers. Mais seule sous un ciel inconnu, qu'est-ce qui va m'arriver? Quelles évidences vont soudain m'aveugler? Quels abîmes se découvrir? Les abîmes se cicatriseront, les évidences s'éteindront, c'est sûr et certain; j'en ai vu d'autres. Nous valons bien ces vers de terre qu'on coupe vainement en deux ou ces homards dont les pattes repoussent. Mais le moment de la fausse agonie, le moment où l'on souhaite mourir plutôt que de se raccommoder encore une fois, quand j'y pense le cœur me manque. J'essaie de me raisonner : pourquoi m'arriverait-il quelque chose? Mais pourquoi ne m'arriverait-il rien? On n'a jamais avantage à s'écarter des chemins battus. Ici, j'étouffe un peu, c'est vrai; mais on s'habitue aussi à étouffer; et une habitude n'est jamais mauvaise, quoi qu'on dise.

— Qu'est-ce que tu as? me demanda Nadine avec soupçon à quelques jours de là. Elle était dans ma chambre, couchée sur mon divan, enveloppée de mon peignoir; c'est ainsi que je la trouvais d'ordinaire quand je rentrais à la maison; seuls les vêtements, les meubles, la vie d'autrui avaient de la valeur à ses yeux.

— Qu'est-ce que tu veux que j'aie? dis-je.

Je ne lui avais pas parlé de la lettre de Romieux; mais bien qu'elle me connût très mal, elle remarquait la moindre de mes humeurs.

— Tu as l'air de dormir debout, me dit-elle.

C'est vrai que d'habitude je l'interrogeais avec entrain sur ses journées et que ce soir j'avais quitté mon manteau et recoiffé mes cheveux en silence.

— J'ai passé l'après-midi à Sainte-Anne, je suppose que je suis un peu abrutie, dis-je. Et toi? qu'est-ce que tu as fait?

— Ça t'intéresse? me demanda-t-elle avec rancune.

— Bien sûr.

Le visage de Nadine s'illumina; elle renonçait à bouder plus longtemps son plaisir : « Je viens de rencontrer l'homme de ma vie! dit-elle d'une voix provocante.

— Le vrai? dis-je en souriant.

— Oui, le vrai, dit-elle avec sérieux; c'est un copain de Lachaume, un type formidable; pas un écrivaillon comme les autres; un militant, un vrai. Il s'appelle Joly. »

Elle s'était brouillée avec Henri quelque temps plus tôt : ses réactions étaient si prévisibles que je m'étonnais qu'elle en fût elle-même dupe : « Alors ce coup-ci tu te fais inscrire au parti? dis-je.

— Il était scandalisé que ça ne soit pas déjà fait. Ah! tu sais, lui, il ne coupe pas les cheveux en quatre. Il va son chemin. Un homme quoi.

— Il y a longtemps que je pense que tu devrais faire une bonne fois ton expérience.

— Parce que bien entendu, pour toi c'est une expérience, dit-elle d'une voix aigre. J'entre au parti, j'en sortirai; il faut que jeunesse se passe. C'est bien ça?

— Mais non; je n'ai rien dit de tel.

— Je sais ce que tu penses. La force de Joly, tu comprends, c'est qu'il croit à des vérités; il ne s'amuse pas à des expériences : il agit. »

Pendant des jours, j'encaissai sans broncher les éloges agressifs dont elle comblait Joly; elle avait ouvert *Le Capital* sur son bureau, à côté de son manuel de chimie et son regard errait avec mélancolie d'un volume à l'autre. Elle s'était mise à examiner tous mes gestes à la lumière du matérialisme historique; il y avait beaucoup de mendiants dans les rues au début de ce froid printemps, et si je leur donnais un peu d'argent, elle ricanait : « Si tu t'imagines qu'en faisant l'aumône à ce pauvre déchet tu changeras la face du monde!

— Je n'en demande pas tant; ça lui fait plaisir, c'est déjà ça.

— Et tu tranquillises ta conscience, tout le monde y gagne. »

Elle m'attribuait toujours des calculs ténébreux :

— Tu crois qu'en refusant d'aller dans le monde et en étant grossière avec les gens tu échappes à ta classe : tu es une bourgeoise mal léchée, c'est tout.

La vérité c'est que ça ne m'amusait pas d'aller chez Claudie; pendant la guerre, elle m'avait expédié de son château bourguignon des tas de colis et maintenant elle me convoquait impérieusement à ses jeudis; il fallait bien que je finisse par m'exécuter; mais c'est bien à contrecœur que j'ai enfourché ma bicyclette par un soir neigeux de mai. L'hiver avait capricieusement ressuscité au milieu du printemps; un ciel silencieux et blanc s'éparpillait sur la terre en gros flocons tièdes au regard, froids à la peau. Ce que j'aurais aimé, c'est filer droit devant moi, très loin, sur une de ces routes ouatinées. Les corvées mondaines me semblaient encore plus redoutables que jadis. Robert avait beau se terrer, fuir les journalistes, les décorations, les académies, les salons, les générales, on était en train de faire de lui une espèce de monument public : j'en devenais publique moi-même. Je montai à pas lents l'escalier pompeux. Je déteste cet instant où les visages se tournent vers moi et où d'un seul prompt regard on m'identifie et on me dépèce. Alors, je prends conscience de moi-même, et j'ai toujours mauvaise conscience.

— Quel miracle de vous rencontrer! dit Laure Marva. Vous êtes tellement occupée! on n'ose même plus vous inviter.

Nous avions décliné au moins trois de ses invitations; parmi les gens que je reconnaissais dans cette cohue, il y en avait peu envers qui je ne me sentisse plus ou moins coupable. On nous croyait hautains, misanthropes ou poseurs. L'idée que simplement le monde ne nous amusait pas, je suppose qu'elle n'effleurerait aucun de ceux qui venaient avidement s'ennuyer ici. L'ennui était un fléau qui m'avait terrorisée dès l'enfance, c'est avant tout pour lui échapper que j'avais souhaité grandir et j'avais construit toute ma vie autour de ce refus; mais peut-être ceux dont je serrais les mains y étaient-ils si habitués qu'ils ne le décelaient même pas : peut-être ignoraient-ils que l'air pût avoir un autre goût.

— Robert Dubreuilh n'a pas pu vous accompagner? dit Claudie. Dites-lui de ma part que son article de *Vigilance* est admirable! Je le sais par cœur, je me le récite à table, au bain, au lit : je couche avec; c'est mon amant du jour.

— Je lui dirai.

Elle me regardait intensément et je me sentais mal à l'aise; naturellement, je n'aime pas entendre dire du mal de Robert; mais quand on le couvre d'éloges, ça m'embarrasse; je sens sur mes lèvres un sourire idiot, le silence me paraît une pose et chaque parole une incontinence.

— La publication de cette revue est un événement considérable, dit le peintre Perlène qui était en fait l'amant du jour de Claudie.

Guite Ventadour s'était approchée; elle avait écrit des romans adroits et elle se sentait la personnalité la plus marquante de ce salon; sa toilette, ses manières indiquaient qu'elle était consciente de ne plus être jeune, mais qu'elle se rappelait un peu trop avoir été belle; elle parlait d'une voix légèrement inspirée : « Ce qu'il y a d'extraordinaire chez Dubreuilh, dit-elle, c'est qu'avec un souci si profond de l'art pur il sache s'intéresser si passionnément au monde d'aujourd'hui. Aimer à la fois les mots et les hommes, c'est très rare.

— Est-ce que vous tenez un journal de sa vie? me demanda Claudie. Quel document vous pourriez offrir au monde!

— Je n'ai pas le temps, dis-je; et puis je ne crois pas qu'il aimerait ça.

— Ce qui m'étonne, dit Huguette Volange, c'est que vivant près d'un homme qui a une personnalité si écrasante vous gardiez un métier à vous. Moi je ne pourrais simplement pas; mon cher époux dévore tout mon temps; je trouve ça normal d'ailleurs. »

Je rejetai vivement toutes les réponses qui me venaient aux lèvres et je dis le plus platement possible :

— C'est une question d'organisation.

— Mais je suis très bien organisée, dit-elle d'un air piqué; non, c'est plutôt une affaire d'ambiance morale...

Ils me transperçaient de leurs regards, ils exigeaient des comptes; c'est toujours ainsi : ils m'entourent, ils m'interrogent avec des airs rusés comme si déjà j'étais veuve; mais Robert est bien vivant et je ne les aiderai pas à l'embaumer. Ils collectionnent ses autographes, ils se disputent ses manuscrits, ils rangent ses œuvres complètes décorées de dédicaces entre des planches de bois; moi c'est à peine si je possède deux ou trois de ses livres; sans doute ai-je fait exprès de ne pas réclamer tous ceux qu'on m'a empruntés; c'est exprès que je n'ai pas classé ses lettres, que je les ai plus ou moins égarées : elles n'étaient destinées qu'à moi, elles ne sont pas un dépôt que j'aurai un jour à leur transmettre; je ne suis pas l'héritière de Robert ni son témoin : je suis sa femme.

Peut-être Guite devina-t-elle mon malaise; avec une assurance de souveraine qui se sait chez elle partout, elle posa sur mon poignet sa

petite main caressante : « Mais on ne vous a rien offert! Laissez-moi
vous conduire au buffet. » Tout en m'entraînant elle me sourit d'un
air complice. « J'aimerais bien qu'un jour nous bavardions un peu
longuement, toutes les deux : c'est si rare de rencontrer une femme
intelligente. » On aurait dit qu'elle venait de découvrir l'unique personne de l'assemblée qui fût capable de la comprendre. Elle enchaîna :
« Vous savez ce qui serait gentil? C'est qu'un jour vous veniez dîner
avec Dubreuilh dans mon petit chez-moi. »

C'est là un des moments le plus pénible de l'épreuve quand d'un air
négligent ou supérieur ils réclament un rendez-vous. Au moment où
je réponds les mots rituels : « Robert est tellement pris en ce moment »,
je sens leur regard sévère qui me met en accusation; et je finis par
m'avouer coupable; je suis sa femme, oui; mais d'abord, de quel droit?
Et puis ça n'est pas une raison pour l'accaparer : un monument public,
ça appartient à tous.

— Oh! je sais ce que c'est que d'être exigé par son œuvre, dit Guite.
Moi non plus, je ne sors jamais; c'est bien par hasard que vous me
voyez ici! Son rire insinuait que j'étais plaisamment abusée, qu'en
vérité elle n'était pas là. « Mais ça serait différent; un tout petit dîner;
et où je n'inviterais que des hommes, ajouta-t-elle en confidence. Je
n'aime pas la compagnie des femmes; je me sens toute perdue. Pas
vous?

— Non. Je m'entends très bien avec les femmes. »

Elle me regarda d'un air de réprobation consterné :

— C'est curieux, c'est très curieux. Ça doit être moi qui suis une
anormale...

Elle proclamait volontiers dans ses livres l'infériorité de son sexe;
elle s'en évadait, pensait-elle, par la virilité de son talent; et elle sur-
passait aussi les hommes puisque douée des mêmes qualités qu'eux
elle avait en outre le mérite singulier et charmant d'être une femme.
Cette ruse m'agaçait. Je dis d'un ton professionnel :

— Vous n'êtes pas anormale du tout. Presque toutes les femmes
préfèrent les hommes.

Son regard se glaça tout à fait et sans affectation, mais délibérément
elle se tourna vers Huguette Volange. Pauvre Guite! elle était déchirée
entre le désir d'éluder tout reproche de narcissisme et celui de rendre
justice à ses mérites; alors elle essayait de dicter aux autres ce qu'elle
souhaitait qu'on dise d'elle; mais s'ils ne le disaient pas? fallait-il
accepter d'être méconnue? c'était un dilemme douloureux. Claude
s'aperçut que j'étais seule et en bonne maîtresse de maison me jeta
quelqu'un dans les bras.

— Anne, vous n'avez jamais rencontré Lucie Belhomme? Elle a très
bien connu autrefois votre amie Paule, ajouta-t-elle en se précipitant
vers un nouvel arrivant.

— Ah! vous connaissez Paule? dis-je à la longue femme brune vêtue
d'ottoman noir et de diamants qui me souriait du bout des dents.

— Oui, je l'ai très bien connue, dit-elle d'une voix amusée; je l'ai habillée gratis, à titre publicitaire, lorsque j'ai lancé la maison Amaryllis et qu'elle débutait chez Valcourt; elle était belle, mais elle portait très mal la toilette. Lucie Belhomme me décocha un de ses sourires glacés. Il faut dire que son goût n'était pas très sûr et qu'elle n'acceptait aucun conseil; ce pauvre Valcourt et moi, nous avons bien souffert.

— Paule a un style à elle, dis-je.

— Elle ne l'avait pas trouvé en ce temps-là; elle s'admirait bien trop pour se connaître; ça lui nuisait aussi dans son métier : elle avait une jolie voix, mais elle ne savait rien en faire; elle ne savait absolument pas tirer parti d'elle-même : elle n'a jamais passé la rampe.

— Je ne l'ai jamais entendue, mais on m'a dit qu'elle réussissait très bien; elle a eu un engagement pour Rio.

Lucie Belhomme se mit à rire : « Elle a eu un bref succès de surprise parce qu'elle était belle; mais elle a dégringolé tout de suite; le chant, c'est comme le reste, ça demande du travail, et le travail ce n'était pas son fort. Le Brésil : je me rappelle cette histoire; je devais lui faire ses robes; mais ce n'est pas son tour de chant qui intéressait le gars, et elle a très bien compris. Elle était moins folle qu'elle ne voulait le faire croire. Elle faisait semblant de se prendre pour la Malibran; mais au fond, tout ce qu'elle souhaitait c'était de trouver quelqu'un de sérieux qui s'occupe d'elle, et elle a eu vite fait de laisser tomber tout le reste. Elle a eu raison; elle n'aurait jamais fait une carrière. Qu'est-ce qu'elle devient? demanda Lucie d'une voix soudain bienveillante; on m'a dit que son grand homme était en train de la plaquer, c'est vrai?

— Absolument pas, ils s'adorent, dis-je avec autorité.

— Ah! tant mieux, dit-elle d'une voix parfaitement incrédule; elle l'avait attendu assez longtemps, pauvre gosse. »

Je restais déconcertée; Lucie Belhomme détestait Paule, je n'allais pas accepter cette image qu'elle m'offrait d'elle : une petite putain arrogante et fainéante qui cherchait un protecteur en chantonnant. Mais je m'avisai que Paule ne m'avait pour ainsi dire jamais parlé de ses premières années à Paris, ni de sa jeunesse ni de son enfance. Pourquoi donc?

— Je peux vous dire bonjour? vous ne me détestez plus?

Marie-Ange me souriait d'un air faussement confus.

— Vous le mériteriez bien! dis-je en lui souriant aussi. Vous m'avez salement fait marcher!

— J'étais obligée, dit-elle.

— Rassurez-moi : vous n'avez pas six frères et sœurs?

— C'est vrai que je suis l'aînée, dit-elle d'une voix sincère; seulement je n'ai qu'un frère et il est au Maroc. Son regard m'interrogea avidement : « Dites donc, qu'est-ce qu'elle vous a raconté la Ventadour?

— Rien du tout.

— Vous pouvez me dire, dit Marie-Ange. On peut tout me dire.

Ça entre par ici — elle désignait ses oreilles — et ça sort par là —
elle montrait sa bouche.

— C'est ce que je crains. Dites-moi plutôt ce que vous savez sur
cette grande chipie, dis-je en indiquant Lucie.

— Oh! c'est une femme formidable! dit Marie-Ange.

— En quoi?

— A son âge, elle a encore tous les hommes qu'elle veut et elle
s'arrange pour mélanger les utiles et les agréables. En ce moment, elle
en a trois qui veulent tous les trois l'épouser.

— Et chacun croit qu'il est le seul?

— Non. Chacun croit qu'il est le seul à savoir qu'il y en a deux autres.

— Ça n'est pourtant pas une Vénus.

— Il paraît qu'elle était encore bien plus moche à vingt ans; mais
elle s'est arrangée pour se rendre méconnaissable. Ça se trouve, des
femmes moches qui arrivent par les cuisses, dit Marie-Ange d'un air
docte, seulement il faut qu'elles en mettent un sale coup. Lulu devait
avoir déjà dans les quarante ans quand elle a lancé la maison Amaryllis avec les capitaux du père Brotteaux. Ça commençait à lui rappor-
ter gros quand il y a eu la guerre. Maintenant, ça repart en flèche, mais
elle en a bavé », dit Marie-Ange d'un ton compatissant. Elle ajouta :
« C'est pour ça qu'elle est si méchante.

— Je vois. » Je dévisageai Marie-Ange. « Qu'est-ce que vous venez
chercher ici? des potins bien scandaleux?

— Je suis là pour mon plaisir. J'adore aller aux cocktails. Pas vous?

— Je ne vois pas ce que ça a d'amusant : expliquez-moi donc...

— Eh bien, on voit des tas de gens qu'on n'a pas envie de voir.

— C'est limpide.

— Et puis il faut bien se montrer.

— Pourquoi faut-il?

— Si on veut être vue.

— Et vous voulez être vue?

— Oh! oui. Ce que j'aime surtout c'est me faire photographier. »
Elle mordilla ses doigts. « Ce n'est pas normal? Vous croyez que je
devrais me faire psychanalyser?

— Je comprends! Ça grouille là-dedans.

— Quoi? Les complexes?

— Quelque chose comme ça.

— Mais qu'est-ce qui me restera si on me les ôte? dit-elle plaintivement.

— Venez par ici, dit Claudie. Maintenant que les emmerdeurs sont
partis on va pouvoir s'amuser un peu. »

Il y avait toujours un moment chez Claudie où on déclarait que les
emmerdeurs étaient partis; quoique l'ordre des départs variât d'une
fois à l'autre. Je dis :

— Je suis désolée, mais il faut que je parte avec eux.

— Comment? Mais vous allez rester souper, dit Claudie. On va
dîner par petites tables, ça sera très gentil. Et des gens vont venir à

qui je veux vous présenter. Elle m'entraîna un peu à l'écart : « J'ai décidé de m'occuper de vous, dit-elle gaiement. C'est ridicule de vivre en sauvage; personne ne vous connaît : je veux dire dans les milieux où il y aurait de l'argent à ramasser. Laissez-moi vous lancer; je vous emmène chez les couturiers, je vous exhibe et dans un an vous avez la clientèle la plus huppée de Paris.

— Je n'ai déjà que trop de clients.

— Dont la moitié ne paie pas, et dont d'autre paie très mal.

— Ce n'est pas la question.

— C'est la question. Avec un client qui paie comme dix, vous travaillez dix fois moins; vous avez du temps pour sortir et pour vous habiller.

— Nous en reparlerons. »

J'étais étonnée qu'elle me comprît si mal; mais en fait je ne la comprenais pas beaucoup mieux. Elle croyait que le travail n'était pour nous qu'un moyen d'arriver au succès et à la fortune; et j'étais obscurément convaincue que tous ces snobs auraient volontiers échangé leur situation sociale contre des talents et des réussites intellectuelles. Dans mon enfance, une institutrice me semblait un bien plus grand personnage qu'une duchesse ou qu'un milliardaire, et cette hiérarchie ne s'était guère modifiée. Tandis que Claudie imaginait que pour un Einstein la suprême récompense eût été d'être reçu dans son salon. Nous ne pouvions guère nous entendre.

— Asseyez-vous là : on va jouer au jeu de la vérité, dit Claudie.

Je déteste ce jeu; je ne dis jamais que des mensonges et ça m'est pénible de voir mes partenaires, avides d'exhiber sans se nuire le mystère qui les habite, s'interroger avec scrupule et ruse.

— Quelle est votre fleur préférée? demanda Huguette à Guite.

— L'iris noir, répondit-elle au milieu d'un silence religieux.

Elles avaient toutes une fleur préférée, leur saison favorite, leur livre de chevet, leur couturier attitré.

Huguette regarda Claudie :

— Combien avez-vous eu d'amants?

— Je ne sais plus : vingt-cinq ou vingt-six. Attendez; je vais voir la liste dans la salle de bains. Elle revint en criant d'une voix triomphante : « Vingt-sept.

— Qu'est-ce que vous pensez, juste en ce moment? » me dit Huguette.

Pour moi aussi, la vérité fut soudain irrésistible :

— Que je voudrais être ailleurs. Je me levai. « Sérieusement, j'ai un travail urgent, dis-je à Claudie. Non, ne vous dérangez surtout pas. »

Je sortis du salon et Marie-Ange qui était restée prostrée sur un divan sortit derrière moi.

— C'est pas vrai, n'est-ce pas, que vous avez un travail pressé?

— J'ai toujours du travail.

— Je vous invite à dîner, dit-elle en me coulant un regard suppliant et prometteur, qu'elle éteignit tout de suite.

— Non vraiment, je n'ai pas le temps.

— Alors une autre fois. On ne pourrait pas se voir de temps en temps?

— Je suis tellement occupée!

Elle m'a tendu le bout de ses doigts d'un air mécontent; j'ai enfourché ma bicyclette et je suis partie droit devant moi. Ça m'aurait plutôt amusée de dîner avec elle, mais je savais trop comment ça tournerait : elle craignait les hommes, elle jouait les petites filles, elle m'aurait vite offert son cœur et son frêle petit corps; si je me dérobais, ce n'est pas que la situation m'effarouchât, mais je la prévoyais avec trop de fatalité pour m'en amuser. Il y avait beaucoup de vérité dans le reproche que m'avait un jour fait Nadine : « Tu ne te mets jamais dans le coup. » Je regardais les gens avec des yeux de médecin et ça me rendait difficile d'avoir avec eux des rapports humains. La colère, la rancune, j'en suis rarement capable; et les bons sentiments qu'on me porte ne me touchent guère : c'est mon métier d'en susciter. Je dois subir avec indifférence les conséquences des transferts que j'opère, et les liquider au moment voulu; même dans ma vie privée, je garde cette attitude. Le sujet atteint, je diagnostique aussitôt ses troubles infantiles, je me vois telle que j'apparais dans ses phantasmes : mère, grand-mère, sœur, enfant, idole. Je n'aime pas beaucoup les sorcelleries auxquelles on se livre sur mon image, mais il faut bien que je m'y résigne. Et je suppose que si jamais un individu normal avait le caprice de s'attacher à moi, je me demanderais aussitôt : Qui donc voit-il en moi? Quels désirs frustrés cherche-t-il à assouvir? et je serais incapable du moindre élan.

J'avais dû sortir de Paris; je roulais à présent le long de la Seine, sur une étroite chaussée bordée à gauche d'un parapet et à droite de petites maisons boiteuses qu'éclairait de loin en loin un très vieux réverbère; les pavés étaient boueux, mais il y avait de la neige blanche sur le trottoir. Je souris au ciel sombre. Cette heure-là, je l'avais gagnée en fuyant le salon de Claudie, je ne la devais à personne : c'est sans doute pourquoi il y avait dans l'air froid tant de gaieté. Je me rappelais : bien souvent autrefois ma respiration me grisait, la joie fondait sur moi, et je me disais alors que si de tels moments n'avaient pas existé, ça n'aurait pas valu la peine de vivre. Ne renaîtraient-ils pas? On m'offrait de traverser l'Océan, de découvrir un continent; et tout ce que je savais répondre, c'est : « J'ai peur. » De quoi avais-je peur? Je n'étais pas pusillanime, autrefois. Dans les bois de Païolive ou dans la forêt de Grésigne j'installais mon sac sous ma tête, je m'enroulais dans une couverture et je m'endormais seule sous les étoiles aussi tranquillement que dans mon lit; ça me paraissait naturel d'escalader sans guide, à l'aventure, de hautes montagnes aux névés glissants; je dédaignais tous les conseils de prudence; je m'asseyais seule dans les bouges du Havre ou de Marseille, je me promenais seule à travers les villages kabyles... Je fis demi-tour brusquement. Inutile de prétendre rouler vers le bout du monde : si je voulais retrouver ma vieille liberté, mieux valait rentrer à la maison et ce soir même répondre à Romieux : oui.

Mais je n'ai pas répondu, et quelques jours plus tard j'étais encore en train de demander conseil, anxieusement, comme s'il avait été question d'une expédition au centre de la terre.

— A ma place, vous accepteriez?

— Bien sûr, dit Henri avec étonnement.

C'était pendant cette nuit où de grands V lumineux cisaillaient le ciel de Paris; ils avaient apporté du champagne, des disques; j'avais préparé un souper et j'avais mis des fleurs partout. Nadine est restée dans sa chambre en prétextant un travail urgent : elle boudait une fête qui n'était à ses yeux qu'un anniversaire de mort. « Drôle de fête, disait Scriassine. Ce n'est pas une fin, c'est un commencement : le commencement de la vraie tragédie. »

Pour lui, la troisième guerre mondiale venait de s'ouvrir. Je lui dis gaiement : « Ne faites donc pas votre Cassandre; déjà la nuit du réveillon vous nous prédisiez des désastres : je crois bien que vous avez perdu votre pari.

— Nous n'avons pas parié, dit-il; et un an n'est pas même passé.

— En tout cas les Français ne sont pas en train de se dégoûter de la littérature. » Je pris Henri à témoin : « C'est même fabuleux la quantité de manuscrits qu'on reçoit à *Vigilance*, non?

— Ça prouve que la France a choisi le destin d'Alexandrie, dit Scriassine. Je préférerais que *Vigilance* réussisse moins bien et qu'un grand journal comme *L'Espoir* ne soit pas menacé de liquidation.

— Qu'est-ce que tu racontes? dit Henri vivement. *L'Espoir* se porte fort bien.

— On m'a dit que vous alliez être obligés de chercher des subsides privés.

— Qui t'a dit ça?

— Ah! je ne sais plus : c'est un bruit qui court.

— C'est un faux bruit », dit Henri sèchement. Il n'avait pas l'air de bonne humeur, c'était bizarre parce que tout le monde était très gai, même Paule, même Scriassine que son désespoir chronique n'assombrissait pas. Robert racontait des histoires d'un autre monde, des histoires des années vingt; Lenoir et Julien évoquaient avec lui ces temps exotiques; deux officiers américains que personne ne connaissait chantaient en sourdine une ballade du Far West et une Wac dormait au fond du divan. En dépit des drames passés, des futures tragédies, cette nuit était une nuit de fête, j'en étais sûre, non pas à cause des chants et des feux d'artifice mais parce que j'avais envie à la fois de rire et de pleurer.

— Allons voir ce qui se passe dehors! dis-je; on reviendra souper après.

Ils ont tous accepté avec enthousiasme. Sans trop de peine nous avons gagné la bouche du métro qui nous a menés à la Concorde; mais pour déboucher sur la place, c'était une autre histoire; l'escalier était submergé par la foule; pour ne pas nous perdre, nous nous tenions solidement par le bras, mais au moment où nous avons mis le pied sur la dernière marche, il y a eu un remous si violent que j'ai été arrachée du bras de Robert : je me retrouvai seule avec Henri, tournant le dos aux Champs-Élysées que nous nous étions proposé de remonter. Le flot nous entraînait vers les Tuileries :

— N'essayez pas de résister, dit Henri. Nous nous retrouverons tous chez vous tout à l'heure. Il n'y a qu'à suivre le courant.

Au milieu des chants et des rires nous avons dérivé jusqu'à la place de l'Opéra, tout ensanglantée de lumières et de draperies rouges; c'était un peu effrayant parce que si on avait trébuché, si on était tombé, on aurait été foulé aux pieds; mais aussi c'était exaltant; rien n'était conclu, le passé ne ressusciterait pas, l'avenir était incertain : mais le présent triomphait et il n'y avait qu'à se laisser porter par lui, la tête vide, la bouche sèche, le cœur battant.

— Vous ne boiriez pas un verre? proposa Henri.

— Si c'est possible.

Lentement, avec un tas de ruses, nous sommes arrivés à sortir de la foule au milieu d'une rue qui montait vers Montmartre; nous sommes entrés dans un cabaret plein d'Américains en uniformes qui bredouillaient des chansons et Henri a commandé du champagne; j'avais la gorge sèche de soif, de fatigue, d'émotion et je vidai d'un trait deux coupes.

— C'est une fête, n'est-ce pas? dis-je.

— Bien sûr.

Nous nous sommes regardés avec amitié; c'est rare que je me sente tout à fait à l'aise avec Henri, il y a trop de gens entre nous : Robert, Nadine, Paule; mais cette nuit il me semblait très proche, et le champagne m'enhardissait :

— Vous n'aviez pourtant pas l'air gai, ce soir.

— Si. Il me tendit une cigarette. Le fait est qu'il n'avait pas l'air gai. « Mais je me demande qui répand le bruit que L'Espoir est en difficulté. Ça pourrait bien être Samazelle.

— Vous ne l'aimez pas? dis-je; moi non plus. C'est assommant ces gens qui ne sortent jamais sans leur personnage.

— Mais Dubreuilh en fait grand cas, dit Henri.

— Robert? Il le trouve utile, mais il n'a pas de sympathie pour lui.

— Est-ce qu'il y a une différence? » dit Henri.

Son intonation me parut aussi bizarre que sa question : « Qu'est-ce que vous voulez dire?

— A l'heure qu'il est, Dubreuilh est si totalement engagé dans ce qu'il fait que sa sympathie pour les gens se mesure à leur utilité, ni plus ni moins.

— Mais ça n'est pas vrai du tout », dis-je avec indignation.

Il me regarda d'un air ironique : « Je me demande bien quelle amitié il aurait encore pour moi si je n'avais pas ouvert L'Espoir au S. R. L.

— Il aurait été déçu, dis-je; évidemment : il aurait été déçu tout juste pour les raisons qui ont fait que vous avez accepté.

« — Oh! d'accord, ce genre d'hypothèse est stupide », dit-il avec trop de vivacité.

Je me demandais si Robert lui avait donné l'impression de lui mettre le marché en main; il peut être brutal quand il veut arriver à tout prix à ses fins; ça m'aurait désolée qu'il eût blessé Henri; et lui, il était déjà bien assez seul, il ne fallait surtout pas qu'il perde cette amitié.

— Plus Robert tient aux gens, plus il exige d'eux, dis-je. Avec Nadine, par exemple, je l'ai bien remarqué : du moment où il a cessé de trop attendre d'elle, il s'en est un peu détaché.

— Ah! mais ce n'est pas du tout pareil d'être exigeant dans l'intérêt d'autrui ou dans le sien à soi; au premier cas, oui, c'est une preuve d'affection...

— Mais pour Robert les deux se confondent! dis-je.

D'ordinaire, je répugne à parler de Robert; mais je voulais absolument dissiper cette espèce de rancune que je pressentais chez Henri : « La liaison de *L'Espoir* et du S. R. L. c'était à ses yeux une nécessité, vous deviez donc la reconnaître. » J'interrogeai Henri du regard : « Vous pensez qu'il a disposé trop facilement de vous? mais c'était par estime.

— Je sais, dit Henri en souriant; il prête volontiers aux autres ses propres évidences : avouez que c'est une forme d'estime un peu impérialiste.

— Après tout, il n'avait pas tellement tort puisque vous avez été d'accord, dis-je. Je ne vois pas bien ce que vous lui reprochez.

— Est-ce que j'ai dit que je lui reprochais quelque chose?

— Non, mais ça se sent. »

Henri hésita : « Oh! c'est une affaire de nuances, dit-il en haussant les épaules. J'aurais su gré à Dubreuilh de se placer une minute à mon point de vue. » Il me sourit tout à fait gentiment : « Vous l'auriez fait.

— Je ne suis pas une femme d'action, dis-je. Oui, ajoutai-je, de temps en temps Robert fait exprès de se mettre des œillères; ça n'empêche pas qu'en général il n'ait un vrai souci des autres, et des sentiments désintéressés : vous êtes injuste.

— Peut-être, dit Henri gaiement. Vous savez, quand on accepte à contrecœur de faire un truc, on en veut un peu à celui qui vous y a poussé : je conviens que ce n'est pas bien honnête. »

Je dévisageai Henri avec une espèce de remords :

— Ça vous pèse beaucoup, ces nouveaux rapports de *L'Espoir* avec le S. R. L.

— Oh! maintenant, il n'y a plus de question, dit-il, je suis dans le bain.

— Mais vous n'aviez pas envie de vous y mettre?

Il sourit : « Pas follement. »

Il avait répété bien des fois que ça l'assommait, la politique, et il y était jusqu'au cou; je soupirai : « Il y a tout de même quelque chose de vrai dans ce que dit Scriassine; jamais ça n'a été si dévorant qu'aujourd'hui la politique.

— Ce monstre de Dubreuilh ne se laisse pas dévorer, dit Henri avec une espèce d'envie; il écrit autant qu'autrefois.

— Autant », dis-je; j'hésitai, mais je me sentais vraiment en confiance avec Henri : « Il écrit autant, mais moins librement, dis-je. Ces souvenirs dont vous aviez lu des passages, eh bien, il a renoncé à les faire paraître, il dit qu'on y trouverait trop d'armes contre lui; c'est triste, non, de penser que si on devient un homme public on ne peut plus être complètement sincère en tant qu'écrivain? »

Henri se tut une seconde : « Il y a une certaine gratuité de l'écriture qui disparaît, évidemment, dit-il; tout ce que publie Dubreuilh aujourd'hui se lit dans un contexte dont il est obligé de tenir compte; mais je ne pense pas que ça diminue sa sincérité.

— Le fait que ces mémoires ne paraîtront pas, moi, ça me désole!

— Vous avez tort, dit-il amicalement. L'œuvre d'un homme qui se confesserait intégralement, mais sans responsabilité, ne serait pas plus vraie ni plus complète que celle d'un homme qui prend la responsabilité de tout ce qu'il dit.

— Vous croyez? » dis-je; j'ajoutai : « Pour vous aussi, la question s'est posée?

— Non, pas comme ça du tout, dit-il.

— Mais des questions se sont posées?

— Ça n'arrête pas de pleuvoir les questions, non? » dit-il d'un ton évasif.

J'insistai : « Comment va votre roman gai?

— Justement, je ne l'écris plus.

— Il est devenu triste? je vous l'avais bien dit.

— Je n'écris plus, dit Henri avec un sourire d'excuse. Plus du tout.

— Allons donc!

— Des articles, soit : ça se consomme sur place; mais un vrai livre, je ne peux plus. »

Il ne pouvait plus : il y avait donc du vrai dans les divagations de Paule. Lui qui aimait tellement écrire, comment était-ce arrivé? « Mais pourquoi? dis-je.

— C'est naturel de ne pas écrire, vous savez; c'est plutôt le contraire qui est anormal.

— Pas pour vous, dis-je; vous ne conceviez pas de vivre sans écrire. »

Je le regardais avec malaise; j'avais dit à Paule : « Les gens changent »; mais on a beau savoir qu'ils changent, on s'entête à les regarder comme immuables sur un tas de points : encore une étoile fixe qui s'était mise à valser dans mon ciel : « Vous trouvez qu'au jour d'aujourd'hui, c'est vain?

— Oh! non, dit Henri. S'il y a des gens pour qui ça garde un sens d'écrire, tant mieux pour eux. Personnellement, je n'en ai plus envie, c'est tout. » Il sourit : « Je vais tout vous avouer : je n'ai plus rien à dire; ou mettons que ce que j'ai à dire, il me semble que ça n'est rien.

— C'est une humeur qui va passer, dis-je.

— Je ne crois pas. »

J'avais le cœur serré; ça devait être horriblement triste pour lui, ce renoncement; je dis avec reproche et remords : « On se voit si souvent, et vous ne nous avez jamais parlé de ça!

— Il n'y avait pas lieu.

— C'est vrai qu'avec Robert, vous ne parlez plus que de politique! » J'eus une brusque inspiration : « Vous ne savez pas ce qui serait bien? nous allons faire un voyage à bicyclette cet été, Robert et moi; venez avec nous pendant une ou deux semaines.

— Ça pourrait être bien, dit-il d'un ton hésitant.

— Ça le serait sûrement! » J'hésitai à mon tour : « Seulement Paule ne monte pas à bicyclette.

— Oh! de toute façon je ne passerai pas toutes mes vacances avec elle, dit-il vivement. Elle ira à Tours chez sa sœur. »

Il y a eu un petit silence; je demandai abruptement :

— Pourquoi est-ce que Paule ne veut pas essayer de se remettre à chanter?

— Si vous pouviez me le dire! je ne sais pas ce qu'elle a dans la tête, ces temps-ci, dit-il d'une voix découragée; il haussa les épaules : « Elle a peut-être peur, si elle se faisait une vie à elle, que j'en profite pour modifier nos rapports.

— Et c'est bien ce que vous souhaiteriez? dis-je.

— Oui, dit-il avec élan. Que voulez-vous, ajouta-t-il, ça fait déjà bien longtemps que je ne l'aime plus; elle s'en rend très bien compte d'ailleurs bien qu'elle s'acharne à affirmer que rien n'a changé.

— J'ai l'impression qu'elle vit sur deux plans à la fois, dis-je. Elle est parfaitement lucide, et en même temps elle se raconte que vous l'aimez d'amour fou et qu'elle aurait pu être la plus grande chanteuse du siècle. Je pense que la lucidité finira par l'emporter : mais alors qu'est-ce qu'elle va devenir?

— Ah! je ne sais pas! dit Henri. Je ne voudrais pas me conduire en salaud, mais je n'ai pas la vocation du martyre. Quelquefois la situation me paraît simple : quand on n'aime plus, on n'aime plus. A d'autres moments, ça me semble injuste d'avoir cessé de l'aimer : c'est la même Paule.

— Je suppose qu'aimer aussi est injuste.

— Et alors? qu'est-ce que je peux bien faire? » dit-il.

Il avait l'air vraiment tourmenté; une fois de plus je me dis que j'étais bien contente d'être une femme : parce que c'est à des hommes que j'ai affaire, ça pose beaucoup moins de problèmes.

— Il faudrait que Paule y mette du sien, dis-je, sans ça vous êtes salement coincé. On ne peut pas vivre dans la mauvaise conscience : mais on ne peut pas non plus vivre à contrecœur.

— Peut-être faut-il apprendre à vivre à contrecœur, dit-il avec une fausse désinvolture.

— Non! je suis sûre que non! dis-je. Si on n'est pas content de sa vie, je ne vois pas de quel point de vue on peut la justifier.

— Vous êtes contente de la vôtre?

La question me prit au dépourvu; j'avais parlé au nom d'une vieille conviction; mais dans quelle mesure est-ce que je m'y conformais encore, je ne savais plus trop; je dis avec gêne : « Je n'en suis pas mécontente. »

A son tour, il m'examina : « Et ça vous suffit, de ne pas être mécontente?

— Ce n'est déjà pas si mal.

— Vous avez changé, dit-il gentiment. Autrefois vous étiez satisfaite de votre sort d'une manière presque insolente.

— Pourquoi est-ce que je serais la seule à ne pas avoir changé? » dis-je.

Mais lui non plus il ne lâchait pas prise : « Il m'a semblé quelquefois que votre métier vous intéressait moins qu'avant.

— Il m'intéresse, dis-je. Mais ne trouvez-vous pas qu'à l'heure qu'il est, c'est légèrement futile de soigner des états d'âme?

— Pour ceux que vous guérissez, c'est important, dit-il. Aussi important aujourd'hui qu'autrefois : où est la différence? »

J'hésitai : « Ce qu'il y a c'est qu'autrefois je croyais au bonheur, dis-je; je veux dire : je pensais que les gens heureux étaient dans le vrai. Guérir un malade, c'était en faire une vraie personne, capable de donner un sens à sa vie. » Je haussai les épaules : « Il faut bien de la confiance dans l'avenir pour croire que toute vie peut avoir un sens. »

Henri sourit; ses yeux m'interrogeaient : « L'avenir n'est pas si noir, dit-il.

— Je ne sais pas, dis-je. Peut-être qu'autrefois je le voyais trop rose; alors le gris me fait peur. » Je souris : « C'est en ça que j'ai le plus changé, j'ai peur de tout.

— Là, vous m'étonnez! dit-il.

— Je vous assure. Tenez, voilà déjà plusieurs semaines qu'on m'a proposé d'aller en Amérique, en janvier, pour un congrès de psychiatrie; je n'arrive pas à me décider.

— Mais pourquoi? dit-il d'une voix scandalisée.

— Je ne sais pas; ça me tente, mais en même temps, j'ai peur. Vous n'auriez pas peur? à ma place, vous accepteriez?

— Bien sûr! dit-il. Que voulez-vous qui vous arrive?

— Rien de spécial. » J'hésitai : « Ça doit être drôle de se voir et de voir les gens à qui on tient du fond d'un autre monde...

— Ça doit être très intéressant. » Il me sourit d'un air encourageant : « Sûrement vous ferez quelques petites découvertes; mais ça m'étonnerait bien qu'elles bouleversent votre existence. Les choses qui nous arrivent ou celles que nous faisons, finalement, ça n'a jamais tant d'importance... »

Je baissai la tête : « C'est vrai, pensai-je. Les choses ont toujours moins d'importance que je ne crois. Je partirai, je reviendrai, tout passe, rien ne se passe. » Déjà ce tête-à-tête était passé. Il fallait rentrer à la maison pour le souper. L'intimité, la confiance de cette heure, nous aurions pu la prolonger jusqu'à l'aube : par-delà l'aube peut-être. Mais pour mille raisons il ne fallait pas essayer. Ne fallait-il pas ? En tout cas, nous n'avons pas essayé.

— Il faut aller retrouver les autres, dis-je.

— Oui, a dit Henri; il est temps.

Nous avons marché en silence jusqu'au métro et nous avons été retrouver les autres.

L'entrevue de Robert avec Lafaurie a été courtoisement orageuse; aucun des deux n'élevait la voix; mais ils se sont traités mutuellement de criminels de guerre. Lafaurie a conclu d'un ton attristé : « Nous serons obligés de passer à l'attaque. » Ça n'a pas empêché Robert de préparer avec passion le meeting prévu pour juin. Un soir pourtant après une longue séance avec Samazelle et Henri, il m'a demandé à brûle-pourpoint :

— J'ai raison ou non d'organiser ce meeting ?

Je l'ai dévisagé avec stupeur : « Pourquoi me demandez-vous ça ? » Il sourit : « Pour que tu me répondes !

— Vous savez mieux que moi.

— On ne sait jamais. »

Je continuai à l'examiner d'un œil perplexe : « Renoncer au meeting, ça veut dire renoncer au S. R. L. ?

— Naturellement.

— Vous m'avez expliqué en long et en large après votre dispute avec Lafaurie pourquoi il était hors de question que vous cédiez. Qu'est-ce qui s'est passé de neuf ?

— Il ne s'est rien passé, dit Robert.

— Alors ? pourquoi avez-vous changé d'avis ? Vous ne croyez plus possible de forcer la main aux communistes ?

— Si; en cas de succès, il est probable qu'ils ne couperont pas les ponts. » La voix de Robert resta en suspens; il hésita : « C'est sur tout l'ensemble que je m'interroge.

— Sur l'ensemble du mouvement ?

— Oui. Cette Europe socialiste, il y a des moments où je me demande si ce n'est pas une utopie. Mais toute idée qui n'est pas encore réalisée ressemble drôlement à une utopie; on ne ferait jamais rien si on considérait que rien n'est possible, sauf ce qui existe déjà. »

Il avait l'air de se défendre contre un interlocuteur invisible, et je me demandais d'où lui venaient soudain ces doutes. Il soupira : « Ce n'est pas facile de faire le départ entre une véritable possibilité et un rêve.

— Est-ce que Lénine ne disait pas : « Il faut rêver » ?

— Oui; mais à condition de croire sérieusement à son rêve; c'est la question : est-ce que j'y crois assez sérieusement ? »

Je le regardai avec étonnement : « Que voulez-vous dire ?

— Est-ce que ce n'est pas par défi, par orgueil, par complaisance à moi-même que je m'entête ?

13

— C'est drôle que vous ayez ce genre de scrupules, dis-je. D'habitude vous ne vous méfiez pas de vous.

— Je me méfie aussi de mes habitudes! dit Robert.

— Alors, méfiez-vous aussi de cette méfiance. C'est peut-être par peur d'un échec, ou par crainte d'un tas de complications que vous êtes tenté de céder.

— Peut-être, dit Robert.

— Je suppose que ça ne vous est pas agréable, l'idée que les communistes vont ouvrir une campagne contre vous?

— Non, ça ne m'est pas agréable, dit Robert. On se donne tant de mal pour se faire comprendre! Et ils vont créer systématiquement les pires malentendus. Oui, ajouta-t-il, c'est peut-être l'écrivain en moi qui conseille lâchement à l'homme politique de filer doux.

— Vous voyez, dis-je. Si vous commencez à éplucher vos motifs, vous n'en sortirez pas. Restez donc sur un terrain objectif, comme dirait Scriassine.

— Hélas! c'est un terrain bien mouvant! dit Robert. Surtout quand on ne dispose que d'informations incomplètes. Oui, je crois aux chances d'une gauche européenne : mais n'est-ce pas parce que je suis convaincu de sa nécessité? »

Ça me déconcertait que Robert posât la question comme ça. Il s'était vivement reproché d'avoir trop naïvement cru à la bonne volonté des communistes : mais ça n'aurait pas dû suffire à le faire douter de lui à ce point-là. C'était la première fois de notre vie que je le voyais tenté par une solution paresseuse.

— Depuis quand pensez-vous à laisser tomber le S. R. L.? dis-je.

— Oh! je n'y pense pas positivement, dit Robert. Je m'interroge.

— Depuis quand vous interrogez-vous comme ça?

— Ça fait deux ou trois jours, dit Robert.

— Et sans raison particulière?

Il sourit : « Sans raison particulière. »

Je le dévisageai : « Est-ce que ça ne serait pas tout bonnement que vous êtes fatigué? dis-je. Vous avez l'air fatigué.

— Je suis un peu fatigué, c'est vrai », dit-il.

Ça m'a sauté aux yeux soudain : il avait l'air très fatigué. Ses yeux étaient roses, sa peau terne et son visage bouffi. « C'est qu'il n'est plus si jeune! » ai-je pensé avec inquiétude. Oh! il n'était pas encore vieux mais tout de même il ne pouvait plus se permettre les excès d'autrefois; en fait il se les permettait, et même il les multipliait : peut-être pour se prouver qu'il était encore jeune. Outre le S. R. L. et *Vigilance*, et son livre, il y avait les visites, les lettres, les coups de téléphone; ils avaient tous des choses urgentes à lui communiquer : des encouragements, des critiques, des suggestions, des problèmes; si on ne les recevait pas, si on ne les imprimait pas, on les affamait, on les condamnait à la misère, à la folie, à la mort, au suicide. Robert les recevait, il prenait sur ses nuits, il ne dormait presque jamais.

— Vous en faites beaucoup trop! dis-je. Si vous continuez comme ça, vous allez vous crever. Un de ces jours vous aurez un arrêt du cœur et moi, je serai fraîche!

— Encore un mois à tirer, pas plus, dit-il.

— Et vous croyez qu'il suffira d'un mois de vacances pour vous remettre? Je réfléchis : « On devrait tâcher de trouver une maison en banlieue, dis-je. Vous iriez à Paris une ou deux fois par semaine et le reste du temps ni visites ni coups de téléphone : la tranquillité.

— C'est toi qui la trouveras la maison? » dit Robert d'une voix moqueuse.

Courir les agences, visiter des villas, je n'en avais guère le goût et pas du tout le temps. Mais c'était un crève-cœur de voir comme Robert se surmenait. Il avait décidé que le meeting aurait lieu, mais il restait inquiet : les communistes ne se laisseraient intimider que si le succès était éclatant; au cas où ils couperaient les ponts, que deviendrait le S. R. L.? Moi aussi, sa réussite me tenait à cœur. J'attache encore plus d'importance que Robert aux individus, un à un, et à toutes les richesses de la vie privée : les sentiments, la culture, le bonheur; j'ai besoin de penser que dans la société sans classes l'humanité s'accomplira sans rien renier d'elle-même.

Grâce au ciel, Nadine avait cessé de transmettre à son père les blâmes de ses camarades communistes; elle ne nous assenait plus de diatribes contre l'impérialisme américain, elle avait définitivement fermé *Le Capital*. Je ne fus pas étonnée quand elle m'a dit abruptement :

— Au fond, les communistes, c'est du pareil au même que des bourgeois.

— Comment ça?

J'étais en train de faire ma toilette de nuit et elle était assise au bord de mon divan; c'est souvent à ce moment-là qu'elle me parlait des choses qui lui tenaient à cœur.

— C'est pas des révolutionnaires. Ils sont pour l'ordre, le travail, la famille, la raison. Leur justice, c'est dans l'avenir; en attendant ils s'arrangent de l'injustice comme les autres. Et puis leur société, eh bien, ça sera encore une société.

— Évidemment.

— S'il faut attendre cinq cents ans pour que le monde ne soit même pas changé, ça ne m'intéresse pas.

— Tu n'imagines pas qu'on va refaire le monde en une saison.

— C'est marrant, tu causes comme Joly. Tu parles si je les connais leurs salades. Mais alors je ne vois pas pourquoi moi j'entrerais au P. C. C'est un parti comme un autre.

« Voilà encore une histoire qui a mal tourné, pensais-je avec regret en achevant de me démaquiller. Elle aurait eu tellement besoin d'une histoire réussie! »

— Le mieux, c'est de rester seul comme Vincent, dit-elle; c'est un pur, lui; c'est un ange.

Un ange; le mot qu'elle employait à propos de Diégo; sans doute retrouvait-elle en Vincent cette générosité et cette extravagance qui avaient naguère touché son cœur; seulement Diégo mettait sa folie dans ses écrits, et on pouvait craindre que Vincent ne fît passer la sienne dans sa vie. Couchait-il avec Nadine? je ne le supposais pas, mais ils se voyaient très souvent ces temps-ci; je m'en félicitais plutôt, parce que Nadine me semblait agitée, mais gaie. C'est sans aucune appréhension que j'ai entendu ce coup de sonnette, à cinq heures du matin. Nadine n'était pas rentrée et j'ai supposé qu'elle avait oublié sa clef. Mais quand j'ai ouvert la porte, j'ai vu Vincent. Il m'a dit :

— Ne vous inquiétez pas!

Ce qui m'a tout de suite inquiétée. J'ai dit : « Il est arrivé quelque chose à Nadine!

— Non non, dit-il; elle va très bien. Tout va s'arranger. » Il a marché avec décision vers le living-room. « Même Nadine est une femme! » a-t-il dit d'un air dégoûté. De la poche de son blouson, il a tiré une carte qu'il a étalée sur la table : « En deux mots, elle vous attend à ce carrefour, dit-il en désignant le croisement de deux petites routes, au nord-ouest de Chantilly. Il faut que vous vous procuriez une auto et que vous alliez immédiatement la chercher. Perron vous prêtera sûrement la bagnole du journal. Mais ne lui donnez pas d'explication; demandez-lui la voiture, sans plus. Et surtout pas question de moi. »

Il avait parlé d'une haleine, d'une voix calme et dure qui ne me rassurait pas du tout; j'étais certaine qu'il avait peur : « Qu'est-ce qu'elle fait là-bas? Elle a eu un accident?

— Je vous dis que non; elle s'est abîmé les pieds, c'est tout, elle ne sait pas marcher. Mais vous arriverez à temps pour la cueillir; vous voyez bien l'endroit? je marque une croix. Vous n'avez qu'à klaxonner ou à appeler, elle est dans le petit bois à droite de la route.

— Qu'est-ce que c'est que cette histoire? qu'est-ce qui est arrivé? Je veux savoir, dis-je.

— Secret professionnel, dit Vincent. Vous feriez mieux de téléphoner tout de suite à Perron », ajouta-t-il.

Je détestai son visage blême, ses yeux sanglants, son joli profil mais c'était une fureur impuissante; je composai le numéro d'Henri et j'entendis sa voix étonnée :

— Allô! qui est à l'appareil?

— Anne Dubreuilh. Oui, c'est moi. J'ai un service urgent à vous demander. Et s'il vous plaît ne me posez pas de question. J'ai besoin d'une auto tout de suite; avec de l'essence pour deux cents kilomètres.

Il y eut un très court silence : « C'est une chance qu'on ait fait le plein hier, dit-il d'une voix très naturelle. La bagnole sera à votre porte dans une demi-heure, le temps d'aller et de revenir.

— Amenez-la place Saint-André-des-Arts, dis-je. Merci.

— Ah! c'est parfait! dit Vincent avec un grand sourire. J'étais sûr de Perron. Soyez vraiment tranquille, ajouta-t-il. Nadine ne court aucun danger : surtout si vous vous dépêchez un peu. Pas un mot à personne, hein! elle m'a juré qu'on pouvait compter sur vous.

— On peut, dis-je en le suivant vers la porte; mais dites-moi de quoi il s'agit?

— Rien de sérieux, je vous le jure », dit-il.

J'avais envie de claquer violemment la porte derrière lui, mais je la fermai doucement pour ne pas réveiller Robert; heureusement il devait dormir à poings fermés, il y avait à peine deux heures que je l'avais entendu se coucher. Je m'habillai en hâte. Je me rappelais ces deux nuits où j'avais attendu Nadine tandis que Robert la cherchait à travers Paris : l'horrible attente. Aujourd'hui, c'était pire encore. J'étais sûre qu'ils avaient fait quelque chose de grave : Vincent avait peur; il s'agissait d'un cambriolage, ou d'un hold-up, Dieu sait quoi; et après ça Nadine n'avait pas pu aller à pied jusqu'à la gare, et il fallait que j'arrive avant que la chose ait été découverte, avant que Nadine ait été découverte, Nadine qui m'attendait depuis des heures seule dans la nuit, le froid, la peur. C'était un beau matin d'été à l'odeur de goudron et de feuillage, d'ici quelques heures il ferait très chaud; pour l'instant dans la fraîcheur et le silence des quais déserts, des oiseaux chantaient; un gai matin chargé d'angoisse comme le matin de l'exode.

Henri arriva sur la place quelques minutes après moi :

— Voilà le carrosse, dit-il gaiement. Il restait assis au volant : « Vous ne voulez pas que je vous accompagne?

— Merci, non.

— Vous êtes sûre?

— Je suis sûre.

— Il y a longtemps que vous n'avez pas conduit.

— Je sais que je saurai. »

Il descendit et je m'installai à sa place; il dit :

— Il s'agit de Nadine?

— Oui.

— Ah! ils se servent d'elle pour nous forcer la main! dit-il d'une voix indignée.

— Vous savez de quoi il s'agit?

— Plus ou moins.

— Dites-le-moi...

Il hésita : « Ce ne sont que des suppositions. Écoutez, je resterai chez moi toute la matinée, si je peux vous aider en quoi que ce soit, téléphonez. »

« Il ne faut surtout pas que j'aie un accident » me dis-je en filant vers la porte de la Chapelle. Je m'obligeai à la prudence et j'essayai de me rassurer. « Henri semble supposer que Vincent a menti : peut-être sont-ils plusieurs à m'attendre; peut-être même Nadine n'est-elle pas avec eux. » Comme je le souhaitais! J'aimais mille fois mieux me supposer leur dupe que d'imaginer Nadine transie de froid, de peur et de dépit tout au long d'une longue nuit.

La grand-route était déserte; je pris à droite une petite route, et puis une autre. Le carrefour aussi était désert; je klaxonnai et j'examinai la carte : je ne m'étais pas trompée; mais si Vincent s'était trompé? non, il avait été très précis, aucune erreur possible. Je klaxonnai encore; et puis j'arrêtai le moteur, je descendis, j'entrai à droite dans le petit bois et j'appelai : « Nadine », d'abord doucement, puis de plus en plus fort. Silence. Un silence de mort : j'ai compris le sens de ces mots. Nadine : pas de réponse; exactement comme si j'avais appelé : Diégo; elle aussi, elle s'était volatilisée; c'est ici qu'elle devait être, tout juste ici, et elle n'y était pas. J'ai tourné en rond, j'écrasais des branches mortes, de la mousse fraîche, je n'appelais même plus. « Ils l'ont arrêtée! » pensais-je avec terreur. Je suis revenue vers la voiture. Peut-être s'était-elle fatiguée d'attendre, elle n'était pas patiente, elle avait trouvé le courage de marcher vers une gare voisine; il fallait la rattraper, il le fallait, on allait la remarquer à cette heure-ci sur un quai désert. A Chantilly, elle serait passée inaperçue, mais c'était très loin, et je l'aurais rencontrée sur la route, elle avait dû choisir Clermont; je regardais fixement la carte comme si j'avais pu lui arracher une réponse; pour Clermont, il y avait deux chemins possibles; elle avait pris le plus court, probablement. Je rétablis le contact, j'actionnai le démarreur et mon cœur se mit à battre désespérément : le moteur ne se réveillait pas; enfin il s'est décidé, et l'auto est partie sur la route, à petits bonds. Mes mains moites glissaient sur le volant mouillé. Autour de moi, le silence s'entêtait; mais la lumière était déjà impérieuse, bientôt dans les villages les portes allaient s'ouvrir. « Ils vont l'arrêter. » Le silence, l'absence; cette paix me semblait affreuse. Nadine n'était pas sur la route, ni dans les rues de Clermont ni dans la gare. Sans doute n'avait-elle pas de carte, elle ne connaissait pas la région, elle errait au hasard dans la campagne, ils la trouveraient avant moi. Je fis demi-tour; j'allais revenir jusqu'au carrefour par l'autre chemin; et puis je tournerais en rond sur toutes ces routes jusqu'à ce que le réservoir soit vide. Et alors? Ne pas m'interroger : suivre toutes les routes; celle-ci montait vers un plateau, entre des moissons verdoyantes. Et soudain j'ai vu Nadine qui venait à ma rencontre, avec un sourire aux lèvres, comme si nous étions convenues depuis longtemps de ce rendez-vous. J'arrêtai brutalement la voiture et elle s'approcha sans hâte; d'une voix tout à fait naturelle elle demanda :

— Tu es venue me chercher?

— Non; je me promène pour mon plaisir. J'ouvris la portière : « Monte. »

Elle s'est assise à côté de moi, elle était coiffée, poudrée, elle semblait reposée; mon pied écrasait l'accélérateur et mes mains serraient trop fort le volant; Nadine a demandé avec un sourire mi-railleur, mi-indulgent : « Tu es furieuse? »

Ces deux larmes acides qui me sont montées aux yeux, c'était en effet des larmes de colère; la voiture a fait une embardée, je suppose que mes mains tremblaient; j'ai ralenti, j'ai essayé de détendre mes doigts et de contrôler ma voix :

— Pourquoi n'es-tu pas restée dans le bois?

— Je m'ennuyais. Elle enleva ses souliers et les poussa sous la banquette : « Je ne pensais pas que tu viendrais, ajouta-t-elle.

— Tu es donc idiote? évidemment que je suis venue.

— Je ne savais pas. Je voulais prendre le train à Clermont; j'aurais bien fini par y arriver. » Penchée en avant, elle massait ses pieds : « Mes pauvres pieds!

— Qu'est-ce que vous avez fait? »

Elle ne répondit pas.

— Bon, garde tes secrets, dis-je; ça sera dans le journal ce soir.

— Ça sera dans le journal! Nadine se redressa, son visage était décomposé : « Crois-tu que la concierge a remarqué que je ne suis pas rentrée cette nuit?

— Elle ne pourra pas le prouver; et à l'occasion je jurerai le contraire. Mais je veux savoir ce que vous avez fait.

— Puisque tu le sauras de toute façon! Il y a une bonne femme à Azicourt, dit-elle d'une voix morne, elle a dénoncé deux gosses juifs qu'on avait planqués dans une ferme : les gosses sont morts. Tout le monde sait que c'est sa faute, mais elle s'est démerdée pour ne pas être inquiétée : une saloperie de plus. Vincent et ses copains ont décidé de la punir; il y a longtemps que je suis au courant et ils savaient que je voulais les aider. Ce coup-ci ils avaient besoin d'une femme, je les ai accompagnés. La bonne femme, c'était la tenancière du bistrot; on a guetté le départ des derniers clients, et juste quand elle fermait, je l'ai suppliée de me laisser entrer une minute pour boire un verre et me reposer; pendant qu'elle me servait, les autres sont entrés et lui ont sauté dessus; ils l'ont emmenée à la cave. »

Nadine se tut; je demandai : « Ils ne l'ont pas...

— Non », dit-elle vivement. Elle ajouta : « Ils l'ont tondue... Je n'ai pas si mal tenu le coup, dit-elle d'une voix soudain revendicante; j'ai fermé la porte, j'ai éteint; seulement ça m'a paru long, j'ai bu un verre de fine en attendant; évidemment, je ne suis pas entraînée, ça m'a nettoyée. Et puis on avait déjà fait des kilomètres pour venir de Clermont, ils voulaient repartir par Chantilly : moi je ne pouvais plus avancer. Ils m'ont traînée jusqu'au petit bois, ils m'ont dit de t'attendre. J'ai eu le temps de récupérer... »

Je l'interrompis : « Tu vas me donner ta parole de rompre avec toute cette bande, ou tu quittes Paris ce soir même.

— De toute façon, ils ne voudront plus de moi, dit-elle avec une espèce de rancune.

— Ça ne me suffit pas : je veux ta parole ou je te jure que demain, tu seras loin. »

Il y avait des années que je ne lui avais pas parlé sur ce ton; elle m'a regardée d'un air soumis et implorant:

— Promets-moi aussi quelque chose : ne dis rien à papa.

Ça ne m'était arrivé que bien rarement de taire à Robert les sottises

de Nadine; mais cette fois, je pensais qu'il n'avait vraiment pas besoin
de nouveaux soucis : « Promesse contre promesse, dis-je.

— Je promets tout ce que tu veux, dit-elle d'un air triste.

— Alors, je ne dirai rien. » J'ajoutai avec anxiété : « Tu es sûre de
ne pas avoir laissé de trace?

— Vincent affirme qu'il a veillé à tout. » Elle demanda avec angoisse :
« Qu'est-ce qui arriverait si on me prenait?

— On ne te prendra pas; et tu n'es que complice; et tu es très jeune.
Mais Vincent risque gros; et s'il finit sa vie en tôle, c'est bien fait pour lui,
ajoutai-je avec rage. C'est moche, cette histoire; c'est imbécile et moche. »

Nadine ne répondit pas; elle dit après un silence :

— Henri a prêté la voiture sans rien demander?

— Je crois qu'il en sait long.

— Vincent cause trop, dit Nadine. Henri ou toi, ça n'a pas d'importance. Mais un type comme Sézenac pourrait être dangereux.

— Sézenac n'est pas dans le coup? c'est de la folie!

— Il n'est pas dans le coup, Vincent sait tout de même qu'un drogué, il faut s'en méfier. Seulement ils s'aiment bien, ils sont tout le temps
ensemble.

— Il faut parler à Vincent, il faut le convaincre de laisser tomber...

— Tu ne le convaincras pas, dit Nadine; ni toi ni moi ni personne.

Nadine a été se coucher et j'ai dit à Robert que j'étais sortie faire
un tour pour mon plaisir. Il était si préoccupé ces temps-ci qu'il n'a
vu là rien de suspect. J'ai téléphoné à Henri, je l'ai rassuré en quelques
phrases vagues. M'intéresser à mes malades, ç'a été un rude exercice.
Je guettais les journaux du soir : ils ne parlaient de rien. Je n'ai tout
de même guère dormi, cette nuit-là. « Plus question de partir en Amérique » me suis-je dit : Nadine était en danger; elle m'avait promis de
ne pas recommencer; mais Dieu sait ce qu'elle inventerait d'autre!
Et j'ai pensé avec tristesse que j'aurais beau rester auprès d'elle, je
ne réussirais pas à la protéger. Il aurait sans doute suffi qu'elle fût
heureuse, qu'elle se sentît aimée, pour qu'elle cessât de se détruire :
mais je ne pouvais lui donner ni l'amour ni le bonheur. Que je lui
étais inutile! Les autres, les étrangers, je les fais parler, je dévide les
fils de leurs souvenirs, je débrouille leurs complexes, et je leur remets
à la sortie de petits écheveaux bien nets qu'ils rangent dans leurs tiroirs :
ça leur fait du bien, quelquefois. Nadine, je lis sans effort en elle, et
je ne sais rien faire pour elle. Je me disais jadis : « Comment peut-on
respirer tranquille quand on pense que les gens qu'on aime sont en
train de jouer leur vie éternelle? » Mais le croyant peut prier, il peut
offrir à Dieu des marchés. Pour moi, il n'existe pas de communion de
saints et je me dis : « Cette vie est sa seule chance; il n'y aura pas d'autre
vérité que celle qu'elle aura connue, pas d'autre monde que celui auquel
elle aura cru. » Nadine avait de grands yeux battus le lendemain matin,
et j'ai continué à me ronger. Elle a passé la journée assise devant un
traité de chimie et le soir, pendant que je me démaquillais, elle m'a
dit d'un air abattu :

— C'est un cauchemar cette chimie; sûr et certain que je vais me faire coller.

— Tu as toujours passé tes examens...

— Pas ce coup-ci; d'ailleurs collée ou reçue, c'est du pareil au même. Jamais je ne ferai une carrière dans la chimie. Elle a réfléchi un moment : « Je ne peux faire de carrière dans rien. Je ne suis pas une intellectuelle, et dans l'action, je me dégonfle. Je ne suis pas utilisable.

— A *Vigilance* tu t'en es parfaitement tirée, et tout de suite.

— Il n'y a pas de quoi être fière, papa a bien raison.

— Quand tu auras trouvé un truc qui t'intéresse, je suis sûre que tu le feras très bien; et tu trouveras. »

Elle secoua la tête : « Je suppose qu'au fond, je suis faite pour avoir un mari et des enfants comme toutes les femmes. Je récurerai mes casseroles et je pondrai un chiard tous les ans.

— Si tu te maries pour te marier, tu ne seras pas contente non plus.

— Oh! sois tranquille! aucun homme ne sera assez con pour m'épouser. Ils aiment bien coucher avec moi mais après ça bonsoir. Je ne suis pas attachante. »

Je connaissais bien cette manière qu'elle avait de dire sur elle-même d'un ton très naturel les choses les plus désagréables, comme si par sa désinvolture elle en avait désarmé et dépassé l'aigre vérité. Malheureusement la vérité restait vraie.

— Tu ne veux pas l'être, dis-je. Et si quelqu'un s'entête quand même à tenir à toi, tu refuses d'y croire.

— Tu vas encore me dire que Lambert tient à moi...

— Depuis un an tu es la seule fille avec qui il soit jamais sorti, tu me l'as dit toi-même.

— Évidemment, il est pédéraste.

— Tu es folle.

— Puisqu'il ne sort jamais qu'avec des garçons. Et il est amoureux d'Henri, c'est trop clair.

— Tu oublies Rosa.

— Oh! Rosa était si belle, dit Nadine avec nostalgie. Même un pédé pouvait être amoureux de Rosa. Tu ne comprends pas, ajouta-t-elle avec impatience. Lambert a de l'amitié pour moi, soit, mais comme il en aurait pour un homme. D'ailleurs c'est parfait comme ça. Je n'ai pas envie d'être un produit de remplacement. Elle soupira : « Les garçons ont trop de chance; il va faire un grand reportage à travers toute la France : le relèvement des régions dévastées et tout. Il s'est acheté une motocyclette. Il faut le voir : il se prend pour le colonel Lawrence quand il se trimbale sur sa ferraille », ajouta-t-elle avec hargne.

Il y avait tant d'envie dans sa voix que ça m'a donné une idée. J'ai passé à *L'Espoir* le lendemain après-midi et j'ai demandé à voir Lambert.

— Vous avez à me parler? a-t-il dit d'un ton courtois.

— Si vous avez une minute, oui.

— Voulez-vous que nous montions au bar?

— Montons.

Dès que le barman eut posé devant moi un jus de pamplemousse, j'attaquai : « Il paraît que vous allez faire un grand reportage à travers la France?

— Oui; je pars la semaine prochaine, en moto.

— Est-ce que ça ne serait pas possible que vous emmeniez Nadine? »

Il me regarda avec une espèce de reproche :

— Nadine a envie de m'accompagner?

— Elle en meurt d'envie; mais jamais elle ne vous le demandera la première.

— Je ne le lui ai pas proposé parce que je serais très étonné qu'elle accepte, dit-il d'une voix guindée. Elle accepte très rarement ce que je lui propose; d'ailleurs je l'ai peu vue ces temps-ci...

— Je sais, dis-je; elle traîne avec Vincent et Sézenac; ce ne sont pas de bonnes fréquentations pour elle. J'hésitai et je dis très vite : « Ce sont même des fréquentations dangereuses; c'est pour ça que je suis venue vous trouver : puisque vous avez de l'amitié pour elle, emmenez-la loin de toute cette bande. »

Brusquement le visage de Lambert changea; il eut l'air très jeune soudain et très désarmé : « Vous ne voulez pas dire que Nadine se drogue? »

Ça m'arrangeait tout à fait, ce soupçon; je dis d'un ton réticent : « Je ne sais pas; je ne crois pas; mais avec Nadine, n'importe quoi peut arriver. Elle est en crise en ce moment. Je vous le dis franchement : j'ai peur. »

Lambert garda un instant le silence; il semblait ému : « Je serais très heureux si Nadine venait avec moi, dit-il.

— Alors essayez. Et ne vous découragez pas : je suppose qu'elle dira non d'abord, c'est comme ça qu'elle est. Mais insistez, vous lui sauvez peut-être la vie. »

Trois jours plus tard, Nadine m'a dit d'un ton négligent :

— Imagine-toi, ce pauvre Lambert qui veut m'emmener en voyage avec lui!

— Ce reportage à travers la France? ça serait bien fatigant, dis-je.

— Oh! ça je m'en fous. Mais d'abord je ne peux pas laisser tomber la revue pendant quinze jours.

— Tu as droit à des vacances, ce n'est pas la question. Mais si tu n'en as pas envie...

— Remarque que ça serait très intéressant, dit Nadine. Mais trois semaines avec Lambert, c'est cher payé.

Il ne fallait surtout pas que j'aie l'air de la pousser à faire ce voyage : « Il est vraiment si ennuyeux? demandai-je d'un ton naïf.

— Il n'est pas ennuyeux du tout, dit-elle avec agacement. Seulement il est si timoré, si guindé, il se scandalise de tout. Si j'entre dans un bistrot avec un trou à mon bas, il me fait la gueule! Un vrai fils de famille, quoi. » Elle reprit : « Tu sais qu'il s'est réconcilié avec son père? Quelle veulerie!

— Mon Dieu! comme tu as vite fait de condamner! dis-je. Qu'est-ce que tu sais au juste de cette histoire? et du père de Lambert, et de leurs rapports? »

J'avais parlé avec tant de chaleur que Nadine resta un moment interloquée. Quand j'étais vraiment convaincue je savais la convaincre; c'est ainsi que j'avais marqué son enfance et d'ordinaire après m'avoir cédé, elle m'en gardait tant de rancune que j'évitais d'user de mon influence. Mais aujourd'hui j'étais exaspérée de la voir si entêtée à se contrarier.

Elle dit d'un ton incertain : « Lambert ne peut pas se passer de son cher petit papa : c'est de l'infantilisme. Si tu veux savoir, c'est ça qui m'agace chez lui : il ne sera jamais un homme.

— Il a vingt-cinq ans et derrière lui une drôle d'adolescence. Tu sais bien par toi-même que ça n'est pas facile de se mettre à voler de ses propres ailes.

— Ah! mais moi, ça n'est pas pareil, je suis une femme.

— Et alors? Être un homme, ce n'est pas plus commode. On demande tellement à un homme aujourd'hui : toi la première. Ils ont encore du lait plein la bouche, et ils doivent jouer au héros. C'est décourageant. Non. Tu n'as pas le droit de te montrer si sévère pour Lambert. Dis que tu ne t'entends pas avec lui, que ce voyage ne t'amuse pas, ça c'est autre chose.

— Oh! en un sens, les voyages m'amusent toujours. »

Deux jours plus tard Nadine m'a dit d'un air mi-furieux, mi-flatté : « Il est inouï, ce mec-là! il me la fait au chantage. Il dit qu'être correspondant de paix, c'est un métier qui l'emmerde et que si je ne vais pas avec lui, il laissera tomber.

— Alors?

— Alors, qu'est-ce que tu penses? » dit-elle d'un air innocent.

Je haussai les épaules : « Est-ce qu'il sait seulement conduire une moto? c'est dangereux ces engins.

— Ce n'est pas dangereux du tout, et c'est très formidable, dit Nadine. Elle ajouta : Si j'accepte, ça sera à cause de la moto. »

Contre toute attente, Nadine a été reçue à son certificat de chimie; pour l'écrit, c'était plutôt juste, mais à l'oral elle bluffait facilement ses examinateurs par son bagout et sa désinvolture. Nous avons fêté tous les trois ce triomphe par un grand dîner au champagne dans un restaurant en plein air, et puis elle est partie avec Lambert. C'était une chance. Le meeting du S. R. L. avait lieu la semaine suivante, il y avait tout le temps du monde à la maison, et j'étais bien heureuse de pouvoir profiter sans partage des rares instants de liberté qui restaient à Robert. Henri le secondait avec un zèle qui me touchait d'autant plus que je connaissais son peu d'enthousiasme pour ce genre de travail. Ils disaient tous les deux que le meeting s'annonçait très bien. « S'ils le disent, ça doit être vrai » pensais-je en descendant l'avenue Wagram; j'étais tout de même inquiète. Ça faisait des années que Robert n'avait pas parlé en public : saurait-il toucher les gens, comme autrefois? Je dépassai les cars de police rangés le long du trottoir et je continuai à marcher jusqu'à la place des Ternes; j'étais en avance. Dix ans plus tôt, le soir du meeting de Pleyel, j'étais seule aussi, j'étais en avance, j'avais tourné longtemps autour de cette place et j'étais entrée boire un verre de vin à la Lorraine. Je n'entrai pas. Le passé était passé : je ne sais pas pourquoi je l'ai regretté soudain avec un tel déchirement. Oh! sans doute simplement parce que c'était le passé. Je suis revenue sur mes pas, j'ai suivi le long couloir triste. Je me rappelai mon malaise quand Robert était monté à la tribune : il m'avait semblé qu'on me le volait. Ce soir aussi ça m'intimidait, l'idée de le voir sur une estrade, à distance. Il n'y avait pas encore beaucoup de monde dans la salle. « Le public se ramène toujours à la dernière minute » m'ont dit les Cange. J'essayai de leur parler avec calme, mais je surveillais anxieusement l'entrée. On allait enfin savoir si oui ou non les gens suivaient Robert. Bien sûr, s'ils le suivaient, rien n'était encore gagné; mais en revanche si la salle restait vide, l'échec serait définitif. Elle se remplissait. Toutes les places étaient occupées quand les orateurs se sont amenés sur l'estrade au milieu des applaudissements. C'était déconcertant de voir tous ces visages familiers changés en figures officielles. Lenoir, par une sorte de mimétisme se confondait avec les chaises et les tables, un morceau de bois sec; Samazelle au contraire occupait toute la tribune, c'était ici son lieu naturel. Quand Henri a commencé à parler, sa voix a transformé l'immense hall en une chambre privée : il ne voyait pas en face de lui cinq mille personnes, mais cinq mille fois une personne et c'est presque sur le ton de la conversation qu'il leur parlait. Peu à peu je me réchauffai. Par-delà les mots qu'il disait, cette amitié qu'il nous offrait était déjà une certitude : les hommes ne sont pas condamnés à la haine, à la guerre, nous en étions sûrs en l'écoutant. On l'a applaudi longtemps. Méricaud a fait un petit discours languissant, et puis ç'a été le tour de Robert. Quelle ovation! Dès qu'il s'est levé, ils se sont mis à taper des mains et des pieds en criant. Il attendait d'un air patient et je me demandai s'il était ému : moi je l'étais. Jour après jour je le voyais penché sur son bureau, les yeux roses, le dos voûté, solitaire et doutant de soi : c'était ce même homme que cinq mille personnes acclamaient. Qu'était-il au juste pour eux? À la fois un grand écrivain et l'homme des comités de Vigilance et des meetings antifascistes; un intellectuel qui s'est voué à la révolution sans se renier comme intellectuel. Pour les vieux, il représentait l'avant-guerre, pour les jeunes, le présent et ses promesses; il réalisait l'unité du passé et de l'avenir. Et sans doute était-il mille autres choses encore, chacun l'aimait à sa façon. Ils continuaient à applaudir et le bruit s'amplifiait en moi, il devenait immense. La célébrité, la gloire, d'ordinaire ça me laisse froide; ce soir ça me paraissait enviable. « Heureux, me disais-je, celui qui peut regarder en face la vérité de sa vie et s'en réjouir; heureux celui qui la déchiffre sur des visages amis. » Enfin ils se sont tus. Dès que Robert a ouvert la bouche, mes mains sont devenues moites et mon front s'est couvert de sueur; j'ai beau savoir qu'il parle facilement, j'avais le trac. Heureusement, j'ai bien vite été prise. Robert parlait sans emphase, avec une logique si pressante qu'elle ressemblait à de la violence; il ne proposait pas un programme : il nous dictait des tâches. Et elles étaient si urgentes, qu'on ne pouvait pas manquer de les accomplir; la victoire était assurée par sa nécessité même. Autour de moi les gens souriaient, leurs yeux brillaient, chacun reconnaissait sur le visage de ses voisins sa propre certitude. Non, cette guerre n'aura pas été vaine; les hommes ont compris ce que ça coûte, la résignation et l'égoïsme, ils vont prendre leur destin en main, ils feront triompher la paix, et ils conquerront à travers toute la terre la liberté et le bonheur. C'était clair, c'était sûr, c'était du simple bon sens : l'humanité ne peut pas vouloir autre chose que la paix, la liberté, le bonheur, et qu'est-ce qui l'empêche de faire ce qu'elle veut? elle est seule à régner sur terre. À travers tout ce que Robert disait, c'était cette évidence qui nous éblouissait. Quand il s'est tu, nous avons applaudi longtemps, et c'est la vérité que nous applaudissions. J'ai essuyé mes mains à mon mouchoir. La paix était assurée, l'avenir garanti, le proche et le lointain, ça ne faisait qu'un. Je n'ai pas écouté Salève. Il était aussi ennuyeux que Méricaud mais ça n'avait pas d'importance. La partie était gagné, pas seulement le meeting, mais tout ce qu'il signifiait.

Samazelle a parlé le dernier. Tout de suite, il s'est mis à gronder, à tonner : un aboyeur de foire. Je me suis retrouvée assise dans mon fauteuil, au milieu d'une foule aussi impuissante que moi, et qui se grisait bêtement de mots. Ça n'était ni des promesses, ni des présages : tout juste des mots. Salle Pleyel, j'avais vu la même lumière sur les visages attentifs : et ça n'avait pas empêché Varsovie, Buchenwald, Stalingrad, Oradour. Oui, on sait ce que ça coûte la résignation, l'égoïsme : mais il y a longtemps qu'on le sait, sans profit. On n'a jamais réussi à arrêter le malheur, on n'y réussira pas de sitôt, en tout cas pas de notre vivant. Quant à ce qui se passera plus tard, au bout de cette longue préhistoire, il faut bien s'avouer qu'on ne peut même pas l'imaginer. L'avenir n'est pas sûr, ni le proche, ni le lointain. Je regardai Robert. Est-ce bien sa vérité qui se reflète dans tous ces yeux? On le regarde aussi d'ailleurs : d'Amérique, d'U. R. S. S., du fond des siècles. Qui voient-ils? Peut-être rien d'autre qu'un vieux rêveur dont le rêve manque de sérieux. Peut-être est-ce ainsi qu'il se verra lui-même, demain; il pensera que son action n'a servi à rien, ou pire, qu'elle a servi à mystifier les gens. Si seulement je pouvais décider : il n'y a pas de vérité! Mais il y en aura une. Notre vie est là, lourde comme une pierre, et elle a un revers que nous ne connaissons pas : c'est effrayant. J'étais sûre cette fois de ne pas délirer, je n'avais rien bu, il ne faisait pas nuit, et la peur m'étouffait.

— Vous êtes contents? leur ai-je demandé d'un air détaché. Henri était content. « C'est un succès », m'a-t-il dit gaiement. Samazelle disait : « C'est un triomphe. » Mais Robert a grommelé : « Ça ne prouve pas grand-chose, un meeting. » Dix ans plus tôt, en sortant de la salle Pleyel, il n'avait rien dit de pareil, il rayonnait. Pourtant nous pen-

sions que la guerre finirait peut-être par éclater : d'où venait cette
sérénité? Ah! nous avions du temps devant nous : par-delà la guerre
menaçante, Robert devinait l'écrasement du fascisme; les sacrifices que
ça coûterait, il les avait déjà dépassés. Maintenant, il sent son âge :
il a besoin de certitudes à bref délai. Il est resté sombre, les jours suivants. Il aurait dû se réjouir quand Charlier lui a annoncé son adhésion au S. R. L., et jamais je ne l'ai vu aussi désarçonné qu'après cette
entrevue; je le comprenais d'ailleurs. Ce n'était pas tant à cause de
l'aspect physique de Charlier : ses cheveux n'avaient pas repoussé,
sa peau était rouge et grumeleuse, mais enfin depuis mars il avait
repris dix kilos et on lui avait remis des dents; ça n'était pas non plus
les histoires qu'il racontait, nous n'avions plus grand-chose à apprendre
sur les horreurs des camps; c'est plutôt le ton de ses récits qui était
insupportable. Lui qui avait été le plus doux et le plus têtu des idéalistes, il évoquait les coups, les gifles, les tortures, la faim, les coliques,
l'abêtissement, l'avilissement avec un rire qui n'était même pas cynique :
infantile ou sénile, archangélique ou imbécile, on ne savait pas. Et il
riait aussi à l'idée que les socialistes attendaient qu'il rentrât dans leurs
gangs; il conservait pourtant à l'égard des communistes sa vieille répugnance; le S. R. L. l'a séduit; il a promis de lui amener l'importante
fraction qui se regroupait derrière lui. Quand il nous a quittés, Robert
m'a dit :

— Tu t'étonnais l'autre jour de mes hésitations. Mais tu comprends,
ce qu'il y a de terrible aujourd'hui quand on se mêle d'agir, c'est qu'on
sait trop de quel prix se paient les fautes.

Je savais qu'il tenait tous les hommes de son âge et lui-même pour
responsables de la guerre; il était pourtant l'un de ceux qui avaient lutté
contre elle le plus lucidement et avec le plus d'acharnement; mais
puisqu'il avait échoué, il se jugeait coupable. Ce qui me surprenait,
c'est que la rencontre de Charlier eût réveillé ses remords : il réagit
d'ordinaire à des ensembles, non à des cas particuliers.

— De toute façon, même si le S. R. L. était une erreur, il ne s'en-
suivrait pas de grands désordres, dis-je.

— Les petits désastres aussi comptent, dit Robert. Il hésita : « Il
faut être plus jeune que je ne suis pour croire que l'avenir sauvera
tout. Je sens mes responsabilités comme plus limitées qu'auparavant,
mais aussi comme plus définitives, et plus lourdes.

— Comment ça?

— Eh bien, je pense un peu comme toi : que la mort, ou le malheur
d'un individu, ça ne se dépasse pas. Oh! je marche à contre-courant
ajouta-t-il; les jeunes sont bien plus durs que nous ne l'étions, ils
sont même carrément cyniques : et moi je deviens sentimental.

— Est-ce qu'on ne pourrait pas dire plutôt que vous devenez plus
concret que vous ne l'étiez?

— Je n'en suis pas sûr : où est le concret? » dit Robert.

Oui, sûrement, il était plus vulnérable qu'autrefois. Heureusement
le meeting portait ses fruits, on enregistrait chaque jour des adhé-

sions. Et finalement les communistes n'avaient pas déclaré la guerre
au S. R. L., ils en parlaient avec une malveillance contenue, sans plus.
On pouvait espérer que le mouvement allait sérieusement se dévelop-
per. Le seul point noir, c'est que *L'Espoir* avait tout de même perdu
beaucoup de lecteurs et qu'on serait bientôt obligé de recourir aux
capitaux de Trarieux.

— Vous êtes sûr qu'il casquera? demandai-je en m'examinant avec
désapprobation dans la glace.

— Tout à fait sûr, dit Robert.

— Alors pourquoi allez-vous à ce dîner? pourquoi m'y traînez-vous?

— Il vaut tout de même mieux l'entretenir dans ses bonnes dispositions, dit Robert qui nouait avec regret une cravate. Un type qu'on
se prépare à délester de huit millions, il faut bien flatter ses manies.

— Huit millions!

— Eh oui! dit Robert, ils en sont là! C'est la faute de Luc. Quel
entêté! Et ils seront tout de même forcés de prendre l'argent de Trarieux. Samazelle qui a fait sa petite enquête dit qu'ils ne peuvent plus
tenir le coup.

— Alors, je me résigne, dis-je. *L'Espoir* vaut bien un dîner en ville!

Nous étions tout sourires quand nous sommes entrés dans le vaste
salon-bibliothèque où se trouvaient déjà Samazelle et son épouse; il
arborait un complet de flanelle gris clair qui soulignait sa corpulence.
Trarieux était tout sourires lui aussi, il n'avait pas d'épouse visible,
mais une longue fille aux cheveux mornes qui me rappela mes pieuses
compagnes de collège. Dans une salle à manger au sol carrelé de noir
et de blanc on nous servit un dîner plein de tact; au café, Trarieux
offrit des liqueurs mais pas de cigares; Samazelle aurait certainement
apprécié un cigare, il jubilait sans arrière-pensée en savourant une vieille
fine. Il y avait longtemps que je n'avais pas mis les pieds chez de vrais
bourgeois et cette épreuve me parut réconfortante; quelquefois, je me
dis que tous les intellectuels que je connais ont quelque chose de suspect; mais quand je rencontre des bourgeois, je constate qu'ils n'ont
rien à nous envier. Nadine et la vie que je lui laisse mener sont évidemment insolites; mais cette vierge défraîchie qui servait le café d'un air
opprimé me semblait beaucoup plus monstrueuse; j'étais sûre qu'elle
m'en aurait raconté de belles, si je l'avais couchée sur mon divan;
et Trarieux, donc! malgré sa banalité étudiée, je le trouvais louche
au possible. Sa vanité mal rentrée jurait avec l'admiration trop enthousiaste qu'il affichait pour Samazelle. Pendant un long moment ils échangèrent des souvenirs de Résistance, et puis ils se félicitèrent du meeting
et Samazelle déclara : « Ce qui est d'excellent augure, c'est que nous
sommes en train de gagner la province. D'ici un an nous aurons deux
cent mille adhérents, ou alors c'est que nous aurons perdu la partie.

— Nous ne la perdrons pas! » dit Trarieux. Il se tourna vers Robert
qui était resté jusqu'ici beaucoup plus silencieux qu'il n'aurait dû :
« La grande chance de notre mouvement, c'est qu'il s'est créé juste
au moment voulu. Le prolétariat commence à comprendre que le P. C.

trahit ses véritables intérêts. Et beaucoup de bourgeois lucides réalisent comme moi qu'ils doivent aujourd'hui accepter la liquidation de leur classe.

— N'empêche que dans un an nous n'aurons pas deux cent mille adhérents, et que la partie ne sera pas perdue pour ça, dit Robert avec mauvaise grâce; nous n'avons aucun intérêt à nous mentir.

— Mon expérience m'a enseigné qu'à se contenter de peu, on n'obtient pas grand-chose, dit Trarieux; nous n'avons pas non plus intérêt à limiter nos ambitions!

— Ce qui compte, c'est que nous ne limitions pas nos efforts, dit Robert.

— Ah! permettez-moi de vous dire que nous sommes loin d'exploiter à fond toutes nos possibilités, dit Trarieux avec autorité. Il est désolant que l'organe du S. R. L. soit à ce point inférieur à sa tâche; le tirage de *L'Espoir* est dérisoirement bas.

— C'est à cause de son affiliation au S. R. L. qu'il a baissé », dis-je. Trarieux me regarda d'un air mécontent et je pensai que s'il avait une femme, elle ne devait pas souvent parler sans qu'on l'interroge. « Non, dit-il presque grossièrement; c'est faute de dynamisme.

— Le fait est qu'auparavant *L'Espoir* avait un gros public », dit Robert avec raideur.

Samazelle fit doucement : « Il a profité du mouvement d'enthousiasme qui a suivi la Libération.

— Il faut regarder les choses en face, dit Trarieux; nous admirons tous assez Perron pour avoir le droit de nous exprimer sur son compte en toute franchise; c'est un merveilleux écrivain, mais ce n'est ni une tête politique, ni un homme d'affaires; et la présence de Luc à ses côtés n'arrange pas les choses. »

Je savais bien que Robert n'était pas loin de partager cet avis, mais il secoua la tête : « En marchant avec le S. R. L., Perron s'est aliéné la droite et les communistes; et ses moyens financiers sont trop limités pour qu'il ait pu remonter le courant.

— Je suis absolument convaincu, dit Trarieux en détachant chaque syllabe, que si un homme comme Samazelle était à la tête de *L'Espoir*, le tirage doublerait en quelques semaines. »

Le regard de Robert erra autour du visage de Samazelle, et il dit brièvement : « Il n'y est pas! »

Trarieux prit un temps et il lança :

— Et si je proposais à Perron de racheter *L'Espoir* pour le compte de Samazelle? en y mettant le prix?

Robert haussa les épaules : « Essayez donc.

— Vous pensez qu'il n'acceptera pas?

— Mettez-vous à sa place.

— Bon. Et si je demandais à acheter seulement les parts de Luc? ou à la rigueur, le tiers de leurs parts à tous deux?

— C'est leur journal, comprenez-vous, dit Robert; ils l'ont créé, ils tiennent à être les maîtres chez eux.

— C'est regrettable, dit Trarieux.

— Peut-être; mais personne n'y peut rien. »

Trarieux fit quelques pas à travers le salon : « Je ne suis pas une nature résignée, dit-il d'une voix amusée; quand on m'affirme qu'une chose est impossible, j'ai tout de suite envie de me prouver le contraire. J'ajoute que les intérêts du S. R. L. me semblent plus importants que les sentiments individuels même les plus respectables », ajouta-t-il gravement.

Samazelle dit d'un air inquiet : « Si vous pensez à votre projet d'avant-hier, je vous ai déjà dit que personnellement je ne peux pas vous suivre.

— Et je vous ai répondu que j'appréciais vos scrupules », dit Trarieux avec un bref sourire; il regarda Robert avec un peu de défi : « Je rachète toutes les dettes de *L'Espoir* et je mets à Perron le marché en main : il s'adjoint Samazelle, ou je l'accule à la faillite.

— Perron choisira la faillite plutôt que de céder à un chantage, dit Robert d'un ton méprisant.

— Soit; il fait faillite et je lance un autre journal, dont Samazelle prend la direction.

— Non! gémit Samazelle.

— Vous comprenez bien que le S. R. L. n'aurait rien à faire avec ce journal; un tel procédé entraînerait votre exclusion immédiate. »

Trarieux dévisagea Robert comme pour mesurer la solidité de sa résistance et il dut être très vite édifié parce qu'il se hâta de battre en retraite :

— Je n'ai jamais pensé à mettre ce projet à exécution, dit-il gaiement; je pensais m'en servir pour intimider Perron. Le succès de ce journal devrait pourtant vous tenir à cœur, ajouta-t-il avec reproche : doublez le tirage, et vous doublez vos effectifs !

— Je sais, dit Robert; mais je vous répète qu'à mon avis le seul tort de Perron et de Luc c'est de s'être entêtés à travailler avec des moyens financiers trop limités. Le jour où ils auront derrière eux les capitaux que vous avez mis si généreusement à leur disposition, vous verrez la différence.

— Certainement, dit Trarieux avec un sourire; parce qu'en même temps que les capitaux ils seront bien obligés d'accepter Samazelle.

Le visage de Robert se durcit : « Pardon! vous m'avez dit en avril que vous étiez prêt à soutenir *L'Espoir* sans condition. »

J'observai Samazelle du coin de l'œil : il ne semblait pas gêné du tout; sa femme avait l'air torturé, mais elle avait toujours cet air-là.

— Je n'ai pas dit ça, dit Trarieux; j'ai dit que politiquement la direction du journal revenait évidemment aux responsables du S. R. L. et que je ne m'en mêlerais pas. Il n'a été question de rien d'autre.

— Parce que rien d'autre ne semblait en question, dit Robert d'une voix indignée. J'ai promis à Perron sa totale indépendance et c'est sur la foi de cette promesse qu'il a pris l'énorme risque d'inféoder *L'Espoir* au S. R. L.

— Admettez que je n'ai pas à me considérer comme engagé par vos

14

promesses, dit Trarieux aimablement. D'ailleurs je ne vois pas pourquoi Perron refuserait cette combinaison; Samazelle est son ami.

— Ce n'est pas la question; s'il s'imagine que nous avons comploté derrière son dos pour lui forcer la main, il se butera; et je le comprends, dit Robert avec véhémence.

Il avait l'air très contrarié et je l'étais aussi; surtout que je connaissais les vrais sentiments d'Henri à l'égard de Samazelle.

— Moi aussi, je suis buté, dit Trarieux.

— La position de Samazelle sera bien délicate s'il entre à *L'Espoir* contre le gré de Perron, dit Robert.

— Je suis bien d'accord! dit Samazelle. Certainement, je crois qu'en d'autres circonstances ce serait tout à fait dans mes cordes d'essayer de donner un nouvel essor à un journal en train de péricliter. Mais jamais je ne consentirai à être imposé à Perron contre son gré.

— Vous m'excusez si je regarde cette affaire comme étant quelque peu mon affaire personnelle, dit Trarieux d'une voix ironique. Je ne me propose pas de réaliser un bénéfice financier; mais je refuse absolument d'engloutir des millions pour rien : je veux des résultats; que Perron refuse votre collaboration ou que vous la lui refusiez, dit-il à Samazelle, je laisse tomber. Jamais je ne m'engage dans une entreprise si je la pense vouée à l'échec. C'est un point de vue qui me semble sain; et en tout cas rien ne m'en fera changer, conclut-il sèchement.

— Il me semble inutile de discuter tant que vous n'avez pas parlé à Perron, dit Samazelle; je suis convaincu qu'il y mettra du sien. Après tout, nous avons tous le même intérêt : la réussite du mouvement.

— Oui, Perron comprendra certainement l'opportunité de quelques concessions, surtout si vous insistez pour la lui faire comprendre, dit Trarieux à Robert.

Robert haussa les épaules : « Ne comptez pas sur moi », dit-il.

La conversation a traîné encore un moment; quand nous nous sommes retrouvés en bas de l'escalier, une demi-heure plus tard, j'ai dit :

— Ça sent bien mauvais, cette histoire! qu'est-ce qu'il vous avait dit au juste, Trarieux, en avril?

— On n'avait parlé que de l'aspect politique de l'affaire, dit Robert.

— Et vous avez promis davantage à Henri? vous vous êtes trop avancé?

— Peut-être, dit Robert. Si j'avais hésité le moins du monde, je ne l'aurais pas décidé; on est bien obligé de trop s'avancer de temps en temps, sans ça on ne ferait jamais rien!

— Pourquoi est-ce que tout à l'heure vous n'avez pas mis le marché en main à Trarieux? demandai-je. Il tient ses promesses sans condition, ou c'est la brouille, vous le videz du S. R. L.

— Et alors? dit Robert. Suppose qu'il choisisse la brouille? le jour où Henri a besoin de fric, qu'est-ce qu'il devient? Nous avons continué à marcher en silence et Robert a dit brusquement : « Si Henri perd ce journal à cause de moi, je ne me le pardonnerai pas. »

Je revoyais le sourire d'Henri, la nuit de la victoire; je lui demandais : « Vous n'aviez pas envie de vous mettre dans le bain. — Pas follement. » Ça lui avait coûté de subordonner *L'Espoir* au S. R. L.; il l'aimait ce journal, il aimait sa liberté et il n'aimait pas Samazelle. C'était moche, ce qui lui arrivait. Mais Robert avait l'air si sombre que j'ai gardé ces réflexions pour moi; je dis seulement : « Je ne comprends pas que vous ayez fait confiance à Trarieux, il ne me revient pas du tout.

— J'ai eu tort! » dit Robert brièvement. Il réfléchissait : « Je vais demander l'argent à Mauvanes.

— Mauvanes ne vous le donnera pas, dis-je.

— Je demanderai à d'autres. Des types qui ont de l'argent, il y en a. Il s'en trouvera bien un qui marchera.

— Il me semble que pour marcher il faut être à la fois milliardaire et membre du S. R. L., dis-je. C'est une combinaison plutôt unique.

— Je vais chercher, dit Robert. Et en même temps j'agirai sur Trarieux à travers Samazelle. Samazelle ne peut pas accepter de se laisser imposer.

— Ça ne semblait pas tant le gêner », dis-je. Je haussai les épaules : « Essayez toujours. »

Robert a vu Mauvanes le lendemain : Mauvanes a été intéressé mais évidemment il n'a rien promis. Robert a vu d'autres gens qui n'ont pas été intéressés du tout. J'étais bien inquiète, cette histoire me restait sur le cœur; je n'en parlais pas à Robert parce que autant que possible j'évite d'être de ces femmes qui redoublent les soucis d'un homme en les partageant, mais j'y pensais tout le temps. « Robert n'aurait pas dû faire ça » me disais-je. Et je me suis dit : « Autrefois, il ne l'aurait pas fait. » Drôle de pensée : qu'est-ce qu'elle signifiait au juste? Il disait que ses responsabilités lui semblaient plus limitées et plus lourdes qu'autrefois parce qu'il ne pouvait plus utiliser l'avenir comme alibi : alors il était plus pressé d'aboutir, et ça le rendait moins scrupuleux. Je n'aimais pas cette idée. Quand on vit aussi près de quelqu'un que moi de Robert, le juger, c'est déjà le trahir.

Nadine et Lambert se sont ramenés à quelques jours de là; pour moi ce retour a fait une heureuse diversion; ils étaient hâlés, rieurs et gênés comme de jeunes mariés.

— Nadine serait un reporter de première, disait Lambert. Pour ce qui est de passer partout et de faire parler n'importe qui, elle est terrible.

— C'est quelquefois marrant ce métier, concédait Nadine en se rengorgeant.

Mais sa plus grande fierté, c'est qu'au cours du voyage, elle avait découvert à trente kilomètres de Paris la maison de campagne dont je rêvais inutilement depuis quelques semaines. J'ai tout de suite aimé la façade jaune aux volets bleus, les pelouses folles, le petit pavillon, les roses sauvages. Robert aussi a été séduit et nous avons signé le bail. L'intérieur était délabré, les allées envahies d'orties; mais Nadine a déclaré qu'elle se chargeait de tout remettre en état; soudain, elle se désintéressait de son poste de secrétaire, elle l'abandonnait pour quelque temps encore à sa remplaçante et elle s'en allait camper avec Lambert dans le pavillon : ils partageraient leur temps entre la rédaction de leur livre, le jardinage et la peinture murale. Avec son teint bronzé, ses mains fatiguées par le guidon de sa machine, ses cheveux que Nadine ébouriffait systématiquement, Lambert avait un peu moins qu'autrefois l'air d'un dandy : il ne ressemblait tout de même guère à un travailleur manuel; mais j'ai été bien obligée de leur faire confiance.

Nadine revenait de temps en temps à Paris, mais c'est seulement à la veille de notre départ pour l'Auvergne qu'elle nous a permis de venir à Saint-Martin. Par téléphone, elle nous a invités pompeusement à dîner :

— Dis à papa qu'il y aura une mayonnaise, c'est la spécialité de Lambert.

Mais Robert a décliné l'invitation. « Quand Lambert me voit, il se croit toujours obligé de m'attaquer; je suis forcé de lui répondre, ça ennuie tout le monde et moi le premier », dit-il avec regret.

Le fait est qu'en sa présence Lambert était toujours agressif; c'était bien rare les gens qui ne se croyaient pas obligés de s'inventer une attitude en face de Robert. « Au fond, comme il est seul! » ai-je pensé. Ce n'était jamais à lui qu'on parlait mais à un personnage empesé, lointain, sans vérité qui n'avait de commun avec lui que le nom. Lui qui avait tant aimé jadis le coude à coude anonyme avec la foule, il ne pouvait pas empêcher que ce nom ne créât une barrière entre les autres et lui : tous le lui rappelaient, impitoyablement; et l'homme de chair et d'os que Robert était pour de bon, avec ses rires, ses tendresses, ses colères, ses insomnies, personne ne s'en souciait. Au moment d'aller prendre le car, j'insistai tout de même pour qu'il vînt avec moi.

— Je t'assure que la soirée serait désagréable, dit-il. Remarque que moi je n'ai pas d'antipathie pour Lambert.

— Avec Nadine il a bien du mérite, dis-je. C'est la première fois qu'elle consent à travailler en collaboration avec quelqu'un.

Robert sourit : « Elle qui méprise tant la littérature, qu'est-ce qu'elle était fière de voir son nom imprimé!

— Tant mieux! dis-je. Ça l'encourage à continuer. C'est tout à fait le genre de travail qui lui convient. »

La main de Robert se posa sur mon épaule : « Te voilà un peu rassurée sur le sort de ta fille?

— Oui.

— Alors qu'est-ce que tu attends pour écrire à Romieux? dit Robert avec véhémence; tu n'as plus la moindre raison d'hésiter.

— D'ici janvier, il peut se passer bien des choses », dis-je précipitamment.

Romieux la réclamait à cor et à cri cette réponse mais ça m'affolait de dire définitivement oui ou non.

— Écoute, tu vois bien que Nadine se débrouille parfaitement sans toi, dit Robert. D'ailleurs, tu me l'as dit souvent, rien ne peut lui faire plus de bien que d'apprendre à se passer de nous.

— C'est vrai, dis-je sans élan.

Robert me dévisagea avec perplexité : « Enfin, tu as envie de faire ce voyage, non?

— Bien sûr! » dis-je. Et aussitôt je fus prise de panique : « Mais je n'ai pas envie de quitter Paris. Je n'ai pas envie de vous quitter.

— Que tu es bête, ma petite bête, dit-il tendrement. Quand tu me quittes, tu me retrouves tout pareil. Et tu m'as même avoué que je ne te manquais pas, ajouta-t-il en riant.

— Autrefois, dis-je. Mais maintenant, avec tous ces soucis que vous vous êtes mis sur les bras, ça m'angoisse. »

Robert me regarda d'un air sérieux : « Tu t'angoisses trop; hier à propos de Nadine, aujourd'hui à cause de moi. Ça devient une manie, non?

— Peut-être, dis-je.

— Sûrement! Toi aussi tu fais ta petite névrose de paix. Tu n'étais pas du tout comme ça autrefois! »

Le sourire de Robert était tendre; mais l'idée que mon absence pût le gêner lui paraissait l'invention d'un cerveau malade; il se passerait parfaitement de moi pendant trois mois, au moins pendant trois mois. Cette solitude à laquelle le condamnaient son nom, son âge, et l'attitude des gens, je ne pouvais que la partager, non la supprimer : elle ne lui pèserait ni plus ni moins si je ne la partageais pas.

— Balance-moi tous ces scrupules! dit Robert. Dépêche-toi d'écrire cette lettre, ou ce voyage va te filer sous le nez.

— Je l'écrirai en revenant de Saint-Martin, si tout va vraiment bien, dis-je.

— Même si ça ne va pas bien, dit Robert d'une voix impérieuse.

— Nous verrons. J'hésitai : « Où en êtes-vous avec Mauvanes?

— Je t'ai dit : il part en vacances, il me donnera sa réponse définitive en octobre. Mais il m'a pratiquement promis le fric. » Robert sourit : « Lui aussi, il aimerait bien se garder à gauche.

— Il a vraiment promis?

— Oui. Et quand Mauvanes promet, il tient.

— Ça m'ôte un poids du cœur! » dis-je.

Mauvanes n'était pas un sauteur; je me sentais vraiment rassurée. Je demandai : « Vous ne comptez toujours pas en parler à Henri?

— A quoi bon? qu'est-ce qu'il pourrait faire? C'est moi qui l'ai mis dans ce mauvais pas, c'est à moi de l'en tirer. » Robert haussa les épaules : « Et puis on risque qu'il se foute en colère et qu'il envoie tout promener. Non, je lui parlerai quand j'aurai l'argent.

— D'accord, » dis-je. Je me levai.

Robert se leva aussi et me sourit : « Ne t'angoisse plus et passe une bonne soirée.

— Je ferai de mon mieux. »

Robert avait sûrement raison; ça datait de la Libération cette anxiété qui ne savait trop où se poser; comme tant d'autres, j'avais du mal à me réadapter. La soirée de Saint-Martin ne m'apprendrait rien de neuf. Ce n'était pas à cause de Nadine, ni à cause de Robert que j'hésitais à répondre à Romieux; mon angoisse ne concernait que moi. Tout au long du trajet en autocar je me demandais si je finirais ou non par passer outre. Je poussai la grille du jardin. La table était dressée sous le tilleul et des éclats de voix venaient de la maison; j'entrai directement dans la cuisine. Nadine était debout à côté de Lambert qui, une serviette nouée autour de son cou, battait furieusement une sauce liquide.

— Tu arrives en plein drame! me dit-elle gaiement. La mayonnaise est ratée!

— Bonjour, dit Lambert d'un air sombre. Oui, elle est ratée, moi qui ne les rate jamais!

— Je te dis que ça peut se reprendre, continue, dit Nadine.

— Mais non, elle est foutue!

— Tu la bats trop fort.

— Je te dis qu'elle est foutue, répéta Lambert avec colère.

— Ah! je vais vous montrer comment on reprend une mayonnaise, dis-je.

Je jetai aux ordures la sauce défaite et je tendis à Lambert deux œufs neufs. « Débrouillez-vous. »

Nadine sourit : « Tu as quelquefois de bonnes idées », dit-elle d'un ton impartial; elle prit mon bras : « Comment va papa?

— Oh! il a bien besoin de vacances!

— Quand vous reviendrez de votre tour de France, la maison sera fin prête, dit Nadine. Viens voir comme on a bien travaillé! »

Encombré d'escabeaux et de seaux de peinture, le futur living-room avait encore la tristesse des chantiers; mais les murs de ma chambre étaient badigeonnés d'un crépi rose cendré, ceux de Robert d'ocre pâle; c'était du travail très convenable.

— C'est merveilleux. Qui a fait ça : lui ou toi?

— Les deux; moi je donne les ordres, il exécute. Il souque dur; et il est très obéissant, dit-elle d'un air épanoui.

Je ris. « Ça t'arrange bien. »

Nadine avait besoin de commander pour prendre de l'assurance : occupée à se faire obéir, elle cessait de s'interroger. Il y avait bien longtemps que je ne l'avais vue si rayonnante. Ça l'amusait de jouer à la maîtresse de maison. Entre les saladiers et les assiettes de viande froide, Lambert a déposé un grand bol de mayonnaise onctueuse et dure et nous avons vidé, sous les yeux de Nadine, une bouteille de vin blanc. Ils me racontaient avec enthousiasme leurs projets : d'abord la Belgique, la Hollande, le Danemark, tous les pays occupés; et puis, le reste de l'Europe.

— Dire que j'étais décidé à lâcher le reportage, dit Lambert. Sans Nadine, j'aurais sûrement lâché. D'ailleurs, elle est bien plus douée que moi, bientôt elle ne voudra plus que je l'accompagne.

— C'est pour ça que tu ne veux pas me laisser conduire ta sale moto, gémit-elle. Ça n'est pourtant pas difficile!

— Pas difficile de te casser le cou, espèce de folle.

Il lui souriait du fond de l'âme; à ses yeux elle était douée d'un prestige qui m'échappait, absolument. Moi je ne la connaîtrais jamais que sous un seul aspect : ma fille. Pour moi, elle avait deux dimensions seulement, elle était plate. Lambert déboucha une seconde bouteille de vin blanc; il ne savait pas du tout boire; déjà ses yeux brillaient, ses pommettes étaient rouges, un peu de sueur perlait sur son front.

— Ne bois pas trop, dit Nadine.

— Ah! ne joue pas les mères de famille. Tu sais ce qui arrive quand tu joues les mères de famille?

Le visage de Nadine se durcit : « Ne dis pas de sottises. »

Lambert arracha sa veste : « J'ai trop chaud.

— Tu vas prendre mal.

— Je ne prends jamais mal. » Il se tourna vers moi : « Nadine ne veut pas le croire : je ne suis pas un costaud, mais je suis très résistant. Je suis sûr qu'il y a des cas où je tiendrais le coup bien mieux qu'un moniteur de Joinville.

— On verra ça quand on traversera le Sahara à motocyclette! dit Nadine gaiement.

— On le traversera! dit Lambert. Une moto ça passe partout! » Il me regarda : « Vous croyez que ça ne peut pas se faire?

— Je n'ai pas d'idée, dis-je.

— En tout cas on essaiera, dit-il avec décision. Il faut essayer de faire des choses! C'est pas une raison parce qu'on est un intellectuel pour vivre en pantoufles.

— C'est promis, dit Nadine en riant; on traversera le Sahara, et les plateaux du Thibet et on ira explorer les jungles de l'Amazone. » Elle arrêta la main que Lambert tendait vers la bouteille : « Non, tu as déjà trop bu.

— Pas du tout. » Il se leva et fit deux pas : « Est-ce que je titube? Une merveille d'équilibre.

— Essaie voir de jongler, dit Nadine.

— Jongler, c'est une de mes spécialités », dit Lambert. Il saisit trois oranges, les jeta en l'air, en manqua une, et s'aplatit de tout son long sur la pelouse. Nadine se mit à rire de son gros rire brutal :

— Quel imbécile! dit-elle tendrement. Avec un pan de son tablier, elle essuya le front ruisselant de Lambert qui se laissa faire d'un air heureux : « C'est vrai qu'il a des talents de société, dit-elle; il chante des chansons tellement drôles! tu veux qu'il t'en chante une?

— Je vais vous chanter *Cœur de Cochon* », dit Lambert avec décision.

Nadine riait aux larmes pendant qu'il chantait; moi je trouvais qu'il y avait dans la gaieté de Lambert une disgrâce presque pathétique; on aurait dit qu'il essayait par soubresauts maladroits de s'arracher à sa peau, mais elle collait à son corps. Ses grimaces, sa voix bouffonne, la sueur qui ruisselait sur ses joues, la fièvre inquiète de ses yeux me mettaient mal à l'aise. Je fus contente quand il s'abattit aux pieds de Nadine qui lui caressa la tête d'un air possessif et heureux.

— Tu es un bon petit garçon, disait-elle. Calme-toi maintenant;
repose-toi!

Elle aimait jouer à l'infirmière, et lui se plaisait à se faire cajoler.
Et ils avaient beaucoup de choses en commun : leur passé, leur jeunesse,
leur rancune à l'égard des idées et des mots, leurs rêves d'aventure,
leurs ambitions incertaines. Peut-être sauraient-ils se donner mutuellement confiance, s'inventer des entreprises, des succès, un bonheur.
Dix-neuf ans, vingt-cinq ans : comme l'avenir était jeune! Eux n'étaient
pas des survivants. « Et moi? pensais-je. Suis-je vraiment enterrée
vive dans le passé? Non, ai-je répondu avec passion, non! » Nadine,
Robert pouvaient se passer de moi; ils n'avaient été que des prétextes,
j'étais victime de ma seule lâcheté, et soudain elle me faisait honte. Un
avion qui m'emporte, une ville géante, et pendant trois mois nulle
autre consigne que de m'instruire et m'amuser : tant de liberté, tant
de nouveauté, comme je les souhaitais! C'était sans doute une folle
imprudence d'aller m'égarer au monde des vivants, moi qui m'étais
fait un nid sous les myrtes : tant pis! Je cessai de me défendre contre
cette joie qui montait. Oui : ce soir même je répondrais oui. Survivre,
après tout, c'est sans cesse recommencer à vivre. J'espérais que je
saurais encore.

CHAPITRE V

Henri se retourna sur sa planche; le vent soufflait à travers les murs de pierraille; malgré sa couverture et ses pull-overs, il avait trop froid pour s'endormir; seule sa tête était chaude et bourdonnante comme s'il avait eu la fièvre : il l'avait peut-être; une agréable fièvre à base de soleil, de fatigue et de vin rouge; où était-il au juste? en tout cas dans un endroit où personne n'avait aucune raison d'être : c'était bien reposant. Pas de regrets, pas de questions : cette insomnie était aussi sereine qu'un sommeil sans rêve. Il avait renoncé à beaucoup de choses, il n'écrivait plus, il ne s'amusait pas tous les jours, mais ce qu'il avait gagné en échange, c'est qu'il avait sa conscience pour lui, et ça c'était énorme. Loin de la terre et de ses problèmes, loin du froid, du vent, de son corps fatigué, il flottait dans un bain d'innocence : ça peut être aussi capiteux que la volupté, l'innocence. Un instant il souleva ses paupières; en apercevant la table sombre, la bougie, et cet homme qui écrivait, il pensa avec satisfaction : « C'est que je suis au Moyen Âge! » et la nuit se referma sur cette joyeuse illumination.

— Je n'ai pas rêvé? je vous ai bien vu cette nuit en train d'écrire?

— J'ai un peu travaillé, dit Dubreuilh.

— Je vous ai pris pour le docteur Faust.

Enveloppés de leurs couvertures que le vent bousculait, ils étaient assis sur le seuil du refuge; le soleil s'était levé pendant leur sommeil et le ciel était parfaitement bleu, mais sous leurs pieds s'étalait une chaussée de nuages; par instants, le vent la déchirait et on apercevait un morceau de plaine.

— Tous les jours il travaille, dit Anne. Pour le décor, il n'est pas regardant : ça peut être dans une étable, sous la pluie, sur une place publique, mais il lui faut ses quatre heures d'écriture; après ça, il fait tout ce qu'on veut.

— Et que veut-on pour l'instant? dit Dubreuilh.

— Je crois qu'on ferait aussi bien de descendre; comme panorama, on peut trouver mieux.

Ils dévalèrent à travers les bruyères jusqu'au village noir où des vieilles, assises sur le pas de leurs portes, un coussin hérissé d'épingles sur les genoux, agitaient déjà leurs fuseaux; ils burent un breuvage sombre dans le bistrot-épicerie où ils avaient laissé leurs bicyclettes et ils enfourchèrent leurs vélos; c'était de vieilles machines fatiguées par la guerre et qui ne payaient pas de mine; la peinture était écaillée, les garde-boue meurtris et les pneus gonflés d'étranges hernies; celle d'Henri avait tant de peine à rouler qu'il se demanda anxieusement s'il tiendrait le coup jusqu'au soir; il vit avec soulagement les Dubreuilh s'arrêter au bord d'un ruisseau qui se trouvait être la Loire; l'eau était trop glacée pour se baigner, mais il s'en aspergea de la tête aux pieds et quand il se remit en selle, il s'avisa qu'après tout, ses roues tournaient : en vérité, c'était son corps qui était le plus rouillé; le remettre en état, ça demandait un vrai travail; mais passé les premières courbatures, Henri se sentit tout heureux d'avoir récupéré un si bon instrument; il avait oublié combien ça peut être efficace, un corps; la chaîne et les roues multipliaient son effort, mais enfin dans toute cette mécanique le seul moteur c'était ses muscles, son souffle, son cœur : et la machine mangeait une honnête ration de kilomètres, elle escaladait vaillamment les cols.

— On dirait que ça mord, dit Anne. Les cheveux au vent, hâlée, les bras nus, elle paraissait beaucoup plus jeune qu'à Paris; Dubreuilh aussi avait bruni, maigri; avec son short, ses jambes musclées, les rides gravées dans son visage boucané, il avait l'air d'un disciple de Gandhi.

— Ça va mieux qu'hier! dit Henri.

Dubreuilh ralentit et se mit à rouler à côté d'Henri.

— Il faut dire qu'hier ça n'allait pas fort, dit-il gaiement. Vous ne nous avez rien raconté. Qu'est-ce qui s'est passé à Paris depuis notre départ?

— Rien de spécial; il faisait chaud, dit Henri. Bon Dieu! qu'il faisait chaud!

— Et au journal? vous n'avez toujours pas vu Trarieux?

Il y avait dans la voix de Dubreuilh une curiosité si avide qu'elle ressemblait à de l'inquiétude.

— Non. Luc s'est foutu en tête que si l'on tient deux ou trois mois on se sort d'affaire tout seuls.

— Ça vaut le coup d'essayer; seulement il ne faudrait pas vous endetter davantage.

— Je sais, nous n'empruntons plus. Luc compte forcer sur la publicité.

— J'avoue que je ne croyais pas que le tirage de *L'Espoir* baisserait tellement, dit Dubreuilh.

— Oh! vous savez, dit Henri en souriant, s'il faut finir par accepter les capitaux de Trarieux, je n'en ferai pas une maladie. Ce n'est pas trop cher payer la réussite du S. R. L.

— Le fait est que dans la mesure où il a réussi, c'est grâce à vous, dit Dubreuilh.

Sa voix était plus réticente encore que ses paroles; il n'était pas satisfait du S. R. L. : c'est qu'il était trop ambitieux; on ne pouvait pas faire sortir de terre, du jour au lendemain, un mouvement aussi important que l'ancien P. S. Henri au contraire avait été heureusement surpris par le succès du meeting; ça ne prouve pas grand-chose un meeting : n'empêche qu'il n'oublierait pas vite ces cinq mille visages levés vers lui. Il sourit à Anne :

— Ça a son charme la bicyclette. En un sens, c'est même mieux que l'auto.

On allait moins vite; mais les odeurs d'herbe, de bruyère, de sapin, la douceur ou la fraîcheur du vent vous pénétraient jusqu'aux os; et le paysage était beaucoup plus qu'un décor : on le conquérait morceau par morceau, de vive force; dans la fatigue des montées, dans la gaieté des descentes. on en épousait tous les accidents, on le vivait au lieu de le regarder comme un spectacle. Et ce qu'Henri découvrit avec satisfaction ce premier jour, c'est que cette vie suffisait à vous remplir : quel silence sous son crâne! Les montagnes, les prairies, les forêts se chargeaient d'exister à sa place. « Comme c'est rare, se disait-il, une paix qui ne se confonde pas avec le sommeil! »

— Vous avez bien choisi votre coin, dit-il le soir à Anne, c'est du beau pays.

— Demain aussi, ça sera bien; vous voulez voir sur la carte l'étape de demain?

Dans l'auberge où ils venaient de dîner, ils buvaient un alcool blanc au goût meurtrier; Dubreuilh avait déjà installé son attirail au coin d'une table couverte de toile cirée.

— Montrez, dit Henri. Il suivit docilement des yeux la pointe du crayon au long des lignes rouges, jaunes et blanches :

— Comment pouvez-vous choisir entre toutes ces petites routes?

— C'est ça qui est amusant.

Ce qui était amusant, pensa Henri le lendemain, c'était de voir combien l'avenir se calquait exactement sur vos projets : chaque tournant, chaque montée, chaque descente, chaque hameau était à la place prévue; quelle sécurité! on avait l'impression de sécréter soi-même son histoire; et pourtant, la métamorphose des signes imprimés en vraies routes, en vraies maisons vous donnait ce qu'aucune création ne donne : la réalité. Cette cascade, elle était annoncée sur la carte par une petite marque bleue : ça n'en semblait pas moins stupéfiant de rencontrer au fond d'une gorge tourmentée cette énorme cataracte écumeuse.

— Comme c'est satisfaisant de regarder, dit Henri.

— Oui, seulement on n'en a jamais fini, dit Dubreuilh avec regret; ça donne à la fois tout et rien, un coup d'œil.

Il ne regardait pas tout; mais quand il se fascinait sur un objet, le fait est qu'on n'en avait pas fini; Henri et Anne durent descendre derrière lui, de rocher en rocher au pied de la falaise liquide; il s'avança pieds nus dans le bassin bouillonnant jusqu'à ce que l'eau atteignît le bas de son short; quand il revint s'asseoir au bord de la plate-forme, il dit avec autorité :

— C'est la plus belle cascade que nous ayons jamais vue.

— Vous préférez toujours ce que vous avez sous les yeux, dit Anne en riant.

— Elle est tout en noir et blanc, dit Dubreuilh, c'est ce qui est beau; j'ai cherché des couleurs : pas une trace de couleur; et pour la première fois j'ai vu de mes yeux que le noir et le blanc, c'est exactement la même chose. Vous devriez entrer dans l'eau et aller jusqu'à cette grosse pierre, dit-il à Henri; on se rend bien compte : la noirceur du blanc, la blancheur du noir, on les *voit*.

— Je vous crois sur parole, dit Henri.

Une promenade sur les quais devenait dans la bouche de Dubreuilh aussi aventureuse qu'une expédition au Pôle Nord, Henri et Anne en avaient ri ensemble, bien souvent : c'est qu'il ne faisait pas de différence entre percevoir et découvrir; aucun œil avant lui n'avait contemplé de cascade, personne ne savait ce que c'est que l'eau, le noir, le blanc; laissé à lui-même Henri n'aurait certainement pas observé tous les détails de ces jeux de vapeur et d'écume, ces métamorphoses, ces évanescences, ces menus maelströms que Dubreuilh scrutait comme s'il avait voulu connaître le destin de chaque goutte d'eau. « On peut bien s'irriter contre lui, pensait Henri en le regardant avec affection, mais on ne peut pas se passer de lui. » Près de lui, tout devenait important, ça semblait un grand privilège de vivre, et on vivait double. Cette promenade à travers la campagne française, il la transformait en un voyage d'exploration.

— Vous étonneriez bien vos lecteurs, dit Henri en souriant à Dubreuilh qui contemplait d'un air absorbé les derniers falbalas d'un coucher de soleil.

— Et pourquoi? dit Dubreuilh de cette voix scandalisée qu'il prenait quand on lui parlait de lui.

— On croirait d'après vos livres qu'il n'y a que les gens qui vous intéressent et que la nature, ça ne compte guère.

— Les gens vivent dans la nature, non?

Pour Dubreuilh un paysage, une pierre, une couleur, c'était une certaine vérité humaine; jamais les choses ne le touchaient à travers des souvenirs, des rêves, des complaisances, ni par des émotions qu'elles avaient éveillées en lui, mais par ce sens qu'il déchiffrait en elles. Bien entendu, il s'arrêtait plus volontiers devant des paysans en train de faucher le regain que devant une prairie nue; et quand il traversait un village sa curiosité devenait insatiable; il aurait voulu tout savoir : ce que mangeaient ces villageois, comment ils votaient, le détail de leurs travaux, la couleur de leurs pensées; pour entrer dans les fermes tous les prétextes lui étaient bons : acheter des œufs, quémander un verre d'eau; et dès qu'il le pouvait il engageait de longues conversations.

Le soir du cinquième jour, Anne creva au milieu d'une descente; après une heure de marche, ils rencontrèrent une maison isolée qu'habitaient trois femmes jeunes et édentées; chacune tenait dans ses bras un bébé plus ou moins gros, très sale; Dubreuilh s'installa au milieu de la cour tapissée de fumier pour réparer la chambre à air, et tout en collant des rustines il regardait autour de lui, avidement :

— Trois femmes et pas un homme, c'est drôle, non?

— Les hommes sont aux champs, dit Anne.

— A cette heure-ci? Il plongea dans la bassine le gros boudin couleur de rouille et des bulles d'air montèrent à la surface de l'eau : « Encore un trou! Dis donc, tu ne crois pas qu'elles nous laisseraient dormir dans leur grange?

— Je vais leur demander. »

Anne disparut à l'intérieur de la maison et revint presque tout de suite : « Ça les scandalise qu'on veuille coucher dans le foin, mais elles n'ont rien contre; seulement elles tiennent absolument à ce qu'on boive d'abord quelque chose de chaud.

— Ça me plaît de dormir ici! dit Henri. Parce que pour être loin de tout, on est loin de tout. »

A la lueur d'une lampe fumeuse, ils burent du café d'orge tout en essayant de causer. Les femmes étaient mariées à trois frères qui possédaient en commun cette maigre métairie; depuis dix jours leurs hommes étaient descendus en Basse-Ardèche où ils s'étaient loués pour cueillir la lavande et elles passaient de longues journées silencieuses à nourrir les bêtes et les enfants; elles savaient à peu près sourire, mais elles avaient presque désappris de parler. Ici poussaient des châtaigniers, et les nuits étaient fraîches; là-bas poussaient des touffes de lavande et pour récolter quelques francs ça coûtait beaucoup de sueur : c'est à peu près tout ce qu'elles savaient de ce monde. Oui, on était très loin de tout, tellement loin qu'en s'enfonçant dans le foin, étourdi par toutes ces odeurs et par tout ce soleil emmagasinés dans l'herbe sèche, Henri rêvait qu'il n'existait plus ni routes, ni villes : plus de retour.

Il y avait une route qui serpentait à travers les châtaigneraies et qui descendait vers la plaine en lacets rapides; ils entrèrent gaiement dans la petite ville dont les platanes annonçaient déjà la chaleur et les parties de boules du Midi; Anne et Henri s'assirent à la terrasse déserte du plus grand café et ils commandèrent des tartines pendant que Dubreuilh allait acheter les journaux; ils le virent échanger quelques mots avec le marchand et il traversa l'esplanade à pas lents, tout en lisant. Il posa les feuilles sur le guéridon et Henri vit l'énorme manchette : « Les Américains lâchent une bombe atomique sur Hiroshima. » Ils lurent l'article en silence et Anne dit d'une voix bouleversée :

— Cent mille morts! pourquoi?

Le Japon allait évidemment capituler, c'était la fin de la guerre, *Le Petit Cévenol* et *L'Écho de l'Ardèche* exultaient; mais tous les trois, ils n'éprouvaient ensemble qu'un seul sentiment : l'horreur.

— Est-ce qu'ils n'auraient pas pu d'abord menacer, intimider, disait Anne : faire une démonstration dans un coin désert, je ne sais pas... Ils étaient vraiment obligés de la jeter, cette bombe?

— Bien sûr qu'ils auraient d'abord pu essayer de faire pression sur le gouvernement, dit Dubreuilh. Il haussa les épaules : « Sur une ville allemande, sur des blancs, je me demande s'ils auraient osé! mais des jaunes! ils détestent les jaunes.

— Toute une ville volatilisée, ça devrait tout de même les gêner! dit Henri.

— Je pense qu'il y a une autre raison, dit Dubreuilh. Ils sont tout contents de montrer au monde entier de quoi ils sont capables : comme ça ils peuvent mener leur politique sans que personne ose broncher.

— Et ils ont tué cent mille personnes pour ça! » dit Anne.

Ils restaient hébétés devant leur café-crème, le regard figé sur les mots affreux, redisant l'un après l'autre et tous ensemble les mêmes phrases inutiles.

— Mon Dieu! si les Allemands avaient réussi à la fabriquer cette bombe! on l'a échappé belle! dit Anne.

— Ça ne me plaît pas beaucoup non plus de la savoir aux mains des Américains, dit Dubreuilh.

— Ils disent là-dedans qu'on pourrait faire sauter toute la terre, dit Anne.

— Ce que Larguet m'avait expliqué, dit Henri, c'est que l'énergie atomique, si un regrettable accident la libérait, ne ferait pas sauter la terre, mais qu'elle lui boufferait son atmosphère : la terre deviendrait une espèce de lune.

— Ça n'est pas beaucoup plus gai, dit Anne.

Non, ce n'était pas gai. Seulement quand ils recommencèrent à pédaler sur une route ensoleillée l'horrible rengaine se vida de tout sens; une ville de quatre cent mille âmes volatilisée, la nature désintégrée : ça n'éveillait plus d'écho. Cette journée était bien en ordre — du bleu au ciel, du vert sur les feuilles, du jaune sur le sol assoiffé — et les heures glissaient une à une de l'aube fraîche au grésillement de midi; la terre tournait autour du soleil qui lui était assigné, indifférente à sa cargaison de voyageurs sans destination : comment croire, sous ce ciel calme comme l'éternité, que ceux-ci avaient aujourd'hui le pouvoir de la changer en une vieille lune? Sans doute à se promener pendant des jours dans la nature, on s'apercevait qu'elle était un peu folle; il y avait de l'extravagance dans les pompes capricieuses des nuages, dans les révoltes et les combats figés des montagnes, dans le charivari des insectes et le pullulement frénétique des végétaux; mais c'était une folie douce et stéréotypée. Étrange de penser qu'en traversant le cerveau humain, elle s'organisait en délire homicide.

— Et vous avez encore le courage d'écrire! dit Henri quand ils se furent assis au bord d'une rivière et qu'il vit Dubreuilh sortir ses papiers de sa sacoche.

— C'est un monstre, dit Anne. Il travaillerait au milieu des ruines d'Hiroshima.

— Il travaille au milieu des ruines d'Hiroshima.

— Pourquoi pas? dit Dubreuilh; il y a toujours eu des ruines quelque part.

Il saisit son stylo et resta un long moment le regard perdu dans le vide; sans doute n'était-il pas si facile d'écrire parmi ces ruines toutes fraîches; au lieu de se pencher sur son papier, il dit abruptement : « Ah! si seulement ils ne nous rendaient pas impossible d'être communistes!

— Qui ça? dit Anne.

— Les communistes. Vous vous rendez compte : cette bombe, quel formidable moyen de pression! Je ne pense pas que les Amerlauds iront demain en jeter une sur Moscou, mais enfin, ils ont la possibilité de le faire et ils ne le laisseront pas oublier. Ils ne vont plus se connaître! C'est le moment où il faudrait se serrer les coudes, et au lieu de ça nous sommes en train de répéter toutes les erreurs d'avant-guerre!

— Vous dites : nous, dit Henri. Mais ce n'est pas nous qui avons commencé.

— Oui, nous avons notre conscience pour nous. Et après? dit Dubreuilh. Ça nous fait une belle jambe! Si la division se produit nous en serons responsables autant que les communistes : davantage même parce qu'ils sont les plus forts.

— Je ne vous suis pas, dit Henri.

— Ils sont odieux, d'accord; mais en ce qui nous concerne, ça ne fait aucune différence; du moment où ils feront de nous des ennemis, nous serons des ennemis; inutile de dire : c'est leur faute; faute ou non, nous serons des ennemis du seul grand parti prolétarien de France; ce n'est certainement pas ce que nous voulons.

— Alors, il faut céder à leur chantage?

— Je n'ai jamais trouvé malins les gens qui se coulent pour ne pas céder, dit Dubreuilh. Chantage ou pas, il faut maintenir l'union.

— La seule union qu'ils envisagent sincèrement, c'est la dissolution du S. R. L. et l'adhésion de tous ses membres au P. C.

— Il se pourrait qu'on en arrive là.

— Vous pourriez vous inscrire au P. C.? demanda Henri avec surprise. Mais il y a tant de choses qui vous séparent des communistes!

— Oh! on s'arrange, dit Dubreuilh. Au besoin je saurais me taire. »

Il saisit ses papiers et se mit à tracer des mots. Henri éparpilla sur l'herbe les livres qu'il avait sortis de sa sacoche; depuis qu'il n'écrivait plus, il avait lu un tas de livres qui l'avaient promené tout autour du monde; ces jours-ci il découvrait les Indes et la Chine : ça n'avait rien de gai. Beaucoup de choses devenaient futiles quand on pensait à ces centaines de milliers d'affamés. Peut-être ses réticences à l'égard du P. C. étaient-elles aussi futiles. Ce qu'il lui reprochait le plus, c'était de traiter les gens en choses; si on ne fait pas confiance à leur liberté, à leur jugement, à leur bonne volonté, ce n'est pas la peine de s'occuper d'eux; et on s'en occupe mal. Mais c'était un grief qui n'avait de sens qu'en France, en Europe, où les gens ont atteint un certain niveau de vie, un minimum d'autonomie et de lucidité; quand il s'agit de foules abruties de misère et de superstition, qu'est-ce que ça veut dire, les traiter en hommes? il faut leur donner à manger, c'est tout. L'hégémonie américaine : c'est la sous-alimentation, l'oppression à perpétuité pour tous les pays d'Orient; leur seule chance, c'est l'U. R. S. S. : la seule chance d'une humanité délivrée du besoin, de l'esclavage et de la bêtise, c'est l'U. R. S. S.; alors il faut tout faire pour l'aider. Lorsque des millions d'hommes ne sont que des bêtes égarées de besoins, l'huma-

nisme est dérisoire, et l'individualisme, une saloperie; comment ose-
rait-on réclamer pour soi ces droits supérieurs : juger, décider, discuter librement? Henri cueillit une herbe et la mâchonna lentement.
Puisque de toute façon on ne peut pas vivre à sa guise, pourquoi ne
pas renoncer tout à fait? Se perdre au sein d'un grand parti, confondre
sa volonté avec une énorme volonté collective : quelle paix, quelle force!
Dès qu'on ouvre la bouche on parle au nom de toute la terre, l'avenir
devient votre œuvre personnelle : ça vaut la peine d'encaisser bien des
choses. Henri arracha un autre brin d'herbe. « N'empêche qu'au jour
le jour, j'encaisserais très mal, se dit-il. C'est impossible de penser ce
qu'on ne pense pas, de vouloir ce qu'on ne veut pas; pour faire un bon
militant, il faut la foi du charbonnier, je ne l'ai pas. Et puis la question
ne se pose pas comme ça », se dit-il avec agacement. Décidément, il
était un idéaliste. « A quoi servirait mon adhésion : voilà le seul problème
concret. Évidemment elle ne rapporterait pas un seul grain de riz à un
seul Hindou. »

Dubreuilh ne s'interrogeait plus : il écrivait. Il continua à écrire
chaque jour. Dans ce domaine-là, rien ne pouvait l'entamer. Un après-
midi, tandis qu'ils déjeunaient dans un village au pied de l'Aigoual,
un orage éclata si brutalement que les bicyclettes furent renversées,
deux sacoches emportées et le manuscrit de Dubreuilh partit à la
dérive sur un torrent de boue; quand il le repêcha, les mots s'égout-
taient en longues traînées noires sur les feuillets imbibés d'une eau
jaune. Il fit calmement sécher ses papier, il recopia les passages les
plus endommagés et on avait l'impression qu'au besoin il aurait
recommencé son livre d'un bout à l'autre avec la même indifférence.
Il avait raison de s'entêter sans aucun doute, puisqu'il se trouvait des
raisons, et quelquefois en regardant sa main glisser sur le papier,
Henri sentait une espèce de nostalgie dans son propre poignet.

— On ne peut pas en lire quelques pages de votre manuscrit? Où
en êtes-vous au juste? demanda Henri cet après-midi où assis dans
l'ombre d'un café de Valence ils attendaient que la chaleur se fatiguât.

— J'écris un chapitre sur l'idée de culture, dit Dubreuilh; qu'est-
ce que ça veut dire, ce fait que l'homme n'arrête pas de parler de soi?
et pourquoi est-ce que certains hommes décident de parler au nom
des autres : autrement dit qu'est-ce qu'un intellectuel? est-ce que cette
décision n'en fait pas une espèce à part? et dans quelle mesure l'humanité peut-elle se reconnaître dans l'image qu'elle se donne d'elle-même?

— Et que concluez-vous? dit Henri; que la littérature garde un sens?

— Bien sûr.

— Écrire pour démontrer qu'on a raison! dit Henri en riant, c'est
merveilleux.

Dubreuilh le regarda avec curiosité : « Voyons, vous allez bien vous
y remettre un de ces jours?

— Oh! en tout cas pas aujourd'hui, dit Henri.

— Aujourd'hui ou demain, quelle différence?

— Eh bien, ça ne sera sans doute pas demain non plus.

— Mais pourquoi? dit Dubreuilh.

— Vous écrivez un essai, soit; mais fabriquer un roman en ce moment, avouez que c'est décourageant.

— Je n'avoue pas! et je n'ai jamais compris pourquoi vous avez abandonné le vôtre.

— C'est votre faute, dit Henri en souriant.

— Comment ma faute! » Dubreuilh se tourna avec indignation vers Anne : « Tu l'entends?

— Vous m'avez prêché l'action : et l'action m'a dégoûté de la littérature. » Henri fit signe au garçon qui somnolait debout contre la caisse : « Je voudrais un autre demi; pas vous?

— Non, j'ai trop chaud, dit Anne.

Dubreuilh fit oui de la tête : « Expliquez-vous, reprit-il.

— Qu'est-ce que les gens ont à foutre de ce que je pense, moi, ou de ce que je sens? dit Henri. Mes petites histoires n'intéressent personne; et la grande histoire n'est pas un sujet de roman.

— Mais nous avons tous nos petites histoires qui n'intéressent personne, dit Dubreuilh; c'est pour ça qu'on se retrouve dans celles du voisin et s'il sait les raconter, finalement il intéresse tout le monde.

— C'est ce que je pensais en commençant mon livre », dit Henri. Il but une gorgée de bière. Il n'avait guère envie de s'expliquer. Il regarda les deux vieillards qui jouaient au jacquet au bout de la banquette rouge. Quelle paix dans cette salle de café : encore un mensonge! Il fit un effort pour parler : « L'ennui, c'est que ce qu'il y a de personnel dans une expérience, ce sont des erreurs, des mirages. Quand on a compris ça, on n'a plus envie de la raconter.

— Je ne vois pas ce que vous voulez dire », fit Dubreuilh.

Henri hésita : « Supposons que vous voyez des lumières, la nuit, au bord de l'eau. C'est joli. Mais quand vous savez qu'elles éclairent des faubourgs où les gens crèvent de faim, elles perdent toute leur poésie, ce n'est plus qu'un trompe-l'œil. Vous me direz qu'on peut parler d'autre chose : par exemple de ces gens qui crèvent de faim. Mais alors j'aime mieux en parler dans des articles ou dans un meeting.

— Je ne vous dirai pas ça du tout, dit Dubreuilh vivement. Ces lumières, elles brillent pour tout le monde. Évidemment, il faut d'abord que les gens mangent; mais ça ne sert à rien de manger si on vous supprime toutes les petites choses qui font l'agrément de la vie. Pourquoi voyageons-nous? parce que nous pensons que les paysages ne sont pas des trompe-l'œil.

— Mettons qu'un jour tout ça retrouvera un sens, dit Henri. Pour l'instant, il y a tant de choses plus importantes!

— Mais ça a un sens aujourd'hui, dit Dubreuilh. Ça compte dans nos vies, alors ça doit compter dans nos livres. » Il ajouta avec une brusque irritation : « On croirait que la gauche est condamnée à une littérature de propagande dont chaque mot doit édifier le lecteur!

— Oh! je ne m'en ressens pas pour ce genre de littérature, dit Henri.

15

— Je sais, mais vous n'essayez pas autre chose. Il y a pourtant de
quoi s'occuper! » Dubreuilh regarda Henri d'un air pressant : « Bien
sûr, si on fait du merveilleux à propos de ces petites lumières en
oubliant ce qu'elles signifient, on est un salaud; mais justement :
trouvez une manière d'en parler qui ne soit pas celle des esthètes de
droite; faites sentir à la fois ce qu'elles ont de joli, et la misère des faubourgs. C'est ça que devrait se proposer une littérature de gauche,
reprit-il d'une voix animée : nous faire voir les choses dans une perspective neuve en les replaçant à leur vraie place; mais n'appauvrissons
pas le monde. Les expériences personnelles, ce que vous appelez des
mirages, ça existe.

— Ça existe », dit Henri sans conviction.

Dubreuilh avait peut-être raison; peut-être y avait-il un moyen de
tout récupérer, peut-être la littérature gardait-elle un sens. Mais pour
l'instant, ça paraissait plus urgent à Henri de comprendre ce monde
que de le recréer avec des mots; il aimait mieux tirer de sa sacoche
un livre tout fait que du papier blanc.

— Vous savez ce qui va arriver? poursuivit Dubreuilh avec véhémence. Les livres des types de droite finiront par être plus valables
que les nôtres, et c'est auprès des Volange que la jeunesse ira se fournir.

— Oh! Volange n'aura jamais la jeunesse pour lui! dit Henri. La
jeunesse n'aime pas les vaincus.

— C'est nous qui risquons de faire bientôt figure de vaincus, dit
Dubreuilh. Il regarda Henri avec insistance : « Ça me désole que vous
n'écriviez plus.

— Je m'y remettrai peut-être », dit Henri.

Il faisait trop chaud pour discuter. Mais il savait qu'il ne s'y remet-
trait pas de sitôt; l'avantage, c'est qu'il avait enfin du temps pour s'instruire; en quatre mois il avait comblé pas mal de lacunes. Dès son
retour à Paris, dans trois jours, il allait se dresser un plan d'études soigneux et il arriverait peut-être d'ici un an ou deux à avoir au moins
un embryon de culture politique.

« Pourvu que Paule ne soit pas encore rentrée! » se disait-il le lendemain matin, tout en pédalant mollement à travers une forêt dont
l'ombre mince atténuait à peine les fureurs du ciel. Il avait laissé
Dubreuilh et Anne filer devant lui, il était seul quand il entra dans la
clairière; des ronds de soleil tremblaient sur l'herbe verte, et il ne
comprit pas pourquoi il sentit son cœur se serrer. Ce n'était pas à cause
de la baraque brûlée, elle ressemblait à beaucoup d'autres ruines doucement rongées par l'indifférence et le temps; c'était peut-être à cause
du silence : pas un oiseau, pas un insecte, on n'entendait que le bruit
du gravier crissant sous les pneus, un bruit de luxe. Anne et Dubreuilh
étaient descendus de leurs bicyclettes et ils regardaient quelque chose.
Henri les rejoignit et il vit que c'était des croix : des croix blanches,
sans nom, sans fleurs. Le Vercors. Ce mot couleur d'or brûlé, couleur
de chaume et de cendre, rude et sec comme une garrigue mais traî-

nant après soi un relent de fraîcheur montagnarde, ce n'était plus le nom d'une légende. Le Vercors. C'était ce pays de montagnes au poil humide et roux, aux forêts transparentes, où le dur soleil faisait lever des croix.

Ils s'éloignèrent en silence; le chemin devenait si abrupt qu'il fallait marcher en poussant les vélos. La chaleur s'infiltrait à travers l'ombre pâle; Henri sentait couler sur son visage la sueur qui ruisselait sur le front d'Anne et sur les joues cuivrées de Dubreuilh; et sans doute était-ce dans tous les cœurs le même radotage. Une prairie si verte pour y planter sa tente. C'était un de ces endroits innocents et secrets dont on pensait jadis : ici du moins la guerre, la haine ne réussiront jamais à se glisser; on savait maintenant que nulle part il n'existait de refuge. Sept croix.

— Voilà le col! cria Anne.

Henri aimait ces moments où après une montée aveugle le regard survole un grand morceau de terre domestiquée avec ses champs, ses haies, ses routes, ses hameaux; la lumière mouille l'ardoise ou patine la tuile rose. Il aperçut d'abord la barrière de montagnes qui s'adossait au ciel, et puis il découvrit le grand plateau qui rôtissait nu sous le soleil; comme sur tous les autres plateaux de France, il y avait des fermes, des hameaux, des villages : mais ni tuile, ni ardoise, pas un toit. Des murs; des murs de hauteur inégale, capricieusement déchiquetés et qui n'abritaient rien.

— On a beau savoir, dit Anne. On a beau croire qu'on sait.

Ils restèrent un moment immobiles; et ils se mirent à descendre avec prudence le chemin caillouteux que flagellait durement le soleil; depuis huit jours ils parlaient d'Hiroshima, ils énonçaient des chiffres, ils échangeaient des phrases dont le sens était affreux, et rien ne bougeait en eux; et soudain, il suffisait d'un coup d'œil, l'horreur était là et leur cœur se crispait.

Dubreuilh freina brusquement : « Qu'est-ce qui se passe? »

A travers les brumes qui tremblaient au-dessus du village, un clairon sonnait; Henri s'arrêta, et il aperçut à ses pieds, au long de la grand-route, des camions militaires, des chenillettes, des autos, des carrioles.

— C'est la fête! dit-il. Je n'y avais pas fait attention, mais j'ai entendu les gens de l'hôtel parler d'une fête quelque part.

— Une fête militaire! qu'est-ce que nous allons faire? dit Dubreuilh.

— On ne peut pas remonter, n'est-ce pas? dit Anne, ni s'arrêter sous ce soleil.

— On ne peut pas, dit Dubreuilh d'un ton consterné.

Ils continuèrent à descendre; sur la gauche du village brûlé il y avait un parterre de croix blanches fleuries de bouquets rouges; des soldats sénégalais marchaient au pas de parade, leurs chéchias brillaient. A nouveau la fanfare couvrit le silence des fosses.

— On dirait que c'est la fin, nous avons encore de la chance, dit Henri.

— Filons à droite, dit Dubreuilh.

Les soldats prirent d'assaut les camions et la foule se dispersa; hommes, femmes, enfants, vieillards, ils étaient tous vêtus de noir et ils cuisaient à l'étouffée dans leurs beaux habits de deuil; en auto, en carriole, en vélo, à motocyclette, à pied, il en était venu de tous les villages, de tous les hameaux; ils étaient cinq mille, dix mille peut-être à se disputer l'ombre des arbres morts et des murs calcinés; accroupis dans les fossés, à demi couchés contre les voitures, ils déballaient des miches de pain et des bouteilles de vin rouge. Maintenant que les morts avaient été convenablement gavés de discours, de fleurs et de musique militaire, les vivants mangeaient.

— Je me demande où on va pouvoir s'installer, dit Anne.

Après la dure étape du matin, on avait envie de s'étendre au frais, de boire de l'eau glacée; ils poussèrent mélancoliquement leurs bicyclettes au long de la route fourmillante de veuves et d'orphelins; pas un souffle de vent; les camions qui redescendaient vers la vallée soulevaient une énorme poussière blanche : « Où trouver de l'ombre? Où? dit Anne.

— Ces tables là-bas sont à l'ombre », dit Dubreuilh. Il désignait de longues tables dressées contre une baraque de bois, mais où toutes les places semblaient occupées; des femmes transportaient à la ronde des bassines de purée qu'elles distribuaient à coups de louche.

— C'est un banquet ou un restaurant? demanda Anne.

— Allons voir; je mangerais volontiers autre chose que des œufs durs, dit Dubreuilh.

C'était un restaurant, et les gens se poussèrent un peu sur leurs bancs pour dégager des places; Henri s'assit en face de Dubreuilh à côté d'une femme aux lourds voiles de crêpe dont les yeux étaient bordés d'orgelets rouges. Une bouse blanche s'affala dans son assiette et du bout d'une fourchette un homme jeta dessus un morceau de viande sanglante; les corbeilles à pain, les bouteilles de vin circulaient de main en main; les gens mangeaient en silence et leur gloutonnerie guindée rappelait à Henri les enterrements paysans auxquels il avait assisté dans son enfance; seulement ici ils étaient des centaines de veuves, d'orphelins, de parents endeuillés qui mélangeaient au soleil leurs chagrins et l'odeur de leur sueur. Le vieillard assis à côté d'Henri lui passa une bouteille de vin rouge : « Versez-lui à boire, dit-il en désignant la femme aux orgelets, c'est la veuve au pendu de Saint-Denis. »

A travers la table une femme demanda : « C'est son mari qu'ils avaient pendu par les pieds?

— Non, pas le sien; le sien c'est celui qu'il lui manquait les deux yeux. »

Henri versa un verre de vin à la veuve, il n'osait pas la regarder et soudain il se sentit en sueur lui aussi sous sa chemise légère; il se tourna vers le vieillard : « Ce sont des parachutistes qui ont brûlé Vassieux?

— Oui, ils se sont amenés à quatre cents, vous pensez, ils n'ont pas eu de peine. C'est Vassieux qui a eu le plus de morts, c'est pour ça qu'ils ont droit au grand cimetière.

— Le grand cimetière pour tout le Vercors, dit la femme en face de lui avec fierté. Vous êtes bien l'oncle du grand René? ajouta-t-elle; celui qu'on a trouvé dans la grotte avec le fils Février?

— Oui; c'est moi l'oncle », dit le vieillard.

Tout autour de la table, les langues s'étaient déliées, et tout en lampant le vin rouge ils remuaient des souvenirs d'horreur : à Saint-Roch, les Allemands avaient enfermé hommes et femmes dans l'église, et puis après avoir mis le feu, ils avaient permis aux femmes de sortir; il y en avait deux qui n'étaient pas sorties.

— Je reviens, dit Anne, en se levant brusquement. Je...

Elle fit quelques pas et s'effondra de tout son long contre le mur de la baraque. Dubreuilh se précipita et Henri le suivit. Elle avait fermé les yeux, elle était blanche et son front s'était couvert de sueur. « Mal au cœur », balbutia-t-elle en étouffant un hoquet dans son mouchoir. Au bout d'un instant, elle rouvrit les yeux. « Ça passe, c'est ce vin rouge.

— Le vin, le soleil, la fatigue », dit Dubreuilh; il l'aidait à s'inventer des prétextes, mais il savait sûrement qu'elle était robuste comme un percheron.

— Il faudrait vous étendre à l'ombre et vous reposer, dit Henri. On va chercher un coin tranquille. Vous pouvez rouler cinq minutes?

— Oui, oui, ça va maintenant, je m'excuse.

S'évanouir, pleurer, vomir, les femmes ont cette ressource : mais ça ne sert à rien non plus. On est sans recours en face des morts. Ils enfourchèrent leurs bicyclettes; l'air brûlait comme si le village avait flambé pour la seconde fois; sous chaque meule, chaque arbuste, des gens étaient vautrés; les hommes avaient rejeté leurs vestes cérémonieuses, les femmes retroussaient leurs manches, elles dégrafaient leurs corsages; on entendait des chansons, des rires, de petits cris chatouillés. Qu'est-ce qu'ils pouvaient faire d'autre, sinon boire, rire, se chatouiller? du moment qu'ils étaient vivants, il fallait bien qu'ils vivent.

Ils roulèrent pendant cinq kilomètres avant de découvrir contre un tronc d'arbre à demi mort une ombre décharnée; sur le sol hérissé de chaumes et de cailloux, Anne étendit son imperméable et se coucha en chien de fusil. Dubreuilh sortit de sa sacoche des papiers à l'odeur de vase qui paraissaient trempés de larmes. Henri s'assit à côté d'eux et appuya la tête contre l'écorce de l'arbre; il ne pouvait ni dormir ni travailler. Soudain ça lui semblait idiot de vouloir s'instruire. Les partis politiques en France, l'économie du Don, les pétroles de l'Iran, les problèmes actuels de l'U. R. S. S., tout ça c'était déjà du passé; cette ère nouvelle qui s'ouvrait n'était pas prévue dans les livres; et qu'est-ce que ça pesait, une solide culture politique contre l'énergie atomique? Le S. R. L., *L'Espoir*, agir, quelle funèbre plaisanterie! Les hommes dits de bonne volonté pouvaient tranquillement se mettre en grève; les savants et les techniciens étaient en train de fabriquer des bombes, des anti-bombes, des super-bombes, c'était eux qui tenaient l'avenir dans leurs mains. Un joyeux avenir! Henri ferma les yeux. Vassieux; Hiroshima. En un an on avait fait du chemin. Ça se donnerait la prochaine guerre. Et l'après-guerre donc : elle serait encore plus soignée que celle-ci. A moins qu'il n'y ait pas d'après-guerre. A moins que le vaincu ne s'amuse à faire sauter le globe. Ça se pourrait très bien. Il ne se casserait pas en morceaux, admettons, il continuerait à tourner sur lui-même, glacé, désert : ce n'était pas plus réjouissant à imaginer. L'idée de la mort n'avait jamais gêné Henri : mais soudain ce silence lunaire l'épouvantait : il n'y aurait plus d'hommes! En face de cette éternité sourde-muette, à quoi ça rimait-il d'aligner des mots, de tenir des meetings? On n'avait qu'à attendre en silence le cataclysme universel, ou sa petite mort personnelle. Rien n'était rien.

Il ouvrit les yeux. La terre était toute chaude, le ciel brillait, Anne dormait et Dubreuilh écrivait qu'on a raison d'écrire. Deux paysannes endeuillées aux souliers blancs de poussière se hâtaient vers le village, les bras chargés de roses rouges. Henri les suivit des yeux. Est-ce que les femmes de Saint-Roch fleurissaient les cendres de leurs maris? C'était probable. Elles avaient dû devenir des veuves honorables. Ou est-ce qu'on les montrait du doigt? Et au-dedans, comment s'arrangeaient-elles? Avaient-elles oublié un peu, beaucoup, pas du tout? Un an : c'est court, c'est long. Les camarades morts étaient bien oubliés, oublié cet avenir que promettaient les journées d'août : heureusement; c'est malsain de s'entêter dans le passé; pourtant, on n'est pas très fier de soi quand on constate qu'on l'a plus ou moins renié. C'est pour ça qu'ils ont inventé ce compromis : commémorer; hier du sang, aujourd'hui du vin rouge discrètement salé de larmes; il y a beaucoup de gens que ça tranquillise. A d'autres, ça doit paraître odieux. Supposons qu'une de ces femmes ait aimé son mari d'amour : qu'est-ce que ça lui dirait, les fanfares et les discours? Henri regarda fixement les montagnes rousses. Il la voyait, debout devant l'armoire, ajustant ses voiles de crêpe, les fanfares sonnaient, et elle criait : « Je ne peux pas, je ne veux pas. » Ils lui répondaient : « Il le faut. » Ils lui mettaient des roses rouges dans les bras, ils la suppliaient au nom du village, au nom de la France, au nom des morts. Dehors, la fête commençait. Elle arrachait ses voiles. Et alors? La vision se brouilla. « Allons, se dit Henri, j'ai décidé de ne plus écrire. » Mais il ne bougea pas, son regard resta figé. Il avait absolument besoin de décider ce qui allait advenir de cette femme.

Henri rentra à Paris avant Paule. Il loua une chambre en face du journal et comme L'Espoir vivait au ralenti pendant cet été torride, il passait des heures devant sa table de travail. « C'est amusant d'écrire une pièce! » se disait-il. Ce lourd après-midi rouge de vin, de fleurs, de chaleur et de sang était devenu une pièce, sa première pièce. Oui, il y a toujours eu des ruines, il y a toujours eu des raisons de ne pas écrire, mais elles ne pèsent pas lourd dès que le désir d'écrire vous reprend.

Paule accepta sans protester l'idée qu'Henri partagerait désormais ses nuits entre le studio rouge et l'hôtel, mais quand il eut découché pour la première fois, il vit le lendemain sous ses yeux des cernes si profonds qu'il dut se promettre de ne pas recommencer; n'importe, de temps en temps, il se réfugiait dans sa chambre et ça lui donnait l'impression de s'être un peu libéré. « Il ne faut pas trop demander » se disait-il; il suffisait d'être modeste et on avait un tas de petites satisfactions.

La situation de *L'Espoir*, cependant, restait précaire; Henri eut de sérieuses inquiétudes quand il découvrit un jeudi que la caisse était vide : Luc se moqua de lui; il accusait Henri d'avoir sur les questions d'argent une mentalité de petit boutiquier; c'était peut-être vrai; en tout cas il était entendu que les finances c'était le rayon de Luc et Henri lui laissait volontiers carte blanche. En fait Luc trouva le moyen de payer le personnel, le samedi. « Une avance sur un contrat publicitaire », expliqua-t-il. Il n'y eut pas de nouvelle alerte. Le tirage de *L'Espoir* ne se relevait pas, mais enfin miraculeusement on tenait le coup. D'autre part, le S. R. L. n'était pas devenu un grand mouvement de masses, mais il gagnait du terrain en province; et ce qu'il y avait de réconfortant, c'est que les communistes ne l'attaquaient plus : l'espoir d'une union durable se réveillait. C'est à l'unanimité que le comité décida en novembre de soutenir Thorez contre de Gaulle. « Ça facilite bien la vie de se sentir en accord avec ses amis, ses alliés, avec soi-même », pensait Henri tout en causant à bâtons rompus avec Samazelle qui était venu lui apporter un article sur la crise; les rotatives ronronnaient, dehors c'était un beau soir d'automne et quelque part Vincent chantait d'une voix fausse et gaie; même Samazelle avait ses bons côtés, somme toute; on prédisait un gros succès à son livre sur le maquis dont *Vigilance* publiait des extraits et il était si naïvement joyeux de ce futur triomphe que sa cordialité paraissait presque sincère :

— Je vais vous poser une question indiscrète, dit Samazelle. Il sourit largement : « Quelqu'un a dit que les questions ne sont jamais indiscrètes, mais seulement les réponses; vous n'êtes pas forcé de me répondre. Quelque chose m'intrigue, reprit-il, avec un tirage aussi limité, comment *L'Espoir* réussit-il à vivre?

— Nous n'avons pas de fonds secrets, dit Henri gaiement; l'explication, c'est que nous faisons beaucoup plus de publicité qu'autrefois; les petites annonces entre autres, c'est une grosse ressource.

— Je crois avoir une idée assez exacte de votre budget publicitaire, dit Samazelle; eh bien, d'après mes calculs, vous devriez être très nettement en déficit.

— Nous avons fait d'assez grosses dettes.

— Je sais, mais je sais aussi que depuis juillet elles n'ont pas augmenté; c'est ça qui me paraît miraculeux.

— Il doit y avoir une erreur dans vos calculs, dit Henri d'un ton léger.

— Il faut bien le supposer », dit Samazelle.

Il n'avait pas l'air très convaincu et Henri, quand il se retrouva seul en fut irrité contre lui-même; il aurait dû pouvoir fournir des chiffres

précis. « Miraculeux », c'était juste le mot qui lui était venu aux lèvres
quand Luc avait tiré d'une caisse vide l'argent de la paie. « Une avance
sur un contrat publicitaire. » Henri avait été léger de se contenter de
cette explication. Quel contrat? De combien était l'avance? Et Luc
avait-il dit la vérité? Henri se sentit de nouveau inquiet. Samazelle
n'avait pas en main toutes les données, mais il savait calculer. Comment
Luc se débrouillait-il au juste? Qui sait s'il ne faisait pas à titre personnel des emprunts clandestins? Jamais il ne se serait livré à des combi-
naisons malhonnêtes, mais il fallait tout de même savoir d'où le fric
sortait. Lorsque les bureaux se furent vidés, vers deux heures du matin,
Henri entra dans la salle de rédaction; Luc était en train de faire des
comptes; si tard qu'Henri quittât le journal, Luc restait toujours après
lui et il faisait des comptes.

— Dis donc, si tu as une minute, on va regarder ensemble les registres,
dit Henri; je voudrais tout de même comprendre quelque chose à nos
finances.

— Je suis en plein travail, dit Luc.

— Je peux attendre. Je vais attendre, dit Henri en s'asseyant sur le
bord de la table.

Luc était en bras de chemise, il portait des bretelles qu'Henri regarda
fixement pendant un long moment : des bretelles jaunes. Il leva la
tête : « Pourquoi veux-tu t'emmerder avec ces histoires d'argent? dit-
il, fais-moi donc confiance.

— Pourquoi me demandes-tu ma confiance quand il est si facile de
me montrer les livres? dit Henri.

— Tu n'y comprendras rien. La comptabilité, c'est un monde.

— D'autres fois tu m'as expliqué et j'ai compris; ce n'est tout de même
pas sorcier.

— On va perdre un temps fou.

— Ça ne sera pas du temps perdu. Ça me gêne de ne pas savoir
comment tu te débrouilles. Allons, montre-les-moi ces livres. Pourquoi ne veux-tu pas? »

Luc bougea ses jambes sous la table; un gros coussin de cuir soutenait ses pieds douloureux; il dit avec agacement :

— Tout n'est pas marqué dans les livres.

— C'est justement ce qui m'intéresse, dit Henri vivement : ce qui
n'est pas marqué. Il sourit : « Qu'est-ce que tu me caches? tu as
emprunté?

— Tu me l'as défendu, dit Luc d'un ton bougon.

— Alors quoi? tu fais chanter quelqu'un? dit Henri d'une voix qui
ne plaisantait qu'à demi.

— Je ferais de L'Espoir un journal de chantage, moi! » Luc hocha
la tête : « Tu ne dors pas assez.

— Écoute, dit Henri, les devinettes ça ne m'amuse pas. Je ne veux
pas que L'Espoir vive d'expédients. Garde tes secrets, mais je téléphone demain matin à Trarieux.

— Ça c'est du chantage, dit Luc.

— Non, c'est de la prudence. Trarieux, je connais la couleur de son argent; tandis que ce fric qui est tombé dans la caisse, samedi dernier, je ne sais pas d'où il vient. »

Luc hésita : « C'était... une contribution volontaire. »

Henri dévisagea Luc avec appréhension; une femme laide, trois enfants, du ventre, des bretelles, la goutte, une grosse face endormie, ça paraissait de tout repos; mais on s'était aperçu en 41 qu'un petit vent de folie pouvait traverser à l'occasion cette masse de chair : c'est même grâce à ça que *L'Espoir* était né; est-ce que cette brise extravagante avait de nouveau soufflé?

— Tu as extorqué de l'argent à quelqu'un?

— J'en serais bien incapable, dit Luc avec un soupir. Non, il s'agit d'un don, tout simplement un don.

— On ne donne pas comme ça des sommes pareilles. Un don de qui?

— J'ai promis le secret, dit Luc.

— A qui? dit Henri avec un sourire. Allons, tu me mènes en bateau; le généreux donateur, ça ne prend pas.

— Je te jure qu'il existe, dit Luc.

— Ça n'est pas Lambert par hasard?

— Lambert! il s'en fout bien du journal; sauf pour te voir, il n'y met jamais les pieds; Lambert!

— Alors qui? Allons accouche, dit Henri avec impatience; ou alors je téléphone.

— Tu ne diras pas que je te l'ai dit? dit Luc d'une voix enrouée; tu me le promets?

— Je te le jure sur ta propre tête.

— Eh bien, c'est Vincent.

Henri regarda avec stupéfaction Luc qui regardait ses pieds :

— Tu n'es pas cinglé, non? tu ne te doutes pas comment Vincent ramasse son fric? Quel âge as-tu?

— Quarante ans, dit Luc avec mauvaise humeur. Et je sais que Vincent a piqué de l'or chez des dentistes collabos : je n'y vois pas de mal. Si tu as peur d'être accusé de complicité, rassure-toi, j'ai pris mes précautions.

— Et Vincent? Je suppose qu'il est joliment précautionneux, lui aussi! il va y laisser sa peau dans ces jeux de con, tu ne comprends pas ça? tu as de l'eau dans le cerveau ou quoi? le jour où ce cinglé se sera fait piquer tu te sentiras fier?

— Je ne lui ai rien demandé, dit Luc. Si je lui avais refusé son fric il le donnait à un dispensaire pour chiens.

— Mais tu ne comprends pas qu'en acceptant tu l'encourageais à recommencer? Combien de fois est-ce qu'il nous a renfloués?

— Trois fois.

— Et tu comptais que ça allait continuer? tu es aussi tordu que lui!

Henri se leva et marcha vers la fenêtre. Au mois de mai, quand il avait appris que Vincent avait fait entrer Nadine dans son gang, il

lui avait sérieusement sonné les cloches. Et il l'avait expédié pour
un mois en Afrique. Vincent avait affirmé au retour qu'il s'était
acheté une conduite : et voilà!

— Il faut que je trouve un moyen de lui faire peur, dit Henri.

— Tu m'as promis le secret, dit Luc; il m'avait fait jurer que tu
ne serais pas au courant, surtout pas toi.

— Bien entendu! Henri revint vers la table : « De toute façon,
ce que je peux lui dire ou rien c'est pareil.

— Il y a une traite à payer d'ici dix jours, dit Luc; on ne pourra
pas la payer.

— Je vais aller parler à Trarieux dès demain, dit Henri.

— Si seulement on pouvait gagner encore un mois ou deux : on
est presque à flot.

— Presque, ça ne suffit pas, dit Henri. A quoi bon s'entêter? Le
tirage ne remonte pas, et on risque qu'à la longue Trarieux ne change
d'avis. » Henri posa la main sur l'épaule de Luc : « Du moment qu'on
sera aussi libres qu'avant, qu'est-ce que ça peut faire?

— Ça ne sera plus pareil, dit Luc.

— Ça sera exactement pareil sauf qu'on n'aura plus d'emmerdements d'argent.

— Mais c'était le plus amusant », dit Luc en soupirant.

Henri était plutôt soulagé au contraire à l'idée que la question d'argent allait être définitivement réglée; c'est d'un cœur serein que deux
jours plus tard il entra dans le bureau de Trarieux : un bureau plein
de livres qui annonçait un intellectuel plutôt qu'un homme d'affaires;
mais Trarieux lui-même, mince, élégant, à demi chauve, avait très exactement l'air d'un riche industriel.

— Dire que pendant toute l'occupation nous avons travaillé si près
l'un de l'autre et que nous ne nous sommes jamais rencontrés! dit-il
en serrant avec vigueur la main d'Henri. Vous connaissiez très bien
Verdelin, n'est-ce pas?

— Bien sûr; vous étiez dans son réseau?

— Oui; c'était un homme remarquable, dit Trarieux d'un ton discrètement funèbre; un sourire de fierté arrondit puérilement son
visage : « C'est grâce à lui que j'ai rencontré Samazelle. » Il fit signe
à Henri de s'asseoir et s'assit : « En ce temps-là, c'était les valeurs
humaines qui comptaient, et non l'argent.

— C'est déjà loin, dit Henri, pour dire quelque chose.

— Enfin, c'est une consolation de pouvoir utiliser l'argent à défendre
certaines valeurs, dit Trarieux d'un air engageant.

— Dubreuilh vous a mis au courant de la situation? dit Henri.

— En gros, oui. »

Il y avait dans le regard de Trarieux une interrogation impérieuse :
il connaissait exactement les faits, mais il voulait avoir le loisir d'étudier Henri, et il fallait bien jouer son jeu. Henri se mit à parler sans
conviction. De son côté, il observait Trarieux; celui-ci l'écoutait avec
une affabilité un peu condescendante; sûr de ses privilèges, satisfait

d'y avoir verbalement renoncé, il se sentait supérieur à la fois à ceux qui ne possédaient rien et à ceux qui n'avaient pas intérieurement consenti à se laisser déposséder. Ce n'était pas tout à fait comme ça qu'Henri l'avait imaginé d'après les descriptions de Dubreuilh; il n'y avait aucune trace de faiblesse ni d'inquiétude dans son visage; aucune générosité non plus; s'il était de gauche, ça ne pouvait guère être que par opportunisme.

— Là je vous arrête! dit-il brusquement. Vous dites que cette baisse de tirage était fatale. Il regarda Henri dans les yeux comme s'il allait énoncer une vérité dangereuse : « Je ne crois pas à la fatalité, c'est même là une des raisons qui m'empêchent d'adhérer à la dialectique marxiste. Mon expérience n'est pas la même que la vôtre; c'est celle d'un homme d'affaires, un homme d'action; elle m'a enseigné que le cours des événements peut toujours être dévié par l'intervention au moment opportun d'un facteur opportun.

— Vous voulez dire qu'on aurait pu éviter cette baisse? » dit Henri d'une voix un peu raide.

Trarieux prit un temps : « En tout cas, je suis sûr qu'il est possible aujourd'hui de relever le tirage, dit-il. Je n'en fais absolument pas une question d'argent, ajouta-t-il avec un geste vif; mais étant donné ce que représente *L'Espoir* il me paraît important qu'il reconquière une large audience. »

Avec amusement Henri reconnut au passage le vocabulaire de Samazelle; il dit : « Je le souhaite autant que vous; c'est le manque d'argent qui nous a gênés; avec des capitaux, je me charge de faire réaliser des reportages et des enquêtes qui nous gagneront un gros public.

— Des reportages, des enquêtes, oui, bien entendu, dit Trarieux d'une voix lointaine; mais ce n'est pas là l'essentiel.

— Quel est l'essentiel? dit Henri.

— Je vais vous parler franchement, dit Trarieux. Vous êtes quelqu'un de très connu, de très populaire même. Mais permettez-moi de vous dire que votre ami Luc, ça n'est personne, il n'a aucun nom. Par-dessus le marché j'ai lu des articles de lui qui étaient nettement maladroits. »

Henri le coupa sèchement : « Luc est un excellent journaliste, et le journal lui appartient autant qu'à moi; si vous avez pensé à l'éliminer, n'y pensez plus.

— On ne pourrait pas le décider à se retirer? en lui rachetant sa part à un prix intéressant et en lui procurant une bonne situation?

— Pas question! dit Henri. Il n'acceptera jamais, et d'ailleurs je ne le lui demanderai pas. *L'Espoir*, c'est Luc et moi; ou vous nous financez, ou vous ne nous financez pas, il n'y a pas de milieu.

— Évidemment, pour celui qui est engagé dans une entreprise, certaines dissociations sont plus difficiles que pour un observateur extérieur, dit Trarieux d'une voix amusée.

— Je ne vous suis pas.

— Aucune loi ne limite à deux membres le comité directeur d'un journal », dit Trarieux; il sourit : « Étant donné l'amitié qui vous unit, je suis sûr que vous ne ferez aucune difficulté pour vous adjoindre Samazelle. »

Henri garda le silence; voilà donc pourquoi Samazelle s'intéressait tant au sort de *L'Espoir!* Il dit enfin avec froideur : « Je n'en vois pas la nécessité; Samazelle peut écrire chez nous quand il lui plaît : ça devrait lui suffire...

— Ce n'est pas lui, c'est moi qui souhaite cette collaboration », dit Trarieux avec hauteur; sa voix se durcit : « J'estime qu'à côté de votre nom, il faut un autre nom également populaire; Samazelle est en train de monter en flèche, demain tout le monde parlera de lui : Henri Perron et Jean-Pierre Samazelle, ça c'est une raison sociale; et puis il faut insuffler à votre journal un dynamisme nouveau; Samazelle, c'est une force de la nature. Voilà ce que je vous propose. Je liquide vos dettes, je rachète la moitié des parts de *L'Espoir* à des conditions que nous débattrons, et vous vous partagez Luc, Samazelle et vous l'autre moitié; les décisions sont prises à la majorité des voix.

— J'ai beaucoup d'estime pour Samazelle, dit Henri; mais moi aussi je vous parlerai franchement : Samazelle a une trop forte personnalité pour que je me sente encore chez moi là où il est chez lui; et je tiens à me sentir chez moi au journal.

— C'est là une objection très personnelle, dit Trarieux.

— Possible; mais après tout il s'agit d'un journal qui m'appartient personnellement.

— C'est le journal du S. R. L.

— L'un n'exclut pas l'autre.

— Voilà justement ce qui est en question, dit Trarieux. Je finance le journal du S. R. L. et j'entends lui assurer le maximum de chances. » Il eut un geste coupant : « *L'Espoir* est une réalisation extraordinaire, croyez que je l'apprécie à sa juste valeur; mais nous nous trouvons devant des difficultés neuves et il s'agit de réussir à une échelle encore plus vaste : les forces d'un seul homme ne sauraient plus y suffire.

— Je vous répète que je ne suis pas seul, dit Henri; je me sens parfaitement de taille à faire face avec Luc à cette nouvelle situation. »

Trarieux secoua la tête : « Je me flatte d'avoir toujours su assez exactement apprécier les possibilités d'un homme; il y a un dur courant à remonter et vous avez besoin de quelqu'un comme Samazelle pour vous y aider.

— Ce n'est pas mon avis.

— Mais c'est le mien, dit Trarieux d'une voix soudain discourtoise; et personne ne m'en fera changer.

— Vous voulez dire que si je refuse votre combinaison, vous ne financez pas *L'Espoir?* dit Henri.

— Vous n'avez aucune raison de la refuser, dit Trarieux dont le visage s'était radouci.

— Vous vous étiez engagé à m'aider sans conditions, dit Henri; c'est sur la foi de cet engagement que j'ai fait de *L'Espoir* l'organe du S. R. L.

— Voyons, je ne vous impose aucune condition, il est bien entendu que la ligne politique du journal demeure exactement la même; je vous demande seulement de prendre les mesures nécessaires à un redressement que vous devez souhaiter autant que moi. »

Henri se leva : « Je vais m'expliquer avec Samazelle!

— Samazelle n'acceptera certainement pas d'entrer à *L'Espoir* contre votre gré, dit Trarieux; c'est pourquoi il est préférable que cette conversation demeure entre nous; que le refus vienne de lui ou de vous, peu importe : je ne finance le journal que s'il participe à sa gestion.

— Je le mettrai quand même au courant », dit Henri; il s'appliquait à contrôler sa voix : « Parce que j'ai cru à votre parole, j'ai compromis la sécurité de *L'Espoir*, je l'ai amené au bord de la faillite; et vous en profitez pour vous livrer à ce chantage. Un homme capable d'un procédé aussi déloyal, je préfère de toute façon me passer de ses services!

— Vous n'avez pas le droit de m'accuser de chantage! dit Trarieux en se levant à son tour. Toutes les affaires que je traite, je les traite loyalement, celle-ci comme les autres. Jamais je n'ai caché que certains remaniements me semblaient indispensables à la bonne gestion de *L'Espoir*.

— Ce n'est pas ce que Dubreuilh m'a dit, dit Henri.

— Je ne suis pas responsable de ce qu'il vous a dit, dit Trarieux dont le ton se montait; je sais ce que je lui ai dit moi; s'il y a eu malentendu, c'est bien dommage, mais je m'étais exprimé clairement.

— Vous l'avez mis au courant de votre combinaison?

— Parfaitement; nous en avons même discuté assez longtemps! »

Il y avait dans sa voix une sincérité si convaincante qu'Henri resta un moment silencieux : « Il n'a en tout cas pas compris que c'était là une condition *sine qua non*, dit-il enfin.

— Je suppose qu'il a compris ce qu'il voulait comprendre, dit Trarieux avec une pointe d'animosité. Écoutez, dit-il d'un ton conciliant, pourquoi ma proposition vous semble-t-elle tellement inacceptable? vous vous êtes irrité parce que vous vous êtes cru victime d'une manœuvre malhonnête; il vous suffira d'un entretien avec Dubreuilh pour vous convaincre de ma bonne foi; alors vous comprendrez sûrement quelle chance mon offre représente pour vous. Parce que, soyez-en bien certain, personne ne se risquera à reprendre *L'Espoir*, avec ses six millions de dettes : il faut être dévoué au S. R. L. comme je le suis pour marcher. Ou alors on vous imposera des conditions bien différentes des miennes : des conditions politiques.

— Je ne désespère pas de trouver un appui désintéressé, dit Henri.

— Mais vous l'avez trouvé! » dit Trarieux. Il sourit : « Je considère cet entretien simplement comme une première prise de contact. En ce qui me concerne, les négociations restent ouvertes. Réfléchissez.

— Merci du conseil! » dit Henri.

Il avait répondu avec humeur, mais ce n'est pas à Trarieux qu'il en voulait. L'optimisme de Dubreuilh! son incurable optimisme! Non, pas question d'optimisme ici, Dubreuilh n'était pas si niais : brusquement

la vérité sauta au visage d'Henri. « Il m'a joué! » Il s'affala sur un banc
de l'avenue Marceau : dans sa tête, dans son corps, c'était un charivari
si violent qu'il crut qu'il allait s'évanouir. « Il m'a menti sciemment
parce qu'il voulait *L'Espoir*, et je suis tombé dans le piège. » Minuit,
il frappait, il souriait, des capitaux sans condition, venez donc faire un
tour, la nuit est si belle, et entre ses sourires il tendait ses filets. Henri
se remit debout, il partit à grands pas, s'il avait marché moins vite il
aurait chancelé.

« Qu'est-ce qu'il pourra bien répondre? Il ne pourra rien répondre. »
Il avait traversé Paris presque sans s'en apercevoir et il était arrivé devant
la maison de Dubreuilh; il s'arrêta un instant sur le palier pour calmer
les battements de son cœur; il n'était pas tout à fait sûr qu'un son arti-
culé pût sortir de sa bouche.

— Je peux parler à M. Dubreuilh? demanda Henri; il fut étonné
d'entendre sa voix, une voix normale.

— Il n'est pas là, dit Yvette; il n'y a personne.

— Quand rentrera-t-il?

— Je ne sais pas du tout.

— Je vais l'attendre, dit Henri.

Yvette le laissa entrer dans le bureau; peut-être Dubreuilh ne revien-
drait-il pas avant la nuit et Henri avait du travail; mais rien n'existait
plus pour lui, ni *L'Espoir*, ni le S. R. L., ni Trarieux, ni Luc, rien sauf
Dubreuilh; depuis cet antique printemps où il était tombé amoureux
de Paule, il n'avait jamais exigé une présence avec cette passion. Il
s'assit dans le fauteuil où il s'asseyait d'habitude; mais aujourd'hui les
meubles, les livres le narguaient : tous complices! Sur le petit chariot
roulant Anne apportait du jambon, des salades et on dînait gaiement,
entre amis : la bonne farce! Dubreuilh avait des alliés, des disciples,
des instruments; pas un ami. Comme il écoutait bien! avec quel abandon il parlait! et il était prêt à vous marcher sur le ventre, à la première
occasion. Sa chaude cordialité, ce sourire, ce regard auxquels on se
laissait prendre, ils reflétaient simplement l'impérieux intérêt qu'il
accordait au monde entier. « Il savait combien j'y tiens à ce journal!
et il me l'a volé! » C'était lui peut-être qui avait suggéré la substitution
de Samazelle à Luc; il conseillait : allez voir Trarieux; comme ça il
était à couvert, mais il avait donné des consignes à Trarieux. « Un complot, un traquenard. Et une fois pris au piège, comment m'en sortir?
Entre Samazelle et la faillite, je dois préférer Samazelle : c'est là qu'il
va être bien étonné. » Henri cherchait des mots violents pour lui jeter
sa décision au visage; mais il n'y avait rien de tonique dans sa colère;
au contraire, il se sentait épuisé, et même vaguement effrayé et vaguement humilié, comme si on venait de l'arracher, après des heures de
lutte, à des sables mouvants. La porte d'entrée claqua et il enfonça
ses ongles dans les accoudoirs du fauteuil : il souhaitait désespérément
faire partager à Dubreuilh l'horreur que celui-ci lui inspirait.

— Il y a longtemps que vous m'attendiez? dit Dubreuilh en lui tendant la main. Henri la serra machinalement : la même main, le même

visage qu'hier; on ne pouvait pas voir à travers le masque, même quand on savait. Il murmura :

— Pas très longtemps; il fallait que je vous parle, d'urgence.

— Qu'est-ce qui ne va pas? dit Dubreuilh d'une voix qui imitait à merveille la sollicitude.

— Je sors de chez Trarieux.

Le visage de Dubreuilh changea. « Ah! ça y est? vous ne tenez plus le coup? et Trarieux fait des difficultés? dit-il d'une voix anxieuse.

— Je comprends! Vous m'aviez affirmé qu'il était prêt à soutenir *L'Espoir* sans condition; et il exige que je m'adjoigne Samazelle. » Henri regarda fixement Dubreuilh : « Il paraît que vous étiez au courant.

— Je suis au courant depuis juillet, dit Dubreuilh. Je me suis mis immédiatement à chercher du fric ailleurs. J'ai cru que Mauvanes allait m'en donner, il me l'avait presque promis; et puis je viens de le voir, il rentrait de voyage et il n'avait plus l'air décidé du tout. » Dubreuilh regarda Henri avec inquiétude : « Pouvez-vous tenir encore un mois? »

Henri secoua la tête : « C'est exclu. Pourquoi ne m'avez-vous pas prévenu? demanda-t-il avec colère.

— Je comptais sur Mauvanes », dit Dubreuilh. Il haussa les épaules : « J'aurais peut-être dû vous prévenir. Mais vous savez que je n'aime pas m'avouer vaincu. C'est de ma faute si vous êtes dans ce mauvais pas et je m'étais juré de vous en tirer.

— Vous parlez de juillet; mais Trarieux soutient qu'à aucun moment il ne s'est engagé à nous donner son appui inconditionné », dit Henri.

Dubreuilh dit vivement : « En avril, il n'avait été question que de la ligne politique du journal et il l'acceptait intégralement.

— Vous m'aviez garanti bien davantage, dit Henri. Trarieux ne devait intervenir en rien, dans aucun domaine.

— Ah! écoutez! pour avril, je n'ai rien à me reprocher! dit Dubreuilh. Je vous ai aussitôt conseillé d'aller vous expliquer personnellement avec Trarieux.

— Vous m'avez parlé avec une assurance qui rendait cette explication inutile.

— J'ai dit ce que je pensais, comme je le pensais, dit Dubreuilh. J'ai pu me tromper : personne n'est infaillible. Mais je ne vous avais pas obligé à me croire sur parole.

— Vous n'avez pas l'habitude de vous tromper aussi grossièrement », dit Henri.

Brusquement Dubreuilh sourit : « Qu'est-ce que vous voulez dire? que je vous ai menti, sciemment? »

Il avait prononcé le mot lui-même; il suffisait de répondre : « Oui »; c'était facile; mais non, c'était impossible : pas devant ce sourire, pas dans ce bureau, pas ainsi. « Je pense que vous avez pris vos désirs pour des réalités sans vous inquiéter de mes intérêts à moi, dit Henri d'une voix contenue. Trarieux payait : à quelles conditions, au fond ça vous était égal.

— J'ai peut-être pris mes désirs pour des réalités, dit Dubreuilh. Mais je vous jure que si j'avais soupçonné une seconde ce que Trarieux mijotait, je l'aurais plaqué là avec tous ses millions. »

Il y avait dans sa voix une chaleur convaincante, mais Henri ne se sentit pas convaincu.

— Je vais parler ce soir à Trarieux, dit Dubreuilh; et aussi à Samazelle.

— Ça ne servira à rien, dit Henri.

Ah! la conversation était mal embarquée; des mots qu'on se dit à soi-même à ceux qu'on prononce tout haut, le passage n'est pas facile. « Un complot! » Ça paraissait soudain énorme, ça paraissait presque fou. Bien entendu Dubreuilh ne s'était jamais dit en se frottant les mains : « Je trame un complot. » Si Henri avait osé lui jeter ce mot à la figure, Dubreuilh aurait souri de plus belle.

— Trarieux est coriace; mais Samazelle, on peut l'avoir, dit Dubreuilh.

Henri secoua la tête : « Vous ne l'aurez pas. Non. Il n'y a qu'une solution : je laisse tomber. »

Dubreuilh haussa les épaules : « Vous savez bien que vous ne pouvez pas.

— C'est là que vous allez être surpris, dit Henri. Je le ferai.

— Et vous coulerez le S. R. L.? Vous vous rendez compte : qu'est-ce qu'ils jubileraient les gens d'en face! *L'Espoir* en faillite, le S. R. L. liquidé! Ça serait joli.

— Je peux refiler *L'Espoir* à Samazelle et je m'achèterai une ferme dans l'Ardèche; le S. R. L. ne s'en portera pas plus mal », dit Henri avec amertume.

Dubreuilh le regarda d'un air navré : « Je comprends que vous soyez en colère. Je plaide coupable. J'ai eu tort de faire si facilement confiance à Trarieux et j'aurais dû vous parler dès le mois de juillet. Mais je vais tout faire pour réparer ça. » Sa voix devint pressante : « Je vous en prie, ne vous butez pas. On va chercher ensemble un moyen d'en sortir. »

Henri le dévisagea en silence : reconnaître ses fautes, c'était habile, c'était la meilleure manière de les minimiser; mais la plus grave de toutes, Dubreuilh avait soin de la taire; en vérité, il s'était rendu coupable d'un énorme abus de confiance; en échange des sacrifices qu'il exigeait de votre amitié il feignait de vous donner la sienne, et il ne donnait rien du tout. Il fallait lui dire : « Vous vous foutez de moi et de tout le monde; pour l'amour du vrai et du bien vous sacrifieriez n'importe qui : mais le vrai c'est ce que vous pensez, et le bien ce que vous voulez. Vous considérez tout l'univers comme votre œuvre et il n'y a aucune mesure entre les créatures humaines et vous. Quand vous jouez la générosité, c'est encore pour votre propre gloire. » On pouvait lui dire mille autres choses encore : mais alors il faudrait claquer cette porte derrière soi pour ne plus jamais la rouvrir. « C'est ce que je dois faire », pensait Henri; quoi qu'il décidât touchant le journal, il devait briser avec Dubreuilh, sur-le-champ. Il se leva. Il regarda le chariot roulant, les livres, la photographie d'Anne, et il se sentit lâche. Pendant quinze ans ce bureau avait été pour lui le centre du monde et son foyer; ici la vérité semblait sûre, le bonheur important, et ça paraissait un grand privilège d'être soi-même. Il ne pouvait pas s'imaginer en train de marcher dans les rues avec dans son dos cette porte à jamais fermée.

— C'est inutile; on est coincés, dit-il d'une voix neutre. Je ne me bute pas; mais dans ces conditions ça ne m'intéresse plus de m'occuper de L'Espoir. On peut sûrement s'arranger pour que mon départ ne nuise ni au journal ni au S. R. L.

— Écoutez, laissez-moi deux jours, dit Dubreuilh. Si dans deux jours je n'ai rien obtenu, vous verrez ce que vous déciderez.

— Soit. Mais c'est tout vu, dit Henri.

Quand Henri se retrouva dehors, la tête lui tournait; il fit quelques pas dans la direction du journal, mais c'était le dernier endroit où il souhaitât se rendre : affronter Luc, Luc qui se lamenterait ou qui suggérerait un nouveau raid chez un dentiste, c'était au-delà de ses forces; Paule, ses vaticinations, ses litanies, pas question non plus. Pourtant, il avait besoin de parler. Il se sentait mystifié comme au sortir d'une de ces séances où un rusé prestidigitateur vous a faussement dévoilé ses tours. Dubreuilh trichait, on allait le prendre sur le fait : et puis non, passez muscade, la carte truquée n'était ni dans ses mains, ni dans ses poches. Dans quelle mesure avait-il menti, s'était-il menti? entre le cynisme et la mauvaise foi, où se situait sa trahison? elle existait, c'était hors de doute, mais impossible de mettre le doigt dessus. « Je me suis encore laissé manœuvrer. » A nouveau l'évidence l'éblouit : il s'agissait d'un complot délibéré, Dubreuilh avait tiré toutes les ficelles en ricanant. Henri s'arrêta au milieu du pont et appuya ses mains au parapet. Était-il en train de construire un délire? ou était-ce au contraire lorsqu'il doutait du machiavélisme de Dubreuilh qu'il sombrait dans l'imbécillité? En tout cas, s'il continuait à tanguer solitairement d'une évidence à une autre, sa tête allait éclater. Il fallait absolument qu'il discute le coup avec quelqu'un. Il pensa à Lambert. « Si j'avais suivi ses conseils, je n'en serais pas là », se dit-il. Lambert n'aimait pas Dubreuilh, mais il se piquait d'impartialité; et c'était le seul avec qui Henri pût envisager une conversation posée. Il acheva de traverser le pont et entra dans la cabine téléphonique d'un café Biard :

— Allô! c'est Perron. Je peux monter te dire bonjour?

— Bien sûr. C'est même une drôlement bonne idée! » Il y avait un peu d'étonnement dans la voix chaleureuse de Lambert : « Comment ça va?

— Ça va; à tout de suite », dit Henri.

La chaleur inquiète de cette voix l'avait rasséréné. L'affection de Lambert était un peu gauche, mais pour lui du moins Henri n'était pas un pion sur un échiquier. Il monta à pas rapides l'escalier : drôle de journée qui se passait à monter des escaliers comme s'il avait été candidat à l'Académie.

— Salut; entre par ici, dit Lambert joyeusemênt. Tu excuseras ce bordel : je n'ai pas eu le temps de faire de l'ordre.

— Dis donc, tu crèches drôlement bien! dit Henri.

Une grande pièce claire, un désordre soigné, un pick-up, une discothèque, des livres reliés et rangés par noms d'auteur; Lambert portait un sweatshirt noir, avec un foulard de soie jaune : Henri se sentait un peu dépaysé par tout cet ensemble.

— Fine, whisky, eau minérale, jus de fruits? demanda Lambert en ouvrant un casier en bas de la bibliothèque.

— Un whisky bien tassé.

Lambert alla chercher de l'eau dans une salle de bains vert pâle; Henri entrevit un gros peignoir éponge, tout un assortiment de brosses et de savons.

— Comment ça se fait que tu n'es pas au journal, à cette heure-ci? demanda Lambert.

— Il y a des ennuis avec le journal.

— Quels ennuis?

Il n'était pas vrai que Lambert ne s'intéressât pas au journal; plutôt, il y avait entre Luc et lui une solide antipathie qu'on comprenait facilement quand on les voyait côte à côte; mais il écouta le récit d'Henri avec une attention indignée.

— Bien sûr que c'est une manœuvre! dit-il. Il réfléchit : « Tu ne crois pas que Dubreuilh va se débrouiller pour entrer au journal avec Samazelle? ou à la place de Samazelle?

— Non, je ne crois pas, dit Henri. Ça ne l'amuse pas le journalisme; et de toute façon, il contrôle L'Espoir au nom du S. R. L. Mais ça ne change rien, il m'a tout de même tendu un sale piège. » Il dévisagea Lambert : « Qu'est-ce que tu ferais à ma place?

— Fous tout en l'air si tu veux, pour bien les emmerder, dit Lambert; mais ce qu'il ne faut pas faire à aucun prix, c'est leur refiler gentiment le journal. Ils ne demandent que ça.

— Je ne veux pas de scandale, dit Henri; mais je laisserais bien tout tomber en douceur.

— Ça serait t'avouer vaincu, ils seraient trop contents, dit Lambert.

— Toi qui me déconseilles toujours la politique, voilà une bonne occasion d'en sortir.

— L'Espoir, c'est autre chose qu'une affaire politique, dit Lambert. Tu l'as créé, c'est ton aventure... Non, défends-toi, dit-il avec feu. Si seulement j'avais vraiment du fric! mais j'en ai juste assez pour ne pas savoir qu'en faire.

— Et je n'en trouverai nulle part, ils le savent bien.

— Accepte Samazelle; et arrange-toi avec Luc pour le neutraliser.

— S'il fait bloc avec Trarieux ils seront aussi forts que nous.

— Comment Samazelle a-t-il de quoi racheter des parts? dit Lambert.

— Une avance sur son bouquin; ou Trarieux l'aidera.

— Pourquoi tient-il tellement à Samazelle?

— Est-ce que je sais? je ne sais même pas pourquoi ce type est du
S. R. L.

— Il faut trouver une riposte », dit Lambert; il arpentait sa chambre
d'un air méditatif, quand on entendit deux coups de sonnette impérieux. Lambert rougit jusqu'à la racine des cheveux : « Mon père! Je
ne l'attendais pas si tôt!

— Je me barre », dit Henri.

Lambert le regarda d'un air gêné et suppliant :

— Tu ne veux pas lui dire bonjour?

— Mais si, bien sûr, dit Henri vivement.

Ça n'engage à rien de dire bonjour; pourtant Henri ne réussit qu'un
sourire crispé lorsqu'il vit s'avancer vers lui cet homme qui avait peut-
être envoyé Rosa à la mort, et certainement servi de son mieux les
Allemands. Sous les cheveux grisâtres, le visage jaune et bouffi était
éclairé par des yeux d'un bleu de porcelaine, un tendre bleu inusable
qui étonnait dans cette face usée. M. Lambert attendit qu'Henri lui
offrît sa main, mais ce fut lui qui parla le premier :

— J'étais bien curieux de vous rencontrer, dit-il; Gérard m'a tant parlé
de vous! Il esquissa un sourire qu'il réprima tout de suite : « Comme
vous êtes jeune! »

Pour lui, Lambert s'appelait Gérard, et il n'était guère qu'un enfant;
c'était à la fois naturel, et étrange; ils ne se ressemblaient pas, mais
pour une raison ou une autre, on ne s'étonnait pas qu'ils fussent père
et fils.

— C'est Lambert qui est jeune, dit Henri avec allant, pas moi.

— Vous êtes jeune pour un homme qui a tant fait parler de lui.
M. Lambert s'assit : « Vous étiez en train de causer... Je ne voudrais
pas te déranger, dit-il en se tournant vers son fils; mais j'ai fini mes
affaires plus tôt que je ne pensais, je ne savais trop où aller; alors je
suis monté...

— Vous avez très bien fait! Voulez-vous boire quelque chose? un
jus de fruits? de l'eau minérale? » Il y avait dans l'empressement de
Lambert un désarroi qui aggravait le malaise d'Henri.

— Merci, non; ces quatre étages sont un peu durs pour mes vieux
os; mais c'est si reposant ici, dit-il en regardant autour de lui d'un air
approbateur.

— Oui, Lambert est bien logé, dit Henri.

— C'est une tradition dans la famille. J'avoue que j'apprécie moins
ses fantaisies vestimentaires, ajouta M. Lambert; la voix était timide,
mais il posait sur le sweatshirt noir un regard dur.

— Chacun son goût, marmonna Lambert sans assurance.

Il y eut un petit silence dont Henri profita pour se lever : « Je regrette : quand vous avez sonné je m'en allais; j'ai du travail urgent.

— C'est moi qui regrette, dit M. Lambert. J'ai lu tout ce que vous
avez écrit, avec beaucoup de soin, et il y a certaines choses que j'aurais
aimé discuter avec vous. Mais je suppose que cette discussion n'aurait

eu d'intérêt que pour moi », ajouta-t-il en réprimant de nouveau un sourire. Dans sa voix unie, dans ses sourires retenus, dans ses gestes, il y avait un charme fatigué, mais on aurait dit qu'il refusait de s'en servir, et cette réserve lui donnait un air à la fois hautain et fuyant.

— Nous aurons sûrement l'occasion de nous revoir plus longuement, dit Henri.

— Ce n'est pas très sûr, dit le vieil homme.

Dans quelques mois sans doute, il serait en prison, et il n'en sortirait peut-être pas vivant. En son temps, ça avait dû être un beau salaud, ce grand patron collabo, mais déjà il avait franchi la ligne, il était du côté des condamnés et non plus des coupables; cette fois, Henri lui sourit sans effort en lui serrant la main.

— Je peux te voir demain? dit Lambert en accompagnant Henri dans l'antichambre. Il m'est venu une idée.

— Une bonne idée?

— Tu jugeras. Mais attends que je t'en aie parlé pour te décider. Si je passe vers dix heures du soir, ça ira?

— Ça va; mais pas plus tard parce que je sors avec Scriassine.

— D'accord, dit Lambert; j'ai promis l'après-midi à Nadine, mais compte sur moi un peu avant dix heures.

De toute façon, Henri ne comptait pas se décider aujourd'hui; il ne voulait même plus s'interroger sur ce qu'il allait faire, encore moins en discuter. Il fallait bien qu'il se rendît au journal, pour finir, mais il déclara froidement à Luc que son entrevue avec Trarieux avait été ajournée, et il s'absorba dans la rédaction de son courrier. Paule non plus, il ne la mettrait pas au courant; ce qu'il souhaitait, en tournant la clef dans la serrure du studio, c'est qu'elle fût déjà endormie : mais à quelque heure qu'il rentrât, elle ne dormait jamais. Assise sur le divan, maquillée de frais dans sa robe de soie changeante, elle lui tendit sa bouche qu'il effleura rapidement.

— Bonne journée? demanda-t-elle.

— Très bonne, et toi?

Elle sourit sans répondre : « Qu'a dit Trarieux?

— Il est d'accord.

— Ça ne t'ennuie vraiment pas? dit-elle en le regardant d'un air profond.

— Quoi?

— D'accepter ses capitaux?

— Mais non; c'est une question réglée depuis longtemps », dit-il sèchement.

Elle hésita et ne dit rien. Ça faisait deux jours qu'elle hésitait. Henri savait ce qu'elle pensait, mais il ne voulait pas l'aider à se déclarer; cette prudence l'agaçait. « Elle me ménage, elle a décidé de ne pas me heurter, elle attend son heure », pensait-il avec malveillance. « Il y a six mois, se dit-il dans un effort d'impartialité, quand elle était gaie et agressive, je lui en faisais grief. » Et il pensa : « Au fond ce qui m'irrite, c'est qu'elle ait des conduites. » Elle se savait en danger, elle essayait de se défendre, c'était naturel : n'empêche que ses tristes ruses faisaient d'elle une ennemie. Il ne lui parlait plus de chanter; elle avait vu clair dans son jeu, et elle avait refusé systématiquement tous les rendez-vous qu'il avait pris pour elle; mais elle avait fait là un mauvais calcul; il lui en voulait de son entêtement et à présent il était décidé à se passer de son concours pour la liquider.

— Il y a une lettre de Poncelet, dit-elle en lui tendant une enveloppe.

— Je suppose qu'il refuse, dit Henri. Il parcourut la lettre et la passa à Paule : « Oui, bien entendu, il refuse. »

Deux fois déjà on lui avait retourné son manuscrit avec des compliments effarouchés : une très grande œuvre, mais scandaleuse, inopportune, impossible de prendre un pareil risque; plus tard, quand les passions seront apaisées. Évidemment la pièce déplaisait à tous ceux qui voulaient oublier le passé, à ceux aussi qui prétendaient le rectifier à leur guise. Pourtant, il aurait bien aimé qu'elle soit jouée; il avait plus d'affection pour elle que pour aucun de ses livres. Un roman, on ne peut pas le relire, les mots gluent aux yeux; mais ce dialogue, qui s'incarnerait un jour dans des voix vivantes, il l'entendait à distance, avec le détachement satisfait du peintre qui jette sur sa toile un coup d'œil complice.

— Il faut que tu sois joué, dit Paule d'une voix inspirée.

— Je ne demande que ça.

— Le succès, je n'y attache pas plus d'importance que toi, reprit-elle; mais je sens que tu ne te remettras pas à ton roman avant d'être délivré de cette pièce.

— Quelle idée! dit Henri avec surprise.

— Tu ne t'es pas remis à ton roman?

— Non; mais la pièce n'a rien à y voir.

— Alors, pourquoi? demanda-t-elle en scrutant Henri avec un air d'en savoir long.

Il sourit : « Disons que c'est par paresse.

— Tu n'as jamais su ce que c'est que la paresse », dit-elle gravement; elle secoua la tête : « Il s'agit évidemment d'une résistance intérieure.

— Ce roman était mal parti, dit Henri; j'ai envie de le reprendre; mais je sais que ça sera un énorme boulot; alors, je ne suis pas pressé, c'est tout. »

Elle secoua la tête : « On ne t'a jamais vu renâcler devant un obstacle.

— Eh bien, ce coup-ci, je renâcle.

— Pourquoi ne m'as-tu jamais montré ton manuscrit? dit Paule. J'aurais peut-être pu te donner un conseil.

— Je t'ai dit cent fois que mes brouillons étaient informes.

— C'est ce que tu m'as dit, dit-elle d'un air méditatif.

— Je t'ai montré ma pièce.

— En effet, les premiers brouillons étaient informes et tu me les as montrés. »

Il ne répondit pas; dans cette ébauche, il s'était exprimé trop librement sur lui, sur elle; le roman qu'il essaierait d'en tirer, un de ces jours,

serait moins indiscret; Paule n'avait qu'à patienter un peu. Il bâilla :
— Je tombe de sommeil. Demain, je ne rentrerai pas ici, j'irai dormir à l'hôtel; parce que je prévois que Scriassine ne me lâchera pas avant l'aube.
— Je ne comprends pas l'avantage de l'hôtel, que ce soit l'aube ou le crépuscule; mais tu feras ce que tu voudras.

Il se leva et elle se leva aussi; c'était un moment périlleux; il déposait un baiser hâtif sur sa tempe et il se retournait contre le mur en feignant de sombrer instantanément dans le sommeil; mais quelquefois elle s'agrippait à lui, elle se mettait à trembler ou à balbutier et le seul moyen de la calmer, c'était de coucher avec elle; il n'y réussissait pas toujours, et jamais sans peine; elle ne pouvait pas l'ignorer; c'est pour compenser cette froideur qu'elle se dépensait avec un emportement qui faisait douter de la réalité de son plaisir; plus encore que son impudeur égarée, Henri haïssait sa mauvaise foi et surtout son humilité. Heureusement, cette nuit-là, elle se tint tranquille : elle avait dû sentir que quelque chose n'allait pas. La joue appuyée à la fraîcheur de l'oreiller, Henri gardait les yeux ouverts, et tandis qu'il ruminait cette journée, il n'éprouvait plus de colère : de la détresse; ce n'était pas lui qui était dans son tort, c'était Dubreuilh : cette faute qu'il ne pouvait désarmer ni par des remords ni par des promesses lui pesait plus lourd sur le cœur que si elle avait été sienne.

Tout laisser tomber : ce fut la première pensée d'Henri au réveil; il ne téléphona pas à Dubreuilh; et tout au long de la journée, il se répéta ces mots comme une rengaine apaisante. Discuter, transiger, pactiser, alors que ce journal avait été son fief incontesté, non, cette perspective lui soulevait le cœur. Il préférait de beaucoup se retirer à la campagne, reprendre son roman, son métier d'écrivain : il lirait L'Espoir au coin de son feu, d'un œil amusé. C'était là un projet si attrayant que lorsqu'il vit s'ouvrir la porte de son bureau, à dix heures du soir, il souhaita que l'idée que Lambert venait lui proposer ne fût pas bonne.

— Tu as été chic hier de rester un moment! dit Lambert, d'une voix qui s'excusait plutôt qu'elle ne remerciait. Mon père a été tellement content!
— Ça m'intéressait de le connaître, dit Henri. Il a l'air fatigué; mais on sent qu'il a eu beaucoup de charme autrefois, il lui en reste quelque chose.
— Du charme? dit Lambert avec étonnement. Il était surtout autoritaire; autoritaire et méprisant; d'ailleurs au fond, il l'est encore.
— Oh! j'imagine facilement qu'il ne devait pas être commode!
— Non, pas commode du tout, dit Lambert; il eut un geste comme pour chasser ses souvenirs : « Est-ce qu'il y a quelque chose de nouveau du côté du journal?
— Rien.
— Alors écoute ce que j'ai à te proposer », dit Lambert; il se décontenança soudain : « Tu ne vas peut-être pas vouloir.
— Dis toujours.

— Toi et Luc, en face de Samazelle et Trarieux vous risquez d'être bouffés : mais suppose que je sois dans le coup?

— Toi?

— J'ai assez de fric pour racheter autant de parts que Samazelle; alors, s'il est entendu que les décisions sont prises à la majorité des voix, nous sommes trois contre deux, nous avons gagné.

— Tu hésitais à rester dans le journalisme?

— C'est un métier qui en vaut bien un autre; et puis *L'Espoir*, ç'a été ma petite épopée à moi aussi », dit Lambert d'une voix faussement ironique.

Henri sourit : « Nous ne sommes pas toujours d'accord politiquement.

— Je me fous de la politique, dit Lambert; je veux que tu gardes ton journal; en tout cas, tu auras ma voix. D'ailleurs, je ne désespère pas de te voir évoluer, ajouta-t-il gaiement. Non, la seule question, c'est de savoir si Trarieux marchera.

— Il devrait être content de s'attacher un si bon reporter, dit Henri. Heureusement que tu ne t'es pas dégoûté du reportage, ajouta-t-il; tes papiers sur la Hollande sont drôlement bien.

— C'est grâce à Nadine, dit Lambert, ça l'amuse tellement que ça m'amuse aussi. » Il regarda Henri d'un air anxieux : « Tu crois que Trarieux marcherait?

— Je suppose que ça les embêterait que je m'en aille; si j'accepte Samazelle, ils me feront bien une concession.

— Tu n'as pas l'air enthousiaste? dit Lambert d'un air un peu déçu.

— Ah! toute cette histoire m'emmerde! dit Henri. Je ne sais pas ce que je veux faire... Tu as ta moto? demanda-t-il en rompant délibérément les chiens.

— Oui; tu veux que je te pose quelque part?

— Pose-moi rue de Lille; Scriassine habite chez la mère Belzunce.

— Il couche avec elle?

— Je ne sais pas. Claudie héberge toujours un tas d'écrivains et d'artistes, je ne sais pas avec lesquels elle baise.

— Tu le vois souvent, Scriassine? demanda Lambert comme ils descendaient l'escalier.

— Non, dit Henri, de temps en temps il me convoque impérieusement; quand je me suis défilé dix fois je finis par me ramener. »

Ils enfourchèrent la motocyclette qui suivit bruyamment les quais de la Seine. Henri regardait avec un peu de remords la nuque de Lambert. C'était gentil, sa proposition; il ne tenait pas à entrer au journal, ce qu'il en faisait c'était uniquement pour rendre service à Henri. « Et je ne l'ai pas bien remercié », se dit Henri; mais en vérité, il ne lui était pas du tout reconnaissant. « Le mieux, c'est de laisser tomber. Je préfère de loin laisser tomber », se répétait-il. Garder le journal, rester au S. R. L., ça voulait dire continuer à travailler la main dans la main avec Dubreuilh; on ne travaille pas la main dans la main quand on a tant de rancune au cœur; il n'avait pas trouvé la force de rompre avec éclat; mais il ne jouerait pas le jeu de l'amitié. « Non, c'est fini », se dit-il comme la moto s'arrêtait devant l'hôtel Belzunce.

— Eh bien, je te laisse, dit Lambert d'une voix déçue.

Henri hésita; ça l'ennuyait de quitter Lambert si vite, après avoir si froidement accueilli une offre où il avait mis tout son cœur.

— Ça t'amuserait de venir avec moi? demanda-t-il. Le visage de Lambert s'éclaira; il adorait voir des gens connus : « Ça m'amuserait beaucoup; mais ça serait indiscret, non?

— Oh! pas du tout. On va aller boire de la vodka dans quelque boîte tzigane, et si ça lui chante, Scriassine invitera tous les musiciens. Il n'y a pas à se gêner avec lui.

— J'ai l'impression qu'il ne m'aime pas beaucoup.

— Mais il aime bien la compagnie des gens qu'il n'aime pas. Viens donc », dit Henri affectueusement.

Ils contournèrent la grande bâtisse dont toutes les fenêtres étaient illuminées; on entendait une musique de jazz. Henri sonna à une petite porte latérale et Scriassine ouvrit. Il sourit avec chaleur sans que la présence de Lambert parût l'étonner le moins du monde.

— Claudie donne un cocktail, c'est horrible, la maison est pleine de gigolos, on n'est plus chez soi. Venez par ici et puis on foutra le camp en douce. Le col de sa chemise était largement ouvert et son regard avait une fixité brumeuse. Ils montèrent quelques marches; au fond du corridor, une porte s'ouvrait sur une pièce éclairée et on entendait un chuchotement.

— Tu as du monde? dit Henri.

— C'est une surprise, dit Scriassine d'un air satisfait.

Henri le suivit avec un peu d'appréhension. Quand il les vit, il eut un mouvement de recul : Volange et Huguette. D'un air ouvert, Louis tendit sa main. Il n'avait presque pas changé; les rides au front étaient un peu plus profondes qu'autrefois, le menton plus affirmé : une belle figure soigneusement taillée pour la postérité. En un éclair, Henri se rappela qu'il s'était bien souvent promis quand il lisait les articles complaisants que Louis écrivait en zone libre de lui écraser un jour son poing sur la mâchoire; et il tendit lui aussi sa main.

— Je suis drôlement content de te voir, vieux, dit Louis. Je n'ose jamais te déranger; je sais que tu es tellement occupé; mais j'ai eu bien souvent envie de bavarder avec toi.

— Vous n'avez pas du tout changé, dit Huguette.

Elle n'avait pas changé non plus; elle était blonde, diaphane et élégante comme autrefois, et elle souriait du même sourire parfumé; elle ne changerait jamais : mais un jour on l'effleurerait du bout du doigt et elle tomberait en poussière.

— Le fait est que je ne vois personne, dit Henri. Je travaille comme une brute.

— Oui, tu dois avoir une sale vie, dit Louis avec sympathie. Mais aussi tu t'es fait une situation littéraire de premier ordre. Ça ne m'étonne pas d'ailleurs, j'ai toujours été convaincu que tu finirais par t'imposer.

Sais-tu qu'au marché noir ton bouquin fait dans les trois mille?

— A l'heure qu'il est, tous les livres se vendent comme des saucisses, dit Henri.

— C'est juste. Mais tu as eu une critique étonnante, dit Louis d'un ton encourageant; il sourit. « Il faut dire que tu es tombé sur un sujet en or; pour ça tu es verni; quand on tient un pareil sujet, le livre s'écrit tout seul. »

Louis avait gardé son sourire nonchalant; mais il y avait dans sa voix un empressement qui contrastait avec ses manières tranchantes d'autrefois.

— Et toi, qu'est-ce que tu deviens? dit Henri.

Il avait vaguement honte, sans trop savoir si c'était pour le compte de Louis ou pour lui-même.

— J'espère avoir la critique littéraire dans un hebdomadaire qui va bientôt sortir, dit Louis en regardant ses ongles.

— Foutons le camp d'ici, dit Scriassine avec impatience. Cette musique est intolérable. Allons boire un peu de champagne à l'Isba.

— Je croyais que tu ne mettais plus les pieds dans ce bouge depuis qu'ils t'ont refait ton portefeuille, dit Henri.

Scriassine sourit d'un air rusé. « C'est leur métier de voler; au client de se défendre. »

Henri hésita; il allait être grossier, mais pourquoi essayait-on de lui forcer la main? il ne voulait absolument pas passer la soirée avec Louis : « En tout cas, je ne pourrai pas t'accompagner, dit-il. Je suis venu en courant parce que je t'avais dit que je viendrais, mais il va falloir que je retourne au journal.

— J'ai horreur des boîtes de nuit, dit Louis. Restons donc tranquillement ici.

— Comme vous voudrez! » dit Scriassine. Il regarda Henri d'un air malheureux : « Tu as tout de même le temps de boire un verre?

— Oui, bien sûr », dit Henri.

Scriassine ouvrit un placard et en sortit une bouteille de whisky : « Il n'en reste pas beaucoup.

— Je ne bois pas, et Huguette non plus », dit Louis.

Claudie apparut sur le seuil de la porte : « Ça c'est charmant! dit-elle en désignant Scriassine. Il s'amène à moitié saoul à mon cocktail, il insulte mes invités, et les gens intéressants, il me les soulève en douce! Jamais plus je ne recevrai de Russe chez moi...

— Ne gueulez pas comme ça, dit Scriassine. Cri-cri va s'amener; Cri-cri, c'est la trompette », ajouta-t-il avec un soupir.

Claudie referma la porte : « Je reste avec vous, dit-elle avec décision. Ma fille fera la maîtresse de maison. »

Il y eut un silence gêné. Louis offrit à la ronde des cigarettes américaines.

— Et qu'est-ce que tu fais en ce moment? demanda-t-il à Henri avec bienveillance.

— Je pense à un autre roman, dit Henri.

— Anne m'a dit que vous aviez écrit une très belle pièce, dit Claudie.

— J'ai écrit une pièce; et il y a déjà trois directeurs qui me l'ont refusée, dit Henri gaiement.

— Il faut que je vous fasse rencontrer Lucie Belhomme, dit Claudie.

— Lucie Belhomme? qu'est-ce que c'est que ça?

— Vous êtes extraordinaire; tout le monde vous connaît et vous ne connaissez personne. C'est elle qui dirige la maison Amaryllis, la grande maison de couture dont tout le monde parle.

— Je ne vois pas.

— Lulu est la maîtresse de Richeterre dont la femme a divorcé pour épouser Vernon; et Vernon, c'est le directeur du Studio 46.

— Je ne vois toujours pas. »

Claudie se mit à rire : « Vernon obéit au doigt et à l'œil à sa femme afin de se faire pardonner ses amitiés masculines; parce qu'il est de la pédale comme personne; et Juliette est restée très copine avec son ex-mari qui obéit à Lulu au doigt et à l'œil. Vous saisissez?

— C'est limpide, dit Henri. Mais quel est l'intérêt de votre Lulu dans cette histoire?

— Elle a une fille ravissante dont elle essaie de faire une actrice. Vous avez bien un rôle de femme dans votre pièce?

— Oui. Mais...

— Avec des mais on n'arrive à rien. Je vous dis que la petite est ravissante. Le jour où vous viendrez chez moi, je vous la présenterai. Vous séchez toujours mes jeudis, mais je vais vous demander un service que vous ne pourrez pas me refuser, dit Claudie avec pétulance; je m'occupe d'un home pour enfants de déportés, et ça coûte chaud, trop chaud pour moi toute seule. Alors j'organise une série de conférences avec des conférenciers bénévoles. Des snobs, prêts à casquer deux mille balles pour vous voir en chair et en os, il s'en ramènera à la pelle, je suis tranquille. Je vous inscris pour une des premières séances.

— Je déteste ce genre de raout, dit Henri.

— Pour les enfants de déportés, vous ne pouvez pas refuser; même Dubreuilh acceptera.

— Ils ne peuvent pas cracher deux mille francs sans emmerder personne, vos philanthropes?

— Ils cracheront une fois, mais pas dix. La charité c'est très joli, mais il faut que ça rapporte. C'est le principe des fêtes de bienfaisance. » Claudie se mit à rire : « Regardez Scriassine comme il a l'air furieux : il trouve que je vous accapare!

— Je m'excuse, dit Scriassine. Mais en effet, j'aurais aimé dire un mot à Perron.

— Dites! » dit Claudie. Elle alla s'asseoir sur le canapé, à côté d'Huguette et elles se mirent à bavarder à voix basse.

Scriassine se planta devant Henri : « Tu soutenais l'autre jour qu'en s'affiliant au S. R. L. *L'Espoir* n'a pas renoncé à dire la vérité.

— Oui, dit Henri. Alors?

— Alors, voilà pourquoi je voulais te voir d'urgence. Si je t'apportais des faits accablants pour le régime soviétique et que tu ne puisses pas mettre en doute, les révélerais-tu?

— Oh! sûrement *Le Figaro* les aurait révélés avant moi, dit Henri en riant.

— J'ai un ami qui revient de Berlin, dit Scriassine; il m'a communiqué des informations précises sur la manière dont les Russes ont étouffé dans l'œuf la révolution allemande. Il faut que ce soit un journal de gauche qui les divulgue. Es-tu prêt à le faire?

— Qu'est-ce qu'il raconte, ton copain? » dit Henri.

Scriassine promena son regard à la ronde : « Tout à fait en gros, voilà. Il y a certains faubourgs de Berlin qui sont restés farouchement communistes, même sous Hitler, dit-il. Pendant la bataille de Berlin, les ouvriers de Köpenick, ceux de Wedding la Rouge ont occupé les usines, hissé le drapeau rouge et organisé des comités. Ça aurait pu être le début d'une grande révolution populaire; l'émancipation des travailleurs par eux-mêmes, elle était en marche; les comités étaient tout prêts à fournir les cadres du nouveau régime. » Scriassine fit une pause : « Au lieu de ça, qu'est-il arrivé? Les bureaucrates se sont amenés de Moscou, ils ont balayé les comités, liquidé la base, et installé un appareil d'État : à savoir un appareil d'occupation. » Le regard de Scriassine s'arrêta sur Henri : « Ça ne dit rien? mépris des hommes, tyrannie bureaucratique : le cas est pur!

— Tu ne m'apprends rien, dit Henri. Seulement tu oublies de dire que ces bureaucrates, c'était des communistes allemands réfugiés en U. R. S. S. qui avaient créé depuis longtemps à Moscou le comité de l'Allemagne libre : ils avaient tout de même plus de titres que les gens qui se sont révoltés pendant la chute de Berlin. Oui, il y avait sûrement parmi les ouvriers des communistes sincères : mais va donc t'y reconnaître quand soixante millions de nazis plaident en chœur qu'ils ont toujours été contre le régime! Je comprends que les Russes se soient méfiés. Ça ne prouve pas qu'ils méprisent la base en général.

— J'en étais sûr! dit Scriassine avec éclat. Attaquer l'Amérique, pour ça vous êtes toujours prêts; mais ouvrir la bouche contre l'U. R. S. S., là il n'y a plus personne.

— Ça saute aux yeux qu'ils ont eu raison d'agir comme ils l'ont fait! dit Henri.

— Je ne comprends pas! dit Scriassine. Es-tu vraiment aveugle? ou est-ce que tu as peur? Dubreuilh est vendu, tout le monde le sait. Mais toi!

— Dubreuilh vendu! tu n'y crois pas toi-même! dit Henri.

— Oh! ce n'est pas avec de l'argent que le P. C. vous achète, dit Scriassine. Dubreuilh est vieux, il est célèbre, il a déjà le public bourgeois : il veut les masses.

— Va donc dire aux militants du S. R. L. que Dubreuilh est communiste! dit Henri.

— Le S. R. L.! une jolie fumisterie! » dit Scriassine. Il appuya la tête contre le dossier de son fauteuil d'un air excédé.

— Tu ne trouves pas attristant qu'on ne puisse plus passer une soirée entre amis sans se disputer à propos de politique? dit Louis en souriant à Henri. Faire de la politique, soit, mais pourquoi en parler à tout bout de champ?

Par-dessus la tête de Scriassine, il essayait de retrouver avec Henri la complicité de leur jeunesse; Henri s'en agaça d'autant plus qu'il était de son avis.

— Je suis bien d'accord, dit-il avec mauvaise grâce.

— On finit par oublier qu'il existe d'autres choses sur terre, dit Louis; il regarda ses ongles d'un air pudique : « Des choses qui s'appellent la beauté, la poésie, la vérité. Personne ne s'en soucie plus.

— Il y a encore des gens que ça intéresse », dit Henri. Il pensa : « Je devrais parler, je devrais lui dire que nous n'avons plus rien à faire ensemble. » Mais ce n'est pas facile d'insulter sans provocation son plus vieil ami. Il posa son verre, il allait se lever pour partir, mais Lambert prit la parole :

— Qui donc? dit-il avec feu. En tout cas, pas *Vigilance*. Pour que vous acceptiez un texte, il faut qu'il soit farci de politique : s'il est simplement beau ou poétique, vous ne le publierez jamais.

— C'est en effet le reproche que j'adresserais à *Vigilance*, dit Louis. Bien entendu, on peut faire de très beaux livres sur des thèmes politiques, ton roman en est un exemple, ajouta-t-il d'une voix urbaine. Mais je trouverais bien souhaitable qu'on rende ses droits à la littérature pure.

— Pour moi, c'est un mot qui n'a pas de sens, dit Henri. Il ajouta d'une voix mordante : « Et c'est un mot dangereux. On sait où ça mène quand on prétend isoler la littérature de tout le reste.

— Ça dépend des époques, dit Louis. J'ai certainement eu tort en 40 de penser qu'on pouvait se garder de la politique; crois bien que j'ai compris toute l'étendue de mon erreur, ajouta-t-il d'un ton pénétré. Mais aujourd'hui, il me semble qu'on a de nouveau le droit d'écrire gratuitement, pour son seul plaisir.

Il regardait Henri d'un air interrogateur et courtois, comme s'il avait vraiment sollicité une autorisation; cette feinte déférence exaspéra Henri; mais ça n'aurait servi à rien de faire un éclat.

— Chacun est libre, dit-il sèchement.

— Pas si libre que ça! dit Lambert. Tu ne te rends pas compte : c'est dur d'aller à contre-courant.

Louis hocha la tête avec sympathie : « C'est d'autant plus dur qu'aujourd'hui tout conspire à convaincre l'individu qu'il n'est rien; s'il se retrouvait, il retrouverait un tas de choses; mais justement, c'est un cercle vicieux : on ne lui en donne pas les moyens.

— Non, on ne les lui donne pas », dit Lambert avec force. Il regarda Henri d'un air animé : « Tu te rappelles, une fois, au Scribe, nous avons discuté là-dessus; je te disais que chacun doit s'intéresser à soi : je le crois toujours. Si on pense qu'on n'est rien, qu'on ne peut rien, qu'on n'a droit à rien, qu'est-ce que tu veux qu'on devienne? Regarde : Chancel s'est fait tuer exprès, Sézenac se drogue, Vincent se saoule, Lachaume a vendu son âme au P. C. ...

— Tu embrouilles tout! dit Henri. Je ne vois pas ce que la littérature pure apporterait à Vincent ou à Sézenac. Quant à tes histoires d'individu perdu et retrouvé, dit-il en se tournant vers Louis, c'est des salades. Il y a des individus qui sont quelque chose et d'autres qui ne sont rien : ça dépend de ce qu'ils font de leur vie. Quand on est jeune on ne sait pas encore ce qu'on en fera, c'est pour ça qu'on est emmerdé : mais dès qu'on s'intéresse à quelque chose — à autre chose qu'à soi — il n'y a plus de problème. »

Il avait parlé avec colère. Ça l'agaçait que Lambert attachât de l'importance au verbiage de Louis. Il se leva : « Il faut que je m'en aille. »

Scriassine se redressa : « Tu es vraiment décidé à ne pas tenir compte de mes informations? »

— Tu ne m'as donné aucune information », dit Henri.

Scriassine se versa un verre de whisky et l'avala d'un trait; il saisit de nouveau la bouteille. Claudie s'approcha vivement et posa la main sur son bras :

— Je crois que le petit père Victor a assez bu!

— Est-ce que vous croyez que je bois pour mon plaisir? cria Scriassine d'une voix violente.

Henri sourit : « Ça serait une bonne raison.

— Il n'y a qu'ainsi que je peux oublier! dit Scriassine en remplissant son verre.

— Oublier quoi? demanda Huguette d'un air effaré.

— Dans deux ans les Russes occuperont la France, et vous les accueillerez à genoux, dit Scriassine.

— Deux ans! dit Huguette.

— Mais non, dit Henri.

— Vous êtes en train de leur livrer l'Europe, vous êtes tous complices! dit Scriassine. Vous avez peur, voilà la vérité : vous trahissez parce que vous avez peur.

— La vérité c'est que ta haine de l'U. R. S. S. te porte à la tête, dit Henri. Tu travestis les faits, tu colportes n'importe quels bobards. C'est une sale besogne. A travers l'U. R. S. S. c'est le socialisme en général que tu attaques.

— Tu sais très bien que l'U. R. S. S. n'a plus rien à voir avec le socialisme, dit Scriassine d'une voix qui s'empâtait.

— Ne me dis pas que l'Amérique en est plus près! » dit Henri.

Scriassine regarda Henri avec des yeux rougis par la colère : « Tu te dis mon ami! et tu défends un régime qui m'a condamné à mort! Le jour où ils m'auront fusillé, tu expliqueras dans *L'Espoir* qu'ils avaient de bonnes raisons!

— Mon Dieu! dit Henri. Les anciens combattants étaient déjà assez emmerdants! Voilà que maintenant on va nous faire le coup des futurs fusillés! »

Scriassine regarda Henri avec haine. Il prit son verre à demi plein et le lança à toute volée; Henri esquiva et le verre s'écrasa contre le mur.

— Tu devrais aller te coucher », dit Henri en marchant vers la porte. Il fit un petit signe de la main : « Salut.

— Il ne faut pas lui en vouloir, dit Claudie. Il est saoul.

— Ça se voit. »

Scriassine s'était laissé retomber sur son fauteuil, la tête dans ses mains.

— Quelle séance! dit Henri quand il se retrouva avec Lambert dans la cour de l'hôtel.

— Oui. Je suis de l'avis de Volange : les discussions politiques, ça devrait être interdit.

— Scriassine ne discute pas : il vaticine.

— Oh! de toute façon, c'est toujours comme ça que ça se passe, dit Lambert; on se jette des verres à la tête, et on ne sait même pas de quoi on parle. Vous ignorez tous les deux ce qui se passe dans l'Allemagne de l'Est. Il est partial contre l'U. R. S. S, mais toi tu es partial pour.

— Je ne suis pas partial. Je me doute bien que tout n'est pas parfait en U. R. S. S., c'est le contraire qui serait étonnant. Mais enfin ce sont eux qui sont sur la bonne voie.

Lambert fit une moue et ne répondit rien.

— Je me demande ce que Scriassine attendait de cette entrevue, dit Henri. Ça doit être Louis qui l'a suggérée : il espère que je l'aiderai à se dédouaner.

— Peut-être qu'il a envie de redevenir ami avec toi, dit Lambert.

— Louis? tu parles.

Lambert dévisagea Henri avec perplexité : « C'était ton meilleur ami autrefois?

— Une drôle d'amitié, dit Henri. Quand il s'est amené au lycée de Tulle, il venait de Paris, il m'en a jeté plein la vue; et moi il m'a trouvé moins paysan que les autres. Mais on ne s'est jamais aimé.

— Moi je le trouve sympathique, dit Lambert.

— Tu le trouves sympathique parce que la politique t'ennuie et qu'il défend la littérature pure. Mais tu comprends pourquoi il le fait, non? »

Lambert hésita : « Que ce soit pour une raison ou une autre, ce qu'il a dit est vrai. Il y a des problèmes individuels, et ce n'est pas facile de les résoudre quand tout le monde vous répète que vous avez tort de vous les poser.

— Je n'ai jamais prétendu ça, dit Henri; il faut se les poser, d'accord. Ce que je dis c'est qu'on ne peut pas les isoler des autres problèmes. Pour savoir qui tu es et ce que tu veux faire, il faut que tu décides comment tu te situes dans le monde.›

Lambert enfourcha sa motocyclette et Henri monta derrière lui.

« Un an a suffi, pensa-t-il, les voilà qui reviennent avec l'arrogance du pécheur assuré de valoir quatre-vingt-dix-neuf justes. Comme ils disent autre chose que nous, Lambert et les types de son âge vont croire qu'ils leur apportent du neuf. Ils vont être tentés. Il ne faut pas, se dit Henri. Il faut les contrer, par tous les moyens. » Dès que la moto se fut arrêtée, il dit d'une voix chaude :

— Tu sais, j'accepte ton offre avec reconnaissance; c'est une fameuse idée que tu as eue là : on restera les maîtres chez nous !

— Tu acceptes ? dit Lambert d'un air heureux.

— Bien sûr. Toute cette histoire m'a mis de mauvaise humeur, c'est pour ça que je n'ai pas sauté de joie. Mais tu penses si je suis content de pouvoir garder le journal !

— Tu crois que Trarieux marchera ? dit Lambert.

— Il sera bien obligé, dit Henri. Il serra la main de Lambert avec chaleur : « Merci; à demain. »

« Non, ça n'est pas le moment de se défiler », pensa-t-il en entrant dans sa chambre. Sa rancune à l'égard de Dubreuilh ne mourrait pas de sitôt; mais ça n'interdisait pas un travail commun, ces questions de sentiment étaient bien secondaires. L'important c'était d'empêcher le retour des Volange, c'était de gagner la partie. Il alluma une cigarette. Ça serait une bonne chose pour Lambert, d'être du comité de *L'Espoir*; Henri s'arrangerait pour l'associer de plus en plus étroitement à la vie du journal; Lambert se formerait politiquement, il se sentirait beaucoup moins perdu dans le monde, et une fois tout à fait dans le coup, il ne se demanderait plus que faire de sa peau.

« C'est vrai que ce n'est pas commode d'être jeune en ce moment », se dit Henri. Il décida d'avoir une sérieuse conversation avec Lambert, un de ces jours. « Et qu'est-ce que je lui dirai au juste ? » Il commença à se déshabiller. « Si j'étais communiste ou chrétien, je serais moins embarrassé, se dit-il. Une morale de l'universel, on peut tâcher de l'imposer. Mais le sens qu'on donne à sa vie, c'est une autre affaire. Impossible de s'en expliquer en quatre phrases : il faudrait amener Lambert à voir le monde avec mes yeux. » Henri soupira. C'est à ça que ça sert la littérature : montrer aux autres le monde comme on le voit; seulement voilà : il avait essayé, et il avait échoué. « Ai-je vraiment essayé ? » se demanda-t-il. Il alluma une autre cigarette et s'assit au bord de son lit. Il avait voulu écrire un livre gratuit : gratuit, sans nécessité, sans raison, pas étonnant qu'il s'en soit dégoûté si vite. Et il s'était promis d'être sincère, mais il n'avait été que complaisant; il avait prétendu parler de lui sans se situer au passé ni au présent : alors que la vérité de sa vie était hors de lui, dans les événements, dans les gens, dans les choses; pour parler de soi, il faut parler de tout le reste. Il se leva et avala un verre d'eau. Sur le moment, ça l'avait arrangé de se dire que la littérature n'avait plus de sens, mais ça ne l'avait pas empêché d'écrire une pièce dont il était content. Une pièce datée, située, et qui signifiait quelque chose : c'est pour ça qu'il en était content. Pourquoi ne pas entreprendre un roman daté, situé, qui signifierait quelque chose ?

Raconter une histoire d'aujourd'hui où les lecteurs retrouveraient leurs soucis, leurs problèmes. Non pas démontrer ni exhorter, mais témoigner. Il mit longtemps à s'endormir.

Dubreuilh n'avait pas réussi à convaincre Trarieux ni Samazelle. Mais ils ne comprirent sans doute pas quelle garantie représentait pour Henri la présence de Lambert au comité du journal, ou bien ils redoutèrent un éclat qui eût été néfaste au S. R. L. ou peut-être après tout ne nourrissaient-ils aucun dessein machiavélique : ils acceptèrent sans difficulté la combinaison qu'Henri leur proposa. Au journal, personne ne s'émut beaucoup d'un changement qui paraissait d'ordre purement administratif. Sauf Vincent. Il s'amena dans la salle de rédaction à un moment où Henri était seul avec Luc et il attaqua d'une voix hargneuse : « Je ne comprends rien à ce qui se passe.

— C'est pourtant simple! dit Henri.

— Je ne connais pas ce Trarieux, mais un homme qui a tant de fric est sûrement dangereux. On aurait aussi bien fait de se passer de lui.

— On ne pouvait pas, dit Henri.

— Et pourquoi fais-tu entrer Lambert dans le comité? dit Vincent. Tu auras de mauvaises surprises. Quand je pense qu'il s'est réconcilié avec son père, sachant ce qu'il sait!

— Il n'y a aucune preuve que le vieux ait donné Rosa, dit Henri. Cesse donc de juger les gens à tort et à travers. Je connais Lambert et j'ai toute confiance en lui. »

Vincent haussa les épaules : « Toute cette affaire me désole!

— Il faut avouer qu'on a bien manqué notre coup, dit Luc avec un soupir.

— Quel coup? dit Henri.

— Tout l'ensemble, dit Luc. On pouvait espérer que les choses allaient un peu changer : et de nouveau il n'y a plus que l'argent qui compte.

— Ça ne pouvait pas changer si vite, dit Henri.

— Rien ne change jamais! » dit Vincent. Il tourna brusquement les talons et marcha vers la porte.

— Il ne sait pas que je t'ai mis au courant? demanda Luc avec inquiétude.

— Non, dit Henri. Je ne lui ai rien dit et je ne lui dirai rien. Pour quoi faire?

Le jour fixé pour la signature du contrat, Paule avait allumé dans la cheminée un grand feu de bois, malgré la douceur du ciel de novembre, et tout en tisonnant distraitement, elle demanda :

— Tu es absolument décidé à signer?

— Absolument.

— Pourquoi?

— Je n'ai pas le choix.

— On a toujours le choix, dit-elle.

— Pas dans ce cas.

— Si. Elle se redressa et fit face à Henri : « Tu pourrais t'en aller! »

Voilà, elle se les était enfin arrachés ces mots que depuis des jours elle retenait avec maladresse; immobile, les mains crispées sur les pointes de son châle, elle semblait une martyre offrant son corps aux fauves. Elle affermit sa voix : « Je trouve que ça serait plus élégant de t'en aller.

— Si tu savais à quel point je me fous de l'élégance.

— Il y a cinq ans, tu n'aurais pas hésité, dit-elle; tu serais parti. »

Il haussa les épaules : « J'ai appris des choses en cinq ans, pas toi?

— Qu'est-ce que tu as appris? dit-elle d'une voix théâtrale; à pactiser, à transiger.

— Je t'ai expliqué pour quelles raisons j'acceptais.

— Oh! il y a toujours des raisons, on ne se compromet pas sans raison. Mais justement, il faut savoir refuser les raisons. » Le visage de Paule s'altéra; il y avait dans ses yeux une supplication hagarde : « Tu savais; tu avais choisi les chemins les plus difficiles, la solitude, la pureté : le petit saint Georges de Pisanello, vêtu de blanc et d'or, nous disions que c'était toi...

— Tu le disais...

— Ah! ne renie pas notre passé », cria-t-elle.

Il dit avec humeur : « Je ne renie rien.

— Tu te renies; tu es en train de trahir ta figure. Et je sais qui en est responsable, ajouta-t-elle avec colère. Il faudra qu'un jour je m'explique avec lui.

— Dubreuilh? mais enfin, c'est absurde; tu me connais assez pour savoir qu'on ne me fait pas faire ce que je ne veux pas.

— Quelquefois, j'ai l'impression de ne plus te connaître du tout », dit-elle en regardant Henri avec désespoir; elle ajouta avec égarement : « Est-ce que c'est vraiment toi?

— Il me semble, dit-il en haussant les épaules.

— Mais tu n'en es pas sûr toi-même. Je te revois... »

Il l'interrompit brutalement : « Ne me cherche donc pas toujours dans le passé. Je suis aussi réel aujourd'hui qu'hier.

— Non. Je sais où est notre vérité, dit-elle d'une voix inspirée. Et je la maintiendrai, contre tout.

— Alors nous n'avons pas fini de nous disputer! J'ai changé, mets-toi ça dans la tête. On change, Paule. Et les idées changent et aussi les sentiments. Il faudra bien que tu finisses par l'admettre.

— Jamais », dit-elle. Des larmes montaient aux yeux de Paule : « Crois bien que je souffre plus que toi de ces disputes; je ne lutterais pas contre toi si je n'y étais pas forcée.

— Personne ne te force.

— J'ai ma mission, moi aussi, dit-elle d'un ton farouche, et je la remplirai. Je ne permettrai pas qu'on te détourne de toi. »

Il ne pouvait rien contre ces grands mots; il marmonna d'une voix maussade : « Tu sais ce qui va arriver? c'est que nous allons finir par nous haïr.

— Tu pourrais me haïr? » Elle cacha son visage dans ses mains, puis

elle releva la tête : « S'il le faut, je supporterai même ta haine, dit-elle ;
pour l'amour de toi. »

Il haussa les épaules sans répondre et marcha vers sa chambre. « Il
faut en finir. Je veux en finir », se dit-il avec passion.

Le S. R. L. avait soutenu en novembre les revendications de Thorez ;
en échange, les communistes lui manifestèrent à nouveau quelque bienveillance et on recommença à lire *L'Espoir* dans les usines ; mais l'idylle
ne dura pas. Les communistes relevèrent avec hargne l'article où Henri
leur reprochait d'avoir voté les cent quarante milliards de crédits militaires, celui où Samazelle soulignait les différends qui les opposaient
aux socialistes touchant la politique des Trois Grands. Ils réagirent en
noyautant le S. R. L. et en le contrant de toutes les manières possibles.
Samazelle aurait voulu qu'on se séparât franchement d'eux : selon lui,
le S. R. L. aurait dû se constituer en parti et présenter des candidats
aux élections de juin. Sa proposition fut rejetée, mais le comité décida
de profiter des élections pour adopter à l'égard du P. C. une politique moins passive : on allait ouvrir une campagne.

— Nous ne voulons pas affaiblir le P. C. mais nous souhaitons qu'il
modifie sa ligne, conclut Dubreuilh. Eh bien, voilà une occasion de
prendre barre sur lui. Ce que nous disons en notre seul nom ne le
touche guère ; mais la base, il est obligé d'en tenir compte. Nous enga-
gerons les gens à voter pour les partis de gauche : mais en posant leurs
conditions. En ce moment le prolétariat a des tas de griefs contre les
communistes : si nous canalisons ce mécontentement, si nous parve-
nons à le traduire en revendications précises, nous avons une chance
de provoquer chez les dirigeants un changement d'attitude.

Lorsque Dubreuilh venait de prendre une décision, il donnait l'impression que sa vie antérieure s'était de tout temps réglée sur elle : Henri
le constata une fois de plus quand à la fin de la séance ils allèrent dîner
comme chaque samedi dans un petit restaurant des quais. Dubreuilh
exposa à Henri l'article qu'il allait écrire cette nuit même et on aurait
dit qu'il avait toujours prémédité de le faire paraître à la date exacte
où il paraîtrait. Il reprocherait en premier lieu aux communistes d'avoir
soutenu l'emprunt anglo-saxon : oui, ça hâterait le retour de la prospérité, mais les ouvriers n'en tireraient aucun bénéfice.

— Et vous pensez que cette campagne peut vraiment avoir de l'influence ? demanda Henri.

Dubreuilh haussa les épaules : « On verra bien. Vous souteniez pendant la Résistance qu'il faut agir comme si l'efficacité de l'action qu'on
décide était garantie : c'était un bon principe, et je m'y tiens. »

Henri dévisagea Dubreuilh ; il pensa : « Ce n'est pas le genre de
réponse qu'il aurait fait l'année dernière. » Dubreuilh était nettement
soucieux ces temps-ci.

— Autrement dit, vous n'espérez pas grand-chose ? dit-il.

— Oh! écoutez : espérer, ne pas espérer, c'est tellement subjectif, dit Dubreuilh. Si on se règle sur ses humeurs, on n'en a pas fini, on devient un Scriassine. Quand on a une décision à prendre, ce n'est pas en soi qu'il faut regarder.

Il y avait dans sa voix, dans son sourire, une espèce d'abandon qui aurait touché Henri, autrefois; mais depuis la crise de novembre, il avait perdu à l'égard de Dubreuilh toute chaleur de cœur. « S'il me parle avec tant de confiance, c'est qu'Anne n'est pas là; il a besoin d'essayer sa pensée sur quelqu'un », se dit-il. En même temps, il se reprochait un peu sa malveillance.

Dubreuilh publia dans *L'Espoir* une série d'articles d'une extrême sévérité auxquels la presse communiste répliqua avec humeur. On comparait l'attitude du S. R. L. à celle des trotskystes qui avaient refusé de faire de la Résistance sous prétexte que celle-ci servait l'impérialisme anglais. Malgré tout, cette polémique où le P. C. et le S. R. L. s'accusaient mutuellement de méconnaître les vrais intérêts de la classe ouvrière gardait un ton relativement courtois. C'est avec stupeur qu'Henri lut un jeudi dans *L'Enclume* un article où Dubreuilh était attaqué avec une extrême violence. On critiquait l'essai qu'il était en train de faire paraître dans *Vigilance :* le chapitre de son livre dont il avait parlé à Henri quelques mois plus tôt et qui ne touchait que de manière très indirecte aux questions politiques; à partir de là, sans raison apparente, on dressait contre lui un véritable réquisitoire : il était un chien de garde du capitalisme, un ennemi de la classe ouvrière.

— Qu'est-ce qui leur prend? et comment Lachaume a-t-il laissé passer cet article? Il est dégueulasse, dit Henri.

— Ça t'étonne de lui? dit Lambert.

— Oui. Et le ton de l'article m'étonne aussi. En ce moment il y a plutôt de la tolérance dans l'air.

— Je ne suis pas si surpris, dit Samazelle. A trois mois des élections, ils ne vont pas traîner dans la boue un journal comme *L'Espoir* que des milliers d'ouvriers lisent et des communistes même. Pour le S. R. L. proprement dit, c'est pareil, ils ont intérêt à le ménager. Mais Dubreuilh, le couler aux yeux des jeunes intellectuels de gauche, c'est tout bénéfice.

La satisfaction manifeste de Samazelle et de Lambert agaça Henri. Il sentit qu'il se crispait un peu lorsque deux jours plus tard Lambert lui dit d'un air gai, presque taquin : « Je me suis amusé à faire un papier sur l'article de *L'Enclume*. Seulement je me demande si tu accepteras de le passer?

— Pourquoi?

— Parce que je les renvoie dos à dos, Lachaume et Dubreuilh; il n'a pas volé ce qui lui arrive; ça lui apprendra à miser sur les deux tableaux. Si c'est un intellectuel, alors qu'il ne sacrifie pas à la politique les vertus de l'intellectuel; s'il les considère comme un luxe inutile, qu'il prévienne et pour ce qui est de la pensée libre, on ira s'adresser ailleurs.

— Je doute en effet que je puisse passer ça dans *L'Espoir*, dit Henri; tu es injuste d'ailleurs. Montre toujours. »

L'article était adroit, incisif, et parfois pertinent malgré sa malveillance; il attaquait les communistes avec intempérance et il était extrêmement désobligeant pour Dubreuilh.

— Tu as des dons de pamphlétaire, dit Henri; c'est brillant ton machin. Il sourit : « Évidemment, c'est impubliable.

— Ce n'est pas vrai ce que je dis? demanda Lambert.

— C'est vrai que Dubreuilh est divisé; mais je m'étonne que tu le lui reproches. Je suis comme lui, tu sais.

— Toi? mais c'est par loyauté à son égard », dit Lambert. Il remit ses papiers dans sa poche : « Remarque, ce n'est pas que j'y tienne à mon papelard, mais c'est tout de même marrant : si je voulais le faire publier, il n'y aurait pas moyen. Je suis trop anticommuniste pour *L'Espoir* ou pour *Vigilance,* et trop de gauche pour les types de droite.

— C'est le premier papier que je te refuse, dit Henri.

— Oh! des reportages, des notes critiques, ça passe partout. Mais si jamais je voulais dire ce que je pense sur un truc un peu important, tu ne pourrais m'offrir que tes regrets.

— Tu n'as qu'à tenter le coup », dit Henri amicalement.

Lambert sourit : « Heureusement, je n'ai rien d'important à dire.

— Tu n'as pas essayé d'écrire d'autres nouvelles? demanda Henri.

— Non.

— Tu t'es découragé bien vite.

— Je ne sais pas ce qui me décourage? dit Lambert avec une brusque agressivité : C'est de voir ce récit du petit Peulevey, dans *Vigilance.* Si tu aimes ce genre de littérature, je ne comprends plus.

— Tu ne trouves pas ça intéressant? dit Henri avec surprise. On sent l'Indochine, on sent ce que c'est qu'un colon, et en même temps, on sent une enfance.

— Dites carrément que *Vigilance* n'imprime ni romans ni nouvelles mais seulement des reportages, dit Lambert. Il suffit qu'un type ait passé son enfance aux colonies et qu'il soit contre : vous décrétez qu'il a du talent.

— Peulevey en a, dit Henri. Le fait est que c'est plus intéressant de raconter quelque chose que rien, ajouta-t-il. Le défaut de tes nouvelles, c'est que tu avais choisi de ne rien raconter. Si tu parlais de tes expériences comme ce gars parle des siennes, tu ferais peut-être un truc excellent. »

Lambert haussa les épaules : « J'avais pensé moi aussi à un récit sur mon enfance; et puis j'ai laissé tomber. Mes expériences à moi ne mettent pas le monde en question; elles sont purement subjectives, et donc, de votre point de vue, parfaitement insignifiantes.

— Rien n'est insignifiant, dit Henri. Ton enfance aussi a un sens : à toi de le trouver et de nous le faire sentir.

— Je sais, dit Lambert d'une voix ironique. Avec n'importe quoi, on peut fabriquer un document humain. » Il secoua la tête : « Ce n'est pas ça qui m'intéresse. Si j'écrivais, ça serait pour dire les choses dans leur insignifiance : je n'essaierais de les sauver que par ma manière de les dire. » Il haussa les épaules : « Rassure-toi, je ne le ferai pas : j'aurais mauvaise conscience. Seulement, je n'aime pas la littérature que vous aimez; alors je n'écrirai rien du tout : c'est plus simple.

— Écoute, la prochaine fois qu'on sort ensemble, on va reparler de tout ça sérieusement, dit Henri. Si c'est moi qui te dégoûte d'écrire, je suis désolé.

— Ne te désole pas, ça n'en vaut pas la peine », dit Lambert. Il sortit du bureau sans sourire; pour un peu il aurait claqué la porte derrière lui; il était vraiment blessé.

« Ça lui passera! » se dit Henri. Il avait décidé de ne plus se frapper : les choses tournaient toujours moins mal qu'on ne pensait. Samazelle n'était pas du tout aussi encombrant qu'Henri ne l'avait craint; à l'exception de Luc il avait gagné toute l'équipe par sa cordialité; Trarieux ne mettait jamais les pieds au journal; le tirage avait beaucoup remonté et finalement Henri était aussi libre qu'avant. Mais c'était surtout son nouveau roman qui le rendait optimiste; il avait redouté d'énormes difficultés : et le livre s'organisait presque de lui-même. Cette fois, Henri était à peu près sûr d'avoir pris un bon départ, il écrivait dans la gaieté. Le seul ennui, c'est que Paule exigeait qu'il travaillât près d'elle. Et elle voulait voir ses brouillons. Il refusait, elle s'irritait. De nouveau ce matin-là, tandis qu'ils achevaient leur petit déjeuner, elle attaqua :

— Ça marche ton travail?

— Comme ci comme ça.

— Quand me montreras-tu quelque chose?

— Je t'ai dit vingt fois qu'il n'y a encore rien de lisible, c'est informe.

— Justement, depuis le temps que tu me le dis, ça aurait pu prendre forme.

— J'ai tout recommencé.

Paule appuya ses coudes contre la table et posa son menton au creux de ses mains : « Tu n'as plus grande confiance en moi, n'est-ce pas?

— Bien sûr que si!

— Non, tu n'as plus confiance. C'est depuis ce voyage à bicyclette », dit-elle d'un ton méditatif.

Henri la dévisagea avec surprise : « Qu'est-ce que ce voyage aurait pu changer entre nous?

— Le fait est là, dit-elle.

— Quel fait?

— Eh bien, tu ne crois plus ce que je te dis. » Il haussa les épaules et elle ajouta vivement : « Je peux te citer vingt cas où tu ne m'as pas crue.

— Par exemple?

— Par exemple je t'ai dit en septembre que tu peux coucher dans ton hôtel quand tu veux; et chaque fois tu me demandes la permission d'un air coupable. Tu ne veux pas croire que je préfère ta liberté à mon bonheur.

— Écoute, Paule, la première fois que j'ai couché à l'hôtel, tu avais les yeux tuméfiés le lendemain matin.

— J'ai le droit de pleurer, non? dit-elle d'une voix agressive.

— Mais je n'ai pas envie de te faire pleurer.

— Et tu crois que je ne pleure pas quand tu me refuses ta confiance, quand je vois que tu enfermes ton manuscrit à clef : parce que tu l'enfermes à clef...

— Il n'y a vraiment pas de quoi pleurer, dit-il avec irritation.

— C'est insultant », dit-elle; elle regarda Henri d'un air effarouché, presque puéril : « Je me demande quelquefois si tu n'es pas sadique. »

Il se versa une seconde tasse de café sans répondre et elle dit avec colère : « Tu as peur que je fouille dans tes papiers?

— C'est ce que je ferais à ta place », dit Henri d'une voix qui s'efforçait à la gaieté.

Elle se leva et repoussa sa chaise : « Tu avoues! tu verrouilles tes tiroirs, à cause de moi. Nous en sommes là!

— C'est pour t'éviter des tentations, dit-il; cette fois la gaieté de sa voix sonnait tout à fait faux.

— Nous en sommes là! » répéta-t-elle; elle regarda Henri dans les yeux : « Si je te jurais de ne pas toucher à ces papiers, me croirais-tu? laisserais-tu le tiroir ouvert?

— Tu es tellement braquée sur ce malheureux manuscrit que tu ne peux pas répondre toi-même de ce que tu ferais; je crois à ta sincérité bien sûr, mais je fermerai le tiroir. »

Il y eut un silence et Paule dit lentement : « Jamais tu ne m'avais blessée comme tu viens de le faire.

— Si tu ne peux pas supporter la vérité, ne m'oblige pas à te la dire », dit Henri en repoussant sa chaise avec violence.

Il monta l'escalier, s'assit devant sa table. Elle aurait mérité qu'il le lui montre, ce manuscrit, comme ça il aurait été débarrassé d'elle. Évidemment, au moment de la publication, il serait obligé de modifier ces pages : à moins qu'elle ne meure entre-temps; en attendant, quand il les relisait, il se sentait vengé! « En un sens, la littérature est plus vraie que la vie, se dit-il. Dubreuilh s'est foutu de moi, Louis est un salaud, Paule m'empoisonne l'existence : et je leur fais des sourires. Sur le papier on va jusqu'au bout de ce qu'on sent. » Il parcourut encore une fois la scène de rupture : comme on rompt facilement, sur le papier! on hait, on crie, on tue, on se tue; on va jusqu'au bout : c'est pour ça que c'est faux. « Soit, se dit-il; mais c'est drôlement satisfaisant. Dans la vie sans cesse on se renie et les autres gens vous contredisent. Paule m'exaspère : cependant tout à l'heure je la prendrai en pitié et elle pense qu'au fond j'ai de l'amour pour elle. Sur le papier, j'arrête le temps et j'impose au monde entier mes certitudes : elles deviennent l'unique réalité. » Il dévissa le capuchon de son stylo. Paule ne lirait jamais ces pages; pourtant il triomphait comme s'il l'avait obligée à se reconnaître dans le portrait qu'il avait tracé d'elle : une fausse amoureuse qui n'aime que ses comédies et ses rêves; une femme qui joue la grandeur, la générosité, l'abnégation alors qu'elle est sans orgueil et sans courage, butée dans l'égoïsme de ses feintes passions. C'est ainsi qu'il la voyait, et sur le papier elle coïncidait exactement avec cette vision.

Henri fit de son mieux les jours suivants pour éviter de nouveaux éclats. Paule avait encore trouvé une raison de s'indigner : la conférence qu'il avait accepté de donner chez Claudie. Il essaya d'abord de se justifier : même Dubreuilh avait parlé chez Claudie, il s'agissait de ramasser de l'argent pour un home d'enfants, on ne pouvait pas refuser. Comme elle ne désarmait pas, il décida de se taire. Visiblement cette tactique ne fit qu'exaspérer Paule; elle se taisait elle aussi, mais elle semblait retourner dans sa tête des résolutions importantes. Le jour de la conférence, elle le regardait d'un air si dur tandis qu'il nouait une cravate devant le miroir de leur chambre qu'il pensa avec espoir : « C'est elle qui va me proposer de rompre. » Il demanda d'une voix aimable :

— Décidément tu ne m'accompagnes pas?

Elle rit si brusquement que s'il ne l'avait pas connue il aurait cru qu'elle était folle : « La bonne farce! T'accompagner à ce carnaval!

— Comme tu voudras.

— J'ai mieux à faire », dit-elle d'une voix qui appelait une question; il demanda docilement :

— Qu'est-ce que tu as à faire?

— C'est mon affaire! dit-elle avec hauteur.

Cette fois il n'insista pas, mais comme il se donnait un dernier coup de peigne, elle dit d'un ton provocant :

— Je vais passer à *Vigilance*, voir Dubreuilh.

Henri se retourna vivement; elle n'avait pas manqué son effet : « Pourquoi veux-tu voir Dubreuilh?

— Je t'ai prévenu qu'un de ces jours j'irais m'expliquer avec lui.

— Sur quoi?

— J'ai beaucoup de choses à lui dire de ma part, et aussi de la tienne.

— Je te prie de ne pas te mêler de mes rapports avec Dubreuilh, dit Henri; tu n'as rien à lui dire du tout et tu n'iras pas le voir.

— Je te demande pardon, dit-elle; je n'ai que trop tardé. Cet homme est ton mauvais génie et il n'y a que moi qui puisse t'en délivrer. »

Henri sentit que le sang lui montait au visage; qu'est-ce qu'elle allait raconter à Dubreuilh? Henri s'était exprimé librement devant Paule dans des moments de colère ou d'inquiétude : impossible de supporter que certaines de ces paroles soient répétées; mais comment la dissuader? on l'attendait chez Claudie, il ne trouverait pas en cinq minutes le moyen de la convaincre, il fallait l'attacher, ou l'enfermer. Il balbutia : « Tu divagues.

— Vois-tu, quand on vit très seule comme moi on a beaucoup de temps pour penser, dit Paule; je pense à toi et à tout ce qui te concerne,

et quelquefois, je vois. Dubreuilh, je l'ai vu il y a quelques jours avec
une précision extraordinaire : et j'ai compris qu'il ferait tout pour achever de te détruire.

— Ah! si tu te mets à avoir des visions! » dit-il. Il cherchait un moyen
d'intimider Paule; il n'en trouvait qu'un : la menacer de rompre.

— Ce n'est pas seulement à mes visions que je me fie! dit Paule d'une
voix volontairement mystérieuse.

— Et à quoi d'autre?

— Je me suis renseignée, dit-elle; elle fixait sur Henri un regard
enjoué; il la dévisagea avec perplexité :

— Anne ne t'a sûrement pas dit que Dubreuilh veut me détruire.

— Qui te parle d'Anne? dit-elle. Anne! elle est encore plus aveugle
que toi.

— Alors, quel est l'extra-lucide que tu as consulté? demanda-t-il;
il se sentait vaguement inquiet.

Le regard de Paule se fit grave : « J'ai parlé avec Lambert.

— Lambert? où l'as-tu vu? dit Henri. La colère lui desséchait la
gorge.

— Ici; c'est un crime? dit Paule d'un air tranquille. Je lui ai téléphoné de venir.

— Quand ça?

— Hier. Lui non plus il n'aime pas Dubreuilh, dit-elle avec satisfaction.

— C'est un abus de confiance! » dit Henri. Penser qu'elle avait parlé
à Lambert avec son vocabulaire ridicule et sa dérisoire véhémence, ça
donnait envie de la gifler.

— Tu parles toujours de pureté, d'élégance, reprit-il d'une voix
furieuse, mais une femme qui partage la vie d'un homme, sa pensée,
ses secrets, et qui en dispose dans son dos, sans le prévenir, elle agit
d'une manière crasseuse; tu entends, dit-il en la saisissant par le poignet :
crasseuse.

Elle secoua la tête : « Ta vie est ma vie puisque je lui ai sacrifié la
mienne; j'ai des droits sur elle.

— Je ne t'ai jamais demandé aucun sacrifice, dit-il. J'ai essayé de
t'aider l'année dernière à te faire une vie à toi : tu n'as pas voulu; ça
te regarde, mais tu n'as aucun droit sur moi.

— Je n'ai pas voulu à cause de toi, dit-elle, parce que tu as besoin
de moi.

— Tu crois que j'ai besoin de ces scènes perpétuelles ? tu te
trompes drôlement! Il y a des moments où tu me donnes envie de ne
jamais remettre les pieds ici. Et je vais te dire une chose : si tu vas voir
Dubreuilh, je ne te le pardonnerai pas. Tu ne me reverras pas.

— Mais je veux te sauver! dit-elle avec passion. Tu ne comprends
pas que tu es en train de te perdre! tu acceptes tous les compromis,
tu vas parler dans les salons... Et je sais pourquoi tu n'oses plus me
montrer ce que tu écris : ta faillite se reflète dans ton travail, et tu le

sens. Tu as honte. Tu as tellement honte que tu enfermes ton manus-crit à clef : il faut que ce soit quelque chose de bien abject. »

Henri la regarda avec haine : « Si je te montre ce manuscrit, tu me donnes ta parole que tu n'iras pas voir Dubreuilh. »

Brusquement le visage de Paule fléchit : « Tu me le montreras?

— Me donnerais-tu ta parole? »

Elle réfléchit : « Je te donnerais ma parole de ne pas y aller aujour-d'hui.

— Ça me suffit », dit Henri. Il ouvrit le tiroir, en tira le gros cahier vert-de-gris et le jeta sur le lit.

— Je peux le lire? c'est vrai? dit Paule d'une voix déconcertée; son assurance de tragédienne l'avait quittée, et elle avait l'air plutôt pitoyable, soudain.

— Tu peux.

— Oh! je suis si contente, dit-elle; elle sourit timidement : « Ce soir, nous en discuterons, comme autrefois. »

Il ne répondit pas. Il regardait ce cahier que Paule caressait du plat de la main. Seulement du papier, de l'encre, ça avait l'air aussi inoffen-sif que les poudres enfermées à clef dans la pharmacie de son père; en vérité, il était plus lâche qu'un empoisonneur.

— Au revoir, cria-t-elle par-dessus la balustrade tandis qu'il s'en-fuyait à travers le studio.

— Au revoir.

Dans l'escalier il continuait de fuir, il essayait en vain de faire le vide dans sa tête. Ce soir, quand il reverrait Paule, elle aurait lu. Elle lirait chaque phrase, elle relirait chaque mot : c'était un assassinat. Il s'ar-rêta. La main appuyée à la rampe il remonta lentement quelques marches et le gros chien noir se jeta sur lui en aboyant. Il haïssait ce chien, cet escalier, l'amour fanatique de Paule, ses silences, ses éclats, ses malheurs. Il redescendit quatre à quatre jusqu'à la rue.

C'était un de ces beaux jours d'hiver un peu brumeux où le fond de l'air est rose; par la baie vitrée, Henri apercevait un morceau de ciel soyeux; il ramena son regard vers son auditoire, mais c'était plus dif-ficile de parler quand on les voyait. Petits chapeaux, bijoux, fourrures : il y avait surtout des femmes, de celles qui ont de beaux restes et qui croient savoir les accommoder. En quoi ça les intéressait-il, l'histoire du journalisme français? Il faisait trop chaud, l'air sentait le parfum; le regard d'Henri rencontra le sourire ténu de Marie-Ange et Vincent lui fit une grimace rieuse; quelque part, entre une milliardaire argen-tine et une mécène bossue, Lambert était assis et Henri redoutait de se retrouver face à face avec lui : il avait honte; de nouveau il abaissa les yeux et laissa les paroles couler de sa bouche.

— Mer-veilleux!

Claudie avait donné le signal des applaudissements, ils tapaient dans leurs mains, ils déchaînaient leurs voix, ils se précipitaient vers l'estrade. Huguette Volange ouvrit une petite porte dans le dos d'Henri : « Venez par ici. Claudie va mettre les da-dames à la porte; elle n'a retenu que

vos amis et quelques intimes. Vous devez mourir de soif », ajouta-t-elle
en entraînant Henri vers le buffet où Julien, seul en face de deux serveurs, vidait une coupe de champagne.

— Tu m'excuseras, je n'ai rien entendu, dit-il d'une voix bruyante.
Moi, si je suis venu, c'est pour me saouler gratis.

— Tu es tout excusé; les conférences, c'est aussi emmerdant à écouter qu'à faire, dit Henri.

— Pardon! je ne me suis pas emmerdé du tout, dit Vincent; c'était
même instructif. Il rit : « Je boirai quand même bien un verre, moi aussi.

— Bois! » dit Henri; il amena vivement sur son visage un sourire
gracieux; une dame à cheveux blancs, Légion d'honneur au sein, s'élan-
çait vers lui :

— Merci de votre concours! c'était magnifique! Savez-vous que vous
avez fait une plus grosse recette que Duhamel?

— J'en suis ravi, dit Henri. Il cherchait Lambert des yeux. Que lui
avait dit Paule? Jamais Henri n'avait mis Lambert au courant de sa
vie privée; évidemment il savait des choses intimes sur lui par Nadine,
mais ça, Henri s'en foutait, l'histoire avec Nadine ç'avait été de l'eau
claire. Paule, c'était différent. Il sourit à Lambert :

— Ça t'ennuierait de me ramener en moto quand ce carnaval sera
terminé?

— Ça me ferait plaisir! dit Lambert d'un ton tout à fait naturel.

— Merci! on pourra bavarder un peu.

Il s'interrompit parce que Claudie entrait impétueusement dans le
salon et se précipitait vers lui : « Vous allez être tout à fait chou, vous
allez dédicacer quelques livres : ces dames sont des admiratrices passionnées.

— Avec plaisir », dit Henri; il ajouta à mi-voix : « Mais je ne peux
pas rester, on m'attend au journal.

— Il faut que vous voyiez les Belhomme, elles viennent exprès pour
vous : elles vont arriver d'une minute à l'autre.

— Dans une demi-heure, je file », dit Henri. Il prit le livre qu'une
grande blonde lui tendait : « Quel nom?

— Vous ne le connaissez pas, dit la blonde avec un petit sourire
hautain, mais vous le connaîtrez : Colette Masson. »

Elle remercia d'un autre mystérieux sourire et sur un autre livre il
inscrivit un autre nom. Quelle comédie! Il signait, il souriait, il souriait,
il signait; le petit salon s'était rempli, ils étaient légion, les intimes de
Claudie. Eux aussi ils souriaient, ils serraient la main d'Henri, leurs
yeux brillaient d'une curiosité qui ressemblait à de la grivoiserie, et ils
disaient les mots qu'ils avaient dits la dernière fois à Duhamel, qu'ils
répéteraient indifféremment la prochaine fois à Mauriac ou à Aragon.
De temps en temps, un lecteur zélé se croyait obligé d'exhaler son admiration : celui-ci avait été bouleversé par la description d'une insomnie,
celui-là par une phrase sur les cimetières : il s'agissait toujours d'un
passage insignifiant, écrit avec indifférence. Guite Ventadour demanda
à Henri avec reproche pourquoi il choisissait comme héros de si tristes

messieurs : et elle souriait à la ronde à un tas de gens infiniment plus
tristes. « Comme on est sévère pour les personnages de roman! pensait Henri, on ne leur passe pas une faiblesse. Et comme ils lisent tous
bizarrement! Je suppose qu'au lieu de suivre les chemins qu'on leur
trace, la plupart traversent les pages en aveugles; de temps en temps
un mot résonne en eux, éveillant Dieu sait quels souvenirs ou quelles
nostalgies; ou bien dans une image ils croient apercevoir quelque reflet
d'eux-mêmes : ils s'arrêtent un instant, ils se mirent, et ils repartent à
tâtons. Il vaudrait mieux ne jamais voir ses lecteurs en face », pensa-t-il.
Il s'approcha de Marie-Ange qui le toisait d'un air moqueur :
— Pourquoi ricanes-tu?
— Je ne ricane pas, j'observe; elle persifla : « Tu as raison de vivre
caché; tu n'es pas brillant.
— Qu'est-ce qu'il faut faire pour être brillant?
— Regarde ton ami Volange et prends des leçons.
— Je ne suis pas doué », dit Henri.
Ça ne l'amusait pas de les éblouir; et c'était aussi vain de prétendre
les scandaliser. Julien tonitruait tout en vidant avec ostentation coupe
sur coupe, et on riait avec indulgence autour de lui : « Moi si j'avais
un nom pareil, clamait-il, vivement que je m'en débarrasserais. Belzunce, Polignac, La Rochefoucauld, ça a traîné dans toutes les pages
de l'histoire de France, c'est plein de poussière. » Il pouvait les insulter, proférer les pires incongruités, ils seraient enchantés; s'il n'est pas
consacré par des titres, des prix, des décorations, alors il est bon qu'un
poète soit un bouffon. Julien croyait les dominer, et il les confirmait
dans la conscience de leur supériorité. Non, le seul procédé c'était ne
pas fréquenter ces gens-là. Les écrivains mondains et les pseudo-intel-
lectuels qui s'empressaient autour de Claudie étaient peut-être plus
déprimants encore. Ça ne les amusait pas d'écrire; ça ne les intéressait
pas de penser, et tout l'ennui qu'ils s'infligeaient se reflétait sur leur
visage. Leur seul souci, c'était le personnage qu'ils se fabriquaient et
la réussite de leur carrière, et ils ne se fréquentaient que pour se jalou-
ser de plus près. Une affreuse engeance. Henri sourit avec sympathie
en apercevant Scriassine : il était fanatique, brouillon, insupportable,
mais bien vivant et quand il se servait des mots c'était par passion,
non pour les monnayer contre de l'argent, des compliments, des hon-
neurs; chez lui la vanité ne venait qu'après, et elle n'était qu'un travers
superficiel.
— J'espère que tu ne m'en veux pas, dit Scriassine.
— Bien sûr que non, tu avais bu. Comment ça va? Tu crèches toujours ici?
— Oui. Je suis descendu exprès pour te dire bonjour; j'espérais que
le beau monde serait parti. C'est devant ça que tu as parlé et que Claudie veut que je parle?
— Ce n'est pas un mauvais public, dit Volange qui s'était rapproché d'un pas nonchalant. Il distribua à la ronde un petit sourire hautain et arrêta son regard sur Lambert : « Les gens qui ont beaucoup

d'argent affectent la futilité; mais en fait ils ont souvent le sens des vraies valeurs. Le luxe de Claudie par exemple est très intelligent.

— Le luxe, ça m'emmerde », dit Scriassine.

Marie-Ange pouffa de rire et Louis la regarda d'un air dur.

— Vous voulez dire le faux luxe, dit Huguette avec indulgence.

— Le faux, le vrai : je n'aime pas le luxe.

— Comment peut-on ne pas aimer le luxe? dit Huguette.

— Je n'aime pas les gens qui aiment le luxe, dit Scriassine. A Vienne, ajouta-t-il brusquement, nous vivions trois dans un taudis et nous n'avions en tout qu'un pardessus; on crevait de faim. Ç'a été le plus beau temps de ma vie.

— Voilà qui témoigne d'un curieux complexe de culpabilité, dit Volange d'une voix amusée.

— Je connais mes complexes, ils n'ont rien à voir ici, dit Scriassine sèchement.

— Bien sûr que si! vous êtes tous les deux des puritains, comme tous les gens de gauche, dit Volange en se tournant vers Henri; le luxe vous choque, parce que vous ne supportez pas d'avoir mauvaise conscience. C'est redoutable, cette austérité; on refuse le luxe : et de fil en aiguille, on refuse la poésie et l'art.

Henri ne répondit pas; il n'attachait pas d'importance aux paroles de Volange; ce qui l'intéressait, c'est de constater comme il avait changé depuis leur dernière entrevue : il n'y avait plus de trace d'humilité dans sa voix ni dans ses sourires. Toute sa vieille arrogance lui était revenue.

— Le luxe et l'art, ce n'est pas la même chose, dit Lambert d'une voix timide.

— Non, dit Louis. Mais si personne n'avait plus mauvaise conscience, si le mal disparaissait de la terre, l'art disparaîtrait aussi. L'art est une tentative pour intégrer le mal. Les progressistes organisés veulent supprimer le mal : ils condamnent l'art à mort. Il soupira : « Le monde qu'ils nous promettent sera bien morne. »

Henri haussa les épaules : « Vous autres, les antiprogressistes organisés, vous êtes marrants. Tantôt vous prophétisez qu'on n'arrivera jamais à supprimer l'injustice; tantôt vous déclarez que la vie va devenir fade comme une bergerie. On peut vous retourner vos arguments!

— Ça me semble très intéressant cette idée que le mal est nécessaire à l'art », dit Lambert en interrogeant Louis du regard.

Claudie posa sa main sur le bras d'Henri :

— Voilà Lucie Belhomme, dit-elle, cette grande brune très élégante; venez que je vous présente.

Elle désignait une longue femme sèche, vêtue de noir; était-elle élégante? Henri n'avait jamais bien compris le sens de ce mot : pour lui, il y avait des femmes désirables et d'autres qui ne l'étaient pas; celle-ci ne l'était pas.

— Et voici mademoiselle Josette Belhomme, dit Claudie.

La petite était belle, incontestablement; mais pour jouer le personnage de Jeanne cette silhouette mondaine ne convenait pas du tout; fourrures, parfum, hauts talons, ongles rouges, sous les torsades de ses cheveux ambrés, c'était une poupée de luxe parmi d'autres.

— J'ai lu votre pièce, elle est magnifique, dit Lucie Belhomme d'une voix positive; et je suis sûre qu'elle peut faire beaucoup d'argent : pour ces choses-là, j'ai le flair. J'en ai parlé à Vernon, le directeur du Studio 46 qui est un grand ami à moi. Il est très intéressé.

— Il ne la trouve pas trop scandaleuse? dit Henri.

— Un scandale peut servir une pièce ou la couler; ça dépend de beaucoup de choses. Je crois que je pourrais convaincre Vernon de prendre le risque. Il y eut un silence, et sans transition, presque insolemment elle enchaîna : « Vernon serait disposé à donner sa chance à Josette; elle n'a joué encore que de petits rôles, elle a seulement vingt et un ans; mais elle a du métier et elle sent le personnage d'une manière étonnante; je voudrais que vous l'entendiez dans la grande scène du deux.

— Ça sera avec plaisir », dit Henri.

Lucie se tourna vers Claudie : « Vous n'avez pas un coin tranquille où la petite pourrait passer la scène?

— Oh! pas maintenant », dit Josette.

Elle regardait sa mère et Henri d'un air effarouché; elle n'avait pas l'assurance habituelle à ces luxueux mannequins; on aurait plutôt dit qu'elle était intimidée par sa propre beauté; elle était vraiment belle avec ses grands yeux sombres, sa bouche un peu trop lourde, et sous ses cheveux fauves sa peau limpide et crémeuse.

— C'est l'affaire de dix minutes, dit Lucie.

— Mais je ne peux pas comme ça, à froid, dit Josette.

— Rien ne presse, dit Henri. Si vraiment Vernon accepte la pièce, nous prendrons un rendez-vous.

Lucie eut un petit sourire : « Je peux vous assurer qu'il acceptera s'il est entendu que Josette a le rôle. »

De la gorge jusqu'à la racine des cheveux, la tendre peau de blonde s'embrasa. Henri sourit gentiment à Josette :

— Voulez-vous que nous fixions un jour. Mardi, vers quatre heures, ça vous irait?

Elle inclina la tête.

— Vous n'avez qu'à venir chez moi, dit Lucie. Vous serez très bien pour travailler.

— Le rôle vous intéresse? demanda-t-il d'un ton conventionnel.

— Bien sûr.

— J'avoue que je n'imaginais pas Jeanne si belle, dit-il gaiement.

Un sourire poli erra autour de la bouche tragique sans réussir à s'y poser; on avait appris à Josette tous les jeux de physionomie nécessaires au succès, mais elle les exécutait mal; ce lourd visage aux yeux sans fin faisait éclater tous les masques.

— Une actrice n'est jamais trop belle, dit Lucie. Quand votre bonne femme se ramène sur scène à moitié déshabillée, ce que le public veut voir, c'est ça, dit-elle en relevant brusquement la jupe de Josette, découvrant jusqu'à mi-cuisse de longues jambes soyeuses.

— Maman!

La voix consternée de Josette toucha Henri; n'était-elle vraiment qu'une poupée de luxe toute pareille aux autres? Elle n'a sûrement pas inventé la poudre, se dit Henri; mais on avait peine à croire que ce pathétique visage pût ne rien signifier.

— Ne joue pas les ingénues, ça n'est pas ton emploi, dit Lucie Belhomme d'une voix sèche; elle ajouta : « Tu n'inscris pas le rendez-vous? »

Docilement, Josette ouvrit son sac et en tira un agenda; Henri aperçut un mouchoir de dentelle et un petit poudrier d'or : ça lui semblait plein de mystère jadis, l'intérieur d'un sac féminin. Un instant, il retint dans sa main les longs doigts taillés en sucre d'orge :

— A mardi.

— A mardi.

— Elle vous plaît? dit Claudie avec un petit rire canaille quand les deux femmes se furent éloignées : si le cœur vous en dit, vous pouvez y aller : elle n'est pas très regardante, la pauvre gosse.

— Pourquoi pauvre?

— Lucie n'est pas facile à vivre; vous savez, les femmes qui en ont bavé trop longtemps avant de réussir, généralement c'est pas des tendres.

A un autre moment, Henri aurait écouté avec amusement les commérages de Claudie; mais il y avait Volange et Lambert qui causaient d'un air animé; Volange pérorait, avec des gestes gracieux, et Lambert hochait la tête en souriant. Henri aurait voulu intervenir. Il se sentit soulagé quand il vit Vincent se détacher du buffet. Il cria d'une voix bruyante :

— Je voudrais vous poser une question, une seule : qu'est-ce qu'un type comme vous fait ici?

— Vous voyez, je suis en train de causer avec Lambert, dit Louis calmement. Vous, vous vous saoulez, c'est non moins clair.

— On ne vous a peut-être pas prévenu, dit Vincent : il s'agit d'une séance au profit des enfants de déportés. Votre place n'est pas ici.

— Qui connaît sa place exacte en ce monde? dit Louis. Si vous croyez connaître la vôtre, c'est sans doute qu'il y a une grâce spéciale pour les ivrognes.

— Oh! c'est que Vincent, c'est quelqu'un! dit Lambert d'une voix mordante. Il sait tout, il juge tout le monde, il ne se trompe jamais et vous n'avez pas besoin de le payer pour qu'il vous donne des leçons.

Jamais Vincent n'avait été aussi pâle; on aurait dit que du sang allait couler de ses yeux; il balbutia :

— Je sais reconnaître un salaud...

— Je crois que ce jeune homme aurait besoin de soins médicaux, dit Louis. Un garçon de cet âge, suant l'alcool, c'est un spectacle déprimant.

Henri s'approcha vivement : « Toi qui intègres si vaillamment le mal, te voilà bien puritain soudain! Vincent fait la part du diable à sa façon; pourquoi est-ce qu'on ne se saoulerait pas?

— Un salaud, et un fils de salaud, murmura Vincent dans un sourire sanglant, forcément ça se plaît ensemble.

— Qu'est-ce que tu as dit? Répète! » dit Lambert.

Vincent affermit sa voix : « Je dis qu'il faut que tu sois un joli salaud pour t'être réconcilié avec le type qui a donné Rosa. Tu te rappelles Rosa?

— Descends dans la cour avec moi, on va s'expliquer, dit Lambert.

— Pas besoin de descendre. »

Henri retint Vincent, tandis que Louis posait sa main sur l'épaule de Lambert : « Laissez tomber, dit Louis.

— Je veux lui casser la gueule.

— Un autre jour, dit Henri. Tu m'as promis de me ramener en moto, et je suis pressé. Et toi, fous-nous la paix, dit-il amicalement à Vincent qui proférait des sons inarticulés.

Lambert se laissa entraîner, mais en traversant la cour il dit d'un air sombre : « Tu n'aurais pas dû m'empêcher, je lui aurais donné une sale leçon. Je sais cogner, tu sais.

— Je ne dis pas non, mais les coups de poing, c'est con.

— J'aurais dû taper tout de suite au lieu de causer, dit Lambert. Je n'ai pas les réflexes. Quand il faudrait taper, je cause.

— Vincent avait bu et tu sais bien qu'il est un peu tordu, dit Henri. Ne t'occupe donc pas de ce qu'il raconte.

— C'est trop commode! s'il était si cinglé que ça tu ne serais pas tellement copain avec lui », dit Lambert avec colère. Il enfourcha sa motocyclette : « Où vas-tu?

— Chez moi. Je passerai au journal un peu plus tard », dit Henri. Il venait d'avoir brusquement une vision de Paule; elle était assise au milieu du studio, immobile, le regard fixe : elle avait lu. La scène de rupture, elle l'avait lue, phrase par phrase, mot à mot; elle savait tout ce qu'Henri pensait d'elle. Il avait besoin de la revoir, tout de suite. Lambert fonçait le long des quais avec rage. Quand il s'arrêta devant le dernier feu rouge, Henri demanda :

— On boit un verre?

Il fallait qu'il revoie Paule tout de suite, mais à l'idée de se retrouver en face d'elle le cœur lui manquait.

— Si tu veux, dit Lambert d'un ton maussade.

Ils entrèrent dans le café-tabac au coin du quai et commandèrent des vins blancs au comptoir.

— Tu ne vas tout de même pas me faire la tête parce que je t'ai empêché de te tabasser avec Vincent? dit Henri gentiment.

— Je ne comprends pas comment tu peux supporter ce type-là, dit Lambert avec emportement. Ses saouleries, ses chemises crasseuses, ses histoires de bordel, et avec tout ça ses grands airs de desperado, tout ça me débecte. Il a tué des types dans le maquis, c'est arrivé à bien d'autres, ce n'est pas une raison pour se promener dans la vie avec son âme en écharpe. Et Nadine qui l'appelle un archange, sous prétexte qu'il est à moitié impuissant! Non, je ne comprends pas, répéta Lambert. S'il est tordu, qu'on lui administre quelques bons électrochocs, et qu'il cesse de nous casser les pieds.

— Tu es très injuste! dit Henri.

— Je crois plutôt que c'est toi qui es partial.

— Je l'aime bien, dit Henri un peu sèchement. Il ajouta : « Ce n'est pas de Vincent que je voulais te parler. Paule m'a dit un drôle de truc : qu'elle t'avait convoqué hier pour te poser des questions sur Dubreuilh. J'ai trouvé ça tout à fait déplacé; la situation a dû être plutôt embarrassante pour toi.

— Mais non, dit Lambert vivement; je n'ai pas bien compris ce qu'elle me voulait au juste, mais elle a été très gentille. »

Henri dévisagea Lambert; il avait vraiment l'air sincère; peut-être Paule s'était-elle tenue devant lui : « En ce moment, elle déteste Dubreuilh; c'est une femme très excessive, tu t'en es peut-être rendu compte.

— Oui, mais comme moi non plus je n'aime pas beaucoup Dubreuilh, ça ne m'a pas gêné, dit Lambert.

— Alors tant mieux! je craignais que cette entrevue n'ait été désagréable.

— Pas du tout.

— Tant mieux! répéta Henri. A tout à l'heure. Merci de m'avoir ramené. »

Henri s'engagea à pas lents dans la ruelle. Il n'y avait plus de sursis possible : dans deux minutes, il serait en face de Paule, il sentirait son regard sur son visage, et il faudrait trouver des mots. « Je nierai. Je lui dirai qu'Yvette n'a rien de commun avec elle, que je lui ai emprunté des mots, des gestes, mais que j'ai tout déformé. » Il commença à monter l'escalier : « Elle ne me croira jamais! » pensa-t-il. Peut-être ne le laisserait-elle même pas parler. Peut-être... Il hâta le pas; sa gorge s'était serrée et il monta les dernières marches en courant. Pas un bruit, pas un aboiement, pas une sonnerie, pas une musique de radio : « Un silence de mort », se dit-il. Et il pensa avec horreur : « Elle s'est tuée! » Il s'arrêta devant la porte; on entendait un murmure de voix.

— Entre.

Paule souriait, elle était vivante; la concierge assise au bord du divan se leva : « Voilà que je vous ai fait perdre votre temps avec mes histoires.

— Mais pas du tout, dit Paule. Vous m'avez beaucoup intéressée.

— Soyez tranquille, demain je lui parlerai au propriétaire, dit la concierge.

— Le plafond est en train de s'effondrer, dit Paule gaiement tandis que la concierge refermait la porte. Elle est sympathique, cette femme, ajouta-t-elle; elle m'a raconté des histoires étonnantes sur les clochards du quartier, il y aurait un livre à écrire.

— J'imagine », dit Henri. Il regardait Paule avec un mélange de déception et de soulagement; elle avait bavardé tout l'après-midi avec la concierge, elle n'avait pas eu le temps de lire le manuscrit, tout était à recommencer : et il savait bien qu'il n'en aurait pas le courage.

— Elle t'a empêchée de lire mon roman? dit-il d'une voix neutre; il se força à sourire : « C'était bien la peine! »

Paule le regarda d'un air scandalisé : « Mais je l'ai lu bien sûr!

— Ah! qu'est-ce que tu en penses?

— C'est magistral », dit-elle avec simplicité.

Il prit le cahier, le feuilleta avec une apparente indifférence.

— Comment trouves-tu le personnage de Charval? il te semble sympathique?

— Pas exactement; mais il a une vraie grandeur, dit Paule. Je suppose que c'est ça que tu as voulu?

Henri fit oui de la tête : « Tu as aimé la scène du 14 juillet? »

Paule réfléchit :

— Ce n'est pas le passage que je préfère.

Henri ouvrit le cahier à la page fatale : « Et la rupture avec Yvette, qu'est-ce que tu en penses?

— Elle est saisissante.

— Tu trouves? »

Elle le regarda avec un peu de soupçon : « Pourquoi est-ce que ça t'étonne? » Elle eut un petit rire : « C'est à nous que tu pensais en l'écrivant? »

Il jeta le cahier sur la table : « Tu es bête!

— Ça sera ton plus beau livre », dit Paule d'une voix impérieuse. Elle passa tendrement la main dans les cheveux d'Henri : « Je ne comprends vraiment pas pourquoi tu étais si cachottier.

— Je ne sais plus moi-même », dit-il.

Henri se sentit presque intimidé par l'épaisseur du silence; tapis, rideaux, tentures calfeutraient la grande pièce cossue; à travers les portes fermées, on n'entendait pas une rumeur vivante : au point qu'Henri se demanda s'il n'allait pas renverser des meubles pour réveiller quelqu'un.

— Je vous ai fait attendre?

— Bien peu, dit-il poliment.

Josette restait plantée en face de lui, un sourire apeuré aux lèvres; elle portait une robe de couleur ambrée, fragile et très indiscrète; « elle n'est pas regardante », avait dit Claudie; ce sourire, le silence, les divans couverts de fourrure, invitaient clairement à toutes les audaces; trop clairement; s'il avait profité de ces complicités, Henri aurait eu l'impression de commettre sous l'œil d'une maquerelle ricanante un détournement de mineure. Il dit avec un peu de raideur : « Si vous voulez bien, nous nous mettrons tout de suite au travail; je suis un peu pressé; avez-vous un texte?

— Je sais le monologue par cœur, dit Josette.

— Allons-y. »

Il posa son exemplaire sur un guéridon et se carra dans une bergère; c'était le plus dur, ce monologue; Josette n'y comprenait rien et elle était terrorisée; Henri était gêné de la voir qui se dépensait à tort et à travers avec l'espoir éperdu de lui plaire; décidément, il se faisait l'effet d'un riche maniaque en train d'assister dans un bordel de haut vol à une exhibition spéciale.

— Essayons la scène trois du second acte, dit-il; je vous donnerai la réplique.

— C'est difficile de jouer en lisant, dit Josette.

— Essayons.

Une scène d'amour, Josette s'y retrouvait un peu mieux; elle avait une bonne diction; son visage, sa voix étaient vraiment émouvants : qui sait ce qu'un metteur en scène adroit arriverait à tirer d'elle? Henri dit gaiement :

— Vous n'y êtes pas du tout; mais il y a de l'espoir.

— Vous croyez?

— J'en suis sûr. Asseyez-vous là, que je vous explique un peu le personnage.

Elle s'assit à côté de lui; il y avait bien longtemps qu'il ne s'était pas trouvé assis à côté d'une fille aussi belle. Tout en parlant, il respirait ses cheveux; son parfum sentait le parfum, comme tous les parfums, mais chez elle ça semblait presque une odeur naturelle; et ça donnait à Henri une terrible envie de respirer cette autre odeur, moite et tendre qu'il devinait sous la robe; fourrager dans ces cheveux, enfouir sa langue dans cette bouche rouge : c'était facile, ça l'était même trop. Il sentait que Josette attendait son bon plaisir avec une résignation vraiment décourageante.

— Vous avez compris? demanda-t-il.

— Oui.

— Alors, allez-y : recommençons.

Ils reprirent la scène; elle essayait de mettre de l'âme dans chaque réplique et ce fut beaucoup plus mauvais que la première fois.

— Vous en faites trop, dit-il. Soyez plus simple.

— Ah! je n'y arriverai jamais! dit-elle d'une voix désolée.

— En travaillant vous y arriverez.

Josette poussa un long soupir. Pauvre môme! par-dessus le marché sa mère allait lui reprocher de ne pas avoir su se faire sauter. Henri se leva. Il regrettait un peu ses scrupules : comme cette bouche était désirable! coucher avec une femme vraiment désirable, il se rappelait quelle joie ça pouvait être.

— On va prendre un autre rendez-vous, dit-il.

— Je vous fais perdre votre temps!

— Pour moi ce n'est pas du temps perdu, dit Henri. Il sourit : « Si vous n'avez pas peur de perdre le vôtre, peut-être que la prochaine fois après le travail on pourrait sortir ensemble?

— On pourrait.

— Vous aimez danser?

— Naturellement.

— Eh bien, je vous emmènerai danser. »

Le samedi suivant Henri retrouva Josette chez elle, rue Gabrielle, dans un salon aux meubles satinés de rose et de blanc. Il eut un petit choc en la revoyant. La vraie beauté, dès qu'on la quitte des yeux, on la trahit : la peau de Josette était plus pâle, ses cheveux plus sombres qu'il ne se le rappelait, et il y avait des paillettes dans ses yeux, on aurait dit le fond d'un gave. Tout en lui donnant distraitement la réplique, Henri parcourait du regard le jeune corps moulé de velours noir et il se disait que ce physique, cette voix suffiraient à faire excuser bien des maladresses. D'ailleurs, bien dirigée, on ne voyait pas pourquoi Josette serait plus maladroite qu'une autre. Par moments, elle trouvait même des accents émouvants. Il était décidé à tenter le coup.

— Ça ira, dit-il avec chaleur. Bien sûr, il faudra travailler dur, mais ça ira.

— Je voudrais tant! dit-elle.

— Et maintenant, allons danser, dit Henri. Je pensais qu'on pourrait descendre à Saint-Germain-des-Prés : qu'est-ce que vous en dites?

— Comme vous voudrez.

Ils allèrent s'asseoir dans une cave de la rue Saint-Benoît, sous le portrait d'une femme à barbe. Josette portait une robe à surprises : elle enleva un boléro et découvrit des épaules rondes et mûres qui contrastaient avec son visage enfantin. « Voilà ce qui me manquait pour que ça m'amuse de m'amuser, se dit Henri gaiement : une belle gueuse à côté de moi. »

— Dansons-nous?

— Dansons.

Ça lui donnait un peu le vertige de tenir dans ses bras ce corps tiède et complaisant. Comme il avait aimé ce genre de vertige! il l'aimait encore. Et il aimait de nouveau le jazz, la fumée, les voix jeunes, la gaieté des autres. Il était prêt à aimer ces seins, ce ventre. Seulement avant de tenter un geste il aurait tout de même voulu sentir que Josette avait un peu de sympathie pour lui.

— Ça vous plaît cet endroit?

— Oui. Elle hésita : « C'est spécial, n'est-ce pas?

— Je suppose que oui. Quel genre d'endroits préférez-vous?

— Oh! ici c'est très bien », dit-elle avec empressement.

Dès qu'il essayait de la faire parler, elle avait l'air terrorisée. Sa mère avait dû lui apprendre soigneusement à se taire. Ils se turent jusqu'à deux heures du matin en buvant du champagne et en dansant. Josette n'avait l'air ni triste ni gaie. A deux heures, elle demanda à rentrer sans qu'il pût savoir si c'était par ennui, par fatigue ou par discrétion. Il la raccompagna chez elle. Dans l'auto, elle demanda avec une politesse appliquée : « J'aimerais bien lire un livre de vous.

— C'est facile. » Il lui sourit : « Vous aimez lire?

— Quand j'ai le temps.

— Mais vous n'avez pas souvent le temps? »

Elle soupira : « Non forcément. »

Était-elle tout à fait sotte? ou un peu demeurée? ou paralysée de timidité? C'était difficile de décider. Elle était si belle que normalement elle aurait dû être stupide : mais en même temps sa beauté la faisait paraître mystérieuse.

Lucie Belhomme décida que le contrat serait signé chez elle après un dîner amical. Henri téléphona à Josette pour lui demander de fêter avec lui cette bonne nouvelle. D'une voix mondaine, elle le remercia de son livre, qu'il avait fait poser chez elle avec une aimable dédicace, et elle lui donna rendez-vous pour le soir dans un petit bar de Montmartre.

— Alors, vous êtes contente? demanda-t-il en retenant un instant la main de Josette.

— De quoi? dit Josette. Elle avait l'air un peu moins jeune que de coutume, et pas contente du tout.

— Le contrat. On le signe, c'est décidé; ça ne vous fait pas plaisir? Elle porta à ses lèvres un verre d'eau de Vichy.

— Ça me fait peur, dit-elle à voix basse.

— Vernon n'est pas fou, ni moi; n'ayez pas peur : vous serez très bonne.

— Mais ça n'était pas du tout comme ça que vous voyiez le personnage?

— Je ne pourrais plus le voir autrement.

— C'est vrai?

— C'est vrai.

C'était vrai; elle jouerait le rôle plus ou moins bien; mais il ne voulait pas imaginer que Jeanne pût avoir d'autres yeux, une autre voix.

— Vous êtes si gentil! dit Josette.

Elle le regardait avec une vraie gratitude; mais qu'elle s'offrît par gratitude ou par calcul, ça ne faisait pas de différence, ça n'est pas ça qu'Henri voulait. Il ne bougea pas. A travers de doux silences languissants, ils parlèrent des metteurs en scène possibles, de la distribution et des décors qu'Henri souhaitait; Josette restait inquiète; il la raccompagna jusqu'à sa porte; elle garda sa main :

— Alors, à lundi, dit-elle d'une voix étranglée.

— Vous n'avez plus peur? dit-il. Vous allez dormir sagement?

— Si, dit-elle, j'ai peur.

Il sourit : « Vous ne m'offrez pas un dernier whisky? »

Elle le regarda d'un air heureux : « Je n'osais pas! »

Elle monta vivement l'escalier, elle rejeta sa cape de fourrure, découvrant son buste gainé de soire noire; elle tendit à Henri un grand verre où la glace tintait gaiement.

— A votre succès! dit-il.

Elle toucha vivement le bois de la table : « Ne dites pas ça! Mon Dieu! ça serait si terrible si j'étais mauvaise! »

Il répéta : « Vous serez bonne! »

Elle haussa les épaules : « Je rate tout! »

Il sourit : « Ça m'étonne. »

— C'est comme ça. » Elle hésita : « Je ne devrais pas vous le dire : c'est vous qui n'aurez plus confiance. J'ai été voir une cartomancienne cet après-midi; elle m'a annoncé que j'allais au-devant d'une grave déception.

— Les cartomanciennes exagèrent toujours, dit Henri fermement. Vous ne vous seriez pas commandé une robe neuve par hasard?

— Oui, pour lundi.

— Eh bien, elle sera manquée; voilà votre déception.

— Oh! mais ça serait désolant! dit Josette. Qu'est-ce que je mettrai à ce dîner?

— Une déception, c'est forcément décevant, dit-il en riant. Allez, vous serez tout de même la plus belle, ajouta-t-il, lundi comme toujours; et c'est moins grave que de jouer de travers, non?

— Vous avez une manière si gentille d'arranger les choses! dit Josette; c'est dommage que vous ne puissiez pas voler sa place au bon Dieu. »

Elle était tout près de lui; était-ce seulement la gratitude qui gonflait sa bouche, qui voilait ses yeux?

— Mais je ne lui céderais pas la mienne! dit-il en la prenant dans ses bras.

Quand Henri ouvrit les yeux, il aperçut dans la pénombre un mur capitonné de vert pâle, et la gaieté de ce lendemain lui sauta au cœur; elle exigeait des plaisirs vifs et salés : l'eau froide, le gant de crin; il se glissa hors du lit sans réveiller Josette et lorsqu'il sortit de la salle de bains, lavé, vêtu et affamé, elle dormait encore; il traversa la chambre sur la pointe des pieds et se pencha sur elle; elle gisait enroulée dans sa moiteur, dans son odeur, avec ses cheveux éclatants qui coulaient sur ses yeux, et il se sentit merveilleusement heureux d'avoir cette femme à lui, et d'être un homme; elle entrouvrit un œil, un seul comme si elle avait essayé de retenir dans l'autre son sommeil.

— Tu es déjà levé?

— Oui. Je vais boire un café au bistrot du coin et je reviens.

— Non! dit-elle. Non! Je te fais du thé.

Elle frottait ses yeux engourdis, elle sortait de ses draps, toute chaude dans sa chemise mousseuse. Il la prit dans ses bras :

— Tu as l'air d'un petit faune.

— Une faunesse.

— Un petit faune.

Elle tendit sa bouche avec un air charmé. Une princesse persane, une petite Indienne, un renard, un volubilis, une belle grappe de glycine, ça leur faisait toujours plaisir quand on leur disait qu'elles ressemblaient à quelque chose : à autre chose. « Mon petit faune », répéta-t-il en l'embrassant légèrement. Elle enfila son peignoir, ses sandales, et il la suivit dans la cuisine; le ciel brillait, le carreau blanc étincelait, Josette s'affairait avec des gestes hésitants.

— Lait ou citron?

— Un peu de lait.

Elle avait posé le plateau à thé dans le boudoir couleur de peau, et il regardait avec curiosité les guéridons, les poufs à volants. Pourquoi Josette qui s'habillait si bien, dont la voix et les gestes étaient si harmonieux, habitait-elle dans ce mauvais décor de cinéma?

— C'est toi qui as installé cet appartement?

— C'est maman et moi.

Elle le regarda d'un air inquiet et il dit très vite :

— Il est très joli.

Quand avait-elle cessé d'habiter chez sa mère? pourquoi? pour qui? il avait envie de lui poser un tas de questions, soudain. Il y avait derrière elle toute une existence dont chaque journée, chaque heure avait été vécue une à une : chaque nuit; et il en ignorait tout. Ce n'était pas le moment de lui faire subir un interrogatoire, mais il se sentait mal à l'aise au milieu de tous ces bibelots mal choisis, de ces invisibles souvenirs.

— Tu ne sais pas ce qu'on devrait faire? aller se promener tous les deux : c'est un si beau matin.

— Se promener? où?

— Dans les rues.

— Tu veux dire, à pied?

— Oui; marcher à pied dans les rues.

Elle avait l'air déconcerté : « Alors, il faut que je m'habille? »

Il rit : « Ça serait préférable; mais tu n'as pas besoin de te déguiser en dame.

— Qu'est-ce que je vais mettre? »

Comment s'habille-t-on pour se promener à pied dans les rues à neuf heures du matin? Elle ouvrait ses placards, ses tiroirs, elle palpait des écharpes et des blouses. Elle enfila un long bas soyeux et Henri retrouva au creux de sa main la mémoire de cette soie gonflée de chair et qui brûlait.

— Ça va comme ça?

— Tu es ravissante.

Elle portait un petit tailleur sombre, une écharpe verte, elle avait relevé ses cheveux : elle était ravissante.

— Tu ne trouves pas qu'il me grossit ce tailleur?

— Non.

Elle se regardait dans la glace d'un air soucieux : que voyait-elle? être femme, être belle, comment sent-on ça du dedans? comment sent-on cette caresse de soie au long des cuisses et contre la chaleur du ventre celle du satin lustré? Et il se demanda : « Comment se rappelle-t-elle notre nuit? a-t-elle dit d'autres noms avec cette voix nocturne; lesquels? Pierre, Victor, Jacques? Et qu'est-ce que ça signifie pour elle le nom d'Henri? » Il désigna son roman posé en évidence sur un guéridon.

— Tu l'as lu?

— Je l'ai regardé. Elle hésita : « C'est bête, je ne sais pas lire.

— Ça t'ennuie?

— Non; mais je me retrouve tout de suite en train de rêver à autre chose. Je pars sur un mot.

— Et où vas-tu? je veux dire : à quoi rêves-tu?

— Oh! c'est vague; quand on rêve, c'est vague.

— Tu penses à des endroits, à des gens?

— A rien : je rêve. »

Il la prit dans ses bras et demanda en souriant :

— Tu as été souvent amoureuse?

— Moi? elle haussa les épaules. De qui?

— Beaucoup de types ont été amoureux de toi : tu es si belle.

— C'est humiliant d'être belle, dit-elle en détournant la tête.

Il relâcha son étreinte; il ne savait trop pourquoi elle lui inspirait tant de compassion; elle vivait luxueusement, elle ne travaillait pas, elle avait des mains de demoiselle : et devant elle, il fondait de pitié.

— C'est drôle d'être dans les rues de si bonne heure, dit Josette en levant vers le ciel un visage fardé.

— C'est drôle d'être ici, avec toi, dit-il en serrant son bras. Il respirait joyeusement l'air du dehors; tout semblait neuf, ce matin. Le printemps était neuf, il s'ébauchait à peine mais déjà on goûtait dans l'air une tiède complicité; la place des Abbesses sentait le chou et le poisson, des femmes en peignoir examinaient d'un air soupçonneux les premières salades; leurs cheveux poisseux de sommeil avaient des couleurs inédites qui ne relevaient ni de la nature ni de l'art.

— Regarde cette vieille fée, dit-il en désignant une vieillarde couverte de fards et de bijoux et coiffée d'un grand chapeau crasseux.

— Oh! je la connais, dit Josette; elle ne souriait pas : je serai peut-être comme ça un jour.

— Ça m'étonnerait. Ils descendirent quelques marches en silence; Josette trébuchait sur ses talons trop hauts; il demanda : « Quel âge as-tu?

— Vingt et un ans.

— Je veux dire : pour de vrai? »

Elle hésita : « J'ai vingt-six ans. Mais ne dis pas à maman que je te l'ai dit, ajouta-t-elle avec terreur.

— J'ai déjà oublié, dit-il. Tu as l'air si jeune! »

Elle soupira : « Parce que je me surveille; c'est fatigant.

— Ne te fatigue donc pas! » dit-il tendrement; il serra plus fort son bras : « Il y a longtemps que tu veux faire du théâtre?

— Je n'ai jamais voulu être mannequin; et je n'aime pas les vieux messieurs », dit-elle entre ses dents.

C'était évidemment sa mère qui lui avait choisi ses amants; peut-être était-il vrai qu'elle n'avait jamais aimé; vingt-six ans, ces yeux, cette bouche, et ignorer l'amour : elle méritait d'être plainte! « Et moi, que suis-je pour elle? se demanda-t-il. Que serai-je? » En tout cas son plaisir de cette nuit était sincère, sincère cette lumière confiante dans ses yeux. Ils arrivaient sur le boulevard de Clichy où somnolaient des baraques foraines; deux enfants tournaient en rond sur un petit manège; les montagnes russes dormaient sous une bâche.

— Tu sais jouer au billard japonais?

— Non.

Elle se planta docilement à côté de lui devant un des plateaux troués et il demanda : « Tu n'aimes pas les foires?

— Je n'ai jamais été à la foire.

— Tu n'es jamais montée sur les montagnes russes? ou dans le train fantôme?

— Non. Quand j'étais petite, on était pauvres; puis maman m'a mise en pension; et quand j'en suis sortie, j'étais une grande personne.

— Quel âge avais-tu?

— Seize ans. »

Elle lançait avec application les billes de bois vers les cases rondes : « C'est difficile.

— Mais non, regarde : tu as presque gagné. » Il reprit son bras : « Un de ces soirs nous monterons sur les chevaux de bois.

— Toi, tu montes sur les chevaux de bois? dit-elle d'un air incrédule.

— Pas quand je suis tout seul, bien sûr. »

De nouveau elle trébuchait sur la chaussée en pente raide.

— Tu es fatiguée?

— Mes souliers me font mal.

— Entrons ici, dit Henri en poussant au hasard la porte d'un café; c'était un tout petit bistrot aux tables couvertes de toile cirée. « Qu'est-ce que tu prends?

— Un vichy.

— Pourquoi toujours du vichy?

— A cause du foie, expliqua-t-elle d'un air triste.

— Un vichy, un vin rouge », commanda Henri. Il désigna une pancarte accrochée au mur : « Regarde! »

De sa voix lente et profonde, Josette lut : « Combattez l'alcoolisme en buvant du vin. » Elle se mit à rire franchement :

— C'est drôle! Tu connais de drôles d'endroits.

— Je n'étais jamais venu ici; mais tu sais, on découvre des tas de choses quand on se promène. Tu ne te promènes jamais?

— Je n'ai pas le temps.

— Qu'est-ce que tu fais donc?

— Il y a toujours tant à faire; les cours de diction, les courses, le coiffeur : tu n'imagines pas quel temps ça prend, le coiffeur; et puis les thés, les cocktails.

— Ça t'amuse tout ça?

— Tu en connais des gens qui s'amusent?

— J'en connais qui sont contents de leur vie; moi par exemple.

Elle ne dit rien et il l'enlaça doucement :

— Qu'est-ce qu'il faudrait pour que tu sois contente?

— N'avoir plus besoin de maman et être sûre de ne jamais redevenir pauvre, dit-elle d'un trait.

— Ça va t'arriver. Qu'est-ce que tu feras alors?

— Je serai contente.

— Mais qu'est-ce que tu feras? tu voyageras? tu sortiras?

Elle haussa les épaules : « Je n'y ai pas pensé. »

Elle sortit de son sac un poudrier en or et elle rectifia sa bouche : « Il faut que je m'en aille; j'ai un essayage, dans la boîte de maman. » Elle regarda Henri avec inquiétude : « Tu crois vraiment qu'elle sera ratée, ma robe?

— Mais non, dit-il en riant, je crois que la cartomancienne s'est complètement trompée : ça leur arrive, tu sais. C'est une belle robe?

— Tu la verras lundi. » Josette soupira : « Il va falloir que je me montre un peu, pour ma publicité; alors je dois m'habiller.

— Ça ne t'ennuie pas de t'habiller?

— Si tu savais comme c'est fatigant, ces essayages! Après ça j'ai mal à la tête toute la journée. »

Il se leva et ils remontèrent vers la station de taxis :

— Je t'accompagne.

— Ne te dérange pas.

— C'est pour mon plaisir, dit-il tendrement.

— Tu es gentil.

Ça lui allait droit au cœur quand elle disait : « Tu es gentil » avec cette voix et ces yeux. Dans le taxi, il installa la tête de Josette sur son épaule et il se demanda : « Qu'est-ce que je peux faire pour elle? » L'aider à devenir une actrice, oui, mais elle n'aimait pas spécialement le théâtre, ça ne remplirait pas ce vide qu'il sentait en elle; et si elle ne réussissait pas? elle n'était pas satisfaite par l'austère futilité de sa vie, mais à quoi l'intéresser? Essayer de lui parler, lui ouvrir l'esprit... Il n'allait quand même pas la promener dans les musées, la traîner au concert, lui prêter des livres, lui exposer le monde. Il embrassa doucement ses cheveux. Il aurait fallu l'aimer : c'est toujours à ça qu'on en revient avec les femmes; il faudrait toutes les aimer d'un amour exclusif.

— A ce soir, dit-elle.

— Oui; j'irai t'attendre dans notre petit bar.

Elle pressa doucement sa main et il sut qu'ils pensaient ensemble : à cette nuit dans notre lit. Quand elle eut disparu dans l'immeuble solennel il se mit à descendre à pied vers la Seine. Onze heures et demie. « J'arriverai en avance chez Paule, ça lui fera plaisir », se dit-il. Il avait envie ce matin de faire plaisir à tout le monde. « Pourtant, pensa-t-il avec un peu d'anxiété, il faut que je lui parle »; après avoir tenu Josette dans ses bras, il ne pouvait plus supporter l'idée de passer des nuits avec Paule. « Peut-être que ça lui sera égal : elle sait très bien que je ne la désire plus », se dit-il avec espoir. Paule avait évité de se reconnaître dans la triste héroïne de son roman; et pourtant elle avait changé depuis cette lecture; elle ne faisait plus jamais de scènes, elle n'avait pas protesté en voyant qu'Henri transportait peu à peu dans sa chambre d'hôtel ses papiers, ses vêtements; il y dormait très souvent. Qui sait si elle n'accepterait pas avec une sorte de soulagement de s'installer dans une amitié tranquille? Ce ciel de printemps était si joyeux qu'il semblait possible de vivre sincèrement sans faire souffrir personne. Au coin de la rue, Henri s'arrêta en hésitant devant une marchande de fleurs : il était tenté d'apporter à Paule, comme autrefois, une grosse botte de violettes pâles; mais il eut peur de sa surprise. « Une bouteille de bon vin, ça sera moins compromettant », décida-t-il en entrant dans l'épicerie voisine. Il était joyeux en montant l'escalier. Il avait soif, il avait faim, il sentait déjà dans sa bouche le goût robuste du vieux bordeaux et il serrait la bouteille contre son cœur comme si elle avait résumé toute l'amitié qu'il voulait offrir à Paule.

Sans frapper, tout doucement, comme autrefois, il mit la clef dans la serrure et il poussa la porte; elle n'entendit rien; elle était agenouillée sur le tapis jonché de vieux papiers : il reconnut ses lettres; elle tenait dans ses mains une photographie de lui et elle la regardait avec un visage que jamais il ne lui avait vu; elle ne pleurait pas et on comprenait devant ses yeux secs que dans toutes les larmes s'attarde un espoir; elle contemplait face à face son destin, elle n'en attendait plus rien, et elle y consentait encore. Elle était si seule devant l'image inerte qu'Henri se sentit dépossédé de lui-même. Il referma la porte sans pouvoir se défendre d'une irritation qui paralysait sa pitié; quand il frappa, il y eut un bruit inquiet de soie froissée et de papier, puis elle dit : « Entrez », d'une voix mal assurée.

— Qu'est-ce que tu fabriquais donc?

— Je relisais de vieilles lettres; je ne t'attendais pas si tôt.

Elle avait jeté les papiers sur la bergère et caché la photographie; son visage était calme, mais morne; il aurait dû se rappeler qu'elle n'était plus jamais gaie; il posa avec dépit la bouteille sur la table.

— Tu ferais mieux de ne pas t'ensevelir dans le passé et de vivre un peu plus dans le présent, dit-il.

— Oh! tu sais, le présent! elle jeta sur la table un regard aveugle. Je n'ai pas mis le couvert.

— Veux-tu que je t'emmène au restaurant?

— Non! non! J'en ai pour une minute.

Elle marcha vers la cuisine et il tendit la main vers les lettres : « Laisse-les! » dit-elle avec violence.

Elle s'en saisit et les jeta dans un placard. Il haussa les épaules; en un sens, elle avait raison, tous ces vieux mots figés s'étaient changés en mensonges. En silence, il regarda Paule s'activer autour de la table : ça ne serait pas facile de lui parler d'amitié.

Ils s'assirent en face l'un de l'autre devant les raviers de hors-d'œuvre et Henri déboucha la bouteille.

— Tu aimes le bordeaux rouge n'est-ce pas? dit-il d'une voix empressée.

— Mais oui, dit-elle avec indifférence.

Bien sûr; pour elle ce n'était pas un jour de fête; prétendre célébrer avec Paule ses nouvelles amours, c'était un comble d'aveuglement et d'égoïsme; mais tout en se blâmant, Henri sentait une furtive rancune à fleur de peau.

— Tu devrais tout de même sortir un peu, dit-il.

— Sortir? dit-elle avec l'air de tomber des nues.

— Oui; mettre le nez dehors, voir des gens.

— Pour quoi faire?

— Et rester terrée dans ce trou toute la journée, à quoi ça t'avance-t-il?

— Je l'aime bien, mon trou, dit-elle avec un triste sourire. Je ne m'ennuie pas.

— Tu ne peux pas continuer comme ça toute ton existence. Tu ne veux plus chanter, bon, c'est une affaire entendue. Mais alors essaie de trouver autre chose à faire.

— Quoi donc?

— On va chercher.

Elle secoua la tête : « J'ai trente-sept ans et je ne connais aucun métier. Je peux me faire chiffonnière; et encore!

— Ça s'apprend, un métier; rien ne t'empêche d'apprendre. »

Elle regarda Henri avec inquiétude : « Tu voudrais que je gagne ma vie?

— Ce n'est pas une question d'argent, dit-il vivement. Je voudrais que tu t'intéresses à des choses, que tu t'occupes.

— Je m'intéresse à nous, dit-elle.

— Ça ne suffit pas.

— Ça me suffit depuis dix ans. »

Il rassembla tout son courage :

— Écoute, Paule, tu sais bien que les choses ont changé entre nous, ça ne sert à rien de se mentir. Nous avons eu un grand et bel amour; avouons-nous qu'il est en train de se transformer en amitié. Ça ne signifie pas que nous nous verrons moins souvent, pas du tout, ajouta-t-il avec empressement; mais il faut que tu retrouves une indépendance.

Elle le regardait fixement : « Je n'aurai jamais d'amitié pour toi. » Un petit sourire effleura ses lèvres : « Ni toi pour moi.

— Mais si, Paule... »

Elle l'interrompit : « Regarde, ce matin tu n'as pas pu attendre l'heure fixée; tu es arrivé vingt minutes en avance; et tu as frappé si fébrilement? tu appelles ça de l'amitié.

— Tu te trompes. »

La colère le reprenait devant son entêtement; mais il se rappelait quelle désolation il avait surprise sur ce visage et les mots hostiles mouraient dans sa gorge; ils achevèrent le repas en silence; le visage de Paule interdisait tout babillage. En sortant de table elle demanda d'une voix neutre :

— Tu rentres ici ce soir?

— Non.

— Tu ne rentres plus souvent », dit-elle; elle eut un triste sourire : « Ça fait partie de ton nouveau plan d'amitié? »

Il hésita : « Ça s'est trouvé comme ça. »

Elle le dévisagea pendant un long moment avec intensité et elle dit lentement : « Je t'ai dit qu'à présent je t'aimais en toute générosité, dans un respect absolu de ta liberté. Ça signifie que je ne te demande aucun compte; tu peux coucher avec d'autres femmes, et me le taire sans te sentir coupable envers moi. Ce qu'il y a de quotidien et de banal dans ta vie, j'y suis de plus en plus indifférente.

— Mais je n'ai rien à te cacher, dit-il avec gêne.

— Ce que je veux te dire, dit-elle gravement, c'est que tu n'as pas à avoir de scrupules; quoi qu'il t'arrive tu peux revenir. dormir ici sans te juger indigne de nous. Je t'attendrai cette nuit. »

« Tant pis! pensa Henri, elle l'aura voulu! » et il dit tout haut : « Écoute, Paule, je vais te parler franchement : je trouve que nous ne devons plus passer de nuits ensemble. Toi qui tiens tant à notre passé, tu sais bien quelles belles nuits nous avons eues autrefois; n'en gâchons pas le souvenir. Il n'y a plus assez de désir entre nous, maintenant.

— Tu n'as plus de désir pour moi? dit Paule d'une voix incrédule.

— Pas assez, dit-il. Ni toi pour moi, ajouta-t-il. Ne me dis pas le contraire; moi aussi j'ai de la mémoire.

— Mais tu te trompes! dit Paule. Tu te trompes tragiquement! C'est un affreux malentendu! Je n'ai pas changé! »

Il savait qu'elle mentait; mais à elle-même sans doute autant qu'à lui :

— En tout cas, moi j'ai changé, dit-il doucement. Une femme, c'est peut-être différent, mais un homme, c'est impossible qu'il désire indéfiniment le même corps. Tu es aussi belle qu'autrefois, mais tu m'es devenue trop familière. »

Il chercha anxieusement le visage de Paule et il essaya de lui sourire; elle ne pleurait pas : elle avait l'air paralysée d'horreur; elle murmura avec effort :

— Tu ne coucheras plus ici? c'est bien ça que tu es en train de me dire?

— Oui; mais ça ne fera pas tant de différence...

Elle l'arrêta d'un geste; elle n'acceptait que les mensonges qu'elle se forgeait elle-même; c'était aussi difficile de lui adoucir la vérité que de la lui imposer.

— Va-t'en, dit-elle sans colère. Va-t'en, répéta-t-elle, j'ai besoin d'être seule.

— Laisse-moi t'expliquer...

— S'il te plaît! dit-elle. Va-t'en.

Il se leva : « Comme tu veux; mais je reviendrai demain et nous causerons », dit-il.

Elle ne répondit pas; il referma la porte derrière lui et il resta un moment sur le palier, guettant le bruit d'un sanglot, d'une chute, d'un geste; mais c'était le silence. En descendant l'escalier, Henri pensait à ces chiens à qui l'on coupe les cordes vocales avant de les soumettre aux tortures de la vivisection : pas un signe de leur souffrance dans le monde; ça serait moins intolérable de les entendre hurler!

Ils ne causèrent pas le lendemain, ni les jours suivants; Paule affectait d'avoir oublié leur conversation et Henri ne tenait pas à revenir dessus. « Il faudra bien que je finisse par lui parler de Josette : mais pas tout de suite », se disait-il. Il passait toutes ses nuits dans la chambre vert pâle, c'était des nuits très passionnées, mais quand il se levait le matin, Josette n'essayait jamais de le retenir. Le jour de la signature du contrat, ils étaient convenus de rester ensemble tard dans l'après-midi : ce fut elle qui le quitta dès deux heures pour aller chez son coiffeur. Était-ce de la discrétion? de l'indifférence? Ce n'est pas commode de mesurer les sentiments d'une femme prodigue de son corps et qui n'a rien d'autre à donner. « Et moi? vais-je me mettre à tenir à elle? » se demanda-t-il en regardant distraitement les vitrines du faubourg Saint-Honoré. Il se sentait un peu désemparé. Il était trop tôt pour aller au journal; il décida de passer au Bar Rouge. Autrefois, c'est là qu'il allait chaque fois qu'il avait un moment à tuer. Ça faisait des mois qu'il n'y avait pas mis les pieds, mais rien n'avait changé. Vincent, Lachaume, Sézenac étaient assis à leur table habituelle. Sézenac avait le même air endormi.

— Ça fait plaisir de te voir! dit Lachaume en souriant largement. Tu as déserté le quartier?

— Plus ou moins. Henri s'assit et commanda un café : « J'avais envie de te voir aussi, mais pas seulement pour le plaisir, dit-il avec un demi-sourire. Plutôt pour te dire ma façon de penser : c'est dégueulasse d'avoir passé cet article sur Dubreuilh, le mois dernier. »

Le visage de Lachaume se rembrunit : « Oui, Vincent m'a dit que tu étais contre. Mais quoi? Beaucoup de choses qu'a dites Ficot sont vraies, non?

— Non! l'ensemble de ce portrait est tellement faux que pas un détail n'est vrai. Dubreuilh un ennemi de la classe ouvrière! Allons, allons! tu ne te rappelles pas? Il y a un an, à cette même table, tu m'expliquais qu'on devait travailler coude à coude, toi, tes copains, Dubreuilh et moi. Et tu publies cette saleté! »

Lachaume le regarda avec un air de reproche : « Contre toi, *L'Enclume* n'a jamais rien publié.

— Ça viendra! dit Henri.

— Tu sais bien que non.

— Pourquoi attaquer Dubreuilh de cette manière et à ce moment-là? dit Henri. Vos autres journaux étaient à peu près polis avec lui. Et puis soudain, sans raison, à propos d'articles qui ne sont même pas politiques, vous vous mettez à l'insulter grossièrement! »

Lachaume hésita : « D'accord, dit-il, le moment était mal choisi et je reconnais que Ficot y a été un peu fort. Mais il faut comprendre! Il nous emmerde, ce vieux, avec son humanisme à la noix. Sur le plan politique, le S. R. L. n'est pas bien gênant; mais comme théoricien, Dubreuilh a du bagout, il risque d'influencer les jeunes, et qu'est-ce qu'il leur propose? de concilier le marxisme avec les vieilles valeurs bourgeoises! avoue que ce n'est pas de ça qu'on a besoin aujourd'hui! les valeurs bourgeoises, il s'agit de les liquider.

— Dubreuilh défend autre chose que les valeurs bourgeoises, dit Henri.

— C'est ce qu'il prétend; mais justement, c'est là qu'il y a mystification. »

Henri haussa les épaules : « Je ne suis pas d'accord. Mais de toute façon, pourquoi ne pas avoir dit ce que tu me dis là au lieu de présenter Dubreuilh comme un chien de garde de la bourgeoisie?

— On est obligé de simplifier, si on veut se faire comprendre, dit Lachaume.

— Allons donc! L'Enclume s'adresse à des intellectuels : ils auraient parfaitement compris, dit Henri avec agacement.

— Ah! ce n'est pas moi qui ai écrit cet article, dit Lachaume.

— Mais tu l'as accepté. »

La voix de Lachaume changea :

— Tu crois que je fais ce que je veux? je viens de te dire que je trouvais le moment mal choisi et qu'à mon avis Ficot y a été trop fort. Moi je pense qu'on devrait discuter avec un type comme Dubreuilh au lieu de l'insulter. Si on avait eu notre revue, mes copains et moi, c'est ça qu'on aurait fait...

— Une revue où tu te serais exprimé en toute liberté, dit Henri avec un sourire. Il n'en est plus question?

— Non.

Il y eut un petit silence; Henri dévisagea Lachaume :

— Je sais ce que c'est qu'une discipline. Mais tout de même, ça ne te gêne pas de rester à L'Enclume si tu n'es pas d'accord?

— Je pense qu'il vaut encore mieux que ce soit moi qui sois là qu'un autre, dit Lachaume. J'y resterai tant qu'on m'y laissera.

— Tu penses qu'on ne va pas t'y laisser?

— Tu sais, le P. C. ce n'est pas le S. R. L. dit Lachaume. Quand il y a deux tendances qui s'affrontent, ceux qui sont perdants deviennent facilement suspects.

Il y avait tant d'amertume dans sa voix qu'Henri demanda : « Dis donc, toi qui m'exhortais tant à entrer au P. C., c'est peut-être toi qui vas en sortir.

— J'en connais qui n'attendent que ça! C'est un beau panier de crabes, les intellectuels du parti! » Lachaume secoua la tête : « N'empêche : jamais je ne partirai. Il y a eu des moments où j'en ai bien eu envie, ajouta-t-il. On n'est pas des saints. Mais on apprend à encaisser.

— J'ai l'impression que je n'apprendrai jamais, dit Henri.

— Tu dis ça, dit Lachaume. Mais si tu étais convaincu que dans l'ensemble c'est le parti qui tient le bon bout, tu penserais que tes petites histoires personnelles ne pèsent pas lourd à côté des trucs qui sont en jeu. Tu comprends, reprit-il avec animation, il y a une chose dont je suis sûr, c'est qu'il n'y a que les communistes qui font du travail utile. Alors, méprise-moi si tu veux : mais j'avalerai n'importe quoi plutôt que de m'en aller.

— Oh! je te comprends! » dit Henri. Il pensa : « Qui donc est vraiment intègre? J'adhère au S. R. L. parce que j'en approuve la ligne, mais je néglige le fait que très probablement son action échouera. Lachaume vise l'efficacité et accepte des méthodes qu'il désapprouve. Personne n'est tout entier présent en chacun de ses actes, c'est l'action même qui l'interdit. »

Il se leva : « Je vais au journal.

— Moi aussi », dit Vincent.

Sézenac se souleva sur sa chaise : « Je vous accompagne.

— Non, j'ai à parler à Perron », dit Vincent d'un ton désinvolte.

Quand ils eurent poussé la porte du bar, Henri demanda : « Qu'est-ce qu'il devient, Sézenac?

— Pas grand-chose; il dit qu'il traduit, mais personne ne sait quoi; il crèche chez des copains et il bouffe ce qu'on lui donne. En ce moment, il dort chez moi.

— Fais gaffe, dit Henri.

— A quoi?

— C'est dangereux les drogués, dit Henri, ça donnerait père et mère.

— Je ne suis pas fou, dit Vincent; il n'a jamais rien su, sur rien. Il me plaît, ajouta-t-il; avec lui, pas de compromis : c'est le désespoir à l'état pur. »

Ils descendirent la rue en silence et Henri demanda :

— Tu as vraiment à me parler?

— Oui. Vincent chercha le regard d'Henri : « C'est vrai cette histoire qu'on raconte, que ta pièce doit se jouer en octobre au Studio 46, et que c'est la petite Belhomme qui sera vedette?

— Je signe ce soir avec Vernon. Pourquoi me demandes-tu ça?

— Tu ne sais sans doute pas que la mère Belhomme a été tondue et elle ne l'avait pas volé. Elle a un château en Normandie, elle y a reçu des tas d'officiers allemands, elle couchait avec et vraisemblablement la petite aussi.

— Pourquoi viens-tu me raconter ces ragots? dit Henri. Depuis quand te prends-tu pour un flic, et est-ce que tu crois que je les aime?

— Ce ne sont pas des ragots; il existe un dossier, j'ai des copains qui l'ont vu : des lettres, des photos qu'un gars s'est amusé à recueillir en pensant que ça pourrait lui servir un jour.

— Tu l'as vu, toi?

— Non.

— Bien entendu. De toute façon, je m'en fous, dit Henri avec indignation. Ça ne me regarde pas.

— Empêcher les salauds de reprendre les commandes du pays, refuser de se commettre avec eux, ça nous regarde tous.

— Va réciter ta leçon ailleurs.

— Écoute, ne te mets pas en colère, dit Vincent. Je voulais te prévenir que la mère Belhomme est visée, on l'a à l'œil et ça serait con que tu aies des emmerdements à cause de cette peau.

— Ne t'en fais pas pour moi, dit Henri.

— Ça va, dit Vincent. Je voulais que tu sois prévenu, c'est tout. »

Ils achevèrent le trajet en silence; mais il y avait une voix qui s'était installée dans la poitrine d'Henri et qui répétait sans répit : « La petite aussi. » Tout l'après-midi, elle scanda le refrain. Josette avait presque avoué que sa mère l'avait plus d'une fois vendue; et d'ailleurs tout ce qu'Henri attendait d'elle, c'était encore quelques nuits et peut-être quelques nuits encore. Pourtant, au long de l'interminable dîner, tandis qu'il la regardait sourire à Vernon avec une complaisance endormie, il éprouvait jusqu'à l'angoisse le désir de se retrouver seul avec elle et de l'interroger.

— Alors vous êtes content, c'est signé! dit Lucie.

Sa robe et ses bijoux collaient à sa peau aussi étroitement que ses cheveux; on aurait cru qu'elle était née, qu'elle dormait, qu'elle mourrait dans une robe signée Amaryllis; une mèche dorée ondulait parmi ses cheveux noirs et Henri la contemplait fasciné : quelle gueule avait-elle sous un crâne rasé?

— Je suis très content.

— Dudule vous dira que quand je prends une affaire en main, on peut être tranquille.

— Oh! c'est une femme extraordinaire, dit Dudule calmement.

Claudie avait assuré à Henri que Dudule, l'amant en titre, était un grand honnête homme. Il avait en effet sous ses cheveux argentés ce visage reposé et droit qu'on ne rencontre que chez les coquins d'envergure : ceux qui sont assez riches pour acheter leur propre conscience; peut-être d'ailleurs était-il honnête selon son code à lui.

— Vous direz à Paule qu'elle est une horreur de ne pas être venue! dit Lucie.

— Elle était vraiment trop fatiguée, dit Henri.

Il s'inclina devant Josette pour prendre congé; toutes les femmes étaient vêtues de noir, avec des bijoux brillants; elle était en noir elle aussi, elle avait l'air écrasée par la masse de ses cheveux; elle lui tendit la main en souriant avec une politesse appliquée; pendant toute la soirée, pas un cillement n'avait démenti son apparente indifférence. L'hypocrisie lui était-elle si facile? elle était si simple, si franche, si innocente, la nuit, dans sa nudité. Dans un trouble mélange de tendresse, de pitié, d'horreur, Henri se demandait s'il y avait aussi des photographies d'elle, dans le dossier.

Depuis quelques jours, les taxis marchaient à nouveau librement; il y en avait trois qui stationnaient place de la Muette et Henri en prit un pour monter à Montmartre; il venait tout juste de commander un whisky quand Josette se laissa tomber à côté de lui dans un profond fauteuil : « Il a été chic Vernon, dit-elle, et puis c'est un pédé, j'ai de la chance, il ne m'embêtera pas.

— Qu'est-ce que tu fais quand les types t'embêtent?

— Ça dépend; quelquefois, c'est délicat.

— Ils ne t'ont pas trop embêtée les Allemands pendant la guerre? dit Henri en essayant de garder un ton naturel.

— Les Allemands? » Elle rougit comme une fois déjà il l'avait vue rougir, de la naissance des seins à la racine des cheveux : « Pourquoi me demandes-tu ça? qu'est-ce qu'on t'a raconté?

— Que ta mère avait reçu des Allemands dans son château de Normandie.

— Le château a été occupé; mais ça n'était pas notre faute. Je sais. Des gens du village ont fait courir de vilains bruits parce qu'ils détestent maman : elle ne l'a pas volé d'ailleurs, elle n'est pas gentille. Mais elle n'a rien fait de moche, elle a toujours tenu les Allemands à distance. »

Henri sourit : « Et puis si ça s'était passé autrement, tu ne me le dirais pas.

— Oh! pourquoi dis-tu ça? » dit-elle. Elle le regardait avec une moue tragique et une buée voilait ses yeux. Il fut un peu effrayé du pouvoir qu'il avait sur ce beau visage.

— Ta mère avait sa maison de couture à faire marcher et les scrupules ne l'étouffent pas; elle aurait pu chercher à se servir de toi.

— Qu'est-ce que tu crois donc? dit-elle d'un air terrorisé.

— Je suppose que tu as été imprudente, que tu es sortie avec des officiers par exemple.

— J'étais polie, rien de plus; je leur parlais, et quelquefois ils m'ont ramenée en auto du village à la maison. Josette haussa les épaules. «Moi je n'avais rien contre eux, tu sais, ils étaient très corrects et j'étais jeune, je n'y comprenais rien à cette guerre, j'avais envie que ça finisse, c'est tout.» Elle ajouta très vite : «Maintenant je sais comme ils ont été horribles avec les camps de concentration et tout...

— Tu ne sais pas grand-chose; mais ça ne fait rien», dit Henri tendrement. En 43, elle n'était pas tellement jeune : Nadine n'avait alors que dix-sept ans. Mais on ne pouvait pas les comparer; Josette avait été mal élevée, mal aimée, personne ne lui avait rien expliqué. Elle avait souri trop aimablement aux officiers allemands quand elle les rencontrait dans les rues du village, elle était montée dans leur auto : ça suffisait à scandaliser les populations, après coup. Y avait-il eu davantage? mentait-elle? elle était si franche et si hypocrite : comment savoir? Et de quel droit? pensa-t-il avec un brusque dégoût. Il avait honte d'avoir joué au policier.

— Est-ce que tu me crois? dit-elle timidement.

— Je te crois. Il l'attira contre lui. « Ne parlons plus de tout ça, dit-il, ne parlons plus de rien. Rentrons chez toi. Rentrons vite. »

Le procès de M. Lambert s'ouvrit à Lille à la fin du mois de mai; l'intervention de son fils le servit certainement, et puis il dut faire jouer de grosses influences : il fut acquitté. « Tant mieux pour Lambert », pensa Henri en apprenant le verdict. Quatre jours plus tard, Lambert travaillait au journal quand on lui téléphona de Lille : son père qui devait arriver à Paris par le rapide du soir était tombé par la portière du train; son état était très grave. En fait, on sut une heure plus tard qu'il avait été tué sur le coup. Lambert enfourcha sa motocyclette sans presque articuler un son, et quand il rentra à Paris, après l'enterrement, il resta tapi chez lui sans donner signe de vie.

« Il faut que je passe le voir, je passerai cet après-midi », se dit Henri après quelques jours de silence; il avait vainement essayé de téléphoner, Lambert avait coupé le téléphone. « Un sale coup », se répétait Henri, tout en regardant sans conviction les papiers étalés sur sa table. Ce bonhomme était vieux, et pas bien sympathique, et Lambert avait pour lui beaucoup plus de pitié que d'affection : pourtant Henri n'arrivait pas à prendre cette histoire avec insouciance. Drôle de caprice du destin, ce verdict, et puis cet accident. Il essaya de ramener son attention sur les feuilles dactylographiées.

« Midi. Josette va venir et je n'aurai pas parcouru ce dossier », se dit-il avec remords. Karaganda, Tzardskouy, Ouzbek : il n'arrivait pas à animer ces noms barbares, ces chiffres. Pourtant il aurait été souhaitable qu'il eût pris connaissance de ces papiers avant la réunion de l'après-midi. En vérité, s'il ne réussissait pas à s'y intéresser, c'est qu'il ne leur faisait guère crédit. Quelle confiance accorder à un document remis par Scriassine? Existait-il ce mystérieux fonctionnaire soviétique évadé de l'enfer rouge tout exprès pour divulguer ces informations? Samazelle l'affirmait, il prétendait même l'avoir identifié; mais Henri demeurait sceptique. Il tourna une page.

— Coucou.

C'était Josette, enveloppée d'un grand manteau blanc; elle avait lâché sur ses épaules ses cheveux magnifiques; avant même qu'elle eût refermé la porte, Henri s'était levé et l'avait prise dans ses bras. D'ordinaire, dès leur premier baiser, il se trouvait enfermé dans un monde en miniature, au milieu de joujoux sans poids; aujourd'hui, la métamorphose était un peu plus difficile que de coutume, ses soucis restaient collés à sa peau.

— C'est donc ici que tu habites? dit-elle gaiement. Je comprends que tu ne m'aies jamais invitée : c'est drôlement moche! Mais où mets-tu tes livres?

— Je n'en ai pas. Quand j'ai lu un livre je le prête à des amis qui ne me le rendent pas.

— Je croyais qu'un écrivain ça vivait toujours entre des murs tapissés de livres. Elle le regardait d'un air de doute : « Tu es sûr que tu es un vrai écrivain? »

Il se mit à rire : « En tout cas, j'écris.

— Tu travaillais? est-ce que je suis arrivée trop tôt? demanda-t-elle en s'asseyant.

— Laisse-moi cinq minutes et je suis à toi, dit-il. Tu veux regarder les journaux? »

Elle fit une petite moue : « Il y a des faits divers?

— Je croyais que tu t'étais mise aux articles politiques, dit-il avec reproche. Non? c'est déjà fini?

— Ce n'est pas de ma faute, j'ai essayé, dit Josette. Mais les phrases me filent sous les yeux. J'ai l'impression que tout ça ne me concerne pas, ajouta-t-elle d'un air malheureux.

— Alors amuse-toi avec l'histoire du pendu de Pontoise », dit-il.

Narylsk, Igarka, Absagachev. Les noms, les chiffres restaient morts. Lui aussi, les phrases lui filaient sous les yeux, il avait l'impression que tout ça ne le concernait pas. Ça se passait si loin, dans un monde si différent, si difficile à juger.

— Tu as une cigarette? dit Josette à voix basse.

— Oui.

— Et des allumettes.

— Voilà. Pourquoi parles-tu tout bas?

— Pour ne pas te déranger.

Il se leva en riant : « J'ai fini. Où est-ce que je t'emmène déjeuner?

— Aux « Iles Borromées », dit-elle avec décision.

— Cette boîte ultra-snob qu'on a inaugurée avant-hier? Non, s'il te plaît; trouve autre chose.

— Mais... j'ai retenu notre table, dit-elle.

— C'est facile de la décommander. » Il tendit la main vers le téléphone; elle l'arrêta :

— C'est qu'on nous attend.

— Qui ça?

Elle baissa la tête et il répéta : « Qui nous attend?

— C'est une idée de maman; il faut que je commence ma publicité tout de suite. Les Iles, c'est la boîte dont on parle. Elle a demandé à des journalistes de me faire une petit interview photographique, dans le genre : « L'auteur en train de s'entretenir avec son interprète... »

— Non, mon chéri, dit Henri. Fais-toi photographier tant que tu voudras, mais sans moi.

— Henri! » Les yeux de Josette étaient pleins de larmes; elle pleurait avec une aisance enfantine qui le bouleversait. « J'ai fait faire cette robe exprès, j'étais si contente...

— Il y a bien d'autres restaurants plaisants et où nous serons tranquilles.

— Mais puisqu'on m'attend! » dit-elle avec désespoir; elle fixa sur lui ses grands yeux humides. « Écoute, tu peux bien faire quelque chose pour moi.

— Mais, mon amour, qu'est-ce que tu fais pour moi?

— Moi? mais je...

— Oui tu..., dit-il gaiement. Mais moi aussi, je... »

Elle ne riait pas. « Ce n'est pas pareil, dit-elle gravement. Je suis une femme. »

Il rit encore et il pensa : « Elle a raison, elle a mille fois raison : ça n'est pas pareil. »

— Tu tiens tant que ça à ce déjeuner? dit-il.

— Tu ne comprends pas! c'est nécessaire à ma carrière. Il faut se montrer et faire parler de soi si on veut réussir.

— Il faut surtout faire bien ce qu'on fait; joue bien et on parlera de toi.

— Je veux mettre toutes les chances de mon côté, dit Josette. Son visage se durcit : « Tu crois que c'est drôle d'avoir à demander l'aumône à maman? Et quand je m'amène dans ses salons, et qu'elle me dit devant tout le monde : « Pourquoi portes-tu des sabots? » tu crois que c'est gai.

— Qu'est-ce qu'ils ont ces souliers? ils sont très jolis.

— Ils sont bien pour déjeuner à la campagne, mais beaucoup trop sport pour la ville.

— Je t'ai toujours trouvée si élégante...

— Parce que tu n'y connais rien, mon chéri », dit-elle avec tristesse. Elle haussa les épaules : « Tu ne sais pas ce que c'est, la vie d'une femme qui n'est pas arrivée. »

Il posa la main sur la main douce : « Tu arriveras, dit-il. Allons nous faire photographier aux « Iles Borromées ». » Ils descendirent l'escalier et elle demanda :

— Tu as l'auto?

— Non. Nous prendrons un taxi.

— Pourquoi n'as-tu pas une auto à toi?

— Tu ne t'es pas encore aperçue que je n'ai pas d'argent? Crois-tu que tu n'aurais pas les plus beaux souliers de Paris?

— Mais pourquoi n'as-tu pas d'argent? demanda-t-elle quand ils furent installés dans le taxi. Tu es encore plus intelligent que maman et Dudule. Tu n'aimes pas l'argent?

— Tout le monde l'aime; mais pour en avoir vraiment, il faut aimer ça plus que tout.

Josette réfléchit. « Ce n'est pas que j'aime l'argent plus que tout, mais j'aime les choses qu'on achète avec. »

Il entoura ses épaules de son bras. « Peut-être que ma pièce va nous rendre très riches; alors nous t'achèterons les choses que tu aimes.

— Et tu m'emmèneras dans de beaux restaurants?

— Quelquefois, dit-il gaiement.

Mais il se sentait mal à l'aise tandis qu'il s'avançait dans le jardin fleuri, sous les regards des femmes habillées avec trop d'éclat et des hommes aux visages lustrés. Les buissons de roses, le vieux tilleul, la gaieté de l'eau ensoleillée, toute cette beauté vénale le laissait insensible, et il se demanda : « Qu'est-ce que je viens foutre ici? »

— C'est joli, n'est-ce pas? dit Josette avec ardeur. J'adore la campagne, ajouta-t-elle. Un grand sourire transfigurait son visage résigné et Henri sourit aussi : « Très joli : qu'est-ce que tu veux manger?

— Je crois que ça sera un pamplemousse et une grillade, dit Josette à regret. A cause de la ligne. »

Elle avait l'air toute jeune dans sa robe de toile verte qui découvrait des bras moelleux et drus, et au fond, sous ses déguisements de femme sophistiquée, comme elle était naturelle! C'était normal qu'elle eût envie de réussir, de se montrer, de s'habiller, de s'amuser; et elle avait l'immense mérite d'avouer ses désirs avec sincérité sans se soucier de savoir s'ils étaient nobles ou sordides. Même s'il lui arrivait de mentir, elle était plus vraie que Paule qui ne mentait jamais; il y avait bien de l'hypocrisie dans ce code du sublime que Paule s'était fabriqué; Henri imagina le masque hautain qu'elle eût opposé à ce luxe facile, et le sourire étonné de Dubreuilh, le regard effarouché d'Anne. Ils allaient tous hocher la tête d'un air consterné quand paraîtraient cette interview et ces photos.

« C'est vrai que nous sommes tous quelque peu puritains, pensa-t-il. Moi compris. C'est parce que nous détestons qu'on nous mette en face de nos privilèges. » Il avait voulu éviter ce déjeuner, pour ne pas s'avouer qu'il avait les moyens de se l'offrir. « Et pourtant au Bar Rouge, avec des copains, je ne compte pas l'argent que je claque en une soirée. »

Il se pencha vers Josette : « Tu es contente?

— Oh! tu es si gentil! dit-elle. Il n'y a que toi. »

Il aurait fallu être stupide pour sacrifier à des tabous puérils un tel sourire. Pauvre Josette! elle n'avait pas si souvent l'occasion de sourire. « Les femmes ne sont pas gaies », pensa-t-il en la regardant. Son histoire avec Paule s'achevait minablement; Nadine, il n'avait rien su lui donner. Josette... eh bien, ça serait différent. Elle voulait arriver : il la ferait arriver. Il sourit aimablement aux deux journalistes qui s'approchaient.

Quand deux heures plus tard un taxi le déposa devant l'immeuble de Lambert, Nadine franchissait la porte cochère. Elle lui sourit cordialement; elle estimait avoir eu le beau rôle dans leur histoire et elle était toujours très aimable avec lui.

— Tiens! te voilà aussi! C'est fou ce qu'il est entouré, le cher orphelin!

Henri la regarda avec un peu de scandale : « Ce n'est pas spécialement drôle cette histoire.

— Qu'est-ce qu'il en a à foutre que ce vieux salaud soit mort? » dit Nadine. Elle haussa les épaules : « Je sais bien que mon rôle, ça serait d'être sœur de charité et consolatrice, et tout : mais je ne peux pas. Aujourd'hui j'étais pourrie de bonnes résolutions : et voilà Volange qui se ramène. J'ai décampé.

— Volange est là-haut?

— Mais oui. Lambert le voit souvent, dit-elle sans qu'Henri pût déceler s'il y avait ou non de la perfidie dans son ton négligent.

— Je monte quand même, dit Henri.

— Je te souhaite du plaisir. »

Il monta lentement l'escalier. Lambert voyait souvent Volange : pourquoi ne le lui avait-il pas dit? « Il a peur que ça ne m'agace »,

pensa-t-il. Le fait est que ça l'agaçait. Il sonna. Lambert lui sourit sans
entrain.

— Ah! c'est toi? c'est gentil...

— Quel heureux hasard, dit Louis. Voilà des mois qu'on ne s'était
vus!

— Des mois! Henri se tourna vers Lambert; il faisait très orphelin
dans son complet de flanelle dont le revers était barré d'un crêpe
noir : un complet dont M. Lambert avait dû approuver la classique
élégance : « Tu n'as peut-être pas grande envie de bouger, ces jours-ci,
dit-il; mais il y a une réunion importante cet après-midi chez Dubreuilh.
L'Espoir aura des décisions à prendre. Je voudrais beaucoup que tu
m'accompagnes. »

En vérité, il n'avait pas besoin de Lambert, mais il souhaitait l'arracher à ses ruminations.

— J'ai plutôt la tête ailleurs, dit Lambert; il se jeta dans un fauteuil
et dit d'une voix sombre : « Volange est certain que mon père n'est pas
mort d'un accident; il a été descendu. »

Henri tressaillit : « Descendu?

— Les portières ne s'ouvrent pas toutes seules, dit Lambert; et il
ne s'est pas suicidé alors qu'il venait d'être acquitté.

— Tu ne te rappelles pas l'histoire Molinari, entre Lyon et Valence?
dit Louis. Et celle de Péral? eux aussi sont tombés d'un train peu après
leur acquittement.

— Ton père était âgé, fatigué, dit Henri; l'émotion du procès a
pu lui porter à la tête. »

Lambert secoua la tête : « Je saurai qui a fait ça! dit-il. Je le saurai. »

Les mains d'Henri se crispèrent; c'était ça qui le lancinait depuis
huit jours : ce soupçon. « Non! supplia-t-il en lui-même, pas Vincent!
ni lui ni un autre! » Molinari, Péral, ça lui était bien égal; et peut-être
bien que le vieux M. Lambert était aussi salaud qu'eux; mais il revoyait
trop exactement ce visage qui avait saigné sur le ballast, un visage jaune
qu'éclairaient des yeux d'un bleu étonné; il fallait que ce fût un accident.

— Il y a des bandes de tueurs en France, c'est un fait, dit Louis.
Il se leva : « Comme c'est affreux ces haines qui ne consentent pas à
mourir! » Il y eut un silence et il dit d'une voix engageante : « Viens
donc dîner un de ces soirs à la maison, on ne se voit plus jamais, c'est
trop bête; il y a un tas de choses dont je voudrais parler avec toi.

— Dès que j'aurai un peu de temps », dit Henri vaguement.

Quand la porte se fut refermée derrière lui, Henri demanda : « Ç'a
été très pénible, ces journées de Lille? »

Lambert haussa les épaules : « Il paraît que ce n'est pas viril d'être
secoué quand on vous assassine votre père! dit-il d'une voix chargée
de rancune. Tant pis! J'avoue que ça m'a plutôt sonné! »

— Je comprends », dit Henri; il sourit : « C'est des idées de femme,
ces histoires de virilité. »

Quels sentiments Lambert avait-il eus pour son père? il n'avouait

que la pitié, il laissait deviner de la rancune : sans doute s'y mêlait-il
de l'admiration, du dégoût, du respect, une tendresse déçue; en tout
cas, cet homme avait compté pour lui. Henri dit de sa voix la plus affectueuse :

— Ne reste pas comme ça dans ton coin, à te ronger les sangs. Fais
un effort, viens avec moi; ça t'intéressera et tu me rendras service.

— Oh! puisque de toute façon tu as ma voix, dit Lambert.

— J'aimerais ton opinion, dit Henri. Scriassine prétend qu'un haut
fonctionnaire soviétique échappé de l'U. R. S. S. lui aurait apporté des
renseignements sensationnels : accablants pour le régime, bien entendu;
il a suggéré à Samazelle que L'Espoir, Vigilance et le S. R. L. aident à
les divulguer. Mais quelle valeur ont-ils? J'en ai eu des lambeaux
entre les mains, mais sans aucun moyen de les critiquer.

Le visage de Lambert s'anima : « Ah! ça, ça m'intéresse », dit-il. Il
se leva brusquement : « Ça m'intéresse beaucoup. »

Quand ils entrèrent dans le bureau de Dubreuilh, celui-ci était seul
avec Samazelle :

— Rendez-vous compte, publier ces informations avant tout le
monde, mais ça serait sensationnel! disait Samazelle. Le dernier plan
quinquennal date du mois de mars et on en ignore à peu près tout.
La question des camps de travail en particulier va bouleverser l'opinion.
Remarquez qu'elle avait été déjà soulevée avant la guerre; en particulier
la fraction à laquelle j'appartenais s'en était préoccupée; mais en ce
temps nous n'éveillions guère d'écho. Aujourd'hui tout le monde se
trouve obligé de prendre parti devant le problème de l'U. R. S. S., et voilà
que nous sommes en mesure d'éclairer ce problème d'un jour nouveau.

La voix de Dubreuilh semblait toute menue après cet énorme bour-
don : « A priori, ce genre de témoignage est doublement suspect, dit-il;
d'abord parce que l'accusateur s'est accommodé si longtemps du régime
qu'il dénonce; ensuite parce qu'une fois qu'il s'en est séparé on ne
peut guère s'attendre à ce qu'il mesure ses attaques.

— Que sait-on au juste sur lui? demanda Henri.

— Il s'appelle George Peltov. Il était directeur de l'Institut Agro-
nomique de Tebriouka... dit Samazelle, et il s'est enfui il y a un
mois de la zone russe allemande dans la zone occidentale. Son identité est parfaitement établie.

— Mais non son caractère », dit Dubreuilh.

Samazelle eut un geste d'impatience : « En tout cas, vous avez étudié
le dossier que Scriassine nous a communiqué. Les Russes reconnaissent
eux-mêmes l'existence des camps et de l'internement administratif.

— D'accord, dit Dubreuilh. Mais combien d'hommes dans ces
camps? c'est toute la question.

— Quand j'étais en Allemagne l'an dernier, dit Lambert, le bruit
courait que jamais il n'y avait eu tant de prisonniers à Buchenwald
que depuis la libération russe.

— Quinze millions me semble une hypothèse très modérée, dit Samazelle.

— Quinze millions ! » répéta Lambert.

Henri sentit une panique lui monter à la gorge. Il avait déjà entendu parler de ces camps : mais vaguement, et il n'y avait pas arrêté sa pensée, on raconte tant de choses ! Quant à ce dossier, il l'avait feuilleté sans conviction ; il se méfiait de Scriassine ; sur le papier les chiffres avaient semblé aussi imaginaires que les noms aux consonances baroques. Mais voilà que le fonctionnaire russe existait et Dubreuilh prenait cette affaire au sérieux. C'est bien commode l'ignorance, mais ça ne donne pas la mesure de la réalité. Il était aux Iles Borromées avec Josette, il faisait beau, il s'offrait quelques petits scrupules de conscience faciles à désarmer. Pendant ce temps-là à tous les coins de la terre des hommes étaient exploités, affamés, assassinés.

Scriassine entra précipitamment dans la pièce et tous les yeux se tournèrent vers l'inconnu aux cheveux noir et argent, aux yeux brillants comme des morceaux d'anthracite qui le suivait sans sourire, avec un visage aussi immobile que celui d'un aveugle-né. Ses sourcils charbonneux se rejoignaient au-dessus du nez à l'arête aiguë ; il était grand, impeccablement habillé.

— Mon ami George, dit Scriassine. Provisoirement nous nous en tiendrons à ce nom. Il regarda autour de lui : « L'endroit est absolument sûr ? aucune chance que notre conversation soit surprise ? qui habite au-dessus ?

— Un professeur de piano très inoffensif, dit Dubreuilh. Et les gens d'en dessous sont en vacances. »

C'était la première fois qu'Henri ne songeait pas à sourire des airs importants de Scriassine ; cette grande silhouette sombre à ses côtés prêtait à la scène une inquiétante solennité. Tout le monde s'assit et Scriassine dit : « George peut parler en russe ou en allemand. Il a avec lui des documents qu'il va résumer et commenter pour vous. De toutes les questions sur lesquelles il apporte de terrifiantes lumières, c'est celle des camps de travail qui présente l'intérêt le plus immédiat. C'est par là qu'il va commencer.

— Qu'il parle en allemand : je traduirai, dit Lambert vivement.

— Comme vous voudrez. » Scriassine dit quelques mots en russe, et George hocha la tête sans que son masque remuât ; il semblait paralysé par une douloureuse et indélébile rancune. Soudain, il se mit à parler ; son regard demeurait fixe, dirigé au-dedans de lui-même vers des visions qui n'étaient pas de ce monde ; mais de sa bouche morte s'échappait une voix colorée, passionnée, tour à tour sèche et pathétique ; Lambert gardait les yeux rivés sur ses lèvres, comme s'il avait déchiffré le langage d'un sourd-muet.

— Il dit que nous devons bien comprendre d'abord que l'existence des camps de travail n'est pas un phénomène accidentel et dont on pourrait donc espérer un jour l'abolition, dit Lambert. Le programme d'investissement de l'État soviétique exige des surplus qui ne peuvent être fournis que par un travail excédentaire. Si la consommation des ouvriers libres s'abaissait au-dessous d'un certain niveau, la productivité du travail en serait diminuée d'autant. On a donc procédé à la création systématique d'un sous-prolétariat ne recevant en échange d'un travail maximum qu'un strict minimum vital : un tel ajustement n'est possible qu'en système concentrationnaire. »

Un silence mortuaire s'était abattu sur le bureau; personne ne bougeait; George reprit la parole et Lambert de nouveau monnaya en mots la voix tragique : « Le travail correctif a existé dès le début du régime; mais c'est en 1934 que la N. K. V. D. a été investie du droit d'ordonner, par simple mesure administrative, l'internement dans un camp de travail pour une période n'excédant pas cinq ans; pour les peines plus longues, un jugement préalable est nécessaire. Les camps ont été en partie vidés entre 40 et 45; beaucoup de prisonniers ont été incorporés dans l'armée, d'autres sont morts de la famine. Mais depuis un an ils se remplissent de nouveau. »

Maintenant George indiquait sur les papiers étalés devant lui des noms, des chiffres, et Lambert traduisait au fur et à mesure. Karaganda, Tzardskouy, Ouzbek. Ce n'était pas des mots : c'était des morceaux de steppe glacée, des marais, des baraquements pourris où des hommes et des femmes travaillaient quatorze heures par jour pour six cents grammes de pain; ils mouraient de froid, de scorbut, de dysenterie, d'épuisement. Dès qu'ils devenaient trop faibles pour travailler, on les parquait dans des hôpitaux où systématiquement on les affamait à mort. « Mais est-ce vrai? » se dit Henri avec révolte. George était suspect, la Russie était si loin, et on raconte tant de choses! Il regarda Dubreuilh dont le visage fermé n'exprimait rien. Dubreuilh avait choisi de douter : le doute, c'est la première défense, mais il ne faut pas non plus s'y fier. Toutes ces choses qu'on raconte, il y en a qui sont vraies. Henri avait douté en 38 que la guerre fût pour demain; en 40 il avait douté des chambres à gaz. George exagérait sûrement : mais sûrement il n'avait pas tout inventé. Henri ouvrit sur ses genoux l'épais dossier; tout ce qu'il avait lu distraitement quelques heures plus tôt prenait soudain un sens terrible. Il y avait là, traduits en anglais, des textes officiels qui admettaient l'existence des camps. Et on ne pouvait pas sans mauvaise foi récuser en bloc tous ces témoignages provenant les uns d'observateurs américains, les autres de déportés livrés aux nazis et retrouvés dans leurs bagnes. Impossible de le nier : en U. R. S. S. aussi des hommes exploitaient à mort d'autres hommes!

Quand George se tut, il y eut un long silence.

— Vous avez accepté avec un masochisme naturel à des intellectuels l'idée d'une dictature de l'esprit, dit Scriassine. Mais ces crimes organisés contre l'homme, contre tous les hommes, pouvez-vous les endosser?

— Il me semble que la réponse ne fait pas de doute, dit Samazelle.

— Je vous demande pardon, pour moi il y a un doute, dit Dubreuilh d'une voix sèche. Je ne sais ni pourquoi votre ami s'est échappé ni pourquoi il a si longtemps collaboré avec ce régime qu'il dénonce devant nous; je suppose que ses raisons étaient excellentes; mais je

ne veux pas risquer de prêter la main à une manœuvre antisoviétique.
D'ailleurs nous ne sommes pas habilités à vous répondre au nom
du S. R. L. : la moitié du comité seulement est présente.

— Si nous étions d'accord, nous emporterions sûrement sa décision,
dit Samazelle.

— Comment pouvez-vous hésiter! Le visage de Lambert brillait
d'indignation. « Quand même le quart seulement de ce qu'il raconte
serait vrai, il faudrait le crier tout de suite, dans mille haut-parleurs.
Vous ne savez pas ce que c'est qu'un camp! Qu'il soit russe ou nazi,
c'est pareil : nous n'avons pas combattu les uns pour encourager les
autres... »

Dubreuilh haussa les épaules : « De toute façon il n'est pas question pour nous de modifier le régime de l'U. R. S. S. mais seulement
d'agir aujourd'hui en France sur l'idée qu'on se fait de l'U. R. S. S.

— C'est en quoi cette affaire nous concerne directement, dit Lambert.

— D'accord, mais nous serions criminels de nous y embarquer sans
informations suffisantes, dit Dubreuilh.

— Autrement dit, vous doutez de la parole de George? dit Scriassine.

— Je ne la prends pas pour un évangile. »

Scriassine frappa sur le dossier posé sur le bureau :

— Et tout ça, qu'est-ce que vous en faites?

Dubreuilh secoua la tête : « J'estime qu'aucun fait n'est sérieusement établi. »

Scriassine se mit à parler volubilement en russe; George lui répondit d'une voix impassible.

— George dit qu'il se charge de vous fournir des preuves décisives.
Envoyez quelqu'un en Allemagne occidentale : il a là des amis qui vous
renseigneront avec précision sur les camps de la zone soviétique. Et
puis, on a retrouvé dans les archives du Reich certains documents
transmis par l'U. R. S. S. après le pacte germano-soviétique : ils
indiquent des chiffres que vous pourrez vous faire communiquer.

— J'irai en Allemagne, dit Lambert. Et tout de suite.

Scriassine le regarda d'un air approbateur.

— Passez me voir, dit-il. C'est une mission délicate qu'il faudra
préparer avec soin. Scriassine se tourna vers Dubreuilh : « Si nous
vous apportons les preuves que vous réclamez, êtes-vous décidé à parler?

— Apportez vos preuves et le comité décidera, dit Dubreuilh avec
impatience. En attendant, tout ça c'est du bavardage. »

Scriassine se leva, George aussi : « Je vous demande à tous le secret
le plus absolu sur la conversation que nous venons d'avoir. George
a tenu à vous rencontrer personnellement : mais vous imaginez quels
dangers le menacent dans une ville comme Paris. »

Ils hochèrent tous la tête d'un air rassurant : George s'inclina avec
raideur et il suivit Scriassine sans ajouter un mot.

— Je regrette ce délai, dit Samazelle. Sur le fond de la question, il n'y a aucun doute possible. Nous pourrions publier tout de suite les extraits du code et ça suffirait déjà à soulever l'opinion.

— Soulever l'opinion contre l'U. R. S. S.! dit Dubreuilh. C'est justement ce que nous devons éviter, surtout maintenant!

— Mais ce n'est pas la droite qui profitera de cette campagne : c'est le S. R. L., et il en a bien besoin! dit Samazelle. La situation a changé depuis les élections et si nous nous entêtons à vouloir ménager la chèvre et le chou, le S. R. L. est foutu, ajouta-t-il avec véhémence. Le succès des communistes va décider beaucoup d'hésitants à s'inscrire au P. C.; et beaucoup vont se jeter par terreur dans les bras de la réaction. Les premiers, rien à faire; mais les autres, nous pouvons les avoir si nous attaquons franchement le stalinisme et si nous promettons le regroupement d'une gauche indépendante de Moscou.

— Drôle de gauche, qui rassemblera des anticommunistes sur un programme anticommuniste! dit Dubreuilh.

— Vous savez ce qui va arriver? dit Samazelle d'une voix irritée. Si on continue comme ça, dans deux mois le S. R. L. n'est plus qu'un petit groupe d'intellectuels asservi aux communistes, à la fois méprisé et manœuvré par eux.

— Personne ne nous manœuvre! dit Dubreuilh.

Henri entendait à travers un brouillard ces voix agitées. Le sort du S. R. L., pour le moment il s'en foutait. Dans quelle mesure George avait-il dit la vérité, c'était la seule question. A moins qu'il n'eût menti sur toute la ligne, ça serait désormais impossible de penser à l'U. R. S. S. comme on y pensait autrefois, tout était à reconsidérer. Dubreuilh ne voulait rien reconsidérer, il se réfugiait dans le scepticisme; Samazelle n'attendait que cette occasion pour tonner contre les communistes. Henri n'avait aucune envie de rompre avec les communistes : mais il ne voulait pas non plus se mentir. Il se leva : « Toute la question c'est de savoir si George a dit vrai ou non. En attendant, on parle dans le vide.

— C'est bien mon avis », dit Dubreuilh.

Lambert et Samazelle sortirent avec Henri. La porte était à peine refermée que Lambert grommela : « C'est vrai que Dubreuilh est vendu! il veut étouffer cette affaire. Mais ce coup-ci, il n'aura pas la loi.

— Malheureusement, le comité le suit toujours, dit Samazelle. En fait, le S. R. L., c'est lui.

— Mais L'Espoir n'est pas forcé d'obéir au S. R. L.! » dit Lambert.

Samazelle sourit : « Ah! c'est une grave question que vous soulevez là! » Il ajouta d'une voix rêveuse : « Évidemment, si nous décidions de parler tout de suite, personne ne pourrait nous en empêcher! »

Henri le regarda avec surprise : « Vous envisagez une rupture entre L'Espoir et le S. R. L.? qu'est-ce qui vous prend?

— Au train où vont les choses, dans deux mois il n'y aura plus de S. R. L., dit Samazelle. Je souhaite que L'Espoir lui survive! »

Il s'éloigna en souriant de son grand sourire rond et Henri s'accouda au parapet du quai :

— Je me demande ce qu'il mijote! dit-il.

— S'il souhaite que *L'Espoir* redevienne un journal libre, il a bien raison! dit Lambert. Là-bas ils ont rétabli l'esclavage. Ici, ils assassinent! Et on veut que nous ne protestions pas!

Henri regarda Lambert : « Au cas où Samazelle proposerait une rupture, n'oublie pas ce que tu m'as promis : qu'en tout cas tu me soutiendrais.

— D'accord, dit Lambert. Seulement je te préviens : si Dubreuilh s'entête à étouffer l'affaire, je quitte le journal, je revends mes parts.

— Écoute, on ne peut rien décider avant que les faits ne soient établis, dit Henri.

— Qui décidera qu'ils sont établis? dit Lambert.

— Le comité.

— C'est-à-dire Dubreuilh. S'il est de parti pris, il ne se laissera pas convaincre!

— C'est aussi du parti pris que de se laisser convaincre sans preuve! dit Henri avec un peu de reproche.

— Ne me dis pas que George a inventé tout ça! Ne me dis pas que tous ces documents étaient des faux! » dit Lambert avec feu. Il dévisagea Henri avec soupçon : « Tu es bien d'accord que si c'est la vérité, il faut la dire?

— Oui, dit Henri.

— Alors, ça va. Je vais partir en Allemagne le plus vite possible, et je te jure que là-bas je ne perdrai pas mon temps. » Il sourit : « Je te pose quelque part?

— Non, merci, je vais marcher un peu », dit Henri.

Il allait dîner chez Paule et il n'était pas pressé de la retrouver. Il se mit en marche à petits pas. Dire la vérité : jusqu'ici ça n'avait jamais posé de sérieux problèmes; il avait répondu oui à Lambert sans hésiter : c'était presque un réflexe. Mais en fait il ne savait ni ce qu'il devait croire, ni ce qu'il devait faire : il ne savait rien : il était encore étourdi comme s'il avait reçu un grand coup sur la tête. Évidemment, George n'avait pas tout inventé. Peut-être même tout était-il vrai. Il y avait des camps où quinze millions de travailleurs étaient réduits à l'état de sous-hommes; mais grâce à ces camps le nazisme avait été vaincu et un grand pays se construisait en qui s'incarnait la seule chance des mille millions de sous-hommes croupissant de faim en Chine et aux Indes, la seule chance des millions d'ouvriers asservis à une condition inhumaine, notre seule chance. « Va-t-elle nous manquer elle aussi? » se demanda-t-il avec crainte. Il se rendait compte que jamais il ne l'avait sérieusement mise en question; les tares, les abus de l'U. R. S. S., il les connaissait : n'empêche qu'un jour le socialisme, le vrai, celui où se réconcilieraient justice et liberté finirait par triompher en U. R. S. S., et par l'U. R. S. S.; si ce soir cette certitude le quittait, alors tout l'avenir sombrerait dans les ténèbres : nulle part ailleurs on n'apercevait même un mirage d'espoir. « Est-ce pour ça que je me réfugie dans le doute? se demanda-t-il; est-ce que je refuse l'évidence par lâcheté, parce que l'air ne serait plus respirable s'il n'y avait plus un coin de la terre vers lequel on pût se tourner avec un peu de confiance? Ou au contraire, pensa-t-il, c'est peut-être en accueillant avec complaisance les images d'horreur que je triche. Faute de pouvoir me rallier au communisme, ça serait un soulagement de le détester résolument. Si seulement on pouvait être tout à fait pour, ou tout à fait contre! Mais pour être contre, il faudrait avoir d'autres chances à offrir aux hommes : et c'est trop évident que la révolution se fera par l'U. R. S. S. ou ne se fera pas. Pourtant, si l'U. R. S. S. n'a fait que substituer un système d'oppression à un autre, si elle a rétabli l'esclavage, comment lui garder la moindre amitié?... » « Peut-être que le mal est partout », se dit Henri. Il se rappelait cette nuit dans un refuge des Cévennes où il était voluptueusement endormi dans les délices de l'innocence : si le mal était partout, ça n'existait pas l'innocence. Quoi qu'il fît, il aurait tort : tort s'il divulguait une vérité tronquée, tort s'il dissimulait, fût-elle tronquée, une vérité. Il descendit sur la berge. Si le mal est partout, il n'y a aucune issue, ni pour l'humanité, ni pour soi-même. Est-ce qu'il faudra en arriver à penser ça? Il s'assit et regarda avec hébétude couler l'eau.

CHAPITRE VI

J'étais égarée de joie et de curiosité le soir où j'atterris à La Guardia; je passai la semaine qui suivit à ronger mon frein. Oui, sur les derniers progrès de la psychanalyse américaine j'avais tout à apprendre; les séances du congrès étaient bien instructives ainsi que les conversations de mes collègues; mais j'avais aussi envie de voir New York et ils m'en empêchaient avec un zèle navrant. Ils me confinaient dans des hôtels surchauffés, des restaurants climatisés, des bureaux solennels, des appartements de luxe et ça n'était pas facile de leur échapper. Quand ils me ramenaient à mon hôtel, après dîner, je traversais vivement le hall et je sortais par une autre porte; je me levais à l'aube et j'allais me promener avant la séance du matin; mais je ne tirais pas grand-chose de ces moments de liberté à la sauvette; je me rendais compte qu'en Amérique, la solitude ne paie pas; et j'étais inquiète en quittant New York. Chicago, Saint-Louis, La Nouvelle-Orléans, Philadelphie, de nouveau New York, Boston, Montréal : une belle tournée; encore fallait-il qu'on me donne les moyens d'en profiter. Mes collègues m'avaient bien indiqué des adresses de natifs qui se feraient un plaisir de me montrer leur ville; mais il s'agissait exclusivement de docteurs, de professeurs, d'écrivains et je me méfiais.

Pour Chicago, en tout cas, la partie était perdue d'avance; je n'y restais que deux jours et il y avait deux vieilles dames qui m'attendaient à l'aéroport; elles m'emmenèrent déjeuner avec d'autres vieilles dames qui ne me lâchèrent pas de la journée. Après ma conférence, je mangeai du homard entre deux messieurs amidonnés et c'est si fatigant de s'ennuyer qu'en rentrant à l'hôtel je montai directement me coucher.

C'est la colère qui m'a réveillée, au matin. « Ça ne peut pas durer » décidai-je. Je décrochai le téléphone : « J'étais navrée, je m'excusais, mais un rhume m'obligeait à garder le lit. » Et puis je sautai joyeusement du lit. Mais dans la rue, je déchantai; il faisait grand froid; entre les rails de tramway et le métro aérien je me sentais complètement perdue; inutile de marcher pendant des heures : je n'irais nulle part. J'ouvris mon carnet; Lewis Brogan, écrivain; ça valait peut-être mieux que rien. De nouveau j'ai téléphoné; j'ai dit à ce Brogan que j'étais une amie des Benson, ils lui avaient sans doute écrit pour lui annoncer ma venue. D'accord, il serait dans le hall de mon hôtel à deux heures de l'après-midi. « C'est moi qui passerai vous prendre » dis-je; et je raccrochai. Je détestais mon hôtel, son odeur de désinfectant et de dollars, et ça m'amusait de prendre un taxi pour aller à un endroit défini, voir quelqu'un.

Le taxi a traversé des ponts, des rails, des entrepôts, il a suivi des rues où toutes les boutiques étaient italiennes; il s'est arrêté au coin d'une allée qui sentait le papier brûlé, la terre mouillée, la pauvreté; le chauffeur a désigné un mur de brique auquel s'accrochait un balcon de bois. « C'est ici. » J'ai longé une palissade. A ma gauche il y avait une taverne décorée d'une enseigne rouge aux feux éteints : SCHILTZ; à droite, sur une grande affiche, la famille américaine idéale reniflait en riant un plat de porridge; une poubelle fumait au pied d'un escalier de bois. J'ai monté l'escalier. Sur le balcon, je trouvai une porte vitrée abritée par un store jaune : ça devait être là. Mais soudain, je me suis sentie intimidée. La richesse a toujours quelque chose de public, mais une vie de pauvre, c'est intime; ça me semblait indiscret de frapper à ce carreau. Je regardai avec indécision les murs de brique auxquels s'accrochaient avec monotonie d'autres escaliers et d'autres balcons gris; par-dessus les toits j'apercevais un immense cylindre rouge et blanc : un réservoir à gaz; à mes pieds, au milieu d'un carré de terre nue, il y avait un arbre tout noir et un petit moulin aux ailes bleues. Au loin un train passa, le balcon trembla. Je frappai et je vis apparaître un homme assez jeune, assez grand, au buste raidi par un blouson de cuir; il m'examina avec surprise.

— Vous avez trouvé la maison?

— Ça m'en a l'air.

Un poêle noir ronflait au milieu d'une cuisine jaune; le linoléum était jonché de vieux journaux et je remarquai qu'il n'y avait pas de frigidaire. Brogan désigna les papiers d'un geste vague : « Je faisais de l'ordre.

— J'espère que je ne vous dérange pas.

— Mais non. » Il restait planté en face de moi avec un air embarrassé. « Pourquoi n'avez-vous pas voulu que j'aille vous prendre à votre hôtel?

— C'est un horrible endroit. »

La bouche de Brogan esquissa enfin un sourire : « C'est le plus bel hôtel de Chicago.

— Justement. Trop de tapis, trop de fleurs, trop de gens, trop de musique, trop de tout.

Le sourire de Brogan monta jusqu'à ses yeux :

— Entrez donc par ici.

Je vis d'abord la couverture mexicaine, la chaise jaune de Van Gogh et puis les livres, le pick-up, la machine à écrire; il devait faire bon vivre dans cette chambre qui n'était ni un studio d'esthète ni un spécimen du home américain idéal. Je dis avec élan : « C'est agréable chez vous.

— Vous trouvez? » Du regard Brogan interrogeait les murs. « Ça n'est pas grand. » Il y eut encore un silence et il dit avec précipitation : « Vous ne voulez pas ôter votre manteau? Que diriez-vous d'une tasse de café? J'ai des disques français, aimeriez-vous les entendre? des disques de Charles Trenet? »

Sans doute était-ce à cause du grand poêle qui ronflait, ou parce que sur le store doré par le froid soleil de février l'ombre de l'arbre noir frissonnait, j'ai tout de suite pensé : « Ça serait bon de passer la journée assise sur la couverture mexicaine. » Mais c'est pour visiter Chicago que j'avais téléphoné à Brogan. Je dis avec fermeté :

— J'aimerais voir Chicago : je pars demain matin.

— Chicago est grand.

— Montrez-m'en un petit morceau.

Il toucha son blouson de cuir et dit d'une voix inquiète : « Est-ce qu'il faut que je m'habille?

— Quelle idée! Je déteste les cols durs! »

Il protesta avec chaleur :

— Je n'ai jamais porté un col dur de ma vie...

Pour la première fois nos sourires se sont rencontrés, mais il ne semblait pas encore tout à fait rassuré :

— Vous ne tenez pas à voir les abattoirs?

— Non. Promenons-nous dans les rues.

Il y avait beaucoup de rues et elles se ressemblaient toutes; elles étaient bordées de chalets fatigués et de terrains vagues qui essayaient de ressembler à des jardinets de banlieues; nous avons suivi aussi des avenues droites et mornes; partout il faisait froid. Brogan touchait ses oreilles avec inquiétude : « Elles sont déjà toutes raides, elles vont se casser en deux. »

J'eus pitié de lui. « Entrons nous réchauffer dans un bar. »

Nous sommes entrés dans un bar; Brogan a commandé du ginger ale, moi du bourbon. Quand nous sommes sortis, il faisait toujours aussi froid; nous sommes entrés dans un autre bar et nous nous sommes mis à causer. Il avait passé quelques mois dans un camp des Ardennes, après le débarquement, et il me posait un tas de questions sur la France, la guerre, l'occupation, Paris. Moi aussi je l'ai interrogé. Il semblait tout heureux d'être écouté, mais confus de se raconter; il s'arrachait ses phrases avec hésitation et puis il me les jetait avec tant d'élan que j'avais chaque fois l'impression de recevoir un cadeau. Il était né au sud de Chicago d'un petit épicier d'origine finlandaise et d'une juive hongroise; il avait vingt ans à l'époque de la grande crise et il avait vagabondé à travers l'Amérique, caché dans des fourgons de marchandises, tour à tour colporteur, plongeur, serveur, masseur, terrassier, maçon, vendeur et au besoin cambrioleur; dans un relais perdu de l'Arizona où il lavait des verres il avait écrit une nouvelle qu'une revue de gauche avait publiée; alors il en avait écrit d'autres; depuis le succès de son premier roman un éditeur lui allouait une pension qui lui permettait de vivre.

— Je voudrais bien le lire, ce livre, dis-je.

— Le suivant sera meilleur.

— Mais celui-ci est écrit.

Brogan m'examina d'un air perplexe : « Vous voulez vraiment le lire?

— Oui, vraiment. »

Il se leva et marcha vers le téléphone, au fond de la salle. Il revint au bout de trois minutes : « Le livre sera à votre hôtel avant le dîner.

— Oh! merci! » dis-je avec chaleur.

La vivacité de son geste m'avait touchée; c'était ça qui me l'avait rendu tout de suite sympathique : sa spontanéité; il ignorait les phrases toutes faites et les rites de la politesse; ses prévenances, il les improvisait et elles ressemblaient aux inventions de la tendresse. D'abord, j'avais été amusée de rencontrer en chair et en os ce spécimen américain classique : écrivain-de-gauche-qui-s'est-fait-lui-même. Maintenant c'est à Brogan que je m'intéressais. On sentait à travers ses récits qu'il ne se reconnaissait aucun droit sur la vie et que pourtant il avait toujours eu passionnément envie de vivre; ça me plaisait, ce mélange de modestie et d'avidité.

— D'où vous est venue l'idée d'écrire? demandai-je.

— J'ai toujours aimé le papier imprimé : quand j'étais enfant je fabriquais un journal en collant des coupures de presse sur des cahiers.

— Il doit y avoir d'autres raisons?

Il réfléchit : « Je connais des tas de gens différents : j'ai envie de montrer à chacun comment les autres sont pour de vrai. On raconte tant de mensonges. » Il se tut un instant. « A vingt ans, j'ai compris que tout le monde me mentait et ça m'a mis dans une grande colère; je crois que c'est pour ça que j'ai commencé à écrire et que je continue...

— Vous êtes toujours en colère?

— Plus ou moins, dit-il avec un petit sourire réticent.

— Vous ne faites pas de politique? demandai-je.

— Je fais des petites choses. »

Somme toute, il se trouvait à peu près dans la situation de Robert et d'Henri; mais il s'en accommodait avec un calme tout exotique; écrire, parler à la radio et quelquefois dans les meetings pour dénoncer quelques abus, ça le satisfaisait pleinement; on me l'avait dit déjà : ici les intellectuels pouvaient vivre en sécurité parce qu'ils se savaient tout à fait impuissants.

— Est-ce que vous avez des amis écrivains?

— Oh! non! dit-il avec élan. Il sourit : « J'ai des amis qui se sont mis à écrire quand ils ont vu que je gagnais de l'argent rien qu'en restant assis devant ma machine, mais ils ne sont pas devenus des écrivains.

— Est-ce qu'ils ont gagné de l'argent? »

Il se mit à rire franchement : « Il y en a un qui a tapé cinq cents pages en un mois; il a dû payer gros pour les faire imprimer et sa femme lui a défendu de recommencer; il a repris son métier de pickpocket.

— C'est un bon métier? demandai-je.

— Ça dépend. A Chicago il y a une grosse concurrence.

— Vous en connaissez beaucoup, des pickpockets? »

Il me regarda d'un air un peu moqueur : « Une demi-douzaine.

— Et des gangsters ? »

Le visage de Brogan devint sérieux : « Tous les gangsters sont des salauds. »

Il a commencé à m'exposer avec volubilité le rôle que les gangsters avaient joué ces dernières années comme briseurs de grève; et puis il m'a raconté un tas d'histoires sur leurs rapports avec la police, avec la politique, avec les affaires. Il parlait vite et j'avais un peu de peine à le suivre, mais c'était aussi passionnant qu'un film d'Edward Robinson. Il s'est arrêté brusquement.

— Vous n'avez pas faim ?

— Si. Maintenant que vous m'y faites penser, j'ai grand-faim, dis-je. J'ajoutai gaiement : « Vous en savez des histoires.

— Oh ! si je n'en savais pas, j'en inventerais, dit-il. Pour le plaisir de vous voir écouter. »

Il était plus de huit heures, le temps avait filé vite. Brogan m'emmena dîner dans un restaurant italien, et tout en mangeant une pizza, je me demandais pourquoi je me sentais si confortable, près de lui; je ne savais presque rien de lui et pourtant il ne me semblait pas du tout étranger; c'était peut-être grâce à son insouciante pauvreté. L'amidon, l'élégance, les bonnes manières, ça crée des distances; quand Brogan ouvrait son blouson sur son pull-over passé, quand il le refermait, je sentais près de moi la présence confiante d'un corps qui avait chaud ou froid, un corps vivant. Il avait ciré lui-même ses souliers : il suffisait de les regarder pour entrer dans son intimité. Quand en sortant de la pizzeria il a pris mon bras pour m'aider à marcher sur le sol verglacé, sa chaleur m'a paru tout de suite familière.

— Allons ! je vais tout de même vous montrer quelques petits morceaux de Chicago, m'a-t-il dit.

Nous nous sommes assis dans un burlesque pour regarder des femmes se déshabiller en musique; nous avons écouté du jazz dans un petit dancing noir; nous avons bu dans un bar qui ressemblait à un asile de nuit; Brogan connaissait tout le monde : le pianiste du burlesque, aux poignets tatoués, le trompette noir du dancing, les clochards, les nègres et les vieilles putains du bar; il les invitait à notre table, il les faisait parler et il me regardait d'un air heureux parce qu'il voyait que je m'amusais. Quand nous nous sommes retrouvés dans la rue, j'ai dit avec élan : « Je vous dois ma meilleure soirée d'Amérique.

— Il y a bien d'autres choses que j'aurais voulu vous montrer ! dit Brogan.

La nuit s'achevait, l'aube allait naître et Chigaco disparaître à jamais; mais l'acier du métro aérien nous cachait la tache lépreuse qui commençait à ronger le ciel. Brogan me tenait par le bras. Devant nous, derrière nous, les arches noires se répétaient à l'infini; on avait l'impression qu'elles ceinturaient la terre et que nous allions marcher comme ça pendant l'éternité. Je dis :

— Un jour, c'était trop court. Il faudra que je revienne.

— Revenez, dit Brogan. Il ajouta d'une voix rapide : « Je ne veux pas penser que je vous reverrai pas. »

Nous avons continué à marcher en silence jusqu'à la station de taxis. Quand il a approché son visage du mien, je n'ai pas pu m'empêcher de détourner la tête; mais j'ai senti son souffle contre ma bouche.

Dans le train, quelques heures plus tard, tout en essayant de lire le roman de Brogan, je me morigénai : « C'est ridicule, à mon âge! » Mais ma bouche demeurait émue comme celle d'une pucelle. Je n'avais jamais embrassé que les hommes avec qui j'avais couché; quand j'évoquais cette ombre de baiser, il me semblait que j'allais retrouver au fond de ma mémoire de brûlants souvenirs d'amour. « Je reviendrai », me dis-je avec décision. Et puis j'ai pensé : « A quoi bon? Il faudra de nouveau nous quitter et cette fois je n'aurai pas la ressource de me dire : je reviendrai. Non; il valait mieux arrêter tout de suite les frais. »

Je n'ai pas regretté Chicago. J'ai vite compris que ça faisait partie des plaisirs du voyage, les amitiés sans lendemain et le menu déchirement des départs. J'évinçai résolument les gens ennuyeux, je ne fréquentai que ceux qui m'amusaient; on passait des après-midi à se promener, des nuits à boire et à discuter, et puis on se quittait pour ne plus jamais se rencontrer et personne n'avait de regret. Comme la vie était facile! Pas de regret, pas de devoir, aucun de mes gestes ne comptait, on ne me demandait pas de conseil et je ne connaissais pas d'autre règle que mes caprices. A La Nouvelle-Orléans, au sortir d'un patio où je m'étais saoulée avec des daiquiri, j'ai pris brusquement un avion pour la Floride. A Lynchburg j'ai loué une auto et je me suis promenée pendant huit jours à travers les terres rouges de la Virginie. Pendant mon second séjour à New York, je n'ai quasi pas fermé l'œil; j'ai vu pêle-mêle un tas de gens et j'ai traîné partout. Les Davies m'ont proposé de les accompagner à Hartford, et deux heures plus tard je m'embarquais avec eux en auto : vivre quelques jours dans une maison de campagne américaine, quelle aubaine! C'était une très jolie maison en bois, toute blanche, vernie, avec de petites fenêtres partout. Myriam sculptait, la fille prenait des leçons de danse, le fils écrivait des poèmes hermétiques; il avait trente ans, une peau d'enfant, de grands yeux tragiques et un nez ravissant. Le premier soir, tout en me racontant ses peines de cœur, Nancy s'amusa à me déguiser d'une grande robe mexicaine, elle lâcha mes cheveux sur mes épaules. « Pourquoi ne vous coiffez-vous pas toujours ainsi? m'a dit Philipp; on dirait que vous faites exprès de vous vieillir. » Il m'a fait danser tard dans la nuit. Pour lui plaire, j'ai continué les jours suivants à me déguiser en jeune femme. Je comprenais très bien pourquoi il me faisait la cour; j'arrivais de Paris, et puis j'avais l'âge qu'avait eu Myriam pendant son adolescence. J'étais tout de même touchée. Il organisait pour moi des partys, il m'inventait des cocktails, il me jouait sur sa guitare de très jolies chansons de cow-boys, il me promenait à travers les vieux villages puritains. La veille de mon départ, nous sommes restés dans le living-room après les autres, nous écoutions des disques en buvant du whisky et il m'a dit d'une voix désolée :

— Quel dommage que je ne vous aie pas mieux connue à New York!
J'aurais adoré sortir à New York avec vous!

— Ça peut se retrouver, dis-je. Dans dix jours je reviens à New
York : vous y serez peut-être.

— En tout cas je peux y venir. Téléphonez-moi, dit-il en me regardant gravement.

Nous avons écouté encore quelques disques, et il m'a accompagnée
à travers le hall jusqu'à la porte de ma chambre; je lui ai tendu la main
mais il a demandé à voix basse : « Vous ne voulez pas m'embrasser ? »

Il m'a prise dans ses bras; un instant nous sommes restés immobiles,
joue contre joue, paralysés par le désir; et puis nous avons entendu
un pas léger et nous nous sommes vivement écartés l'un de l'autre.
Myriam nous a regardés avec un drôle de sourire.

— Anne part de bonne heure; ne la fais pas veiller trop tard, dit-
elle de sa voix délicate.

— J'allais me coucher, dis-je.

Je ne me couchai pas. Je restai debout devant la fenêtre ouverte
à respirer la nuit qui ne sentait rien : on aurait dit que la lune glaçait
le parfum des fleurs. Myriam dormait ou veillait dans la chambre voisine et je savais que Philipp ne viendrait pas. Parfois j'ai cru entendre
un pas, mais c'était seulement le vent qui marchait dans les arbres.

Le Canada n'était pas drôle; j'ai été tout heureuse quand j'ai de
nouveau débarqué à New York et j'ai aussitôt pensé : « Je vais téléphoner à Philipp. » J'étais invitée le jour même à un cocktail où je
devais retrouver la plupart de mes amis; de ma fenêtre j'apercevais
un vaste paysage de gratte-ciel : mais tout ça ne me suffisait plus.
Je suis descendue au bar de mon hôtel : dans la lumière bleu-noir,
un pianiste jouait en sourdine des airs langoureux, des couples chuchotaient, les garçons marchaient sur la pointe des pieds; j'ai commandé
un martini et allumé une cigarette, mon cœur battait à petits coups.
Ce que j'allais faire n'était pas très raisonnable; après huit jours passés
avec Philipp, je ne le quitterais sûrement pas sans un sérieux vague
à l'âme; mais tant pis; d'abord j'avais envie de lui; quant au vague à
l'âme, j'en aurais de toute façon. J'en avais déjà. Queensbridge, Central Park, Washington Square, l'East River : dans huit jours, je ne les
verrais plus; somme toute, j'aimais mieux avoir à regretter une personne que des pierres, il me semblait que ça serait moins douloureux.
Je bus une gorgée de martini. Une semaine : c'était trop court pour
de nouvelles découvertes, trop court pour des plaisirs sans lendemain;
je ne voulais plus errer dans New York en touriste; il fallait que je vive
pour de bon dans cette ville, comme ça elle deviendrait un peu mienne
et j'y laisserais quelque chose de moi. Il fallait que je marche dans les
rues au bras d'un homme qui, provisoirement, serait à moi. Je vidai
mon verre. Une fois pendant ce voyage un homme avait tenu mon
bras; c'était l'hiver, je trébuchais sur du verglas mais près de lui je
me sentais au chaud. Il disait : « Revenez. Je ne veux pas penser que
je ne vous reverrai pas. » Et je ne reviendrais pas; je serrerais contre

mon bras un autre bras. Pendant un instant, je me suis sentie coupable
de trahison. Mais il n'y avait pas de question; c'est Philipp que j'avais
désiré pendant toute une nuit, je le désirais encore et il attendait mon
coup de téléphone. Je me suis levée, je suis entrée dans la cabine et
j'ai demandé Hartford.

— Mr. Philipp Davies.

— Je vais le chercher.

Brusquement mon cœur s'est mis à battre à grands coups. Un instant plus tôt, je disposais de Philipp à ma guise, je l'appelais à New
York, je le couchais dans mon lit. Mais il existait pour son compte et
maintenant c'était moi qui dépendait de lui; j'étais seule, sans défense,
dans cet étroit cachot.

— Allô?

— Philipp? c'est Anne.

— Anne! comme c'est bon de vous entendre!

Il parlait français avec une lente perfection qui paraissait soudain
cruelle.

— Je téléphone de New York.

— Je sais. Chère Anne, Hartford est si ennuyeux depuis que vous
nous avez quittés! Avez-vous fait de beaux voyages?

Comme sa voix est proche! elle frôle mon visage. Mais lui, soudain,
il est très loin; contre l'ébonite noire du récepteur, ma main est moite.
Je lance des mots au hasard : « J'aimerais vous les raconter. Vous m'avez
dit de vous faire signe. Pourrez-vous venir à New York avant mon
départ?

— Quand partez-vous?

— Samedi.

— Oh! dit-il, oh! si tôt! » Il y eut un bref silence. « Cette semaine,
je dois aller à Cape Cod chez des amis, j'ai promis.

— Quel dommage!

— Oui, c'est dommage! Vous ne pouvez pas remettre ce départ?

— Je ne peux pas. Vous ne pouvez pas remettre ce séjour?

— Non, c'est impossible! dit sa voix consternée.

— Eh bien, nous nous reverrons cet été à Paris, dis-je avec une
gaieté polie. L'été n'est pas bien loin.

— Je regrette tant!

— Je regrette aussi. Au revoir, Philipp. A cet été.

— Au revoir, chère Anne. Ne m'oubliez pas trop. »

Je raccrochai le récepteur humide de sueur. Mon cœur s'était calmé
et ça laissait un vide sous mes côtes. Je suis allée chez les Wilson.
Il y avait beaucoup de monde, on m'a mis un verre dans les mains,
on me souriait, on m'appelait par mon nom, on m'attrapait par le bras,
par l'épaule, on m'invitait à droite, à gauche, j'inscrivais les rendez-
vous sur mon carnet; et il y avait toujours ce vide dans ma poitrine.
La déception de mon corps, j'en prenais mon parti; mais ce vide,
j'avais de la peine à le supporter. Ils me souriaient, ils parlaient, je
parlais, je souriais, pendant toute une semaine encore nous allions

parler et sourire et puis aucun d'eux ne penserait plus à moi ni moi
à eux; ce pays était bien réel, j'étais bien vivante, et je partirais sans
rien laisser derrière moi, et sans rien emporter. Entre deux sourires,
j'ai pensé brusquement : « Et si j'allais à Chicago? » Je pouvais téléphoner à Brogan ce soir même et lui dire : « Je viens. » S'il n'avait plus
envie de me voir, eh bien, il le dirait : quelle importance? Deux refus,
ça ne serait pas pire qu'un. Entre deux autres sourires, je me suis
considérée avec scandale : je n'ai pas eu Philipp, alors je vais me
jeter dans les bras de Brogan! Qu'est-ce que ces mœurs de femelle
en chaleur? En fait, l'idée de coucher avec Brogan ne me disait pas
grand-chose, j'imaginais qu'au lit il était plutôt gauche; et je n'étais
même pas sûre d'avoir plaisir à le revoir; je n'avais passé qu'un après-
midi avec lui, je risquais les pires déceptions. Aucun doute, ce projet
était stupide; j'avais envie de bouger, de m'agiter pour me masquer
ma déconvenue, c'est comme ça qu'on fait de vraies sottises. Je décidai
de rester à New York et je continuai à noter des rendez-vous : des
expositions, des concerts, des dîners, des partys, la semaine passerait
vite. Quand je me suis retrouvée dans la rue, la grosse horloge de Gra-
mercy Square marquait minuit; de toute façon, il était trop tard
pour téléphoner. Non, pas trop tard; à Chicago, il n'était que neuf
heures, Brogan lisait dans sa chambre, ou il écrivait. Je m'arrêtai
devant la vitrine enluminée d'un drug-store. « Je ne veux pas penser
que je ne vous reverrai jamais. » Je suis entrée, j'ai fait de la monnaie
à la caisse et j'ai demandé Chicago.

— Lewis Brogan? C'est Anne Dubreuilh.

On ne répondit rien. « C'est Anne Dubreuilh. Vous entendez?

— J'entends très bien. » Il ajouta dans un français informe en ânon-
nant gaiement chaque syllabe : « Bonjour, Anne; comment ça va? »

La voix était moins présente que celle de Philipp; Brogan en semblait
moins lointain.

— Je peux venir passer trois ou quatre jours à Chicago cette semaine,
dis-je. Qu'en pensez-vous?

— Il fait très beau en ce moment à Chicago.

— Mais si je venais ça serait pour vous voir. Avez-vous du temps?

— J'ai tout mon temps, dit-il d'un ton rieur. Mon temps est à moi.

J'hésitai une seconde; c'était trop facile : l'un disait non, et l'autre
oui, avec la même indifférence; mais il était trop tard pour reculer;
je dis : « Alors, j'arriverai demain matin par le premier avion. Rete-
nez-moi une chambre dans un hôtel qui ne soit pas le meilleur de
Chicago. Où nous retrouverons-nous?

— J'irai vous chercher à l'aérodrome.

— Entendu; à demain. »

Il y eut un silence; et j'ai reconnu la voix qui trois mois plus tôt
m'avait dit : « Revenez »; elle disait :

— Anne! je suis si heureux de vous revoir!

— Je suis heureuse aussi. A demain.

— A demain.

C'était sa voix, c'était bien lui tel que je me le rappelais et il ne m'avait pas oubliée; près de lui, je me sentirais au chaud, comme cet hiver. Soudain, j'étais contente que Philipp eût répondu : non. Tout serait simple. Nous causerions un moment dans un bar aux lumières tamisées; il me dirait : « Venez vous reposer chez moi. » Nous nous assiérions côte à côte sur la couverture mexicaine, j'écouterais docilement Charles Trenet, et Brogan me prendrait dans ses bras. Ça ne serait sans doute pas une nuit très sensationnelle mais il en serait heureux, j'en étais sûre et ça suffisait à mon bonheur. Je me couchai, tout émue de penser qu'un homme m'attendait pour me serrer contre son cœur.

Il ne m'attendait pas; il n'y avait personne dans le hall. « Ça commence mal », pensai-je en m'asseyant dans un fauteuil. J'étais nettement désemparée et je me dis avec inquiétude que j'avais manqué de prudence. « J'appelle Brogan ou je ne l'appelle pas ? » J'avais joué seule à ce jeu; et voilà que je me trouvais jetée dans une équipée dont le succès ne dépendait plus de moi; tout ce que je pouvais faire, c'était suivre sur le cadran le mouvement de ces aiguilles qui n'avançaient pas; cette passivité m'effraya et je cherchai à me rassurer. Après tout, si cette histoire tournait mal, je pourrais trouver un prétexte pour rentrer dès demain à New York; de toute façon, dans huit jours, la parenthèse serait refermée : en sécurité dans ma vie, je sourirais avec indulgence à tous mes souvenirs, touchants ou ridicules. Mon inquiétude s'apaisa. Quand j'ouvris mon sac pour chercher sur mon agenda le numéro de téléphone de Brogan, j'avais vérifié toutes les issues de secours, j'étais garantie contre tous les accidents. Je relevai la tête, et je vis qu'il était debout devant moi, il m'enveloppait tout entière d'un petit sourire réticent. Je fus aussi stupéfaite que si à l'autre bout du monde j'avais rencontré son fantôme. « Alors ? comment ça va ? » dit-il dans son affreux français. Je me levai. Il était plus mince que son image, il avait des yeux plus vivants : « Ça va. »

Sans quitter son sourire, il approcha sa bouche de mes lèvres. Ce baiser public m'a déconcertée et il a laissé sur le menton de Brogan une tache rouge : « Vous voilà tout barbouillé », dis-je. J'essuyai la tache avec mon mouchoir et j'ajoutai : « Je suis arrivée à neuf heures.

— Oh! dit-il sur un ton de reproche qui semblait s'adresser à moi : ils m'avaient dit au téléphone que le premier avion atterrissait à dix heures.

— Ils se sont trompés.

— Ils ne se trompent jamais.

— Enfin je suis là.

— Vous êtes là », concéda-t-il. Il s'assit, je m'assis aussi. Neuf heures vingt. Il était arrivé vingt minutes en retard, quarante minutes en avance. Il portait un beau complet de flanelle, une chemise imma-

culée; je le devinais planté devant son miroir, anxieux de me faire
honneur, inhabile à se regarder, interrogeant son reflet d'un œil tour
à tour flatté et perplexe; il surveillait avec inquiétude la pendule; et
moi, traîtreusement je l'attendais déjà! Je lui souris :

— Nous n'allons pas rester ici toute la matinée.

— Non, dit-il. Il réfléchit : « Voulez-vous que nous allions au Zoo?

— Au Zoo?

— C'est tout près d'ici.

— Et qu'est-ce que nous y ferons?

— Nous regarderons les bêtes et elles nous regarderont.

— Je ne suis pas venue ici pour me donner en spectacle à vos bêtes. »
Je me levai. « Allons plutôt dans un endroit tranquille où je pourrai
avoir du café, des sandwiches, et nous nous regarderons l'un l'autre. »

Il se leva aussi : « C'est une idée. »

Nous étions seuls dans la limousine qui nous emportait vers le centre
de la ville; Brogan tenait mon sac de voyage sur ses genoux, il se taisait,
et de nouveau je me sentis inquiète : « Ça sera long, quatre jours avec
cet inconnu; quatre jours, ce sera court pour faire connaissance. » Je
dis : « Il faudra passer d'abord à mon hôtel pour déposer ma valise. »

Brogan sourit d'un air embarrassé.

— Vous m'avez bien retenu une chambre?

Il gardait son sourire coupable, mais il y avait dans sa voix quelque
chose de provocant : « Non! »

— Comment! Je vous l'avais demandé au téléphone!

— Je n'ai pas entendu la moitié de ce que vous racontiez, dit-il
avec volubilité. Votre anglais est encore pire que cet hiver et vous
parlez comme une mitrailleuse. Mais ça n'a aucune importance. Nous
allons mettre ce sac à la consigne. Attendez-moi là », ajouta-t-il quand
nous fûmes descendus de la voiture devant le bureau d'aviation. Il
poussa une porte tambour et je le suivis du regard avec soupçon. Cet
oubli, était-ce négligence ou ruse? Sans doute était-il clair pour lui
comme pour moi que je passerais cette nuit dans son lit; mais j'étais
prise de panique à l'idée que ce soir nous n'en aurions peut-être pas
vraiment envie. Je m'étais bien juré que je ne ferais plus jamais la
faute d'entrer sans désir dans le lit d'un homme. Dès que Brogan
fut de retour, je dis avec nervosité :

— Il faut téléphoner à un hôtel. Je n'ai pas dormi de la nuit; j'aimerais faire une sieste, prendre un bain.

— C'est très difficile de trouver une chambre à Chicago, dit-il.

— Raison de plus pour en chercher une tout de suite.

Il aurait dû dire : « Venez vous reposer chez moi. » Mais il ne dit
rien. Et la cafétaria où il m'emmena ne ressemblait pas du tout au bar
intime et chaud que j'avais imaginé : on aurait dit un buffet de gare.
Le bar où nous échouâmes ensuite avait aussi l'air d'une salle d'attente.
Allions-nous passer la journée à attendre? Qu'attendions-nous?

— Un whisky?

— Volontiers.

— Cigarette?

— Merci.

— Je vais mettre un disque.

Si du moins nous avions pu causer tranquillement comme naguère! mais Brogan ne tenait pas en place; il allait chercher au comptoir une bouteille de coca-cola, il glissait un nickel, puis un autre dans la boîte à disques, il négociait des cigarettes. Quand enfin je l'eus décidé à téléphoner, il resta absent si longtemps que je le crus disparu à jamais. Décidément, je m'étais bien trompée dans mes prévisions! on aurait dit qu'il faisait exprès de les déjouer; c'est à peine s'il ressemblait à l'homme dont j'avais gardé le souvenir. Le printemps avait fait fondre le bloc de raideur dans lequel l'hiver l'avait figé; certes, il n'était devenu ni gracieux, ni souple, mais sa taille était presque élégante, ses cheveux décidément blonds, ses yeux d'un gris vert bien défini; dans ce visage qui m'avait paru neutre, je découvrais une bouche sensible, des narines un peu farouches, une subtilité qui me déconcertait.

— Je n'ai rien trouvé, dit Brogan quand il se rassit près de moi. J'ai fini par m'adresser à l'association des hôtels. Je dois les rappeler un peu plus tard.

— Merci.

— Que voulez-vous faire maintenant?

— Si on restait tranquillement ici?

— Alors, un autre whisky?

— Soit.

— Cigarette?

— Merci.

— Vous voulez que je mette un disque?

— Non, s'il vous plaît.

Il y eut un silence; j'attaquai : « J'ai vu vos amis à New York.

— Je n'ai pas d'amis à New York.

— Mais si, les Benson qui nous ont mis en rapport.

— Oh! ce ne sont pas des amis.

— Alors pourquoi avez-vous accepté de me voir, il y a deux mois?

— Parce que vous étiez française et que vous aviez un nom qui me plaisait : « Anne. » Un instant, il me donna son sourire, mais il le reprit tout de suite. Je fis un nouvel effort :

— Qu'est-ce que vous êtes devenu?

— J'ai vieilli d'un jour tous les jours.

— Je vous trouve plutôt rajeuni.

— C'est que j'ai un veston d'été.

Le silence retomba et cette fois j'abandonnai.

— Bon. Allons quelque part. Mais où?

— Cet hiver, vous aviez envie de voir une partie de base-ball, dit-il avec empressement, il y en a une aujourd'hui.

— Eh bien, allons-y.

C'était gentil de se rappeler mes vieux désirs; mais il aurait pu se douter que pour l'instant le base-ball ne m'intéressait pas du tout.

N'importe. Le mieux que nous ayons à faire, c'était de tuer le temps en attendant... en attendant quoi? Je suivais d'un regard hébété les hommes casqués qui couraient sur la pelouse d'un vert agressif, et je me répétais avec anxiété : tuer le temps! alors que nous n'avons pas une heure à gâcher. Quatre jours, c'est si court, il faut nous hâter : quand allons-nous enfin nous rencontrer?

— Vous vous ennuyez? dit Lewis.

— J'ai un peu froid.

— Allons ailleurs.

Il m'emmena dans un bowling où nous avons bu de la bière en regardant tomber des quilles, et dans une taverne où cinq pianos mécaniques ont martelé à tour de rôle une musique poussiéreuse, et dans un aquarium où des poissons grimaçaient méchamment. Nous avons pris des tramways, des métros, d'autres tramways, d'autres métros; je me plaisais dans les métros; le front appuyé à la vitre du premier wagon, nous nous engloutissions dans de vertigineux tunnels fleuris d'ampoules bleu pâle, le bras de Brogan soutenait ma taille et notre silence ressemblait à celui qui unit des amants confiants; mais dans les rues nous marchions à distance et je sentais avec détresse que nous nous taisions parce que nous ne trouvions rien à nous dire. Au milieu de l'après-midi, il me fallut bien reconnaître qu'il y avait eu une erreur dans mes calculs : dans une semaine, demain, cette journée serait devenue du passé, j'aurais beau jeu d'en triompher; mais d'abord il fallait la vivre heure par heure et pendant toutes ces heures un inconnu disposait capricieusement de mon sort. J'étais si fatiguée et si déçue, que j'ai voulu me retrouver seule.

— S'il vous plaît, demandai-je, téléphonez encore une fois; j'ai besoin de dormir un peu.

— Je vais m'adresser à l'association des hôtels, dit Brogan en poussant la porte d'un drug-store. Je restai debout à regarder d'un œil distrait les livres aux couvertures glacées et presque tout de suite il sortit de la cabine avec un sourire satisfait.

— Il y a une chambre qui vous attend à deux blocs d'ici.

— Ah! merci.

Nous avons marché en silence jusqu'à l'hôtel. Pourquoi n'avait-il pas menti? C'est maintenant qu'il aurait dû dire : Venez vous reposer chez moi. N'était-il pas sûr lui non plus de ses désirs? J'avais compté sur sa chaleur, sur son audace pour briser la solitude de mon corps; mais il me laissait prisonnière et je ne pouvais rien pour nous. Lewis s'approcha du bureau :

— Je viens de retenir une chambre.

L'employé jeta un coup d'œil sur le registre :

— Deux personnes?

— Une, dis-je. J'inscrivis mon nom sur la fiche. « Ma valise est à la consigne.

— Je vais la chercher, dit Lewis. Quand la voulez-vous?

— Appelez-moi dans deux heures. »

Avais-je rêvé? Ou avait-il échangé un drôle de regard avec l'employé? Avait-il retenu la chambre pour deux personnes? Mais alors il aurait dû trouver un prétexte pour monter avec moi. Je lui en aurais soufflé vingt. Ses pauvres ruses m'irritaient d'autant plus que j'aurais souhaité m'y laisser prendre. Je fis couler mon bain, je plongeai dans l'eau tiède tout en me disant que nous étions bien mal embarqués. Était-ce ma faute? Sans doute y avait-il des femmes qui auraient su dire tout de suite : « Allons chez vous. » Nadine l'aurait dit. Je me couchai sur la courtepointe satinée, je fermai les yeux. Déjà je redoutais le moment où il faudrait me retrouver debout au milieu de cette chambre où ne m'accueillerait pas même la familiarité d'une brosse à dents. Tant de chambres différentes et indiscernables, tant de valises ouvertes, fermées, tant d'arrivées et de départs, de réveils, d'attentes, de courses, de fuites : j'étais lasse d'avoir égrené pendant trois mois des jours sans lendemain, j'étais lasse de recréer ma vie chaque matin, chaque soir, à chaque heure. Je souhaitais passionnément qu'une force étrangère me terrassât sur ce lit, à jamais. Qu'il monte, qu'il frappe à ma porte, qu'il entre. Je guettais son pas dans le couloir avec une impatience si passionnée qu'elle imitait le désir. Pas un bruit. Je me jetai dans le sommeil.

Quand je retrouvai Brogan dans le hall, j'étais apaisée; bientôt, le sort de cette aventure serait décidé, et de toute façon, d'ici quelques heures je dormirais. Le vieux restaurant allemand où nous avons dîné m'a paru accueillant, et j'ai bavardé avec insouciance. Le bar où nous nous sommes assis ensuite baignait dans des brumes violettes : je m'y sentais bien. Et Brogan me parlait avec sa voix d'autrefois.

— Le taxi vous a enlevée, disait-il, et je ne savais rien de vous. En rentrant, j'ai trouvé le *New Yorker* sous ma porte; et voilà qu'au milieu d'un article sur un congrès de psychiatrie, je tombe sur votre nom. Comme si vous étiez revenue au milieu de la nuit pour me dire qui vous étiez.

— Les Benson ne vous avaient pas renseigné?

— Oh! je ne lis jamais leurs lettres. Il ajouta d'une voix amusée : « Dans l'article, on parlait de vous comme d'un brillant docteur.

— Ça vous a bien étonné? »

Il me regarda sans répondre, en souriant; quand il me souriait ainsi il me semblait sentir son souffle contre ma bouche.

— J'ai pensé qu'ils ont de bien drôles de docteurs en France.

— Moi en rentrant, j'ai trouvé votre livre à l'hôtel. J'ai essayé de le lire mais j'avais trop sommeil. Je l'ai lu le lendemain dans le train. Je dévisageai Lewis : « Bertie, c'est beaucoup vous, n'est-ce pas?

— Oh! moi je n'aurais jamais mis le feu à une ferme, dit Brogan d'une voix ironique; j'ai bien trop peur du feu et aussi des gendarmes. » Il se leva brusquement : « Venez faire une partie de vingt-six. »

La blonde aux yeux moroses qui était assise derrière la table de jeu nous tendit le cornet à dés; Brogan choisit le six et misa un demi-dollar; je regardais avec abattement les petits os qui roulaient sur le tapis vert. Pourquoi est-ce qu'il s'était dérobé, juste quand nous commencions à nous retrouver? est-ce que moi aussi je lui faisais peur? Son visage me semblait à la fois très dur et très vulnérable, je le déchiffrais mal. « Gagné! » dit-il d'un ton joyeux; et il me tendit le cornet. Je le secouai avec violence. « C'est notre nuit que je joue », décidai-je dans un éclair. Je choisis le cinq; ma bouche était doublée de parchemin, mes paumes moites; le cinq sortit sept fois pendant les treize premiers coups, puis trois fois encore : perdu!

— C'est un jeu stupide, dis-je en me rasseyant.

— Vous aimez jouer?

— Je déteste perdre.

— J'adore le poker et je perds toujours, dit Brogan avec mélancolie. Il paraît que mon visage est trop facile à déchiffrer.

— Je ne trouve pas, dis-je en fixant sur lui un regard de défi. Il eut l'air embarrassé mais je ne détournai pas les yeux. J'avais joué notre nuit, je l'avais perdue, Brogan me refusait son aide et les dés m'avaient condamnée; je me révoltai contre cette défaite avec une violence qui soudain se changea en courage.

— Depuis ce matin, je me demande si vous êtes content que je sois venue et je n'arrive pas à le savoir.

— Naturellement, je suis content, dit-il d'une voix si sérieuse que j'eus honte de mon ton agressif.

— Je le voudrais, dis-je, parce que moi je suis heureuse de vous avoir retrouvé. Ce matin j'avais peur que mes souvenirs ne m'aient trompée : mais non, c'est bien vous que je me rappelais.

— Moi j'étais sûr de ma mémoire, dit-il; et de nouveau sa voix était chaude comme une haleine; je pris sa main et je dis le mot de toutes les femmes qui s'essaient à la tendresse :

— J'aime bien vos mains.

— J'aime bien les vôtres; c'est avec ça que vous torturez le cerveau de pauvres malades sans défense?

— Confiez-moi le vôtre, je crois qu'il en a besoin...

— Oh! il ne boite que d'un côté.

Nos mains restaient unies, je regardais avec émotion ce pont fragile jeté entre nos vies et je me demandais, la bouche sèche : « Ces mains, vais-je ou non les connaître? » Le silence dura longtemps et Brogan proposa :

— Voulez-vous que nous retournions entendre Big Billy?

— J'aimerais bien.

Dans la rue, il prit mon bras; je savais que d'un instant à l'autre il allait m'attirer à lui; le poids de cette lourde journée avait glissé de mes épaules et je marchais enfin vers la paix, vers la joie. Brusquement, il quitta mon bras; un grand sourire inconnu illumina son visage : « Teddy! »

L'homme et les deux femmes s'arrêtèrent et sourirent aussi avec éclat; en un instant nous nous sommes trouvés installés à la table d'une triste cafétaria; ils parlaient tous très vite et je ne comprenais rien à ce qu'ils disaient. Brogan riait beaucoup, son regard s'était animé, il avait l'air soulagé d'échapper à notre long tête-à-tête; c'était naturel : ces gens étaient ses amis, ils avaient des tas d'histoires à se raconter; entre lui et moi, qu'y avait-il de commun? Les femmes assises auprès de lui étaient jeunes et jolies : lui plaisaient-elles? Je m'avisai qu'il y avait certainement dans sa vie des femmes jeunes et jolies : comment pouvais-je en éprouver tant de souffrance alors que nous n'avions pas encore échangé un seul vrai baiser? Je souffrais. Loin, très loin au fond d'un tunnel j'apercevais une des sorties de secours qui au matin m'avaient paru si sûres : mais j'étais bien trop fatiguée pour m'y traîner, fût-ce à genoux. J'essayai de murmurer : « Que d'histoires pour ne pas arriver à se faire baiser! » mais ce cynisme n'aidait pas; être plus ou moins ridicule, mériter mon approbation ou mon blâme, ça n'avait plus aucune importance; ce n'était pas de moi à moi que cette histoire se déroulait : je m'étais mise pieds et poings liés à la merci d'un autre. Quelle folie! Je ne comprenais même plus ce que j'étais venue chercher ici; certainement il fallait avoir perdu l'esprit pour m'imaginer qu'un homme qui ne m'était rien pourrait quelque chose pour moi. « Je vais rentrer dormir tout de suite », décidai-je quand Brogan dans la rue reprit mon bras.

— Je suis content de vous avoir montré Teddy, disait-il, c'est le pickpocket écrivain dont je vous ai parlé, vous vous rappelez?

— Je me rappelle. Et les femmes, qui sont-elles?

— Je ne les connais pas. Brogan s'était arrêté au coin d'une rue. « Si le tramway ne vient pas, nous prendrons un taxi. »

« Un taxi, pensais-je, c'est notre dernière chance; si le tramway s'amène, je renonce, je rentre à l'hôtel. » Pendant un instant infini, j'épiai les rails à l'éclat menaçant. Brogan fit signe à un taxi : « Montez. »

Je n'ai pas eu le temps de me dire : « Maintenant ou jamais »; déjà, il me serrait contre lui, un carcan de chair emprisonnait mes lèvres, une langue fouillait ma bouche et mon corps se levait d'entre les morts. J'entrai dans le bar en titubant comme dut tituber Lazare ressuscité; les musiciens se reposaient et Big Billy vint s'asseoir à notre table; Brogan plaisantait avec lui et ses yeux brillaient; j'aurais voulu partager sa gaieté, mais j'étais encombrée par mon corps tout neuf, il était trop volumineux, trop brûlant. L'orchestre recommença à jouer; je regardai d'un œil vague l'unijambiste aux cheveux calamistrés qui exécutait un numéro de claquettes, et ma main tremblait en portant à ma bouche le godet de whisky : qu'allait faire Brogan? que dirait-il? Moi je ne saurais pas m'arracher un geste, ni un mot. Au bout d'un temps qui me parut très long il demanda d'une voix animée : « Vous voulez partir?

— Oui.

— Vous voulez rentrer? »

Dans un murmure qui déchira ma gorge, je réussis à balbutier : « Je ne voudrais pas vous quitter.

— Ni moi vous », dit-il avec un sourire.

Dans le taxi, il reprit ma bouche et puis il demanda :

— Voulez-vous bien dormir chez moi?

— Bien sûr.

Pensait-il que je pouvais le jeter à la poubelle ce corps qu'il venait de me donner? Je mis la tête sur son épaule et il m'entoura de son bras.

Dans la cuisine jaune où le poêle ne ronflait plus, il me serra contre lui avec violence : « Anne! Anne! c'est un rêve! J'ai été si malheureux tout le jour!

— Malheureux? C'est vous qui m'avez torturée; vous ne vous décidiez jamais à m'embrasser.

— Je vous ai embrassée et vous m'avez essuyé le menton avec votre mouchoir : j'ai pensé que je faisais fausse route.

— On ne s'embrasse pas dans un hall! Il fallait m'amener ici.

— Mais vous réclamiez une chambre! Moi j'avais tout bien arrangé; j'avais acheté un grand beefsteak pour le dîner; à dix heures du soir j'aurais dit : il est trop tard pour trouver un hôtel.

— J'avais bien compris; mais je suis prudente : supposez que nous ne nous soyons pas retrouvés.

— Comment ne pas nous retrouver? Je ne vous ai jamais perdue. »

Nous nous parlions bouche à bouche et je sentais son haleine sur mes lèvres. Je murmurai : « J'avais si peur qu'il ne passe un tramway. »

Il rit avec orgueil : « J'étais bien décidé à prendre un taxi. » Il embrassait mon front, mes paupières, mes joues et je sentais la terre tourner. « Vous êtes morte de fatigue, il faut vous coucher », dit-il. D'un air consterné il ajouta : « Votre valise!

— Je n'en ai pas besoin. »

Il est resté dans la cuisine pendant que je me déshabillais; je m'enroulai dans les draps, sous la couverture mexicaine; je l'entendais rôder, ranger, ouvrir et fermer des placards comme si nous avions été déjà un vieux ménage; après tant et tant de nuits passées dans des chambres d'hôtel, dans des chambres d'amis, c'était réconfortant de me sentir chez moi, dans ce lit étranger; l'homme que j'avais choisi et qui m'avait choisie allait se coucher à mon côté.

— Oh! vous êtes déjà installée! dit Brogan. Ses bras étaient chargés de linge immaculé et il me considérait avec perplexité. « Je voulais changer les draps.

— C'est inutile. » Il restait sur le pas de la porte tout embarrassé de son fardeau pompeux. « Je suis très bien », dis-je en tirant jusqu'à mon menton le drap tiède dans lequel il avait dormi, la nuit dernière. Il s'est éloigné, il est revenu.

— Anne!

Il s'était abattu sur moi et son accent m'a bouleversée. Pour la première fois, je dis son nom : « Lewis!

— Anne! je suis si heureux! »

Il était nu, j'étais nue, et je n'éprouvais aucune gêne; son regard ne

pouvait pas me blesser; il ne me jugeait pas, il ne me préférait rien.
Des cheveux aux orteils, ses mains m'apprenaient par cœur. De nouveau je dis : « J'aime vos mains.

— Vous les aimez?

— Toute la soirée je me suis demandé si je les sentirais sur mon
corps.

— Vous les sentirez toute la nuit », dit-il.

Soudain, il n'était plus ni gauche ni modeste. Son désir me transfigurait. Moi qui depuis si longtemps n'avais plus de goût, plus de forme,
je possédais de nouveau des seins, un ventre, un sexe, une chair; j'étais
nourrissante comme le pain, odorante comme la terre. C'était si miraculeux que je n'ai pas pensé à mesurer mon temps ni mon plaisir;
je sais seulement que lorsque nous nous sommes endormis on entendait
le faible pépiement de l'aube.

Une odeur de café m'a réveillée; j'ouvris les yeux et je souris en voyant
sur une chaise voisine ma robe de lainage bleu dans les bras d'un veston
gris. L'ombre de l'arbre noir avait poussé des feuilles qui papillotaient
sur le store d'un jaune éclatant. Lewis me tendit un verre et je bus d'un
trait le jus d'orange qui avait ce matin goût de convalescence : comme
si la volupté était une maladie; ou comme si toute ma vie avait été une
longue maladie dont j'étais en train de me guérir.

C'était un dimanche, et pour la première fois de l'année le soleil brillait sur Chicago; nous avons été nous asseoir sur une pelouse au bord
du lac. Il y avait des enfants qui jouaient aux Sioux dans les buissons
et beaucoup d'amoureux qui se tenaient les mains; des yachts glissaient
sur l'eau luxueuse, des avions nains, rouges, jaunes et vernis comme
des jouets, tournaient en rond au-dessus de nos têtes. Lewis a tiré un
papier de sa poche. « Il y a deux mois j'avais fait un poème sur
vous...

— Montrez. »

Je sentis un petit pincement au cœur; assis près de la fenêtre, sous
la reproduction du Van Gogh, il avait écrit ces vers pour la chaste
inconnue qui lui avait refusé ses lèvres; pendant deux mois, il avait
pensé à elle avec tendresse : et je n'étais plus cette femme; sans doute
aperçut-il une ombre sur mon visage car il dit avec inquiétude : « Je
n'aurais pas dû vous le montrer.

— Mais si, je l'aime beaucoup. » Je souris avec effort. « Mais maintenant ces lèvres sont à vous.

— Maintenant enfin », dit-il.

La chaleur de sa voix me rassura; cet hiver, ma réserve l'avait
touché; mais évidemment il était bien plus content maintenant; inutile
de me tourmenter; il caressait mes cheveux, il me disait des mots simples
et doux, il faisait glisser à mon doigt une vieille bague de cuivre; je
regardais l'anneau, j'écoutais les mots insolites; sous ma joue, j'épiais
les battements familiers d'un cœur inconnu. Rien ne m'était demandé :
il suffisait que je sois juste ce que j'étais et un désir d'homme me changeait en une parfaite merveille. C'était tellement reposant que si le

soleil s'était arrêté au milieu du ciel, j'aurais laissé couler l'éternité sans m'en apercevoir.

Mais le soleil s'était rapproché de la terre, l'herbe devenait fraîche, les buissons se taisaient, les yachts s'endormaient : « Vous allez prendre froid, dit Lewis. Marchons un peu. »

Ça semblait étrange de me retrouver sur mes jambes, réchauffée par ma seule chaleur, et que mon corps sût se mouvoir et qu'il occupât une place à lui; tout le jour il n'avait été qu'une absence, un négatif : il attendait la nuit et les caresses de Lewis.

— Où voulez-vous dîner? dit-il. On peut rentrer ou aller quelque part.

— Allons quelque part.

Cette journée avait été si bleue, si tendre que je me sentais à bout de douceur. Notre passé n'avait pas trente-six heures, notre horizon se réduisait à un visage, et notre avenir, c'était notre lit : on étouffait un peu dans cet air confiné.

— Si nous essayions le club noir dont parlait hier Big Billy?

— C'est loin, dit Lewis.

— Ça nous promènera un peu.

J'avais envie de distractions. Ces heures trop intenses m'avaient fatiguée. Dans le tramway, je somnolai sur l'épaule de Lewis. Je n'essayais pas de m'y reconnaître dans cette ville; je ne croyais pas qu'elle eût comme les autres des artères fixes et des moyens de transport précis. Il fallait se plier à certains rites que Lewis connaissait, et les endroits surgissaient du néant. Le club Delisa surgit du néant, auréolé d'un halo mauve. Il y avait une grande glace à côté de la porte et ensemble nous avons souri à notre reflet. Ma tête arrivait juste à la hauteur de son épaule, nous avions l'air heureux et jeunes, et je dis gaiement : « Quel beau couple! » Et puis mon cœur se serra : non; nous n'étions pas un couple; nous n'en serions jamais un. Nous aurions pu nous aimer, j'en étais sûre : en quel point du monde, en quel temps? en tout cas nulle part sur terre, en aucun point de l'avenir.

— Nous voudrions dîner, dit Lewis.

Un maître d'hôtel au teint très sombre, qui avait l'air d'un champion de catch, nous installa dans un box près de la scène et on posa devant nous des corbeilles pleines de poulet frit. Les musiciens n'étaient pas encore arrivés mais la salle était pleine : quelques blancs, beaucoup de noirs dont certains portaient sur leur tête des fez.

— Qu'est-ce que c'est que ces chéchias?

— C'est une de ces ligues comme il y en a tant, dit Lewis. Nous sommes tombés sur un de leurs congrès.

— Mais ça va être très ennuyeux.

— J'en ai peur.

Sa voix était maussade. Sans doute était-il fatigué lui aussi par notre longue débauche de bonheur; depuis la veille nous nous étions épuisés à nous chercher, à nous atteindre, à nous étreindre; trop peu de sommeil, trop de fièvre, trop de langueur. Pendant que nous mangions en

silence, un grand nègre coiffé d'un fez monta sur la scène et se mit
à parler avec emphase.

— Qu'est-ce qu'il raconte?

— Il parle de la ligue

— Il y aura quand même des attractions?

— Oui.

— Quand?

— Je ne sais pas.

Il répondait du bout des lèvres; notre lassitude commune ne nous
rapprochait pas et soudain je n'ai plus senti couler dans mes veines
qu'une eau grise. Peut-être était-ce une erreur d'avoir voulu fuir notre
cachot : l'air y était trop lourd, trop riche; mais dehors, la terre était
dépeuplée, il faisait froid. L'orateur jeta un nom d'une voix gaie, une
femme coiffée de rouge se leva et tout le monde applaudit; un autre
visage, et puis un autre se dressèrent au-dessus de la foule; allait-on
présenter un à un tous les membres de la ligue? Je me tournai vers
Lewis. Il fixait sur le vide un regard vitreux; sa mâchoire inférieure
pendait et il ressemblait aux méchants poissons de l'aquarium.

— Si ça doit durer longtemps nous ferions mieux de partir, dis-je.

— Nous ne sommes pas venus de si loin pour partir si vite.

Sa voix était sèche; il me sembla même y discerner une espèce d'hostilité que la fatigue ne suffisait pas à expliquer. Peut-être quand nous
avions quitté le bord du lac souhaitait-il rentrer chez nous; peut-être
était-il blessé que je n'aie pas désiré retrouver tout de suite notre lit;
cette idée me consterna. J'essayai de me rapprocher de lui avec des
mots.

— Vous êtes fatigué?

— Non.

— Vous vous ennuyez?

— J'attends.

— Nous n'allons pas attendre comme ça pendant deux heures?

— Pourquoi pas?

Il avait appuyé sa tête contre la cloison de bois, son visage était
opaque et lointain comme la face de la lune; il avait l'air prêt à somnoler
sans mot pendant deux heures. Je commandai un double whisky qui
ne réussit pas à me ranimer. Sur la scène de vieilles dames noires coiffées de fez rouges se saluaient et saluaient le public au milieu des applaudissements.

— Lewis, rentrons.

— Non, c'est absurde.

— Alors parlez-moi.

— Je n'ai rien à dire.

— Je ne peux plus supporter de rester ici.

— Vous avez voulu venir.

— Ça n'est pas une raison.

Il était déjà retombé dans sa torpeur. J'essayai de penser : « Je dors,
c'est un cauchemar, je vais me réveiller. » Mais non; c'était cet après-

midi trop bleu qui avait été un rêve, c'est maintenant que nous étions
éveillés. Au bord du lac, Lewis me parlait comme si je n'avais jamais
dû le quitter, il avait passé à mon doigt une alliance; et dans trois
jours je serais partie, pour toujours, il le savait. « Il m'en veut, et
c'est justice, pensais-je. Pourquoi suis-je venue, puisque je ne peux
pas rester ? Il m'en veut, et sa rancune va nous séparer à jamais. » Il s'en fallait de si peu pour nous séparer à jamais : si peu de temps auparavant
nous étions à jamais séparés! Des larmes me montaient aux yeux.

— Vous êtes fâché?
— Mais non.
— Alors qu'y a-t-il?
— Rien.

Je cherchais en vain son regard; je pourrais m'écraser les phalanges,
me fracasser le crâne contre ce mur aveugle, je ne l'ébranlerais pas.
Des jeunes filles en robes de distribution de prix s'alignaient sur la
scène; une petite maigrichonne au teint beige s'approcha du micro et
commença à chantonner en minaudant. Je murmurai avec désespoir :
« Moi je vais rentrer! »

Lewis ne bougea pas et je me demandais incrédule : « Est-il possible
que tout soit déjà fini? L'ai-je perdu si vite? » Je fis un effort de bon
sens : je ne l'avais pas perdu, je ne l'avais jamais eu, et je n'avais pas
le droit de m'en plaindre puisque je n'avais fait que me prêter à lui.
Soit, je ne me plaignais pas : mais je souffrais. Je touchai ma bague
de cuivre. Il n'y avait qu'un moyen de cesser de souffrir : tout renier.
Je lui rendrais la bague, demain matin je prendrais l'avion pour New
York, et cette journée ne serait plus qu'un souvenir que le temps se
chargerait d'effacer. La bague glissa le long de mon doigt et je revis
le ciel bleu, le sourire de Lewis, il me caressait mes cheveux, il m'appelait :
« Anne! » Je m'effondrai sur son épaule : « Lewis! »

Il passa son bras autour de moi et mes larmes jaillirent.

— Ai-je été vraiment si méchant?
— Vous m'avez fait peur, dis-je. J'ai eu tellement peur!
— Peur? Aviez-vous peur des Allemands à Paris?
— Non.
— Et moi je vous ai fait peur? je suis bien fier...
— Vous devriez être honteux. Il embrassait légèrement mes cheveux;
sa main caressait mon bras; je murmurai : « J'ai voulu vous rendre
votre bague.
— J'ai vu, dit-il d'une voix grave. J'ai pensé : Je gâche tout; mais
je ne pouvais pas m'arracher un mot.
— Pourquoi? Que s'est-il passé?
— Il ne s'est rien passé du tout. »

Je n'insistai pas mais je demandai : « Vous voulez bien que nous
rentrions maintenant?

— Bien sûr. »

Dans le taxi, il dit brusquement : « Ça ne vous arrive jamais d'avoir
envie de tuer tout le monde et vous avec?

— Non. Surtout pas quand je suis avec vous. »

Il sourit et il m'installa sur son épaule; j'avais retrouvé sa chaleur, son souffle, mais il se taisait et je pensai : « Je ne me suis pas trompée; cette crise n'a pas éclaté sans raison; il a pensé que notre histoire était absurde, il le pense encore! » Quand nous avons été couchés, il éteignit tout de suite la lumière; il me prit dans l'obscurité, en silence sans prononcer mon nom, sans m'offrir son sourire. Et puis il s'éloigna sans un mot. « Oui, me dis-je avec terreur, il m'en veut; je vais le perdre. » Je suppliai :

— Lewis! dites-moi au moins que vous avez de l'amitié pour moi!

— De l'amitié? mais je vous aime, dit-il avec violence. Il se tourna contre le mur et je pleurai longtemps, sans savoir si c'était parce qu'il m'aimait, ou parce que je ne pouvais pas l'aimer, ou parce qu'il cesserait un jour de m'aimer.

« Il faut que je lui parle », décidai-je le matin, en ouvrant les yeux; maintenant que le mot d'amour avait été prononcé, il fallait que j'explique à Lewis pourquoi je refusais de m'en servir. Mais il m'attira à lui : « Comme vous êtes rose! comme vous êtes chaude! » et le cœur me manqua; plus rien ne comptait sinon le bonheur d'être dans ses bras chaude et rose. Nous sommes partis à travers la ville; nous avons marché enlacés dans des rues bordées de masures délabrées devant lesquelles stationnaient des autos de luxe; par endroits les maisons bâties en contrebas étaient séparées de la chaussée par un fossé qu'enjambait un escalier et on avait l'impression de marcher sur une digue. Sous les trottoirs de Michigan Avenue, je découvris une cité sans soleil où brillaient tout le jour des enseignes au néon; nous nous sommes promenés en canot sur la rivière. Nous avons bu des martinis au sommet d'une tour d'où on apercevait un lac sans fin et des banlieues vastes comme le lac. Lewis aimait sa ville; il me la racontait; la prairie, les Indiens, les premières baraques, les ruelles où grognaient des cochons, le grand incendie, les premiers gratte-ciel : on aurait dit qu'il avait assisté à tout.

— Où voulez-vous dîner? demanda-t-il.

— Où vous voudrez.

— J'avais pensé que nous pourrions dîner à la maison?

— Oui, dînons à la maison, dis-je.

Mon cœur se serra; il avait dit « à la maison » comme si nous avions été mari et femme : et il nous restait deux jours à vivre ensemble. Je me répétais : « Il faut parler. » Ce qu'il fallait lui dire, c'est que j'aurais pu l'aimer et que je ne pouvais pas : allait-il me comprendre, ou me haïr?

Nous avons acheté du jambon, du salami, une bouteille de chianti, un biscuit au rhum. Nous avons tourné le coin de la rue où rougeoyait l'enseigne SCHILTZ. Au pied de l'escalier, au milieu des poubelles, il m'a serrée contre lui. « Anne! Savez-vous pourquoi je vous aime tant? C'est parce que je vous rends heureuse »; et j'approchai mes lèvres

pour boire de plus près son souffle quand il s'est détaché de moi :
« Il y a quelqu'un sur le balcon », dit-il.

Il est monté devant moi d'un pas rapide et je l'ai entendu s'exclamer gaiement :

— Maria! quelle bonne surprise! Entrez.

Il m'a souri : « Anne : Maria qui est une vieille amie. »

— Je ne veux pas vous déranger, dit Maria.

— Vous ne me dérangez pas. »

Elle est entrée; elle était jeune, un peu trop forte, elle aurait été jolie si elle avait été un peu maquillée et coiffée avec plus de soin; son sarrau bleu laissait nus deux bras blancs dont l'un était marbré de grosses ecchymoses; elle devait être venue en voisine, sans prendre la peine de s'habiller : « Une vieille amie », qu'est-ce que ça voulait dire au juste? Elle s'assit, elle dit d'une voix un peu rauque :

— J'avais besoin de vous parler, Lewis.

Une houle salée m'est montée à la gorge. Lewis. Elle avait prononcé ce nom comme s'il lui avait été très familier; et elle regardait Lewis avec une tendresse appuyée tandis qu'il débouchait une bouteille de chianti.

— Vous avez attendu longtemps? demanda-t-il.

— Deux ou trois heures, dit-elle légèrement. Les gens d'en dessous ont été charmants, ils m'ont offert du café. C'est fou tout le bien qu'ils pensent de vous. Elle avala d'un trait un verre de chianti. « J'ai des choses très importantes à vous dire. » Elle me toisa du regard. « Des choses personnelles.

— Vous pouvez parler devant Anne », dit Lewis, il ajouta : « Anne est française, elle vient de Paris.

— Paris! » dit Maria; elle haussa les épaules. « Donnez-moi encore un peu de vin. » Lewis remplit son verre qu'elle vida brutalement. « Il faut que vous m'aidiez, dit-elle, il n'y a que vous...

— J'essaierai. »

Elle hésita, se décida :

— Bon, je vais vous mettre au courant?

A mon tour je me versai un peu de vin et je me demandai anxieusement : « Est-ce qu'elle va rester ici toute la nuit? » Elle s'était levée, et adossée au poêle, elle déclamait une histoire où il était question de mariage, de divorce, de vocation contrariée. « Vous, vous avez réussi, disait-elle d'une voix revendicante. Une femme, c'est moins facile; il faut que j'achève ce livre; et là où je suis, je ne peux pas écrire. » Je l'écoutais à peine; je pensais avec colère que Lewis aurait dû trouver un moyen de nous débarrasser d'elle; il disait qu'il m'aimait, et il savait bien que nos heures étaient comptées : alors? Mais il demanda d'un ton poli :

— Et votre famille?

— Pourquoi me demandez-vous ça? Ma famille! D'un geste nerveux Maria ramassa les papiers qui traînaient sur la table et les roula en boule; elle les jeta avec violence vers la caisse à ordures. « Je déteste le désordre! Non, reprit-elle en regardant Lewis fixement, je ne peux compter que sur vous. »

Il se leva d'un air embarrassé : « Vous n'avez pas faim? Nous allions dîner.

— Merci, dit-elle. J'ai mangé des sandwiches au fromage; du fromage américain, souligna-t-elle d'un ton vaguement provocant.

— Et où allez-vous dormir cette nuit? demanda-t-il.

Elle éclata de rire : « Je ne vais pas dormir : j'ai bu dix tasses de café.

— Mais où passerez-vous la nuit?

— Mais vous m'avez invitée, n'est-ce pas? » Elle me dévisagea : « Naturellement pour que je consente à rester, il ne faut pas que d'autres femmes traînent dans la maison.

— L'ennui, c'est qu'il y a une autre femme, dit Lewis.

— Mettez-la dehors, dit Maria.

— C'est difficile », dit Lewis gaiement.

D'abord j'ai eu envie de rire : Maria était une échappée d'asile, ça aurait dû me sauter aux yeux dès qu'elle avait ouvert la bouche. Et puis mon aveuglement m'effraya. Comme il fallait que je sois vulnérable pour avoir vu dans cette illuminée une rivale! Et dans deux jours, je partais, j'abandonnais Lewis à la meute des femmes qui seraient libres de l'aimer. Je ne pouvais pas supporter cette idée.

— Il y a dix ans que je ne l'ai pas vu, me dit Maria d'une voix impérieuse. Laissez-le-moi cette nuit et vous pourrez l'avoir le reste de votre vie. C'est équitable, non?

Je restai sans réponse et elle se tourna vers Lewis :

— Si je m'en vais d'ici, je ne reviendrai jamais; si je m'en vais demain j'en épouse un autre.

— Mais Anne est chez elle ici, dit Lewis. Nous sommes mariés.

— Ah! Le visage de Maria s'était figé. « Excusez-moi. Je ne savais pas. » Elle saisit la bouteille de chianti et but avidement au goulot. « Donnez-moi un rasoir. »

Nous avons échangé un regard inquiet et Lewis a dit :

— Je n'en ai pas.

— Allons donc! Elle se leva et marcha vers l'évier. « Cette lame fera très bien l'affaire. Vous permettez? » me demanda-t-elle d'un air ironique en s'asseyant, les cuisses largement écartées; elle se mit à se raser les jambes avec une application frénétique. « Ça sera mieux comme ça, beaucoup mieux. » Elle se leva de nouveau, se planta devant le miroir et se rasa une aisselle après l'autre. « Ça fait toute la différence du monde, déclara-t-elle en s'étirant devant la glace avec un sourire voluptueux. Eh bien, voilà! demain j'épouserai ce docteur. Pourquoi est-ce que je n'épouserais pas un nègre puisque je travaille comme un nègre?

— Maria, il est tard, dit Lewis. Je vais vous installer dans un hôtel où vous pourrez vous reposer tranquillement.

— Je ne veux pas me reposer. » Elle le regarda avec colère. « Pourquoi avez-vous insisté pour me faire entrer? Je n'aime pas qu'on se moque de moi. » Son poing se leva et s'arrêta à un doigt du visage de Lewis. « C'est quand même le plus sale tour qu'on m'ait joué dans ma vie. Quand je pense à tout ce que j'ai supporté à cause de vous, ajouta-t-elle en désignant ses ecchymoses.

— Venez, il est tard », répéta Lewis calmement.

Le regard de Maria s'arrêta sur l'évier. « Bon. Je vais venir. Mais faites d'abord chauffer de l'eau; je vais laver cette vaisselle; je ne peux pas supporter la saleté.

— Il y a de l'eau chaude », dit Lewis d'un ton résigné.

Elle saisit la bouilloire et se mit à laver la vaisselle avec une hâte silencieuse; quand elle eut terminé, elle s'essuya les mains à son sarrau.

— Ça va. Je vous laisse avec votre femme.

— Je vous accompagne, dit Lewis. Il me fit un petit signe tandis qu'elle marchait vers la porte sans un regard vers moi. Je mis le couvert, j'allumai une cigarette. Maintenant il n'y avait plus de sursis, Lewis allait revenir dans un instant, j'allais parler. Mais les mots que je remâchais depuis le matin ne me semblaient plus avoir aucun sens. Robert, Nadine, mon travail, Paris : tout ça, c'était vrai pourtant, il n'avait pas suffi d'une journée pour que ça devienne faux.

Lewis rentra dans la cuisine et verrouilla soigneusement la porte : « Je l'ai mise dans un taxi, dit-il. Elle m'a dit : « Après tout, le mieux c'est que je retourne dormir chez les cinglés. » Elle s'est échappée à la fin de l'après-midi et elle est venue directement ici.

— Je n'ai pas compris tout de suite.

— J'ai bien vu. Il y a quatre ans qu'elle est enfermée. Elle m'a écrit l'an dernier pour me demander mon livre et je le lui ai envoyé avec un petit mot. Je la connaissais à peine. » Il regarda autour de lui en souriant: « Depuis que j'habite ici, il arrive de drôles de choses. C'est cet endroit. Il attire les chats, les fous, les drogués. » Il me prit dans ses bras. « Et les simples d'esprit. »

Il alla disposer les disques dans le pick-up et revint s'asseoir à la table; il restait un peu de chianti que j'ai versé dans nos verres; le phonographe jouait une ballade irlandaise tandis que nous mangions côte à côte, en silence; sous la couverture mexicaine le lit nous attendait; on aurait dit une soirée quotidienne qu'allaient suivre mille soirées toutes semblables. Lewis exprima tout haut ma pensée : « On pourrait croire que je n'ai pas menti à Maria. » Son regard soudain m'interrogeait : « Qui sait? » Moi je savais. Je détournai la tête; je ne pouvais plus reculer. Je murmurai :

— Lewis, je ne vous ai pas assez parlé de moi; il faut que je vous explique...

— Oui? Il y avait de l'appréhension dans ses yeux et je pensais : « Tout est fini! » Une dernière fois je regardai le poêle, les murs, la fenêtre, ce décor où tout à l'heure je ne serais plus qu'une intruse. Et puis à tâtons, pêle-mêle, je me mis à jeter des phrases. Un jour, en montagne, j'ai roulé le long d'un éboulis, j'ai pensé que j'allais mourir et il n'y avait en moi qu'indifférence; je reconnaissais cette résignation. J'aurais seulement voulu pouvoir fermer les yeux.

— Je n'avais pas compris que ce mariage comptait encore tant pour vous, dit Lewis.

— Il compte.

Il se tut pendant un long moment; je murmurai :

— Me comprenez-vous?

Il entoura mon épaule de son bras. « Vous m'êtes encore plus chère qu'avant d'avoir parlé. Chaque jour vous m'êtes plus chère. » J'appuyai ma joue contre la sienne et tous les mots que je refusais de lui dire me gonflaient le cœur.

— Vous devriez aller dormir, dit-il enfin. Je fais un peu d'ordre et je vous rejoins.

Longtemps, j'entendis le bruit de la vaisselle remuée, et puis je n'entendis plus rien, je dormais. Quand j'ai ouvert les yeux, il dormait à côté de moi. Pourquoi ne m'avait-il pas réveillée? Qu'avait-il pensé? Qu'allait-il penser demain? que penserait-il quand je serais partie? Je sortis du lit doucement, j'ouvris la porte de la cuisine et je m'accoudai à la balustrade du balcon; l'arbre frissonnait au-dessous de moi; entre le ciel et la terre brillait une grande couronne d'ampoules rouges : le réservoir à gaz. Il faisait froid et j'ai frissonné moi aussi.

Non, je ne voulais pas partir. Pas après-demain, pas si vite. Je télégraphierais à Paris; je pouvais rester encore dix jours, quinze jours... Je pouvais rester : et après? Il faudrait bien finir par m'en aller. La preuve que je devais partir tout de suite, c'est que déjà ça me coûtait tant. Il ne s'agissait encore que d'une aventure de voyage : si je restais, ça deviendrait un véritable amour, un impossible amour, et c'est alors que je souffrirais. Je ne voulais pas souffrir; j'ai vu de trop près souffrir Paule; j'ai couché sur mon divan trop de femmes torturées qui ne parvenaient pas à guérir. « Si je pars, j'oublierai, pensais-je, je serai forcée d'oublier; on oublie, c'est mathématique, on oublie tout, on oublie vite : quatre jours, c'est facile à oublier. » J'essayai de penser à Lewis comme à un oublié : il marchait à travers la maison, et il m'avait oubliée. Oui, il oublierait lui aussi. Aujourd'hui, c'est ma chambre, mon balcon, mon lit, un cœur plein de moi : et je n'aurai jamais existé. Je refermai la porte en pensant avec passion : « Ça ne sera pas par ma faute; je ne le perdrai pas par ma faute. »

— Vous ne dormez pas? dit Lewis.

— Non. Je m'assis sur le bord du lit, tout près de sa chaleur. « Lewis, si je voulais rester encore une semaine ou deux, est-ce que ça serait possible?

— Je croyais qu'on vous attendait à Paris, dit-il.

— Je peux télégraphier à Paris. Est-ce que vous me garderiez encore un peu?

— Vous garder? Je vous garderais toute ma vie! » dit-il.

Il m'avait jeté ces mots avec une telle violence que je chavirai dans ses bras. J'embrassai ses yeux, ses lèvres, ma bouche descendit le long de sa poitrine; elle effleura le nombril enfantin, la fourrure animale, le sexe où un cœur battait à petits coups; son odeur, sa chaleur me saoulaient et j'ai senti que ma vie me quittait, ma vieille vie avec ses soucis, ses fatigues, ses souvenirs usés. Lewis a serré contre lui une femme toute neuve. J'ai gémi, pas seulement de plaisir : de bonheur. Le plaisir, autrefois je l'avais apprécié à son prix; mais je ne savais pas que ça pouvait être si bouleversant de faire l'amour. Le passé, l'avenir, tout ce qui nous séparait mourait au pied de notre lit : rien ne nous séparait plus. Quelle victoire! Lewis était tout entier dans mes bras, moi dans les siens, nous ne désirions rien d'autre : nous possédions tout pour toujours. Ensemble nous disions : « Quel bonheur! » et quand Lewis a dit : « Je vous aime », je l'ai dit avec lui.

Je suis restée quinze jours à Chicago. Pendant quinze jours nous avons vécu sans avenir et sans nous poser de question; avec notre passé nous fabriquions des histoires que nous nous racontions. C'était surtout Lewis qui parlait : il parlait très vite, un peu fébrilement, comme s'il avait voulu se rattraper de toute une vie de silence. J'aimais la façon dont les mots se bousculaient dans sa bouche; j'aimais ce qu'il disait et sa manière de le dire. Sans cesse je découvrais de nouvelles raisons de l'aimer : peut-être parce que tout ce que je découvrais en lui servait à mon amour de prétexte nouveau. Il faisait beau et nous nous promenions beaucoup. Quand nous étions fatigués, nous revenions dans la chambre; c'était l'heure où sur le store jaune l'ombre de l'arbre s'effaçait; Lewis mettait sur le pick-up une pile de disques, il enfilait son peignoir blanc, je me couchais en chemise sur ses genoux et nous attendions le désir. Moi qui m'interroge toujours avec soupçon sur les sentiments que j'inspire, je ne me demandai jamais qui Lewis aimait en moi : j'étais sûre que c'était moi. Il ne connaissait ni mon pays, ni mon langage, ni mes amis, ni mes soucis : rien que ma voix, mes yeux, ma peau; mais je n'avais pas d'autre vérité que cette peau, cette voix, ces yeux.

L'avant-veille de mon départ, nous avons été dîner dans le vieux restaurant allemand et nous sommes descendus sur le bord du lac. L'eau était noire sous le ciel d'un gris laiteux; il faisait chaud; des garçons et des filles à demi nus et tout mouillés se séchaient autour d'un feu de camp; plus loin des pêcheurs avaient dressé leurs lignes, ils installaient sur les dalles de la berge des sacs de couchage et des bouteilles thermos. Peu à peu le quai est devenu désert. Nous nous taisions. Le lac haletait doucement à nos pieds, il était aussi sauvage qu'au temps où les Indiens campaient sur ses rives marécageuses, qu'au temps où les Indiens n'existaient pas encore. A gauche, au-dessus de nos têtes, on entendait une grande rumeur citadine, les phares des autos balayaient l'avenue où brillaient les hauts buildings. La terre paraissait infiniment vieille, absolument jeune.

— Quelle belle nuit! dis-je.

— Oui, une belle nuit, dit Lewis. Il me désigna un banc : « Vous voulez vous asseoir ici?

— Si vous voulez.

— Comme c'est agréable une femme qui répond toujours : Si vous voulez! » dit Lewis d'une voix gaie. Il s'assit à côté de moi et il m'entoura de son bras : « C'est drôle que nous nous entendions si bien, dit-il tendrement. Jamais je n'ai pu m'entendre avec personne.

— C'était sûrement la faute des autres gens, dis-je.

— Non; c'était la mienne. Je ne suis pas facile à vivre.

— Moi je trouve que si.

— Pauvre petite Gauloise : vous n'êtes pas bien exigeante! »

J'ai appuyé ma tête contre la poitrine de Lewis et j'écoutai battre son cœur. Qu'aurais-je exigé de plus? Il y avait ce cœur robuste et patient qui battait sous ma joue, et cette nuit gris perle autour de moi : une nuit faite exprès pour moi. Impossible d'imaginer que j'aurais pu ne pas la vivre. « Et pourtant, me dis-je, si Philipp était venu à New York, je ne serais pas ici. » Je n'aurais pas aimé Philipp, ça j'en étais sûre : mais je n'aurais pas revu Lewis, notre amour n'aurait pas existé. C'était aussi déconcertant à penser que lorsqu'on essaie d'imaginer qu'on aurait pu ne pas naître ou être quelqu'un d'autre. Je murmurai :

— Quand je pense que j'aurais pu ne pas vous téléphoner! que vous auriez pu ne pas me répondre!

— Oh! dit Lewis. Je ne pouvais pas ne pas vous rencontrer!

Il y avait une telle certitude dans sa voix que j'en eus le souffle coupé. Je posai mes lèvres à l'endroit où battait son cœur et je me suis promis : « Jamais il ne regrettera cette rencontre! » J'allais partir, dans deux jours; l'avenir existait à nouveau : mais nous en ferions du bonheur. Je relevai la tête :

— Lewis, si vous voulez bien, je reviendrai pour deux ou trois mois, au printemps.

— Quand vous reviendrez, ce sera toujours le printemps, dit Lewis.

Longtemps, nous sommes restés enlacés à regarder les étoiles. Il y en a une qui a filé à travers le ciel et j'ai dit :

— Faites un vœu!

Lewis sourit : « Je l'ai fait. »

Ma gorge s'est serrée. Je savais ce qu'il avait souhaité, et que ce vœu ne serait pas exaucé. Là-bas, à Paris, ma vie m'attendait, ma vie que j'avais bâtie pendant vingt ans et sur laquelle il n'était pas question de me poser de question. Je reviendrais au printemps : mais ça serait pour repartir.

Je passai la journée du lendemain à faire des courses. Je me rappelai Paris, ses tristes étalages, ses femmes mal soignées, et j'achetais de tout, à tour de bras, pour tout le monde. Nous avons dîné dehors et quand j'ai monté l'escalier de bois appuyée au bras de Lewis, j'ai pensé : « C'est la dernière fois! » Les rubis du réservoir à gaz brillaient entre ciel et terre, pour la dernière fois. J'entrai dans la chambre. On aurait dit qu'un éventreur venait d'assassiner une femme et de saccager ses armoires. Mes deux valises étaient ouvertes, et sur le lit, sur les chaises, sur le plancher gisaient des lingeries de nylon, des bas, des fards, des étoffes, des souliers, des écharpes; ça sentait l'amour, la mort, le cataclysme. En vérité, c'était un hall funéraire : tous ces objets étaient les reliques d'une morte, c'était le viatique qu'elle allait emporter dans l'au-delà. Je restai clouée sur place. Lewis s'approcha de la commode, il ouvrit un tiroir et en sortit un carton mauve qu'il me tendit d'un air un peu honteux :

— J'ai acheté ça pour vous!

Sous le papier de soie, il y avait une grosse fleur blanche au parfum étourdissant. Je pris la fleur, je l'écrasai contre ma bouche, et je me jetai sur le lit en sanglotant.

— Il ne faut pas la manger, dit Lewis. Est-ce qu'on mange les fleurs en France?

Oui, quelqu'un était mort : une femme joyeuse qui se réveillait chaque matin, toute rose et chaude, en riant. Je mordis la fleur, j'aurais voulu m'évanouir dans son parfum, mourir tout à fait. Mais je me suis endormie vivante, et au petit matin Lewis m'a conduite au coin de la grande avenue : nous avions décidé de nous quitter là. Il a fait signe à un taxi, je suis montée, la portière a claqué, le taxi a tourné le coin de la rue. Lewis a disparu.

— C'est votre mari? m'a demandé le chauffeur.

— Non, dis-je.

— Il avait l'air si triste!

— Ce n'est pas mon mari.

Il était triste; et moi donc! Mais déjà ce n'était pas la même tristesse; chacun était seul. Lewis rentrait seul dans la chambre vide. Je montai seule dans l'avion.

Dix-huit heures, c'est court pour sauter d'un monde dans un autre, d'un corps dans un autre. J'étais encore à Chicago, écrasant mon visage en feu contre une fleur, quand Robert soudain m'a souri; j'ai souri moi aussi, j'ai pris son bras, et je me suis mise à parler. Je lui avais raconté par lettres pas mal de choses. Pourtant, dès que j'ai ouvert la bouche, j'ai senti que je déchaînais un monstrueux cataclysme : tous ces jours si vivants que je venais de vivre se sont brusquement pétrifiés; il ne restait plus derrière moi qu'un bloc de passé figé; le sourire de Lewis avait pris la fixité d'une grimace de bronze. Moi j'étais là, je me promenais dans des rues que je n'avais jamais quittées, serrée contre Robert dont je n'avais jamais été séparée et je dévidais une histoire qui n'était arrivée à personne. Cette fin de mai était très bleue, on vendait du muguet à tous les carrefours, sur la bâche verte des voitures des quatre-saisons reposaient des bottes d'asperges ceinturées jusqu'à mi-corps de papier rouge : du muguet, des asperges, sur ce continent-ci, c'était de grands trésors. Les femmes portaient des jupes de cotonnades aux couleurs joyeuses mais comme leur peau et leurs cheveux me semblaient mornes! les voitures disséminées sur

les étroites chaussées étaient vieilles, naines, infirmes, et quels chiches
étalages sur le velours fané des vitrines! Je ne pouvais pas m'y tromper :
cette austérité m'annonçait que j'avais repris pied dans la réalité. Et
bientôt plus irréfutable encore, j'ai reconnu ce goût dans ma bouche :
le goût du souci. Robert ne me parlait que de moi, il éludait mes questions : visiblement, les choses ne marchaient pas comme il l'aurait
voulu. Pauvreté, inquiétude : aucun doute, j'étais chez moi.

Nous sommes partis pour Saint-Martin dès le lendemain; il faisait
doux et nous nous sommes assis dans le jardin. Dès que Robert a
commencé à me parler, j'ai vu que je ne m'étais pas trompée : il en
avait lourd sur le cœur. Les communistes avaient ouvert contre lui
cette campagne qu'il redoutait un an plus tôt : ils avaient publié entre
autres dans *L'Enclume* un article qui l'avait touché au vif. Il m'a blessée
aussi. On dépeignait Robert comme un vieil idéaliste, incapable de
s'adapter aux dures nécessités de ce temps; moi je trouvais qu'il avait
fait plutôt trop de concessions aux communistes et abandonné trop
de choses de son passé.

— C'est de la mauvaise foi, dis-je. Personne ne croit ça de vous,
pas même l'auteur de l'article.

— Ah! je ne sais pas, dit Robert. Il haussa les épaules. « Quelquefois, je me dis qu'en effet, je suis trop vieux.

— Vous n'êtes pas vieux! dis-je. Vous ne l'étiez pas quand je suis
partie et vous m'avez promis de ne pas changer. »

Il sourit : « Disons que j'ai une jeunesse qui date.

— Vous n'avez rien répondu?

— Non. Il y aurait trop de choses à répondre. Et ce n'est pas le
moment. »

Depuis le 5 mai, un tas de prétendus sympathisants avaient profité
de l'échec des communistes pour leur tourner le dos. Le M. R. P.
triomphait, de Gaulle s'agitait, le parti américain guettait; il fallait
plus que jamais que la gauche se tienne les coudes; en attendant le
référendum d'octobre et les élections qui suivraient, ce que le S. R. L.
pouvait faire de mieux c'était de se mettre en sommeil. Mais Robert
n'avait pas pris cette décision de gaieté de cœur. C'était la faute des
communistes si on ne pouvait pas poursuivre un regroupement de la
gauche sans leur nuire : il leur en voulait de leur sectarisme. S'il s'interdisait de le leur reprocher publiquement, dans le privé il ne se gênait
pas : il s'est emporté plusieurs fois contre eux avec violence pendant
ces deux jours. Visiblement, ça le soulageait de pouvoir me parler.
Et je me disais que peut-être ce n'est pas précisément de moi qu'il
avait besoin, mais à coup sûr elle lui était utile, cette femme dont
j'occupais la place : c'était ma place, sans aucun doute, ma vraie place
sur terre.

Mais alors, pourquoi est-ce que je ne m'y reposais pas en paix?
pourquoi ces larmes? Je marchais dans la forêt, c'était un très joli
printemps, j'étais en bonne santé, on ne m'avait privée de rien : et
par instants, je m'arrêtais, et j'avais envie de gémir comme si j'avais

tout perdu. J'appelais doucement : « Lewis! » Quel silence! J'avais eu
du crépuscule à l'aube, de l'aube à la nuit, son souffle, sa voix, son sourire : plus un signe; existait-il encore? J'écoutais : pas un murmure;
je regardais : pas un vestige. Je ne me comprenais plus. « Je pleure,
pensais-je, et cependant je suis ici : n'aimé-je pas assez Lewis? Je suis
ici, et voilà que je pleure : est-ce que je n'aime pas assez Robert? »
J'admire les gens qui enferment la vie en formules définitives. « L'amour
physique n'est rien », disent-ils; ou « Un amour qui n'est pas physique
n'est rien ». Mais je n'en tenais pas moins à Robert pour avoir rencontré Lewis; et la présence de Robert, si immense fût-elle, ne comblait
pas l'absence de Lewis.

Le samedi après-midi, Nadine s'est amenée avec Lambert. Tout de
suite elle m'a interrogée d'un air soupçonneux : « Tu as bien dû t'amuser pour prolonger comme ça ton séjour, toi qui ne changes jamais
tes plans.

— Tu vois qu'à l'occasion je les change.

— C'est drôle que tu sois restée si longtemps à Chicago. On dit
que c'est affreux.

— On a tort. »

Elle avait fait plusieurs reportages avec Lambert pendant ces trois
mois, elle habitait chez lui, elle lui parlait avec une tendresse ironique,
mais appuyée. Satisfaite de sa vie, elle scrutait la mienne avec une malveillance indécise. Je l'apaisai de mon mieux par des récits de voyage.
Lambert m'a paru plus détendu et plus gai qu'avant mon départ. Ils
ont passé le week-end dans le pavillon. J'y avais fait aménager une
cuisine et brancher le téléphone pour que Nadine fût indépendante
sans se sentir coupée de la maison; elle fut si contente de son séjour
qu'elle m'annonça le dimanche soir qu'ils resteraient à Saint-Martin
pendant toutes leurs vacances.

— Tu es sûre que ça plaît à Lambert cette combinaison? lui demandai-je. Il n'aime pas beaucoup ni ton père, ni moi.

— D'abord il vous aime bien assez, dit-elle d'un ton tranchant. Et
si c'est que tu as peur de nous avoir sur le dos, rassure-toi, on restera
chez nous.

— Tu sais bien que je serai contente de t'avoir ici. Je craignais seulement que pour vous ça ne manque d'intimité. Je te préviens entre
autres que de ma chambre on entend tout ce qui se dit au jardin.

— Et alors? que veux-tu que ça me foute? Je ne suis pas une cachottière, moi, je ne m'entoure pas de mystère.

C'est vrai que Nadine si soucieuse de son indépendance, si rétive
à toute critique, à tout conseil, étalait volontiers sa vie en plein jour;
sans doute était-ce une manière de s'y montrer supérieure.

— Maman prétend que ça t'emmerde de passer les vacances ici :
c'est vrai? demanda-t-elle en enjambant la selle de la moto.

— Mais non, pas du tout, dit Lambert.

— Tu vois, me dit-elle d'une voix triomphante. Tu compliques toujours tout. D'abord, Lambert est toujours content de faire ce que je

lui demande, c'est un bon petit garçon, dit-elle en lui ébouriffant les cheveux. Elle passa le bras autour de sa taille et appuya câlinement le menton sur son épaule tandis que la machine s'envolait.

C'est quatre jours plus tard qu'un entrefilet de *L'Espoir* nous apprit que le père de Lambert venait de se tuer en tombant par la portière d'un train; Nadine téléphona d'une voix maussade qu'il était parti pour Lille, qu'elle ne viendrait pas en week-end; je ne lui posai pas de question; nous étions intrigués pourtant. Le vieux s'était-il suicidé? avait-il été sonné par son procès? ou est-ce que quelqu'un lui avait fait son affaire? Pendant quelques jours, nous nous sommes perdus en conjectures; et puis nous avons eu d'autres chats à fouetter. Scriassine avait arrangé une rencontre entre Robert et un fonctionnaire soviétique qui venait de franchir le rideau de fer tout exprès pour dénoncer à l'Occident les méfaits de Staline; la veille de l'entrevue, Scriassine s'est amené, il apportait des documents dont il voulait que Robert prît connaissance avant le lendemain et qu'il avait tenu à lui remettre en main propre. Nous ne le voyions plus guère, chaque fois on se disputait; mais, ce matin-là, il évita avec soin tous les sujets épineux et il décampa très vite : on se quitta en bons termes. Tout de suite, Robert s'est mis à feuilleter la grosse liasse de papiers : certains étaient écrits en français, beaucoup en anglais, quelques-uns en allemand.

— Regarde-les donc avec moi, m'a-t-il demandé. Je me suis assise près de lui sous le tilleul et nous avons lu en silence; il y avait de tout : des rapports, des récits, des statistiques, des extraits du code soviétique, des commentaires. Je me débrouillais mal dans ce fatras; il y avait pourtant certains textes qui étaient très clairs : les témoignages d'hommes et de femmes enfermés par les Russes dans des camps de concentration qui ressemblaient tragiquement aux camps nazis; les descriptions que faisaient de ces camps des Américains qui avaient traversé en alliés de grands morceaux de l'U. R. S. S. D'après les conclusions rédigées par Scriassine, quinze à vingt millions d'hommes y croupissaient dans des conditions atroces, et c'était là une des bases essentielles de ce système que nous appelions « le socialisme russe ». Je regardai Robert :

— Qu'est-ce qu'il y a de vrai dans tout ça? dis-je.

— Certainement beaucoup de choses, m'a-t-il dit d'une voix brève.

Jusqu'ici, il n'avait pas attaché beaucoup d'importance à la réunion du lendemain, il s'y rendait seulement pour qu'on ne l'accusât pas de se dérober; il était certain que les révélations du Russe le laisseraient froid, vu qu'il pensait ne pas se faire d'illusions sur l'U. R. S. S. Eh bien, il fallait croire qu'il s'en était fait : soudain, il était désarçonné. Il n'avait pas été dupe, quand dans les années 30 ses amis communistes lui vantaient le régime pénitentiaire de l'U. R. S. S.; au lieu d'emprisonner les criminels, disaient-ils, on les rééduquait en les employant à des travaux utiles; les syndicats les protégeaient et veillaient à ce qu'ils soient payés aux tarifs syndicaux. Robert m'avait expliqué qu'en fait c'était un moyen de mater les paysans rebelles tout en se procurant une main-d'œuvre quasi gratuite; le travail forcé, là-bas comme partout, c'était le bagne. Mais à présent que les paysans étaient intégrés au régime et la guerre gagnée, on pouvait imaginer que les choses avaient changé : on nous révélait qu'elles avaient empiré. Longtemps, nous avons discuté chaque fait, chaque chiffre, chaque témoignage, chaque hypothèse; même en faisant la part la plus large possible aux exagérations et aux mensonges, une vérité s'imposait qui était parfaitement accablante. Les camps étaient devenus une institution, aboutissant à la création systématique d'un sous-prolétariat; on ne punissait pas des crimes par le travail : on traitait les travailleurs en criminels pour s'autoriser à les exploiter.

— Alors? qu'est-ce que vous allez faire? demandai-je quand nous avons quitté le jardin pour aller manger un morceau dans la cuisine.

— Je ne sais pas, dit Robert.

L'idée de Scriassine, c'était évidemment que Robert l'aidât à divulguer ces faits : il me semblait qu'on n'avait pas le droit de les taire. Je dis avec un peu de reproche : « Vous ne savez pas?

— Non.

— Quand il ne s'agit que de vous, ou même du S. R. L., je comprends que vous acceptiez beaucoup de choses sans broncher, dis-je. Mais là, c'est différent. Si on ne fait pas tout ce qu'on peut contre ces camps, on est complice!

— Je ne peux rien décider comme ça, du jour au lendemain, dit Robert. Et d'abord, j'ai besoin d'un supplément d'informations.

— Et si elles confirment ce que nous venons d'apprendre, dis-je, qu'est-ce que vous ferez? »

Il ne répondit pas et je le dévisageai avec inquiétude. Se taire, ça signifiait qu'il était prêt à tout encaisser des communistes. C'était renier tout ce qu'il avait entrepris depuis la Libération : le S. R. L., ses articles, le livre qu'il achevait.

— Vous avez toujours voulu être à la fois un intellectuel et un révolutionnaire, dis-je. Comme intellectuel vous avez pris des engagements : entre autres de dire la vérité.

— Laisse-moi le temps de réfléchir, dit-il avec un peu d'impatience.

Nous avons mangé en silence; d'ordinaire, il aime bien s'interroger devant moi; il fallait qu'il fût bien troublé pour ruminer comme ça, sans rien dire. Je l'étais aussi. Camps de travail ou camps de mort : il y avait évidemment quelques différences; mais un bagne est un bagne; tous ces internés, je leur voyais les mêmes fronts démesurés, les mêmes yeux fous qu'aux déportés. Et c'est en U. R. S. S. que tout ça se passait!

— Je n'ai pas envie de travailler; allons nous promener, proposa Robert.

Nous avons traversé le village, nous sommes montés sur le plateau couvert de blés mûrissants et de pommiers en fleur; il faisait un peu chaud, pas trop; quelques petits nuages se roulaient en boule dans le ciel; on apercevait le village, ses toits couleur de bon pain, ses murs hâlés, son clocher enfantin; la terre avait l'air faite tout exprès pour l'homme et le bonheur à portée de toutes les mains. On aurait dit que Robert avait entendu le murmure de mes pensées; il a dit abruptement :

— C'est facile d'oublier combien ce monde est dur.

J'ai dit avec regret : « Oui, c'est facile. »

J'aurais aimé profiter moi aussi de cette facilité. Pourquoi Scriassine était-il venu nous déranger? Mais ce n'était pas aux camps que Robert pensait.

— Tu me dis que si je me tais, je serai complice des camps, dit-il. Mais en parlant je deviens le complice des ennemis de l'U. R. S. S., c'est-à-dire de tous ceux qui veulent maintenir ce monde comme il est. C'est vrai que ces camps sont une chose horrible. Mais il ne faut pas oublier que l'horreur est partout.

Soudain, il s'est mis à parler volubilement; ce n'est pas son genre, les fresques historiques, les grands panoramas sociaux; et pourtant cet après-midi, tandis que les mots se bousculaient dans sa bouche, tout le malheur du monde est venu s'abattre sur la campagne ensoleillée : la fatigue, la pauvreté, le désespoir du prolétariat français, la misère de l'Espagne et de l'Italie, l'esclavage des peuples colonisés, du fond de la Chine et des Indes, les famines, les épidémies. Autour de nous des hommes mouraient par millions sans avoir jamais vécu, leur agonie obscurcissait le ciel et je me demandais comment nous osions encore respirer.

— Alors, tu comprends, dit Robert, mes devoirs d'intellectuel, le respect de la vérité, ce sont des fariboles. La seule question c'est de savoir si en dénonçant les camps on travaille pour les hommes ou contre eux.

— Soit, dis-je. Mais qu'est-ce qui vous autorise à penser que la cause de l'U. R. S. S. se confond encore aujourd'hui avec celle de l'humanité? Il me semble que l'existence des camps oblige à remettre l'U. R. S. S. tout entière en question.

— Il faudrait savoir tant de choses! dit Robert. S'agit-il vraiment d'une institution indispensable au régime? Ou est-elle liée à une certaine politique qui pourrait être modifiée? Peut-on espérer qu'elle sera rapidement liquidée quand l'U. R. S. S. aura commencé à se reconstruire? C'est sur tout ça que je veux me renseigner avant de prendre une décision.

Je n'insistai pas. Au nom de qui aurais-je pu protester? Je suis bien trop incompétente. Nous sommes rentrés et nous avons passé la soirée à feindre de travailler, chacun de son côté. J'avais rapporté d'Amérique beaucoup de documents, de notes et de livres sur la psychanalyse, mais je n'y touchai pas.

Robert a pris le car de dix heures du matin; au jardin, je guettai le facteur : pas de lettre de Lewis. Il m'avait prévenue qu'il n'écrirait pas avant huit jours, et de Chicago les lettres n'arrivent pas vite; sûrement il ne m'avait pas oubliée; mais il était infiniment loin. Inutile de chercher du secours de ce côté-là. Du secours contre quoi? Je rentrai dans le bureau et je mis un disque sur le pick-up. Il m'arrivait quelque chose d'insupportable : je doutais de Robert. « Autrefois, il aurait parlé », me disais-je. Autrefois, il avait son franc-parler, il ne passait rien à l'U. R. S. S., ni au parti communiste; et une des raisons d'être du S. R. L., c'était de lui permettre des critiques constructives. Soudain, il choisissait de se taire : pourquoi ? Il avait été blessé qu'on le traitât d'idéaliste; il essayait de s'adapter en réaliste aux dures nécessités de ce temps. Mais ce n'est que trop facile de s'adapter. Moi aussi, je m'adapte, et je n'en suis pas fière; toujours passer outre, toujours accepter, à la fin ça veut dire trahir. J'accepte l'absence et je trahis mon amour, j'accepte de survivre aux morts, je les oublie, je les trahis. Enfin, tant qu'il ne s'agit que des morts et de moi-même il n'y a pas de victimes sérieuses. Mais trahir les vivants, c'est grave.

« Si je parle, j'en trahirai d'autres », me répondrait Robert. Et ils ajouteraient en chœur qu'on ne fait pas d'omelette sans casser des œufs. Mais à la fin, qui les mangera toutes ces omelettes ? les œufs cassés pourriront et infesteront la terre. « Elle est déjà infestée. » Ça, c'est vrai; trop de choses sont vraies; ça m'affole, toutes ces vérités qui se battent entre elles, je me demande comment ils s'y reconnaissent. Moi, je ne sais pas additionner quatre cents millions de Chinois et quinze millions de forçats. D'ailleurs, c'est peut-être soustraire qu'il faudrait. De toute façon, ces opérations sont fausses. Un homme et un homme, ça ne fait pas deux hommes, ça fait à jamais un et un. Bon, j'ai tort de recourir à l'arithmétique; pour mettre de l'ordre dans le chaos, c'est à la dialectique qu'il faut s'adresser. Il s'agit de dépasser les forçats vers les Chinois. Soit. Dépassons. Tout passe, tout casse, tout lasse, tout se dépasse; les camps seront dépassés et aussi ma propre existence; c'est dérisoire, cette petite vie éphémère qui s'angoisse à propos de ces camps que l'avenir a déjà abolis. L'histoire prend soin d'elle-même et de chacun de nous par-dessus le marché. Restons donc tranquilles, chacun dans notre trou.

Alors, pourquoi ne restent-ils pas tranquilles? c'est la question que je posais à Robert, voilà plus de vingt ans, quand j'étais étudiante; il s'est moqué de moi; mais je ne suis pas sûre aujourd'hui qu'il m'ait jamais tout à fait convaincue. Ils feignent de croire que l'humanité est une seule personne, immortelle, qu'un jour elle sera récompensée de tous ses sacrifices et que moi-même j'y retrouverai mon compte. Mais je ne marche pas : la mort ronge tout. Les générations sacrifiées ne sortiront pas de leur tombe pour prendre part aux agapes finales; et ce qui peut les consoler, c'est que les élus les rejoindront sous la terre au bout de très peu de temps. Entre le bonheur et le malheur, il n'y a peut-être pas tant de différence qu'on ne croit.

J'ai arrêté le phonographe, je me suis couchée sur le divan, et j'ai fermé les yeux, délivrée. Comme elle est égale et clémente, la lumière de la mort! Lewis, Robert, Nadine étaient devenus légers comme des ombres, ils ne pesaient plus sur mon cœur : j'aurais pu supporter le poids de quinze millions d'ombres, ou de quatre cents millions. Au bout d'un moment, j'ai tout de même été chercher un roman policier; il faut bien tuer le temps : mais le temps aussi me tuera, voilà la vraie harmonie préétablie. Quand Robert est rentré le soir, il m'a semblé que je le voyais de très loin à travers une lorgnette : une image désincarnée, avec du vide tout autour, comme Diégo aux fenêtres de Drancy, Diégo qui n'était déjà plus de ce monde. Il parlait, j'écoutais, mais rien ne me concernait plus.

— Tu me blâmes d'avoir demandé ce délai? dit Robert.

— Moi? Pas du tout.

— Alors qu'est-ce qu'il y a? Si tu crois que ça ne me touche pas, ces camps, tu te trompes bien.

— C'est juste le contraire, dis-je. J'ai pensé aujourd'hui qu'on a vraiment bien tort de se faire des cheveux à propos de tout et de rien. Les choses n'ont jamais tant d'importance; elles changent, elles finissent, et surtout au bout du compte tout le monde meurt : ça arrange tout.

— Ah! ça, c'est juste une façon de fuir les problèmes, dit Robert.

Je l'arrêtai : « A moins que les problèmes ne soient une façon de fuir la vérité. Évidemment, ajoutai-je, quand on a décidé que c'est la vie qui est vraie, l'idée de la mort semble une fuite. Mais réciproquement... »

Robert secoua la tête : « Il y a une différence. On prouve qu'on a choisi de croire à la vie en vivant; si on croit sincèrement que la mort seule est vraie, on devrait se tuer. En fait, même les suicides n'ont jamais ce sens-là.

— Ça peut être parce qu'on est étourdi et lâche qu'on continue à vivre, dis-je. C'est le plus facile. Mais ça ne prouve rien non plus.

— D'abord, c'est important, que le suicide soit difficile, dit Robert. Et puis continuer à vivre, ce n'est pas seulement continuer à respirer. Personne ne réussit à s'installer dans l'indifférence. Tu aimes des choses, tu en détestes d'autres, tu t'indignes, tu admires : ça implique que tu reconnais les valeurs de la vie. » Il sourit : « Je suis tranquille. Nous n'avons pas fini de discuter sur les camps, sur tout le reste. Tu te sens impuissante, comme moi, comme tout le monde, devant certains faits qui t'accablent, alors tu te réfugies dans un scepticisme généralisé : mais ce n'est pas sérieux. »

Je ne répondis rien. Évidemment, demain je discuterais de nouveau, sur un tas de choses : ça prouvait-il qu'elles cesseraient de me paraître insignifiantes? et si oui, c'est peut-être que je recommencerais à me duper.

Nadine et Lambert sont revenus à Saint-Martin le samedi suivant : ça n'avait plus l'air de bien marcher entre eux, Nadine n'a pas desserré les dents de tout le dîner. Lambert devait partir deux jours plus tard pour l'Allemagne, afin de se renseigner sur les camps de la zone russe; d'un commun accord, ils ont évité Robert et lui d'aborder le fond du problème mais ils ont discuté avec animation sur les modalités pratiques de l'enquête.

Au café, Nadine a explosé :

— C'est une sombre connerie, toute cette histoire! Bien sûr qu'ils existent, ces camps. C'est ignoble et c'est nécessaire : c'est la société, quoi, et personne ne peut rien y faire!

— Tu en prends facilement ton parti! dit Lambert. Il la regarda avec reproche. « Pour te débarrasser des trucs qui te gênent, tu as vraiment le don!

— Et toi, tu n'en prends pas ton parti! dit Nadine d'une voix agressive. Allons donc! tu es ravi de pouvoir penser du mal de l'U. R. S. S.! Et grâce à ça tu vas aller te promener et faire l'important : c'est tout bénéfice. »

Il a haussé les épaules sans répondre, mais ils ont dû se chamailler la nuit dans le pavillon. Le lendemain, Nadine a passé la journée seule dans le living-room, avec un livre qu'elle ne lisait pas. Inutile de lui parler : elle me répondait par monosyllabes. Le soir, Lambert l'appela du jardin et comme elle ne bougeait pas, il entra :

— Nadine, il serait temps de partir.

— Je ne pars pas, dit-elle. Il suffit que je sois à *Vigilance* demain matin à dix heures.

— Mais je t'ai dit que je devais rentrer ce soir à Paris : j'ai des gens à voir.

— Vois-les. Tu n'as pas besoin de moi pour ça.

— Nadine, ne sois pas stupide! dit-il avec impatience. Je ne resterai qu'une heure avec eux. On avait dit qu'on irait au restaurant chinois.

— J'ai changé d'avis, ça t'arrive aussi, dit Nadine. Je reste ici.

— C'est notre dernière soirée, dit Lambert.

— Ça, c'est toi qui l'as décidé! dit-elle.

— Ça va; à demain, dit-il d'un ton rogue.

— Demain, je suis occupée. A ton retour.

— Oh! Adieu pour toujours si tu veux, cria-t-il d'une voix furieuse.

Il referma la porte derrière lui; Nadine me regarda et elle se mit à crier elle aussi : « Surtout ne me dis pas que j'ai tort, ne me dis rien; je sais tout ce que tu peux me dire et ça ne m'intéresse pas.

— Je n'ai pas ouvert la bouche.

— Qu'il parte en voyage, je m'en fous! dit-elle. Mais il devait me consulter avant de décider : et je déteste qu'on me mente. Cette enquête n'est pas si urgente. Il aurait mieux fait de me dire en face : j'ai envie d'être seul. Parce que c'est ça le fond : il veut pouvoir pleurer tranquillement son petit papa chéri.

— C'est normal, dis-je.

— Normal? Son père était un vieux salaud. D'abord, il n'aurait pas dû se réconcilier avec lui; et maintenant voilà qu'il le pleure comme un bébé. Il a pleuré avec de vraies larmes, je l'ai vu! dit-elle sur un ton triomphant.

— Et alors? il n'y a pas de honte.

— Aucun des hommes que je connais n'aurait pleuré. Et le plus beau de tout, c'est que, pour corser la tragédie, il prétend qu'on a bousillé le vieux exprès.

— Ce n'est pas impossible », dis-je.

Elle devint toute rouge :

— Pas le père de Lambert! c'est ridicule! dit-elle.

Tout de suite après le dîner, elle est partie rôder dans la campagne; nous ne l'avons revue qu'au petit déjeuner. C'est alors que d'un air réprobateur et avide, elle m'a tendu la première lettre de Lewis.

— Il y a une lettre d'Amérique. Elle ajouta : « De Chicago », en me dévisageant avec insistance.

— Merci.

— Tu ne l'ouvres pas?

— Ce n'est rien d'urgent.

J'ai posé la lettre à côté de moi et j'essayai de boire mon thé sans que ma main tremble; j'avais autant de peine à tenir rassemblés les morceaux de mon corps qu'à l'heure où pour la première fois Lewis m'avait serrée dans ses bras. Robert est venu à mon secours, il s'est mis à poser à Nadine des questions sur *Vigilance*, jusqu'à ce que j'aie trouvé un prétexte pour gagner ma chambre; mes doigts étaient si gourds qu'en l'arrachant de l'enveloppe je déchirai la feuille de papier jaune d'où allait miraculeusement surgir la présence bouleversante de Lewis; la lettre était tapée à la machine, elle était gaie, gentille et vide, et pendant un long moment je contemplai avec stupeur la signature qui la scellait, implacable comme une dalle mortuaire. J'aurais beau relire cent fois cette page et la martyriser, je n'en exprimerais pas un mot neuf, pas un sourire, pas un baiser; et je pouvais bien recommencer d'attendre : au bout de mon attente, je ne rencontrerais qu'une autre feuille de papier. Lewis était resté à Chicago, il continuait à vivre, il vivait sans moi. Je me suis approchée de la fenêtre, j'ai regardé le ciel d'été, les arbres heureux, et j'ai compris que je commençais seulement à souffrir. Le même silence : mais il n'y avait plus d'espoir, ce serait toujours ce silence. Quand nos corps ne se touchaient plus, quand nos regards ne se mélangeaient plus, qu'avions-nous de commun? Nos passés s'ignoraient, nos avenirs se fuyaient, on ne parlait pas autour de nous la même langue, les horloges se moquaient de nous : ici le matin brillait, et c'était la nuit dans la chambre de Chicago, nous ne pouvions pas même nous donner un rendez-vous dans le ciel. Non, de lui à moi il n'existait aucun passage : sauf ces sanglots dans ma gorge et je les réprimais.

C'était encore une chance que Paule m'ait suppliée au téléphone de venir la voir ce jour-là : peut-être en partageant sa tristesse réussirais-je à oublier la mienne. Assise dans l'autocar à côté de Nadine qui méditait quelque mauvais coup, je me demandai : « Est-ce qu'on finit par s'habituer? m'habituerai-je? » Dans les rues de Paris, je croisais des centaines, des milliers d'hommes qui avaient comme Lewis deux bras, deux jambes, mais jamais son visage : c'est fou combien il y a sur la surface de la terre d'hommes qui ne sont pas Lewis; c'est fou combien il y a de chemins qui ne reconduisent pas à ses bras et de mots d'amour qui ne s'adressent pas à moi. Partout des promesses de douceur, de bonheur me frôlaient, mais jamais cette tendresse printanière ne traversait ma peau. Lentement je suivis les quais. Paule avait fait l'immense effort de se traîner jusque chez moi quelques jours après mon retour et elle avait reçu gaiement ses cadeaux d'Amérique; mais elle avait écouté mes récits et répondu à mes questions d'un air lointain. Je n'avais pas encore été la voir chez elle et c'est avec une espèce d'étonnement que je retrouvai, pareille à elle-même, la rue familière. Rien n'avait changé pendant mon absence : il ne s'était rien passé. On lisait les mêmes inscriptions qu'autrefois : « Spécialité d'oiseaux rares et saxons », et le petit singe enchaîné au garde-fou d'une fenêtre écossait encore des cacahuètes. Assis sur les marches de l'escalier, un clochard fumait un cigare en surveillant un ballot de guenilles. La porte d'entrée, quand je la poussai, heurta comme naguère une poubelle; chaque trou du tapis était à sa place; on entendait la sonnerie insistante d'un téléphone. Paule était enveloppée d'une robe de chambre soyeuse, un peu fripée.

— Tu es gentille! Je suis désolée de t'ennuyer, mais descendre seule dans cette cage aux lions, jamais je n'en aurais eu le courage.

— Tu es sûre que je suis invitée?

— Mais c'est à cause de toi que la Belhomme m'a téléphoné trois fois; elle m'a suppliée de t'amener; elle a Henri : elle voudrait Dubreuilh...

Elle monta l'escalier qui conduisait à sa chambre et je la suivis.

— Tu n'imagines pas comme la maison de Saint-Martin est jolie, dis-je. Il faudra venir.

Elle soupira. « C'est si loin! » Elle ouvrit les battants de son armoire. « Qu'est-ce que je vais mettre? il y a si longtemps que je ne suis pas sortie.

— Ta robe noire.

— Elle est bien vieille.

— La verte.

— Je ne suis pas sûre que le vert m'aille bien. » Elle décrocha le cintre auquel était suspendue la robe noire. « Je ne voudrais pas avoir l'air mangée aux mites. Lucie serait trop contente.

— Pourquoi vas-tu chez elle, toi qui ne sors jamais?

— Elle me déteste, dit Paule. Autrefois, j'étais plus jeune et plus jolie qu'elle, j'ai eu plusieurs de ses amants; si je refuse toutes ses invitations, elle croira que je suis devenue infirme et elle jubilera. »

Elle s'était approchée de la glace et elle suivait du doigt la courbe de ses épais sourcils. « J'aurais dû les épiler; je devrais suivre la mode; elles vont me trouver ridicule!

— N'aie pas peur d'elles, dis-je. Tu seras toujours la plus belle.

— Oh! plus maintenant, dit-elle. Non. Plus maintenant! »

Elle se regardait d'un air hostile et soudain, pour la première fois depuis bien des années, je la vis moi aussi avec des yeux étrangers; elle avait l'air fatiguée; ses pommettes avaient pris une nuance violacée, et le menton s'empâtait; les deux entailles profondes qui cernaient sa bouche accusaient la virilité de ses traits. Naguère, le teint crémeux

de Paule, son regard velouté, le noir éclat de ses cheveux adoucissaient
sa beauté : privé de ce banal attrait, son visage devenait insolite; il
était construit d'une manière trop volontaire pour qu'on excusât l'indécision d'une courbe, l'hésitation d'une couleur; au lieu de s'y inscrire sournoisement, le temps marquait d'un signe brutal ce masque
noble et baroque qui méritait encore l'admiration, mais qui aurait été
à sa place dans un musée plutôt que dans un salon.
  Paule avait enfilé sa robe noire et elle brossait ses longs cils.
  — J'allonge les yeux, oui ou non?
  — Je ne sais pas.
  Je voyais bien ses défauts; mais j'étais incapable de suggérer un
remède : je n'étais même pas sûre qu'il en existât.
  — Pourvu qu'il me reste une paire de bas convenables! Elle fouil-
lait dans un tiroir avec des gestes fébriles. « Tu crois que ces deux-là
sont de la même couleur?
  — Non; celui-ci est plus clair que l'autre.
  — Et celui-là?
  — Il y a une échelle du haut en bas. »
  Il nous a bien fallu dix minutes pour assortir deux bas intacts.
  — Tu es sûre, ils sont pareils? demandait Paule avec anxiété. J'avais
tendu sur mes doigts écartés le réseau léger et debout près de la fenêtre
je consultais la lumière :
  — Je ne vois aucune différence.
  — Mais elles voient tout, tu comprends.
  Elle laça autour de ses jambes des sandales aux hautes semelles
et me demanda : « Je mets mon collier? »
  C'était un lourd collier de cuivre, d'ambre et d'os, un bijou exotique
sans valeur marchande qui ferait sourire de mépris des femmes endia-
mantées.
  — Non, ne le mets pas.
  J'hésitai. De toute façon avec ses boucles, sa robe sans âge, son
masque, ses cothurnes, Paule était si différente de ses ennemies qu'il
valait peut-être mieux souligner son originalité « Attends; oui, il vaut
mieux le mettre. Ah! je ne sais pas, dis-je avec impatience. Après tout,
elles ne vont pas te manger.
  — Oh! si, elles me mangeront », dit-elle sans sourire.
  Nous avons marché vers une station d'autobus; dans la rue, Paule
perdait toute sa majesté; elle marchait en rasant les murs d'un air fur-
tif. « Je déteste sortir habillée dans ce quartier, dit-elle sur un ton
d'excuse. Le matin, je traîne en savates, c'est différent; mais à cette
heure-ci, dans cette toilette, je suis une insulte. »
  J'essayai de la distraire :
  — Comment va Henri?
  Elle hésita : « Il est si compliqué. »
  Je répétai bêtement : « Compliqué? »
  — Oui, c'est bizarre; c'est seulement maintenant que je commence
à le connaître : après dix ans. » Il y eut un silence et elle reprit : « Il

a fait un drôle de truc, pendant ton absence; il m'a mis brusquement sous le nez un passage de son roman où le héros explique à une femme qu'elle lui empoisonne la vie; et il m'a demandé : « Qu'est-ce que « tu en penses? »

— Qu'est-ce qu'il voulait te faire répondre? dis-je, en essayant de donner à ma voix un accent amusé.

— Je lui ai demandé s'il avait pensé à moi en l'écrivant et il a rougi de confusion. Mais j'ai bien senti que pendant un moment il aurait aimé que je le croie.

— Oh! tu m'étonnes! dis-je.

— Henri est un cas », dit-elle pensivement; elle ajouta : « Il voit beaucoup la petite Belhomme; c'est aussi pour ça que j'ai tenu à aller chez Lucie : pour qu'elles ne s'imaginent pas que j'attache de l'importance à ce caprice...

— Oui, j'ai vu une photo d'elle...

— D'elle avec Henri aux « Iles Borromées! » Elle haussa les épaules : « C'est triste. Il n'en est pas fier, tu sais. C'est même étrange : il a demandé que nous ne couchions plus ensemble; comme s'il ne se sentait plus digne de moi », conclut-elle lentement.

J'avais envie de lui dire : « Cesse donc de te mentir! » Mais de quel droit? en un sens j'admirais son entêtement.

Dans l'escalier, en montant chez Lucie Belhomme, elle a saisi mon poignet : « Dis-moi la vérité : est-ce que j'ai l'air d'une vaincue? »

— Toi? tu as l'air d'une princesse. »

Mais quand le valet de chambre nous a ouvert la porte, j'ai senti que la panique de Paule m'avait gagnée; on entendait un cliquetis de voix, l'air sentait le parfum et la malveillance; moi aussi on allait joyeusement me mettre en pièces : ça n'est jamais agréable à penser. Paule avait retrouvé son sang-froid : elle entra dans le salon avec une dignité princière; moi, soudain, je n'étais plus très sûre que ses deux bas fussent de la même couleur.

Meubles d'époque, tapis vaguement persans, tableaux patinés, livres reliés en parchemin, cristaux, velours, satins : on sentait que Lucie hésitait entre ses aspirations bourgeoises, ses prétentions intellectuelles, et son propre goût qui, malgré son bon goût réputé, était vulgaire.

— Comme je suis contente de vous avoir ici! Elle était habillée avec une perfection qui eût donné des complexes d'infériorité à la duchesse de Windsor; on ne remarquait qu'au second coup d'œil la mesquinerie de la bouche, la malveillance inquiète du regard : il n'existe pas encore de visagiste qui sache rectifier le regard; tout en souriant elle m'expertisait avec exactitude; elle se tourna vers Paule. « Ma petite Paule! douze ans qu'on ne s'est pas vues! on ne se serait pas reconnues. » Un instant, elle garda dans sa main la main de Paule qu'elle détaillait effrontément, et puis elle m'entraîna : « Venez que je vous présente. »

Les femmes étaient beaucoup plus jeunes et plus jolies que dans le salon de Claudie et aucun drame spirituel ne défigurait leurs visages adroitement travaillés; il y avait beaucoup de mannequins avides de devenir des starlettes, et des starlettes avides de se muer en stars; elles avaient toutes des robes noires, des cheveux couleur d'oréal, des talons très hauts, de longs cils et une personnalité, différente pour chacune, mais fabriquée dans les mêmes ateliers. Si j'avais été homme ça m'aurait été impossible d'en préférer aucune, j'aurais été faire mon marché ailleurs. En fait, les beaux jeunes gens qui me baisaient la main semblaient surtout s'intéresser les uns aux autres. Il y avait bien çà et là quelques adultes aux allures mâles, mais ils avaient l'air de figurants appointés. Parmi eux se trouvait l'amant en titre de Lucie que tout le monde appelait Dudule; il causait avec une longue brune aux cheveux platinés.

— Il paraît que vous revenez de New York? me dit-il. Quel pays prodigieux, n'est-ce pas? On dirait un gigantesque rêve d'enfant gâté. Ces énormes cornets de glace dont ils se gavent, j'y vois le symbole de l'Amérique tout entière.

— Moi je ne m'y suis pas plu du tout, a dit la fausse blonde, tout est trop propre, trop parfait; on finit par avoir envie de rencontrer un homme en chemise douteuse, avec une barbe de deux jours.

Je ne protestai pas; je les laissai m'expliquer à coups de slogans éprouvés ce pays d'où je revenais : « De grands enfants », « le paradis de la femme », « de détestables amants », « une vie tourbillonnante et fiévreuse ». Dudule à propos des gratte-ciel prononça même hardiment le mot *phallus*. Je me disais en les écoutant qu'on n'a vraiment pas le droit d'imputer aux intellectuels une sensibilité sophistiquée; c'était ces gens-là — gens du monde et assimilés — qui promenaient dans l'existence des yeux aveuglés par de mauvais clichés et un cœur envahi de lieux communs. Robert, Henri se laissent aller avec nonchalance à aimer ce qu'ils aiment, à s'ennuyer de ce qui les ennuie, et si un roi se promène tout nu ils n'admirent pas les broderies de son manteau; ils savent bien qu'ils créent eux-mêmes les modèles que copieront avec zèle les snobs qui affectent des réactions distinguées; leur orgueil leur permet toutes les naïvetés; tandis que ni Dudule, ni Lucie, ni les jeunes femmes minces et lustrées qui s'empressaient autour d'elle ne s'accordaient jamais un moment de sincérité. J'éprouvais pour elles une pitié effrayée. Leur seul lot, c'était des ambitions vides, des jalousies brûlantes, des victoires et des défaites abstraites. Alors qu'il y a tant de choses sur terre à aimer et à haïr solidement! J'ai pensé dans un éclair : « Robert a bien raison. Ça n'existe pas, l'indifférence. » Même ici, où ça n'en valait guère la peine, je me jetai tout de suite dans l'indignation ou dans le dégoût; j'affirmai qu'il y avait plein de choses au monde à aimer et à haïr et je savais bien que rien ne déracinerait en moi cette certitude. Oui, c'est par fatigue, par paresse, par honte de mon ignorance que j'avais bêtement prétendu le contraire.

— Tu n'as jamais rencontré ma fille? demanda Lucie en décochant à Paule un de ses minces sourires.

— Non.

— Tu vas la voir; elle est très belle : tout à fait le genre de beauté que tu avais autrefois. Lucie esquissa et effaça un nouveau sourire : « Vous avez beaucoup de choses en commun. »

Je décidai d'être aussi grossière qu'elle : « Oui, on dit que votre fille ne vous ressemble pas du tout. »

Lucie m'examina avec une hostilité décidée; il y avait une curiosité presque inquiète dans cette inspection comme si elle s'était demandé : « Y a-t-il une autre manière que la mienne d'être femme et d'en profiter? est-ce que quelque chose m'a échappé? » Son regard revint vers Paule : « Tu devrais venir me voir un de ces jours chez Amaryllis; je t'habillerais un peu; ça change une femme, d'être bien habillée.

— Ça serait bien dommage de changer Paule, dis-je; les femmes à la mode, ça pullule, tandis qu'il n'y a qu'une Paule. »

Lucie eut l'air un peu déconcerté : « En tout cas, le jour où tu ne mépriseras plus la mode tu seras toujours bien accueillie dans mes salons; et je connais un esthéticien qui fait des miracles, ajouta-t-elle en pivotant sur ses hauts talons.

— Tu aurais dû lui demander pourquoi elle n'a pas recours à ses services, dis-je à Paule.

— Je n'ai jamais su leur répondre, dit Paule. Ses pommettes étaient violacées et ses narines pincées, c'était sa manière de pâlir.

— Tu veux t'en aller?

— Non, ça serait une défaite. »

Claudie se précipitait vers nous avec des yeux brillants de commère en chaleur:« La petite rousse qui vient d'entrer, c'est la fille Belhomme » dit-elle.

Paule tourna la tête, moi aussi. Josette n'était pas petite, et c'était une rousse de l'espèce la plus rare : celles qui ont sous leurs cheveux fauves une chair crémeuse de blonde; sa bouche voluptueuse et désolée, ses yeux immenses lui donnaient l'air d'être effarouchée par sa propre beauté. On comprenait qu'un homme ait envie d'émouvoir un tel visage. Je jetai sur Paule un coup d'œil inquiet; elle tenait une coupe de champagne à la main, elle était immobile, l'œil fixe, comme si elle avait entendu des voix; de méchantes voix.

Mon cœur se révolta; quel crime expiait-elle? Pourquoi la brûlait-on toute vive alors qu'autour de nous toutes ces femmes souriaient? J'étais prête à reconnaître qu'elle avait forgé elle-même son malheur; elle n'essayait pas de comprendre Henri, elle se repaissait de chimères, elle avait choisi la paresse avec l'esclavage : mais enfin elle n'avait jamais fait de mal à personne, elle ne méritait pas d'être punie si sauvagement. C'est toujours pour nos fautes que nous payons; seulement, il y a des portes où les créanciers ne frappent jamais et d'autres qu'ils forcent, c'est injuste. Paule était du côté des malchanceux et je ne me résignais pas à voir ces larmes qui coulaient de ses yeux sans qu'elle parût s'en apercevoir; je la réveillai brusquement : « Allons-nous-en, dis-je en lui prenant le bras.

— Oui. »

Quand après les adieux hâtifs nous nous sommes retrouvées dans la rue, Paule me regarda d'un air sombre.

— Pourquoi ne m'as-tu jamais avertie? dit-elle.

— T'avertir? de quoi?

— De ce que j'étais sur un mauvais chemin.

— Mais je ne pense pas ça.

— C'est drôle que tu ne l'aies pas pensé.

— Tu veux dire que tu as vécu trop enfermée?

Elle haussa les épaules. « Je n'ai pas dit mon dernier mot. Je sais que je suis un peu idiote : mais quand j'ai compris, j'ai compris. »

En descendant de l'autobus, elle s'arracha pourtant un sourire : « Merci de m'avoir accompagnée. Tu m'as rendu un vrai service. Je n'oublierai pas. »

Nadine est restée à Paris toute la semaine. Quand elle a reparu à Saint-Martin, je lui ai demandé des nouvelles de Lambert : il lui avait écrit, il rentrait dans une semaine. « Il va y avoir des étincelles, a-t-elle ajouté d'une voix jubilante : j'ai revu Joly et nous avons recouché ensemble. Tu imagines la gueule de Lambert quand je vais lui raconter ça!

— Nadine! ne le lui raconte pas! »

Elle me regarda d'un air déconcerté :

— Tu m'as mille fois répété que les gens décents ne se mentent pas. Franchise d'abord!

— Non. Je t'ai dit qu'il faut tâcher de bâtir des rapports où le mensonge ne soit pas même concevable. Mais tu n'en es pas là avec Lambert, pas du tout. Et d'ailleurs, ajoutai-je, il ne s'agit pas de lui confier par souci de sincérité un événement vrai de ta vie : tu as fabriqué cette histoire exprès pour le blesser en la lui racontant.

Nadine ricana d'un air indécis :

— Oh! toi! quand tu te mets à faire ta sorcière!

— Je me trompe?

— Évidemment, j'ai voulu le punir; il le mérite bien.

— Tu reconnais toi-même qu'il fait toujours tout ce que tu veux : pour une fois qu'il n'a pas cédé, tu pourrais te montrer belle joueuse.

— Il fait ce que je veux parce que ça l'amuse de jouer au petit garçon, c'est une comédie. Mais pour de vrai, n'importe quoi compte plus que moi : Henri, le journal, son père, une enquête...

— Tu es aveugle. Lambert tient à toi par-dessus tout.

— Que tu dis. Lui, il ne m'a jamais rien dit de tel.

— Tu n'as guère dû l'y encourager.

— Évidemment, je n'ai pas été lui mendier des déclarations d'amour.

Je la regardai avec un peu de curiosité :

— Ça vous arrive bien quand même de parler de vos sentiments?

— C'est pas des choses dont on parle, dit-elle d'un air choqué. Qu'est-ce que tu t'imagines?

— Parler, ça aide à se comprendre.

— Mais je comprends très bien tout.

— Alors tu dois comprendre que Lambert ne supportera jamais que tu l'aies trompé; tu vas lui faire une peine affreuse et gâcher irrémédiablement toute votre histoire.

— C'est quand même marrant que ce soit toi qui me conseilles de mentir. Elle ricanait, mais elle avait l'air plutôt soulagée. « Ça va, je ne lui dirai rien. »

Lambert arriva le surlendemain; il parla peu de son voyage, il comptait repartir en septembre pour réunir des renseignements plus précis; Nadine paraissait réconciliée avec lui. Ils prenaient côte à côte de longs bains de soleil dans le jardin, ils se promenaient, ils lisaient, ils discutaient, ils faisaient des projets. Lambert se laissait dorloter par Nadine et se pliait de bonne grâce à ses caprices; mais par instants il éprouvait le besoin de se prouver son indépendance, il enfourchait sa motocyclette et il filait sur les routes à une vitesse qui visiblement l'effrayait lui-même. Nadine haïssait toujours la solitude d'autrui; à sa jalousie il se mêlait cette fois de l'envie; devant la résistance de Lambert et mon opposition formelle, elle avait renoncé à conduire la machine; elle avait essayé du moins de l'adopter : elle avait peint le garde-boue en rouge vif et attaché des fétiches au guidon; malgré ces efforts, la motocyclette demeurait à ses yeux le symbole de tous les plaisirs virils dont elle n'était pas la source et qu'elle ne pouvait pas non plus partager; c'était le plus fréquent prétexte de ses disputes avec Lambert; mais il ne s'agissait là que de chamailleries sans aigreur.

Un soir, comme j'étais dans ma chambre en train de me préparer pour la nuit, ils sont venus s'asseoir dans le jardin.

— En somme, dit Lambert, tu estimes que je ne serais pas capable de diriger tout seul un journal?

— Je n'ai pas dit ça. Je dis que si Volange te prend comme homme de paille tu ne dirigeras rien du tout.

— Et qu'il me fasse assez confiance pour me proposer sans arrière-pensée un pareil poste, ça te semble incroyable!

— Tu es naïf! Volange est encore trop mouillé pour oser afficher son nom, et il compte te manœuvrer en coulisse.

— Oh! toi tu te crois très forte parce que tu joues les cyniques; mais la malveillance aussi rend aveugle. Volange, c'est quelqu'un.

— C'est un salaud, dit-elle tranquillement.

— Il s'est trompé, soit; mais je préfère les gens qui ont leur erreurs derrière eux à ceux qui les ont devant, dit Lambert avec hargne.

— Tu veux dire Henri? Je n'en ai jamais fait un héros, mais c'est un type propre, lui.

— Il l'a été; mais il est en train de se laisser bouffer par la politique et par son personnage public.

— Je trouve qu'il a plutôt gagné, dit Nadine d'un ton impartial. Cette pièce qu'il vient d'écrire, c'est ce qu'il a fait de meilleur.

— Ah, non! dit Lambert. Je la trouve détestable. Et c'est une mauvaise action; les morts sont morts, qu'on les laisse tranquilles; ce n'est pas la peine de venir exaspérer la haine entre les Français...

— Au contraire! dit Nadine. Les gens ont drôlement besoin qu'on leur rafraîchisse la mémoire.

— Ça n'avance à rien de se buter sur le passé, dit Lambert.

— Moi je n'admets pas qu'on l'oublie, dit Nadine; elle ajouta d'une voix sèche : « Et je ne comprends pas qu'on pardonne.

— Et qui es-tu, qu'est-ce que tu as fait pour être si sévère? dit Lambert.

— J'en aurais fait autant que toi si j'avais été un homme, dit Nadine.

— J'en aurais fait dix fois plus que je ne me permettrais pas de condamner les gens sans appel, dit-il.

— Ça va! dit-elle. Là-dessus on ne sera jamais d'accord. Allons nous coucher. »

Il y eut un silence et Lambert dit d'un ton définitif :

— Je suis sûr que Volange fera de grandes choses.

— J'en doute, dit Nadine. En tout cas, je ne vois pas en quoi ça te concerne. Diriger un vague canard qui ne sera même pas vraiment à toi, ça n'a rien de grand.

Sur un ton vaguement badin, il demanda : « Est-ce que tu crois que je ferai jamais quelque chose de grand?

— Oh! je ne sais pas, dit-elle, et je m'en fous. Pourquoi faudrait-il absolument donner dans la grandeur?

— Que je sois un bon petit garçon soumis à tes quatre volontés, c'est tout ce que tu attends de moi?

— Mais je n'attends rien : je te prends comme tu es. »

Son accent était affectueux; mais il signifiait clairement qu'elle se refusait à dire les mots que Lambert souhaitait entendre. Il insistait, d'une voix un peu maniaque : « Et qu'est-ce que je suis? quelles capacités me reconnais-tu?

— Tu sais faire une mayonnaise, dit-elle gaiement, et conduire une motocyclette.

— Et autre chose aussi que je ne dirai pas, dit-il avec un petit ricanement.

— Je déteste quand tu es vulgaire », dit-elle.

Elle bâilla avec éclat. « Je vais dormir. » Le gravier crissa sous leurs pieds et puis on n'entendit plus dans le jardin que le concert têtu des sauterelles.

Je les ai écoutées longtemps : la belle nuit! il ne manquait pas une étoile au ciel, il ne manquait rien nulle part. Et pourtant il y avait en moi ce vide qui n'en finissait pas. Lewis m'avait écrit deux autres lettres, il me parlait beaucoup mieux que dans la première; mais plus je le sentais vivant, réel, plus sa tristesse prenait du poids. Je suis triste moi aussi et ça ne nous rapproche pas. Je murmure : « Pourquoi êtes-vous si loin? » Il répond en écho : « Pourquoi êtes-vous si loin? » et sa voix est chargée de reproche. Parce que nous sommes séparés, tout nous sépare et même nos efforts pour nous rejoindre.

Eux cependant, ils auraient pu faire de leur amour un bonheur; je m'irritais de leur maladresse. Ce jour-là, ils avaient décidé d'aller pas-

ser la journée et la nuit à Paris; au début de l'après-midi, Lambert
sortit du pavillon, vêtu d'un élégant complet de flanelle et cravaté
avec recherche. Nadine était couchée sur l'herbe, elle portait une jupe
à fleurs toute tachée, une chemisette de coton, de grosses sandales.
Il lui cria avec un peu d'humeur : « Dépêche-toi d'aller te préparer!
nous allons manquer le car.

— Je t'ai dit que je voulais prendre la moto, dit Nadine, c'est bien
plus amusant.

— Mais nous arriverions sales comme des peignes; et on est ridicule sur une moto dès qu'on est un peu habillé.

— Je ne compte pas m'habiller, dit-elle d'un ton définitif.

— Tu ne vas pas te ramener à Paris dans cette tenue? » Elle ne
répondit pas et il me prit à témoin d'une voix désolée : « Quel dommage! elle pourrait avoir tellement d'allure si seulement elle ne prenait pas ce genre anarchiste! » Il l'examina d'un œil critique : « D'autant plus que le débraillé, ça ne te va pas du tout. »

Nadine se pensait laide et c'est surtout par dépit qu'elle dédaignait
de se féminiser; sa négligence hargneuse ne laissait guère soupçonner
combien elle était sensible à toute remarque concernant son apparence
physique; son visage s'était altéré : « Si tu veux une femme qui s'occupe
de sa peau du matin au soir, adresse-toi à un autre rayon.

— Ça ne serait pas long de passer une robe propre, dit Lambert.
Je ne peux te sortir nulle part si tu restes déguisée en sauvage.

— Mais je n'ai pas besoin qu'on me sorte. Tu t'imagines que j'ai
envie d'aller parader à ton bras dans des endroits où il y aurait des
maîtres d'hôtel et de la femme en peau? Merde, alors! Si tu tiens à
jouer au Don Juan, loue un mannequin pour t'accompagner.

— Je ne vois pas ce qu'il y aurait de révoltant à aller danser dans
une boîte convenable où on entendrait du bon jazz. Vous voyez, vous?
me demanda-t-il.

— Je crois que Nadine n'aime guère danser, dis-je avec prudence.

— Elle danserait très bien, si elle voulait!

— Justement, je ne veux pas, dit-elle. Faire le singe au milieu d'une
piste, ça ne m'amuse pas.

— Ça t'amuserait tout comme une autre », dit Lambert; un peu de
sang lui monta au visage. « Et ça t'amuserait de t'habiller, de sortir,
si seulement tu étais sincère. On dit : ça ne m'amuse pas; mais on
ment. Nous sommes tous des refoulés et des hypocrites. Je me demande
pourquoi. Pourquoi ça serait-il un crime d'aimer les beaux meubles,
les beaux vêtements, le luxe et les divertissements? pour de vrai tout
le monde aime ça.

— Je te jure que je m'en contre-fous, dit Nadine.

— Que tu dis! c'est marrant, reprit-il avec une passion qui me déconcerta, il faut toujours se guinder, toujours se renier. On ne doit ni rire
ni pleurer quand on en a envie, ni faire ce qui vous tente, ni penser
ce qu'on pense.

— Mais qui vous l'interdit? ai-je demandé.

— Je ne sais pas, et c'est bien ça le pire. Nous sommes tous là à nous mystifier les uns les autres, et personne ne sait pourquoi. Soi-disant on sacrifie à la pureté : mais où est-elle, la pureté? qu'on me la montre! et c'est en son nom qu'on refuse tout, qu'on ne fait rien, qu'on n'arrive à rien.

— A quoi veux-tu donc arriver? dit Nadine d'une voix ironique.

— Tu ricanes; mais ça aussi, c'est de l'hypocrisie. Tu es bien plus sensible au succès que tu ne le dis; c'est quand même avec Perron que tu es partie en voyage et tu me parlerais sur un autre ton si j'étais quelqu'un. Tout le monde admire la réussite; et tout le monde aime l'argent.

— Parle pour toi, dit Nadine.

— Et pourquoi ne tiendrait-on pas à l'argent? dit Lambert. Tant que le monde est comme il est, autant être du côté de ceux qui en ont. Allons! tu étais bien fière d'avoir un manteau de fourrure l'année der-nière, et tu crèves d'envie de faire de grands voyages; tu serais enchan-tée de te réveiller millionnaire; seulement tu ne l'avoueras jamais : tu as peur d'être toi-même!

— Je sais qui je suis et ça me convient très bien, dit-elle d'une voix mordante. C'est toi qui as peur d'être ce que tu es : un petit intel-lectuel bourgeois. Les grandes aventures tu sais bien que tu n'es pas fait pour. Alors maintenant, tu mises sur la réussite sociale, argent et le reste. Tu deviendras un snob et un sale arriviste, voilà tout.

— Il y a des moments où tu mériterais tout simplement une bonne gifle, dit Lambert en tournant les talons.

— Essaie donc! Je te jure qu'il y aurait du sport. »

Je suivis Lambert des yeux; je me demandais quelle était la raison de son éclat; qu'étouffait-il en lui, à contrecœur? le goût de la facilité? une ambition inavouée? souhaitait-il par exemple accepter la proposi-tion de Volange sans oser encourir le blâme de ses amis? peut-être s'était-il persuadé que les interdits dont il se sentait entouré l'empê-chaient de devenir quelqu'un? ou désirait-il qu'on l'autorisât tranquil-lement à n'être personne?

— Je me demande qu'est-ce qu'il avait en tête? dis-je.

— Oh! il se fabrique de petits rêves, dit Nadine avec dédain. Seu-lement quand il veut me faire entrer dedans, minute!

— Je dois dire que tu ne l'encourages pas beaucoup.

— Non; c'est même marrant; quand je sens qu'il a envie que je lui dise une chose, je dis aussitôt le contraire. Tu ne comprends pas ça?

— Je comprends un peu.

Je comprenais très bien; avec Nadine précisément je connaissais ce genre de résistance.

— Il veut toujours se faire donner des permissions : il n'a qu'à les prendre.

— N'empêche que tu pourrais être un peu plus conciliante, dis-je. Tu ne fais jamais aucune concession : tu devrais lui céder quand par hasard il te demande quelque chose.

— Oh! il demande plus que tu ne crois, dit-elle; elle haussa les épaules d'un air excédé : « D'abord tous les soirs il demande à coucher avec moi : ça m'assomme.

— Tu peux refuser.

— Tu ne te rends pas compte : si je refuse ça fait tout un drame »; elle ajouta d'une voix irritée : « Par-dessus le marché, si je ne prenais pas mes précautions, il me ferait un gosse à tous coups. » Elle me guignait du coin de l'œil; elle savait bien que je détestais ce genre de confidences.

— Apprends-lui à faire attention.

— Merci! si ça devient des séances d'exercices pratiques, c'est gai! J'aime encore mieux me défendre toute seule. Mais c'est pas très marrant d'avoir à se mettre un bouchon chaque fois qu'on baise. D'autant plus que j'ai cassé la brosse à dents.

— La brosse à dents?

— On ne t'a donc rien montré en Amérique? C'est une Wac qui m'a fait cadeau de ce machin-là. Oh! c'est mignon tout plein, on dirait un petit chapeau melon; seulement pour s'installer ça convenablement, on a besoin d'une espèce d'outil en verre : j'appelle ça la brosse à dents; et je l'ai cassée. Elle me regarda avec malice : « Je te choque, hein? »

Je haussai les épaules. « Je me demande pourquoi tu t'entêtes à faire l'amour, si c'est une telle corvée.

— Comment veux-tu que j'aie des histoires avec des types si je ne baise pas? Les femmes m'emmerdent, je ne m'amuse qu'avec les garçons; mais si je veux sortir avec eux il faut que je couche avec, je n'ai pas le choix. Seulement, il y en a qui le font plus ou moins souvent, plus ou moins longtemps. Lambert c'est tout le temps et ça n'en finit pas. » Elle se mit à rire. « Je suppose que dès qu'il ne s'en sert pas, il n'est pas sûr d'en avoir une! »

Un des paradoxes de Nadine, c'est qu'elle avait traîné dans quantité de lits, qu'elle disait sans sourciller d'énormes obscénités, et que pourtant elle était, touchant sa vie sexuelle, d'une extrême susceptibilité. Quand Lambert se permettait, comme il le faisait trop souvent, une allusion à leur intimité, elle se hérissait.

— Il y a une chose dont tu n'as pas l'air de te rendre compte, dis-je. C'est que Lambert t'aime.

Elle haussa les épaules : « Tu n'as jamais voulu comprendre, dit-elle d'une voix raisonnable. Lambert a aimé une femme dans sa vie : Rosa. Après, il a voulu se consoler, il a ramassé la première fille venue : c'était moi; mais il n'avait même pas envie de coucher avec moi, au début. C'est quand il a appris qu'Henri me baisait que ça lui a donné des idées; mais je n'ai jamais été son type. Avoir une femme à lui, ça lui semble plus mâle que de courir la gueuse; c'est plus commode aussi. Mais je ne compte pas là-dedans. »

Elle avait l'art de mélanger si subtilement le vrai et le faux que je restai atterrée devant l'effort qu'il me faudrait faire pour la contredire; je dis faiblement : « Tu reconstruis tout de travers.

— Non. Je sais ce que je dis », dit-elle.

Elle a fini par passer une robe propre et ils ont été à Paris; mais ils en sont revenus plus maussades que jamais. Et bientôt une nouvelle scène a éclaté. J'étais en train de travailler dans le jardin, ce matin-là, le ciel orageux pesait sur mes épaules et me plaquait contre la terre. Près de moi, Lambert lisait, Nadine tricotait. « Au fond, m'avait-elle dit la veille, c'est très fatigant des vacances; il faut tous les jours inventer son emploi du temps. » Visiblement, elle était en train de s'ennuyer; pendant un instant, ses yeux demeurèrent rivés sur la nuque de Lambert comme si elle avait essayé de lui faire tourner la tête par la force de son regard; elle dit :

— Tu ne l'as pas encore fini, le Spengler?

— Non.

— Quand tu l'auras fini tu me le passeras.

— Oui.

Nadine ne pouvait pas voir un livre entre des mains sans le réclamer; elle l'emportait dans sa chambre, et il grossissait vainement la pile des ouvrages qui peuplaient son avenir; en fait, elle lisait très lentement, avec une espèce d'hostilité, et elle se fatiguait au bout de quelques pages. Elle reprit avec un petit ricanement :

— Il paraît que c'est royalement con!

Cette fois, Lambert leva la tête :

— Qui t'a dit ça? tes petits copains communistes?

— Tout le monde sait que Spengler est un con, dit-elle avec assurance. Elle s'étira sur le sol et grogna : « Tu ferais mieux de m'emmener faire un tour en moto.

— Oh! je n'en ai pas du tout envie, dit Lambert sèchement.

— On déjeunerait aux Mesnils et on se baladerait dans la forêt.

— Et on recevrait tout l'orage sur le dos : regarde ce ciel.

— Il n'y aura pas d'orage. Dis plutôt que ça t'emmerde d'aller te promener avec moi.

— Ça m'emmerde d'aller me promener, oui, je viens de te le dire », dit-il avec impatience.

Elle se leva : « Eh bien, moi, ça m'emmerde de passer la journée dans ce carré de choux. Je vais prendre la machine et faire un tour sans toi. Donne-moi la clef de l'antivol.

— Tu es folle; tu ne peux pas la conduire.

— Je l'ai déjà conduite; ça n'est pas malin : la preuve c'est que tu sais le faire.

— Et au premier tournant tu te casserais la gueule. Rien à faire. Je ne te donnerai pas la clef.

— Tu t'en fous que je me casse la gueule! tu as peur que je t'abîme ton joujou, c'est tout. Sale égoïste. Je veux cette clef! »

Lambert ne répondit même pas. Nadine resta un moment immobile, le regard vide; et puis elle se leva, ramassa le grand cabas qui lui servait de sac et me jeta : « Je m'emmerde ici : je vais passer la journée à Paris.

— Amuse-toi bien. »

Elle avait adroitement choisi sa vengeance. Lambert souffrirait certainement de savoir Nadine à Paris avec des camarades qu'il détestait. Il la suivit des yeux tandis qu'elle sortait du jardin et il tourna la tête vers moi.

— Je ne comprends pas pourquoi nos disputes s'enveniment si vite, dit-il d'un ton désolé. Le comprenez-vous?

C'était la première fois qu'il amorçait avec moi une conversation intime. J'hésitai; mais puisqu'il était prêt à m'entendre, le mieux, c'était sans doute d'essayer de parler.

— C'est en grande partie la faute de Nadine, dis-je. Un rien la cabre; alors elle devient injuste et agressive. Mais dites-vous bien que c'est parce qu'elle est très vulnérable qu'elle est blessante.

— Elle pourrait comprendre que les autres sont vulnérables eux aussi, dit-il avec rancune. Elle est monstrueuse d'insensibilité quelquefois.

Il avait l'air très désarmé, et très jeune, avec son teint frais, son nez un peu retroussé, sa bouche gourmande : un visage sensuel et perplexe, partagé entre des rêves trop doux et des consignes trop dures. Je me décidai : « Voyez-vous, pour voir clair en Nadine, il faut remonter à son enfance. »

Tout ce que j'avais ressassé mille fois en moi-même, je le racontai à Lambert, du mieux que je le pus; il m'écouta en silence, d'un air ému. Quand je prononçai le nom de Diégo il m'interrompit avec avidité :

— Est-ce vrai qu'il était prodigieusement intelligent?

— C'est vrai.

— Ses poèmes étaient bons? il avait du talent?

— Je le crois.

— Et il n'avait que dix-sept ans! Nadine l'admirait?

— Elle n'admire jamais. Non, ce qui l'attachait surtout à Diégo, c'est qu'il lui appartenait sans réserve.

— Mais moi aussi, je l'aime, dit-il tristement.

— Elle n'en est pas sûre, dis-je. Elle a toujours craint que vous ne la compariez à une autre.

— Je tiens beaucoup plus à Nadine que je n'ai jamais tenu à Rosa, murmura-t-il.

Cette déclaration me surprit : malgré tout, j'avais épousé les préjugés de Nadine :

— Est-ce que vous le lui avez dit?

— Ce ne sont pas des choses qu'on peut dire.

— Ce sont des choses qu'elle aurait besoin d'entendre.

Il haussa les épaules. « Elle voit bien que depuis plus d'un an je ne vis que pour elle.

— Elle est convaincue qu'il ne s'agit là que d'une espèce de camaraderie. Et comment vous expliquer? c'est en tant que femme qu'elle se défie d'elle : elle a besoin d'être aimée en femme. »

Lambert hésita : « Mais sur ce plan aussi elle est impraticable. Peut-être je ne devrais pas vous dire ça : mais je n'y comprends rien, je m'y perds. Si un soir il ne se passe rien entre nous, elle se sent insultée; mais presque tous les gestes amoureux la choquent; alors bien entendu elle reste glacée et elle m'en veut... »

Je me rappelai les confidences hargneuses de Nadine :

— Vous êtes sûr que c'est elle qui veut, tous les soirs...?

— Absolument sûr, dit-il d'un air maussade.

Je ne m'étonnai pas trop de leur contradiction. J'en avais rencontré bien des exemples; ça signifiait toujours qu'aucun des deux amants n'était satisfait de l'autre.

— Nadine se sent mutilée quand elle accepte sa féminité et aussi quand elle la refuse, dis-je. C'est ce qui rend ces rapports si difficiles pour vous. Mais si vous avez assez de patience, les choses s'arrangeront.

— Oh! de la patience! j'en ai. Si seulement j'étais sûr qu'elle ne me déteste pas!

— Quelle idée! elle tient farouchement à vous.

— Souvent je pense qu'elle me méprise parce que je ne suis, comme elle dit, qu'un petit intellectuel; un intellectuel qui n'a même pas de dons créateurs, ajouta-t-il avec amertume. Et qui ne se décide pas à voler de ses propres ailes.

— Nadine ne pourra jamais s'intéresser qu'à un intellectuel, dis-je; elle adore discuter, s'expliquer : il lui faut mettre sa vie en mots. Non, croyez-moi, elle ne vous reproche vraiment que de ne pas l'aimer assez.

— Je la convaincrai, dit-il; son visage s'était éclairé. « Si je pense qu'elle m'aime un peu, tout le reste m'est égal.

— Elle vous aime beaucoup : je ne vous le dirais pas si je n'en étais pas certaine. »

Il a repris son livre et moi mon travail. Le ciel s'assombrissait d'heure en heure, il était tout à fait noir quand l'après-midi je suis montée dans ma chambre pour essayer d'écrire à Lewis; lui, il avait appris à me parler; ça lui était plus commode qu'à moi; ces gens, ces choses qu'il me décrivait avaient existé pour moi; à travers les feuilles jaunes je retrouvais la machine à écrire, la couverture mexicaine, la fenêtre ouverte sur un parterre d'arbres, des autos de luxe roulant au long de la chaussée crevassée; mais ce village, mon travail, Nadine, Lambert n'étaient rien pour lui; et comment raconter Robert, comment le taire? Ce que Lewis me chuchotait entre les lignes de ses lettres, c'était des mots faciles à dire : « Je vous attends, revenez, je suis à vous. » Mais comment dire : Je suis loin, je ne reviendrai pas avant longtemps, j'appartiens à une autre vie? comment le dire si je voulais qu'il lise : « Je vous aime! » Il m'appelait, et moi je ne pouvais pas l'appeler; je n'avais rien à lui donner dès que je lui refusais ma présence. J'ai relu ma lettre avec honte : comme elle était vide, alors que mon cœur était si lourd! et quelles piètres promesses : je reviendrai; mais je reviendrai dans longtemps, et ce sera pour repartir. Ma main s'est immobilisée, en touchant l'enveloppe que dans quelques jours toucheraient ses mains : de vraies mains, celles que j'avais vraiment senties sur ma peau. Il était donc bien réel! parfois il me semblait une création de mon cœur; je disposais trop aisément de lui : je l'asseyais près de la fenêtre, j'éclairais son visage, j'éveillais son sourire sans qu'il se défendît. L'homme qui me surprenait, qui me comblait, le retrouverais-je, en chair et en os? J'ai abandonné ma lettre sur la table, je me suis accoudée à la fenêtre; le crépuscule tombait et l'orage se déchaînait; on voyait des armées de cavaliers galoper lances au poing dans les nuées tandis que le vent délirait dans les arbres. Je suis descendue dans le living-room, j'ai allumé un grand feu de bois et par téléphone j'ai invité Lambert à venir dîner avec nous; quand Nadine n'était pas là pour attiser les conflits, Robert et lui évitaient d'un commun accord les questions épineuses. Après le repas, Robert a regagné son bureau, et pendant que Lambert m'aidait à desservir la table, Nadine s'est amenée, les cheveux tout mouillés de pluie. Il lui sourit gentiment :

— Tu as l'air d'une ondine. Tu veux manger quelque chose?

— Non. J'ai dîné avec Vincent et Sézenac, dit-elle. Elle prit sur la table une serviette et se frotta les cheveux : « On a parlé des camps russes. Vincent est bien de mon avis. Il dit que c'est dégueulasse, mais que si on fait une campagne contre, les bourgeois seront trop contents.

— On va loin avec ce genre de raisonnements! » dit Lambert. Il haussa les épaules d'un air agacé : « Il va essayer de persuader Perron de ne pas parler!

— Évidemment, dit Nadine.

— J'espère bien qu'il perdra son temps, dit Lambert. J'ai prévenu Perron que s'il étouffait l'affaire, je quitte L'Espoir.

— Ça c'est un argument de poids! dit Nadine avec ironie.

— Oh! ne prends pas tes airs supérieurs! dit Lambert d'une voix gaie. Au fond tu ne penses pas tant de mal de moi que tu ne veux me le faire croire.

— Mais peut-être moins de bien que tu ne crois, dit-elle sans aménité.

— Tu n'es pas gentille! dit Lambert.

— Et toi, c'était gentil de me laisser partir seule à Paris?

— Tu n'avais pas l'air d'avoir envie que je vienne! dit Lambert.

— Je n'ai pas dit que j'en avais envie. Je dis que tu aurais pu me le proposer. »

Je marchai vers la porte et je quittai la pièce. J'entendis Lambert qui disait :

— Allons, ne nous disputons pas!

— Je ne me dispute pas! dit Nadine.

J'ai supposé qu'ils allaient se disputer toute la soirée.

Le lendemain matin je suis descendue tôt dans le jardin. Sous le ciel bleu attendri par les pluies de la nuit la campagne restait meurtrie; la route était creusée de fondrières, la pelouse jonchée de rameaux morts. J'installais mes papiers sur la table mouillée quand j'ai entendu la pétarade de la motocyclette. Nadine filait sur la route crevassée, cheveux au vent, sa jupe haut retroussée sur ses cuisses nues. Lambert sortit du pavillon, il courut jusqu'à la grille en criant « Nadine! » et il revint vers moi d'un air égaré.

— Elle ne sait pas conduire! dit-il d'une voix bouleversée. Et avec cet orage, il y a des branches brisées, des arbres abattus en travers de la route. Il va arriver un malheur!

— Nadine est prudente à sa manière, dis-je pour le rassurer. J'étais inquiète moi aussi; elle tenait à sa peau, mais elle n'était pas adroite.

— Elle a pris la clef de l'antivol pendant que je dormais. Elle est si têtue! Il me regarda avec reproche : « Vous me dites qu'elle m'aime; mais alors elle a une drôle de manière d'aimer! Moi je ne demandais qu'à faire la paix hier soir, vous avez bien vu. Ça n'a pas servi à grand-chose!

— Ah! il n'est pas si facile d'arriver à s'entendre, dis-je. Ayez un peu de patience.

— Avec elle il en faut beaucoup! »

Il s'éloigna et je pensai tristement : « Quel gâchis. » Nadine filait sur les routes, les mains crispées sur le guidon et se plaignant au vent. « Lambert ne m'aime pas. Personne ne m'a jamais aimée, sauf Diégo qui est mort. » Et pendant ce temps-là, Lambert marchait de long en large dans sa chambre le cœur plein de doutes. C'est difficile de devenir un homme en un temps où ce mot s'est chargé d'un sens trop lourd : trop d'aînés morts, torturés, décorés, prestigieux se proposent en exemple à ce garçon de vingt-cinq ans qui rêve encore de tendresse maternelle et de protection virile. Je songeais à ces peuplades où on enseigne dès l'âge de cinq ans aux petits mâles à enfoncer dans des chairs vivantes des épines empoisonnées : chez nous aussi, pour acquérir la dignité d'adulte il faut qu'un mâle sache tuer, faire souffrir, se faire souffrir. On accable les filles d'interdits, les garçons d'exigences, ce sont deux espèces de brimades également néfastes. S'ils avaient bien voulu s'entraider, peut-être Nadine et Lambert auraient-ils réussi ensemble à accepter leur âge, leur sexe, leur place réelle sur terre; est-ce qu'ils se décideraient à le vouloir?

Lambert a déjeuné avec nous; il hésitait entre la peur et la colère.

— Ça dépasse les limites d'une plaisanterie! dit-il avec agitation. On n'a pas le droit de faire des peurs pareilles aux gens. C'est de la méchanceté, c'est du chantage. Une bonne paire de gifles, voilà ce qu'elle mériterait!

— Elle ne pense pas que vous êtes si inquiet, dis-je. Et vous savez il n'y a pas lieu. Elle est sans doute en train de dormir dans un pré ou de prendre un bain de soleil.

— A moins qu'elle ne soit dans le fossé, le crâne éclaté, dit-il. Elle est folle! C'est une folle.

Il avait l'air vraiment angoissé. Je le comprenais. J'étais bien moins rassurée que je ne le prétendais. « S'il était arrivé quelque chose, on nous aurait téléphoné », me disait Robert. Mais peut-être était-ce juste à cette minute que la machine faisait une embardée et que Nadine se fracassait contre un arbre. Robert essayait de me distraire; mais au soir tombant, il ne cachait plus son inquiétude; il parlait de téléphoner aux gendarmeries des environs, quand enfin nous avons entendu le bruit d'une pétarade. Lambert est arrivé sur la route avant moi; la machine était couverte de boue, Nadine aussi; elle a mis pied à terre en riant et j'ai vu Lambert lui lancer deux gifles à toute volée.

— Maman! Nadine s'était jetée sur lui, elle le giflait à son tour, et elle criait : « Maman! » d'une voix aiguë. Il lui saisit les poignets. Quand j'arrivai près d'eux, il était si blême que je crus qu'il allait s'évanouir. Nadine saignait du nez, mais je savais qu'elle se faisait saigner à volonté, c'était un tour qu'elle avait appris dans son enfance quand elle se battait avec des gamins autour des fontaines du Luxembourg.

— Vous n'avez pas honte, dis-je en m'interposant entre eux comme j'aurais séparé deux enfants.

— Il m'a battue! criait Nadine d'une voix hystérique.

J'entourai ses épaules de mon bras; je tamponnai son nez : « Calme-toi!

— Il m'a battue parce que je lui ai pris sa sale moto. Je la lui casserai en morceaux!

— Calme-toi! répétais-je.

— Je la lui casserai.

— Écoute, dis-je, Lambert a eu grand tort de te gifler. Mais c'est naturel qu'il ait été hors de lui. Nous avons tous eu terriblement peur. Nous avons cru qu'il t'était arrivé un accident.

— Il s'en serait bien foutu! c'est à sa machine qu'il pensait. Il a eu peur que je la lui abîme.

— Je m'excuse, Nadine, dit Lambert péniblement, je n'aurais pas dû. Mais j'étais bouleversé. Tu aurais pu te tuer.

— Hypocrite! tu t'en fous! je le sais. Je pourrais crever que ça te serait égal, tu en as bien enterré une autre!

— Nadine! Il avait passé du blanc au rouge; il n'y avait plus rien de puéril dans son visage.

— Enterrée, oubliée, ça a été vite fait, cria-t-elle.

— Comment oses-tu! toi! toi qui as trahi Diégo avec toute l'armée américaine.

— Tais-toi.

— Tu l'as trahi. »

Des larmes de fureur coulaient sur les joues de Nadine : « Je l'ai peut-être trahi mort. Mais toi tu as permis à ton père de dénoncer Rosa quand elle était vivante. »

Il est resté un moment silencieux; il a dit : « Je ne veux plus te revoir, jamais. Plus jamais. »

Il a enfourché sa motocyclette, et je n'ai pas trouvé un mot pour l'arrêter. Nadine sanglotait :

— Viens te reposer. Viens.

Elle m'a repoussée, elle s'est jetée sur l'herbe, elle criait :

— Un type dont le père dénonçait des juifs. Et j'ai couché avec lui! Et il m'a giflée! C'est bien fait pour moi! c'est bien fait!

Elle criait. Et il n'y avait rien d'autre à faire que de la laisser crier.

CHAPITRE VII

Paule passa l'été chez Claudie de Belzunce et Josette alla se bronzer à Cannes en compagnie de sa mère. Henri partit pour l'Italie dans une petite auto d'occasion. Il aimait tant ce pays qu'il réussit à oublier *L'Espoir*, le S. R. L., tous les problèmes. Quand il rentra à Paris, il trouva dans son courrier un rapport que Lambert lui avait envoyé d'Allemagne et une liasse de documents rassemblés par Scriassine. Il passa la nuit à les étudier : au matin, l'Italie était très loin. On pouvait douter des documents retrouvés dans les archives du Reich et qui dénonçaient neuf millions huit cent mille prisonniers; on pouvait tenir pour suspects les rapports des internés polonais libérés en 41; mais pour récuser systématiquement tous les témoignages des hommes et des femmes rescapés des camps, il fallait avoir décidé une fois pour toutes de se boucher les yeux et les oreilles. Et puis, outre les articles du code qu'Henri connaissait, il y avait ce rapport paru à Moscou en 1935 qui énumérait les immenses travaux exécutés par les camps de l'Oguépéou; il y avait le plan quinquennal de 1941 qui confiait au M. V. D. 14 % des entreprises de construction. Les mines d'or de Kolyma, les mines de charbon de Norilek, de Vorkouta, le fer de Starobelsk, les pêcheries de Komi : comment y vivait-on exactement? Quel était le nombre de forçats? Sur ce point il y avait une marge d'incertitude considérable; mais ce qui était sûr, c'est que les camps existaient, sur une grande échelle, et de manière institutionnelle. « Il faut le dire, conclut Henri. Sinon, je serai complice; complice, et coupable envers mes lecteurs d'un abus de confiance. » Il se jeta tout habillé sur son lit en pensant : « Ça va être gai! » Il allait se brouiller avec les communistes, et alors la position de *L'Espoir* n'aurait rien de facile. Il soupira. Il était content, le matin, quand il voyait des ouvriers qui achetaient *L'Espoir* au kiosque du coin : ils ne l'achèteraient plus. Et pourtant, comment se taire? Il pouvait plaider qu'il n'en savait pas assez pour parler : c'est tout l'ensemble du régime qui donnait leur vrai sens à ces camps, et on était si mal informé! Mais alors il n'en savait pas non plus assez pour garder le silence. L'ignorance n'est pas un alibi, il l'avait compris depuis longtemps. Dans le doute, puisqu'il avait promis la vérité à ses lecteurs, il devait leur dire ce qu'il savait; il lui aurait fallu des raisons positives pour décider de le leur cacher : sa répugnance à se brouiller avec les communistes n'en était pas une, elle ne concernait que lui.

Heureusement, les circonstances lui laissèrent un peu de répit. Ni Dubreuilh, ni Lambert, ni Scriassine n'étaient à Paris, et Samazelle ne fit à l'affaire que des allusions vagues. Henri s'efforça d'y penser le moins possible; d'ailleurs il y avait beaucoup d'autres choses auxquelles il devait penser : des choses futiles mais urgentes. Les répétitions de sa pièce étaient orageuses; Salève était exagérément slave, la fréquence de ses caprices ne les rendait pas moins redoutables et Josette les subissait dans les larmes; Vernon commençait à craindre un scandale, il suggérait des coupures et des changements inacceptables; il avait confié à la maison Amaryllis l'exécution des costumes, et Lucie Belhomme refusait de comprendre que Josette était censée sortir d'une église en flammes et non d'un salon de couture. Henri était obligé de passer des heures au théâtre.

« Il faut tout de même que je téléphone à Paule », se dit-il un matin. Elle ne lui avait envoyé que de rares et sibyllines cartes postales; elle était rentrée à Paris depuis quelques jours, et elle ne lui faisait pas signe; mais évidemment elle guettait avec anxiété le téléphone, sa discrétion n'était qu'une manœuvre et ç'aurait été cruel d'en abuser. Quand il l'appela pourtant, elle lui donna rendez-vous d'une voix si tranquille qu'il avait un peu d'espoir en montant l'escalier : peut-être s'était-elle détachée de lui pour de bon. Elle lui ouvrit la porte en souriant et il se demanda avec stupeur : « Qu'est-ce qui lui est arrivé? » Ses cheveux étaient relevés, découvrant une nuque grasse, elle avait épilé ses sourcils, elle portait un tailleur qui la serrait trop, elle avait l'air presque vulgaire. Elle dit en continuant à sourire :

— Pourquoi me regardes-tu comme ça?

Il sourit aussi, avec effort : « Tu es drôlement habillée...

— Je t'étonne? » elle tira de son sac un long fume-cigarette qu'elle se ficha dans la bouche : « J'espère beaucoup t'étonner », dit-elle; elle le regardait avec des yeux brillants de gaieté : « Et d'abord je vais t'annoncer une grande nouvelle : J'écris.

— Tu écris? dit-il. Et qu'est-ce que tu écris?

— Un jour, tu le sauras », dit-elle.

Elle mordillait son fume-cigarette d'un air mystérieux et il marcha vers la fenêtre; Paule lui avait souvent joué des scènes de tragédie, mais ce genre de comédie était indigne d'elle; s'il n'avait pas redouté des complications, il lui aurait arraché ce fume-cigarette, il l'aurait décoiffée, secouée. Il se retourna vers elle :

— C'était bien ces vacances?

— Tout à fait bien. Et toi? Qu'est-ce que tu deviens? demanda-t-elle avec une espèce d'indulgence.

— Oh! moi; je passe mes journées au théâtre; pour l'instant on piétine. Salève est un bon metteur en scène, mais il s'énerve vite.

— La petite sera convenable? demanda Paule.

— Je crois qu'elle sera excellente.

Paule aspira la fumée de sa cigarette, s'étrangla, toussota : « Ça dure toujours ton histoire avec elle?

— Toujours. »

Elle le dévisagea avec une espèce de sollicitude :

— C'est curieux.

— Pourquoi? dit-il; il hésita : « Ce n'est pas un caprice; je suis amoureux d'elle », dit-il avec décision.

Paule sourit : « Tu le crois vraiment?

— J'en suis sûr; j'aime Josette, dit-il fermement.

— Pourquoi me dis-tu ça, sur ce ton? demanda-t-elle d'un air surpris.

— Quel ton?

— Un drôle de ton. »

Il eut un geste d'impatience : « Raconte-moi plutôt tes vacances : tu m'as si peu écrit.

— J'étais très occupée.

— C'est un joli pays?

— Je l'ai aimé », dit Paule.

C'était fatigant de poser des questions auxquelles elle ne répondait que par de brèves phrases lourdes de mystérieux sous-entendus. Henri en fut si excédé, qu'il s'en alla au bout de dix minutes; elle n'essaya pas de le retenir et ne demanda pas de nouveau rendez-vous.

Lambert se ramena d'Allemagne huit jours avant la générale. Il avait changé depuis la mort de son père, il était devenu boudeur et renfermé. Il se mit tout de suite à parler volubilement de son enquête et des témoignages qu'il avait recueillis. Il regarda Henri d'un air soupçonneux :

— Tu es convaincu ou non?

— Sur l'essentiel, oui.

— C'est déjà ça! dit Lambert. Et Dubreuilh? qu'est-ce qu'il en dit?

— Je ne l'ai pas revu. Il ne bouge pas de Saint-Martin et je n'ai pas eu le temps d'y aller.

— Ça serait pourtant urgent de passer aux actes, dit Lambert. Il fronça les sourcils : « J'espère qu'il aura assez de bonne foi pour reconnaître que ce coup-ci les faits sont établis.

— Sûrement », dit Henri.

De nouveau Lambert dévisagea Henri avec méfiance :

— Personnellement, tu es toujours décidé à parler?

— Personnellement, oui.

— Et si le vieux s'y oppose?

— On consultera le comité.

Le visage de Lambert s'assombrit et Henri ajouta :

— Écoute, laisse-moi huit jours. En ce moment je suis trop bousculé, mais j'irai lui parler tout de suite après la générale; et on réglera cette question. Il ajouta d'une voix amicale : « Je vais au théâtre; ça t'amuserait de m'accompagner?

— J'ai lu ta pièce : je ne l'aime pas, dit Lambert.

— C'est ton droit, dit Henri gaiement. Mais ça aurait pu t'amuser d'assister à une répétition.

— J'ai du travail. Il faut que je mette de l'ordre dans mes notes »,
dit Lambert. Il y eut un silence embarrassé et puis Lambert parut se
décider : « J'ai vu Volange pendant le mois d'août, dit-il d'un ton neutre;
il est en train de mettre sur pied un grand hebdomadaire littéraire, et
il me propose le poste de rédacteur en chef.

— J'ai entendu parler de ce projet, dit Henri; *Les Beaux Jours,* c'est
bien ça? Je suppose qu'il n'ose pas en prendre ouvertement la direction.

— Tu veux dire qu'il a l'intention de se servir de moi? En effet, il
souhaite que nous nous occupions du journal ensemble; ça ne rend pas
son offre moins intéressante.

— En tout cas, tu ne peux pas travailler à la fois à *L'Espoir* et dans
un canard de droite, dit Henri sèchement.

— Il s'agit d'un hebdo purement littéraire.

— C'est ce qu'on dit toujours. Mais les types qui se déclarent apoli-
tiques, ce sont des réactionnaires, fatalement. » Henri haussa les épaules :
« Enfin, comment peux-tu espérer concilier nos idées et celles de
Volange?

— Je ne me sens pas si loin de lui; je t'ai dit souvent que je partageais
son mépris de la politique.

— Tu ne comprends pas que chez Volange ce mépris est encore
une attitude politique : la seule qui lui soit possible pour l'instant. »
Henri s'interrompit; Lambert avait pris l'air buté. Volange sans doute
avait su le flatter; et puis il lui offrait la possibilité de brouiller le bien
et le mal de manière à innocenter son père, et aussi de justifier sa lourde
fortune. « Il faut que je m'arrange pour le voir souvent et pour lui
parler », se dit Henri. Mais pour l'instant, il n'avait pas le temps. « On
reparlera de tout ça », dit-il en serrant la main de Lambert.

Ça le peinait un peu que Lambert lui ait parlé si sèchement de sa
pièce. Sans doute Lambert était-il gêné qu'on remue le passé, à cause
de son père; mais pourquoi cette espèce d'hostilité? « Dommage! »
se dit Henri. Il aurait bien aimé que quelqu'un du dehors assiste à une
de ses dernières répétitions et lui dise ce qu'il en pensait : il ne savait
plus où il en était. Salève et Josette n'arrêtaient plus de sangloter, Lucie
Belhomme se refusait avec acharnement à déchirer la robe de Josette,
Vernon s'entêtait à donner un souper après la générale. Henri avait
beau protester, s'agiter, personne n'écoutait un mot de ce qu'il disait;
et il avait l'impression qu'on courait à un désastre. « Après tout, une
pièce qui réussit ou qui tombe, ce n'est pas si grave », essayait-il de se
dire; seulement voilà, s'il pouvait personnellement s'accommoder d'un
four, Josette avait besoin d'un succès. Il décida de téléphoner aux
Dubreuilh qui venaient de rentrer à Paris : pouvaient-ils venir demain
au théâtre? on filait la pièce d'un bout à l'autre et il était anxieux de
connaître leur avis.

— C'est entendu, dit Anne. Ça nous intéressera énormément. Et
ça obligera Robert à se reposer un peu : il travaille comme un fou.

Henri avait un peu peur que Dubreuilh ne remette tout de suite sur
le tapis l'affaire des camps; mais peut-être n'était-il pas pressé lui

non plus de prendre des décisions : il n'en souffla pas mot. Henri se sentit très intimidé quand la répétition commença. Déjà ça le gênait quand il surprenait un lecteur en train de lire un de ses romans; être assis à côté des Dubreuilh pendant qu'ils écoutaient son texte, ça avait quelque chose d'obscène. Anne semblait émue, et Dubreuilh intéressé : mais à quoi ne s'intéressait-il pas? Henri n'osa pas l'interroger. La dernière réplique tomba dans un silence glacial. Alors Dubreuilh se tourna vers Henri :

— Vous pouvez être content! dit-il avec chaleur. La pièce sort encore bien mieux à la scène qu'à la lecture. Je vous l'ai dit tout de suite : c'est ce que vous avez fait de meilleur.

— Oh! sûrement! dit Anne avec élan.

Ils continuèrent à se répandre en éloges véhéments : ils disaient juste les mots qu'Henri avait envie d'entendre; ça lui était bien agréable mais aussi ça l'effrayait un peu. Pendant ces trois semaines il avait fait de son mieux pour que la pièce eût toutes ses chances; mais il n'avait pas voulu s'interroger sur sa valeur, sur son succès; il s'était interdit l'espoir et la peur; maintenant, il sentait fondre sa prudence. Ce qu'il avait fait de meilleur : était-ce bon? est-ce que le public allait trouver ça bon? Son cœur battait trop vite, le soir de la générale, tandis qu'il épiait, caché derrière un portant, la grande rumeur inarticulée qui montait de la salle invisible. Vanités, mirages : voilà des années qu'il se méfiait des contrefaçons; mais il n'avait pas oublié ses rêves de jeune homme; la gloire : il avait cru en elle, il s'était promis de la serrer un jour contre lui, à pleins bras, comme on serre son amour; elle est difficile à saisir, elle ne possède pas de visage. « Mais du moins, pensait-il, ça pourrait être un bruit. » Une fois, il l'avait entendu; il était monté sur l'estrade, il était redescendu les bras chargés de livres, et son nom se répercutait dans le fracas des applaudissements. Peut-être allait-il connaître de nouveau cette apothéose enfantine. On ne peut pas toujours être modeste, on ne peut pas toujours être orgueilleux et dédaigner tous les signes; si on passe le meilleur de ses journées à essayer de communiquer avec autrui, c'est qu'il compte, et on a besoin de savoir, par moments, qu'on a réussi à compter pour lui; on a besoin d'instants de fête où le présent ramasse en soi tout le passé et triomphe de l'avenir... Les ruminations d'Henri se cassèrent net; on frappait les trois coups. Le rideau se leva sur une grotte sombre où des gens étaient assis, silencieux, le regard fixe; il y avait si peu de rapport entre cette présence impassible et le bruit de ménagerie qui avait rempli la dernière demi-heure qu'on se demandait d'où ils avaient surgi; ils ne semblaient pas tout à fait réels. La vérité c'était ce village calciné, le soleil, les cris, les voix allemandes, la peur. Quelqu'un toussa dans la salle, et Henri sut qu'ils étaient réels, eux aussi : les Dubreuilh, Paule, Lucie Belhomme, Lambert, les Volange, tant d'autres qu'il connaissait, tant d'autres qu'il ne reconnaissait pas. Qu'est-ce qu'ils faisaient au juste ici? Il se rappelait un après-midi rouge de soleil, de vin et de souvenirs sanglants; il avait voulu l'arracher à ce mois d'août, l'arracher au temps;

il l'avait prolongé en rêveries d'où avaient germé une histoire, et aussi des idées qu'il avait coulées dans des mots; il avait souhaité que les mots, les idées, l'histoire deviennent vivants : cette muette assemblée était-elle là pour leur donner la vie? La rafale des mitrailleuses éclata, Josette traversa la place déserte dans sa trop belle robe signée Amaryllis, et elle vint s'écrouler sur le devant de la scène tandis que montaient des coulisses des cris et des ordres rauques. On cria aussi dans la salle; une femme coiffée de paradis jaunes quitta son fauteuil avec fracas : « Assez de ces horreurs! » Au milieu des sifflets et des applaudissements Josette jeta sur Henri un regard traqué et il lui sourit avec calme; elle se remit à parler. Il souriait alors qu'il aurait voulu bondir sur le devant de la scène ou souffler à Josette des mots nouveaux, des mots convaincants, bouleversants; il n'avait qu'à étendre la main, pour toucher son bras, mais la lumière de la rampe l'excluait de ce monde où les moments du drame continuaient à s'engrener inexorablement. Alors Henri sut pourquoi ils avaient été convoqués : pour rendre le verdict. Il ne s'agissait pas d'une apothéose : un procès. Il reconnaissait ces phrases qu'il avait choisies avec espoir dans le silence conciliant de sa chambre : elles avaient cette nuit un goût de crime. Coupable, coupable, coupable. Il se sentait aussi seul que dans le box des Assises l'homme qui écoute en silence son avocat. Il plaidait coupable et tout ce qu'il demandait, c'était l'indulgence du jury. On cria encore : « C'est honteux », et il ne pouvait pas dire un mot pour sa défense. Quand le rideau tomba au milieu des applaudissements que traversèrent quelques coups de sifflet, il s'aperçut que ses mains étaient moites. Il quitta le plateau et alla s'enfermer dans le bureau de Vernon; au bout de quelques minutes, la porte s'ouvrit.

— On m'a dit que tu ne voulais voir personne, dit Paule; mais je suppose que je ne suis pas quelqu'un. Il y avait une désinvolture appliquée dans sa voix; elle portait une robe noire et ce soir encore, sa sobre élégance la faisait paraître excentrique : « Tu dois être ravi! ajouta-t-elle. C'est un beau scandale.

— Oui, c'est l'impression que j'ai eue, dit-il.

— Tu sais, la femme qui a protesté, c'est une Suissesse qui a passé toute la guerre à Genève. Il y a eu aussi une jolie bagarre au fond de l'orchestre. Et Huguette Volange a fait semblant de s'évanouir. »

Henri sourit : « Huguette s'est évanouie?

— Très élégamment. Mais c'est lui qu'il faut voir. Pauvre Louis! il flaire le triomphe, il est blême.

— Drôle de triomphe, dit Henri. Tu vas voir ça : au second acte, tous les gens qui ont applaudi vont se mettre à siffler.

— Tant mieux! » dit Paule avec superbe; elle ajouta : « Les Dubreuilh sont enchantés. »

Bien sûr, tous les amis se félicitaient de ce joyeux esclandre : les intellectuels, le scandale leur semble toujours bénin quand c'est un autre qui le provoque. Henri seul était atteint par ces haines et ces colères qu'il venait de déchaîner. Des hommes avaient brûlé vifs dans une église,

et Josette avait trahi le mari qu'elle aimait d'amour; l'émotion, la rancune du public rendaient réels ces crimes de carton : et c'était lui le
criminel. De nouveau appuyé à un portant, dans l'ombre, il dévisageait
ses juges, et il pensait avec stupeur : « Voilà ce que j'ai fait! c'est moi! »
Un an avait passé; le soleil d'août écrasait encore le village squelette
mais des croix avaient poussé sur les fosses, on les arrosait de discours,
l'air était plein de fanfares tricolores et des veuves drapées de noir
paradaient avec des fleurs dans les bras. De nouveau des rumeurs hostiles fusèrent dans la nuit.

« Je me moque des trafiquants de cadavres, et on va m'accuser de
bafouer les morts », pensa-t-il. A présent ses mains étaient sèches, mais
il sentait dans sa gorge une vapeur de soufre. « Suis-je si vulnérable? »
se demanda-t-il avec dégoût. Les autres, quand on leur serrait la main
dans les coulisses, ils avaient toujours un air dégagé, nonchalant : connaissaient-ils en secret ces affres puériles? Comment se comparer?
Sur tout le reste, ils s'expliquent avec complaisance; ils n'hésitent pas
à communiquer au monde un catalogue détaillé de leurs vices et les
mesures exactes de leur verge; mais ses ambitions, ses déceptions,
aucun écrivain n'a été assez outrecuidant ou assez humble pour les
découvrir au grand jour. « Notre sincérité serait aussi scandaleuse que
celle des enfants, se dit Henri; nous mentons comme eux et comme eux
chacun de nous craint secrètement d'être un monstre. » Le rideau
tomba pour la seconde fois; et Henri prit un air dégagé, nonchalant
pour tendre la main aux curieux. Un vrai défilé de sacristie : mais s'agissait-il d'une noce ou d'un enterrement?

— C'est un triomphe! cria Lucie Belhomme en se précipitant vers
lui, quand il entra dans le grand restaurant où jacassait une foule parfumée; elle posa sur le bras d'Henri sa main gantée; sur sa tête se
balançait un grand oiseau noir éploré : « Avouez que Josette a de l'allure quand elle s'amène dans cette robe rouge.

— Demain soir, je la traîne dans la poussière cette robe et je donne
dedans quelques bons coups de ciseaux.

— Vous n'avez pas le droit, elle est signée! dit Lucie sèchement.
D'ailleurs tout le monde l'a trouvée très belle.

— C'est Josette qu'ils ont trouvée belle! » dit Henri. Il sourit à
Josette qui lui sourit d'un air dolent et un éclair de magnésium les
éblouit. Il fit un geste, mais la main de Lucie se crispa sur son bras :

— Soyez gentil : Josette a besoin de publicité.

Il y eut un autre éclair, et puis un autre. Paule observait la scène
d'un air de vestale outragée. « Quelle faiseuse d'embarras! » pensa-t-il
avec agacement. Il ne savait pas s'il avait perdu ou gagné son procès;
la gloire sage et sûre des distributions de prix, il faut un cœur d'enfant pour la connaître; mais il avait soudain envie d'être gai; quelque
chose venait de lui arriver, une de ces choses dont il rêvait confusément quinze ans plus tôt, quand il déchiffrait sur les colonnes Morisse
les affiches flamboyantes : on avait joué sa première pièce et des gens
la trouvaient bonne. Il sourit de loin aux Dubreuilh et il fit quelques

pas vers eux; Louis l'arrêta au passage; il tenait à la main un verre de martini, son regard était un peu trouble.

— Eh bien, voilà ce qu'on appelle un grand succès parisien!

— Comment va Huguette? dit Henri. On m'a dit qu'elle s'est trouvée mal : c'est vrai?

— Ah! c'est que tu mets les nerfs des spectateurs à une rude épreuve! dit Louis. Remarque, moi je ne suis pas de ceux qui s'indignent; pourquoi refuserait-on a priori d'utiliser des procédés de mélo, disons même, avec tes détracteurs, de Grand-Guignol? Mais Huguette est une sensitive, elle n'a pas tenu le coup; elle est partie après le premier acte.

— Je suis désolé! dit Henri. Tu n'aurais pas dû te croire obligé de rester.

— Je tenais à venir te féliciter, dit Louis avec un sourire ouvert. Après tout, je suis ton plus vieil ami. Il regarda autour de lui : « Je suis sûrement le seul ici à avoir connu le petit lycéen de Tulle qui travaillait si dur. Si quelqu'un a mérité d'arriver, c'est bien toi. »

Henri réprima plusieurs réponses; non, il ne pouvait pas rendre à Louis perfidie pour perfidie, c'était déjà assez désagréable d'imaginer ce qui se passait en ce moment dans cette tête envieuse, il fallait se garder d'y provoquer de nouveaux remous. Il coupa court :

— Merci d'être venu; et toutes mes excuses à Huguette, dit-il en s'éloignant avec un bref sourire.

Oui, ces souvenirs de jeunesse et d'enfance qui l'avaient effleuré ce soir, Louis était le seul à les partager avec lui : du coup Henri s'en trouva dégoûté. Il n'avait pas de chance avec son passé. Il lui semblait souvent que toutes les années écoulées demeuraient à sa disposition, intactes comme un livre qu'on vient de fermer, qu'on peut rouvrir; il se promettait que sa vie ne s'achèverait pas sans qu'il l'eût récapitulée; mais pour une raison ou une autre la tentative avortait toujours. De toute façon, pour essayer de se rassembler tout entier, le moment était mal choisi; il avait trop de mains à serrer, et sous l'assaut des compliments équivoques, il perdait pied.

— Eh bien, c'est gagné! dit Dubreuilh. La moitié des gens sont furieux, l'autre moitié enchantés, mais ils prédisent tous trois cents représentations.

— Josette était bien, n'est-ce pas? dit Henri.

— Très bien; et elle est si belle, dit Anne un peu hâtivement; elle ajouta avec rancune : « Mais la mère, quelle sale chipie! Je l'ai entendue tout à l'heure ricaner avec Vernon... Elle n'a tout de même pas de pudeur.

— Qu'est-ce qu'elle disait?

— Je vous raconterai ça plus tard », dit Anne; elle jeta un regard à la ronde : « Elle a des amis affreux!

— Ce ne sont pas ses amis ni ceux de personne, dit Dubreuilh; c'est le Tout-Paris : il n'y a rien de plus minable. » Il eut un sourire d'excuse : « Je fous le camp.

— Moi je reste un peu, pour voir Paule », dit Anne.

Dubreuilh serra la main d'Henri : « Vous passerez à la maison demain ou après-demain?

— Oui; il faut que nous prenions des décisions, dit Henri. C'est urgent.

— Téléphonez », dit Dubreuilh.

Il gagna hâtivement la porte, il était content de partir, il ne le cachait pas; et c'était visible qu'Anne ne restait que par politesse, elle se sentait mal à l'aise : qu'avait dit au juste Lucie? « Voilà pourquoi Lachaume et Vincent ne sont pas venus au souper, pensa Henri. Ils me blâment tous de me commettre avec ces gens-là. » Il regarda à la dérobée Paule qui s'était figée en statue du reproche et tout en continuant à saluer les invités élégants que lui présentait Vernon, il se demanda : « Est-ce moi qui suis en faute? ou sont-ce les choses qui ont changé? » Il y avait eu un temps où on connaissait ses amis et ses ennemis, on s'aimait au péril de sa vie, on se haïssait jusqu'à la mort. Maintenant, il se glissait dans toutes les amitiés des réserves et des rancunes, la haine s'était éventée; personne n'était plus prêt à donner sa vie ni à tuer.

— C'est une pièce très intéressante, dit Lenoir d'une voix guindée. Une pièce complexe. Il hésita : « Je regrette seulement que vous n'ayez pas un peu attendu pour la faire représenter.

— Attendu quoi? le référendum? dit Julien.

— Exactement. Ce n'est pas le moment de souligner les faiblesses que peuvent avoir les partis de gauche...

— Merde alors! heureusement que Perron s'est enfin décidé à ruer un peu dans les brancards : le conformisme, ça ne lui va pas, même teint en rouge. » Julien ricana : « Tu vas te faire si bien étriller par les cocos que tu n'auras plus envie de chanter dans leurs chœurs.

— Je ne pense pas que Perron soit accessible au ressentiment, dit Lenoir avec une ardeur inquiète. Dieu sait que personnellement j'ai subi des rebuffades de la part du P. C.; mais je ne me laisserai pas décourager. Ils peuvent m'insulter, me calomnier : ils ne réussiront pas à me faire sombrer dans l'anticommunisme.

— Autrement dit : on me donne un coup de pied au cul et je tends l'autre fesse », dit Julien en s'esclaffant.

Lenoir devint très rouge. « L'anarchisme est aussi un conformisme, dit-il. Tu écriras au *Figaro* un de ces jours. »

Il s'éloigna avec dignité et Julien appuya sa main sur l'épaule d'Henri : « Tu sais, elle n'est pas mal ta pièce; mais elle serait encore bien plus marrante si tu en avais fait une comédie bouffe. » D'un geste vague, il dévisagea l'assistance : « Une revue de fin d'année sur tout ce beau monde, ça se donnerait.

— Écris-la! » dit Henri agacé. Il sourit à Josette qui exhibait ses épaules dorées au milieu d'un cercle d'admirateurs; il s'avançait vers elle quand il rencontra le regard traqué de Marie-Ange que Louis avait acculée contre le buffet; il lui parlait les yeux dans les yeux en buvant un verre de martini. Les hommes reconnaissaient d'ordinaire à Louis de la séduction intellectuelle, mais il n'avait jamais su plaire aux femmes. Il y avait une impatience avare dans le sourire qu'il offrait à Marie-Ange, on sentait qu'il était tout prêt à le reprendre dès qu'il aurait opéré; il avait l'air de dire : « Je vous veux, mais dépêchez-vous de céder parce que je n'ai pas de temps à perdre. » A quelques pas d'eux, Lambert ruminait d'un air sombre. Henri s'arrêta près de lui :

— Quelle foire! dit-il en lui souriant. Il cherchait dans ses yeux une complicité qu'il n'y rencontra pas.

— Oui, drôle de foire, dit Lambert. La moitié des gens qui sont ici ne demanderait qu'à massacrer l'autre. Forcément puisque tu as choisi de ménager la chèvre et le chou.

— Tu appelles ça les ménager? J'ai mécontenté tout le monde.

— Tout le monde, c'est trop, dit Lambert. Ça s'annule. Ce genre de scandale, c'est seulement de la publicité.

— Je sais que cette pièce te déplaît : ce n'est pas une raison pour être de mauvaise humeur, dit Henri d'un ton conciliant.

— Ah! mais c'est que c'est grave! dit Lambert.

— Quoi donc? même à supposer qu'elle soit ratée, cette pièce, ce n'est pas si grave.

— Ce qui est grave c'est que tu te sois abaissé à ce genre de réussite! dit Lambert d'un ton contenu. Ce sujet que tu as choisi; les procédés dont tu te sers : c'est flatter les plus bas instincts du public. On est en droit d'attendre autre chose de toi.

— Vous me faites marrer! dit Henri. Vous êtes tous là à attendre des choses de moi : que j'entre au P. C., que je le combate, que je sois moins sérieux, que je le sois davantage, que je renonce à la politique, que je m'y consacre corps et âme. Et tous vous êtes déçus, vous hochez la tête avec blâme.

— Tu voudrais qu'on s'interdise de te juger?

— Je voudrais qu'on me juge sur ce que je fais, et non sur ce que je ne fais pas, dit Henri. C'est bizarre : quand on débute, on est accueilli avec bienveillance, les lecteurs vous savent gré de ce que vous apportez de positif; plus tard, vous n'avez plus que des dettes, et aucun crédit.

— Ne t'inquiète pas, la critique sera sûrement excellente, dit Lambert d'un ton peu amical.

Henri haussa les épaules et se rapprocha de Louis qui discourait d'une voix violente devant Marie-Ange et Anne; il avait l'air tout à fait saoul; il ne supportait pas l'alcool, c'était la rançon de sa sobriété.

— Regardez-moi cette chose, disait-il en désignant Marie-Ange, ça couche avec tout le monde, ça se peint la figure, ça montre ses jambes, ça se rembourre les seins et ça se frotte aux hommes pour les exciter : et soudain, ça se met à jouer les Saintes Vierges...

— J'ai quand même le droit de coucher avec qui ça me plaît, dit Marie-Ange d'une voix plaintive.

— Le droit? quel droit? qui lui a donné des droits? cria Louis. Ça ne pense rien, ça ne sent rien, ça palpite à peine, et ça réclame des droits! La voilà la démocratie! c'est du joli...

— Et le droit d'emmerder le monde, où le prenez-vous? dit Anne. Regardez-moi ce type qui se prend pour Nietzsche parce qu'il engueule une femme!

— Une femme, il faudrait se prosterner devant! dit Louis. Vous parlez d'une déesse! elles se prennent pour des déesses, mais ça n'empêche qu'elles pissent et qu'elles chient comme tout le monde.

— Tu as trop bu, tu es grossier, tu ferais mieux d'aller te coucher, dit Henri.

— Naturellement! tu les défends! les femmes ça fait partie de ton humanisme, dit Louis d'une voix qui s'empâtait. Tu les baises tout comme un autre, tu les fous sur le dos et tu leur montes dessus, mais tu les respectes. Marrant. Ces dames veulent bien ouvrir les cuisses, mais elles veulent être respectées. C'est ça, hein? respectez-moi et j'ouvre les cuisses.

— Et d'être goujat, ça fait partie de ton mysticisme? dit Henri. Si tu ne la boucles pas tout de suite, je te reconduis...

— Tu prends avantage de ce que j'ai bu, dit Louis en s'éloignant d'un air sombre.

— Il est souvent comme ça? dit Marie-Ange.

— Tout le temps; seulement c'est rare qu'il jette le masque, dit Anne. Ce soir, il est fou de jalousie.

— Vous voulez un verre pour vous remettre? demanda Henri.

— Je veux bien. Je n'osais pas boire.

Henri tendit un verre à Marie-Ange, et il aperçut Josette, debout en face de Paule qui lui parlait volubilement : ses yeux demandaient du secours; il alla se planter entre les deux femmes.

— Vous avez l'air bien sérieuses; de quoi donc parlez-vous?

— C'est une conversation de femme à femme, dit Paule d'un air un peu crispé.

— Elle me dit qu'elle ne me hait pas : je n'ai jamais pensé que vous me haïssiez, gémit Josette.

— Allons Paule! ne sois pas pathétique, dit Henri.

— Je ne suis pas pathétique. Je tenais à m'expliquer clairement, dit Paule avec hauteur. Je déteste les équivoques.

— Il n'y a aucune équivoque.

— Tant mieux, dit-elle. Et elle marcha vers la porte d'un pas nonchalant.

— Elle me fait peur, dit Josette. Je te regardais pour que tu viennes me délivrer. Mais tu étais bien trop occupé à faire la cour à cette petite noiraude...

— Je faisais la cour à Marie-Ange? Moi? mais mon chéri; regarde-la et regarde-toi.

— Les hommes ont de si drôles de goûts. La voix de Josette tremblait. Cette grosse vieille qui m'explique que tu es à elle pour toujours, et toi tu ricanes avec une fille qui a les jambes torses!

— Josette, mon petit faune! tu sais bien que je n'aime que toi.

— Qu'est-ce que je sais? dit-elle. Est-ce qu'on sait jamais? Après moi il y en aura une autre, elle est peut-être ici, dit-elle en regardant autour d'elle.

— Il me semble que c'est moi qui pourrais me plaindre, dit-il gaiement. On t'a fait drôlement la cour ce soir.

Elle frissonna : « Tu crois que j'aime ça ?

— Ne sois pas triste ; tu as très bien joué, je te le jure.

— Pour une jolie fille, je n'ai pas été trop mauvaise. Quelquefois, je voudrais être laide », dit-elle avec détresse.

Il sourit : « Que le ciel ne t'entende pas.

— Oh ! n'aie pas peur, il n'entend rien.

— Je t'assure que tu les as étonnés, dit-il en désignant l'assistance.

— Pour ça non ! ils ne s'étonnent de rien, ils sont bien trop méchants.

— Viens, rentrons, il faut que tu te reposes, dit-il.

— Tu veux déjà rentrer ?

— Pas toi ?

— Oh ! moi, oui ; je suis fatiguée. Attends-moi cinq minutes. »

Henri la suivit des yeux pendant qu'elle faisait ses adieux à la ronde, et il pensa : « C'est bien vrai ; ils ne s'étonnent de rien ; on ne peut ni les émouvoir ni les indigner ; ce qui se passe dans leur tête n'a pas plus de poids que leurs paroles. » Tant qu'ils étaient perdus dans les lointains de l'avenir, ou bien dans l'obscurité de la salle, ils pouvaient faire illusion : dès qu'on les voyait face à face, on comprenait qu'il n'y avait rien à espérer ni à redouter d'eux. Oui, c'était ça le plus décevant : non que le verdict fût incertain, mais qu'il fût rendu par ces gens-là. Finalement, rien de ce qui s'était passé cette nuit n'avait aucune importance ; ses rêves de jeune homme n'avaient eu aucun sens. Henri essaya de se dire : « Ce n'est pas ça le vrai public » ; soit, de temps en temps, il y aurait dans la salle quelques hommes, quelques femmes, à qui ça vaudrait la peine de parler ; mais ils resteraient des isolés. La foule fraternelle, qui détient dans son cœur votre vérité, il ne l'affronterait jamais : elle n'existait pas ; en tout cas, pas dans cette société.

— Ne sois pas triste, dit-il en s'asseyant à côté de Josette dans sa petite auto.

Sans répondre, elle appuya la tête contre le dossier de son siège et ferma les yeux d'un air exténué. Était-ce vrai que le public l'avait accueillie avec réticence ? en tout cas elle le croyait. Et il aurait tant voulu qu'elle se sentît triomphante, au moins un soir ! Ils filaient en silence dans la petite rue et ils dépassèrent une femme qui marchait à grands pas. Henri reconnut Anne et ralentit :

— Vous montez ? je vous dépose.

— Merci. J'ai envie de marcher, dit-elle.

Elle lui fit un petit signe amical et il appuya sur l'accélérateur : il avait vu des larmes dans ses yeux. « Pourquoi ? Pour rien sans doute, et pour tout », pensa-t-il. Il était fatigué lui aussi de cette soirée, des autres, de lui-même. « Ce n'est pas ça que j'avais voulu ! » se dit-il avec une brusque détresse, sans savoir si c'était aux larmes d'Anne qu'il pensait, ou au visage morne de Lambert, à la déception de Josette aux amis, aux ennemis, aux absents, à ce soir, à ces deux années, ou à toute sa vie.

« La curée! » se dit Henri. Quand on livre un roman en pâture aux critiques, ils mordent l'un après l'autre; une pièce, on reçoit d'un seul coup à la face cette boue où s'agglutinent les fleurs et les crachats. Vernon était enchanté : même les articles injurieux serviraient le succès de la pièce. Mais Henri regardait les coupures de presse étalées sur son bureau avec une répugnance qui ressemblait à de la honte. Il se rappelait un vieux mot de Josette et il pensait : « La célébrité aussi est une humiliation. » S'exhiber, c'est toujours se livrer, c'est s'abaisser. N'importe qui avait le droit de lui décocher un coup de pied ou de le gratifier d'un sourire. Il avait appris à se défendre, il avait ses ruses; ses détracteurs, il évoquait avec précision leurs visages : des ambitieux, des aigris, des ratés, des imbéciles; ceux qui le congratulaient ne valaient ni plus ni moins que les autres, seulement leur sympathie pouvait passer pour du discernement et par ce biais ils reprenaient assez de prix pour qu'on en accordât à leurs louanges. « Comme la bonne foi est difficile! » se dit Henri. La vérité, c'est que ni les injures ni les compliments ne prouvaient rien; et ce qu'ils avaient de blessant, c'est qu'ils enfermaient Henri en lui-même, inexorablement. Si sa pièce avait été un échec décidé, il aurait pu la regarder comme un simple accident et s'en consoler par des promesses; mais il se reconnaissait en elle et il y déchiffrait ses limites. « Ce que vous avez fait de meilleur » : ces mots de Dubreuilh le tourmentaient encore. Ça ne lui était pas agréable quand il entendait dire que son premier livre demeurait le meilleur de tous; mais penser que cette pièce aux qualités incertaines surclassait le reste de son œuvre, ce n'était pas confortable non plus. Il avait expliqué un jour à Nadine qu'il évitait de se comparer : mais il y a des moments où on y est bien obligé, où les autres vous y obligent. Alors on commence à se poser les questions oiseuses : « Qui suis-je au juste? qu'est-ce que je vaux? » C'est angoissant, c'est inutile : quoique peut-être ce soit lâche de ne jamais se les poser. Avec soulagement, Henri entendit craquer le plancher du couloir.

— On peut entrer? dit Samazelle; Luc, Lambert et Scriassine le suivaient.

— Je vous attendais.

Sauf Luc qui traînait d'un air endormi ses gros pieds goutteux, ils avaient tous l'air de venir réclamer des comptes; ils s'assirent autour du bureau.

— J'avoue que je ne comprends pas bien le sens de cette réunion, reprit Henri. Je vais chez Dubreuilh tout à l'heure...

— Justement. Il faut qu'une décision soit prise avant que vous le rencontriez, dit Samazelle. Quand je lui ai parlé, il s'est montré des plus réticents. Je suis persuadé qu'il va demander de nouveaux délais.

Or Peltov et Scriassine réclament une prompte action, et je suis tout à fait d'accord. Je voudrais qu'il soit établi qu'en cas d'opposition de la part de Dubreuilh le journal se sépare du S. R. L. et assure sans lui la divulgation des documents.

— Que Dubreuilh dise oui ou non, nous porterons la question devant l'ensemble du comité à l'avis duquel nous nous rangerons, dit Henri sèchement.

— Le comité suivra Dubreuilh.

— Je le suivrai donc aussi. D'ailleurs je ne vois pas pourquoi nous perdons du temps à discuter avant de connaître sa réponse.

— Parce que sa réponse n'est que trop prévisible, dit Samazelle. Il prendra prétexte du référendum et des élections pour se dérober.

— J'essaierai de le convaincre; mais je ne me désolidariserai pas du S. R. L., dit Henri.

— Le S. R. L. existe-t-il encore? voilà trois mois qu'il est en sommeil, dit Samazelle.

— Depuis trois mois le S. R. L. n'a rien fait pour freiner l'offensive communiste, dit Scriassine. Depuis trois mois Dubreuilh n'a plus été attaqué par la presse coco. Il y a pour cela une bonne raison qui éclaire la situation d'un jour tout nouveau. Il fit une pause théâtrale : « Dubreuilh est inscrit au P. C. depuis la fin de juin.

— Allons donc! dit Henri.

— J'ai des preuves, dit Scriassine.

— Quelles preuves?

— On a vu sa carte et sa fiche. » Scriassine eut un sourire satisfait. « Depuis 44, il y a au parti un tas de gars qui, en vérité, ne sont pas plus staliniens que toi ou moi, ils ont tout juste cherché un moyen de se dédouaner; j'en connais plus d'un de cette espèce, et dans l'intimité ils ne demandent qu'à causer. Dubreuilh m'est suspect depuis longtemps; j'ai posé des questions et on m'a répondu.

— Tes mouchards se sont trompés ou ils ont menti, dit Henri. Si Dubreuilh avait voulu s'inscrire au P. C., il aurait commencé par quitter le S. R. L. en expliquant pourquoi.

— Il a toujours veillé à ce que le S. R. L. ne devienne pas un parti, dit Samazelle. En principe un communiste peut appartenir au mouvement. Inversement : un membre du mouvement peut se croire en droit d'adhérer au P. C.

— Mais enfin, il aurait prévenu, dit Henri. Le P. C. n'est pas clandestin.

— Tu ne les connais pas! dit Scriassine. Le P. C. a intérêt à ce que certains de ses membres se fassent passer pour indépendants. La preuve, c'est que si je ne t'avais pas ouvert les yeux, tu tombais dans le piège.

— Je ne te crois pas, dit Henri.

— Je peux te faire rencontrer un de mes informateurs », dit Scriassine; il tendit la main vers le téléphone.

— Je poserai la question à Dubreuilh et à lui seul, dit Henri.

— Et tu t'imagines qu'il répondra honnêtement? Ou tu es naïf, ou tu as tes raisons à toi d'éluder la vérité, dit Scriassine.

— J'estime que ce nouveau fait bouleverse nos rapports avec le
S. R. L., dit Samazelle.

— Ce n'est pas un fait, dit Henri.

— Pourquoi Dubreuilh se prêterait-il à cette manœuvre? dit Luc.

— Parce que le P. C. le lui demande et qu'il est ambitieux, dit Scriassine.

— Il croit peut-être sénilement que le bonheur de l'humanité est
dans les mains de Staline, dit Samazelle.

— C'est un vieux renard qui estime que les communistes ont gagné
et qu'il est préférable de se ranger de leur côté, dit Scriassine. En un
sens il a raison; il faut que tu aies le goût du martyre pour garder une
attitude critique sans rien faire pour les empêcher de venir au pouvoir :
quand ils y seront, tu verras ce que cette inconséquence te coûtera.

— Ces considérations personnelles ne me touchent pas, dit Henri.

— Et les camps de travail, ça te touche ou non? dit Lambert.

— Est-ce que j'ai refusé d'en parler? J'ai dit que je le ferai en accord
avec Dubreuilh, c'est tout; et c'est mon dernier mot. Cette discussion
est parfaitement oiseuse. D'ici deux à trois jours le comité aura été
consulté et nous te communiquerons sa réponse, dit Henri en se tournant vers Scriassine.

— La direction de *L'Espoir* en donnera peut-être une différente,
dit Samazelle en se levant.

— C'est ce que nous verrons.

Ils marchèrent vers la porte mais Lambert resta debout devant le
bureau d'Henri.

— Tu aurais dû accepter de voir l'informateur de Scriassine, dit-il.
Dubreuilh est ton ami; mais il est aussi le principal responsable de ton
parti; sous prétexte de lui faire confiance, tu trahis la confiance que
d'autres ont mise en toi.

— Mais c'est un conte à dormir debout, cette histoire! dit Henri.

En vérité, il n'était pas si rassuré que ça. Si Dubreuilh avait finalement décidé de s'inscrire au P. C., il n'aurait pas consulté Henri. Il
allait son chemin sans consulter personne, sans se soucier de personne,
là-dessus Henri ne se faisait plus d'illusions. Mis au pied du mur,
peut-être hésiterait-il à mentir; mais on ne lui avait encore posé aucune
question et sa conscience s'accommodait sans aucun doute d'une res-
triction mentale.

— Tu vas te laisser prendre à ses sophismes, dit Lambert avec tristesse. Quant à moi, j'estime que ne pas révéler la vérité entièrement
et tout de suite en un pareil cas, c'est un crime. Je t'ai prévenu en juin :
si tu ne publies pas ces textes, je revends mes parts, vous en disposerez
comme vous voudrez. Quand je suis entré au journal, c'est dans l'espoir
que tu cesserais bientôt toute collaboration avec le P. C. Si tu continues,
je n'ai qu'à m'en aller.

— Je n'ai jamais collaboré avec le P. C.

— J'appelle ça une collaboration. S'il s'agissait de l'Espagne, de la
Grèce, de la Palestine, de l'Indochine, tu aurais refusé depuis le premier

jour de garder le silence. Enfin, tu te rends compte! on arrache un homme
à sa famille, à sa vie sans l'ombre d'un jugement, on le jette dans un
bagne, on le fait travailler jusqu'à la limite de ses forces en le nourris-
sant à peine, et s'il tombe malade, on le fait crever de faim. Tu admets
ça? Tous les types, les ouvriers, les responsables, tous savent que ça
peut leur arriver d'une minute à l'autre, ils vivent avec cette terreur
sur leur tête! Tu admets ça? répéta Lambert.

— Mais non! dit Henri.

— Alors dépêche-toi de protester. Sous l'occupation, tu n'étais pas
tendre pour les gens qui ne protestaient pas!

— Je protesterai, c'est entendu, dit Henri avec impatience.

— Tu as dit que tu suivrais Dubreuilh, dit Lambert. Et Dubreuilh
s'opposera à cette campagne.

— Tu te trompes, dit Henri. Il ne s'y opposera pas.

— Supposons que je ne me trompe pas?

— Ah! il faut d'abord que je lui parle, on verra après, dit Henri.

— Oui, on verra! dit Lambert en marchant vers la porte.

Henri écouta le bruit de son pas décroître dans le corridor : il lui
semblait que c'était sa propre jeunesse qui venait d'en appeler à lui;
s'il les avait vus avec ses yeux de vingt ans, ces millions d'esclaves
enfermés derrière des barbelés, il n'aurait pas envisagé une seconde
de se taire. Et Lambert avait vu clair en lui : il hésitait. Pourquoi? Il
répugnait à faire figure d'ennemi aux yeux des communistes; et plus
profondément, il aurait aimé se dissimuler qu'en U. R. S. S. aussi il
y avait quelque chose de pourri : mais tout ça, c'était de la lâcheté.
Il se leva et descendit l'escalier. « Un communiste aurait le droit de choisir le silence, pensa-t-il; ses partis pris sont déclarés, et même quand
il ment, en un sens il ne trompe personne. Mais moi qui fais profession
d'indépendance, si j'use de mon crédit pour étouffer la vérité, je suis
un escroc. Je ne suis pas communiste, justement parce que je veux
être libre de dire ce que les communistes ne veulent et ne peuvent pas
dire : c'est un rôle qui est souvent ingrat, mais dont au fond ils reconnaissent eux-mêmes l'utilité. Sûrement Lachaume par exemple me
saura gré d'avoir parlé : lui, et tous ceux qui souhaiteront l'abolition
des camps sans qu'il leur soit permis de protester ouvertement contre
eux. Et qui sait? peut-être tenteront-ils officieusement quelque chose;
peut-être des pressions provenant des partis communistes eux-mêmes
amèneront-elles l'U. R. S. S. à modifier son régime pénitentiaire : ce
n'est pas la même chose d'opprimer des hommes en secret ou bien
à la face du monde. Me taire, ça serait du défaitisme; ça serait à la
fois refuser de regarder les choses en face, et nier qu'on puisse les
changer; ça serait condamner irrémédiablement l'U. R. S. S. sous prétexte de ne pas la juger. Si vraiment il n'y a aucune chance qu'elle
devienne ce qu'elle devrait être, alors il ne reste plus sur terre aucun
espoir; ce qu'on fait, ce qu'on dit n'a plus aucune importance. « Oui,
se répétait Henri en montant l'escalier de Dubreuilh : ou bien parler
a un sens; ou rien n'a de sens. Il faut parler. Et à moins que Dubreuilh

se soit effectivement inscrit au parti, il est forcé d'être de cet avis. »
Henri appuya sur le bouton de la sonnette. « Si Dubreuilh est inscrit,
est-ce qu'il me le dira? »

— Alors ça va? dit Dubreuilh. Comment marche la pièce? Dans
l'ensemble la critique est très bonne, non?

Henri eut l'impression que cette voix cordiale sonnait faux : peut-
être parce qu'en lui-même quelque chose sonnait faux.

— Elle est bonne, dit-il. Il haussa les épaules : « Je vous dirai que
j'en ai par-dessus la tête, de cette pièce. Tout ce que je demande, c'est
de pouvoir penser à autre chose.

— Je connais ça! dit Dubreuilh. Il y a quelque chose d'écœurant
dans le succès. » Il sourit : « On n'est jamais content : les échecs, ce
n'est pas agréable non plus. »

Ils s'assirent dans le bureau et Dubreuilh enchaîna :

— Eh bien, nous avons justement à parler d'autre chose.

— Oui; et je suis impatient de savoir ce que vous pensez, dit Henri.
Moi je suis convaincu à présent qu'en gros Peltov a dit la vérité.

— En gros, oui, dit Dubreuilh. Ces camps existent. Ce ne sont pas
des camps de mort comme ceux des nazis, mais ce sont tout de même
des bagnes; et la police a le droit d'envoyer des hommes au bagne pour
cinq ans, sans jugement. Ceci dit, je voudrais bien savoir combien il
y a de détenus, combien sont des politiques, combien sur le nombre
sont condamnés à vie : les chiffres de Peltov sont parfaitement arbitraires.

Henri approuva de la tête : « A mon avis nous ne devons pas publier
son rapport, dit-il. Nous allons établir ensemble quels faits nous
paraissent certains et arrêter nos propres conclusions. Nous parlerons
en notre nom, en précisant bien notre point de vue. »

Dubreuilh regarda Henri : « Mon avis à moi, c'est de ne rien publier
du tout. Et je vais vous expliquer pourquoi... »

Henri sentit un petit choc au cœur. « Ainsi ce sont les autres qui
ont vu juste », se dit-il. Il interrompit Dubreuilh : « Vous voulez étouffer cette affaire? »

— Vous pensez bien qu'elle ne sera pas étouffée; la presse de droite
en fera ses choux gras. Laissons-lui ce plaisir : ce n'est pas à nous
d'ouvrir un procès contre l'U. R. S. S. » A son tour, il arrêta Henri
d'un geste : « Nous aurions beau prendre toutes les précautions imagi-
nables, ce que les gens verraient fatalement dans nos articles, ça serait
une mise en accusation du régime soviétique. Je ne veux de ça à aucun
prix. »

Henri garda le silence. Dubreuilh avait parlé d'un ton tranchant;
son siège était fait, il n'en démordrait pas, ça ne servirait à rien de discuter. Il avait pris ses décisions seul, il les imposerait au comité :
Henri n'aurait qu'à se soumettre docilement.

— Il faut que je vous pose une question, dit-il.

— Allez-y.

— Il y a des gens qui prétendent que vous vous êtes récemment
inscrit au parti communiste.

— On dit ça? dit Dubreuilh. Qui?

— C'est un bruit qui court.

Dubreuilh haussa les épaules : « Et vous l'avez pris au sérieux?

— Voilà deux mois que nous n'avons pas parlé ensemble, dit Henri; et je ne suppose pas que vous m'auriez envoyé un faire-part.

— Bien sûr, j'aurais envoyé des faire-part! dit Dubreuilh avec véhémence. C'est absurde : comment pourrais-je m'être inscrit sans avoir avisé le S. R. L. et sans avoir expliqué publiquement mes raisons?

— Vous auriez pu différer cette explication de quelques semaines », dit Henri. Il ajouta vivement : « Je dois dire que ça m'aurait étonné, mais j'ai tout de même voulu vous poser la question.

— Tous ces bruits! dit Dubreuilh. Les gens disent n'importe quoi. »

Il avait l'air sincère : mais c'est l'air qu'il aurait eu s'il avait menti. A vrai dire, Henri voyait mal pourquoi il l'aurait fait; et pourtant Scriassine paraissait absolument sûr de ce qu'il avançait. « J'aurais dû voir cet informateur », se dit Henri. La confiance, ça ne s'imite pas : on l'a ou on ne l'a pas. Son refus avait été un geste faussement noble puisqu'il n'avait plus confiance en Dubreuilh. Il reprit d'une voix neutre :

— Au journal, tout le monde est d'accord pour casser le morceau. Lambert a décidé de quitter *L'Espoir* si on ne parle pas.

— Ça ne serait pas une grosse perte, dit Dubreuilh.

— Ça rendrait la situation très délicate, vu que Samazelle et Trarieux sont prêts à rompre avec le S. R. L.

Dubreuilh réfléchit une seconde : « Eh bien, si Lambert s'en va, je rachète ses parts, dit-il.

— Vous?

— Le journalisme ne m'amuse pas. Mais c'est la meilleure façon de nous défendre. Vous convaincrez sûrement Lambert de me revendre ses parts. Pour le fric je m'arrangerai. »

Henri resta décontenancé; ça ne lui plaisait pas cette idée, pas du tout. Brusquement, il eut une illumination. « C'est un coup monté! » Dubreuilh avait passé l'été avec Lambert, et il savait que celui-ci s'apprêtait à démissionner. Tout devenait parfaitement cohérent. Les communistes avaient chargé Dubreuilh de freiner une campagne gênante pour eux, et de leur annexer *L'Espoir* en s'immisçant dans la direction du journal; il ne pouvait réussir qu'en cachant soigneusement son affiliation au parti.

— Il n'y a qu'une chose qui cloche, dit Henri sèchement. C'est que moi aussi, je veux parler.

— Vous avez tort! dit Dubreuilh. Rendez-vous compte. Si le référendum et les élections ne sont pas un triomphe pour la gauche, nous risquons une dictature gaulliste : ce n'est pas le moment de servir la propagande anticommuniste.

Henri dévisagea Dubreuilh; la question était moins de savoir ce que valaient ses arguments que s'il était ou non de bonne foi.

— Et après les élections, demanda-t-il, vous serez d'accord pour parler?

— A ce moment-là, l'affaire aura été ébruitée, de toute façon, dit Dubreuilh.

— Oui; Peltov aura été porter ses informations au *Figaro*, dit Henri; ça revient à dire que le sort des élections n'est pas en jeu, mais seulement notre propre attitude. Et de ce point de vue, je ne vois pas quel avantage nous avons à laisser la droite prendre les devants. Nous serons tout de même obligés de définir notre position : Quelle tête ferons-nous? Nous essaierons de tempérer les attaques anticommunistes sans donner franchement raison à l'U. R. S. S. et nous aurons l'air de faux jetons...

Dubreuilh interrompit Henri : « Je sais très bien ce que nous dirons. Ma conviction, c'est que ces camps ne sont pas exigés par le régime comme le soutient Peltov; ils sont liés à une certaine politique qu'on peut déplorer sans mettre en question le régime lui-même. Nous dissocierons les deux choses; nous condamnerons le travail correctif, mais nous défendrons l'U. R. S. S.

— Admettons, dit Henri. Ça saute aux yeux que nos paroles auront beaucoup plus de poids si nous sommes les premiers à dénoncer les camps. Alors personne ne pourra penser que nous récitons une leçon apprise. On nous fera crédit et nous couperons l'herbe sous le pied aux anticommunistes : ce sont eux qui feront figure de partisans quand ils renchériront sur nous.

— Oh! ça n'y changera rien, on les croira quand même, dit Dubreuilh. Et ils tireront argument de notre intervention : même des sympathisants ont été indignés au point de se tourner contre l'U. R. S. S., voilà ce qu'ils diront! Ça troublera des gens qui n'auraient pas marché sans ça. »

Henri secoua la tête : « Il faut que ce soit la gauche qui prenne cette affaire en main. Les calomnies de la droite, les communistes ont l'habitude, ça les laisse froids. Mais si toute la gauche, à travers toute l'Europe, s'insurge contre les camps, ça risque de les troubler. La situation change quand un secret devient un scandale : l'U. R. S. S. finira peut-être par reviser son système pénitentiaire...

— Ça, c'est le rêve! dit Dubreuilh d'une voix dédaigneuse.

— Écoutez, dit Henri avec colère, vous avez toujours admis que nous pouvions exercer certaines pressions sur les communistes : c'est le sens même de notre mouvement. Voilà le cas ou jamais de tenter le coup. Même si nous n'avons qu'une faible chance d'aboutir, il faut la courir. »

Dubreuilh haussa les épaules : « Si nous déclenchions cette campagne, nous nous ôterions toute possibilité de travailler avec les communistes : ils nous classeraient comme anticommunistes, et ils n'auraient pas tort. Voyez-vous, reprit Dubreuilh, le rôle que nous essayons de jouer, c'est celui d'une minorité oppositionnelle, extérieure au parti, mais alliée avec lui. Si nous en appelons à la majorité pour combattre les communistes sur quelque point que ce soit, il ne s'agit plus d'une opposition : nous entrons en guerre contre eux, nous changeons de camp. On aurait le droit de nous traiter de traîtres. »

Henri dévisagea Dubreuilh. Il n'aurait pas parlé autrement s'il avait été un communiste camouflé. Sa résistance confirmait Henri dans son idée : si les communistes souhaitaient que la gauche reste neutre, ça prouvait qu'elle avait prise sur eux, donc que son intervention avait des chances d'être efficace : « En somme, dit-il, pour garder une chance d'agir un jour sur les communistes, vous refusez celle qui se présente. L'opposition ne nous est permise que dans la mesure où elle n'a aucune efficacité. Eh bien, je n'accepte pas ça, ajouta-t-il d'une voix décidée. L'idée que les communistes vont nous cracher dessus ne m'est pas plus agréable qu'à vous, mais j'ai bien réfléchi : nous n'avons pas le choix. » Il arrêta Dubreuilh d'un geste : il ne lui rendrait pas la parole avant d'avoir vidé son sac : « Être non-communiste, ça signifie quelque chose ou ça ne signifie rien. Si ça ne signifie rien, devenons communistes ou allons planter nos choux. Si ça a un sens, ça implique certains devoirs : entre autres de savoir au besoin nous brouiller avec les communistes. Les ménager à tout prix, sans se rallier carrément à eux, c'est choisir le confort moral le plus facile, c'est de la lâcheté. »

Dubreuilh tapotait son buvard d'un air impatient :

— Ça, ce sont des considérations morales qui ne me touchent pas, dit-il. Moi je m'intéresse aux conséquences de mes actes, et pas à la figure qu'ils me donnent.

— Il ne s'agit pas de figure...

— Mais si, dit Dubreuilh avec brusquerie, le fond de l'affaire, c'est que ça vous embête d'avoir l'air de vous laisser intimider par les communistes...

Henri se raidit : « Ça m'embêterait effectivement que nous nous laissions intimider par eux : ça serait en contradiction avec tout ce que nous avons tenté depuis deux ans. »

Dubreuilh continuait à tapoter son buvard d'un air fermé et Henri ajouta d'une voix sèche : « Vous mettez la discussion sur un drôle de plan. Je pourrais vous demander pourquoi vous avez tellement peur de déplaire aux communistes.

— Je m'en fous de leur plaire ou de leur déplaire, dit Dubreuilh. Je ne veux pas déclencher une campagne antisoviétique; surtout pas en ce moment : je trouverais ça criminel.

— Et moi je trouverais criminel de ne pas faire contre les camps tout ce qui est en mon pouvoir », dit Henri. Il regarda Dubreuilh : « Je comprendrais beaucoup mieux votre attitude si vous étiez inscrit au parti; un communiste, j'admettrais même qu'il nie les camps, qu'il les défende.

— Je vous ai dit que je n'étais pas inscrit, dit Dubreuilh d'une voix irritée. Ça ne vous suffit pas? »

Il se leva et fit quelques pas à travers la pièce. « Non, pensa Henri, décidément ça ne me suffit pas. Rien n'empêche Dubreuilh de me mentir cyniquement : il l'a déjà fait. Et les considérations morales ne le touchent pas. Mais cette fois je ne me laisserai pas avoir », se dit-il avec rancune.

Dubreuilh continuait à marcher de long en large en silence. Avait-il senti la méfiance d'Henri? ou était-ce seulement son opposition qui l'irritait? Il semblait avoir peine à se contenir : « Eh bien, il n'y a qu'à réunir le comité, dit-il. Sa décision nous départagera.

— Ils vous suivront, vous le savez très bien! dit Henri.

— Si vos raisons sont bonnes, elles les convaincront, dit Dubreuilh.

— Allons donc! Charlier et Méricaud votent toujours avec vous, et Lenoir est à genoux devant les communistes. Leur avis ne m'intéresse pas, dit Henri.

— Alors quoi? vous agirez contre la décision du comité? demanda Dubreuilh.

— Le cas échéant, oui.

— C'est un chantage? dit Dubreuilh d'une voix blanche. On vous laisse les mains libres ou *L'Espoir* rompt avec le S. R. L., c'est bien ça?

— Ce n'est pas du chantage. Je suis décidé à parler et je parlerai, c'est tout.

— Vous vous rendez compte de ce que cette rupture signifie? dit Dubreuilh. Son visage était aussi blanc que sa voix. C'est la fin du S. R. L. Et *L'Espoir* passe dans le camp de l'anticommunisme.

— Le S. R. L., à l'heure qu'il est, c'est zéro, dit Henri. Et *L'Espoir* ne deviendra jamais anticommuniste, comptez sur moi. »

Un moment ils se toisèrent en silence.

— Je vais immédiatement réunir le comité, dit enfin Dubreuilh. Et s'il est d'accord avec moi, nous vous désavouerons publiquement.

— Il sera d'accord, dit Henri. Il marcha vers la porte : « Désavouez-moi : je vous répondrai.

— Réfléchissez encore, dit Dubreuilh. Ce que vous allez faire, ça s'appelle une trahison.

— C'est tout réfléchi », dit Henri.

Il traversa le vestibule et referma derrière lui cette porte qu'il ne franchirait plus jamais.

Scriassine et Samazelle l'attendaient anxieusement au journal. Ils ne cachèrent guère leur satisfaction. Ils déchantèrent un peu quand Henri leur déclara qu'il entendait rédiger lui-même, en toute liberté, les articles sur les camps : c'était à prendre ou à laisser. Scriassine tenta de discuter, mais Samazelle le convainquit rapidement d'accepter. Henri se mit tout de suite à l'ouvrage. Il décrivit dans ses grandes lignes, avec textes à l'appui, le régime pénitentiaire de l'U. R. S. S.; et il en souligna le caractère scandaleux; mais il prit grand soin de dire que d'une part les erreurs de l'U. R. S. S. n'excusaient en aucune façon celles du capitalisme, que d'autre part l'existence des camps condamnait une certaine politique, non le régime tout entier; dans un pays en proie aux pires difficultés économiques, ils représentaient sans doute une solution de facilité; on était en droit d'espérer leur disparition; il fallait que tous les gens pour qui l'U. R. S. S. incarnait un espoir, et les communistes eux-mêmes, mettent tout en œuvre pour obtenir leur abolition. Le seul fait d'en avoir divulgué l'existence changeait déjà la situation; c'est pour ça qu'Henri avait pris la parole : se taire aurait été du défaitisme et de la lâcheté.

L'article parut le lendemain matin; Lambert s'en déclara très mécontent; et Henri eut l'impression que dans la salle de rédaction on discutait ferme. Le soir, un commissionnaire apporta la lettre de Dubreuilh; le comité du S. R. L. avait exclu Perron et Samazelle, le mouvement ne conservait plus aucun lien avec *L'Espoir;* il déplorait qu'on exploitât au profit d'une propagande anticommuniste des faits qui ne pouvaient être jugés qu'au sein d'une appréciation globale du régime stalinien; quelle qu'en fût l'exacte portée, le P. C. demeurait aujourd'hui le seul espoir du prolétariat français et si on cherchait à le discréditer, c'est qu'on choisissait de servir la réaction. Henri rédigea immédiatement une réponse; il accusait le S. R. L. de céder à la terreur du communisme et de trahir son programme initial.

« Comment en sommes-nous arrivés là? » se demanda Henri le lendemain avec une espèce de stupeur quand il eut acheté *L'Espoir.* Il n'arrivait pas à détacher son regard de cette première page. Il avait été d'un avis, Dubreuilh d'un autre; il y avait eu des bruits de voix, quelques gestes impatients, entre quatre murs : et soudain s'étalaient noir sur blanc, aux yeux de tous, ces deux colonnes jumelées d'insultes.

— Le téléphone n'arrête pas de sonner, lui dit sa secrétaire quand il s'amena vers cinq heures au journal. Il y a un M. Lenoir qui a dit qu'il passerait à six heures.

— Vous le laisserez entrer.

— Et vous allez voir ce courrier : je n'ai même pas fini de tout classer.

« Eh bien, ça passionne les gens, cette affaire! » se dit Henri en s'asseyant devant son bureau. Le premier article avait paru la veille, et déjà un tas de lecteurs le félicitaient, l'insultaient, s'étonnaient. Il y avait un pneumatique de Volange : « Cher vieux, je te serre la main. » Julien aussi le congratulait dans un style élevé tout à fait surprenant. L'ennuyeux, c'est que tout le monde semblait croire que *L'Espoir* allait devenir un duplicata du *Figaro :* il faudrait remettre les choses au point. Henri leva la tête. La porte du bureau venait de s'ouvrir et Paule était devant lui; elle portait un vieux manteau de fourrure, elle avait son visage des mauvais jours.

— C'est toi? qu'est-ce qui se passe? dit Henri.

— C'est ce que je suis venue te demander, dit Paule; elle jeta sur la table le numéro de *L'Espoir.* « Qu'est-ce qui se passe?

— Eh bien, c'est expliqué dans le journal, dit Henri. Dubreuilh ne voulait pas que je publie ces articles sur les camps soviétiques, je l'ai fait tout de même et nous avons rompu. » Il ajouta avec impatience : « Je t'aurais tout raconté demain à déjeuner. Pourquoi es-tu venue aujourd'hui?

— Ça te dérange?

— Ça me fait plaisir de te voir. Mais j'attends Lenoir d'une minute à l'autre, et j'ai beaucoup de travail. Je te donnerai les détails demain : ce n'est pas si urgent.

— Si, c'est urgent. J'ai besoin de comprendre, dit-elle. Pourquoi cette rupture?

— Je viens de te le dire. » Il sourit avec application : « Tu devrais être contente, tu la souhaitais depuis si longtemps. »

Paule le regarda d'un air soucieux : « Mais pourquoi maintenant? on ne rompt pas avec un ami de vingt-cinq ans parce qu'on n'est pas d'accord sur une malheureuse histoire de politique.

— C'est pourtant ce qui est arrivé. En fait, cette malheureuse histoire est très importante. »

Le visage de Paule se ferma : « Tu ne me dis pas la vérité.

— Je t'assure que si.

— Il y a longtemps que tu ne me dis plus rien, dit-elle. Je crois que j'ai deviné pourquoi. C'est pour ça que je suis venue te parler : il faut que tu me rendes ta confiance.

— Tu as toute ma confiance. Ceci dit nous parlerons demain, dit-il. Je n'ai pas le temps maintenant. »

Paule ne bougea pas : « Je t'ai déplu en m'expliquant avec Josette, l'autre soir, je m'en excuse, dit-elle.

— C'est moi qui m'excuse : j'étais de mauvaise humeur...

— Surtout ne t'excuse pas! » Elle leva vers lui un visage tremblant d'humilité : « La nuit de cette générale et les jours qui ont suivi, j'ai compris beaucoup de choses. Il n'y a pas de commune mesure entre toi et les autres gens, entre toi et moi. Te vouloir tel que je t'avais rêvé et non pas tel que tu es, c'était me préférer à toi; c'était de la présomption. Mais c'est fini. Il n'y a que toi : moi je ne suis rien. J'accepte de n'être rien, et j'accepte tout de toi.

— Écoute, ne t'exalte pas, dit-il avec gêne. Je te dis qu'on parlera demain.

— Tu ne me crois pas sincère? dit Paule; c'est ma faute; j'ai eu trop d'orgueil. C'est que le chemin du renoncement n'est pas facile. Mais maintenant je te le jure : je ne réclame plus rien pour moi-même. Toi seul existes, et tu peux tout exiger de moi. »

« Mon Dieu! pensa Henri. Pourvu qu'elle s'en aille avant que Lenoir n'arrive! » Il dit tout haut : « Je te crois; mais tout ce que je te demande pour l'instant c'est de patienter jusqu'à demain et de me laisser travailler.

— Tu te moques de moi! » dit Paule d'une voix violente. Son visage se radoucit : « Je te répète que je suis totalement à toi. Qu'est-ce que je peux faire pour te convaincre? Veux-tu que je me coupe une oreille?

— Et qu'est-ce que j'en ferais? dit Henri en essayant de plaisanter.

— Ça serait un signe. » Des larmes montèrent aux yeux de Paule : « Ça m'est intolérable que tu doutes de mon amour. »

La porte s'entrebâilla : « M. Lenoir. Je le fais entrer?

— Qu'il attende cinq minutes. » Henri sourit à Paule : « Je ne doute pas de ton amour. Mais tu vois, j'ai des rendez-vous, il faut que tu t'en ailles.

— Tu ne vas tout de même pas me préférer Lenoir! dit Paule. Qu'est-ce qu'il est pour toi? et moi je t'aime. » Maintenant elle pleurait avec de grosses larmes : « Si j'ai fréquenté le monde, si j'ai essayé d'écrire, c'était pour l'amour de toi.

— Je sais bien.

— On t'a peut-être raconté que j'étais devenue vaniteuse, que je n'attachais plus d'importance qu'à mon travail : la personne qui t'a dit ça est bien coupable. Demain, je jetterai au feu tous mes manuscrits, sous tes yeux.

— Ça serait stupide.

— Je le ferai », dit-elle. Elle ajouta avec éclat : « Je vais le faire tout de suite en rentrant.

— Mais non, je t'en prie; ça ne rime à rien. »

Le visage de Paule s'affaissa de nouveau : « Tu veux dire que rien ne peut te convaincre de mon amour?

— Mais j'en suis convaincu, dit-il. J'en suis profondément convaincu.

— Ah! je t'ennuie, dit-elle en pleurant. Comment faire! il faut pourtant que ces malentendus se dissipent!

— Il n'y a aucun malentendu.

— Voilà, je continue, dit-elle avec désespoir, je continue à t'ennuyer et tu ne voudras plus me voir! »

« Non, pensa-t-il dans un élan, je ne veux plus. » Il dit tout haut : « Bien sûr que si.

— Tu finiras par me détester et tu auras raison. Dire que je te fais une scène, à toi, moi!

— Tu ne me fais pas de scène.

— Tu vois bien que si, dit-elle en éclatant en sanglots.

— Calme-toi, Paule », dit-il de sa voix la plus suave. Il avait envie de la battre; et il se mit à lui caresser les cheveux : « Calme-toi. »

Il continua à les lui caresser pendant quelques minutes et elle se décida enfin à relever la tête :

— Bon, je m'en vais, dit-elle. Elle le regarda avec angoisse : « Tu viens déjeuner demain, c'est promis?

— C'est juré. »

« Ne plus la voir du tout, c'est la seule solution, se dit-il quand elle eut refermé la porte derrière elle. Mais comment lui faire accepter de l'argent si je ne la vois plus? Une femme scrupuleuse n'accepte les secours d'un homme qu'à condition de lui infliger sa présence. Je m'arrangerai. Mais je ne veux plus la voir », décida-t-il.

— Excusez-moi de vous avoir fait attendre, dit-il à Lenoir.

Lenoir eut un petit geste de la main : « C'est sans importance. » Il toussa, il était déjà rouge; il avait certainement préparé chaque mot de sa diatribe, mais la présence d'Henri désagrégeait ses phrases. « Vous vous doutez de l'objet de ma visite.

— Oui; vous vous solidarisez avec Dubreuilh et mon attitude vous scandalise; j'en ai donné mes raisons : je regrette de ne pas vous avoir convaincu.

— Vous dites que vous n'avez pas voulu cacher la vérité à vos lecteurs. Mais de quelle vérité s'agit-il ? » dit Lenoir; il avait retrouvé un des mots-clés de son discours, toute la suite allait aisément s'y accrocher; vérité ambiguë, vérité partielle, Henri connaissait la chanson; il se réveilla lorsque Lenoir abandonna ces généralités : « La contrainte policière ne joue pas en U. R. S. S. un autre rôle qu'en pays capitaliste la pression économique; qu'elle le joue d'une manière plus systématique, je ne vois là que des avantages; un régime où l'ouvrier n'est pas menacé de renvoi ni le responsable de faillite est obligé d'inventer de nouvelles formes de sanctions.

— Pas forcément celles-ci, dit Henri; et vous n'allez pas comparer la condition d'un chômeur avec celle des travailleurs des camps.

— Au moins leur vie quotidienne est assurée; je suis convaincu que leur sort est moins affreux que ne le prétend une propagande intéressée; d'autant qu'on oublie que la mentalité d'un homme soviétique n'est pas la nôtre : il trouve naturel par exemple d'être déplacé selon les besoins de la production.

— Quelle que soit sa mentalité, aucun homme ne trouve naturel d'être exploité, sous-alimenté, privé de tous ses droits, enfermé, abruti de travail, condamné à mourir de froid, de scorbut ou d'épuisement », dit Henri. Il pensa : « C'est tout de même beau la politique! » Lenoir n'aurait littéralement pas supporté de voir souffrir une mouche et il consentait de gaieté de cœur aux horreurs des camps.

— Personne ne veut le mal pour le mal, dit Lenoir; et l'U. R. S. S. moins qu'aucun autre régime; s'ils prennent ces mesures, c'est qu'elles sont nécessaires. Lenoir devint plus rouge encore. Comment osez-vous condamner les institutions d'un pays dont vous ignorez les besoins, les difficultés? C'est une intolérable légèreté.

— Ces besoins, ces difficultés, j'en ai parlé, dit Henri. Et vous savez très bien que je n'ai pas condamné en bloc le régime soviétique. Mais l'accepter en bloc, aveuglément, c'est de la lâcheté. Vous justifiez n'importe quoi en invoquant cette idée de nécessité; mais c'est une arme à deux tranchants; quand Peltov dit que les camps sont nécessaires, c'est pour prouver que le socialisme est une utopie.

— Ils peuvent être nécessaires aujourd'hui sans l'être définitivement, dit Lenoir. Vous oubliez que la situation de l'U. R. S. S. est une situation de guerre; les puissances capitalistes n'attendent que le moment de lui tomber dessus.

— Même comme ça, rien ne prouve qu'ils le soient, dit Henri. Personne ne veut le mal pour le mal, et tout de même ça arrive souvent qu'on le fasse inutilement. Vous ne nierez pas qu'en U. R. S. S. comme partout il n'y ait eu des fautes de commises : des famines, des révoltes, des massacres qui auraient pu être évités. Eh bien, je pense que ces camps aussi sont une faute. Vous savez, ajouta-t-il, même Dubreuilh est de cet avis.

Lenoir secoua la tête :

— Nécessité ou faute, en tout cas vous avez commis une mauvaise action, dit-il. Attaquer l'U. R. S. S. ça ne change rien à ce qui se passe en U. R. S. S. et ça sert les puissances capitalistes. Vous avez choisi de travailler pour l'Amérique et pour la guerre.

— Mais non! dit Henri. On peut critiquer le communisme sans qu'il s'en porte plus mal, il est plus costaud que ça!

— Vous venez de prouver une fois de plus qu'on ne peut pas se vouloir extra-communiste, sans devenir objectivement anticommuniste, dit Lenoir, il n'y a pas de tiers chemin; le S. R. L. était condamné dès le départ à s'allier à la réaction ou à périr.

— Si c'est là ce que vous pensez, il ne vous reste qu'à vous inscrire au P. C.

— Oui, c'est ce qui me reste à faire, c'est ce que je vais faire, dit Lenoir. Je tenais à ce que la situation soit nette : il faut désormais que vous me considériez comme un adversaire.

— Je le regrette, dit Henri.

Un instant ils se toisèrent avec embarras et Lenoir dit :

— Alors adieu.

— Adieu, dit Henri.

Oui, c'était une des ripostes possibles : nier les faits, les chiffres, la raison et son propre sens par un acte de foi aveugle : tout ce que fait Staline est bien fait. « Lenoir n'est pas communiste : c'est pour ça qu'il fait de l'excès de zèle », se dit Henri. Ce qui l'aurait intéressé, ç'aurait été de parler avec Lachaume ou n'importe quel autre communiste intelligent et pas trop sectaire.

— Tu as vu Lachaume ces jours-ci? demanda-t-il à Vincent.

— Oui.

Vincent avait été remué par l'affaire des camps; au début il pensait qu'il ne fallait pas parler, et puis il s'était rangé à l'avis d'Henri.

— Qu'est-ce qu'il pense de mes articles? demanda Henri.

— Il est plutôt monté contre toi, dit Vincent. Il dit que tu fais de l'anticommunisme.

— Ah! dit Henri. Et les camps? ça ne le gêne pas? qu'est-ce qu'il pense des camps?

Vincent sourit : « Que ça n'existe pas; que c'est une excellente institution; que ça disparaîtra de soi-même.

— Je vois! » dit Henri.

Décidément, les gens n'aiment pas se poser de questions. Ils s'arrangeaient tous pour sauvegarder leurs systèmes. Les journaux communistes allèrent jusqu'à entonner les louanges d'une institution qu'ils baptisaient : camps de redressement et travail correctif; et les antistaliniens ne voyaient dans cette affaire qu'un prétexte à réchauffer des indignations bien assises.

— Encore des télégrammes de félicitations! dit Samazelle en jetant les dépêches sur le bureau d'Henri. On peut dire que nous avons soulevé l'opinion, ajouta-t-il d'un air réjoui. Il ajouta : « Scriassine attend dans le parloir; il est avec Peltov et deux autres types.

— Son projet ne m'intéresse pas, dit Henri.

— Il faut tout de même les recevoir », dit Samazelle.

Il désigna des papiers qu'il avait posés devant Henri : « Et je voudrais beaucoup que vous jetiez un coup d'œil sur ces articles remarquables que Volange vient de nous envoyer.

— Volange n'écrira jamais dans *L'Espoir*, dit Henri.

— Dommage! » dit Samazelle.

La porte s'ouvrit, Scriassine entra, en souriant d'un air séducteur : « Tu as bien cinq minutes? nos amis s'impatientaient. J'ai amené Peltov, et Bennet, un journaliste américain qui a passé quinze ans comme correspondant à Moscou, et Moltberg qui militait encore comme communiste à Vienne au temps où je venais de quitter le parti; je peux les faire entrer?

— Fais-les entrer. »

Ils entrèrent et leur regard était lourd de reproche, soit parce qu'Henri les avait fait attendre, soit parce que le monde ne leur rendait pas justice; d'un geste, Henri les invita à s'asseoir et il dit en s'adressant à Scriassine : « Je crains que cette réunion ne soit parfaitement vaine; je l'ai précisé dans les conversations que nous avons eues et dans mes articles : je ne suis pas devenu anticommuniste. Ton projet, c'est à l'Union gaulliste qu'il faut le porter, pas à moi.

— Ne me parle pas de De Gaulle, dit Scriassine. Quand il a eu le pouvoir, son premier acte a été de voler à Moscou : c'est une chose qui ne doit pas s'oublier.

— Vous n'avez sans doute pas eu le temps de regarder attentivement notre programme, dit Moltberg avec reproche. Nous sommes des hommes de gauche; le mouvement gaulliste est soutenu par le grand capitalisme et il n'est pas question de nous allier à lui. Nous voulons rassembler contre le totalitarisme russe les forces vivantes de la démocratie. » D'un geste courtois il écarta les objections d'Henri : « Vous dites que vous n'êtes pas devenu anticommuniste : vous avez dévoilé certains abus et vous ne voulez pas aller plus loin; mais en vérité vous ne pouvez pas vous arrêter en route : contre un pays totalitaire notre engagement aussi doit être total. »

Scriassine reprit vivement la parole : « Ne me dis pas que tu es si loin de nous. Le S. R. L. avait tout de même été créé pour empêcher que l'Europe ne tombe dans les mains de Staline. Et c'est une Europe autonome que nous souhaitons nous aussi. Seulement nous avons compris qu'elle ne peut pas se réaliser sans le secours de l'Amérique.

— Une paille! » dit Henri. Il haussa les épaules : « Une Europe colonisée par l'Amérique, c'est justement ce que le S. R. L. voulait éviter, c'était même le premier de nos objectifs, puisque nous n'avons jamais pensé que Staline comptât annexer l'Europe.

— Je ne comprends pas ce préjugé contre l'Amérique, dit Bennet d'une voix sombre. Il faut être communiste pour ne vouloir voir en elle que le bastion du capitalisme : c'est aussi un grand pays ouvrier; et c'est le pays du progrès, de la prospérité, de l'avenir.

— C'est le pays qui partout, toujours, prend systématiquement le parti des privilégiés : en Chine, en Grèce, en Turquie, en Corée, qu'est-ce qu'ils défendent? ce n'est pas le peuple, non? c'est le capital, c'est la grande propriété. Quand je pense qu'ils maintiennent Franco et Salazar... »

Henri avait appris le matin même que ses vieux amis portugais avaient fini par fomenter une révolte : ça se soldait par neuf cents arrestations.

— Vous parlez de la politique du State Department, dit Bennet. Vous oubliez qu'il y a aussi un peuple américain; on peut faire confiance aux syndicats de gauche et à toute cette partie de la nation qui est sincèrement éprise de liberté et de démocratie.

— Jamais les syndicats ne se sont désolidarisés de la politique gouvernementale, dit Henri.

— Il faut regarder les choses en face, dit Scriassine. L'Europe ne peut se défendre contre l'U. R. S. S. qu'avec l'appui de l'Amérique; si tu interdis à la gauche européenne de l'accepter, il va s'établir une confusion désolante entre les intérêts de la droite et ceux de la démocratie.

— Si la gauche fait une politique de droite, ce n'est plus une gauche, dit Henri.

— En somme, dit Bennet d'un ton menaçant, entre l'Amérique et l'U. R. S. S. vous choisissez l'U. R. S. S.?

— Oui, dit Henri. Et je n'en ai jamais fait mystère.

— Comment pouvez-vous mettre en balance les abus du capitalisme américain et l'horreur d'une oppression policière, dit Bennet. Sa voix s'enfla, il commençait de prophétiser, et Moltberg faisait chœur avec lui tandis que Scriassine et Peltov parlaient volubilement en russe. Ces hommes ne se ressemblaient pas du tout; mais tous avaient le même regard perdu dans un rêve revendicant et affreux dont ils refusaient de se réveiller, tous se voulaient aveugles et sourds au monde, possédés par un passé d'horreur. Aiguë, grave, solennelle, ou canaille, leur voix à tous vaticinait. Peut-être de tous les témoignages qu'ils portaient contre l'U. R. S. S. c'était là le plus troublant : cet air méfiant, coléreux, à jamais traqué dont l'expérience stalinienne avait marqué leurs visages. Il ne fallait pas essayer de les arrêter quand ils commençaient à vous jeter leurs souvenirs à la face; ils étaient trop intelligents pour espérer arracher une décision à coup d'anecdotes : il s'agissait plutôt d'une crise verbale utile à leur hygiène intime. Bennet se tut soudain, comme épuisé.

— Je ne vois pas ce que nous faisons ici! dit-il brusquement.

— Je vous ai prévenus que nous allions perdre notre temps, dit Henri. Ils se levèrent; Moltberg regarda longuement Henri dans les yeux :

— Peut-être nous retrouverons-nous plus tôt que vous ne pensez, dit-il d'une voix presque tendre.

Quand ils eurent quitté le bureau, Samazelle s'ébroua : « C'est difficile de discuter avec ces exaltés. Le plus piquant, c'est qu'ils se détestent entre eux : chacun considère comme un traître celui qui est resté stalinien un peu plus longtemps que lui. Et le fait est qu'ils sont tous suspects. Bennet est demeuré quinze ans à Moscou comme correspondant : s'il était aussi indigné contre le régime qu'il le prétend aujourd'hui, quelle lâcheté! ce sont des hommes marqués, conclut-il d'un air satisfait.

— En tout cas, ils ont l'honnêteté de ne pas vouloir se compromettre avec le gaullisme, dit Henri.

— Ils manquent de sens politique », dit Samazelle.

Samazelle avait échoué à gauche : rien ne lui semblait plus naturel que de se rallier à la droite puisqu'il ne s'intéressait qu'au nombre de ses auditeurs et non au sens de ses discours. Il avait proposé à Henri des articles de Volange, il parlait avec une sobre sympathie du programme de l'Union gaulliste. Henri feignait de ne pas comprendre ses insinuations; mais c'était une ruse bien vaine; Samazelle n'hésita pas longtemps à attaquer franchement.

— Il y aurait une belle partie à jouer pour qui voudrait sincèrement constituer une gauche indépendante, dit-il d'un air ouvert. Scriassine a raison de penser que l'Europe ne saurait exister sans l'appui des U. S. A. Toutes les forces qui s'opposent à la soviétisation de l'Occident, notre rôle devrait être de les coaliser au profit d'un authentique socialisme : accepter l'aide américaine en tant qu'elle nous vient du peuple américain, accepter une alliance avec l'Union gaulliste, en tant que celle-ci peut être orientée vers une politique de gauche; voilà le programme que je nous proposerais.

Il fixait sur Henri un regard sévère et impérieux.

— Ne comptez pas sur moi pour l'exécuter, dit Henri. Je continuerai à combattre de toutes mes forces la politique américaine. Et vous savez parfaitement que le gaullisme, c'est la réaction.

— Je crains que vous ne réalisiez pas très bien la situation, dit Samazelle. Vous avez eu beau vous entourer de précautions, nous voilà classés comme anticommunistes; ça nous supprime la moitié de nos lecteurs. La seule chance du journal, c'est qu'il en gagne d'autres. Et pour ça il ne faut pas nous arrêter à mi-chemin : il faut foncer dans la direction où nous venons de nous engager.

— C'est-à-dire devenir effectivement un canard anticommuniste! dit Henri. Pas question. Si on doit faire faillite, on fera faillite, mais on gardera notre ligne jusqu'au bout.

Samazelle ne répondit rien; Trarieux était évidemment du même avis que lui, mais il savait que Lambert et Luc soutiendraient toujours Henri : il ne pouvait rien contre cette coalition.

— Vous avez vu *L'Enclume?* demanda-t-il d'un air réjoui deux jours plus tard. Il jeta l'hebdomadaire sur le bureau d'Henri. « Lisez-le.

— Qu'est-ce qu'il y a de spécial dans *L'Enclume?* dit Henri avec nonchalance.

— Un article de Lachaume sur vous, dit Samazelle. Lisez, répétat-il.

— Je le lirai plus tard », dit Henri.

Dès que Samazelle eut quitté le bureau, il ouvrit le journal. « Bas les masques », c'était le titre de l'article. Au fur et à mesure qu'il lisait Henri sentait sa gorge se contracter de colère. Lachaume expliquait à coup de citations tronquées et de résumés tendancieux que toute l'œuvre d'Henri trahissait une sensibilité fasciste et sous-entendait une idéologie réactionnaire. Sa pièce notamment était une insulte à la Résistance. Il y avait chez lui un fondamental mépris des autres hommes : les articles odieux qu'il venait de publier dans *L'Espoir* le prouvaient avec éclat. Il aurait été plus honnête en se déclarant franchement anticommuniste qu'en affirmant sa sympathie pour l'U. R. S. S. au moment où il déclenchait cette campagne de calomnie : la grossièreté de cette ruse montrait bien en quelle piètre estime il tenait ses semblables. Les mots de traître et de vendu n'étaient pas écrits noir sur blanc, mais on les lisait entre les lignes. Et c'était Lachaume qui avait écrit ça. Lachaume. Henri le revoyait cirant d'un air réjoui les parquets de Paule, au temps où il vivait caché dans le studio; il le voyait gare de Lyon, enveloppé dans un pardessus trop long et tout embarrassé de son émotion à la minute des adieux. Les épis de Noël crépitaient; assis à une table au Bar Rouge il disait : « Il faut travailler côte à côte »; un peu plus tard, d'un air confus : « On ne t'a jamais attaqué. » Il essaya de penser : « Ce n'est pas sa faute. Le coupable, c'est le parti qui l'a choisi tout exprès pour cette besogne. » Et puis une colère rouge lui monta jusqu'aux yeux. C'était bien lui qui avait inventé une à une chaque phrase : on ne se borne jamais à obéir, on recrée. Et il avait moins d'excuses encore que ses complices parce qu'il savait parfaitement qu'il mentait. Il sait que je ne suis pas un fasciste et que je n'en deviendrai jamais un.

Il se leva. Pas question de répondre à cet article : il n'avait rien de plus à dire que ce que Lachaume savait déjà. Quand les mots n'ont plus de sens, la seule chose qui reste à faire, c'est de cogner. Il monta dans son auto. A cette heure-ci, Lachaume devait être au Bar Rouge. Henri fonça vers le Bar Rouge. Il trouva Vincent qui buvait avec des copains. Pas de Lachaume.

— Lachaume n'est pas là?

— Non.

— Alors il doit être à *L'Enclume*, dit Henri.

— Je ne sais pas, dit Vincent. Il se leva et suivit Henri vers la porte : « Tu as ta bagnole? Je vais au journal.

— Moi je n'y vais pas, dit Henri. Je vais à *L'Enclume*. »

Vincent sortit derrière lui : « Laisse donc tomber, dit-il.

— Tu as lu l'article de Lachaume? demanda Henri.

— Je l'ai lu. Il me l'a montré avant de le faire passer, et je me suis brouillé avec lui. C'est une belle saloperie. Mais à quoi ça t'avancera de faire un scandale?

— Je n'ai pas souvent envie de cogner, dit Henri. Mais ce coup-ci, c'est un besoin. Tant mieux si ça fait du scandale.

— Tu as tort, dit Vincent. Ils en profiteront pour remettre ça : et ils iront encore plus loin.

— Plus loin? mais ils m'ont traité de fasciste, dit Henri, ils ne peuvent pas aller plus loin. Et de toute façon, je m'en contre-fous. » Il ouvrit la portière de l'auto. Vincent saisit son bras :

— Tu sais, quand ils ont décidé d'avoir un gars, ils ne reculent devant rien, dit Vincent. Il y a un point faible dans ta vie; ils iront te chercher par là.

Henri regarda Vincent : « Un point faible? Tu veux parler de Josette et de ces ragots qu'on a faits sur elle?

— Oui. Tu ne t'en doutes peut-être pas, mais tout le monde est au courant.

— Ils n'oseraient tout de même pas, dit Henri.

— Tu crois qu'ils se gêneraient. » Il hésita : « J'ai tellement engueulé Lachaume quand il m'a montré son papier qu'il a coupé dix lignes. Mais la prochaine fois, il cassera le morceau. »

Henri garda le silence. Pauvre Josette, si vulnérable! ça donnait froid dans le dos de l'imaginer en train de lire ces dix lignes que Lachaume avait coupées. Il s'installa au volant : « Monte; on va au journal, tu as gagné. » Il embraya et il ajouta : « Je te remercie!

— Je n'aurais pas cru ça de Lachaume, dit Vincent.

— De Lachaume ni de personne, dit Henri. Attaquer quelqu'un dans sa vie privée, et de cette manière-là, c'est tout de même trop dégueulasse.

— C'est dégueulasse », dit Vincent. Il hésita : « Mais il y a une chose que tu devrais comprendre : tu n'as plus de vie privée.

— Comment! dit Henri. Bien sûr que si, j'ai une vie privée, et elle ne regarde que moi.

— Tu es un homme public; tout ce que tu fais tombe dans le domaine public : en voilà la preuve! Il faudrait que tu sois inattaquable, sur toute la ligne.

— Il n'y a pas de défense possible contre la calomnie », dit Henri. Pendant un moment ils roulèrent en silence : « Quand je pense qu'ils ont été choisir Lachaume pour faire cette besogne, dit Henri. Justement Lachaume! c'est du raffinement. » Il ajouta : « Faut-il qu'ils me détestent!

— Tu ne t'imagines pas qu'ils t'aiment », dit Vincent.

Ils arrivaient devant le journal, et Henri descendit de voiture. « Je vais faire une course. Je serai là dans cinq minutes », dit-il. Il n'avait pas de course à faire mais il voulait être seul cinq minutes. Il partit à pied droit devant lui. « Tu ne t'imagines pas qu'ils t'aiment! » Non, il ne l'imaginait pas; mais il n'avait pas mesuré leur hostilité; des slogans périmés avaient flotté entre son cœur et ses lèvres : adversaire loyal, se combattre dans l'estime; c'était des mots vieux de deux ans, de plusieurs siècles, dont personne ne comprenait plus le sens. Il savait que les communistes l'attaqueraient officiellement : mais il se racontait qu'en secret beaucoup lui garderaient leur estime, et même qu'il les ferait réfléchir. « En vérité, ils me haïssent! » se dit-il. Il marchait devant lui, au hasard, Paris était beau et mélancolique comme Brugesla-Morte sous les ors fumeux de l'automne, et la haine était à ses chausses. C'était une expérience neuve, assez affreuse. « L'amour, ce n'est jamais tout à fait à vous qu'il s'adresse, pensa Henri, l'amitié est précaire comme la vie : mais la haine ne rate pas son homme et elle est sûre comme la mort. » Désormais, où qu'il aille, quoi qu'il fasse, cette certitude l'accompagnerait partout : « Je suis haï! »

Scriassine attendait Henri dans son bureau. « Il a lu *L'Enclume*, il pense qu'il faut battre le fer quand il est chaud! » se dit Henri. Il demanda :

— Tu as à me parler? Il ajouta avec une feinte sollicitude : « Quelque chose qui ne va pas? Tu as mauvaise mine.

— J'ai un affreux mal de tête : pas assez de sommeil et trop de vodka, rien de grave », dit Scriassine. Il se redressa sur sa chaise et raffermit son visage : « Je venais te demander si tu as changé d'avis depuis l'autre jour?

— Non, dit Henri. Je n'en changerai pas.

— Ça ne te fait pas réfléchir, la manière dont les communistes te traitent? »

Henri se mit à rire : « Oh! je réfléchis. Je réfléchis beaucoup. Je ne fais que ça! »

Scriassine poussa un profond soupir : « J'espérais que tu finirais par y voir clair.

— Allons! ne te désole pas. Tu n'as pas besoin de moi, dit Henri.

— On ne peut compter sur personne, dit Scriassine. La gauche a perdu sa chaleur. La droite n'a rien appris. » Il ajouta d'une voix lugubre : « Il y a des moments où j'ai envie de me retirer à la campagne.

— Retire-toi.

— Je ne m'en sens pas le droit », dit Scriassine. Il passa la main sur son front d'un air harassé : « Quel mal de crâne!

— Veux-tu un cachet d'ortédrine?

— Non, non; je dois rencontrer des gens tout à l'heure, d'anciens copains; ce n'est jamais très agréable; alors je ne tiens pas à être trop lucide. »

Il y eut un silence : « Tu vas répondre à Lachaume? demanda Scriassine.

— Certainement pas.

— C'est dommage. Quand tu veux, tu sais te défendre. La réponse à Dubreuilh, c'était bien envoyé.

— Oui. Mais est-ce qu'elle était juste? » dit Henri. Il interrogea Scriassine du regard : « Je me demande si ton informateur est bien sérieux.

— Quel informateur? dit Scriassine en promenant une main douloureuse sur son visage.

— Celui qui prétend avoir vu la carte de Dubreuilh et sa fiche.

— Oh! » dit Scriassine; il eut un petit sourire : « Il n'a jamais existé!

— Pas possible! Tu as inventé ça!

— A mes yeux, Dubreuilh est un communiste, inscrit ou non; mais je n'avais pas le moyen de te faire partager ma conviction, alors j'ai un peu triché.

— Et si j'avais accepté de rencontrer le type?

— La psychologie la plus élémentaire me garantissait que tu refuserais. »

Henri regarda Scriassine avec consternation; il n'arrivait même pas à lui en vouloir d'un mensonge avoué avec tant de naturel! Scriassine eut un sourire confus : « Tu es fâché?

— Ça me dépasse qu'on puisse faire des trucs pareils! dit Henri.

— En fait, je t'ai rendu service, dit Scriassine.

— Tu me permettras de ne pas te remercier », dit Henri.

Scriassine sourit sans répondre; il se leva : « Il faut que j'aille à mon rendez-vous. »

Henri resta un long moment immobile, le regard fixe. Si Scriassine n'avait pas inventé ce bobard, qu'est-ce qui serait arrivé? Peut-être que les choses auraient tourné de la même manière : peut-être que non. En tout cas, il détestait penser qu'il avait joué avec des cartes truquées : ça lui donnait une envie dévorante de reprendre son coup. « Pourquoi n'essaierais-je pas de m'expliquer avec Nadine? » se dit-il brusquement. Vincent la voyait quelquefois; il décida de lui demander la date de leur prochain rendez-vous.

Quand il entra le jeudi suivant dans le café où Nadine attendait, Henri se sentit vaguement ému; pourtant il n'avait jamais attaché beaucoup d'importance au jugement de Nadine. Il se planta devant sa table : « Salut. »

Elle leva les yeux : « Salut », dit-elle avec indifférence. Elle ne semblait même pas étonnée.

— Vincent sera un peu en retard : je suis venu t'avertir. Je peux m'asseoir?

Elle inclina la tête sans répondre.

— Je suis bien content de pouvoir te parler, dit Henri avec un sourire. On avait nos rapports personnels, tous les deux; alors je voudrais bien savoir si d'être brouillé avec ton père ça me brouille aussi avec toi.

— Oh! en fait de rapports personnels, on se voyait quand on se rencontrait, dit Nadine froidement. Tu ne viens plus à *Vigilance*, on ne se voit plus : il n'y a pas de problème.

— Je te demande pardon, il y en a un pour moi, dit Henri. Si nous ne sommes pas fâchés, rien ne nous empêche de boire un verre ensemble de temps en temps.

— Rien ne nous y oblige non plus, dit Nadine.

— A ce que je vois, nous sommes fâchés? dit Henri. Elle ne répondit rien et il ajouta : « Pourtant tu vois Vincent qui est du même bord que moi?

— Vincent n'a pas écrit la lettre que tu as écrite », dit Nadine.

Henri dit vivement : « Reconnais que celle de ton père n'était pas aimable non plus!

— Ce n'est pas une raison. Et la tienne était carrément moche.

— Soit, dit Henri. C'est que j'étais en colère. » Il regarda Nadine dans les yeux : « On m'avait juré avec des preuves à l'appui que ton père était inscrit au parti communiste. J'étais furieux qu'il me l'ait caché : mets-toi à ma place.

— Tu n'avais qu'à ne pas croire ces bêtises », dit Nadine.

Quand elle avait cet air buté, il ne fallait pas espérer la convaincre; d'ailleurs Henri n'aurait pas pu se justifier sans mettre Dubreuilh en accusation : il laissa tomber.

— C'est uniquement à cause de cette lettre que tu m'en veux? demanda-t-il. Ou est-ce que tes copains communistes t'ont convaincue que je suis un social-traître?

— Je n'ai pas de copains communistes, dit Nadine. Elle posa sur le visage d'Henri un regard glacé : « Social-traître ou non, tu n'es plus celui que tu étais.

— C'est idiot ce que tu dis là, dit Henri avec irritation. Je suis juste le même.

— Non.

— En quoi ai-je changé? depuis quand? qu'est-ce que tu me reproches? Explique-toi.

— D'abord tu fréquentes du sale monde », dit Nadine. Brusquement sa voix se monta : « Je croyais que toi au moins tu voulais qu'on se souvienne; tu dis des trucs très bien dans ta pièce : qu'il ne faut pas oublier, et tout. Et pour de vrai tu es juste pareil aux autres!

— Ah! Vincent t'a raconté des histoires! dit Henri.

— Pas Vincent : Sézenac. » Les yeux de Nadine étincelèrent : « Comment peux-tu toucher la main de cette bonne femme! Moi, je me laisserais plutôt écorcher vive...

— Je te dirai ce que j'ai dit l'autre jour à Vincent : ma vie privée ne regarde que moi. D'autre part, voilà un an que je connais Josette : ce n'est pas moi qui ai changé, c'est toi.

— Je n'ai pas changé; seulement l'année dernière je ne savais pas ce que je sais; et puis je te faisais confiance! ajouta-t-elle d'un ton provocant.

— Et pourquoi as-tu cessé? » dit Henri avec colère.

Nadine baissa la tête d'un air fermé.

— Tu as pris parti contre moi dans l'affaire des camps? c'est ton droit. Mais de là à décider que je suis un salaud, il y a de la marge. C'est sans doute l'opinion de ton père, ajouta-t-il d'une voix irritée. Mais tu n'avais pas l'habitude de prendre tout ce qu'il dit pour parole d'évangile.

— Ce n'est pas salaud d'avoir parlé des camps; en soi, je trouve même que ça se défend, dit Nadine d'une voix posée. La question c'est de savoir pourquoi tu l'as fait.

— Je m'en suis expliqué, non?

— Tu as donné des raisons publiques, dit Nadine. Mais tes raisons à toi, on ne les connaît pas. De nouveau, elle posa sur Henri un regard glacé : « Toute la droite te couvre de fleurs; c'est gênant. Tu me diras que tu n'y peux rien : c'est tout de même gênant.

— Enfin, Nadine, tu ne penses pas sérieusement que cette campagne était une manœuvre pour me rapprocher de la droite?

— En tout cas elle se rapproche de toi.

— C'est idiot! dit Henri. Si j'avais voulu passer à droite, ça serait déjà fait! Tu vois bien que *L'Espoir* n'a pas changé de ligne : et je te jure que j'y ai du mérite. Vincent ne t'a pas expliqué comment ça se passe?

— Vincent est aveugle quand il s'agit de ses amis. Bien sûr il te défend : ça prouve la pureté de son cœur et rien d'autre.

— Et toi, quand tu m'accuses d'être un salaud, tu as des preuves? dit Henri.

— Non. Aussi je ne t'accuse pas : je me méfie, c'est tout. » Elle sourit sans gaieté : « Je suis méfiante de naissance. »

Henri se leva : « Ça va : méfie-toi tout ton saoul. Moi quand j'ai un peu d'amitié pour quelqu'un, j'essaie plutôt de lui faire crédit : mais en effet ce n'est pas ton genre. J'ai eu tort de venir, je m'excuse. »

« La méfiance, il n'y a rien de pire, se dit-il en rentrant chez lui. J'aime encore mieux qu'on me traîne dans la boue comme Lachaume, c'est plus franc. » Il les imaginait, assis dans le bureau, en train de prendre leur café : Dubreuilh, Nadine, Anne; ils ne disaient pas : « C'est un salaud », non, ils étaient trop scrupuleux pour ça : ils se méfiaient. Qu'est-ce qu'on peut répondre à quelqu'un qui se méfie? Un criminel peut au moins se chercher des excuses : mais un suspect? Il est entièrement désarmé. « Oui, voilà ce qu'ils ont fait de moi, se dit-il avec colère les jours suivants : un suspect. Et par-dessus le marché ils me reprochent tous d'avoir une vie privée! » Mais il n'était ni un tribun ni un porte-drapeau, il y tenait à sa vie, à sa vie privée. Et la politique, en revanche, il en avait par-dessus la tête; on n'en est jamais quitte avec elle; chaque sacrifice crée de nouveaux devoirs; d'abord le journal, et maintenant on voulait lui interdire tous ses plaisirs, tous ses désirs. Au nom de quoi? De toute façon on ne faisait rien de ce qu'on voulait faire, on faisait même le contraire : alors, pas la peine de se gêner. Il décida de ne pas se gêner et d'agir comme ça lui chanterait : au point où il en était, ça n'avait aucune importance.

Tout de même, le soir où il se trouva attablé entre Lucie Belhomme et Claudie de Belzunce devant une bouteille de champagne trop sucré, Henri s'étonna brusquement : « Qu'est-ce que je fais ici? » Il n'aimait pas le champagne, ni les lustres, les glaces, le velours des banquettes, ni ces femmes qui exhibaient avec abondance une peau usagée, il n'aimait ni Lucie, ni Dudule, ni Claudie, ni Vernon, ni le jeune acteur vieillissant qu'on disait son amant.

— Alors elle est entrée dans la chambre, racontait Claudie, elle l'a vu couché sur le lit, tout nu, avec une petite queue... comme ça, dit-elle en désignant son petit doigt; et elle a demandé : où est-ce qu'on se met ça? dans le nez? Les trois hommes rirent bruyamment et Lucie dit d'une voix un peu sèche : « Très drôle! » Elle était flattée de fréquenter une femme qui était née, mais elle s'irritait du ton grossier que Claudie adoptait volontiers quand elle sortait avec des inférieurs. Lulu faisait des efforts pathétiques pour afficher une distinction qui fût à la hauteur de son élégance; elle se tourna vers Henri.

— Ruéri serait bien dans le rôle du mari, chuchota-t-elle en désignant le jeune beau qui aspirait avec une päille le sherry gobler de Vernon.

— Quel mari?

— Le mari de Josette.

— Mais on ne le voit pas : il meurt au début de la pièce.

— Je sais; mais pour le cinéma, c'est trop triste votre histoire : Brieux suggère que le mari ait échappé, il se serait enfui dans le maquis et à la fin il pardonnerait à Josette.

Henri haussa les épaules : « Brieux tournera ma pièce ou rien du tout.

— Vous n'allez pas cracher sur deux millions parce qu'on vous demande de ressusciter un mort!

— Il affecte de mépriser l'argent, dit Claudie. Pourtant, on en a bien besoin au prix où est le beurre : il coûtait seulement moins cher du temps des Fritz.

— Ne parle pas comme ça devant un résistantialiste », dit Lucie. Cette fois, ils rirent tous en chœur et Henri sourit avec eux. S'ils avaient pu les entendre et le voir, tous en chœur ils l'auraient blâmé, Lambert aussi bien que Vincent, Volange autant que Lachaume, et Paule, Anne, Dubreuilh et Samazelle et même Luc, et toute la foule anonyme de ceux qui attendaient quelque chose de lui. C'est justement pour ça qu'il était ici, avec ces gens : parce qu'il n'aurait pas dû y être. Il avait tort, radicalement tort, sans réserve, sans excuse : quel repos! On finissait par en avoir marre de sans cesse se demander : ai-je raison ou tort? Au moins ce soir il connaissait la réponse : j'ai tort, j'ai parfaitement tort. Il était brouillé à jamais avec Dubreuilh, le S. R. L. l'avait désavoué, et la plupart des anciens camarades avaient un frisson de scandale en pensant à lui. A *L'Enclume*, Lachaume et ses copains — et combien d'autres à travers Paris et la province — l'appelaient un traître. Dans les coulisses du Studio 46, les mitraillettes crépitaient, les Allemands brûlaient un village français et la colère et l'horreur se réveillaient dans des cœurs engourdis. Partout la haine flambait. C'était ça sa récompense : la haine, et il n'y avait aucun moyen de la vaincre. Boire : il comprenait Scriassine; il remplit de nouveau son verre.

— C'est courageux ce que vous avez fait, dit Lucie.

— Quoi donc?

— Dénoncer toutes ces horreurs.

— Oh! à ce compte-là, il y a des milliers de héros en France, dit Henri. Quand on attaque l'U. R. S. S. aujourd'hui, on ne risque pas d'être fusillé.

Elle dévisagea Henri d'un air un peu perplexe : « Oui, mais vous vous étiez plutôt fait une situation du côté de la gauche; ça doit vous compromettre cette histoire.

— Mais pensez aux situations que je peux retrouver à droite!

— Droite, gauche, ce sont des notions bien dépassées, dit Dudule; ce qu'il faut faire comprendre au pays c'est que la collaboration du capital et du travail est nécessaire à son redressement. Vous avez fait un travail utile en dissipant un des mythes qu'on oppose à leur réconciliation.

— Ne me félicitez pas trop vite! » dit Henri.

C'était ça la pire solitude : d'être approuvé par ces gens-là. Onze heures et demie, l'heure la plus redoutable; le théâtre se vidait; toutes ces consciences que pendant trois heures il avait tenues captives se déchaînaient ensemble, et d'un seul coup elles se retournaient contre lui : quel massacre!

— Le vieux Dubreuilh doit écumer, dit Claudie d'un air satisfait.

— Dites donc, sa femme, avec qui couche-t-elle? dit Lucie. Parce qu'enfin, c'est presque un vieillard.

— Je ne sais pas, dit Henri.

— Elle m'a fait l'honneur de venir une fois chez moi, dit Lucie. C'est une belle pimbêche! Ah! je déteste ces femmes qui s'habillent comme des chaisières pour montrer qu'elles ont des idées sociales.

Anne était une pimbêche; Dudule qui avait vu le monde expliquait que le Portugal était un paradis et ils pensaient tous que la richesse était un mérite et qu'ils méritaient leurs richesses; mais Henri n'avait qu'à se taire puisqu'il était venu s'asseoir à côté d'eux.

— ...soir, dit Josette en posant sur la table un petit sac pailleté; elle portait sa robe verte au décolleté généreux; Henri n'arrivait pas à comprendre pourquoi, puisque le désir des mâles la blessait, elle s'offrait si prodigieusement à leurs regards; il n'aimait pas que cette tendre chair fût aussi publique qu'un nom. Elle s'assit à côté de lui au bout de la table et il demanda : « Ça a bien marché? On n'a pas sifflé?

— Oh! pour toi, c'est un triomphe », dit-elle.

Dans l'ensemble la critique n'avait pas été trop mauvaise pour elle : un début comme il y en a tant; avec ce physique et de la patience, elle avait toutes les chances de faire une carrière honorable; mais elle était déçue. Son visage s'anima : « Tu as vu? à la table du fond, il y a Félicia Lopez : comme elle est belle!

— Elle a surtout de très beaux bijoux, dit Lucie.

— Elle est belle!

— Ma petite, dit Lucie en souriant du bout des dents, ne dis jamais devant un homme qu'une autre femme est belle; parce qu'il pourrait s'imaginer que tu l'es moins; et sois sûre qu'aucune ne sera jamais assez sotte pour te rendre la pareille.

— Josette peut se permettre d'être franche, dit Henri; elle n'a rien à craindre.

— Avec vous peut-être, dit Lucie d'un ton vaguement méprisant; mais il y en a d'autres que ça n'amuserait pas d'avoir en face d'eux cette face de pleureuse; versez-lui donc à boire : une jolie femme doit être gaie.

— Je ne veux pas boire », dit Josette; sa voix se brisa : « J'ai un bouton au coin de la lèvre, c'est sûrement le foie : je prendrai un vichy.

— Quelle génération! dit Lucie en haussant les épaules.

— Ce qu'il y a de bien quand on boit, dit Henri, c'est qu'on finit par être saoul.

— Tu n'es pas saoul? dit Josette avec inquiétude.

— Oh! se saouler au champagne, c'est un travail d'Hercule. » Il tendit la main vers la bouteille et elle arrêta son bras.

— Tant mieux. Parce que j'ai quelque chose à te dire. Elle hésita. « Mais d'abord promets-moi de ne pas te fâcher. »

Il rit : « Je ne peux quand même pas promettre sans savoir. »

Elle le regarda avec impatience : « Alors tu ne m'aimes plus.

— Vas-y.

— Eh bien, j'ai donné une interview à *L'Ève moderne* l'autre soir...

— Qu'est-ce que tu as encore raconté?

— J'ai dit que nous étions fiancés. Ça n'est pas du tout pour t'obliger à m'épouser, dit-elle vivement; nous annoncerons notre rupture quand tu voudras. Mais on nous voit tout le temps ensemble; et ça me pose, des fiançailles, tu comprends. » De son sac rutilant, elle tira une page de magazine qu'elle étala d'un air satisfait. « Pour une fois, ils ont fait un papier gentil.

— Montre », dit Henri; il murmura : « Ah! j'ai bonne mine! »

En grand décolleté, Josette riait à côté d'Henri devant des coupes de champagne et il riait aussi; il pensa avec dépit : « Juste comme en ce moment. D'ici à s'imaginer que je passe mes nuits à sabler le champagne, que je suis vendu à l'Amérique, il n'y a qu'un pas : on le franchira vite. » Pourtant, il n'aimait pas tout ce vacarme vaseux; il fréquentait les endroits à la mode pour faire plaisir à Josette, mais ça ne comptait pas, ces moments restaient en marge de sa vraie vie. Il gardait ses yeux fixés sur la photo : « Le fait est que c'est moi et que je suis ici. »

— Tu es fâché? dit Josette. Tu avais promis de ne pas te fâcher.

— Je ne suis pas fâché du tout, dit-il; et il pensa avec décision : « Qu'ils aillent tous chier! » Il ne devait rien à personne et il était en train de mettre tous les torts de son côté : c'était ça la vraie liberté! « Viens danser », dit-il.

Ils firent quelques pas sur la piste encombrée d'hommes en smoking et de femmes en peau et Josette demanda : « C'est vrai que ça t'ennuie quand j'ai l'air triste?

— Ça m'ennuie que tu sois triste. »

Elle haussa les épaules : « Ce n'est pas de ta faute.

— Ça m'ennuie tout de même; il n'y a pas de raison, tu sais; ta presse parlée est excellente, je t'assure que tu auras des engagements...

— Oui. C'est bête, c'est parce que je suis bête : je pensais que le lendemain de la générale, brusquement, tout serait changé; par exemple que maman n'oserait plus me parler comme elle me parle; et puis qu'au-dedans, je me sentirais différente.

— Quand tu auras beaucoup joué, que tu seras sûre de ton talent, alors tout te semblera différent.

— Non; ce que j'imaginais... Elle hésita : C'était magique. » Elle était touchante quand elle essayait d'habiller avec des mots ses pensées incertaines : « Quand quelqu'un tombe amoureux de vous, vraiment amoureux, c'est une magie, tout se transforme; je croyais qu'après la générale ça serait comme ça.

— Tu m'as dit un jour que personne n'avait été amoureux de toi? »
Elle rougit : « Oh! une fois; c'est arrivé une fois; quand j'étais toute petite, je sortais de pension, je ne m'en souviens même plus. »
Henri dit gentiment : « Pourtant tu as l'air de t'en souvenir. Qui était-ce?

— Un jeune homme; mais il est parti; il est parti en Amérique, je l'ai oublié, c'est vieux.

— Et nous deux? demanda Henri, ça n'est pas un petit peu magique? »
Elle le regarda avec une espèce de reproche : « Oh! tu es gentil, tu me dis des choses gentilles; mais ça n'est pas à la vie à la mort. »
Henri dit avec un peu d'agacement : « Le jeune homme non plus puisqu'il est parti.

— Ah! Laisse-moi tranquille avec cette histoire, dit Josette d'une voix irritée qu'Henri ne lui connaissait pas. Il est parti parce qu'il ne pouvait pas faire autrement.

— Mais il n'en est pas mort?

— Qu'est-ce que tu en sais? dit-elle.

— Excuse-moi, mon chéri, dit-il, étonné par sa violence. Il est mort?

— Il est mort. Il est mort en Amérique. Tu es content?

— Je ne savais pas, ne te fâche pas », murmura Henri en la ramenant vers la table. Était-elle donc capable, après dix ans, d'avoir encore des souvenirs si cuisants? «Peut-elle aimer plus qu'elle ne m'aime? se deman-da-t-il avec déplaisir. Tant mieux si elle ne m'aime pas, comme ça je n'ai pas de responsabilité, je ne suis pas en faute. » Il but coup sur coup plusieurs verres. Soudain, tous les objets autour de lui s'étaient mis à babiller : c'était fascinant ces messages qu'ils émettaient avec une rapi-dité déconcertante et qu'il était seul à capter; il les oubliait malheureu-sement tout de suite; cette baguette de bois posée négligemment en travers d'une des coupes, il ne se rappelait déjà plus ce qu'elle signifiait; et le lustre, cette énorme pendeloque de cristal, qu'est-ce que ça repré-sentait? l'oiseau qui se balançait sur la tête de Lucie c'était une stèle funéraire : mort, empaillé, il était à lui-même son propre monument funèbre : comme Louis. Pourquoi Louis ne se serait-il pas déguisé en oiseau? En vérité ils étaient tous des bêtes déguisées; de temps en temps il se produisait dans leur cerveau une petite secousse électrique et alors des mots leur sortaient de la bouche.

— Regarde, dit-il à Josette. On les a tous changés en hommes : le chimpanzé, le caniche, l'autruche, le phoque, la girafe et ils parlent,

ils parlent mais personne ne comprend ce que les autres lui disent. Tu
vois, tu ne me comprends pas : nous deux non plus, on n'est pas de la
même espèce.

— Non, je ne comprends pas, dit Josette.

— Ça ne fait rien, dit-il avec indulgence, ça ne fait rien du tout. Il
se leva : « Viens danser.

— Mais qu'est-ce qui t'arrive? tu marches sur ma robe. Tu as trop
bu?

— Jamais trop, dit-il. Tu ne veux vraiment pas boire un peu? On
se sent si bien. On pourrait faire n'importe quoi : battre Dudule ou
embrasser ta mère...

— Tu ne vas pas embrasser maman? Qu'est-ce que tu as? Je ne t'ai
jamais vu comme ça.

— Tu me verras », dit-il. Un tas de souvenirs dansaient capricieusement dans sa tête, et un mot de Lambert lui revint à la mémoire : « Vois-
tu, dit-il solennellement, j'intègre le mal!

— Mais qu'est-ce que tu racontes? viens t'asseoir.

— Non, dansons. »

Ils dansèrent, ils se rassirent, ils dansèrent encore; Josette s'était
égayée peu à peu : « Regarde le grand type qui vient d'entrer, c'est
Jean-Claude Sylvère, dit-elle d'une voix éblouie. C'est vraiment bien
cette boîte, on reviendra.

— Oui, c'est bien », dit Henri.

Il regarda autour de lui avec surprise. Qu'est-ce qu'il faisait au juste
ici? Les choses soudain s'étaient tues, il avait sommeil et l'estomac
pâteux. « Ça doit être ça la débauche. » Du moins on échappait : une
nuit on peut échapper, avec un peu de chance et beaucoup de whisky,
disait ⌐ criassine qui s'y connaissait; avec le champagne ça marchait
aussi : on oubliait ses torts et ses raisons, on oubliait la haine, on oubliait
tout.

— C'est bien, répéta Henri. Et puis n'est-ce pas, comme ils disent,
on ne s'amuse pas pour s'amuser. On reviendra, mon chéri; on reviendra.

CHAPITRE VIII

C'est une bien étrange entreprise, de vivre un amour en le refusant. Les lettre de Lewis me fendaient le cœur. « Est-ce que je vais continuer à vous aimer chaque jour de plus en plus? » m'écrivait-il. Et une autre fois : « C'est un drôle de tour que vous m'avez joué. Je ne peux plus ramener chez moi des femmes d'une nuit. Celles à qui j'aurais pu donner un petit bout de mon cœur, je n'ai plus rien à leur offrir. » Comme j'avais envie, quand je lisais ces mots, de me jeter dans ses bras! Puisque ça m'était interdit, j'aurais dû lui dire : « Oubliez-moi. » Mais je ne voulais pas le dire; je voulais qu'il m'aime; je voulais tout le mal que je lui faisais; je subissais sa tristesse dans le remords. Je souffrais aussi pour mon compte; comme le temps passait lentement, comme il passait vite! Lewis restait toujours aussi loin de moi; mais je me rapprochais de jour en jour de ma vieillesse; notre amour vieillissait, un jour il mourrait sans avoir vécu. C'était une pensée insupportable. J'ai été contente de quitter Saint-Martin, de retrouver à Paris des malades, des amis, du bruit, des occupations qui m'empêchaient de penser à moi.

Je n'avais guère revu Paule depuis le mois de juin. Claudie s'était engouée d'elle et l'avait invitée à passer l'été dans son château bourguignon : à ma grande surprise Paule avait accepté. Quand à mon retour à Paris je lui téléphonai, je fus déconcertée par la politesse enjouée et distante de sa voix :

— Bien sûr, je serai ravie de te voir. Tu serais libre demain pour aller au vernissage de Marcadier?

— J'aimerais mieux te voir plus tranquillement; tu n'as pas un autre moment?

— C'est que je suis très prise. Attends. Peux-tu passer demain après le déjeuner?

— Ça m'arrange très bien. Entendu.

Pour la première fois depuis bien des années, Paule était en toilette de ville quand elle m'ouvrit sa porte; elle portait un tailleur dernier cri, en fil à fil gris et un chemisier noir, ses cheveux étaient coiffés en hauteur, et coupés en frange sur le front; elle avait épilé ses sourcils; son visage s'était épaissi et légèrement couperosé.

— Comment vas-tu? dit-elle affectueusement. Tu as passé de bonnes vacances?

— Excellentes. Et toi? tu as été contente?

— Enchantée, dit-elle d'un ton qui me parut lourd de sous-entendus. Elle me scrutait d'un air à la fois embarrassé et provocant. « Tu ne me trouves pas changée?

— Tu as l'air en excellente forme, dis-je. Et tu as un bien beau tailleur.

— C'est Claudie qui m'en a fait cadeau : il vient de chez Balmain. »

Il n'y avait rien à dire contre cette coupe raffinée, ni contre ces élégants escarpins. Peut-être était-ce seulement parce que je n'étais pas habituée à son nouveau style : Paule me semblait plus insolite que dans les toilettes démodées qu'elle s'inventait naguère. Elle s'assit, croisa les jambes, alluma une cigarette. « Tu sais, dit-elle avec un petit rire, je suis une femme nouvelle. »

Je ne sus pas trop que répondre et je dis sottement :

— C'est l'influence de Claudie?

— Claudie n'a été qu'un prétexte. Bien que ce soit quelqu'un de très remarquable, dit-elle. Elle rêva une seconde. « Les gens sont bien plus intéressants que je ne pensais. Dès qu'on cesse de les tenir à distance, ils ne demandent qu'à être gentils. » Elle m'examina d'un air critique : « Tu devrais sortir davantage.

— Peut-être, dis-je lâchement. Qui y avait-il là-bas?

— Oh! tout le monde, dit-elle d'une voix éblouie.

— Tu vas te mettre à tenir un salon toi aussi? »

Elle rit : « Tu crois que je n'en serais pas capable?

— Au contraire. »

Elle leva les sourcils : « Au contraire? » Il y eut un petit silence et elle dit d'une voix sèche : « En tout cas, pour l'instant, c'est d'autre chose qu'il s'agit.

— Quoi donc?

— J'écris.

— C'est bien! dis-je en chargeant ma voix d'enthousiasme.

— Moi je ne me voyais pas du tout en femme de lettres, dit-elle avec un sourire; mais là-bas, ils m'ont tous dit que c'était un crime de laisser perdre tant de dons.

— Et qu'est-ce que tu écris? dis-je.

— On peut appeler ça comme on veut : des nouvelles ou bien des poèmes. Ça ne se laisse pas cataloguer.

— Tu as montré ton travail à Henri?

— Bien sûr que non. Je lui ai dit que j'écrivais, mais je ne lui ai rien montré. » Elle haussa les épaules : « Je suis sûre qu'il serait déconcerté. Il n'a jamais cherché à inventer des formes neuves. D'ailleurs, l'expérience que je fais, je dois la faire seule. » Elle me regarda en face et dit avec solennité : « J'ai découvert la solitude.

— Tu ne tiens plus à Henri?

— Si, mais je l'aime en personne libre. » Elle jeta sa cigarette dans la cheminée vide. « Sa réaction a été curieuse.

— Il s'est rendu compte que tu avais changé?

— Évidemment : il n'est pas stupide.

— En effet. »

Moi je me sentais stupide. J'interrogeai Paule du regard.

— D'abord, à son retour je ne lui ai pas fait signe, dit-elle d'une voix satisfaite. J'ai attendu qu'il téléphone; ce qu'il a fait aussitôt. Elle se recueillit une seconde. « J'avais mis mon beau tailleur, je lui ai ouvert la porte d'un air très tranquille, et tout de suite il a changé de visage; j'ai senti qu'il était bouleversé; il a appuyé son front à la fenêtre en me tournant le dos pour cacher sa figure pendant que je lui parlais posément de nous, de moi. Et puis il m'a regardée d'un air très étrange. Et j'ai compris qu'il venait de décider de me mettre à l'épreuve.

— Pourquoi te mettre à l'épreuve?

— Un instant, il a été sur le point de me proposer de reprendre la vie commune : et puis il s'est dominé. Il veut être sûr de moi. Il a le droit de douter : je n'ai pas été commode avec lui pendant ces deux ans.

— Alors?

— Il m'a expliqué gravement qu'il est amoureux de la petite Josette. » Elle se mit à rire avec abandon. « Tu te rends compte? »

J'hésitai. « Il a une histoire avec elle, non?

— Bien sûr. Mais il n'avait pas besoin de venir me raconter qu'il l'aimait. S'il l'aimait, il ne me l'aurait sûrement pas dit. Il m'a mise en observation, tu comprends. Mais j'ai gagné d'avance puisque je me suffis.

— Je comprends », dis-je. Je rassemblai tout mon courage dans un grand sourire confiant.

— Le plus amusant, dit-elle gaiement, c'est qu'en même temps il était d'une coquetterie inimaginable : il ne veut pas que je lui pèse, mais si je cessais de l'aimer, je crois qu'il serait capable de me tuer. Tiens, il m'a parlé du Musée Grévin.

— A quel propos?

— Comme ça, à brûle-pourpoint. Il paraît qu'il y a un vague académicien — Mauriac ou Duhamel — qui va avoir sa statue au Musée Grévin; tu penses si Henri s'en balance. En vérité, c'était une allusion à ce fameux après-midi où il est tombé amoureux de moi. Il veut que je me souvienne.

— C'est compliqué, dis-je.

— Mais non, dit-elle. C'est naïf. D'ailleurs, il n'y a qu'une chose très simple à faire. Dans quatre jours, c'est la générale : je parlerai à Josette.

— Pour quoi lui dire? demandai-je avec inquiétude.

— Oh! tout et rien. Je veux faire sa conquête, dit Paule avec un rire léger. Elle se leva : « Tu ne veux vraiment pas venir à ce vernissage?

— Je n'ai pas le temps. »

Elle planta un béret noir sur sa tête, enfila des gants.

— Sincèrement : comment me trouves-tu?

Ce n'était plus en moi, c'était sur son visage que je déchiffrais mes répliques. Je répondis avec conviction : « Tu es parfaite! »

« — Nous nous verrons jeudi à la générale, dit-elle; tu viendras au souper?

— Bien sûr. »

Je suis descendue avec elle. Sa démarche aussi avait changé. Elle allait droit son chemin avec assurance, mais c'était une assurance de somnambule.

Trois jours avant la générale, j'ai assisté avec Robert à une répétition des *Survivants*. Tous les deux nous avons été saisis. Moi j'aime tous les livres d'Henri, ils me touchent personnellement; mais je reconnais que jamais encore il n'avait rien fait d'aussi bon. C'était neuf chez lui, cette violence verbale, ce lyrisme à la fois burlesque et noir. Et puis cette fois il n'y avait aucune distance entre l'intrigue et les idées : il suffisait d'être attentif à l'anecdote, et le sens de la pièce s'imposait à vous comme ce sens collait à une histoire singulière et convaincante il avait la richesse de la réalité. « Ça c'est du vrai théâtre! » disait Robert. J'espérais que tous les spectateurs allaient réagir comme nous. Seulement, ce drame qui tenait de la farce et de la tragédie avait un goût de viande crue qui risquait de les effaroucher. Quand le rideau s'est levé, le soir de la générale, je me suis sentie bien inquiète. La petite Josette manquait nettement de moyens, mais elle s'est bien tenue quand des gens ont commencé à chahuter. Après le premier acte, on a énormément applaudi. Et davantage encore à la fin, ç'a été un vrai triomphe. Décidément, dans la vie d'un écrivain qui n'est pas trop malchanceux, il y a de sérieux moments de joie; on doit être bien ému quand on apprend comme ça d'un seul coup qu'on a réussi son coup.

En entrant dans le restaurant, j'ai eu un grand élan de sympathie pour Henri; c'est si rare, la vraie simplicité! Autour de lui, tout sonnait faux, les sourires, les voix, les paroles, et lui, il était tout juste pareil à lui-même; il avait l'air heureux, un peu embarrassé, et j'aurais aimé lui dire un tas de choses gentilles; mais je n'aurais pas dû attendre: au bout de cinq minutes, j'avais déjà la gorge nouée. Il faut dire que j'ai joué de malheur; je suis tombée sur Lucie Belhomme au moment où elle disait à Volange en lui désignant deux jeunes actrices juives : « C'était pas des crématoires qu'ils avaient, les Allemands, c'était des couveuses! » Je connaissais la plaisanterie; mais jamais je ne l'avais entendue de mes oreilles : j'ai eu horreur à la fois de Lucie Belhomme et de moi-même. Et j'en ai voulu à Henri. Dans sa pièce, il disait de bien belles choses sur l'oubli : mais il était plutôt oublieux lui aussi. Vincent prétendait que la mère Belhomme avait été tondue et qu'elle ne l'avait pas volé. Et Volange : qu'est-ce qu'il faisait là? Je n'ai plus eu envie de féliciter Henri. Je crois qu'il a senti ma gêne. Je suis restée un petit moment à cause de Paule, mais j'étais si mal à mon aise que j'ai bu sans mesure : ça ne m'a guère aidée. Je me rappelais les mots que Lambert avait dits à Nadine. « De quel droit est-ce que je m'entête à me souvenir? me demandais-je. J'en ai fait moins que les autres, j'ai souffert moins que les autres : s'ils ont oublié, s'il faut oublier, je n'ai qu'à oublier moi aussi. » Mais c'est en vain que je me gourmandais : j'avais envie d'insulter quelqu'un ou de pleurer. Se réconcilier, pardonner! quels mots hypocrites. On oublie, c'est tout. Oublier les morts ce n'était pas encore assez. Maintenant, nous oublions les meurtres, nous oublions les meurtriers. Soit, je n'ai aucun droit : mais si des larmes me viennent aux yeux, ça ne regarde que moi.

Paule a parlé longuement avec Josette, ce soir-là; je n'ai pas su ce qu'elle lui a dit. Pendant les semaines qui ont suivi, il m'a semblé qu'elle m'évitait; elle sortait, elle écrivait, elle était affairée et importante. Je ne me suis guère inquiétée d'elle : j'étais trop occupée, par trop de choses. En rentrant à la maison un après-midi, j'ai trouvé Robert blanc de colère; c'était la première fois de ma vie que je le voyais hors de lui-même : il venait de se brouiller avec Henri. Il m'a raconté la scène en quelques phrases hachées et il m'a dit d'une voix coupante :

— N'essaie pas de l'excuser. Il est inexcusable.

Je n'ai pas essayé tout de suite, j'étais sans voix. Quinze ans d'amitié effacés en une heure! Henri ne s'assiérait plus dans ce fauteuil, nous n'entendrions plus sa voix gaie. Comme Robert allait être seul! Et Henri : quel vide dans sa vie! Non, ça ne pouvait pas être définitif. Je retrouvai la parole :

— C'est absurde, dis-je. Vous vous êtes montés tous les deux. Dans un cas pareil, vous pouviez donner politiquement tort à Henri sans lui retirer votre amitié. Je suis certaine qu'il est de bonne foi. Ce n'est pas si facile d'y voir clair. Je dois dire que si j'avais des décisions à prendre sous ma propre responsabilité, je serais salement embarrassée.

— Tu as l'air de croire que j'ai chassé Henri à coups de pied, dit Robert. Je ne demandais qu'à régler les choses à l'amiable. C'est lui qui est parti en claquant la porte.

— Êtes-vous sûr de ne pas l'avoir mis en demeure de vous céder ou de rompre? dis-je. Quand vous avez demandé que L'Espoir devienne le journal du S. R. L., il était convaincu qu'en cas de refus il aurait perdu votre amitié. Cette fois, comme il ne voulait pas céder, il a sans doute préféré en finir tout de suite.

— Tu n'as pas assisté à la scène, dit Robert. Dès le début, il a été d'une mauvaise volonté flagrante. Je ne dis pas qu'une conciliation était facile : mais on pouvait au moins essayer d'éviter un éclat. Au lieu de ça, il a récusé tous nos arguments, il a refusé de discuter avec le comité; il a été jusqu'à insinuer que j'étais secrètement inscrit au parti communiste. Veux-tu que je te dise : il l'a cherchée cette rupture.

— Quelle idée! dis-je.

Henri avait sûrement nourri de sérieuses rancunes contre Robert, mais il y avait longtemps de ça. Pourquoi se brouiller maintenant?

Robert regarda au loin d'un air dur : « Je le gêne, tu comprends.

— Non, je ne comprends pas, dis-je.

— Il est en train de filer un drôle de coton, dit Robert. Tu as vu le genre de gens qu'il fréquente? Nous sommes sa mauvaise conscience; il ne demande qu'à s'en débarrasser.

— Vous êtes injuste! dis-je. Moi aussi, j'étais dégoûtée, l'autre soir;
mais vous m'avez remontré vous-même que faire jouer une pièce
aujourd'hui, ça oblige nécessairement à certaines compromissions; et
chez Henri ça ne va pas bien loin. Il les fréquente à peine ces gens. Il
couche avec Josette : mais on peut être tranquille que ce n'est pas elle
qui l'influence.

— En soi, ce souper n'était pas grave, d'accord, dit Robert. Mais
c'est un signe. Henri est un type qui se préfère, et il veut pouvoir se
préférer en toute tranquillité, sans avoir de comptes à rendre à personne.

— Il se préfère? dis-je. Il passe son temps à faire des trucs qui l'emmerdent. Vous avez reconnu souvent qu'il était drôlement dévoué.

— Quand ça lui chante, oui. Mais le fait est que la politique l'emmerde. Il n'est sérieusement préoccupé que de lui-même. » Robert
m'interrompit d'un geste impatient : « C'est ça que je lui reproche le
plus : dans cette affaire, il n'a pensé qu'à ce que les gens diraient de lui.

— Ne me dites pas que l'existence des camps le laisse indifférent,
dis-je.

— Moi non plus, elle ne me laisse pas indifférent, ce n'est pas la
question », dit Robert. Il haussa les épaules : « Henri ne veut pas qu'on
l'accuse de se laisser intimider par les communistes; il préfère passer
effectivement dans le camp des anticommunistes. Dans ces conditions,
ça l'arrange d'être brouillé avec moi. Il pourra se modeler sans contrainte
une belle figure d'intellectuel au grand cœur, à laquelle toute la droite
applaudira.

— Ça n'intéresse pas Henri de plaire à la droite, dis-je.

— Il veut se plaire à lui-même, et ça l'entraînera fatalement à droite
parce qu'à gauche, les belles figures ne trouvent pas beaucoup d'ama-
teurs ». Robert levait la main vers le téléphone : « Je vais convoquer le
comité pour demain matin. »

Toute la soirée, Robert a ruminé d'un air méchant la lettre qu'il
voulait soumettre au comité. J'ai eu le cœur en deuil le matin où, en
dépliant *L'Espoir*, j'ai vu imprimées les deux lettres où ils échangeaient
Henri et lui des désaveux insultants. Nadine aussi a été consternée;
elle avait gardé beaucoup d'amitié pour Henri, et d'autre part elle ne
supporte pas qu'on attaque publiquement son père.

— C'est Lambert qui a poussé Henri, me dit-elle avec rage.

J'aurais bien voulu comprendre ce qui s'était passé dans la tête
d'Henri. Les interprétations de Robert étaient trop malveillantes. Ce
qui l'indignait le plus, c'est qu'Henri ne lui eût pas parlé avec confiance :
mais après tout, me dis-je, il lui a donné quelques raisons de se méfier.
Il me dirait que depuis le temps Henri aurait dû passer l'éponge? C'est
bien joli, mais le passé ne s'oublie pas à volonté! Et je sais par expérience
qu'on est facilement injuste avec les gens qu'on n'a pas l'habitude de
juger. Moi-même, sous prétexte que dans les petites choses Robert
a un peu vieilli, il m'est arrivé de douter de lui : je me rends compte
aujourd'hui que s'il a décidé de taire l'affaire des camps, c'est pour de
solides raisons, mais j'ai cru que c'était par faiblesse. Alors je comprends

Henri; lui aussi il a admiré Robert, aveuglément; bien qu'il connût
son impérialisme, il l'a toujours suivi, en tout, même quand ça l'obligeait
à vivre à contrecœur. L'affaire Trarieux a dû le marquer, justement à
cause de ça : puisque Robert avait pu le décevoir une fois. Henri a cru
qu'il était devenu capable de n'importe quoi.

Enfin, c'était inutile d'épiloguer là-dessus, on ne pouvait pas revenir
en arrière. La question qui se posait à présent c'était ce qu'allait devenir le S. R. L. Divisé, désorganisé, privé de journal, il était condamné
à s'effriter rapidement. Par l'intermédiaire de Lenoir, Lafaurie a suggéré
sa fusion avec des groupes paracommunistes. Robert a répondu qu'il
voulait attendre les élections avant de rien décider; mais je savais qu'il
ne marcherait pas. C'est vrai que la découverte des camps ne l'avait pas
laissé indifférent : il n'avait pas la moindre envie de se rapprocher des
communistes. Les membres du S. R. L. étaient libres de s'inscrire au
P. C., mais le mouvement comme tel cesserait tout simplement d'exister.

Lenoir fut le premier à s'inscrire. Il se félicitait que l'éclatement du
S. R. L. lui ait dessillé les yeux. Beaucoup d'autres le suivirent : c'est
fou le nombre de gens dont les yeux se sont dessillés en novembre, après
les succès communistes. La petite Marie-Ange est venue demander
à Robert une interview pour *L'Enclume*.

— Mais depuis quand êtes-vous communiste? dis-je.

— Depuis que j'ai compris qu'il fallait prendre parti, me répondit-
elle en me toisant d'un air de supériorité lassée.

Robert lui a refusé l'interview. Toutes ces conversions autour de lui
l'agaçaient. Et malgré sa rancune contre Henri, l'article de Lachaume
l'a écœuré. Quand Lenoir est revenu à la charge, il l'a écouté avec
impatience.

— C'est la plus belle réponse que les communistes pouvaient faire
à cette campagne immonde : le succès des élections, a dit Lenoir d'une
voix enthousiaste. Perron et sa clique n'ont pas réussi à déplacer une
seule voix. Il regarda Robert d'un air engageant : « A présent le S. R. L.
vous suivra comme un seul homme si vous lui proposez la fusion que
nous envisagions l'autre jour.

— Le S. R. L. est mort, dit Robert. Et moi je ne fais plus de politique.

— Allons donc », dit Lenoir. Il sourit : « Les membres du S. R. L.
sont encore vivants; il suffira d'un mot d'ordre venant de vous pour les
rallier.

— Je n'ai pas l'intention de le dire, dit Robert. Je n'étais déjà pas
d'accord avec les communistes avant l'affaire des camps, ce n'est pas
maintenant que je vais me jeter dans leurs bras.

— Les camps : mais, voyons, vous avez refusé de participer à cette
mystification, dit Lenoir.

— J'ai refusé de parler des camps, mais pas de croire à leur existence,
dit Robert. A priori, il faut toujours croire au pire, c'est ça le vrai
réalisme. »

Lenoir fronça les sourcils : « Il faut savoir envisager le pire, et passer outre, d'accord, dit-il. Mais alors, reprochez tout ce que vous voulez aux communistes : ça ne doit pas vous empêcher de marcher avec eux.

— Non, répéta Robert. La politique et moi, c'est fini. Je rentre dans mon trou. »

Je savais bien que le S. R. L. n'existait plus et que Robert n'avait aucun projet neuf; j'ai tout de même eu un petit choc en l'entendant déclarer qu'il rentrait définitivement dans son trou. Dès que Lenoir fut parti, je demandai :

— Vous en avez vraiment fini avec la politique?

Robert sourit : « J'ai l'impression que c'est elle qui en a fini avec moi. Qu'est-ce que je peux faire?

— Je suis sûre que si vous cherchiez, vous trouveriez, dis-je.

— Non, dit-il. Il y a une chose dont je commence à être convaincu : aujourd'hui une minorité n'a plus ses chances. » Il haussa les épaules : « Je ne veux ni travailler avec les communistes ni contre eux. Alors?

— Alors, consacrez-vous à la littérature, dis-je gaiement.

— Oui, dit Robert sans enthousiasme.

— Vous pourrez toujours écrire des articles dans *Vigilance*.

— A l'occasion j'en écrirai. Mais décidément ce qu'on écrit ne pèse pas lourd. C'est vrai ce que disait Lenoir, les articles d'Henri n'ont eu aucune influence sur les élections.

— Lenoir a l'air de croire qu'Henri en est désolé, dis-je. Mais c'est très injuste : d'après ce que vous m'avez dit vous-même, il ne le souhaitait pas.

— Je ne sais pas ce qu'il souhaitait, dit Robert d'une voix rogue. Je ne suis pas sûr qu'il l'ait su lui-même.

— En tout cas, dis-je vivement, vous reconnaîtrez que *L'Espoir* ne donne pas dans l'anticommunisme.

— Jusqu'ici, non, dit Robert. Il faut attendre la suite. »

Ça m'irritait de penser que Robert et Henri s'étaient brouillés à propos d'une histoire qui finissait en queue de poisson. Il n'était pas question qu'ils se réconcilient, mais visiblement Robert se sentait très seul. Ce n'était pas un joyeux hiver. Les lettres que je recevais de Lewis étaient gaies, mais elles ne me réconfortaient pas. Il neigeait à Chicago, des gens patinaient sur le lac, Lewis passait des jours sans sortir de sa chambre, il se racontait des histoires : il se racontait qu'au mois de mai nous descendrions le Mississippi en bateau, que nous dormirions ensemble dans une cabine, bercés par le bruit de l'eau; il avait l'air d'y croire; sans doute, de Chicago le Mississippi ne semblait pas si loin. Mais je savais que pour moi cette journée froide et grise qui recommençait à chaque réveil recommencerait sans fin. « Jamais nous ne nous rejoindrons, pensais-je; il n'y aura pas de printemps. »

C'est par un de ces soirs sans avenir que j'ai entendu au téléphone la voix de Paule; elle parlait d'un ton impérieux :

— Anne! c'est bien toi? viens tout de suite, j'ai besoin de te parler, c'est urgent.

— Je suis désolée, dis-je. J'ai du monde à dîner : je passerai demain matin.

— Tu ne comprends pas : il m'arrive quelque chose de terrible et il n'y a que toi qui puisses m'aider.

— Tu ne peux pas faire un saut ici?

Il y eut un silence : « Qui as-tu à dîner?

— Les Pelletier et les Cange.

— Henri n'est pas là?

— Non.

— Tu es sûre?

— Évidemment j'en suis sûre.

— Alors je viens. Mais ne le leur dis surtout pas. »

Une demi-heure plus tard, elle a sonné et je l'ai fait entrer dans ma chambre; un foulard sombre cachait ses cheveux; la poudre dont elle s'était aspergée ne camouflait pas son nez gonflé. Son haleine avait une lourde odeur de menthe et de vinasse. Paule avait été si belle que je n'avais jamais imaginé qu'elle pût cesser tout à fait de l'être : il y avait quelque chose dans son visage qui résisterait à tout; et soudain ça se voyait; il était fait comme les autres d'une chair spongieuse : plus de 80 % d'eau. Elle arracha son foulard et s'affala sur le divan : « Regarde ce que je viens de recevoir. »

C'était une lettre d'Henri, quelques lignes d'une écriture nette sur une petite feuille blanche : « Paule. Nous ne nous faisons que du mal. Il vaut mieux cesser tout à fait de nous voir. Essaie de ne plus penser à moi. Je souhaite qu'un jour nous puissions devenir des amis. Henri. »

— Y comprends-tu quelque chose? dit-elle.

— Il n'a pas osé te parler, dis-je. Il a préféré t'envoyer une lettre.

— Mais qu'est-ce qu'elle signifie?

— Ça me semble clair.

— Tu as de la chance.

Elle me regarda d'un air interrogateur et je finis par murmurer :

— C'est une lettre de rupture.

— De rupture? Tu as déjà vu des lettres de rupture écrites comme ça?

— Elle n'a rien d'extraordinaire.

Elle haussa les épaules : « Allons donc! et d'abord qu'y a-t-il à rompre entre nous? puisqu'il accepte l'idée d'amitié et que je ne souhaite rien d'autre.

— Es-tu sûre de ne pas lui avoir dit que tu l'aimais?

— Je l'aime hors de ce monde : en quoi cela gêne-t-il notre amitié? Et d'ailleurs il l'exige, cet amour, dit-elle d'une voix violente qui soudain me rappela la voix de Nadine. Cette lettre est d'une hypocrisie révoltante! Enfin, relis-la : *Essaie* de ne plus penser à moi. Pourquoi ne dit-il pas simplement : Ne pense plus à moi? Il se trahit, il veut que je me torture à essayer, mais non pas que je réussisse. Et au même moment, au lieu de m'appeler banalement : chère Paule, il écrit « Paule ». Sa voix fléchit en prononçant son nom.

— Il a craint que le *chère* ne te semble hypocrite.

— Pas du tout. Tu sais bien qu'en amour, aux moments les plus bouleversants, on ne dit que le nom tout nu. Il a voulu me faire entendre sa voix d'alcôve, comprends-tu?

— Mais pourquoi? dis-je.

— C'est ce que je viens te demander », dit-elle en me regardant d'un air accusateur; elle détourna les yeux : « Nous ne *nous* faisons que du mal. C'est un comble! il prétend que je le tourmente!

— Je suppose qu'il souffre de te faire souffrir.

— Et il s'imagine que cette lettre me sera agréable? Allons! allons! il n'est pas si stupide. »

Il y eut un silence et je demandai : « Qu'est-ce que tu supposes?

— Je n'y vois pas clair, dit-elle. Pas clair du tout. Je ne supposais pas qu'il pût être si sadique. » Elle passa ses mains sur ses joues d'un air épuisé. « Il me semblait que j'avais presque gagné; il était redevenu confiant, amical; plus d'une fois j'ai senti qu'il était prêt à me dire que l'épreuve était finie. Et puis l'autre jour, j'ai dû faire une fausse manœuvre.

— Qu'est-ce qui s'est passé?

— Les journalistes avaient annoncé son mariage avec Josette. Naturellement je n'y ai pas cru une minute. Comment pouvait-il épouser Josette puisque c'est moi qui suis sa femme? ça faisait partie de l'épreuve, je l'ai compris tout de suite. Il est venu m'avouer que c'était un mensonge.

— Oui?

— Puisque je te le dis! est-ce que tu te méfies de moi toi aussi?

— J'ai dit « oui »; ça n'était pas une question.

— Tu as dit : Oui? Enfin passons. Il est venu. J'ai essayé de lui expliquer qu'il pouvait mettre fin à cette comédie; que rien de ce qui lui arrive en ce monde ne peut désormais m'atteindre, que je l'aime dans un total renoncement. Je ne sais si j'ai été maladroite ou si c'est lui qui est fou. A chaque mot que je disais, il en entendait un autre : c'était horrible.... »

Il y eut un long silence et je demandai avec prudence : « Mais que penses-tu qu'il veuille au juste de toi? »

Elle me dévisagea avec soupçon :

— Enfin, dit-elle, quel jeu joues-tu?

— Je ne joue aucun jeu.

— Tu me poses des questions stupides.

Après un nouveau silence elle reprit : « Tu sais parfaitement ce qu'il veut. Il veut que je lui donne tout sans rien lui demander, c'est simple. Ce que je ne sais pas, c'est s'il a écrit cette lettre parce qu'il croit que j'exige encore son amour, ou parce qu'il craint que je ne lui refuse le mien. Au premier cas, c'est la comédie qui continue. Au second...

— Au second?

— C'est une vengeance », dit-elle sombrement. De nouveau son regard se posa sur moi, hésitant, méfiant et cependant impérieux. « Il faut que tu m'aides.

— Comment?

— Il faut que tu parles à Henri et que tu le convainques.

— Mais Paule, tu sais bien que Robert et moi nous venons de nous brouiller avec Henri.

— Je sais, dit-elle vaguement. Mais tu le vois quand même.

— Bien sûr que non. »

Elle hésita. « Admettons. En tout cas, tu peux le voir : il ne te jettera pas en bas de l'escalier.

— Il pensera que c'est toi qui m'envoies et ce que je dirai n'aura aucun poids.

— Est-ce que tu es mon amie?

— Évidemment! »

Elle me jeta un regard de vaincue et, soudain, son visage se détendit et elle fondit en larmes. « Je doute de tout, dit-elle.

— Paule, je suis ton amie, dis-je.

— Alors va lui parler, dit-elle. Dis-lui que je suis à bout, que c'est assez : j'ai pu avoir des torts. Mais voilà trop longtemps qu'il me torture. Dis-lui de cesser!

— Supposons que je fasse cette démarche, dis-je. Quand je te rapporterai ce que m'aura dit Henri, me croiras-tu? »

Elle se leva, essuya ses yeux, rajusta son foulard.

— Je te croirai si tu me dis la vérité, dit-elle en marchant vers la porte.

Je savais qu'il était parfaitement inutile de parler à Henri; quant à Paule toute conversation amicale serait désormais vaine; il aurait fallu la coucher sur mon divan et la mettre à la question; heureusement que ça ne nous est pas permis de traiter quelqu'un que nous connaissons intimement : j'aurais eu l'impression de commettre un abus de confiance. Je fus lâchement soulagée qu'elle refusât de décrocher le téléphone et qu'elle répondît à mes deux lettres par un mot laconique : « Excuse-moi. J'ai besoin de solitude. Je te ferai signe au jour voulu. »

L'hiver continua à se traîner. Nadine était très instable depuis sa rupture avec Lambert; à part Vincent elle ne voyait plus personne. Elle ne faisait plus de journalisme, elle se bornait à s'occuper de *Vigilance*. Robert lisait énormément, il m'emmenait souvent au cinéma et il passait des heures à écouter de la musique : il s'était mis à acheter des disques avec emportement. Quand il développe comme ça une nouvelle manie, ça veut dire que son travail ne va pas.

Un matin, pendant que nous prenions notre petit déjeuner tout en feuilletant les journaux, je tombai sur un article de Lenoir; c'était la première fois qu'il écrivait dans un journal communiste et il en avait mis un sérieux coup; tous ses anciens amis, il les exécutait dans les règles; Robert était le moins maltraité; en revanche il se déchaînait contre Henri.

— Regardez ça, dis-je.

Robert lut, et rejeta le journal : « Il faut avouer qu'Henri a bien du mérite à ne pas devenir anticommuniste.

— Je vous avais dit qu'il tiendrait le coup!

— Il doit y avoir du tirage au journal, dit Robert. On sent bien d'après les papiers de Samazelle qu'il ne demanderait qu'à filer à droite; Trarieux aussi, évidemment; et Lambert est plus que douteux.

— Oh! Henri n'est pas dans de beaux draps! » dis-je. Je souris : « Au fond, c'est à peu près la même situation que vous : tous les deux vous êtes mal avec tout le monde.

— Ça doit le gêner plus que moi », dit Robert.

Il y avait presque de la bienveillance dans sa voix; j'eus l'impression que sa rancune contre Henri commençait à se dissiper.

— Je n'arriverai jamais à comprendre pourquoi il s'est brouillé avec vous de cette façon, dis-je. Je suis sûre qu'aujourd'hui il s'en mord les doigts.

— J'y ai repensé souvent, dit Robert. Au début je lui reprochais de s'être trop soucié de lui-même, dans cette affaire. Maintenant je me dis qu'il n'avait pas tellement tort. Au fond nous avions à décider ce que peut et doit être le rôle d'un intellectuel, aujourd'hui. Se taire, c'était choisir une solution bien pessimiste : à son âge, c'est naturel qu'il ait renâclé.

— Le paradoxe, c'est qu'Henri tenait beaucoup moins que vous à jouer un rôle politique, dis-je.

— Il a peut-être compris que d'autres choses étaient en question, dit Robert.

— Quoi donc?

Robert hésita : « Tu veux le fond de ma pensée?

— Évidemment.

— Un intellectuel n'a plus aucun rôle à jouer.

— Comment ça? Il peut tout de même écrire, non?

— Oh! on peut s'amuser à enfiler des mots, comme on enfile des perles, en prenant bien garde à ne rien dire. Mais même comme ça, c'est dangereux.

— Voyons, dis-je, dans votre livre vous défendez la littérature.

— J'espère que ce que j'en ai dit redeviendra vrai un jour, dit Robert; pour l'instant, je crois bien que le mieux que nous ayons à faire, c'est de nous faire oublier.

— Vous n'allez tout de même pas cesser d'écrire? demandai-je.

— Si. Quand j'aurai fini cet essai, je n'écrirai plus.

— Mais pourquoi?

— Pourquoi est-ce que j'écris? dit Robert. Parce que l'homme ne vit pas seulement de pain et que je crois à la nécessité de ce superflu. J'écris pour sauver tout ce que l'action néglige : les vérités du moment, l'individuel, l'immédiat. Je pensais jusqu'ici que ce travail s'intégrait à celui de la révolution. Mais non : il le gêne. À l'heure qu'il est, toute littérature qui vise à donner aux hommes autre chose que du pain, on l'exploite pour démontrer qu'ils peuvent très bien se passer de pain.

— Vous avez toujours évité ce malentendu, dis-je.

— Mais les choses ont changé, dit Robert. Tu comprends, reprit-il,

aujourd'hui la révolution est aux mains des communistes et d'eux seuls;
les valeurs que nous défendions n'y ont plus leur place; on les retrouvera peut-être, souhaitons-le; mais si nous nous entêtons à les maintenir, en ce moment, nous servons la contre-révolution.

— Non, je ne veux pas croire ça, dis-je. Le goût de la vérité, le respect des individus, ce n'est sûrement pas nocif.

— Quand j'ai refusé de parler des camps de travail, c'est que la
vérité m'a paru nocive, dit Robert.

— C'était un cas particulier.

— Un cas particulier semblable à des centaines d'autres. Non, dit-
il. On dit la vérité ou on ne la dit pas. Si on n'est pas décidé à la dire
toujours, il ne faut pas s'en mêler : le mieux, c'est de se taire. »

Je dévisageai Robert : « Vous savez ce que je crois? Vous continuez
à penser qu'il fallait garder le silence sur les camps russes, mais tout
de même ça vous a coûté. Et les sacrifices, là-dessus vous êtes comme
moi : nous n'aimons pas ça, ça nous donne des remords. C'est pour vous
punir que vous renoncez à écrire. »

Robert sourit : « Disons plutôt qu'en sacrifiant certaines choses — en
gros, ce que tu appelais mes devoirs d'intellectuel — j'ai pris conscience de leur vanité. Tu te rappelles le réveillon de 44? ajouta-t-il.
On disait qu'il viendrait peut-être un moment où la littérature perdrait ses droits. Eh bien, nous y voilà! Ce ne sont pas les lecteurs qui
manquent. Mais les livres que je pourrais leur offrir seraient ou nui-
sibles, ou insignifiants. »

J'hésitai : « Il y a quelque chose qui cloche là-dedans.

— Quoi donc?

— Si les vieilles valeurs vous paraissaient si vaines, vous marche-
riez avec les communistes. »

Robert hocha la tête : « Tu as raison; quelque chose cloche. Je vais
te dire quoi : je suis trop vieux.

— Qu'est-ce que votre âge a à voir là-dedans?

— Je me rends bien compte que beaucoup des choses auxquelles
j'ai tenu ne sont plus de mise; je suis amené à vouloir un avenir très
différent de celui que j'imaginais; seulement je ne peux pas me changer : alors cet avenir je n'y vois pas de place pour moi.

— Autrement dit, vous souhaitez le triomphe du communisme, tout
en sachant que vous ne pourriez pas vivre dans un monde communiste?

— C'est à peu près ça. Je t'en reparlerai, ajouta-t-il. Je vais écrire
là-dessus : ça sera la conclusion de mon livre.

— Et alors, quand le livre sera fini, qu'est-ce que vous ferez? dis-
je.

— Je ferai comme tout le monde. Il y a deux milliards et demi
d'hommes qui n'écrivent pas. »

Je n'ai pas voulu trop m'inquiéter. Robert avait à liquider l'échec
du S. R. L., il était en crise, il se reprendrait. Mais j'avoue que je
n'aimais pas cette idée : faire comme tout le monde. Manger pour

vivre, vivre pour manger, ç'avait été le cauchemar de mon adolescence. S'il fallait en revenir là, autant ouvrir le gaz tout de suite.
Mais je suppose que tout le monde pense aussi ces choses-là : ouvrons
le gaz tout de suite; et on ne l'ouvre pas.

Je me suis sentie plutôt déprimée, les jours suivants et je n'avais
envie de voir personne. J'ai été bien étonnée quand un matin un livreur
m'a mis dans les bras un énorme bouquet de roses rouges. Épinglée
au papier transparent, il y avait une petite lettre de Paule :

« Lux! le malentendu est dissipé! Je suis heureuse et je t'envoie
des roses. A cet après-midi, chez moi. »

Je dis à Robert : « Ça ne va pas mieux.

— Il n'y a aucun malentendu?

— Aucun. »

Il me répéta ce qu'il m'avait dit déjà plusieurs fois :

— Tu devrais la conduire chez Mardrus.

— Ça ne sera pas facile de la décider.

Je n'étais pas son médecin; mais je n'étais plus son amie tandis que
je montais son escalier avec des mensonges au bout de mes lèvres, et
un regard professionnel tapi au fond de mes yeux. Le sourire que
j'amorçai en frappant à sa porte me semblait une trahison, et j'en fus
d'autant plus honteuse qu'en m'accueillant Paule fit un geste inha-
bituel : elle m'embrassa. Elle portait une de ses longues robes sans
âge, elle avait piqué une rose rouge dans ses cheveux dénoués, une
autre sur son cœur; le studio était plein de fleurs.

— Comme tu es gentille d'être venue! dit Paule. Tu es toujours si
gentille. Je ne le mérite vraiment pas : j'ai été infecte avec toi. J'avais
tout à fait perdu pied, ajouta-t-elle sur un ton d'excuse.

— C'est à moi de te remercier : tu m'as envoyé des roses somp-
tueuses.

— Ah! c'est un grand jour! dit Paule. J'ai tenu à ce que tu sois de
la fête. Elle me sourit d'un air heureux : « J'attends Henri d'une
minute à l'autre : tout recommence. »

Tout recommençait? J'en doutais beaucoup; je supposais plutôt
qu'Henri s'était décidé à cette visite par charité. En tout cas, je ne voulais pas le rencontrer. Je fis un pas vers la porte :

— Je t'ai dit que nous étions brouillés avec Henri. Il sera furieux
de me trouver là. Je reviendrai demain.

— Je t'en prie! dit-elle.

Il y avait une telle panique dans ses yeux que je jetai mon sac et mes
gants sur le divan. Tant pis, je restais. Paule marcha vers la cuisine
à grands pas soyeux et revint en portant sur un plateau deux coupes et
une bouteille de champagne. « Nous allons boire à l'avenir. »

Le bouchon sauta, et nos coupes s'entrechoquèrent.

— Qu'est-ce qui s'est passé? demandai-je.

— Il faut que je sois vraiment stupide, dit Paule gaiement. Depuis
si longtemps, j'ai tous les indices en main. Et c'est seulement cette
nuit que le puzzle s'est reconstitué. Je ne dormais pas mais j'avais

fermé les yeux et soudain j'ai vu, aussi clairement que sur la carte postale, le grand bassin du château de Belzunce. Dès l'aube j'ai envoyé un pneumatique à Henri.

Je la regardai avec inquiétude; oui, j'avais bien fait de rester; ça n'allait pas mieux, ça n'allait pas du tout.

— Tu ne comprends pas? C'est bête comme un vaudeville! dit Paule. Henri est jaloux. Elle rit avec une vraie gaieté. « Ça semble inconcevable, n'est-ce pas?

— Plutôt.

— Eh bien, c'est la vérité. Il s'amuse sadiquement à me torturer et maintenant je sais pourquoi. » Elle assujettit dans ses cheveux la rose rouge : « Quand il m'a déclaré brusquement que nous ne devions plus coucher ensemble, j'ai cru que c'était par délicatesse morale; je me trompais complètement : en fait il s'est imaginé que j'étais devenue froide et ça l'a horriblement blessé dans son amour-propre; je n'ai pas protesté avec assez de conviction ce qui l'a irrité encore davantage. Là-dessus, j'ai commencé à sortir, à m'habiller, et il s'en est agacé. Je lui ai dit au revoir gaiement, beaucoup trop gaiement pour son goût. Et une fois en Bourgogne, j'ai accumulé des gaffes monumentales. Je te jure que je ne l'ai pas fait exprès. »

A cet instant, on frappa doucement à la porte. Paule me regarda avec un tel visage que je me levai pour aller ouvrir. C'était une femme qui tenait à la main un panier.

— Pardon, excuse, dit-elle, je ne trouve pas la concierge. C'est pour couper un chat.

— La clinique est au rez-de-chaussée, dis-je, la porte à gauche.

Je refermai la porte et mon rire se figea quand je rencontrai le regard égaré de Paule.

— Qu'est-ce que ça signifie? dit-elle.

— Que la concierge n'était pas là, dis-je gaiement, ça lui arrive.

— Mais pourquoi est-ce ici qu'on a frappé?

— C'est un hasard : il fallait bien frapper quelque part.

— Un hasard? dit Paule.

Je souris d'un air engageant : « Tu me parlais de tes vacances. Qu'as-tu donc fait pour blesser Henri?

— Ah! oui. Il n'y avait plus aucune animation dans sa voix. Eh bien, je lui ai envoyé une première carte postale. Je lui parlais de mes occupations et j'ai écrit cette phrase malheureuse : Je fais de longues promenades dans ce pays qui dit-on me ressemble. Évidemment, il a tout de suite pensé que j'avais un amant.

— Je ne vois pas...

— On, dit-elle avec impatience. Le on était suspect. Quand on compare une femme à un paysage, c'est généralement qu'on est son amant. Et là-dessus, je lui expédie à Venise une autre carte qui représente le parc de Belzunce avec un bassin au milieu.

— Et alors?

— Tu m'as appris toi-même que les fontaines, les vasques, les bassins c'est un symbole psychanalytique. Henri a compris que je lui jetais au visage : j'ai pris un amant! Il a dû savoir que Louis Volange était là-bas : tu n'as pas remarqué, au souper de la générale, de quel regard il me foudroyait quand je parlais avec Volange? C'est clair comme deux et deux font quatre. A partir de là tout s'enchaîne.

— C'est ça ce que tu lui as dit dans ton pneumatique?

— Oui. Maintenant il sait tout.

— Il t'a répondu?

— Pour quoi faire? Il va venir, il sait bien que je l'attends. »

Je gardai le silence. Au fond d'elle-même, Paule savait qu'il ne viendrait pas : c'est pour ça qu'elle m'avait suppliée de rester; à un certain moment, il lui faudrait s'avouer qu'il n'était pas venu et alors elle s'effondrerait. Mon seul espoir c'est qu'Henri ait compris qu'elle était en train de devenir folle et qu'il passât la voir par pitié. En attendant, je ne trouvais rien à dire; elle regardait la porte avec une fixité qui m'était insupportable; l'odeur des roses me semblait une odeur mortuaire.

— Tu travailles toujours? demandais-je.

— Oui.

— Tu m'avais promis de me montrer quelque chose, dis-je, frappée d'une inspiration subite. Et puis tu ne l'as jamais fait.

— Ça t'intéresse vraiment?

— Bien sûr.

Elle marcha vers son bureau et en sortit une liasse de papiers bleus couverts d'une écriture ronde; elle la posa sur mes genoux; elle avait toujours fait des fautes d'orthographe, mais jamais en aussi grand nombre; je parcourus un feuillet; ça me donnait une contenance, mais Paule continuait à regarder la porte.

— Je te lis très mal, dis-je. Ça t'ennuierait de lire à haute voix?

— Comme tu voudras, dit Paule.

J'allumai une cigarette. Du moins pendant qu'elle lisait, je savais quels sons se formaient dans sa gorge. Je ne m'attendais pas à grand-chose, mais j'ai tout de même été surprise : c'était atterrant. Au milieu d'une phrase, on a sonné en bas. Paule se leva : « Tu vois! » dit-elle d'un ton triomphant. Elle pressa le bouton qui commande l'ouverture de la porte. Elle resta debout, avec sur son visage une expression d'extase.

— Pneumatique.

— Merci.

L'homme referma la porte et elle me tendit le papier bleu : « Ouvre-le. Lis-le-moi. »

Elle s'était assise sur le divan; ses pommettes et ses lèvres étaient devenues violettes.

« Paule. Il n'y a jamais eu aucun malentendu. Nous serons amis quand tu auras accepté que notre amour soit mort. En attendant ne m'écris plus. A plus tard. »

Elle s'abattit de tout son long avec tant de violence que sur la cheminée une rose s'effeuilla. « Je ne comprends pas, gémit-elle. Je ne comprends plus rien. » Elle sanglotait, le visage caché dans les coussins, et je lui jetais des mots dépourvus de sens seulement pour entendre le ronron de ma voix. « Tu guériras, il faut guérir. L'amour n'est pas tout... » Sachant bien qu'à sa place je ne voudrais jamais guérir et enterrer mon amour avec mes propres mains.

Je revenais de Saint-Martin où j'avais passé le week-end quand j'ai reçu son pneumatique : « Le dîner a lieu demain à huit heures. » Je décrochai le téléphone. La voix de Paule me parut glacée.

— Ah! c'est toi? de quoi s'agit-il?

— Je voulais tout juste te dire que c'est entendu pour demain soir.

— Naturellement, c'est entendu, dit-elle; et elle raccrocha.

Je m'attendais à une soirée difficile et pourtant quand Paule m'ouvrit la porte, j'eus un choc; jamais je n'avais vu son visage sans maquillage; elle portait une vieille jupe, un vieux pull-over gris, ses cheveux étaient tirés en arrière en un chignon ingrat; sur la table, à laquelle elle avait ajouté des rallonges et qui s'étirait d'un mur à l'autre du studio, elle avait disposé douze assiettes et autant de verres. En me tendant la main, elle m'adressa en grimaçant :

— Tu viens m'offrir tes condoléances ou tes félicitations?

— A quel propos?

— Ma rupture avec mon amant.

Je ne répondis pas et elle demanda en désignant par-dessus mon épaule le corridor désert :

— Où sont-ils?

— Qui?

— Les autres?

— Quels autres?

— Ah! je croyais que vous étiez bien plus nombreux, dit-elle d'une voix incertaine en refermant la porte. Elle jeta un coup d'œil vers la table : « Qu'est-ce que tu veux manger?

— N'importe quoi. Ce que tu as.

— C'est que je n'ai rien, dit-elle, sauf peut-être des nouilles?

— De toute façon, je n'ai pas faim, dis-je avec empressement.

— Je peux t'offrir des nouilles sans ruiner personne, dit-elle d'une voix insinuante.

— Non vraiment; ça m'arrive souvent de ne pas dîner. »

Je m'assis, je n'arrivais pas à détacher mon regard de cette table de banquet. Paule s'était assise elle aussi, elle me dévisageait en silence. Déjà j'avais vu dans ses yeux du reproche, du soupçon, de l'impatience, mais aujourd'hui on ne pouvait pas s'y tromper : noire, froide, dure, c'était la haine. Je me forçai à parler :

— Qui attendais-tu? dis-je.

— Je vous attendais tous! Elle haussa les épaules : « J'ai dû oublier d'envoyer les invitations.

— Tous : qui veux-tu dire? demandai-je.

— Tu sais bien, dit-elle. Toi, Henri, Volange, Claudie, Lucie, Robert, Nadine : toute la coalition.

— Une coalition?

— Ne fais pas l'innocente, dit-elle d'une voix dure. Vous vous êtes tous coalisés. La question que je voulais vous poser ce soir, c'est celle-ci : à quelle fin avez-vous agi? Si c'est pour mon bien, je vous remercierai et je partirai en Afrique soigner les lépreux. Sinon, il ne me reste qu'à me venger. » Elle me regarda fixement : « J'aurai à me venger d'abord de ceux qui m'ont été les plus chers. Il faut donc que je ne me décide qu'à coup sûr. » Il y avait dans sa voix une passion si sombre que je regardais à la dérobée le sac qu'elle avait posé sur ses genoux et dont elle manœuvrait nerveusement la fermeture éclair. Soudain, tout était devenu possible. Ce studio rouge, quel beau décor pour un meurtre! Je décidai de contre-attaquer :

— Écoute Paule, tu as l'air drôlement fatigué ces temps-ci. Tu donnes un dîner, et tu oublies d'inviter les gens, tu oublies de préparer le repas. Maintenant te voilà en train de construire un délire de persécution. Il faut que tu ailles voir tout de suite un médecin. Je vais te prendre un rendez-vous avec Mardrus.

Un instant elle parut décontenancée : « J'ai des maux de tête, dit-elle, mais c'est secondaire. Il faut d'abord que je tire les choses au clair. » Elle réfléchit : « Je sais que j'ai un tempérament d'interprétante. Mais un fait est un fait.

— Où sont les faits?

— Pourquoi Claudie a-t-elle posté sa dernière lettre rue Singer? pourquoi y avait-il un singe qui me faisait des grimaces dans la maison d'en face? pourquoi lorsque j'ai dit que je ne savais pas tenir un salon m'as-tu répondu : Au contraire? Vous m'accusez d'avoir singé Henri en essayant d'écrire, d'avoir singé Claudie, ses toilettes, sa vie mondaine. Vous me reprochez d'avoir accepté l'argent d'Henri et d'avoir nargué les pauvres. Vous vous êtes liguées pour me convaincre de mon abjection. » De nouveau elle fixa sur moi un regard menaçant : « Était-ce pour me sauver, ou pour me détruire?

— Ce que tu appelles des faits, ce sont des hasards qui ne signifient rien, dis-je.

— Allons, allons, ce ne sont pas des nuages qui se rencontrent! Ne nie pas, ajouta-t-elle avec impatience. Réponds-moi franchement, ou nous n'en sortirons jamais.

— Personne n'a jamais pensé à te détruire, dis-je. Écoute, pourquoi est-ce que je te voudrais du mal? Nous sommes amies.

— C'est ce que je me disais autrefois, dit Paule. Dès que je vous revoyais, je cessais de croire à mes soupçons; c'était comme un envoûtement. » Elle se leva brusquement et sa voix changea : « Je te reçois très mal, dit-elle. Je dois bien avoir un reste de porto quelque part. »

Elle alla chercher le porto, remplit deux verres et grimaça un sourire : « Comment va Nadine ?

— Comme ci comme ça. Depuis sa rupture avec Lambert elle est plutôt abattue.

— Avec qui couche-t-elle ?

— Je crois bien qu'en ce moment elle n'a personne.

— Nadine ? Avoue que c'est bizarre, dit Paule.

— Pas tant que ça.

— Elle sort souvent avec Henri ?

— Je t'ai dit que nous étions brouillés, dis-je.

— Ah ! j'oubliais cette histoire de brouille ! » dit Paule avec une espèce de rire. Le rire s'arrêta : « Je ne suis pas dupe, tu sais.

— Voyons : tu as lu les lettres d'Henri et de Robert dans *L'Espoir*.

— Je les ai lues dans le numéro de *L'Espoir* que j'ai eu en main, oui. » Je la dévisageai : « Tu veux dire que ce numéro a été fabriqué exprès ?

— Évidemment ! » dit Paule. Elle haussa les épaules : « Pour Henri, c'était un jeu d'enfant. »

Je gardai le silence ; ça n'aurait eu aucun sens de discuter. Elle attaqua de nouveau :

— Ainsi selon toi, Nadine ne voit plus Henri ?

— Non.

— Elle ne l'a jamais aimé, n'est-ce pas ?

— Jamais.

— Pourquoi est-elle partie avec lui au Portugal ?

— Tu sais bien : ça l'amusait d'avoir une histoire avec lui, et surtout elle avait envie de voyager.

J'avais l'impression de subir un interrogatoire de police ; d'un instant à l'autre on allait me sauter dessus et me passer à tabac.

— Et tu l'as laissée partir comme ça, dit Paule.

— Depuis la mort de Diégo, je l'ai toujours laissée libre.

— Tu es une drôle de femme, dit Paule. On parle trop de moi, et pas assez de toi. Elle remplit de nouveau mon verre : « Finis donc ce porto.

— Merci. »

Je ne voyais pas où elle voulait en venir, mais j'étais de plus en plus mal à l'aise. Qu'avait-elle au juste contre moi ?

— Voilà bien longtemps que tu ne couches plus avec Robert, n'est-ce pas ? dit-elle.

— Très longtemps.

— Et tu n'as jamais eu d'amants ?

— Ça m'est arrivé... des histoires sans importance.

— Des histoires sans importance, répéta Paule lentement. Et tu en as une en ce moment, une histoire sans importance ?

Je ne sais trop pourquoi je me suis sentie obligée de répondre, comme si j'espérais que la vérité aurait le pouvoir de désarmer sa folie : « J'ai une histoire très importante en Amérique, dis-je. Avec un écrivain, il s'appelle Lewis Brogan... »

J'étais prête à tout lui raconter mais elle m'arrêta : « Oh ! l'Amérique, c'est loin, dit-elle. Je veux dire en France.

— J'aime cet Américain, dis-je. Je retournerai le voir en mai. Il n'est pas question d'avoir une autre histoire.

— Et qu'en dit Henri ? demanda Paule.

— Qu'est-ce qu'Henri vient faire là-dedans ? »

Paule se leva : « Allons ! cessons ce jeu, dit-elle. Tu sais très bien que je sais que tu couches avec Henri. Ce que je veux, c'est que tu me dises quand ça a commencé.

— Voyons, dis-je, c'est Nadine qui a couché avec Henri. Pas moi.

— Tu l'as jetée dans les bras d'Henri pour le retenir. J'ai compris ça depuis longtemps, dit Paule. Tu es très forte, mais tu as tout de même fait des fautes. »

Paule avait pris son sac, elle continuait à jouer avec la fermeture éclair et je ne pouvais plus détacher mon regard de ses mains. Je me levai aussi.

— Si tu penses ça, il vaut mieux que je m'en aille, dis-je.

— J'ai deviné la vérité cette nuit de mai 45 où vous avez prétendu vous être perdus dans la foule, dit Paule. Et puis je me suis dit que je délirais : quelle idiote j'ai été !

— Tu délirais, dis-je. Tu délires.

Paule s'adossa à la porte : « Finissons-en, dit-elle. Avez-vous monté cette comédie pour vous débarrasser de moi, ou bien dans mon intérêt ?

— Va voir un médecin, dis-je, Mardrus ou un autre, n'importe lequel. Mais va en voir un et raconte-lui tout : il te dira que tu es en plein délire.

— Tu refuses de m'aider ? dit Paule. Oh ! je m'y attendais. Peu importe. Je finirai bien par y voir clair sans ton aide.

— Je ne peux pas t'aider, tu refuses de me croire. »

Pendant un moment qui me parut interminable, elle plongea son regard dans le mien : « Tu veux t'en aller ? Ils t'attendent ?

— Personne ne m'attend. Mais ça ne sert à rien que je reste. »

Elle s'écarta de la porte : « Va-t'en. Tu peux tout leur répéter : je n'ai rien à cacher.

— Crois-moi Paule, dis-je en lui tendant la main, tu es malade, il faut te soigner. »

Elle me tendit la main : « Merci de ta visite. A bientôt.

— A bientôt », dis-je.

Je descendis l'escalier aussi vite que je pus.

Le lendemain après le déjeuner nous étions en train de prendre le café quand on a sonné. C'était Claudie.

— Excusez-moi ; c'est très incorrect de m'amener comme ça à l'improviste. Sa voix était agitée et importante. « Je viens vous voir à propos de Paule ; j'ai l'impression que quelque chose ne va pas.

— Qu'est-il arrivé ?

— Elle devait déjeuner à la maison ; à une heure et demie elle n'était pas là ; j'ai téléphoné et elle m'a répondu par un grand éclat de rire ;

je lui ai dit que nous allions nous mettre à table et elle a crié : « Mettez-vous à table! mettez-vous donc à table! » en riant comme une hystérique.

Une joyeuse appréhension faisait briller les gros yeux de Claudie. Je me levai : « Il faut passer chez elle.

— C'est ce que j'ai pensé; mais je n'osais pas y aller seule, dit Claudie.

— Allons-y ensemble! » dis-je.

La voiture de Claudie nous déposa deux minutes plus tard devant la maison de Paule. Aujourd'hui, l'écriteau familier « CHAMBRES MEUBLÉ » me semblait chargé d'un sens sinistre. Je sonnai. La porte ne s'ouvrit pas. De nouveau, je sonnai longuement; un pas martela le carreau et Paule apparut; ses cheveux étaient cachés sous un châle violet; elle se mit à rire : « Vous n'êtes que deux? » Elle tenait la porte entrebâillée et nous examinait de ses yeux méchants.

— Je n'ai plus besoin de vous, merci.

Elle referma brutalement la porte et je l'entendis qui criait très haut en s'éloignant : « Quelle comédie! »

Nous sommes restées plantées sur le trottoir :

— Je crois qu'il faudrait prévenir la famille, dit Claudie; ses yeux ne brillaient plus. « Dans ces cas-là, c'est ce qu'il y a de mieux à faire.

— Oui, elle a une sœur. » J'hésitai. « Je vais quand même essayer de lui parler. »

Cette fois, je pressai le premier bouton et la porte s'ouvrit automatiquement; la concierge m'arrêta au passage; c'était une petite femme frêle et discrète qui tenait depuis longtemps le ménage de Paule : « Vous montez chez Mlle Mareuil?

— Oui. Elle n'a pas l'air d'aller bien.

— Justement, j'étais ennuyée, dit la concierge. Il y a au moins cinq jours qu'elle n'a rien mangé du tout et les locataires du dessous m'ont dit que toute la nuit elle marche de long en large. Quand je fais son ménage, elle est toujours à se marmonner des choses à haute voix : ça, je m'y étais habituée; mais ces derniers temps, elle est devenue toute bizarre.

— Je vais tâcher de l'emmener se reposer. »

Je montai l'escalier, et Claudie monta derrière moi. Il faisait sombre sur le dernier palier; dans l'obscurité quelque chose luisait : une grande feuille blanche fixée sur la porte avec des punaises. En lettres imprimées, il y avait écrit sur le papier : « Le singe mondain. » Je frappai, en vain.

— Quelle horreur! dit Claudie. Elle se sera tuée!

Je collai l'œil au trou de la serrure; Paule était agenouillée devant la cheminée, il y avait autour d'elle des liasses de papier et elle les jetait dans le feu. Je frappai de nouveau avec violence.

— Ouvre, ou je fais enfoncer la porte!

Elle se leva, elle ouvrit et mit la main derrière son dos.

— Qu'est-ce qu'on me veut?

De nouveau, elle s'agenouilla devant le feu; des larmes roulaient sur ses joues et de la morve coulait de son nez; elle jetait ses manuscrits dans les flammes, et des lettres. Je posai la main sur son épaule et elle se secoua avec horreur.

— Laisse-moi.

— Paule, tu vas venir avec moi chez le médecin, tout de suite. Tu es en train de devenir folle.

— Va-t'en. Je sais que tu me hais. Et moi aussi je te hais. Va-t'en.

Elle se leva et elle se mit à crier : « Allez-vous-en. »

Dans un instant, elle allait hurler. Je marchai vers la porte et je sortis avec Claudie.

Claudie télégraphia à la sœur de Paule, je téléphonai à Mardrus pour lui demander conseil et j'envoyai un mot à Henri. Le soir, pendant le dîner, un coup de sonnette nous a fait sursauter. Nadine a bondi vers la porte d'entrée : ce n'était qu'un jeune garçon qui me tendit un morceau de papier. « De la part de Mlle Mareuil. Je suis le neveu de sa concierge », dit-il. Je lus tout haut : « Je ne te hais pas, je t'attends. Viens immédiatement. »

— Tu ne vas pas y aller? dit Nadine.

— Bien sûr que si.

— Ça n'avancera à rien.

— On ne sait jamais.

— Mais elle est dangereuse, dit Nadine. Bon, ajouta-t-elle. Si tu y vas, je vais avec toi.

— C'est moi qui irai, dit Robert. Nadine a raison, il vaut mieux être deux.

Je protestai faiblement.

— Paule trouvera ça bizarre.

— Il y a tant de choses qui lui semblent bizarres.

Par le fait, lorsque je me retrouvai devant cette maison démente, quand de nouveau je montai l'escalier au tapis crevé, je fus bien contente d'avoir Robert avec moi. La pancarte n'était plus sur la porte. Paule ne nous tendit pas la main, mais son visage était net; elle fit un geste cérémonieux :

— Donnez-vous la peine d'entrer.

Je retins une exclamation : tous les miroirs étaient brisés et la moquette jonchée d'esquilles de verre; une âcre odeur d'étoffes brûlées remplissait la pièce. « Voilà, dit Paule d'une voix solennelle, je voulais vous remercier. » Elle nous désigna des sièges : « Je veux tous vous remercier : parce que maintenant j'ai compris. »

Sa voix semblait sincère; mais le sourire qu'elle nous adressait tordait ses lèvres comme si elle n'avait plus été capable de s'en faire obéir.

— Tu n'as pas à me remercier, dis-je. Je n'ai rien fait.

— Ne mens pas, dit-elle. Vous avez agi pour mon bien, je l'admets. Mais il ne faut plus me mentir. Elle me scruta : « C'était pour mon bien, n'est-ce pas?

— Oui, dis-je.

— Oui, je le sais. J'ai mérité cette épreuve et vous avez eu raison de me l'infliger. Je vous remercie de m'avoir mise en face de moi-même. Mais maintenant, il faut me donner un conseil : est-ce que je dois prendre de l'acide prussique ou essayer de me racheter?

— Pas d'acide prussique, dit Robert.

— Bon. Alors comment vais-je vivre?

— D'abord tu vas prendre un calmant et dormir, dis-je. Tu ne tiens plus debout.

— Je ne veux plus m'occuper de moi, dit-elle avec violence. Je n'ai que trop pensé à moi, ne me donne pas de faux conseils. »

Elle se laissa tomber sur une chaise; il n'y avait qu'à attendre, d'un instant à l'autre elle allait s'effondrer, et je la mettrais au lit avec deux cachets. Je regardai autour de moi. Avait-elle vraiment de l'acide prussique sous la main? Je me rappelais qu'en 40 elle m'avait montré une petite fiole brunâtre, en m'expliquant qu'elle s'était procuré du poison « à tout hasard ». La fiole était peut-être dans son sac. Je n'osai pas toucher à ce sac. Mon regard revint sur Paule. Sa mâchoire inférieure pendait, tous ses traits s'étaient affaissés, j'avais vu bien des visages dans cet état; mais Paule, ce n'était pas une malade, c'était Paule, ça me faisait mal de la voir comme ça. Elle fit un effort :

— Je veux travailler, dit-elle. Je veux rembourser Henri. Et je ne veux plus que les clochards m'insultent.

— Nous vous trouverons du travail, dit Robert.

— J'ai pensé à me faire femme de ménage, dit-elle. Mais ça serait une concurrence injuste. Quels sont les métiers où on ne fait concurrence à personne?

— On trouvera, dit Robert.

Paule se passa une main sur le front : « Tout est si difficile! tout à l'heure, j'avais commencé à brûler mes robes. Mais je n'ai pas le droit. » Elle me regarda : « Si je les vends aux chiffonniers, penses-tu qu'ils cesseront de me détester? »

— Ils ne te détestent pas. »

Bursquement, elle se leva, elle marcha vers la cheminée et ramassa un ballot de vêtements : les robes de soie brillante, le tailleur en fil à fil gris n'étaient plus que des chiffons fripés.

— Je vais aller les distribuer tout de suite, dit-elle. Descendons tous ensemble.

— Il est bien tard, dit Robert.

— Le café des cloches reste ouvert très tard.

Elle jeta un manteau sur ses épaules : comment l'empêcher de descendre? J'échangeai un regard avec Robert; sans doute le surprit-elle : « Oui, c'est une comédie, dit-elle d'une voix fatiguée. Maintenant, je me singe moi-même. » Elle ôta son manteau, le jeta sur une chaise : « Ça aussi, c'est une comédie : je me suis vue, jetant le manteau. » Elle enfonça dans ses yeux ses poings fermés : « Je n'arrête pas de me voir! »

J'allai remplir un verre d'eau et j'y fis dissoudre un cachet : « Bois ça, dis-je. Et couche-toi! »

Le regard de Paule vacilla; elle s'abattit dans mes bras : « Je suis malade! Je suis si malade!

— Oui. Mais tu vas te soigner et tu vas guérir, dis-je.

— Soignez-moi, il faut me soigner! »

Elle tremblait, des larmes roulaient sur ses joues, elle était si fiévreuse et si moite qu'il me semblait que d'ici un instant elle aurait tout entière fondu, laissant à sa place une flaque de poix, noire comme ses yeux.

— Demain, je t'emmène dans une clinique, dis-je. En attendant, bois.

Elle prit le verre :

— Ça me fera dormir?

— Sûrement.

Elle vida le verre d'un trait.

— Maintenant monte te coucher.

— Je monte, dit-elle docilement.

Je suis montée avec elle et pendant qu'elle était dans le cabinet de toilette, j'ai ouvert le sac à fermeture éclair : au fond il y avait une petite fiole brunâtre que j'ai enfouie dans ma poche.

Le lendemain matin, Paule m'a suivie docilement à la clinique et Mardrus m'a promis qu'elle guérirait : c'était l'affaire de quelques semaines ou de quelques mois. Elle guérirait; mais je me demandais avec inquiétude quand je me retrouvai dans la rue : de quoi au juste vont-ils la guérir? Qui sera-t-elle après? Oh! somme toute, c'était facile à prévoir. Elle serait comme moi, comme des millions d'autres : une femme qui attend de mourir sans plus savoir pourquoi elle vit.

Et voilà que le mois de mai a fini par arriver. Là-bas, à Chicago, j'allais me retrouver dans la peau d'une femme amoureuse et aimée : ça ne me semblait guère plausible. Assise dans l'avion, je n'y croyais pas encore. C'était un vieil appareil qui s'amenait d'Athènes et qui volait très bas; il était plein de boutiquiers grecs qui allaient chercher fortune en Amérique; moi, je ne savais pas ce que j'allais y chercher; pas une image vivante dans mon cœur, pas un désir dans mon corps; ce n'était pas cette voyageuse gantée que Lewis attendait : je n'étais attendue par personne. « Je le savais : jamais je ne le reverrai » pensai-je quand l'avion a fait demi-tour au-dessus de l'Océan. Un moteur s'était arrêté, nous sommes retournés à Shannon. Je passai deux jours au bord d'un fiord, dans un faux village aux maisons enfantines; le soir je buvais du whisky irlandais, le jour je me promenais dans une campagne verte et grise, mélancolique à souhait. Quand nous avons atterri aux Açores, un pneu a éclaté et on nous a parqués pendant vingt-quatre heures dans un hall tendu de cretonne. Après Gander, l'avion a été pris dans un orage et pour lui échapper, le pilote a filé vers la Nouvelle-Écosse. J'avais l'impression que le reste de ma vie allait se passer à graviter autour de la terre, en mangeant du poulet froid. Nous avons survolé un gouffre d'eau sombre que balayait le pinceau d'un phare, de nouveau l'avion s'est posé : encore une esplanade, un hall. Oui, j'étais condamnée à errer sans fin d'esplanade en esplanade avec du bruit plein la tête et une mallette bleue à mes pieds.

Soudain je l'aperçus : Lewis. Nous étions convenus qu'il m'attendrait chez lui; mais il était là, dans la foule qui guettait à la porte de la douane; il portait un col dur et des lunettes d'or, c'était bizarre; mais le plus bizarre c'est que je l'avais vu et que je ne me sentais rien. Toute cette année d'attente, ces regrets, ces remords, ce long voyage : et j'allais peut-être apprendre que je ne l'aimais plus. Et lui? m'aimait-il encore? J'aurais voulu courir vers lui. Mais les douaniers n'en finissaient pas; les petites boutiquières grecques avaient leurs valises pleines de dentelles, et ils les expertisaient une à une, en plaisantant. Quand enfin ils m'ont libérée, Lewis n'était plus là. Je pris un taxi et je voulus donner son adresse au chauffeur : je ne me rappelai plus le numéro; mes oreilles bourdonnaient et ce bruit dans ma tête ne s'arrêtait pas. Je trouvai enfin : 1211. Le taxi démarra; une avenue, une autre, des enseignes au néon, d'autres enseignes au néon. Je ne m'étais jamais reconnue dans cette ville, mais, tout de même, il me semblait que le trajet n'aurait pas dû être si long. Peut-être le chauffeur allait-il m'entraîner au fond d'une impasse et m'assommer : dans l'humeur où j'étais, ça m'aurait paru beaucoup plus normal que de revoir Lewis. Le chauffeur se retourna :

— Le 1211, ça n'existe pas.

— Ça existe : je connais bien la maison.

— Peut-être qu'ils auront changé les numéros, dit le chauffeur. On va refaire l'avenue dans l'autre sens.

Il se mit à rouler lentement le long du trottoir. Il me semblait reconnaître des carrefours, des terrains vagues, des rails : mais les rails, les terrains vagues se ressemblent tous. Un bassin, un viaduc me parurent familiers; on aurait dit que les choses étaient encore là, mais elles avaient changé de place. « Quelle folie! » pensais-je. On part, on dit : « Je reviendrai » parce que c'est trop dur de partir à jamais; mais on se ment : on ne revient pas. Un an passe, des choses se passent, plus rien n'est pareil. Aujourd'hui Lewis portait un col dur, je l'avais vu sans que mon cœur ait battu plus vite, et sa maison s'était évanouie. Je me secouai : « Je n'ai qu'à téléphoner, me dis-je. Quel est le numéro? » Je l'avais oublié. Soudain j'aperçus une enseigne rouge : SCHILTZ, et des faces niaises qui riaient sur une affiche. Je criai :

— Arrêtez! arrêtez! c'est ici.

— C'est le 1112, dit le chauffeur.

— 1112 : c'est bien ça!

J'ai sauté du taxi et dans la découpe lumineuse d'une fenêtre, j'ai aperçu une silhouette penchée; il guettait, il me guettait, il accourait, c'était bien lui; il ne portait ni col dur ni lunettes, mais sur sa tête une casquette de base-ball et ses bras m'étouffaient : « Anne!

— Lewis!

— Enfin! j'ai tant attendu! comme c'était long!

— Oui, c'était long, c'était si long! »

Je sais qu'il ne m'a pas portée, et je ne me rappelle pas m'être servie de mes jambes d'étoupe pour monter l'escalier; pourtant voilà que nous nous étreignions au milieu de la cuisine jaune : le poêle, le linoléum, la couverture mexicaine, toutes les choses étaient là, à leur place. Je balbutiai :

— Qu'est-ce que vous faites avec cette casquette?

— Je ne sais pas. Elle était là. Il arracha la casquette et la jeta sur la table.

— J'ai vu votre double à l'aérodrome : il porte des lunettes et un faux col dur. Il m'a fait peur : j'ai cru que c'était vous et je ne sentais rien.

— Moi aussi j'ai eu peur. Il y a une heure, deux hommes ont passé sous la fenêtre, ils portaient une femme morte ou évanouie, et j'ai cru que c'était vous.

— Maintenant, c'est vous, c'est moi, dis-je.

Lewis m'a serrée très fort et puis il a relâché son étreinte : « Vous êtes fatiguée? vous avez soif? vous avez faim?

— Non. »

Je me suis collée de nouveau contre lui; mes lèvres étaient si lourdes, si gourdes qu'elles ne laissaient plus passer les mots; je les ai appuyées sur sa bouche; il m'a couchée sur le lit : « Anne! toutes les nuits je vous ai attendue! »

Je fermai les yeux. De nouveau un corps d'homme pesait sur moi, lourd de toute sa confiance et de tout son désir; c'était Lewis, il n'avait pas changé, ni moi ni notre amour. J'étais partie mais j'étais revenue : j'avais retrouvé ma place et j'étais délivrée de moi.

Nous avons passé la journée suivante à faire les bagages et à faire l'amour : une longue journée qui a duré jusqu'au lendemain matin. Dans le train nous avons dormi joue contre joue. J'étais mal réveillée quand j'aperçus sur le quai de l'Ohio le bateau à palettes dont Lewis m'avait parlé dans ses lettres; j'y avais tant pensé sans y croire que même à présent j'avais peine à en croire mes yeux. Pourtant il était bien réel, j'y montai. J'inspectai avec attendrissement notre cabine. A Chicago, j'habitais chez Lewis; ici c'était notre cabine, elle était à nous deux : c'est donc que nous étions vraiment un couple. Oui. A présent je savais : on peut revenir, et je reviendrais chaque année; chaque année notre amour aurait à traverser une nuit plus longue que la nuit polaire : mais un jour le bonheur se lèverait pour ne plus se coucher de trois ou quatre mois; du fond de la nuit nous attendrions ce jour, nous l'attendrions ensemble, l'absence ne nous séparerait plus : nous étions réunis pour toujours.

— Nous partons : venez vite! dit Lewis.

Il monta l'escalier en courant et je le suivis; il se pencha par-dessus le bastingage, sa tête tournait dans tous les sens :

— Regardez comme c'est joli : le ciel et la terre qui se mélangent dans l'eau.

Les lumières de Cincinnati brillaient sous un grand ciel piqué d'étoiles et nous glissions sur des flammes. Nous nous sommes assis, et nous sommes restés longtemps à regarder pâlir et disparaître les enseignes au néon. Lewis me serrait contre lui.

— Dire que je n'avais jamais cru à tout ça, dit-il.

— Tout quoi?

— Aimer et être aimé.

— A quoi croyiez-vous?

— Une chambre fixe, des repas réguliers, des femmes d'une nuit : la sécurité. Je pensais qu'il ne fallait pas demander plus. Je pensais que tout le monde est seul, toujours. Et vous voilà!

Au-dessus de nos têtes un haut-parleur criait des chiffres : les passagers jouaient au bingo. Ils étaient tous si vieux que j'avais perdu la moitié de mon âge. J'avais vingt ans, je vivais mon premier amour et c'était mon premier voyage. Lewis embrassait mes cheveux, mes yeux, ma bouche :

— Descendons : vous voulez bien?

— Vous savez bien que je ne dis jamais non.

— Mais j'aime tant vous entendre dire : oui. Vous le dites si gentiment!

— Oui, dis-je. Oui.

Quelle joie de n'avoir qu'à dire : oui. Avec ma vie déjà usée, avec ma peau plus toute neuve, je fabriquais du bonheur pour l'homme que j'aimais : quel bonheur!

Nous avons mis six jours à descendre l'Ohio et le Mississippi. Aux escales, nous fuyions les autres passagers, et nous marchions à perdre haleine à travers les villes chaudes et noires. Le reste du temps, nous causions, nous lisions, nous fumions sans rien faire, couchés sur le pont au soleil. C'était chaque jour le même paysage d'eau et d'herbe, le même bruit de machine et d'eau : mais nous aimions qu'un seul matin ressuscitât de matin en matin, un seul soir de soir en soir.

C'est ça le bonheur : tout nous était bon. Nous avons été joyeux de quitter le bateau. Nous connaissions tous deux La Nouvelle-Orléans, mais pour Lewis et pour moi ce n'était pas la même ville. Il me montra les quartiers populeux où quinze ans plus tôt il colportait des savonnettes, les docks où il se nourrissait de bananes volées, les petites rues bordelières qu'il traversait le cœur battant, le sexe en feu, les poches vides. Par moments il semblait presque regretter ce temps de misère, de colère, et la violence de ses désirs inassouvis. Mais quand je le promenai dans le carré français, quand il se pavana en touriste dans ses bars et ses patios, il jubilait comme s'il avait été en train de jouer un bon tour au destin. Il n'avait jamais pris l'avion; pendant toute la traversée, il garda le nez collé à un hublot, et il riait aux nuages.

Moi aussi j'exultais. Quel dépaysement! Quand les étoiles fixes se mettent à valser dans le ciel, et que la terre fait peau neuve, c'est presque comme si on changeait de peau soi-même. Pour moi le Yucatan n'était qu'un nom sans vérité, inscrit en petites lettres sur un atlas; rien ne m'y rattachait, pas même un désir, une image, et voilà que je le découvrais de mes yeux. L'avion s'alourdit, il fonça vers le sol, et je vis se déployer d'un bout du ciel à l'autre une lande de velours vert-de-gris où l'ombre des nuages creusait des lacs noirs. Je roulai sur une route cabossée entre des champs d'agaves bleus au-dessus desquels explosait de loin en loin le rouge vigoureux des flamboyants aux cimes plates. Nous suivîmes une rue bordée de maisonnettes de pisé aux toits de chaume; il faisait un énorme soleil. Nous avons laissé nos valises dans le hall de l'hôtel, une espèce de serre luxuriante et croupie où dormaient, perchés sur un pied, des flamants roses. Et nous sommes repartis. Sur les places blanches, à l'ombre des arbres vernissés, des hommes en blanc rêvaient sous des chapeaux de paille. Je reconnaissais le ciel, le silence de Tolède et d'Avila; retrouver l'Espagne de ce côté de l'Océan, ça m'ahurissait encore plus que de me dire : « Je suis au Yucatan. »

— Prenons un de ces petits fiacres, dit Lewis.

Il y avait au coin de la place une file de fiacres noirs, aux dos raides. Lewis réveilla un des cochers et nous nous sommes assis sur la banquette étroite. Lewis se mit à rire : « Et maintenant où allons-nous? Vous le savez, vous?

— Dites au cocher qu'il nous promène et qu'il nous conduise à la poste : j'attends des lettres. »

Lewis avait appris en Californie du Sud quelques mots d'espagnol. Il fit un petit discours au cocher, et le cheval se mit en marche, à petits pas. Nous avons suivi des avenues luxueuses et délabrées; la pluie, la pauvreté avaient rongé les villas bâties dans un dur style castillan; les statues pourrissaient derrière les grilles rouillées des jardins; des fleurs luxuriantes, rouges, violettes et bleues, agonisaient au pied des arbres à demi nus; alignés sur la crête des murs, de grands oiseaux noirs guettaient. Partout ça sentait la mort. J'ai été contente de me retrouver à la lisière du marché indien : sous les vélums battus de soleil grouillait une foule bien vivante.

— Attendez-moi cinq minutes, dis-je à Lewis.

Il s'assit sur une marche de l'escalier et j'entrai dans la poste. Il y avait une lettre de Robert; je la décachetai tout de suite. Il corrigeait les dernières épreuves de son livre, il écrivait un article pour *Vigilance*, un article politique. Bon. J'avais eu raison de ne pas trop m'inquiéter : il avait beau se méfier de la politique et de l'écriture, il n'était pas près d'y renoncer. Il disait qu'à Paris il faisait gris. Je rangeai la lettre dans mon sac et je sortis : que Paris était loin! que le ciel était bleu! Je pris le bras de Lewis : « Tout va bien. »

Nous avons fendu la foule, à l'ombre des vélums. On vendait des fruits, des poissons, des sandales, des cotonnades; les femmes portaient de longs jupons brodés, j'aimais leurs nattes luisantes et leurs visages où rien ne bougeait; les petits Indiens eux riaient beaucoup en montrant leurs dents. Nous nous sommes assis dans une taverne à l'odeur

de marée, et on nous a servi sur un tonneau une bière noire et écumeuse;
il n'y avait que des hommes, tous jeunes; ils jacassaient et ils riaient.

— Ils ont l'air heureux, ces Indiens, dis-je.

Lewis haussa les épaules : « C'est facile à dire. La petite Italie aussi,
quand on s'y promène par un beau soleil, les gens ont l'air heureux.

— C'est vrai, dis-je. Il faudrait y regarder de plus près.

— Je pensais ça en vous attendant, dit Lewis. Pour nous tout prend
un air de fête, parce que c'est une fête de voyager. Mais je suis sûr
qu'eux ne sont pas à la fête. » Il recracha le noyau d'une olive : « Quand
on passe comme ça en touriste, on ne comprend rien à rien. »

Je souris à Lewis : « Achetons une petite maison. Nous dormirons
dans des hamacs, je vous fabriquerai des tortillas et nous apprendrons
à parler en indien.

— J'aimerais bien, dit Lewis.

— Ah! dis-je en soupirant. Il faudrait avoir plusieurs vies. »

Lewis me regarda : « Vous ne vous débrouillez pas si mal, dit-il avec
un petit sourire.

— Comment ça?

— Vous vous arrangez pour avoir deux vies, il me semble. »

Le sang me monta aux joues. La voix de Lewis n'était pas hostile,
mais pas très affectueuse non plus. Était-ce à cause de cette lettre de
Paris? Brusquement je m'avisai que je n'étais pas seule à penser notre
histoire : il la pensait aussi, à sa manière à lui. Je me disais : je suis
revenue, je reviendrai toujours. Mais il se disait peut-être : elle repar-
tira toujours. Que lui répondre? J'étais prise de court. Je dis avec
angoisse :

— Lewis, nous ne serons jamais ennemis, n'est-ce pas?

— Ennemis? qui pourrait être votre ennemi?

Il avait l'air franchement ahuri; bien sûr, ces mots qui m'étaient
venus aux lèvres étaient stupides. Il me souriait, je lui souris. Mais
soudain j'avais peur : est-ce qu'un jour je serais punie d'avoir osé aimer
sans donner toute ma vie?

Nous avons dîné à l'hôtel, entre deux flamants roses. L'agence tou-
ristique de Mérida nous avait délégué un petit Mexicain que Lewis
écoutait avec impatience. Je n'écoutais pas. Je continuai à me demander : Que se passe-t-il dans sa tête? Nous ne parlions jamais de l'avenir,
Lewis ne me posait pas de question : j'aurais peut-être dû lui en poser.
Mais somme toute, un an plus tôt je lui avais dit tout ce que j'avais à
lui dire. Il n'y avait rien de neuf à ajouter. Et puis les mots, c'est dangereux, on risque de tout embrouiller. Il fallait vivre cet amour; plus
tard, quand déjà il aurait un long passé derrière lui, il serait bien temps
d'en parler.

— Madame ne peut pas aller à Chichen-Itza en autobus, dit le petit
Mexicain. Il me fit un grand sourire : « L'auto serait tout le jour à votre
disposition pour vous promener dans les ruines et le chauffeur vous
servirait de guide.

— Nous détestons les guides et nous aimons la marche, dit Lewis.

— L'hôtel Maya fait une réduction aux clients de l'agence.

— Nous descendons au Victoria, dis-je.

— C'est impossible : le Victoria est une auberge indigène », dit l'indigène.

Devant notre silence, il s'inclina avec un sourire écœuré : « Vous allez passer une journée très éprouvante! »

En fait, l'autobus qui nous amena le lendemain soir à Chichen-Itza était tout à fait confortable et nous nous sentîmes fiers de notre entêtement quand nous dépassâmes le jardin de l'hôtel Maya où babillaient des voix américaines : « Vous les entendez! me dit Lewis. Je ne suis tout de même pas venu au Mexique pour voir des Américains! »

Il tenait à la main un petit sac de voyage et nous avancions à tâtons sur un chemin fangeux; une eau lourde dégouttait des arbres qui nous cachaient le ciel; on ne voyait rien et j'étais étourdie par une odeur pathétique d'humus, de feuilles pourries, de fleurs moribondes. Dans les ténèbres bondissaient d'invisibles chats aux yeux luisants; je désignai ces prunelles sans corps : « Qu'est-ce que c'est?

— Des lucioles. Il y en a aussi dans l'Illinois. Enfermez-en cinq sous un verre de lampe, et vous y verrez assez clair pour lire.

— Ça serait bien utile! dis-je. Je n'y vois rien. Vous êtes sûr qu'il existe un autre hôtel?

— Tout à fait sûr! »

Je commençais à en douter. Pas une maison, pas un bruit humain. Enfin nous avons entendu des voix espagnoles; on distinguait vaguement un mur : pas une lumière. Lewis a poussé une barrière, mais nous n'osions pas avancer : des porcs grognaient, des volailles caquetaient et quelque part, il y avait un chœur de crapauds. Je murmurai : « C'est un coupe-gorge. »

Lewis cria : « C'est un hôtel ici? »

Il y eut une rumeur, une bougie clignota; et puis la lumière se fit; nous étions dans la cour d'une auberge, un homme nous souriait poliment. Il dit des choses en espagnol : « Il s'excuse; il y avait une panne d'électricité, me dit Lewis. Il a des chambres. »

La chambre donnait d'un côté sur la cour, de l'autre sur la jungle, elle était nue, mais les draps étaient blancs sous les moustiquaires blanches. A dîner on nous a servi des tortillas qui collaient aux dents, des fèves violettes, un poulet osseux dont la sauce m'incendia la gorge. La salle à manger était décorée de porcelaine de foire et de chromos. Sur un calendrier, des Indiens demi-nus, empanachés de plumes, jouaient au basket-ball au milieu d'un stade antique. Assis sur un banc dans la cour, au milieu des porcs et des poules, un Mexicain grattait une guitare.

— Comme Chicago est loin! dis-je. Et Paris. Comme tout est loin!

— Oui, maintenant nous commençons vraiment à voyager, dit Lewis d'une voix animée.

Je serrai sa main. En cet instant, je savais très bien ce qu'il y avait dans sa tête : le son de la guitare, le chœur des crapauds, et moi. J'entendais les crapauds, la guitare et j'étais toute à lui. Pour lui, pour moi, pour nous, rien n'existait que nous.

Toute la nuit le chant des crapauds est entré dans notre chambre; au matin des milliers d'oiseaux jacassaient. Quand nous sommes entrés dans l'enceinte où se dresse la vieille ville, nous étions seuls. Lewis a couru vers les temples et je l'ai suivi à petits pas. J'étais encore plus déconcertée qu'en arrivant au Yucatan. Jusqu'ici, l'antiquité s'était confondue pour moi avec la Méditerranée; sur l'Acropole, dans le Forum, j'avais contemplé sans surprise mon propre passé; mais rien ne rattachait Chichen-Itza à mon histoire; huit jours plus tôt, j'ignorais jusqu'au nom de cette immense Mecque géométrique aux pierres gorgées de sang. Et elle était là, énorme, muette, écrasant la terre sous le poids de ses architectures mesurées et de ses sculptures fanatiques. Des temples, des autels, le stade peint sur le calendrier, un marché aux mille colonnes, d'autres temples aux angles exacts, aux bas-reliefs déments. Je cherchai Lewis des yeux, et je l'aperçus tout en haut de la grande pyramide; il agitait la main, il avait l'air tout petit. L'escalier était abrupt et je le montai sans regarder à mes pieds, les yeux fixés sur Lewis.

— Où sommes-nous? dis-je.

— Je me le demande.

Par-delà l'enceinte des murs, on apercevait à perte de vue la jungle verte où éclatait de loin en loin le rouge d'un flamboyant. Pas un champ. Je dis : « Mais où donc font-ils pousser leur maïs?

— Qu'est-ce qu'on vous a donc appris à l'école? dit Lewis d'un ton suffisant. Au moment des semences ils brûlent un morceau de la jungle; après la récolte, les arbres repoussent tout de suite, on ne voit pas les cicatrices.

— D'où savez-vous ça?

— Oh! je l'ai toujours su. »

Je me mis à rire. « Vous mentez! Vous l'avez lu dans un livre, cette nuit sans doute pendant que je dormais. Sans ça vous me l'auriez dit hier, dans le car. »

Il eut l'air penaud : « C'est quand même drôle, même dans les petites choses, vous me déjouez toujours. Oui, j'ai trouvé un livre hier soir à l'hôtel et je voulais vous éblouir.

— Éblouissez-moi. Qu'avez-vous appris encore?

— Le maïs pousse tout seul. Les paysans n'ont pas besoin de travailler plus de quelques semaines par an. C'est comme ça qu'ils ont eu le temps de bâtir tant de temples. » Il ajouta avec une brusque violence : « Vous imaginez ces vies! manger des tortillas, et coltiner des pierres; sous ce soleil! Manger et suer, suer et manger, jour après jour! Les sacrifices humains, il n'y en avait pas tant que ça, ce n'est pas le pire. Mais pensez à ces millions de malheureux dont les guerriers et les prêtres ont fait des bêtes de somme! et pourquoi? par vanité imbécile! »

Il regardait avec hostilité ces pyramides qui jadis s'élançaient vers le soleil et qui nous semblaient aujourd'hui accabler la terre; je ne partageais pas sa colère, peut-être parce que jamais je n'avais eu à suer pour manger et parce que tout ce malheur était trop ancien. Mais je ne pouvais pas non plus, comme je l'aurais fait dix ans plus tôt, me perdre sans arrière-pensée dans la contemplation de cette beauté morte. Cette civilisation qui avait sacrifié tant de vies humaines à ses jeux de pierre n'avait rien laissé derrière elle; plus encore que sa cruauté, c'est sa stérilité qui m'offensait. Il n'y avait plus qu'une poignée d'archéologues et d'esthètes pour s'intéresser à ces monuments que photographiaient machinalement les touristes.

— Si nous descendions? dis-je.

— Comment?

On aurait dit que les murs qui soutenaient la plate-forme étaient tous les quatre verticaux; l'un d'eux était strié d'ombres et de lumières sur lesquelles on ne pouvait pas songer à poser le pied. Lewis se mit à rire : « Je ne vous ai jamais dit que j'ai un vertige terrible dès que je suis à deux mètres du sol? Je suis monté sans m'en apercevoir, mais je ne pourrai jamais descendre.

— Il faudra bien!

Lewis recula vers le milieu de la plate-forme :

— Impossible.

Il sourit de nouveau : « Il y a dix ans à Los Angeles, je crevais de faim; j'ai trouvé du travail : il s'agissait de crépir le haut d'une cheminée d'usine; on m'a hissé dans un panier : j'y suis resté trois heures sans me décider à en sortir. On a fini par me redescendre et je suis reparti les poches vides. Pourtant je n'avais rien mangé depuis deux jours. C'est vous dire!

— C'est bizarre que vous ayez le vertige! dis-je. Vous en avez tant vu, de toutes les couleurs : je vous aurais cru plus aguerri! » Je m'avançai vers l'escalier : « Il y a toute une famille américaine qui se prépare à monter : descendons!

— Vous n'avez pas peur?

— Si, j'ai peur.

— Alors laissez-moi passer devant vous », dit Lewis.

Nous avons descendu l'escalier la main dans la main, en nous tenant de biais; nous étions en sueur quand nous sommes arrivés en bas; un guide expliquait à un groupe de touristes les mystères de l'âme maya. Je murmurai : « Quelle drôle de choses que de voyager!

— Oui, c'est bien drôle », dit Lewis. Il m'entraîna : « Rentrons boire un verre. »

L'après-midi a été très chaud; nous avons somnolé dans des hamacs, devant la porte de notre chambre. Et puis, brutale comme un tropisme, la curiosité m'a fait tourner la tête vers la forêt :

— J'ai bien envie d'aller faire un tour dans ces bois, dis-je.

— Pourquoi pas? dit Lewis.

Nous nous sommes enfoncés dans le grand silence moite de la jungle; pas un touriste; des fourmis rouges qui portaient sur l'épaule des brins d'herbe acérés marchaient en cohortes vers d'invisibles citadelles; nous rencontrions aussi des assemblées de papillons qui s'envolaient, roses, bleus, verts, jaunes, au bruit de nos pas; une eau endormie dans les lianes s'affalait sur nous en larges gouttes. De loin en loin on apercevait au bout d'un sentier un mystérieux tumulus : enseveli dans sa gangue caillouteuse, un temple ou un palais ruiné; certains avaient été à demi exhumés, mais des herbes les étouffaient.

— On pourrait croire que personne n'est jamais venu ici, dis-je.

— Oui, dit Lewis sans chaleur.

— Regardez au bout du sentier : c'est un grand temple.

— Oui, dit encore Lewis.

C'était un très grand temple. Des lézards dorés se chauffaient parmi les pierres; les sculptures étaient abîmées, sauf un dragon qui grimaçait. Je le désignai à Lewis dont le visage restait mort :

— Vous avez vu?

— Je vois, dit Lewis.

Brusquement il donna un coup de pied dans la gueule du dragon.

— Qu'est-ce que vous faites?

— Je lui ai donné un coup de pied, dit Lewis.

— Pourquoi?

— Il me regardait d'une manière qui ne m'a pas plu. Lewis s'assit sur un rocher et je demandai : « Vous ne voulez pas faire le tour du temple?

— Faites-le sans moi. »

J'ai fait le tour du temple; mais le cœur n'y était pas; je n'ai vu que des pierres empilées les unes sur les autres et qui ne signifiaient rien. Quand je suis revenue, Lewis n'avait pas bougé et son visage était si vide qu'il semblait s'être absenté de lui-même.

— Vous en avez assez vu? demanda-t-il.

— Vous voulez rentrer?

— Si vous en avez assez vu.

— Oui bien assez, dis-je. Rentrons.

Le soir tombait. On commençait à distinguer les premières lucioles. Je me dis avec inquiétude que somme toute je connaissais mal Lewis. Il était si spontané, si sincère qu'il me paraissait simple! mais qui l'est? Quand il avait donné ce coup de pied, il n'avait pas eu l'air bon. Et ses vertiges, qu'est-ce que ça signifiait? Nous marchions en silence : à qui pensait-il?

— À qui pensez-vous? dis-je.

— Je pense à la maison de Chicago. J'ai laissé la lampe allumée, les gens qui passent croient qu'il y a quelqu'un : et il n'y a personne.

Il y avait de la tristesse dans sa voix.

— Vous regrettez d'être ici? dis-je.

Lewis eut un petit rire : « Est-ce que j'y suis? C'est drôle : vous êtes comme une enfant, tout vous semble réel; moi tout ça me fait l'impression d'un rêve : un rêve rêvé par quelqu'un d'autre.

— C'est pourtant bien vous, dis-je. Et c'est moi. »

Lewis ne répondit pas. Nous sommes sortis de la jungle. Il faisait tout à fait nuit; dans le ciel les vieilles constellations gisaient sens dessus dessous parmi des jonchées d'étoiles toutes neuves. En apercevant les lumières de l'auberge, Lewis sourit : « Enfin! je me sentais perdu!

— Perdu?

— C'est si vieux toutes ces ruines! c'est trop vieux.

— Moi j'aime bien me sentir perdue, dis-je.

— Pas moi. J'ai été perdu trop longtemps, j'ai cru ne jamais m'y retrouver. Maintenant pour rien au monde je ne recommencerais. »

Il y avait du défi dans sa voix et je me sentis obscurément menacée : « Il faut savoir quelquefois se perdre, dis-je : si on ne risque rien, on n'a rien.

— J'aime mieux ne rien avoir que de courir ce risque », dit Lewis d'un ton tranchant.

Je le comprenais : il avait eu tant de peine à conquérir un peu de sécurité qu'il tenait avant tout à la sauvegarder. Pourtant, avec quelle imprudence il m'avait aimée. Est-ce qu'il allait le regretter?

— Ce coup de pied que vous avez donné, c'est parce que vous vous sentiez perdu? demandai-je.

— Non. Je n'aimais pas cette bête.

— Vous aviez l'air vraiment méchant.

— C'est que je le suis, dit Lewis.

— Pas avec moi. »

Il sourit : « Avec vous, c'est difficile. J'ai essayé une fois, l'année dernière, vous avez pleuré tout de suite. »

Nous entrions dans notre chambre et je demandai : « Lewis, vous ne m'en voulez pas?

— De quoi? dit-il.

— Je ne sais pas. De tout, de rien. D'avoir deux vies.

— Si vous n'en aviez qu'une vous ne seriez pas ici », dit Lewis.

Je le regardai avec inquiétude :

— Vous m'en voulez?

— Non, dit Lewis. Je ne vous en veux pas. Il me plaqua contre lui : Je vous veux.

Il bouscula la moustiquaire et il me jeta sur le lit. Quand nous fûmes nus, peau contre peau, il dit d'une voix joyeuse :

— Voilà nos plus beaux voyages!

Son visage s'était éclairé; il ne se sentait plus perdu; il était bien là où il était, dans mon corps. Et je n'étais plus inquiète. La paix, la joie que nous trouvions dans les bras l'un de l'autre serait plus forte que tout.

Voyager, courir le monde pour voir de ses yeux ce qui n'existe plus, ce qui ne vous concerne pas, c'est une activité bien louche. Nous étions d'accord là-dessus, Lewis et moi; n'empêche que ça nous amusait tous deux, énormément. A Uxmal, c'était dimanche et les Indiens

déballaient des paniers de pique-nique à l'ombre des temples; nous
avons escaladé les escaliers dégradés en nous accrochant à des chaînes
derrière des femmes aux longs jupons. Deux jours plus tard, nous avons
survolé des forêts saoules de pluie; l'avion s'est élevé haut dans le
ciel et il n'est pas descendu : c'est le sol qui est monté à notre rencontre;
il nous a offert, couchés dans la verdure, un lac bleu et une ville plate
au quadrillage aussi régulier que celui d'un cahier d'écolier : Guatemala, la sèche pauvreté de ses rues bordées de longues maisons basses,
son marché exubérant, ses paysannes aux pieds nus, vêtues de guenilles
princières, qui portaient sur leurs têtes des corbeilles de fleurs et de
fruits. Dans le jardin de l'hôtel d'Antigua, des avalanches de fleurs
rouges, violettes et bleues s'écroulaient au long des troncs d'arbres et
noyaient les murs; la pluie tombait avec furie, épaisse et chaude, et un
perroquet enchaîné courait du haut en bas de son perchoir en riant. Au
bord du lac Atitlan, nous dormions dans un bungalow fleuri d'énormes
gerbes d'œillets; un bateau nous a conduits à Santiago où des femmes
auréolées de ruban rouge berçaient des nourrissons ensevelis du crâne
aux épaules dans des capuchons cylindriques. Nous avons débarqué
un jeudi au milieu du marché de Chichicastenango. La place était
couverte de tentes et d'éventaires; des femmes vêtues de corsages brodés et de jupes chatoyantes vendaient des graines, des farines, des pains,
des fruits racornis, de maigres volailles, des poteries, des sacs, des
ceintures, des sandales et des kilomètres d'étoffes aux couleurs de
vitrail et de céramique, si belles que Lewis lui-même les palpait avec
jubilation.

— Achetez donc cette étoffe rouge! disait-il. Ou alors la verte, avec
tous ses petits oiseaux.

— Attendez, dis-je. Il faut tout voir.

Les plus merveilleuses de toutes ces merveilles, c'était les très vieux
huipils que portaient certaines paysannes. Je montrai à Lewis une de
ces blouses aux broderies antiques où le bleu de Chartres se fondait
tendrement avec des rouges et des ors éteints : « Voilà ce que je voudrais
acheter, si c'était à vendre. »

Lewis examina la vieille Indienne aux longues nattes :

— Elle le vendrait peut-être.

— Jamais je n'oserai le lui proposer. Et puis dans quelle langue?

Nous avons continué à rôder. Des femmes malaxaient entre leurs
paumes la pâte des tortillas, des marmites pleines d'un ragoût jaune
mijotaient sur des feux; des familles mangeaient. La place était flan-
quée de deux églises blanches, auxquelles on accédait par des escaliers;
sur les marches, des hommes habillés en toréadors d'opérette agitaient
des encensoirs. Nous sommes montés vers la grande église, à travers
des fumées épaisses qui me rappelaient ma pieuse enfance.

— A-t-on le droit d'entrer? demandai-je.

— Qu'est-ce qu'ils peuvent nous faire? dit Lewis.

Nous sommes entrés et j'ai été prise à la gorge par une lourde odeur
d'aromates. Ni chaises, ni bancs, pas un siège. Le sol dallé était un

parterre de bougies aux flammes roses; les Indiens marmonnaient des prières en se passant de main en main des épis de maïs. Sur l'autel gisait une momie couverte de brocarts et de fleurs; en face, accablé d'étoffes et de bijoux, il y avait un grand Christ sanglant à la face torturée.

— Si on pouvait au moins comprendre ce qu'ils disent! dit Lewis.

Il regardait un vieillard aux pieds rugueux qui bénissait des femmes agenouillées. Je le tirai par le bras : « Sortons. Tout cet encens me fait mal à la tête. »

Quand nous nous sommes retrouvés dehors Lewis m'a dit :

— Non, voyez-vous, je ne crois pas que ces Indiens soient bien heureux. Leurs vêtements sont gais : pas eux.

Nous avons acheté des ceintures, des sandales, des étoffes; la vieille au merveilleux huipil était toujours là, mais je n'ai pas osé l'aborder. Dans le café-épicerie de la place, quelques Indiens buvaient autour d'une table; leurs femmes étaient assises à leurs pieds. Nous avons commandé des tequillas qu'on nous a servis avec du sel et de petits citrons verts. Deux jeunes Indiens dansaient entre eux en titubant : ils avaient l'air si incapables de s'amuser, que ça fendait le cœur. Dehors, les marchands commençaient à plier leurs éventaires; ils échafaudaient avec leurs poteries des édifices compliqués qu'ils installaient sur leurs dos; le front ceint d'un bandeau de cuir qui les aidait à soutenir leur fardeau, ils s'en allaient au petit trot.

— Regardez-moi ça! dit Lewis. Ils se prennent pour des bêtes de somme.

— Je suppose qu'ils sont trop pauvres pour avoir des ânes.

— Je suppose. Mais ils ont l'air si bien installés dans leur misère : c'est ça qu'ils ont d'agaçant. Si nous rentrions? ajouta-t-il.

— Rentrons.

Nous sommes revenus à l'hôtel, mais il m'a quittée devant la porte : « J'ai oublié d'acheter des cigarettes. Je reviens tout de suite. »

Il y avait un grand feu dans notre cheminée; cette petite ville ensoleillée était perchée plus haut que la plus haute commune de France et la nuit risquait d'être fraîche. Je me suis couchée devant les flammes qui sentaient bon la résine. Elle me plaisait, cette chambre, avec ses murs crépis de rose et tous ses tapis. Je pensai à Lewis : j'étais contente de me retrouver seule cinq minutes, parce que ça me permettait de penser à lui. Décidément, le pittoresque, ça ne prenait pas avec Lewis. Qu'on lui montre des temples, des paysages, des marchés, il voyait tout de suite à travers : il voyait des hommes; et il avait ses idées sur ce que doit être un homme : avant tout quelqu'un qui ne se résigne pas, quelqu'un qui a des désirs et qui lutte pour les satisfaire. Lui-même, il se contentait de peu, mais il avait refusé avec violence d'être frustré de tout. Il y avait dans ses romans un drôle de mélange de tendresse et de cruauté parce qu'il détestait presque autant que leurs oppresseurs les victimes trop complaisantes. Il réservait sa sympathie aux gens qui tentaient au moins des évasions personnelles dans la littérature, l'art, la drogue, à la rigueur le crime, au mieux dans le bonheur. Et il n'admirait vraiment que les grands révolutionnaires. Il n'avait guère la tête plus politique que moi; mais il aimait très sentimentalement Staline, Mao Tse-Tung, Tito. Les communistes d'Amérique lui semblaient niais et mous, mais je supposais qu'en France il aurait été communiste : du moins il aurait essayé. Je tournai la tête vers la porte : pourquoi ne revenait-il pas? J'allais m'impatienter quand enfin il est entré, un paquet sous le bras.

— Qu'avez-vous donc fait? dis-je.
— J'étais chargé d'une mission spéciale.
— Par qui donc?
— Par moi-même.
— Et vous l'avez exécutée?
— Bien sûr.

Il me jeta le paquet; j'arrachai le papier. Et le bleu de Chartres me remplit les yeux : c'était le merveilleux huipil.

— Il est plutôt crasseux! dit Lewis.

Je suivais du doigt avec délectation le dessin capricieux et réfléchi des broderies : « Il est magnifique. Comment l'avez-vous eu?

— J'ai emmené avec moi le portier de l'hôtel et il a tout négocié. La vieille ne voulait rien savoir pour vendre sa guenille mais quand on lui a proposé de l'échanger contre un huipil neuf, elle a cédé. Elle a même eu l'air de me prendre pour un idiot. Seulement après ça, j'ai dû offrir un verre au portier, et il ne me lâchait plus : il veut aller chercher fortune à New York. »

Je m'accrochai au cou de Lewis : « Pourquoi êtes-vous si gentil avec moi?

— Je vous ai déjà dit que je ne suis pas gentil. Je suis très égoïste. Ce qu'il y a c'est que vous êtes un petit morceau de moi. » Il m'enlaça plus fort. « Vous êtes si douce à aimer. »

Ah! nos corps nous étaient bien utiles dans ces instants où la tendresse nous suffoquait. Je me collai contre Lewis. Comment sa chair pouvait-elle être à la fois si familière et si bouleversante? Soudain sa tiédeur me brûlait de la peau aux os. Nous nous sommes effondrés sur le tapis devant les flammes grésillantes.

— Anne! vous savez combien je vous aime? Vous le savez quoique je ne vous le dise pas souvent?

— Je sais. Vous savez aussi n'est-ce pas?
— Je sais.

Nous avons jeté nos vêtements aux quatre coins de la chambre.

— Pourquoi est-ce que je vous désire tant? a dit Lewis.
— Parce que je vous désire tant.

Il m'a prise sur le tapis; il m'a reprise sur le lit et longtemps je suis restée couchée dans l'ombre de son aisselle.

— Comme j'aime être contre vous!
— Comme j'aime vous avoir contre moi.

Au bout d'un moment Lewis se souleva sur un coude :

— J'ai la gorge sèche. Pas vous?

— Je boirais bien un verre.

Il décrocha le téléphone et commanda deux whiskies. J'enfilai ma robe de chambre et lui son vieux peignoir blanc.

— Vous devriez jeter cette horreur, dis-je.

Il se drapa étroitement dans le tissu éponge :

— Jamais! J'attendrai qu'il me quitte.

Il n'était pas du tout avare, mais il détestait jeter les choses, et surtout ses vieux vêtements. On nous a apporté les whiskies et nous nous sommes assis au coin du feu. Dehors, il commençait à pleuvoir, il pleuvait toutes les nuits.

— Je suis bien! dis-je.

— Moi aussi, dit Lewis. Il passa son bras autour de mes épaules : « Anne! dit-il, restez avec moi. »

Mon souffle s'arrêta dans ma gorge : « Lewis! Vous savez comme je le voudrais! je voudrais tant! Mais je ne peux pas.

— Pourquoi?

— Je vous ai expliqué l'année dernière. »

Je vidai mon verre d'un trait et toutes les vieilles peurs s'abattirent sur moi : celle du club Delisa, celle de Mérida, celle de Chichen-Itza, et d'autres encore que j'avais très vite étouffées. C'est ça que je pressentais; un jour il me dirait : restez, et je devrais répondre non. Qu'arriverait-il alors? L'an dernier, si j'avais perdu Lewis j'aurais pu encore m'en consoler; maintenant, autant être enterrée vive que privée de lui.

— Vous êtes mariée, dit-il. Mais vous pouvez divorcer. Nous pouvons vivre ensemble sans être mariés. Il se pencha sur moi : « Vous êtes ma femme, ma seule femme. »

Les larmes me montèrent aux yeux : « Je vous aime, dis-je. Vous savez combien je vous aime. Mais à mon âge on ne peut pas jeter toute sa vie par-dessus bord : c'est trop tard. Nous nous sommes rencontrés trop tard.

— Pas pour moi, dit-il.

— Croyez-vous? dis-je. Si je vous demandais de venir vivre à Paris pour toujours, viendriez-vous?

— Je ne parle pas français », dit Lewis vivement.

Je souris : « Ça s'apprend. La vie n'est pas plus chère à Paris qu'à Chicago et une machine à écrire, c'est facile à transporter. Viendriez-vous? »

Le visage de Lewis se rembrunit : « Je ne pourrais pas écrire à Paris.

— Je suppose que non », dis-je. Je haussai les épaules : « Vous voyez, à l'étranger vous ne pourriez plus écrire et votre vie n'aurait plus de sens. Je n'écris pas; mais des choses comptent pour moi autant que vos livres pour vous. »

Lewis garda un moment le silence : « Et pourtant, vous m'aimez? dit-il.

— Oui, dis-je. Je vous aimerai jusqu'à ma mort. » Je pris ses mains : Lewis, je peux revenir tous les ans. Si nous sommes sûrs de nous revoir tous les ans, il n'y aura plus de séparation; seulement des attentes. On peut s'attendre dans le bonheur quand on s'aime assez fort.

— Si vous m'aimez comme je vous aime, pourquoi perdre les trois quarts de notre vie à attendre? » dit Lewis.

J'hésitai : « Parce que l'amour n'est pas tout, dis-je. Vous devriez me comprendre : pour vous non plus il n'est pas tout. »

Ma voix tremblait et mon regard suppliait Lewis : qu'il comprenne! qu'il me garde cet amour qui n'était pas tout mais sans lequel je ne serais plus rien.

— Non, l'amour n'est pas tout, dit Lewis.

Il me regardait d'un air hésitant. Je dis avec passion :

— Je ne vous aime pas moins parce que je tiens aussi à d'autres choses. Il ne faut pas m'en vouloir. Il ne faut pas que vous m'en aimiez moins.

Lewis toucha mes cheveux : « Je suppose que si l'amour était tout pour vous je ne vous aimerais pas tant : ça ne serait plus vous. »

Mes yeux se remplirent de larmes. S'il m'acceptait tout entière, avec mon passé, ma vie, avec tout ce qui me séparait de lui, notre bonheur était sauvé. Je me jetai dans ses bras :

— Lewis! ç'aurait été si affreux si vous n'aviez pas compris! Mais vous comprenez. Quel bonheur!

— Pourquoi pleurez-vous? dit Lewis.

— J'ai eu peur : si je vous perdais, je ne pourrais plus vivre.

Il écrasa une larme sur ma joue : « Ne pleurez pas. C'est moi qui ai peur quand vous pleurez.

— Maintenant je pleure parce que je suis heureuse, dis-je. Parce que nous serons heureux. Quand nous serons ensemble, nous ferons des provisions de bonheur pour toute l'année. N'est-ce pas, Lewis?

— Oui, ma petite Gauloise », dit-il tendrement. Il embrassa ma joue mouillée : « C'est drôle, quelquefois vous me semblez une femme très sage, et quelquefois tout juste une enfant.

— Je suppose que je suis une femme stupide, dis-je. Mais ça m'est égal si vous m'aimez.

— Je vous aime, stupide petite Gauloise », dit Lewis.

J'avais le cœur en fête le lendemain matin dans le car qui nous emmenait à Quetzaltenango; je ne craignais plus l'avenir, ni Lewis, ni les mots, je ne craignais plus rien; pour la première fois j'osais faire à haute voix des projets : l'an prochain, Lewis louerait une maison sur le lac Michigan et nous y passerions l'été; dans deux ans il viendrait à Paris, je lui montrerais la France et l'Italie... Je tenais sa main serrée dans la mienne et il approuvait en souriant. Nous traversions des forêts épaisses; il tombait une pluie si chaude et si odorante que je baissai la vitre pour la sentir sur mon visage. Des bergers nous regardaient passer, immobiles sous leurs capes de paille : on aurait dit qu'ils transportaient des huttes sur leurs dos.

— C'est vraiment vrai que nous sommes à 4.000 mètres? dit Lewis.

— Il paraît.

Il secoua la tête : « Je n'y crois pas. J'aurais le vertige. »

De loin, ça m'avait toujours paru un impossible prodige, ces plateaux aussi hauts que des glaciers et couverts d'arbres luxuriants; maintenant je les voyais, et ils devenaient aussi naturels qu'une prairie française. A vrai dire le haut Guatemala avec ses volcans endormis, ses lacs, ses herbages, ses paysans superstitieux ressemblait à l'Auvergne. Je commençais à m'en fatiguer et j'ai été contente lorsque, deux jours plus tard, nous sommes descendus vers la côte : une fameuse descente! A l'aube nous grelottions sur la route en lacets que bordaient de frais pâturages. Et puis les plantes caduques ont disparu sous la houle d'une sombre végétation aux feuilles dures et vernissées; au pied des alpages emperlés de gelée blanche est apparu un sec village andalou fleuri d'hibiscus et de bougainvillées; en quelques tours de roue, nous avons encore franchi plusieurs parallèles, le ciel s'est embrasé, nous avons traversé des plantations de bananiers, semées de huttes autour desquelles rôdaient des Indiennes aux seins nus. La gare de Motzatenango était un champ de foire; des femmes étaient assises sur les rails au milieu de leurs jupes, de leurs ballots, de leurs volailles. Une cloche sonna dans le lointain, des employés se mirent à crier et un petit train apparut, précédé d'un antique bruit de vapeur et de ferraille.

Il nous a fallu dix heures pour parcourir les cent vingt kilomètres qui nous séparaient de Guatemala; en cinq heures, le lendemain, pardessus de sombres montagnes et une côte étincelante, un avion nous a transportés à Mexico.

— Enfin une vraie ville! une ville où des choses arrivent! a dit Lewis dans le taxi. « J'aime les villes! ajouta-t-il.

— Moi aussi. »

Nous avions choisi d'avance notre hôtel et du courrier nous y attendait. Je lus mes lettres dans la chambre, assise à côté de Lewis : à présent, je pouvais penser à ma vie de Paris sans avoir l'impression de lui voler quelque chose; à présent, je partageais tout avec lui même ce qui nous séparait. Robert semblait de bonne humeur, il disait que Nadine était triste mais paisible et Paule presque guérie : tout allait bien. Je souris à Lewis :

— Qui vous écrit?

— Mes éditeurs.

— Qu'est-ce qu'ils racontent?

— Ils veulent des détails sur ma vie. Pour le lancement du livre : ils comptent faire un grand lancement. La voix de Lewis était maussade. Je l'interrogeai du regard : — Ça veut dire que vous gagnerez beaucoup d'argent, non?

— Souhaitons-le! dit Lewis. Il enfouit la lettre dans une poche : « Il faut que je leur réponde tout de suite.

— Pourquoi tout de suite? demandai-je. Allons d'abord voir
Mexico. »

Lewis se mit à rire : « Une si petite tête! et des yeux qui ne se fatiguent
jamais de regarder! »

Il riait, mais quelque chose dans son ton me déconcerta : « Si ça
vous ennuie de sortir, restons, dis-je.

— Vous seriez bien trop désolée! » dit Lewis.

Nous avons longé l'Alameda; sur le trottoir des femmes tressaient
d'énormes couronnes mortuaires, et d'autres faisaient les cent pas; le
mot : Alcazar brillait joyeusement au fronton d'un hall funéraire; nous
avons suivi une large avenue populeuse et puis de petites rues louches.
A première vue, Mexico me plaisait. Mais Lewis était préoccupé. Ça
ne m'étonnait pas. Il y a des choses qu'il décide d'un seul élan, mais
ça lui arrive souvent d'hésiter pendant des heures devant une valise
à faire ou une lettre à écrire. Je le laissai méditer en silence pendant
tout le dîner. Aussitôt dans la chambre, il s'installa devant une feuille
de papier blanc : la bouche entrouverte, l'œil vitreux, il ressemblait
à un poisson. Je m'endormis avant qu'il eût tracé un seul mot.

— Elle est faite votre lettre? lui demandai-je le lendemain matin.

— Oui.

— Pourquoi ça vous ennuyait-il tant de l'écrire?

— Ça ne m'ennuyait pas. Il se mit à rire : « Ah! ne me regardez pas
comme si j'étais un de vos malades. Venez vous promener. »

Nous nous sommes beaucoup promenés, cette semaine-là. Nous
avons escaladé les grandes pyramides et vogué dans des barques fleuries, nous avons flâné sur l'avenue Jalisco, dans ses marchés miteux,
ses dancings, ses music-halls, nous avons rôdé dans la zone et bu du
tequilla dans les bars mal famés. Nous comptions rester encore un
peu à Mexico, passer un mois à visiter le pays et revenir à Chicago
pour quelques jours. Mais un après-midi, comme nous rentrions dans
notre chambre faire la sieste, Lewis m'a dit abruptement :

— Il faut que je sois jeudi à New York.

Je le regardai avec surprise : « A New York? Pourquoi?

— Mes éditeurs me le demandent.

— Vous avez reçu une nouvelle lettre?

— Oui; ils m'invitent pour quinze jours.

— Mais vous n'êtes pas obligé d'accepter, dis-je.

— Justement : je suis obligé, dit Lewis. Ce n'est peut-être pas ainsi
que ça se passe en France, ajouta-t-il, mais ici, un livre, c'est une affaire,
et si on veut qu'elle rapporte, il faut s'en occuper. Je dois voir des gens,
assister à des partys, donner des interviews. Ce n'est pas très drôle,
mais c'est comme ça.

— Vous ne les avez pas prévenus que vous n'étiez pas libre avant
juillet? On ne peut pas repousser tout ça jusqu'en juillet?

— Juillet, c'est un mauvais moment; il faudrait attendre jusqu'en
octobre : c'est trop tard. » Lewis ajouta avec impatience : « Voilà quatre
ans que je vis aux crochets de mes éditeurs. S'ils veulent rentrer dans

leurs frais, ce n'est pas à moi de leur mettre des bâtons dans les roues.
Et j'ai besoin d'argent, moi aussi, si je veux continuer à écrire ce qui
me plaît.

— Je comprenais », dis-je.

Je comprenais; et pourtant je sentais un drôle de vide au creux de
l'estomac. Lewis se mit à rire :

— Pauvre petite Gauloise! comme elle a l'air pitoyable dès qu'on ne
fait plus ses quatre volontés!

Je rougis. C'était bien vrai que Lewis ne pensait jamais qu'à me
faire plaisir. Pour une fois qu'il se souciait de ses propres intérêts, je
n'aurais pas dû me sentir brimée; il me trouvait égoïste, voilà pourquoi
sa voix était un peu agressive.

— C'est votre faute, dis-je. Vous m'avez trop gâtée. Je souris :
« Oh! ça sera bien de se promener ensemble dans New York, dis-je.
Seulement ça m'a fait un choc, l'idée de changer tous nos projets, et
vous m'avez annoncé ça sans crier gare.

— Comment fallait-il vous l'annoncer?

— Je ne vous reproche rien », dis-je gaiement. J'interrogeai Lewis
du regard : « Ils vous invitaient déjà dans leur première lettre?

— Oui, dit Lewis.

— Pourquoi ne me l'avez-vous pas dit?

— Je savais que ça ne vous ferait pas plaisir », dit Lewis.

Son air penaud m'attendrit; je comprenais maintenant pourquoi il
avait tant peiné sur sa réponse; il essayait de sauver notre voyage au
Mexique, et il comptait si fermement y réussir que ça lui avait semblé
vain de m'inquiéter. Mais il avait échoué. Alors maintenant, il essayait
de faire contre mauvaise fortune bon cœur et mes regrets l'irritaient
un peu : il aime mieux s'irriter que s'attrister, je le comprends.

— Vous auriez pu me parler, je ne suis pas si fragile, dis-je. Je lui
souris avec tendresse : « Vous voyez bien que vous me gâtez trop.

— Peut-être », dit Lewis.

De nouveau, je me sentis déconcertée : « Nous allons changer ça,
dis-je. Quand nous serons à New York, c'est moi qui ferai vos quatre
volontés. »

Lewis me regarda en riant.

— C'est vrai ça?

— Oui, c'est vrai. Chacun son tour.

— Alors, n'attendons pas New York. Commençons tout de suite.
Il me saisit aux épaules : « Venez faire mes quatre volontés », dit-il
avec un peu de défi.

C'est la première fois qu'en lui donnant ma bouche je pensai : « Non. »
Mais je n'avais pas l'habitude de dire non, je n'ai pas su. Et déjà il
était trop tard pour me reprendre sans histoire. Bien sûr, il m'était
arrivé deux ou trois fois de dire : oui, sans en avoir vraiment envie;
mais mon cœur était toujours consentant. Aujourd'hui, c'était différent. Il y avait eu dans la voix de Lewis une insolence qui m'avait glacée;
ses gestes, ses mots ne me choquaient jamais parce qu'ils étaient aussi

spontanés que son désir, que son plaisir, que son amour; aujourd'hui, c'est avec gêne que je participais à la familière gymnastique qui me parut baroque et frivole, incongrue. Et je m'avisai que Lewis ne me disait pas : « Je vous aime ». Quand l'avait-il dit pour la dernière fois ? Il ne l'a pas dit les jours qui suivirent. Il ne parlait que de New York. Il y avait passé un jour, en 43, quand il s'embarquait pour l'Europe et il grillait d'envie de s'y retrouver. Il espérait y revoir d'anciens amis de Chicago; il espérait un tas de choses. L'avenir et le passé ont beaucoup plus de prix que le présent aux yeux de Lewis; j'étais près de lui, New York était loin : c'était New York qui l'obsédait. Je ne m'en affectais pas trop, mais tout de même sa gaieté m'attristait. Est-ce qu'il ne regrettait pas du tout notre tête-à-tête? J'avais trop de souvenirs et trop proches pour craindre qu'il fût déjà fatigué de moi : mais peut-être y était-il un peu trop habitué.

New York était torride. Finies les grandes pluies nocturnes. Dès le matin le ciel brûlait. Lewis a quitté l'hôtel de bonne heure et je suis restée à somnoler sous le ronronnement du ventilateur. J'ai lu, j'ai pris des douches, j'ai écrit quelques lettres. A six heures j'étais habillée et j'attendais Lewis. Il est arrivé à sept heures et demie, tout animé.

— J'ai retrouvé Felton! m'a-t-il dit.

Il m'avait beaucoup parlé de ce Felton, qui jouait du tambour la nuit, qui conduisait un taxi le jour et qui se droguait nuit et jour; sa femme faisait le trottoir et se droguait avec lui. Ils avaient quitté Chicago pour d'impérieuses raisons de santé. Lewis ne connaissait pas exactement leur adresse. Dès qu'il en avait eu fini avec ses agents et ses éditeurs, il s'était mis à la rechercher et après mille péripéties il avait enfin eu Felton au téléphone.

— Il nous attend, dit Lewis. Il va nous montrer New York.

J'aurais préféré passer la soirée seule avec Lewis mais je dis avec allant : « Ça m'amusera bien de le connaître. »

— Et puis il nous emmènera dans un tas de coins qu'on n'aurait jamais découverts sans lui. Des coins que vos amis les psychiatres ne vous ont sûrement pas montrés! » ajouta Lewis gaiement.

Dehors, il faisait une grosse chaleur moite. Il faisait encore plus chaud dans la mansarde de Felton. C'était un grand type au visage blême qui riait de plaisir en secouant les mains de Lewis. En fait, il ne nous a pas montré grand-chose de New York. Sa femme s'est amenée, avec deux jeunes gars et des boîtes de bière; ils ont vidé boîte sur boîte en parlant d'un tas de gens dont j'ignorais tout, qui venaient d'être mis en prison, qui allaient en sortir, qui cherchaient une combine, qui en avaient trouvé une. Ils ont parlé aussi du trafic de la drogue et du prix que coûtaient les flics d'ici. Lewis s'amusait beaucoup. On a été manger des côtes de porc dans un bistrot de la troisième avenue. Ils ont continué à parler longtemps. Je m'ennuyais ferme et je me sentais plutôt déprimée.

Je le suis restée les jours suivants. Sur un point je ne m'étais pas trompée : une fois à New York, Lewis a quelque peu déchanté. Il n'aimait pas le genre de vie qu'on lui infligeait ici, les mondanités, la publicité. Il se rendait sans joie à ses déjeuners, à ses partys, à ses cocktails et il en revenait maussade. Moi, je ne savais trop que faire de ma peau. Lewis me proposait mollement de l'accompagner, mais cette année, ça ne m'amusait pas les rencontres sans lendemain, ça ne m'amusait même pas de revoir mes anciens amis. Je me promenais dans les rues, seule et sans beaucoup de conviction : il faisait trop chaud, le goudron fondait sous mes pieds, j'étais tout de suite en sueur et je me languissais de Lewis. Le pire, c'est que quand nous nous retrouvions, ce n'était pas beaucoup plus gai. Ça ennuyait Lewis de raconter des séances ennuyeuses et moi je n'avais rien à raconter. Alors nous allions au cinéma, à un match de boxe, à une partie de base-ball, et souvent Felton venait avec nous.

— Vous n'avez pas beaucoup de sympathie pour Felton, n'est-ce pas? me demanda un jour Lewis.

— Je n'ai surtout rien à lui dire ni lui à moi, dis-je. Je dévisageai Lewis avec curiosité : « Pourquoi vos meilleurs amis sont-ils tous des pickpockets ou des drogués, ou des maquereaux? »

Lewis haussa les épaules : « Je les trouve plus amusants que les autres.

— Mais vous, vous n'avez jamais été tenté de vous droguer?

— Oh! non! dit-il vivement. Vous savez bien : tout ce qui est dangereux, j'adore ça; mais de loin. »

Il plaisantait, mais il disait la vérité. Ce qui est dangereux, démesuré, déraisonnable le fascine; mais il a décidé de vivre sans risque, avec mesure et raison. C'est cette contradiction qui le rend souvent inquiet et hésitant; n'était-ce pas elle qui se retrouvait dans son attitude envers moi? je me le demandais avec angoisse. Lewis m'avait aimée d'un élan, avec imprudence : était-il en train de se le reprocher? En tout cas, je ne pouvais plus me le cacher : depuis quelque temps il avait changé.

Ce soir-là, il avait l'air de très bonne humeur quand il entra dans la chambre; il avait passé l'après-midi à enregistrer une interview pour la radio et je m'attendais au pire mais il m'embrassa gaiement :

— Habillez-vous vite! je dîne avec Jack Murray et vous allez venir avec moi. Il crève d'envie de vous connaître et moi je veux que vous le connaissiez.

Je ne cachai pas ma déception : « Ce soir? Lewis, est-ce que nous ne passerons plus jamais une soirée seuls, vous et moi?

— Nous le quitterons tôt! » dit Lewis. Il vida sur la table les poches de son veston et sortit de l'armoire son complet neuf : « Ça ne m'arrive pas souvent d'avoir de la sympathie pour un écrivain, dit-il. Si je vous dis que Murray vous plaira, vous pouvez me croire.

— Je vous crois », dis-je.

Je m'assis devant la coiffeuse pour me refaire une beauté.

— On va dîner en plein air, dans Central Park, dit Lewis. Il paraît que l'endroit est très joli et qu'on y mange très bien. Qu'est-ce que vous en dites?

Je souris : « Je dis que si nous sommes vraiment libres de bonne heure vous et moi, c'est parfait. »

Lewis me regarda d'un air hésitant : « Je voudrais beaucoup que Murray vous plaise.

— Pourquoi ça?

— Ah! nous avons fait des projets! dit Lewis d'une voix gaie. Mais il faut qu'il vous plaise, sinon ça ne collera pas! »

J'interrogeai Lewis du regard.

— Il a une maison dans un petit village, près de Boston, dit Lewis. Il nous y invite pour aussi longtemps que nous voulons. Ça serait drôlement mieux que de rentrer à Chicago : à Chicago il doit faire encore plus chaud qu'ici.

De nouveau je sentis un grand vide au creux de l'estomac : « Il habite cette maison, ou il ne l'habite pas?

— Il l'habite avec sa femme et deux mômes. Mais n'ayez pas peur, ajouta Lewis d'un ton un peu moqueur, nous aurions une chambre à nous.

— Mais Lewis, je n'ai pas envie de passer ce dernier mois avec d'autres gens! dis-je. J'aime mieux avoir trop chaud à Chicago seule avec vous.

— Je ne vois pas pourquoi il faudrait rester nuit et jour seuls ensemble sous prétexte qu'on s'aime! » dit Lewis d'une voix brusque.

Avant que j'aie pu répondre, il était entré dans la salle de bains et il avait refermé la porte.

« Qu'est-ce que ça signifie? Est-ce que vraiment il s'ennuie avec moi? » me demandai-je avec angoisse. Je mis une blouse de dentelles, et une jupe bruissante que j'avais achetées à Mexico, j'enfilai des sandales dorées, et je restai plantée au milieu de la chambre, tout à fait désemparée. Il s'ennuie? ou quoi? Je touchai les clefs qu'il avait jetées sur la table, le portefeuille, le paquet de Camel : comment pouvais-je connaître si mal Lewis alors que je l'aimais tant! Parmi les papiers épars, je remarquai une lettre, avec l'en-tête de ses éditeurs. Je la dépliai : *Cher Lewis Brogan. Puisque vous préférez venir tout de suite à New York, c'est d'accord. Nous allons prendre toutes les dispositions nécessaires. Entendu pour jeudi midi.* Je lus la suite à travers un brouillard, la suite n'avait pas d'intérêt. *Vous préférez venir tout de suite à New York, vous préférez, vous...* Le soir où Paule avait donné son banquet fantôme j'avais senti le sol basculer sous mes pieds. Aujourd'hui c'était pire. Lewis n'était pas fou : il fallait que ce soit moi! Je me laissai tomber sur un fauteuil. Cette lettre, il l'avait écrite huit jours seulement après la nuit de Chichicastenango, cette nuit où il disait : « Je vous aime, stupide petite Gauloise ». Je me rappelais tout : les flammes, les tapis, son vieux peignoir, la pluie contre les vitres. Et il disait : « Je vous aime. » C'était huit jours avant notre arrivée à Mexico : entre-temps, rien ne s'était passé. Alors pourquoi? Pourquoi avait-il décidé d'abréger notre tête-à-tête? Pourquoi m'avait-il menti? Pourquoi?

— Oh! ne faites pas cette tête-là! dit Lewis quand il sortit de la salle de bains.

Il croyait que je boudais à cause de l'invitation de Murray; je ne le détrompai pas; impossible de m'arracher un mot. Pendant le trajet en taxi nous n'avons pas desserré les dents.

Il faisait frais dans le restaurant de Central Park. Du moins, la verdure, les nappes damassées, les seaux pleins de glace, les épaules nues des femmes donnaient une impression de fraîcheur. J'ai bu coup sur coup deux martinis et grâce à ça quand Murray s'est amené j'ai pu articuler décemment quelques phrases. Au temps où j'aimais les rencontres sans lendemain j'aurais sûrement été contente de le rencontrer. Il était tout rond, tête, visage et corps, c'est peut-être pour ça qu'on avait envie de s'accrocher à lui comme à une bouée; et comme sa voix était gentille! je réalisai en l'entendant combien celle de Lewis était devenue sèche. Il m'a parlé des livres de Robert, de ceux d'Henri, il avait l'air au courant de tout, c'était facile de causer avec lui. On continuait à frapper à coups de marteau dans ma tête : « Vous préférez venir à New York, vous préférez New York. » Mais c'était un cauchemar qui se poursuivait sans moi pendant que je mangeais un cocktail aux crevettes et que je buvais du vin blanc. Murray m'a demandé ce que les Français pensaient des propositions Marshall et il s'est mis à discuter avec Lewis sur l'attitude probable de l'U. R. S. S. : il pensait qu'elle enverrait Marshall promener et qu'elle aurait bien raison. Il paraissait s'y connaître plus que Lewis en politique; dans l'ensemble il avait la tête mieux organisée et une culture plus solide; Lewis était tout heureux de retrouver ses propres opinions dans la bouche d'un homme qui savait si bien les défendre. Oui, sur un tas de plans Murray pouvait lui apporter bien plus que moi. Je comprenais que Lewis eût envie d'en faire un ami; je comprenais à la rigueur qu'il souhaitât passer ce mois avec lui. Mais ça ne m'expliquait pas le mensonge de Mexico; ça n'expliquait pas l'essentiel.

— Est-ce que je peux vous poser quelque part? demanda Murray en se dirigeant vers le parc à autos.

— Non, j'ai envie de marcher, dis-je vivement.

— Si vous aimez marcher, il faut absolument que vous veniez à Rockport, dit Murray avec un grand sourire. Il y a des promenades ravissantes à faire. Je suis sûr que l'endroit vous plaira. Et je serais si content de vous avoir là-bas tous les deux!

— Ça serait bien! dis-je avec chaleur.

— À partir de lundi prochain, vous n'avez qu'à vous amener, dit Murray. Ce n'est même pas la peine de prévenir.

Il est monté dans sa voiture et nous sommes partis à pied à travers le parc.

— Je crois que Murray avait envie de passer la soirée avec nous, dit Lewis avec un peu de reproche.

— Peut-être, dis-je. Mais moi pas.

— Vous aviez pourtant l'air de bien vous entendre avec lui? dit Lewis.

— Je le trouve très sympathique, dis-je. Mais j'ai des choses à vous dire.

Le visage de Lewis se rembrunit : « Ça ne doit pas être tellement important !

— Si. » Je désignai un rocher plat au milieu de la pelouse : « Asseyons-nous. »

Des écureuils gris couraient dans l'herbe; au loin les grands buildings brillaient. Je dis d'une voix neutre :

— Tout à l'heure, pendant que vous preniez votre douche, vous avez laissé traîner des lettres sur la table. Je cherchai le regard de Lewis : « Vos éditeurs n'exigeaient pas du tout que vous veniez à New York maintenant. C'est vous qui le leur avez proposé. Pourquoi m'avez-vous dit le contraire?

— Ah! vous lisez mon courrier derrière mon dos! dit Lewis d'une voix irritée.

— Pourquoi pas? Vous, vous me mentez.

— Je vous mens et vous fouillez dans mes papiers : nous sommes quittes », dit Lewis avec hostilité.

Soudain toutes mes forces m'abandonnèrent et je le regardai avec stupeur; c'était lui, c'était moi; comment en étions-nous venus là?

— Lewis, je ne comprends plus rien. Vous m'aimez, je vous aime. Qu'est-ce qui nous arrive? demandai-je avec égarement.

— Rien du tout, dit Lewis.

— Je ne comprends pas! répétai-je. Expliquez-moi. Nous étions si heureux à Mexico. Pourquoi avez-vous décidé de venir à New York? Vous saviez bien que nous ne pourrions presque plus nous voir.

— Toujours des Indiens, des ruines, ça commençait à m'assommer, dit Lewis. Il haussa les épaules : « J'ai eu envie de changer d'air; je ne vois pas ce que ça a de tragique. »

Ça n'était pas une réponse, mais je décidai provisoirement de m'en contenter : « Pourquoi ne m'avez-vous pas dit que vous en aviez marre du Mexique? Pourquoi ces manigances? demandai-je.

— Vous ne m'auriez pas laissé venir ici, vous m'auriez obligé à rester là-bas », dit Lewis.

Je fus aussi saisie que s'il m'avait giflée : quelle rancune dans sa voix!

— Vous pensez ce que vous dites?

— Oui, dit Lewis.

— Mais enfin Lewis, quand vous ai-je empêché de faire ce que vous vouliez? Oui, vous cherchiez toujours à me faire plaisir : mais ça avait l'air de vous faire plaisir à vous aussi. Je n'ai jamais eu l'impression que je vous tyrannisais.

Je repassai notre passé dans ma tête : tout avait été amour, entente et le bonheur de nous donner l'un à l'autre du bonheur. C'était affreux d'imaginer que derrière la gentillesse de Lewis des griefs se cachaient.

— Vous êtes tellement têtue que vous ne vous en rendez même pas compte, dit Lewis. Vous arrangez les choses dans votre tête, et puis vous n'en démordez plus, il faut en passer par où vous voulez.

— Mais quand est-ce arrivé? donnez-moi des exemples, dis-je.

Lewis hésita :

— J'ai envie d'aller passer ce mois chez Murray et vous refusez.
Je l'interrompis :

— Vous êtes de mauvaise foi. Quand est-ce arrivé, avant Mexico ?

— Je sais très bien que si je n'avais pas fait un coup de force nous
serions restés au Mexique, dit Lewis. D'après vos plans, on devait y
passer encore un mois et vous m'auriez prouvé qu'il fallait le faire.

— D'abord, c'était nos plans à tous les deux, dis-je. Je réfléchis.
« Je suppose que j'aurais discuté; mais puisque vous aviez tellement
envie de venir à New York, j'aurais sûrement fini par céder.

— C'est facile à dire », dit Lewis. Il m'arrêta d'un geste : « En tout
cas, il aurait fallu un rude travail pour vous convaincre. J'ai fait un
petit mensonge pour gagner du temps : ce n'est pas si grave.

— Moi, je trouve ça grave, dis-je. Je pensais que vous ne me mentiez
jamais. »

Lewis sourit avec un peu de gêne :

— En fait, oui, c'est la première fois. Mais vous avez tort de vous
frapper. Qu'on se mente ou qu'on ne se mente pas, la vérité n'est jamais
dite.

Je le dévisageai avec perplexité. Décidément il s'en passait de drôles
dans sa tête ! il en avait lourd sur le cœur. Mais quoi au juste ? Je secouai
la tête :

— Je ne crois pas ça, dis-je. On peut se parler. On peut se connaître.
Il suffit d'un peu de bonne volonté.

— Je sais que c'est votre idée, dit Lewis. Mais justement, c'est le
pire mensonge : prétendre qu'on se dit la vérité.

Il se leva :

— Enfin sur ce point je vous l'ai dite et je n'ai rien à ajouter. On
pourrait peut-être partir d'ici.

— Partons.

Nous avons traversé le parc en silence. Cette explication ne m'avait
rien expliqué du tout. Une seule chose était claire : l'hostilité de Lewis.
Mais d'où venait-elle ? Il était bien trop hostile pour me le dire; ça ne
servirait à rien de l'interroger.

— Où allons-nous ? demanda Lewis.

— Où vous voulez.

— Je n'ai pas d'idée.

— Moi non plus.

— Vous sembliez avoir des plans pour cette soirée, dit Lewis.

— Rien de spécial, dis-je. Je pensais qu'on irait dans un petit bar
tranquille, et qu'on causerait.

— On ne cause pas comme ça sur commande, dit-il avec humeur.

— Allons écouter du jazz à Café Society, dis-je.

— Vous n'avez pas entendu assez de jazz dans votre vie ?

La colère m'est montée au visage :

— Bon, rentrons dormir, dis-je.

— Je n'ai pas sommeil, dit Lewis d'un air innocent.

Il s'amusait à me taquiner, mais sans amitié. « Il fait exprès de gâcher

cette soirée; il fait exprès de tout gâcher! » ai-je pensé avec rancune.
Je dis sèchement :

— Alors, allons à Café Society puisque j'en ai envie et que vous n'avez envie de rien.

Nous avons pris un taxi. Je me rappelai ce que Lewis m'avait dit un an plus tôt : qu'il ne s'entendait avec personne par sa faute. C'était donc vrai! Il avait de bons rapports avec Teddy, Felton, Murray parce qu'il les voyait rarement. Mais une vie commune, il ne supportait pas ça longtemps. Il m'avait aimée à l'étourdie : et déjà l'amour lui semblait une contrainte. De nouveau la colère me prit à la gorge : c'était plutôt réconfortant. « Il aurait dû prévoir ce qui lui arrive, pensais-je. Il ne devait pas me laisser m'engager corps et âme dans cette histoire. Et il n'a pas le droit de se conduire comme il est en train de le faire. Si je lui pèse, qu'il le dise. Je peux rentrer à Paris, je suis prête à rentrer. »

L'orchestre jouait un morceau de Duke Ellington; nous avons commandé des whiskies. Lewis me dévisagea avec un peu d'inquiétude :

— Vous êtes triste?

— Non, dis-je, pas triste. Je suis en colère.

— En colère? Vous avez une manière bien calme d'être en colère.

— Ne vous y fiez pas.

— Qu'est-ce que vous pensez?

— Je pense que si cette histoire vous pèse, vous n'avez qu'à le dire. Je peux prendre un avion pour Paris dès demain.

Lewis eut un petit sourire :

— C'est grave ce que vous proposez là.

— Pour une fois que nous sortons seuls, on dirait que ça vous est insupportable, dis-je. Je suppose que c'est la clef de toute votre conduite : vous vous ennuyez avec moi. Autant m'en aller.

Lewis secoua la tête :

— Je ne m'ennuie pas avec vous, dit-il d'une voix sérieuse.

Ma colère m'abandonna comme elle était venue, et de nouveau je me sentis sans force :

— Alors qu'y a-t-il, dis-je. Il y a quelque chose : quoi?

Il y eut un silence et Lewis dit :

— Mettons que de temps en temps vous m'irritez un tout petit peu.

— Je m'en rends bien compte, dis-je. Mais je voudrais savoir pourquoi.

— Vous m'avez expliqué que l'amour n'est pas tout pour vous, dit Lewis avec une brusque volubilité. Soit : mais alors pourquoi exigez-vous qu'il soit tout pour moi? Si j'ai envie de venir à New York, de voir des amis, ça vous fâche. Il faudrait que vous soyez seule à compter, que rien d'autre n'existe, que je vous subordonne toute ma vie alors que vous ne sacrifiez rien de la vôtre. Ce n'est pas juste!

Je gardais le silence. Il y avait bien de la mauvaise foi dans ces reproches, et bien de l'incohérence; mais ce n'était pas la question. Pour la première fois de la soirée, j'entrevoyais une lueur : elle n'avait rien de rassurant.

— Vous vous trompez, murmurai-je. Je n'exige rien.

— Oh! si! Vous partez et vous revenez quand ça vous chante. Mais tant que vous êtes là, je dois vous assurer le parfait bonheur...

— C'est vous qui êtes injuste, dis-je. Ma voix s'étrangla dans ma gorge. Ça me sautait aux yeux soudain : Lewis m'en voulait parce que j'avais refusé de rester pour toujours avec lui. Ce séjour à New York, les projets faits avec Murray, c'était des représailles!

— Vous m'en voulez! dis-je. Pourquoi? rien n'est de ma faute, vous le savez bien.

— Je ne vous en veux pas. Je pense seulement qu'il ne faut pas demander plus qu'on ne donne.

— Vous m'en voulez! répétai-je. Je regardai Lewis avec désespoir : « Pourtant, quand nous avons parlé à Chichicastenango nous étions d'accord, vous me compreniez. Qu'est-ce qui s'est passé depuis?

— Rien, dit Lewis.

— Alors? Vous disiez que vous ne m'auriez pas tant aimée si j'avais été différente. Vous disiez que nous serions heureux... »

Lewis haussa les épaules :

— J'ai dit ce que vous vouliez que je dise.

De nouveau, j'eus l'impression de recevoir une gifle en plein visage. Je balbutiai : « Comment ça?

— Je voulais vous dire beaucoup d'autres choses; mais vous vous êtes mise à pleurer de joie; ça m'a fermé la bouche. »

Oui, je me rappelais. Les flammes grésillaient et j'avais les yeux pleins de larmes; c'est vrai que je m'étais hâtée de pleurer de joie sur l'épaule de Lewis; je lui avais forcé la main, c'est vrai.

— J'avais tellement peur! dis-je. J'avais tellement peur de perdre votre amour!

— Je sais. Vous aviez l'air terrorisée. Ça aussi ça m'a coupé la parole », dit Lewis. Il ajouta avec rancune : « Comme vous avez été soulagée quand vous avez compris que j'en passerais par où vous vouliez! Le reste vous était bien égal! »

Je me mordis la lèvre; cette fois il ne fallait pas que je pleure, à aucun prix. Et pourtant c'était très affreux ce qui m'arrivait. Les flammes, les tapis, la pluie contre les vitres, Lewis dans son peignoir blanc : tous ces souvenirs étaient faux. Je me revoyais pleurant sur son épaule, nous étions unis à jamais : mais j'étais unie toute seule. Il avait raison : j'aurais dû me soucier de ce qui se passait dans sa tête, au lieu de me contenter des mots que je lui arrachais. J'avais été lâche, égoïste et lâche. J'en étais bien punie. Je rassemblai tout mon courage; maintenant, je ne pouvais plus me dérober.

— Qu'est-ce que vous auriez dit si je n'avais pas pleuré? demandai-je.

— J'aurais dit qu'on ne peut pas aimer de la même manière quelqu'un qui est tout à vous et quelqu'un qui ne l'est pas.

Je me raidis et j'essayai de me défendre : « Vous avez dit juste le contraire : vous avez dit que si j'étais différente vous ne m'aimeriez pas tant.

— Ce n'est pas contradictoire », dit Lewis. Il haussa les épaules :
« Ou alors, c'est que les sentiments peuvent se contredire. »

Inutile de discuter; la logique n'avait rien à voir ici; sans doute les
sentiments de Lewis avaient d'abord été confus, et pour gagner du
temps, il m'avait dit des mots apaisants; ou peut-être était-ce après
coup qu'il s'était mis à m'en vouloir. Peu importait. Aujourd'hui, il
ne m'aimait plus de la même manière qu'avant : comment pourrais-
je m'y résigner? Le désespoir m'étouffait. Je continuai à parler, pour
m'empêcher de penser :

— Vous ne m'aimez plus comme avant?

Lewis hésita : « Je pense que l'amour est moins important que je
ne l'avais cru.

— Je vois, dis-je. Puisque je dois repartir, que je sois ici, que je
n'y sois pas, ça ne fait pas tant de différence.

— Quelque chose comme ça », dit Lewis. Il me regarda et soudain
sa voix changea : « Pourtant je vous ai tellement attendue! dit-il avec
émotion. Pendant toute l'année, je n'ai pensé à rien d'autre. Comme
je vous ai désirée!

— Oui, dis-je tristement. Et maintenant... »

Lewis passa son bras autour de mes épaules : « Maintenant je vous
désire encore.

— Oh! de cette façon-là, dis-je.

— Pas seulement de cette façon-là. » La main se crispa sur mon
bras : « Je vous épouserais sur l'heure. »

Je baissai la tête. Je me rappelai l'étoile filante, au-dessus du lac.
Il avait fait un vœu, ce vœu n'avait pas été exaucé; moi qui m'étais
promis de ne jamais le décevoir, je l'avais déçu irrémédiablement. J'étais
la seule coupable. Jamais plus je ne pourrais lui en vouloir, de rien.

Nous n'avons plus parlé. Nous avons écouté un peu de jazz et nous
sommes rentrés. Je n'ai pas dormi. Je me demandais avec angoisse
si je réussirais à sauver notre amour; il pouvait encore triompher de
l'absence, de l'attente, de tout, mais à condition que nous le voulions
tous les deux; Lewis le voudrait-il? «Pour l'instant, il hésite, me disais-
je; il tient à se garder des regrets, de la souffrance, du vague à l'âme :
mais lui qui répugne à jeter un vieux peignoir, il ne se débarrassera
pas si facilement de notre passé; il est plus généreux qu'orgueilleux,
me disais-je encore pour m'encourager; il est plus avide que prudent,
il souhaite que des choses lui arrivent. » Seulement je savais aussi
quelle valeur il donnait à sa sécurité, à son indépendance, et comme
il se piquait de vivre avec mesure et raison. Ça peut paraître déraisonnable d'aimer à travers un océan. Oui, c'est là ce qui me semblait le
plus redoutable chez Lewis : cette folie de sagesse qui le prend par
à-coups. C'est elle que je devais combattre. Il fallait démontrer à Lewis
qu'il avait plus à gagner qu'à perdre dans cette histoire. En prenant
le petit déjeuner, j'attaquai :

— Lewis! j'ai pensé à nous toute la nuit.

— Vous auriez mieux fait de dormir.

Sa voix était amicale; il avait l'air détendu; ça l'avait sans doute soulagé de me dire ce qu'il avait sur le cœur.

— Vous m'avez dit hier que je vous irritais parce que je demande plus que je ne donne, dis-je. Oui, c'est un tort : je ne le ferai plus. Je prendrai ce que vous me donnerez et je n'exigerai jamais rien.

Lewis voulut m'interrompre, mais je continuai. D'abord nous irions chez Murray, c'était une affaire entendue. Et puis je ne voulais pas qu'il se croie astreint à cette fidélité que jusqu'ici il s'était imposée : en mon absence, il devait se sentir aussi libre que si je n'avais pas existé. Si jamais il était tenté d'aimer d'amour une autre femme, tant pis pour moi, je ne protesterais pas. Puisque notre histoire ne lui apportait pas tout ce qu'il aurait souhaité, au moins elle ne le priverait de rien.

— Alors, ne pensez plus que je vous ai tendu un piège, dis-je. Ne gâchez plus les choses pour le seul plaisir de les gâcher!

Lewis m'avait écoutée d'un air attentif, il secoua la tête :

— Ce n'est pas si simple que ça!

— Je sais, dis-je. Du moment qu'on aime, on n'est pas libre. Mais ce n'est tout de même pas pareil d'aimer quelqu'un qui se croit des droits sur vous ou quelqu'un qui ne s'en croit aucun.

— Oh! ça me serait bien égal qu'une femme se croie des droits sur moi si je ne lui en reconnaissais pas, dit Lewis. Il ajouta : « Ne parlons plus de tout ça. On ne fait qu'embrouiller les choses quand on en parle.

— On les embrouille aussi quand on se tait », dis-je. Je me penchai vers lui : « Il y a une chose que je veux vous demander : est-ce que vous regrettez de m'avoir rencontrée?

— Non, dit-il. Soyez tranquille. Jamais je ne le regretterai. »

Son accent me donna du courage :

— Lewis, nous nous reverrons, n'est-ce pas?

Il sourit :

— C'est ce qu'il y a de plus sûr au monde.

L'espoir me revint au cœur. Je savais que mon discours ne l'avait qu'à demi convaincu; et en fait, oui, c'était fallacieux de lui parler de liberté tout en lui demandant de ne pas me chasser de son cœur. « Mais il suffirait, me disais-je, qu'il ne se bute pas dans la rancune et je lui prouverai que notre amour peut être heureux. » Sans doute avais-je déjà touché en lui un point sensible, ou bien ses griefs s'étaient évanouis au moment où il les avait formulés : il m'a emmenée à Coney Island l'après-midi et il a été aussi gai, aussi tendre qu'aux plus beaux jours. Soudain, il avait mille choses à me raconter : sur la vie littéraire à New York, sur des gens, sur des livres; il parlait, il parlait comme si nous venions tout juste de nous retrouver. Et si seulement il avait dit « Je vous aime » j'aurais pu croire cette nuit-là que tout était exactement comme autrefois.

— Ça ne vous ennuie vraiment pas d'aller chez Murray? m'a-t-il demandé le lundi d'une voix un peu hésitante.

— Pas du tout : ça m'amuse.

— Alors partons ce soir.

Je le regardai avec surprise :

— Je croyais que vous aviez encore beaucoup de choses à faire ici?

Lewis se mit à rire :

— Je ne les ferai pas.

Dès le lendemain matin nous buvions du café avec les Murray dans un studio aux larges baies vitrées; la maison était à l'écart du village, perchée sur un éperon rocheux, le bleu du ciel et le bruit de la mer entraient par les fenêtres. Lewis parlait à perdre haleine tout en se gavant de toasts beurrés : on aurait cru, à voir son visage joyeux, qu'il réalisait enfin le plus cher de ses rêves. Il fallait reconnaître que tout était parfait : le site, le temps, le breakfast, le sourire de nos hôtes; pourtant je me sentais mal dans ma peau. Malgré sa gentillesse, Ellen m'intimidait; sa discrète élégance, le charme de son intérieur, ses deux enfants éblouissants de santé témoignaient qu'elle était une jeune matrone accomplie : les femmes qui concertent avec tant de bonheur tous les détails de leur existence m'effraient toujours un peu. Et voilà que j'allais être prise dans le réseau serré de cette vie où je n'avais pas ma place : j'avais l'impression à la fois d'être ligotée et de flotter à la dérive.

Le petit garçon avait huit ans, il s'appelait Dick : il s'est tout de suite pris d'une grande amitié pour Lewis; il nous a conduits par un sentier escarpé jusqu'à une petite crique, au pied des rochers. Lewis a passé la matinée à jouer au ballon avec lui dans l'eau et sur le sable. J'ai nagé, j'ai lu, je ne m'ennuyais pas mais je continuai à me demander : « Qu'est-ce que je fais ici? » L'après-midi, Murray nous a promenés en auto le long de la côte; Ellen ne nous a pas accompagnés. Quand nous sommes rentrés, nous sommes restés seuls un long moment Lewis et moi dans le studio, devant des verres de whisky; j'ai réalisé soudain que ça nous arriverait souvent de rester seuls ensemble : Murray comptait passer ses journées devant sa machine à écrire et Ellen n'avait visiblement pas une minute à elle. Je bus une gorgée de whisky, je commençais à me sentir bien.

— Comme ce pays est beau! dis-je. Et comme Murray est gentil! Je suis contente.

— Oui, on est bien ici, dit Lewis.

La radio jouait une petite musique ancienne et pendant un moment nous l'avons écoutée en silence. La glace tintait dans nos verres, on entendait rire des enfants, une bonne odeur de pâtisserie se mélangeait à l'odeur de la mer.

— Voilà comment il faudrait vivre! dit Lewis. Une maison à soi, une femme qu'on n'aime ni trop ni trop peu, des enfants.

— Vous pensez que c'est comme ça que Murray tient à Ellen? Ni trop ni trop peu? demandai-je avec curiosité.

— C'est évident, dit Lewis.

— Et elle? comment l'aime-t-elle?

Lewis sourit :

— Trop et trop peu, je suppose, comme toutes les femmes.

« Il m'en veut de nouveau », pensai-je avec un peu de tristesse. C'était sans doute à cause de ce petit rêve de bonheur familial qui venait de lui traverser la tête. Je demandai :

— Vous croyez que vous seriez heureux comme ça?

— Du moins je ne serais jamais malheureux.

— Ce n'est pas sûr. Il y a des gens que ça rend malheureux de ne pas se sentir heureux : je crois bien que vous en êtes.

Lewis sourit : « Peut-être », dit-il. Il réfléchit :

— Tout de même, j'envie Murray d'avoir des enfants. On se fatigue de vivre toujours seul, pour soi seul, ça finit par paraître très vain. J'aimerais des enfants.

— Eh bien, un jour, vous vous marierez et vous aurez des enfants, dis-je.

Lewis me regarda d'un air hésitant : « Ça ne sera ni demain ni après-demain, dit-il. Mais plus tard, dans quelques années, pourquoi pas? »

Je lui souris :

— Oui, dis-je. Pourquoi pas? Dans quelques années...

C'était tout ce que je demandais : quelques années; pour les serments d'éternité, j'habitais trop loin, j'étais trop âgée; il fallait seulement que notre amour vécût assez longtemps pour s'éteindre avec douceur, en nous laissant au cœur des souvenirs sans tache et une amitié qui n'en finirait pas.

Le dîner fut si généreux et Murray si cordial que j'achevai de m'acclimater. J'étais d'humeur accueillante quand, au café, des gens se sont amenés. En ce début de saison il y avait encore peu d'estivants à Rockport, ils se connaissaient tous, et ils étaient avides de voir de nouveaux visages; on nous a fait fête. Lewis s'est vite retiré de la conversation, il a aidé Ellen à fabriquer les sandwiches et à secouer les cocktails. Moi j'ai fait de mon mieux pour répondre à toutes les questions dont on m'accablait. Murray a amorcé une discussion sur les rapports de la psychanalyse et du marxisme; là-dessus j'en savais plus long que les autres, et comme il me poussait, j'ai beaucoup parlé. Quand nous nous sommes retrouvés dans notre chambre, Lewis m'a dévisagée d'un air intrigué.

— Je vais finir par croire qu'il y a un cerveau dans ce petit crâne! m'a-t-il dit.

— C'était bien imité, n'est-ce pas? dis-je.

— Non : vous avez vraiment un cerveau, dit Lewis. Il continuait à me regarder et il y avait un peu de reproche dans ses yeux : « C'est drôle; jamais je ne pense à vous comme à une femme de tête. Pour moi vous êtes tellement autre chose!

— Avec vous, je me sens tellement autre chose! » dis-je en venant dans ses bras.

Comme il m'a serrée fort! Ah! soudain aucune question ne se posait plus. Il était là, ça suffisait. J'avais ses jambes emmêlées aux miennes,

son souffle, son odeur, ses mains violentes sur mon corps, il disait :
« Anne! » avec sa voix d'autrefois, et comme autrefois son sourire me
donnait son cœur avec sa chair.

Quand nous nous sommes réveillés, le ciel et la mer étincelaient.
Nous avons emprunté les bicyclettes des Murray et nous avons été
au village; nous nous sommes promenés sur le pont, nous avons passé
un long moment à regarder les barques, les pêcheurs, les filets, les poissons; je respirais la fraîche odeur de marée, le soleil me caressait, Lewis
tenait mon bras, il riait.

Je dis avec élan : « La belle matinée!

— Pauvre petite Gauloise, dit Lewis d'une voix tendre. Comme il
lui en faut peu pour se croire au paradis!

— Le ciel, la mer, l'homme que j'aime : ça n'est pas si peu. »

Il serra mon bras : « Allez! vous n'êtes pas bien exigeante.

— Je me contente de ce que j'ai, dis-je.

— Vous avez raison, dit Lewis. Il faut se contenter de ce qu'on a. »

Le ciel est devenu encore plus bleu, le soleil plus chaud, et j'ai entendu
en moi-même un grand carillon joyeux. « J'ai gagné! » me dis-je. J'avais
eu raison d'accepter de venir ici. Lewis se sentait libre, il comprenait
que mon amour ne le privait de rien. Sur la plage, il joua de nouveau
avec Dick pendant une partie de l'après-midi et j'admirai sa patience.
Depuis longtemps je ne l'avais pas vu si détendu. Murray nous emmena
chez des amis, après le dîner, et cette fois Lewis n'essaya pas de se
tenir à l'écart : il se dépensa avec exubérance. Décidément, il n'aurait
jamais fini de m'étonner; je ne croyais pas qu'en société il pût être
brillant : il l'était. Il raconta notre voyage avec des raccourcis si habiles
et un tel bonheur d'invention que son Guatemala était plus vrai que
le vrai; tout le monde avait envie d'y aller. Quand il mima les petits
Indiens trottant sous leurs fardeaux, des femmes s'exclamèrent :

— Vous seriez un acteur merveilleux!

— Comme il raconte bien!

Lewis s'arrêta net : « Quelle patience vous avez! » dit-il en souriant.
Il ajouta : « Moi je déteste les récits de voyage.

— Oh! continuez, dit une blonde.

— Non, j'ai fini mon numéro », dit-il en marchant vers le buffet.
Il a vidé un grand verre de manhattan pendant que de belles filles aux
épaules dorées et des femmes moins belles aux yeux chargés d'âme
s'empressaient autour de lui. Ça me vexa un peu de constater qu'il
plaisait aux femmes. Je croyais qu'il m'avait subtilement séduite par
son absence de séduction : et je découvrais qu'il était séduisant. De toute
façon, ce qu'il était pour moi, il ne l'était pour personne d'autre.
« Pour moi seule il est unique », pensais-je avec une espèce de fierté.

J'ai bu moi aussi, j'ai dansé, j'ai causé avec un guitariste qu'on venait
de vider de la radio pour idées avancées, et puis avec des musiciens,
des peintres, des intellectuels, des littérateurs. Rockport, l'été, c'est
une annexe de Greenwich Village, c'est plein d'artistes. Soudain je
m'avisai que Lewis avait disparu. Je demandai à Murray :

— Où est passé Lewis?

— Je ne sais pas du tout, m'a dit Murray de sa voix placide.

J'ai senti une petite angoisse au cœur : avait-il été faire un tour dans
le jardin avec une de ses belles admiratrices? En ce cas, il ne serait pas
très content de me voir apparaître : tant pis! Je jetai un coup d'œil
dans le hall, dans la cuisine, et je sortis de la maison. On n'entendait
que le chant patient des sauterelles. Je fis quelques pas et j'aperçus la braise d'une cigarette; Lewis était assis sur une chaise de jardin,
seul.

— Qu'est-ce que vous faites là? demandai-je.

— Je me repose.

Je souris : « J'ai cru que ces femelles allaient vous manger vif.

— Vous savez ce qu'il faudrait faire? dit Lewis d'un ton vindicatif.
On les embarquerait sur un bateau, on les jetterait toutes à la mer et
on ramènerait à la place une cargaison de petites Indiennes. Vous vous
rappelez les petites Indiennes de Chichicastenango, sagement assises
par terre aux pieds de leurs maris : comme elles étaient silencieuses; et
elles avaient des visages qui ne bougeaient pas.

— Je me rappelle.

— Elles ont toujours leurs jolies figures, leurs nattes noires : et nous
ne les reverrons jamais », dit Lewis. Il soupira : « Comme c'est loin
tout ça! »

Il y avait la même nostalgie dans sa voix que lorsque, dans la jungle
de Chichen-Itza, il me parlait de la maison de Chicago. « Si je deviens
un souvenir dans son cœur, il pensera à moi avec cette tendresse »,
pensais-je. Mais je ne voulais pas devenir un souvenir.

— Peut-être nous retournerons voir les petites Indiennes, un jour.

— Je crois bien que non, dit Lewis. Il se leva : « Venez vous promener.
La nuit sent si bon.

— Il faut revenir chez ces gens, Lewis. Ils vont remarquer notre
absence.

— Et après? Je n'ai rien à leur dire ni eux à moi.

— Mais ce sont des amis des Murray : ça ne serait pas gentil de disparaître comme ça. »

Lewis soupira : « Que j'aimerais une petite épouse indienne qui me
suivrait sans protester partout où je voudrais! »

Nous avons regagné la maison. Lewis n'était plus du tout gai. Il
a beaucoup bu et il ne répondait plus que par des grognements aux
questions qu'on lui posait. Il s'est assis à côté de moi et il a écouté la
conversation d'un air de blâme. J'ai dit à Murray qu'en France beaucoup
d'écrivains se demandaient quel sens ça gardait aujourd'hui, d'écrire.
Là-dessus tout le monde s'est mis à discuter avec passion. Le visage
de Lewis est devenu de plus en plus sombre. Il déteste les théories, les
systèmes, les généralisations. Je sais bien pourquoi : pour lui une idée
n'est pas un assemblage de mots, c'est quelque chose de vivant; celles
qu'il accueille, elles bougent en lui, elles dérangent tout, il est obligé
de faire un dur travail pour remettre de l'ordre dans sa tête : alors ça

l'effraie un peu; dans ce domaine aussi, il a le goût de la sécurité, il déteste se sentir perdu; souvent il se ferme. Visiblement il se fermait. Et à un moment il a explosé :

— Pourquoi écrit-on? pour qui écrit-on? Si on commence à se demander ça, on n'écrit plus! On écrit c'est tout, et des gens vous lisent. On écrit pour les gens qui vous lisent. Ce sont les écrivains que personne ne lit qui se posent ces questions-là!

Ça a jeté un froid. D'autant plus qu'en effet il y avait là pas mal d'écrivains que personne ne lisait ni ne lirait jamais. Heureusement Murray a arrangé les choses. Lewis est rentré dans sa coquille. Un quart d'heure après, nous avons pris congé.

Toute la journée qui suivit, Lewis fut maussade; quand Dick s'amena sur la plage, revolver aux poings, en poussant des cris, il le regarda d'un œil noir; c'est la rage au cœur qu'il lui donna une leçon de boxe et qu'il l'emmena nager. Le soir pendant que je causais avec Ellen et Murray, il s'absorba dans la lecture des journaux. Je savais que Murray ne se frapperait pas pour si peu, mais j'étais ennuyée à cause d'Ellen. « Il a trop bu hier soir, demain il sera mieux luné », me dis-je avec espoir en m'endormant.

Je me trompais. Le lendemain matin Lewis ne m'adressa pas un sourire. Ellen fut touchée parce qu'il lui ôta l'aspirateur des mains et qu'il nettoya la maison de la cave au grenier : mais cette rage ménagère était suspecte. Lewis faisait le silence en lui : que fuyait-il? Il s'est montré relativement aimable pendant le déjeuner, mais aussitôt seul avec moi sur la plage il m'a dit d'une voix violente :

— Si ce sale morpion vient encore m'emmerder, je lui tords le cou.

— C'est bien votre faute! dis-je avec irritation. Vous n'aviez qu'à ne pas être si gentil avec lui le premier jour.

— Le premier jour, je me laisse toujours avoir, dit Lewis d'une voix chargée de rancune.

— Oui : mais les autres sont, eux aussi, dis-je vivement. Il faut que vous teniez compte de ça.

Des cailloux ont roulé au-dessus de nos têtes, Dick dévalait le sentier; il portait un pantalon à carreaux noirs et blancs, une chemise immaculée et une ceinture de cow-boy; il a couru vers Lewis :

— Pourquoi tu es venu ici? je t'attendais là-haut. Tu as dit hier qu'après déjeuner on irait se promener à bicyclette.

— Je n'ai pas envie d'aller me promener, dit Lewis.

Dick le regarda avec reproche : « Hier tu as dit : on ira demain. Demain, c'est aujourd'hui.

— Si c'est aujourd'hui, ce n'est pas demain, dit Lewis. Qu'est-ce qu'on t'apprend à l'école? Demain, c'est demain. »

Dick ouvrit la bouche d'un air malheureux; il saisit le bras de Lewis : « Allons! Viens! » dit-il.

Lewis dégagea son bras d'un geste brusque : c'est à peu près cette tête-là qu'il avait eue le jour où il avait donné un coup de pied à un dragon de pierre. Je posai ma main sur l'épaule de Dick :

— Écoute, moi je vais t'emmener promener à bicyclette. On ira au village : on regardera les bateaux et on mangera des glaces.

Dick me considéra sans enthousiasme : « Il a promis de venir, dit-il en désignant Lewis.

— Il est fatigué. »

Dick se tourna vers Lewis : « Tu restes ici? tu vas te baigner?

— Je ne sais pas, dit Lewis.

— Je reste avec toi : on va boxer, dit Dick. Et puis on nagera... »

Il levait de nouveau vers Lewis un visage confiant.

— Non! dit Lewis.

J'appuyai ma main sur l'épaule de Dick : « Viens, dis-je. Il faut le laisser. Il a des choses à penser dans sa tête. Moi je dois aller à Rockport et je m'ennuierais toute seule : accompagne-moi. Tu me raconteras des histoires. Et je t'achèterai des illustrés, je t'achèterai tout ce que tu voudras! » dis-je avec l'énergie du désespoir.

Dick tourna le dos à Lewis et se mit à remonter le sentier. J'étais furieuse contre Lewis : on ne se conduit pas comme ça avec un môme! Par-dessus le marché ça ne m'amusait pas de m'occuper de Dick. Heureusement, par profession, je sais mettre un enfant en confiance; il s'est bientôt déridé. Nous avons fait une course de bicyclettes où je me suis laissé battre de justesse; j'ai gavé Dick de glaces au cassis, nous sommes montés sur une barque de pêche, enfin j'ai fait tant et si bien qu'il n'a pas voulu me lâcher avant l'heure du dîner.

— Eh bien, vous pouvez me dire merci, dis-je à Lewis en entrant dans la chambre. Je vous en ai débarrassé de ce môme. J'ajoutai : « Vous avez été infect avec lui.

— C'est lui qui peut vous remercier, dit Lewis. Une minute de plus, et je lui brisais les os. »

Il était couché sur son lit dans son vieux pantalon de toile et sa chemisette à manches courtes, et il fumait en regardant le plafond. Je pensais avec rancune qu'il aurait vraiment dû me remercier. J'ôtai ma robe de plage et je commençai à me recoiffer : « Il est temps de vous habiller, dis-je.

— Je suis habillé, dit Lewis. Vous ne voyez pas que j'ai des vêtements sur le corps? J'ai l'air nu?

— Vous ne comptez pas descendre comme ça, non?

— J'y compte très bien. Je ne vois pas pourquoi il faudrait changer de costume sous prétexte que le soleil s'est couché.

— Murray et Ellen le font, et vous êtes chez eux, dis-je. Par-dessus le marché il y aura des gens à dîner.

— Encore! dit Lewis. Je ne suis pas venu ici pour y retrouver la vie idiote de New York.

— Vous n'êtes pas venu ici pour être déplaisant avec tout le monde! dis-je. Déjà hier soir, Ellen commençait à vous regarder d'un drôle d'air. » Je m'arrêtai brusquement : « Oh! et puis après tout je m'en fous! dis-je. Faites ce que vous voulez! »

Lewis finit par s'habiller, en maugréant. « C'est lui qui m'a imposé

ce séjour, et maintenant il fait exprès de le rendre insupportable »,
me dis-je avec colère. Moi, je faisais de mon mieux, et lui il gâchait
tout. Je décidai que ce soir je ne m'occuperais pas de lui, c'était trop
fatigant d'épier sans cesse ses humeurs.

Je fis ce que je m'étais promis : je causai avec tout le monde, et j'igno-
rai Lewis. Dans l'ensemble, je trouvai les amis de Murray sympa-
thiques : je passai une bonne soirée. Vers minuit, presque tous les
invités sont partis, Ellen s'est retirée, Lewis aussi; je suis restée avec
Murray, le guitariste et deux autres types et on a continué à parler
jusqu'à trois heures du matin. Quand je suis entrée dans notre chambre,
Lewis a allumé, il s'est dressé dans son lit :

— Alors? Vous avez fini de faire du bruit avec votre bouche? Je
ne pensais pas qu'une femme pût faire tant de bruit à elle toute seule,
excepté peut-être Mme Roosevelt.

— J'aime beaucoup causer avec Murray, dis-je en commençant à
me déshabiller.

— C'est bien ce que je vous reproche! dit Lewis. Sa voix se monta :
« Des théories, toujours des théories! ce n'est pas à coup de théories
qu'on fait de bons livres! Il y a des gens qui expliquent comment faire
des livres, et d'autres qui les font : ce ne sont jamais les mêmes.

— Murray ne prétend pas être un romancier; c'est un critique; un
excellent critique, vous le reconnaissez vous-même.

— C'est un grand bavard! Et vous êtes là, à l'écouter, avec des sourires intelligents! Ça donne envie de vous cogner la tête contre un mur
pour y remettre un peu de bon sens! »

Je me glissai dans mon lit : « Bonne nuit », dis-je.

Il éteignit sans répondre.

Je gardai les yeux ouverts. Je n'étais même plus en colère : je n'y
comprenais rien! Ces réunions ennuyaient Lewis, soit, mais enfin
toute la journée on nous fichait une paix royale et pour de vrai Murray
n'avait rien d'un pédant; jusqu'ici Lewis aussi avait pris plaisir à sa
conversation. Pourquoi cette brusque hostilité? Sans aucun doute, c'est
moi que Lewis visait quand il choisissait de nous gâcher ce séjour; ses
rancunes étaient demeurées vivaces : mais alors il aurait dû me réser-
ver ses mauvaises humeurs. Il fallait qu'il fût fâché contre lui-même
pour s'en prendre comme ça au monde entier; peut-être se reprochait-
il ces moments où il avait paru me rendre toute sa tendresse : cette
idée me fut si insupportable que je voulus l'appeler, lui parler. Mais
ma voix se brisa contre mes dents. J'entendais son souffle égal, il dormait, je n'avais pas le cœur de le réveiller. C'est émouvant un homme
qui dort, c'est tellement innocent : tout devient possible; tout peut
commencer, ou recommencer à neuf. Il ouvrirait les yeux, il dirait :
« Je vous aime, ma petite Gauloise. » Et justement, non, il ne le dirait
pas, cette innocence n'était qu'un mirage : demain serait semblable
à aujourd'hui. « Est-ce qu'il n'y a aucun moyen d'en sortir? » me demandai-je avec désespoir. J'eus un sursaut de révolte. « Que veut-il? Que
fera-t-il? Que pense-t-il? » J'étais là, à me torturer de questions, pen-

dant qu'il reposait tranquillement, loin de ses pensées : c'était trop
injuste! J'essayai de faire le vide en moi, mais non, je ne pouvais pas
dormir. Je me levai sans bruit. Dick m'avait empêchée de me baigner
cet après-midi et j'avais envie soudain de la fraîcheur de l'eau. J'ai
enfilé mon costume de bain, ma robe de plage, j'ai pris le vieux peignoir de Lewis et je suis descendue pieds nus à travers la maison
endormie. Comme la nuit était vaste! J'ai mis mes espadrilles, j'ai
couru jusqu'à la plage et je me suis couchée sur le sable. Il faisait très
doux, j'ai fermé les yeux sous les étoiles, et le ronronnement de l'eau
m'a endormie. Quand je me suis réveillée, un gros astre rouge émer-
geait de l'eau; c'était le quatrième jour de la Création : le soleil venait
de naître, la souffrance des bêtes et des hommes n'avait pas encore
été inventée. Je me suis mélangée à la mer; couchée sur le dos, je flottais,
les yeux pleins de ciel, et je ne pesais plus rien.

— Anne.

J'ai fait face à la côte : une terre habitée, un homme qui appelait,
c'était Lewis en pantalon de pyjama, le torse nu; je retrouvai le poids
de mon corps et je nageai vers lui : « Me voilà! »

Il marcha à ma rencontre, l'eau lui montait jusqu'aux genoux quand
il me saisit dans ses bras :

— Anne! répétait-il. Anne!

— Vous allez être tout mouillé! Laissez-moi me sécher, dis-je en
l'entraînant vers la plage.

Il ne desserra pas son étreinte : « Anne! comme j'ai eu peur! »

— Je vous ai fait peur? c'est bien mon tour!

— J'ai ouvert les yeux, le lit était vide et vous ne reveniez pas. Je
suis descendu, vous n'étiez nulle part dans la maison. Je suis venu ici
et d'abord je ne vous ai pas vue...

— Vous n'avez tout de même pas cru que je m'étais noyée? dis-je.

— Je ne sais pas ce que je croyais. C'était comme un cauchemar! »
dit Lewis.

Je ramassai le peignoir blanc : « Frictionnez-moi; et séchez-vous. »

Il obéit et j'enfilai ma robe; il s'enveloppa du peignoir : « Asseyez-
vous près de moi! » demanda-t-il.

Je m'assis et de nouveau il m'enlaça : « Vous êtes là! je ne vous ai
pas perdue. »

Je dis dans un élan : « Jamais vous ne me perdrez par ma faute. »

Pendant un long moment il caressa mes cheveux en silence; brusquement il dit : « Anne! Rentrons à Chicago! »

Un soleil s'est levé dans mon cœur, plus éclatant que celui qui montait dans le ciel :

— J'aimerais bien!

— Rentrons, dit-il. J'ai tellement envie d'être seul avec vous! Le
soir même de notre arrivée j'ai compris quelle sottise j'avais faite!

— Lewis! j'aimerais tant me retrouver seule avec vous! dis-je. Je
lui souris : « C'est ça qui vous a mis de si mauvaise humeur. Vous regret-
tiez d'être venu ici? »

Lewis hocha la tête : « Je me sentais pris au piège; je ne voyais aucun moyen de m'en sortir : c'était terrible!

— Et maintenant vous voyez un moyen? » demandai-je.

Lewis me regarda d'un air inspiré : « Ils dorment : faisons nos valises et sauvons-nous. »

Je souris : « Essayez plutôt de vous expliquer avec Murray, dis-je. Il comprendra.

— Et s'il ne comprend pas, tant pis », dit Lewis.

Je le regardai avec un peu d'inquiétude : « Lewis! vous êtes tout à fait sûr que vous voulez rentrer? ce n'est pas un caprice? Vous ne le regretterez pas? »

Lewis eut un petit sourire : « Je sais très bien quand j'agis par caprice, dit-il. Je vous jure sur votre tête que ça n'en est pas un. »

De nouveau je cherchai ses yeux : « Et quand nous aurons retrouvé notre maison, pensez-vous que nous retrouverons tout le reste? ça sera juste comme l'année dernière? ou presque?

— Juste comme l'année dernière », dit Lewis d'une voix grave. Il prit ma tête entre ses mains et me regarda longtemps : « J'ai essayé de moins vous aimer : je n'ai pas pu.

— Ah! n'essayez plus, dis-je.

— Je n'essaierai plus. »

Je ne sais trop ce que Lewis lui a raconté, mais Murray était souriant quand il nous a accompagnés à l'aérodrome le lendemain soir. Lewis n'avait pas menti : à Chicago, tout m'a été rendu. Quand nous nous sommes quittés au coin de l'avenue, il m'a serrée dans ses bras en disant : « Je ne vous ai jamais tant aimée. »

CHAPITRE IX

La secrétaire ouvrit la porte : « Un pneumatique.

— Merci », dit Henri en saisissant le papier bleu. Il pensa : « Paule s'est tuée. » Mardrus avait beau lui affirmer qu'elle ne nourrissait aucune idée de suicide et qu'elle était presque guérie, il y avait à présent quelque chose de maléfique dans la sonnerie du téléphone, et surtout dans les pneumatiques. Il fut soulagé en déchiffrant la signature de Lucie Belhomme : « Il faut que je vous voie d'urgence; passez chez moi demain matin. » Il relut avec perplexité le message impérieux. Jamais Lucie n'avait pris ce ton avec lui. Josette se portait à merveille, elle était enchantée du rôle qu'elle tournait dans « la Belle Suzon », elle allait danser cette nuit au gala des dentelles dans une grande robe signée Amaryllis; Henri ne voyait vraiment pas ce que lui voulait Lucie. Il enfouit le pneumatique dans sa poche : sûrement un emmerdement en perspective, mais un de plus, un de moins, quelle importance? Sa pensée revint à Paule et il tendit la main vers le téléphone, mais il la laissa retomber : « Mlle Mareuil va très bien »; la réponse ne variait jamais, ni l'intonation glacée de l'infirmière. On lui avait interdit de voir Paule, c'était lui qui l'avait rendue folle, ils étaient tous d'accord là-dessus : tant mieux; ils lui épargnaient la corvée de s'accuser lui-même. Ça faisait si longtemps que Paule lui avait infligé le rôle de bourreau que ses remords s'étaient figés dans une espèce de tétanos : il ne les ressentait plus. D'ailleurs, depuis qu'il avait compris qu'on a toujours tort, quoi qu'on fasse, et surtout si on a cru bien faire, il avait le cœur drôlement léger. Il avalait comme du lait chaud sa ration quotidienne d'insultes.

— J'arrive le premier? dit Luc.

— Comme tu vois.

Luc se laissa tomber sur une chaise; il faisait exprès de s'amener en bras de chemise et en chaussons parce qu'il savait que Trarieux détestait le laisser-aller.

— Dis donc, qu'est-ce qu'on fait si Lambert nous lâche? dit-il.

— Il ne nous lâchera pas, dit Henri vivement.

— Il est cent pour cent pour Volange, dit Luc. Je suis sûr que c'est pour ça que Samazelle a proposé ces articles : pour décider Lambert à nous mettre en minorité.

— Lambert m'a promis sa voix, dit Henri.

Luc soupira : « Je me demande quel jeu il joue, ce petit zazou; moi à sa place, j'aurais plaqué depuis longtemps.

— Je suppose qu'un de ces jours il s'en ira, dit Henri; mais il ne fera pas le jeu des autres; j'ai tenu mes engagements, il tient les siens. »

Henri s'était fait une règle de défendre Lambert contre Luc et Luc contre Lambert en toute occasion; mais le fait est que la situation était équivoque; Lambert n'allait pas continuer indéfiniment à voter contre ses convictions.

— Silence! voilà l'ennemi! dit Luc.

Trarieux entra le premier, suivi de Samazelle et de Lambert dont le visage était maussade; personne ne souriait, sauf Luc. Lui seul s'amusait de cette guerre d'usure où personne ne s'était encore usé.

— Avant de discuter la question qui nous réunit aujourd'hui, je voudrais faire un appel à la bonne volonté de chacun, dit Trarieux en fixant sur Henri un regard insistant. Nous sommes tous attachés à *L'Espoir*, reprit-il d'une voix chaude, et pourtant, faute d'entente, nous sommes en train de le conduire à la faillite. Un jour Samazelle dit blanc, le lendemain Perron dit noir : le lecteur s'y perd et achète un autre journal. Il faut de toute urgence que par-delà nos dissensions nous établissions une plate-forme commune.

Henri secoua la tête : « Pour la centième fois, je répète que je ne ferai aucune concession; vous n'avez qu'à renoncer à me contrer. Je maintiens *L'Espoir* dans la ligne qui a toujours été la sienne.

— C'est une ligne que l'échec du S. R. L. a condamnée et qui est devenue anachronique, dit Samazelle. Plus question aujourd'hui de rester neutre en face des communistes; il faut être décidément pour ou contre. » Il essaya sans conviction son rire jovial : « Étant donné la manière dont ils vous traitent, je m'étonne que vous vous entêtiez à les ménager.

— Je m'étonne que des hommes qui se disaient de gauche soutiennent le parti des capitalistes, des militaires et des curés, dit Henri.

— Distinguons, dit Samazelle; toute ma vie j'ai lutté contre le militarisme, contre l'Église et contre le capitalisme. Mais il faut reconnaître que de Gaulle est bien autre chose qu'un militaire, l'appui de l'Église est aujourd'hui nécessaire pour défendre les valeurs auxquelles nous tenons; et le gaullisme peut être un régime anticapitaliste si des hommes de gauche en prennent les commandes.

— Il vaut mieux entendre ça que d'être sourd, dit Henri; mais c'est tout juste!

— Je crois pourtant qu'il serait de votre intérêt de chercher avec nous un terrain d'entente, dit Trarieux. Parce qu'enfin, il pourrait vous arriver d'être mis en minorité.

— Ça m'étonnerait », dit Henri; il fit un léger sourire à Lambert qui ne sourit pas; évidemment, sa loyauté lui pesait et il tenait à le marquer : « En tout cas, si ça m'arrivait, je démissionnerais, dit Henri, mais je n'accepterais pas de compromis. » Il ajouta avec impatience : « Inutile de discuter jusqu'à demain; nous avons une décision à prendre, prenons-la. Quant à moi je refuse catégoriquement de publier les articles de Volange.

— Moi aussi », dit Luc.

Tous les regards s'étaient tournés vers Lambert qui dit sans lever les yeux : « Leur publication ne me paraît pas opportune.

— Mais vous les trouvez excellents ! dit Samazelle avec éclat. Vous vous laissez intimider !

— Je viens de dire que leur publication ne me paraît pas opportune, c'est clair, non ? dit Lambert avec hauteur.

— Vous espériez nous noyauter ? Vous avez manqué votre coup », dit Luc d'un ton goguenard.

Trarieux se leva brusquement et il foudroya Henri du regard : « Un de ces matins, *L'Espoir* fera faillite. Ça sera la récompense de votre entêtement ! »

Il marcha vers la porte; Samazelle et Luc sortirent derrière lui.

— Je peux te parler ? demanda Lambert d'une voix morne.

— J'allais te poser la même question, dit Henri. Il sentait sur ses lèvres un sourire faux. Ça faisait des mois, ça faisait même une année qu'il n'avait pas eu avec Lambert de conversation vraiment amicale; ce n'était pas faute d'avoir essayé, mais Lambert boudait; Henri ne savait plus comment lui parler.

— Je sais ce que tu vas me dire, dit-il. Tu trouves que la situation n'est plus tenable ?

— Elle ne l'est plus, dit Lambert. Il regarda Henri avec reproche : « Tu as le droit de ne pas aimer de Gaulle, mais tu pourrais observer à son égard une neutralité bienveillante. Dans ces articles que tu as refusés, Volange dissociait lumineusement l'idée de gaullisme et celle de réaction.

— Dissocier les idées, c'est un jeu d'enfant ! » dit Henri. Il ajouta : « Alors, tu veux revendre tes parts.

— Oui.

— Et tu travailleras aux *Beaux Jours* avec Volange ?

— Exactement.

— Tant pis ! » dit Henri. Il haussa les épaules : « Tu vois, j'avais bien raison. Volange prêchait l'abstention : mais il guettait son heure. Il a eu vite fait de se jeter dans la politique.

— C'est votre faute, dit Lambert vivement. Vous avez mis la politique partout ! Si on peut empêcher que le monde soit entièrement politisé, on est obligé de faire de la politique.

— De toute façon vous n'empêcherez rien ! dit Henri. Enfin, c'est inutile de discuter : on ne parle plus le même langage, ajouta-t-il. Revends tes parts. Seulement ça pose un problème. Si nous nous les partageons tous les quatre, la situation redevient celle que tu m'as aidé à éviter. Il faudrait s'entendre Luc, toi et moi, sur un type susceptible de les racheter.

— Choisis qui tu veux, ça m'est bien égal, dit Lambert. Tâche seulement de trouver vite; ce que j'ai fait aujourd'hui, je ne veux pas avoir à le recommencer.

— Je vais chercher; mais laisse-moi le temps de me retourner, dit Henri. On ne te remplace pas comme ça. »

Il avait jeté ces derniers mots au hasard, mais Lambert parut touché; il se blessait pour des phrases innocentes et il lui arrivait de prêter de la chaleur à des mots indifférents.

— Puisqu'on ne parle plus le même langage, le premier venu vaut mieux que moi, dit-il d'une voix boudeuse.

— Tu sais bien qu'à côté des idées d'un type, il y a le type lui-même, dit Henri.

— Je sais, c'est ce qui complique les choses, dit Lambert. Toi et tes idées, ça fait deux. Il se leva : « Tu viens avec moi au festival Lenoir?

— On ferait peut-être mieux d'aller au cinéma, dit Henri.

— Ah non! je ne veux pas manquer ça.

— Eh bien, passe me prendre à huit heures et demie. »

Les journaux communistes avaient annoncé la lecture du chef-d'œuvre en quatre actes et six tableaux où Lenoir « conciliait les exigences de pureté de la poésie avec le souci de délivrer aux hommes un message largement humain ». Au nom du vieux groupe para-humain, Julien se proposait de saboter cette séance. Dans les articles publiés par Lenoir depuis sa conversion, il y avait un fanatisme si servile, il avait fait le procès de son passé et de ses amis avec un zèle si haineux qu'Henri envisageait sans déplaisir de le voir mettre en boîte. Et puis c'était une manière comme une autre de tuer cette soirée : depuis la maladie de Paule, il supportait mal la solitude. Par-dessus le marché il y avait le pneumatique de Lucie Belhomme qui l'intriguait désagréablement.

La salle était comble; l'intelligenzia communiste était rassemblée au grand complet : la vieille garde, et quantité de nouvelles recrues; un an plus tôt beaucoup de ces néophytes dénonçaient avec indignation les erreurs et les fautes des communistes; et puis soudain en novembre, ils avaient compris; ils avaient compris que ça pouvait servir d'être du parti. Henri descendit l'allée centrale à la recherche d'une place et sur son passage les visages se chargeaient de mépris haineux. Pour ça, Samazelle avait raison : ils ne lui savaient aucun gré de son honnêteté. Toute l'année il s'était échiné à défendre L'Espoir contre les pressions gaullistes, il avait pris parti avec violence contre la guerre d'Indochine, contre l'arrestation des députés malgaches, contre le plan Marshall : somme toute, il avait soutenu exactement leurs points de vue. Ça n'empêchait pas qu'on le traitât de faussaire et de vendu. Il s'avança jusqu'aux premiers rangs. Scriassine ébaucha un sourire, mais les jeunes gens groupés autour de Julien regardèrent Henri avec hostilité. Il revint sur ses pas et s'assit au fond de la salle sur une marche d'escalier.

— Je dois être un type dans le genre de Cyrano de Bergerac, dit-il. Je n'ai que des ennemis.

— C'est bien ta faute, dit Lambert.

— Ça coûte vraiment trop cher de se faire des amis.

Il avait aimé la camaraderie, le travail d'équipe : mais c'était en un autre temps, dans un autre monde; au jour d'aujourd'hui, autant être

radicalement seul; comme ça on n'avait rien à perdre; pas grand-chose
à gagner non plus, mais qui gagne quoi, sur cette terre?

— Vise la petite Bizet, dit Lambert. Elle a vite attrapé le genre maison.

— Oui, un beau type de militante, dit Henri gaiement.

Quatre mois plus tôt, il lui avait refusé un reportage sur les problèmes
allemands et elle avait pleurniché : « Décidément, pour réussir dans le
journalisme, il faut se vendre au *Figaro* ou à *L'Humanité*. » Elle avait
ajouté : « Je ne peux tout de même pas porter ces papiers à *L'Enclume*. »
Et puis au bout d'une semaine, elle avait téléphoné : « J'ai tout de même
porté ces papiers à *L'Enclume*. » Et maintenant elle y écrivait chaque
semaine, et Lachaume citait avec émotion : « Notre chère Marie-Ange
Bizet. » Souliers plats, mal maquillée, elle remontait l'allée centrale
en serrant des mains, d'un air important. Elle passa devant Henri qui
se leva et la saisit par le bras : « Bonjour!

— Bonjour », dit-elle sans sourire. Elle voulut se dégager.

— Tu es bien pressée : c'est le parti qui t'interdit de me parler?

— Je ne pense pas que nous ayons grand-chose à nous dire, dit
Marie-Ange dont la voix puérile était devenue acide.

— Laisse-moi tout de même te féliciter : tu fais ton chemin.

— J'ai surtout l'impression de faire du travail utile.

— Bravo! tu as déjà toutes les vertus communistes!

— J'espère avoir perdu quelques défauts bourgeois.

Elle s'éloigna avec dignité et à cet instant des applaudissements
éclatèrent. Lenoir montait sur l'estrade, il s'asseyait devant la table
pendant qu'une claque disciplinée mimait l'enthousiasme. Il disposa
des feuillets sur le tapis et se mit à lire une espèce de manifeste; il
lisait d'une voix hachée, en prenant sur chaque mot un élan désespéré,
comme s'il avait vu s'ouvrir entre les syllabes des crevasses vertigi-
neuses; visiblement, il se faisait peur à lui-même; pourtant, il ne débi-
tait sur la mission sociale du poète et sur la poésie du monde réel
que les lieux communs les plus éprouvés. Quand il s'arrêta, il y eut
une nouvelle salve d'applaudissements : le camp ennemi ne broncha
pas.

— Tu te rends compte! dit Lambert. Où ils en sont tombés pour
applaudir ça!

Henri ne répondit pas. Bien sûr, il suffisait de les regarder face à
face ces intellectuels de mauvaise foi pour désarmer leur mépris; c'est
par arrivisme, ou par peur, ou par confort moral qu'ils s'étaient conver-
tis et il n'y avait pas de limite à leur servilité; mais il fallait aussi être
de mauvaise foi pour se satisfaire de cette victoire trop facile. Ce n'est
pas à ces gens-là qu'Henri pensait quand il se disait le cœur serré :
« Ils se haïssent. » Ils étaient sincères ces milliers d'hommes qui avaient
lu *L'Espoir*, qui ne le lisaient plus et pour qui le nom d'Henri était
celui d'un traître; le ridicule de cette soirée ne diminuerait en rien
leur sincérité ni leur haine.

Lenoir avait attaqué d'une voix apaisée une scène en alexandrins;

un jeune homme se plaignait d'avoir du vague à l'âme; il voulait quitter sa ville natale; parents, maîtresses, camarades l'exhortaient à la résignation mais il déjouait les tentations bourgeoises cependant que le chœur commentait son départ en stances sibyllines. Quelques images obscures et quelques mots savants soulignaient la platitude soignée des tirades. On entendit soudain une voix éclatante :

— Mystificateur!

Julien s'était levé; il criait : « On nous a promis de la poésie : où est la poésie?

— Et le réalisme? cria une autre voix. Où est le réalisme?

— Le chef-d'œuvre : nous voulons le chef-d'œuvre!

— A quand la réconciliation? »

Ils se mirent à scander en frappant du pied : « Réconciliation! » tandis qu'on criait à travers la salle : « A la porte! appelez la police! Provocateurs! Parlez-nous des camps! Vive la paix! Les fascistes au poteau! N'insultez pas la Résistance! Vive Thorez! Vive de Gaulle! Vive la liberté! »

Lenoir défiait du regard ses bourreaux; on avait l'impression qu'il allait tomber à genoux en découvrant sa poitrine ou bien se mettre à danser une danse convulsionnaire. Sans qu'on sût pourquoi, le tumulte se calma et il reprit sa lecture. Maintenant le héros se promenait à travers le monde, cherchant une évasion impossible. Un petit air d'harmonica léger et insolent courut à travers la salle; un peu plus tard on entendit le coin-coin d'une trompe. Julien ponctuait chaque alexandrin par une quinte de rire qui faisait tressaillir spasmodiquement la bouche de Lenoir. Le rire se propageait de fauteuil en fauteuil, on riait partout, et Henri se mit à rire aussi : après tout, il était venu pour ça. Quelqu'un lui cria « Salaud! » et il rit plus fort. Les applaudissements éclatèrent, parmi les rires et les coups de sifflet. On cria encore : « En Sibérie! A Moscou! Vive Staline! Indicateur! Vendu! » Quelqu'un cria même : « Vive la France. »

— J'espérais que ça serait plus drôle! dit Lambert en sortant de la salle.

— En fait, ce n'était pas drôle du tout, dit Henri. Il se retourna en entendant derrière lui la voix essoufflée de Scriassine :

— Je t'ai aperçu dans la salle, et puis tu as disparu. Je te cherchais partout.

— Tu me cherchais? demanda Henri. Sa gorge se contracta : Qu'est-ce qu'il me veut? Toute la soirée il l'avait su : quelque chose de terrible allait arriver.

— Oui, on va boire le coup au New Bar, dit Scriassine; il faut arroser cette petite fête. Tu connais le New Bar?

— Je connais, dit Lambert.

— Alors, à tout de suite, dit Scriassine qui disparut en coup de vent.

— Qu'est-ce que c'est que le New Bar? demanda Henri.

— C'est vrai que tu ne mets plus les pieds dans ce quartier, dit Lam-

bert en s'asseyant dans l'auto d'Henri. Depuis que les cocos ont annexé
le Bar Rouge, les anciens clients qui n'en sont pas se sont réfugiés
à côté, dans un nouveau bistrot.

— Va pour le New Bar, dit Henri.

Ils montèrent dans l'auto, et quelques instants plus tard ils tournaient le coin de la petite rue.

— C'est ici?

— C'est ici.

Henri arrêta brutalement sa voiture; il reconnaissait la lumière sanglante du Bar Rouge. Il poussa la porte du New Bar : « C'est plutôt
moche cette crèmerie.

— Oui, mais c'est mieux fréquenté qu'à côté, dit Lambert.

— Oh! ça, j'en doute », dit Henri; il haussa les épaules : « Heureusement, ça ne m'effraie pas, les mauvaises fréquentations! »

Ils s'assirent à une table; beaucoup de jeunesse, beaucoup de bruit,
beaucoup de fumée; Henri ne connaissait aucune de ces têtes; quand
il sortait avec Josette, il allait dans de tout autres endroits, et d'ailleurs
ça ne lui arrivait pas souvent.

— Whisky? demanda Lambert.

— D'accord.

Lambert commanda deux whiskies de ce ton élégamment blasé qu'il
avait emprunté à Volange; ils attendirent leurs consommations en
silence; c'était vraiment triste, Henri ne trouvait plus rien à dire à
Lambert. Il fit un effort :

— Il paraît que le livre de Dubreuilh est sorti.

— Celui dont il avait donné des extraits dans *Vigilance?*

— Oui.

— Je suis curieux de le lire.

— Moi aussi, dit Henri.

Autrefois, Dubreuilh lui passait toujours ses premières épreuves;
ce livre-là, Henri l'achèterait dans une librairie, et il en parlerait avec
qui il voudrait, mais pas avec Dubreuilh : la seule personne avec qui
il aurait aimé en parler.

— J'ai retrouvé ce papier que tu m'avais refusé, sur Dubreuilh,
dit Lambert. Tu te souviens? il n'était pas si mal, tu sais.

— Je ne t'ai jamais dit qu'il était mal, dit Henri.

Il se rappelait cette conversation; c'était la première fois qu'il avait
senti chez Lambert une espèce d'hostilité :

— Je vais le reprendre, et faire une étude d'ensemble sur Dubreuilh,
dit Lambert. Il hésita imperceptiblement : « Volange me l'a demandé
pour *Les Beaux Jours.* »

Henri sourit : « Tâche de ne pas être trop injuste.

— Je serai objectif, dit Lambert. J'ai aussi une nouvelle qui va
paraître dans *Les Beaux Jours,* ajouta-t-il.

— Ah! tu as écrit d'autres nouvelles?

— J'en ai écrit deux. Volange les aime beaucoup.

— Je voudrais bien les voir », dit Henri.

— Tu ne les aimeras pas, dit Lambert.

Julien apparut dans l'embrasure de la porte et s'avança vers leur table. Il avait passé son bras sous celui de Scriassine; leurs haines communes leur tenaient provisoirement lieu d'amitié.

— Au travail, camarades! dit-il d'une voix bruyante. Le moment est enfin venu de réconcilier l'homme et le whisky.

Il avait fixé à sa boutonnière un œillet blanc, et son regard avait retrouvé un peu de son ancien éclat : peut-être parce qu'il n'avait encore rien bu.

— Une bouteille de champagne! cria Scriassine.

— Du champagne, ici! dit Henri avec scandale.

— Allons ailleurs! dit Scriassine.

— Non, non, va pour le champagne, mais surtout pas de tziganes! dit Julien en s'asseyant précipitamment. Il sourit : « Belle soirée, n'est-ce pas? Soirée hautement culturelle! Je regrette juste que ça n'ait pas un peu saigné.

— Belle soirée, mais il faudrait qu'elle ait des suites », dit Scriassine. Il regarda Julien et Henri d'un air pressant.

— Il m'est venu une idée pendant la séance : on devrait organiser une ligue pour contrer en toute occasion, de toutes les manières, les intellectuels qui trahissent.

— Et si on organisait une ligue qui contrerait toutes les ligues? dit Julien.

— Dis donc, tu ne deviendrais pas un rien fasciste? dit Henri à Scriassine.

— Et voilà, dit Scriassine. Voilà pourquoi nos victoires sont sans lendemain.

— Merde pour les lendemains! dit Julien.

Le visage de Scriassine était devenu sombre : « Il faut tout de même faire quelque chose.

— Pourquoi? dit Henri.

— J'écrirai un papier sur Lenoir, dit Scriassine. C'est un admirable cas de névrose politique.

— Oh! dis donc! J'en connais qui pourraient lui rendre des points, dit Henri.

— Nous sommes tous des névrosés, dit Julien. Mais tout de même aucun de nous n'écrit en alexandrins.

— C'est juste! » dit Henri; il se mit à rire : « Dis donc, tu aurais fait une drôle de tête si la pièce de Lenoir avait été bonne.

— Et imagine que Thorez soit venu danser le french cancan? quelle tête aurais-tu faite? dit Julien.

— Après tout, Lenoir a écrit de bons poèmes », dit Henri.

Lambert haussa les épaules d'un air agacé : « Avant d'avoir abdiqué sa liberté.

— La liberté de l'écrivain : il faudrait savoir ce que ça veut dire, dit Henri.

30

— Ça ne veut rien dire, dit Scriassine. Ça ne veut plus rien dire d'être un écrivain.

— Exact, dit Julien. Ça me donne même envie de me remettre à écrire.

— Vous devriez bien, dit Lambert avec une soudaine animation. C'est si rare aujourd'hui les écrivains qui ne se croient pas chargés de mission. »

« Ça c'est pour moi », pensa Henri; mais il ne dit rien. Julien se mit à rire : « Et voilà! Tout de suite il me donne une mission : témoigner que l'écrivain n'est pas chargé de mission.

— Mais non! » dit Lambert.

Julien mit un doigt sur ses lèvres : « Seul le silence est sûr.

— Bon Dieu! dit brusquement Scriassine. Nous venons d'assister à un spectacle bouleversant, nous avons vu un homme qui a été notre ami réduit à l'abjection par le parti communiste : et vous parlez de littérature! Vous n'avez donc pas de couilles?

— Tu prends le monde trop au sérieux, dit Julien.

— Oui? Eh bien, s'il n'y avait pas des hommes comme moi pour prendre le monde au sérieux, les staliniens seraient au pouvoir et je ne sais pas où tu serais toi.

— Bien tranquille, sous quelques pieds de terre », dit Julien.

Henri se mit à rire : « Tu t'imagines que les communistes en veulent à ta peau?

— Mais ma peau ne les aime pas, dit Julien. Je suis très sensible. » Il se tourna vers Scriassine : « Je ne demande rien à personne. Je m'amuse à vivre tant que la vie m'amuse. Quand elle deviendra impossible, je mettrai les bouts.

— Tu te liquiderais si les communistes étaient au pouvoir? demanda Henri d'une voix amusée.

— Oui. Et je te conseillerais vivement d'en faire autant, dit Julien.

— Ça c'est énorme! » dit Henri. Il regarda Julien avec stupeur. « On se croit en train de plaisanter avec des copains, et on s'aperçoit soudain que l'un d'eux se prend pour Napoléon!

— Et dis-moi : qu'est-ce que tu fais en cas de dictature gaulliste?

— Je n'aime pas les discours ni la musique militaire : mais je m'en tirerai avec un peu de coton dans les oreilles.

— Je vois. Eh bien, je vais te dire une chose : tu finirais par enlever le coton et par applaudir les discours.

— Je ne suis pas suspect d'aimer de Gaulle, tu le sais, dit Scriassine. Mais tu ne peux pas comparer ce que serait une France gaulliste et une France stalinisée. »

Henri haussa les épaules : « Oh! toi aussi, tu vas bientôt crier : « Vive de Gaulle. »

— Ce n'est pas ma faute si les forces anticommunistes se sont rassemblées autour d'un militaire, dit Scriassine. Quand j'ai voulu regrouper une gauche contre les communistes, tu as refusé.

— Tant qu'à être anticommuniste, pourquoi ne pas être militaire? »

dit Henri. Il ajouta avec irritation : « Tu parles d'une gauche! Tu disais :
Il y a le peuple américain, les syndicats. Et dans tes articles tu défends
Marshall et compagnie.

— A l'heure qu'il est, la division du monde en deux blocs est un
fait : on est obligé d'accepter en bloc ou l'Amérique ou l'U. R. S. S.

— Et tu choisis l'Amérique! dit Henri.

— Il n'y a pas de camps de concentration en Amérique, dit Scriassine.

— Encore ces camps! Vous me faites regretter d'en avoir parlé! dit
Henri.

— Ne dis pas ça : c'est l'acte le plus estimable que tu aies jamais fait »,
dit Lambert. Sa voix était un peu pâteuse; il en était à son second verre
et il supportait mal l'alcool.

Henri haussa les épaules : « A quoi ça a-t-il servi? la droite les a utilisés pour créer une mauvaise conscience communiste, comme si elle
s'en trouvait justifiée! Dès qu'on parle d'exploitation, de chômage, de
famine, ils vous répondent : et les camps de travail. S'ils n'existaient
pas, ils les auraient inventés.

— Le fait est qu'ils existent, dit Scriassine, c'est gênant, hein!

— Je plains les gens que ça ne gêne pas! » dit Henri.

Lambert se leva brusquement : « Vous m'excuserez, j'ai un rendez-
vous.

— Je pars avec toi, dit Henri en se levant aussi. Je rentre me coucher.

— Se coucher! à cette heure-ci! par une pareille nuit! dit Julien.

— C'est une grande nuit! dit Henri; mais j'ai sommeil. » Il fit un petit
salut et marcha vers la porte.

— Où as-tu rendez-vous? demanda-t-il à Lambert.

— Je n'ai pas de rendez-vous. Mais j'en avais marre. Ils ne sont pas
drôles, dit Lambert; il ajouta avec rancune : « Quand pourra-t-on passer
une soirée sans parler politique?

— On n'a pas parlé : on a déconné.

— On a déconné sur de la politique.

— Je t'avais proposé d'aller au cinéma.

— La politique ou le cinéma! dit Lambert. Est-ce qu'il n'y a vraiment rien d'autre sur terre?

— Je suppose que si, dit Henri.

— Quoi?

— Je voudrais bien le savoir! »

Lambert donna un coup de pied contre l'asphalte du trottoir; il
demanda d'un ton vaguement revendicant : « Tu ne viens pas boire
un verre?

— Buvons un verre. »

Ils s'assirent à une terrasse; c'était un beau soir, des gens riaient
autour des guéridons : de quoi parlaient-ils? de petites autos zigza-
guaient sur la chaussée, des garçons et des filles passaient enlacés, sur
les trottoirs des couples dansaient, on entendait l'écho d'un très bon
jazz. Bien sûr, il y avait beaucoup d'autres choses sur terre que la politique et le cinéma : mais pour d'autres gens.

— Deux doubles scotches, commanda Lambert.

— Doubles! comme tu y vas! dit Henri. Toi aussi tu te mets à la boisson?

— Pourquoi, toi aussi?

— Julien boit, Scriassine boit.

— Volange ne boit pas, et Vincent boit, dit Lambert.

Henri sourit : « C'est toi qui vois partout des arrière-pensées politiques; je disais ça en l'air.

— Nadine non plus ne voulait pas que je boive, dit Lambert dont le visage exprimait déjà un entêtement brumeux; elle ne m'en croyait pas capable, elle ne me croyait capable de rien : juste comme toi. C'est marrant : je n'inspire pas confiance, conclut-il d'une voix sombre.

— Je t'ai toujours fait confiance, dit Henri.

— Non; pendant un temps tu as eu de l'indulgence pour moi, rien de plus. » Lambert but la moitié de son verre de whisky et il reprit avec colère : « Dans votre gang, si on n'est pas un génie alors il faut être un monstre; Vincent, d'accord, c'est un monstre. Mais moi je ne suis ni un écrivain, ni un homme d'action, ni un grand débauché, juste un fils de famille et je ne sais même pas me saouler comme il faut. »

Henri haussa les épaules : « Personne ne te demande d'être un génie ni un monstre.

— Tu ne me demandes rien parce que tu me méprises, dit Lambert.

— Tu es complètement cinglé! dit Henri. Je regrette que tu aies les idées que tu as, mais je ne te méprise pas.

— Tu penses que je suis un bourgeois, dit Lambert.

— Et moi? je n'en suis pas un?

— Oh! mais, toi, c'est toi, dit Lambert avec rancune. Tu racontes que tu ne te sens supérieur à personne : mais pour de vrai, tu méprises tout le monde : Lenoir, Scriassine, Julien, Samazelle, Volange, et tous les autres, et moi aussi. Évidemment, ajouta-t-il d'une voix à la fois admirative et hargneuse, tu as une si haute moralité! tu es désintéressé, honnête, loyal, courageux, tu es conséquent avec toi-même : pas une faille! Ah! ça doit être formidable de se sentir sans reproche! »

Henri sourit : « Je peux te jurer que ce n'est pas mon cas!

— Allons donc! Tu es impeccable et tu le sais, dit Lambert d'un ton découragé. Moi je sais bien que je ne suis pas impeccable, ajouta-t-il avec colère, mais je m'en fous : je suis comme je suis.

— Qui te le reproche? » dit Henri. Il dévisagea Lambert avec un peu de remords. Il lui avait reproché de céder à la facilité, mais Lambert avait bien des excuses : une dure enfance, Rosa était morte quand il avait vingt ans, et ce n'est pas Nadine qui l'avait consolé. Au fond, ce qu'il demandait était bien modeste : qu'on lui permette de vivre un peu pour son compte. « Et je ne lui ai guère offert que des exigences », pensa Henri. C'est pour ça que Lambert passait du côté de Volange. Il n'était peut-être pas trop tard pour lui offrir autre chose. Il dit d'une voix affectueuse :

— J'ai l'impression que tu as un tas de griefs contre moi : tu ferais mieux de me les sortir une bonne fois, on s'expliquerait.

— Je n'ai pas de griefs, c'est toi qui me donnes tort, tout le temps; tu passes ton temps à me donner tort, dit Lambert d'une voix lugubre.

— Tu te trompes complètement. Quand je suis d'un autre avis que toi, ça ne veut pas dire que je te donne tort. D'abord on n'a pas le même âge. Ce qui vaut pour moi ne vaut pas forcément pour toi. Par exemple, moi j'ai eu une jeunesse : je comprends bien que tu aies envie de profiter un peu de la tienne.

— Tu comprends ça? dit Lambert.

— Mais oui.

— Oh! et puis si tu me blâmes, je m'en fous, dit Lambert.

Sa voix vacillait, il avait trop bu pour qu'une conversation fût possible, et d'ailleurs, rien ne pressait. Henri lui sourit :

— Écoute, il est tard et nous sommes tous les deux un peu crevés. Mais sortons ensemble un de ces soirs, et tâchons d'avoir une vraie conversation : il y a si longtemps que ça ne nous est pas arrivé!

— Une vraie conversation : tu crois que ça se peut? dit Lambert.

— Ça se peut si on le veut, dit Henri. Il se leva : « Je te raccompagne?

— Non, je vais voir si je trouve des copains, dit Lambert d'un air vague.

— Alors à un de ces soirs », dit Henri.

Lambert lui tendit la main :

— A un de ces soirs!

Henri regagna son hôtel; il y avait un paquet dans son casier : l'essai de Dubreuilh. Tout en montant l'escalier il fit sauter les ficelles et ouvrit le volume à la page de garde : bien entendu, elle était blanche; qu'est-ce qu'il s'était imaginé? C'était Mauvanes qui lui envoyait ce livre, comme il lui en envoyait des tas d'autres.

« Pourquoi? se demanda-t-il, pourquoi sommes-nous brouillés? » Il se l'était souvent demandé. Les articles de Dubreuilh dans *Vigilance* rendaient juste le même son que les éditoriaux d'Henri : en vérité, rien ne les séparait. Et ils étaient brouillés. C'était un de ces faits sur lesquels on ne peut pas revenir, mais qui ne s'expliquent pas. Les communistes détestaient Henri, Lambert quittait *L'Espoir*, Paule était folle, le monde courait à la guerre; la brouille avec Dubreuilh n'avait ni plus ni moins de sens.

Henri s'assit devant sa table et se mit à couper les pages du livre; il en connaissait de grands morceaux. Il sauta tout de suite au chapitre final : un long chapitre qui avait dû être écrit en janvier, après la liquidation du S. R. L. Il se sentit un peu déconcerté. Ce qu'il y avait de si bien chez Dubreuilh, c'est qu'il n'hésitait jamais à remettre ses idées en question; chaque fois, il repartait à l'aventure. Mais cette fois-ci le revirement était radical. « Un intellectuel français aujourd'hui ne peut rien », déclarait-il. Évidemment : le S. R. L. avait échoué; les articles de Dubreuilh dans *Vigilance* faisaient du bruit, mais ils n'exerçaient aucune influence, sur personne; on accusait Dubreuilh tantôt d'être un crypto-communiste, tantôt un suppôt de Wall Street, il n'avait guère que des ennemis : il ne devait pas être à la fête. Henri était à peu près dans le même cas que lui, il n'était pas à la fête non plus, mais ce n'était pas pareil; il vivait au jour le jour, il s'arrangeait; Dubreuilh avec son côté fanatique, il ne savait sûrement pas s'arranger. D'ailleurs il allait plus loin qu'Henri. Il condamnait même la littérature. Henri continua à lire. Dubreuilh allait plus loin encore : il condamnait sa propre existence. Il opposait au vieil humanisme qui avait été le sien un humanisme neuf, plus réaliste, plus pessimiste, qui faisait une large place à la violence, et presque aucune aux idées de justice, de liberté, de vérité; il démontrait victorieusement que c'était là la seule morale adéquate du rapport actuel des hommes entre eux; mais pour l'adopter, il fallait jeter tant de choses par-dessus bord que personnellement il n'en était pas capable. C'était bien étrange de voir Dubreuilh prêcher une vérité qu'il ne pouvait pas faire sienne : ça signifiait qu'il se considérait comme mort. « C'est ma faute, pensa Henri. Si je ne m'étais pas buté, le S. R. L. aurait continué à exister, Dubreuilh ne se croirait pas définitivement vaincu. » Inefficace, isolé, doutant que son œuvre ait un sens, coupé de l'avenir, contestant son passé, ça serrait le cœur de l'imaginer. Brusquement Henri se dit : « Je vais lui écrire! » Peut-être que Dubreuilh ne répondrait pas ou répondrait avec colère : quelle importance? L'amour-propre, Henri ne savait plus ce que c'était. « Demain, je lui écris », décida-t-il en se couchant. Il se dit aussi : « Demain j'aurai une vraie conversation avec Lambert. » Il éteignit : « Demain. Pourquoi la mère Belhomme veut-elle me voir demain matin? » se demanda-t-il.

La femme de chambre s'effaça et Henri entra dans le salon; peaux d'ours, tapis, divans bas, c'était le même silence complice qu'au temps où il rencontrait ici une Josette tacitement offerte; Lucie ne l'avait tout de même pas convoqué pour lui proposer ses charmes quinquagénaires! « Qu'est-ce qu'elle me veut? » se répéta-t-il; il essayait d'esquiver les réponses.

— Merci d'être venu, dit Lucie. Elle portait une robe d'intérieur sévère, ses cheveux étaient bien rangés mais elle n'avait pas dessiné ses sourcils et cette espèce de calvitie la vieillissait bizarrement; elle lui fit signe de s'asseoir :

— J'ai un service à vous demander; ce n'est pas tant pour moi : c'est pour Josette. Vous tenez à elle, ou non?

— Vous savez bien que oui, dit Henri. Le ton de Lucie était si normal qu'il se sentit vaguement soulagé : elle veut que j'épouse Josette, ou que j'entre dans quelque combine; mais pourquoi tenait-elle dans sa main droite ce petit mouchoir de dentelle, pourquoi le serrait-elle si fort?

— Je ne sais pas jusqu'où vous iriez pour lui venir en aide, dit Lucie.

— Dites-moi donc de quoi il s'agit.

Lucie hésita; elle malaxait entre ses deux mains le chiffon froissé :
« Je vais vous le dire, je n'ai pas le choix. » Elle ébaucha un sourire :
« On a dû vous raconter que pendant la guerre nous n'avons pas été
précisément des résistantes?

— On me l'a dit.

— Personne ne saura jamais ce que j'ai payé pour avoir la maison
Amaryllis à moi et pour en faire une grande boîte, dit Lucie; d'ailleurs,
ça n'intéresse personne et je ne prétends pas vous attendrir sur mon
sort. Seulement, il faut que vous compreniez qu'après ça j'aurais joué
ma tête plutôt que de la laisser péricliter. Je ne pouvais la sauver qu'en
me servant des Allemands : je me suis servie d'eux et je n'irai pas vous
raconter que je le regrette. Évidemment, on n'a rien sans rien; je les
ai reçus à Lyons, j'ai donné des fêtes : enfin, j'ai fait le nécessaire. Ça
m'a valu quelques ennuis à la Libération, mais c'est déjà loin, c'est
oublié. »

Lucie regarda autour d'elle, et elle regarda Henri; il murmura d'une
voix calme : « Et alors? » Il lui semblait que cette scène avait déjà eu
lieu; quand ça? dans ses rêves peut-être; depuis qu'il avait reçu ce
pneumatique, il savait ce que Lucie allait lui dire; depuis un an, il
attendait cette minute.

— Il y a un type qui s'occupait avec moi de mes affaires, un nommé
Mercier; il venait souvent à Lyons : il a fauché des photos, des lettres,
il a recueilli des ragots; s'il mange le morceau, nous sommes bonnes
pour l'indignité nationale, Josette et moi.

— C'était donc vrai cette histoire de dossier? dit Henri. Il ne sentait
rien qu'une grande fatigue.

— Ah! vous étiez au courant? dit Lucie avec surprise; son visage
se détendit un peu.

— Vous vous êtes servie aussi de Josette? dit Henri.

— Servie! Josette ne m'a jamais servi à rien, dit Lucie avec amertume; elle s'est compromise d'une manière parfaitement inutile; elle
est tombée amoureuse d'un capitaine, un beau garçon sentimental et
sans aucune influence qui lui a envoyé des épîtres enflammées avant
d'être tué sur le front est; elle les laissait traîner partout, et aussi des
photos où ils paradaient tous deux; de beaux documents, je vous en
réponds. Mercier a vite compris le profit qu'il pourrait en tirer.

Henri se leva brusquement et marcha vers la fenêtre. Lucie l'observait, mais il s'en foutait. Il se rappelait le visage indolent de Josette ce
matin-là, le premier matin, et cette voix si vraie qui mentait : « Moi,
amoureuse? de qui? » Elle avait aimé; c'est un autre qu'elle avait aimé :
un beau garçon qui était allemand. Il se retourna vers Lucie et demanda
avec effort : « Il vous fait chanter? »

Lucie eut un petit rire : « Vous n'imaginez pas que je viendrais vous
demander de l'argent? Voilà trois ans que je casque, et j'étais prête à
continuer. J'ai même offert le gros sac à Mercier pour lui racheter le
dossier, mais il est malin, il voyait loin. » Elle regarda Henri dans les

yeux et dit d'un ton provocant : « Il a été indicateur de la Gestapo, et on vient de l'arrêter. Il me fait dire que si je ne le sors pas de là, il nous met dans le bain. »

Henri garda le silence; les salopes qui couchaient avec les Allemands, jusqu'ici ça appartenait à un autre monde avec lequel un seul rapport était possible : la haine. Mais voilà que Lucie parlait, il l'écoutait; ce monde abject, c'était le même que le sien, il n'y en a qu'un. Des bras du capitaine allemand, Josette avait passé dans ses bras.

— Vous vous rendez compte de ce que cette histoire représente pour Josette? dit Lucie. Avec le caractère qu'elle a, elle ne reprendra jamais le dessus, elle ouvrira le gaz.

— Qu'est-ce que vous voulez que j'y fasse? qu'est-ce que vous attendez de moi? dit-il d'une voix irritée. Un indicateur de la Gestapo, je ne connais pas d'avocat qui puisse le sortir de là. Le seul conseil que j'aie à vous donner, c'est de filer en Suisse le plus vite possible.

Lucie haussa les épaules : « En Suisse! je vous dis que Josette ouvrirait le gaz. Elle était si contente ces jours-ci, le pauvre chou, dit-elle avec un brusque attendrissement; tout le monde dit qu'à l'écran elle sort d'une manière sensationnelle. Asseyez-vous, ajouta-t-elle avec impatience, et écoutez-moi.

— J'écoute, dit Henri en s'asseyant.

— Un avocat, moi j'en ai un sous la main! Maître Truffaut, vous ne connaissez pas? C'est un ami très sûr et qui m'a quelques obligations », dit Lucie avec un demi-sourire. Elle planta son regard dans les yeux d'Henri : « Nous avons étudié l'affaire ensemble, en long et en large. Il dit que la seule solution, c'est que Mercier plaide l'agent double : mais bien entendu, ça ne tient debout que s'il y a un résistant sérieux qui le soutienne.

— Ah! je comprends! dit Henri.

— C'est facile à comprendre », dit Lucie froidement.

Henri eut un petit rire : « Vous croyez que c'est si simple! Le malheur, c'est que tous les camarades savent que Mercier n'a jamais travaillé avec moi. »

Lucie se mordit la lèvre; soudain, elle ne crânait plus, et il eut peur qu'elle ne se mette à pleurer, ça devait être un spectacle écœurant. Il observait avec un plaisir méchant le visage affaissé, et dans sa tête des mots filaient comme le vent : amoureuse d'un capitaine allemand, elle m'a bien eu; imbécile! pauvre imbécile! il se croyait sûr de son plaisir, de sa tendresse : imbécile! elle ne l'avait jamais considéré que comme un instrument. Lucie était une femme de tête, elle voyait loin; si elle avait pris en main les intérêts d'Henri, si elle lui avait jeté Josette dans les bras, ce n'était pas pour assurer la carrière d'une fille dont elle se foutait bien : c'était pour s'attacher un allié utile; et Josette avait joué son jeu; elle racontait à Henri qu'elle n'avait jamais aimé afin d'excuser la réserve de son cœur : mais tout l'amour dont ce cœur futile était capable, elle l'avait donné au capitaine allemand qui était si beau garçon. Il avait envie de l'insulter, de la battre, et on lui demandait de la sauver!

— Est-ce que le boulot n'était pas clandestin? dit Lucie.

— Oui, mais entre nous, nous nous connaissions.

— Et le juge d'instruction ne vous croira pas sur parole? Si on vous confronte avec vos copains, ils vous contreront?

— Je ne sais pas, et je ne veux pas en courir le risque, dit Henri avec irritation. Vous n'avez pas l'air de vous douter que c'est grave, un faux témoignage. Vous tenez à votre maison de couture; moi je tiens aussi à certaines petites choses.

Lucie avait retrouvé son calme; elle dit d'une voix neutre : « La principale charge contre Mercier, c'est qu'il a donné deux filles le 23 février 44 au pont de l'Alma. » Elle leva sur Henri un regard interrogateur : « Dans la clandestinité elles s'appelaient Lisa et Yvonne, elles ont passé un an à Dachau, ça ne vous dit rien?

— Non.

— Dommage; si vous les aviez connues, ça aurait pu nous aider. En tout cas, évidemment, elles vous connaissent. Si vous affirmez que ce jour-là Mercier était ailleurs, avec vous, est-ce qu'elles ne vont pas se dégonfler? Et si vous déclarez que vous utilisiez secrètement Mercier comme indicateur, est-ce que quelqu'un osera vous contredire? »

Henri réfléchit; oui, il avait beaucoup de crédit, un coup de bluff pouvait réussir. Luc était à Bordeaux en 44, Chancel, Varieux, Galtier étaient morts. Lambert, Sézenac, Dubreuilh, s'ils avaient des doutes, ils les garderaient pour eux. Mais il n'allait pas faire un faux témoignage pour une petite carne dont la peau lui avait plu. Elle avait drôlement bien gardé son secret, l'innocente!

— Dépêchez-vous donc de filer en Suisse! dit-il. Vous y retrouverez un tas de gens très bien. En Suisse, ou au Brésil, ou en Argentine : le monde est grand. C'est un préjugé de croire qu'on ne peut vivre qu'à Paris.

— Vous connaissez Josette, non? elle commençait tout juste à reprendre goût à la vie. Jamais elle ne tiendra le coup! dit Lucie.

Henri pensa avec un élancement au cœur : « Il faut que je la voie! tout de suite! » et il se leva brusquement : « Je vais réfléchir.

— Voilà l'adresse de Maître Truffaut, dit Lucie en tirant de sa poche un morceau de papier. Si vous vous décidez, mettez-vous en contact avec lui.

— A supposer que je marche, dit Henri : comment être sûr que le type restituerait le dossier?

— Que voulez-vous qu'il en fasse? D'abord, il n'a pas intérêt à vous mettre en colère. Et puis le jour où le dossier serait connu, votre témoignage deviendrait suspect. Non. Si vous le tirez d'affaire, il a les mains liées.

— Je vous téléphonerai ce soir », dit Henri.

Lucie se leva, et un instant elle resta plantée en face de lui d'un air hésitant; de nouveau il eut peur qu'elle ne fondît en larmes ou qu'elle ne se jetât à ses pieds; elle se borna à pousser un soupir et elle l'accompagna jusqu'à la porte.

Il descendit vivement l'escalier. Il s'installa au volant de son auto et monta vers la rue Gabrielle. Il avait toujours dans sa poche la petite clef que Josette lui avait donnée, un an plus tôt, par une belle nuit; il ouvrit la porte de l'appartement et entra sans frapper dans la chambre :

— Qu'est-ce que c'est? dit Josette; elle ouvrit les yeux et sourit vaguement : « C'est toi? Quelle heure est-il? C'est gentil d'être venu m'embrasser. »

Il ne l'embrassa pas; il tira les rideaux et s'assit sur un pouf à volants. Entre ces murs capitonnés, parmi ces bibelots, ce satin, ces coussins, on avait peine à croire au scandale, à la prison, au désespoir. Un visage souriait, très rose sous les cheveux fauves.

— J'ai à te parler, dit-il.

Josette se redressa un peu sur ses oreillers : « De quoi?

— Pourquoi ne m'as-tu pas dit la vérité? ta mère vient de tout me raconter; et cette fois je veux la vérité, dit-il d'une voix violente. C'est parce qu'elle pensait qu'un jour je pourrais vous rendre service qu'elle t'a jetée dans mes bras?

— Qu'est-ce qui arrive? dit Josette en regardant Henri d'un air effrayé.

— Réponds-moi? c'est pour obéir à ta mère que tu as accepté de coucher avec moi?

— Il y a bien longtemps que maman me dit de te plaquer, dit Josette; ce qu'elle voudrait c'est que je me colle avec un vieux. Qu'est-ce qui arrive? répéta-t-elle d'un ton suppliant.

— Le dossier, dit-il, tu as entendu parler de ce dossier? le type qui l'a entre les mains a été arrêté et il menace de manger le morceau. »

Josette cacha son visage dans l'oreiller : « On n'en finira donc jamais! dit-elle avec désespoir.

— Tu te rappelles, le premier matin, ici même, tu m'as dit que tu n'avais jamais aimé personne; plus tard tu m'as parlé vaguement d'un jeune homme mort en Amérique : c'était un capitaine allemand ton jeune homme; ah! tu t'es bien foutue de moi.

— Pourquoi me parles-tu comme ça? dit Josette. Qu'est-ce que je t'ai fait? Quand j'étais à Lyons, je ne te connaissais pas.

— Mais quand je t'ai interrogée, tu me connaissais; et tu m'as menti avec des airs si innocents!

— A quoi ça servait de te dire la vérité? maman me l'avait défendu; et après tout tu étais un étranger.

— Et pendant un an, je suis resté un étranger pour toi?

— Pourquoi aurait-on parlé de tout ça? » Elle se mit à pleurer doucement entre ses doigts : « Maman dit que si on me dénonce j'irai en prison; je ne veux pas! je me tuerai plutôt.

— Combien de temps ça a duré ton histoire avec le capitaine?

— Un an.

— C'est lui qui t'a installé cet appartement?

— Oui; tout ce que j'ai, c'est lui qui me l'a donné.

— Et tu l'aimais?

— Il m'aimait, il m'aimait comme aucun homme ne m'aimera jamais; oui je l'aimais, dit-elle en sanglotant, ça n'est pas une raison pour me mettre en prison. »

Henri se leva, il fit quelques pas au milieu des meubles choisis par le beau capitaine. Au fond, il avait toujours su que Josette était capable de s'être donnée à des Allemands. « Je n'y comprenais rien à cette guerre », avait-elle avoué; il avait supposé qu'elle leur souriait, et même qu'elle flirtait vaguement avec eux et il l'excusait; un sincère amour aurait dû lui paraître plus excusable encore. Mais le fait est qu'il ne supportait pas d'imaginer sur ce fauteuil un uniforme vert-de-gris et l'homme couché avec elle, peau à peau, bouche à bouche.

— Et tu sais ce qu'elle espère ta mère? que je vais faire un faux témoignage pour vous tirer d'affaire. Un faux témoignage : je suppose que ça ne te dit rien, ajouta-t-il.

— Je n'irai pas en prison, je me tuerai, répéta Josette entre ses larmes; d'ailleurs ça m'est égal, ça m'est égal de me tuer.

— Il n'est pas question que tu ailles en prison, dit Henri d'une voix radoucie.

Allons! inutile de jouer au justicier : il était jaloux, simplement. En bonne justice, il ne pouvait pas en vouloir à Josette d'avoir aimé le premier homme qui l'eût aimée. Et de quel droit lui reprochait-il son silence? Il n'avait aucun droit.

— Au pire, vous serez obligées de quitter la France, reprit-il. Mais on peut vivre ailleurs qu'en France.

Josette continuait à sangloter; évidemment, ça n'avait aucun sens ce qu'il venait de dire là. La honte, la fuite, l'exil : jamais Josette ne tiendrait le coup; elle ne tenait déjà pas tant à la vie. Il regarda autour de lui et l'angoisse lui monta à la gorge. La vie paraissait bien frivole dans ce décor de comédie; mais si un jour Josette ouvrait le gaz, c'est entre ces murs capitonnés, couchée sous ces draps roses qu'elle crèverait; on l'enterrerait dans sa chemise mousseuse; la futilité de cette chambre n'était qu'un trompe-l'œil; les larmes de Josette étaient de vraies larmes, un vrai squelette se cachait sous la peau parfumée. Il s'assit sur le bord du lit.

— Ne pleure pas, dit-il. Je te tirerai de là.

Elle écarta les mèches de cheveux qui coulaient sur son visage mouillé: « Toi? Tu as l'air si fâché!...

— Mais non, je ne suis pas fâché, dit-il. Je te promets que je te tirerai de là, répéta-t-il avec force.

— Oh oui! Sauve-moi! Je t'en prie! dit Josette en se jetant dans ses bras.

— N'aie pas peur. Il ne t'arrivera rien de mal, dit-il doucement.

— Tu es gentil! dit Josette. Elle se colla à lui et elle lui tendit sa bouche; il détourna son visage.

— Je te dégoûte? murmura-t-elle d'une voix si humble que brusquement Henri eut honte : honte d'être du bon côté. Un homme en face d'une femme, un type qui a de l'argent, un nom, de la culture, et surtout! de la moralité. Un peu défraîchie, depuis quelque temps, la moralité, mais elle pouvait encore faire illusion; à l'occasion, il s'y laissait lui-même prendre. Il embrassa la bouche salée de larmes :

— C'est moi qui me dégoûte.

— Toi?

Elle leva vers lui des yeux qui ne comprenaient rien et il l'embrassa de nouveau, avec un emportement de pitié. Quelles armes lui avait-on données? quels principes? quels espoirs? Il y avait eu les gifles de sa mère, la muflerie des mâles, l'humiliante beauté, et maintenant on avait installé dans son cœur un remords étonné :

— J'aurais dû être gentil tout de suite au lieu de t'engueuler, dit-il. Elle le regarda anxieusement : « C'est vrai que tu ne m'en veux pas?

— Je ne t'en veux pas. Et je te tirerai de là.

— Comment feras-tu?

— Je ferai ce qu'il faudra. »

Elle poussa un soupir et elle posa la tête sur l'épaule d'Henri; il lui caressa les cheveux. Un faux témoignage : il avait horreur de cette idée. Mais quoi? en se parjurant, il ne ferait de tort à personne; il sauverait la tête de Mercier, ça c'était regrettable : mais tant d'autres méritent de crever et se portent bien! S'il refusait, Josette était bien capable de se supprimer; ou en tout cas, sa vie serait foutue. Non, il ne pouvait pas hésiter : d'un côté, il y avait Josette et de l'autre des scrupules de conscience. Il entortilla une mèche de cheveux autour de son doigt. De toute façon, ça ne profite guère, la bonne conscience. Il l'avait pensé déjà : autant se mettre franchement dans son tort. Voilà qu'on lui offrait une belle occasion de dire merde à la moralité : il n'allait pas la manquer. Il dégagea sa main et la passa sur son visage. Ça ne lui allait pas de jouer au démoniaque. Il ferait ce faux témoignage parce qu'il ne pouvait pas faire autrement, c'est tout. « Comment en suis-je venu là? » Ça lui semblait à la fois très logique et parfaitement impossible; jamais il ne s'était senti plus triste.

Henri n'écrivit pas à Dubreuilh, il n'eut pas de conversation cœur à cœur avec Lambert. Des amis, ça signifie des comptes à rendre : pour faire ce qu'il allait faire, il lui fallait être seul. Maintenant que sa décision était prise, il s'interdisait les remords. Il n'avait pas peur non plus. Évidemment, il prenait un gros risque, des recoupements étaient possibles, et quel beau scandale s'il était jamais convaincu de faux témoignage! Accommodé à la sauce gaulliste ou à la sauce communiste, ça ferait un plantureux ragoût. Mais il ne se faisait pas d'illusion sur l'importance de son action, et quant à son avenir personnel, il s'en foutait. Il combina avec Maître Truffaut la carrière supposée de

Mercier; et c'est à peine s'il avait le cœur un peu barbouillé le jour où il entra dans le cabinet du juge d'instruction. Ce bureau, semblable à des milliers d'autres bureaux, paraissait moins réel qu'un décor de théâtre; le magistrat, le greffier, n'étaient que les acteurs d'un drame abstrait : ils jouaient leur rôle, Henri jouerait le sien; le mot de vérité ne signifiait rien ici.

— Évidemment, un agent double est obligé de donner des gages à l'ennemi, expliqua-t-il d'une voix aisée; vous le savez aussi bien que moi. Mercier ne pouvait pas nous aider sans se compromettre; mais les renseignements qu'il fournissait aux Allemands, nous en avons toujours décidé ensemble; jamais il n'y a eu la moindre fuite concernant les véritables activités du réseau; et si je suis ici aujourd'hui, si tant de camarades ont échappé à la mort, si *L'Espoir* a pu vivre clandestinement, c'est grâce à lui.

Il parlait avec une chaleur qu'il sentait convaincante; et le sourire de Mercier corroborait ses paroles; c'était un assez beau garçon, d'une trentaine d'années, à l'air modeste, au visage plutôt sympathique. « Et pourtant, pensait Henri, c'est peut-être lui qui a donné Borel ou Fauchois; il en a donné d'autres : sans amour, sans haine, pour de l'argent; on les a tués, ils se sont tués, et lui continuera à vivre honoré, riche, heureux. » Mais entre ces quatre murs on était si loin du monde où les hommes vivent et meurent, que ça n'avait pas grande importance.

— Il est toujours délicat de décider du moment où un agent double devient un traître, dit le juge; ce que vous ignorez, c'est que malheureusement, Mercier a franchi cette frontière.

Il fit un signe à l'huissier et Henri se raidit; il savait qu'Yvonne et Lisa avaient passé douze mois à Dachau, mais il ne les avait jamais vues; maintenant il les voyait; Yvonne c'était la brune, elle semblait guérie; Lisa avait des cheveux châtains, elle était encore maigre et blême comme une jeune ressuscitée; la vengeance ne lui aurait pas rendu ses couleurs; mais elles étaient toutes deux bien réelles et ça allait être dur de mentir sous leurs yeux. Ce fut Yvonne qui répéta leur déposition, et son regard ne quittait pas le visage de Mercier :

— Le 23 février 1944, à deux heures de l'après-midi, j'avais rendez-vous au pont de l'Alma avec Lisa Peloux, ici présente; au moment où je l'accostais, trois hommes se sont avancés vers nous, deux Allemands, et celui-là qui nous a désignées à eux; il portait un pardessus marron, pas de chapeau, il était rasé comme aujourd'hui.

— Il y a erreur sur la personne, dit Henri avec fermeté. Le 23 février, à deux heures, Mercier était avec moi à La Souterraine; nous y étions arrivés ensemble la veille; des copains devaient nous communiquer le plan des entrepôts que les Américains ont pilonnés trois jours plus tard, et nous avons passé la journée avec eux.

— Pourtant c'est bien lui, dit Yvonne; elle regarda Lisa qui dit :

— C'est bien lui!

— Ne vous seriez-vous pas trompé de date? dit le juge.

Henri secoua la tête : « Le bombardement a eu lieu le 26; les indications ont été transmises le 24 et j'ai passé le 22 et le 23 là-bas; ces dates-là on ne les oublie pas.

— Et c'est bien le 23 février que vous avez été arrêtées? dit le juge en se tournant vers les jeunes femmes.

— Oui, le 23 février, dit Lisa. Elles avaient l'air stupéfaites.

— Vous n'avez vu votre dénonciateur qu'un instant, et à un moment où vous étiez bouleversées, dit Henri; moi j'ai travaillé deux ans avec Mercier, il n'est pas question que je le confonde avec un autre. Tout ce que je sais de lui me répond qu'il n'aurait jamais donné deux résistantes : ceci n'est qu'une opinion. Mais ce que je jure sous la foi du serment c'est que le 23 février 44, il était à La Souterraine avec moi. »

Henri regardait gravement Yvonne et Lisa et elles s'entre-regardèrent avec détresse. Elles étaient aussi sûres de l'identité de Mercier que de la loyauté d'Henri et il y avait de la panique dans leurs yeux.

— Alors, c'était son frère jumeau, dit Yvonne.

— Il n'a pas de frère, dit le juge.

— C'était quelqu'un qui lui ressemblait comme un frère.

— Beaucoup de gens se ressemblent à deux ans de distance, dit Henri.

Il y eut un silence et le juge demanda : « Vous maintenez votre déposition?

— Non, dit Yvonne.

— Non, dit Lisa. »

Pour ne pas soupçonner Henri, elles consentaient à douter de leur souvenir le plus sûr; mais avec le passé, le présent vacillait autour d'elles, et la réalité même; Henri eut horreur de cette perplexité égarée au fond de leurs yeux.

— Si vous voulez bien relire et signer, dit le magistrat.

Henri relut la page dactylographiée; traduite en ce style inhumain, sa déposition perdait tout poids, ça ne le gênait pas de signer; mais il suivit des yeux avec incertitude la sortie des jeunes femmes; il avait envie de courir après elles, mais il n'avait rien à leur dire.

C'était une journée pareille à toutes les autres et personne ne déchiffrait sur son visage qu'il venait de se parjurer. Lambert le croisa dans le couloir sans lui sourire, mais c'était pour de tout autres raisons : il était blessé qu'Henri ne lui eût pas encore proposé une sortie en tête à tête. « Demain, je l'inviterai à dîner. » Oui, l'amitié était de nouveau permise, finis les précautions et les scrupules : les choses s'étaient si bien passées qu'on pouvait supposer qu'il ne s'était rien passé du tout. « Supposons-le », se dit Henri en s'installant devant son bureau. Il parcourut son courrier. Une lettre de Mardrus : Paule était guérie, mais il était souhaitable qu'Henri ne tentât pas de la revoir; parfait. Pierre Leverrier écrivait qu'il était disposé à racheter les parts de Lambert; tant mieux; il était honnête et austère, il ne rendrait pas à *L'Espoir* sa jeunesse perdue mais on pourrait travailler avec lui. Ah! on avait apporté des renseignements supplémentaires sur l'affaire de Madagascar. Henri lut les pages dactylographiées. Cent mille Malgaches massacrés contre cent cinquante Européens, la terreur règne dans l'île, tous les députés ont été arrêtés bien qu'ils aient désavoué la rébellion, ils sont soumis à des tortures dignes de la Gestapo, il y a eu un attentat à la grenade contre leur avocat, le procès est faussé d'avance et pas un journal pour dénoncer le scandale. Il sortit son stylo. Il fallait envoyer quelqu'un là-bas : Vincent ne demanderait pas mieux. En attendant, il allait soigner son éditorial. Il venait d'écrire les premières lignes quand la secrétaire ouvrit la porte : « Il y a un visiteur. » Elle lui tendit une fiche : Maître Truffaut. Henri sentit un petit pincement au cœur. Lucie Belhomme, Mercier, Maître Truffaut, quelque chose s'était passé : il avait des complices.

— Faites-le entrer.

L'avocat tenait à la main une grosse serviette de cuir : « Je ne vous dérangerai pas longtemps », dit-il; il ajouta d'une voix satisfaite : « Votre déposition a fait sensation; le non-lieu est assuré. J'en suis profondément heureux. Les erreurs que ce jeune homme a pu commettre, ce n'est pas en prison qu'il les aurait rachetées. Vous lui avez donné la possibilité de devenir un homme nouveau.

— Et de faire de nouvelles saloperies! dit Henri. Mais ce n'est pas la question. Tout ce que j'espère c'est qu'on n'entendra plus parler de lui.

— Je lui ai conseillé de partir pour l'Indochine, dit Maître Truffaut.

— Excellente idée, dit Henri. Qu'il tue autant d'Indochinois qu'il a fait tuer de Français, et ça sera un fameux héros. En attendant, a-t-il rendu le dossier?

— Justement », dit Maître Truffaut. Il extirpa de sa serviette un gros paquet enveloppé de papier marron : « J'ai tenu à vous le remettre en main propre. »

Henri prit le paquet : « Pourquoi à moi? dit-il avec hésitation. Il fallait le remettre à Mme Belhomme.

— Vous en ferez ce que vous voudrez. Mon client s'était engagé à vous le remettre à vous », dit Maître Truffaut d'une voix neutre.

Henri jeta le paquet dans le tiroir; l'avocat avait envers Lucie de mystérieuses obligations : ça ne signifiait pas qu'il la portât dans son cœur. Peut-être s'offrait-il le plaisir d'une vengeance : « Êtes-vous sûr qu'il y a tout?

— Certainement, dit Maître Truffaut. Ce jeune homme a parfaitement compris qu'une mauvaise humeur de votre part pourrait lui coûter cher. Nous n'entendrons plus parler de lui, j'en suis convaincu.

— Merci de vous êtes dérangé », dit Henri.

L'avocat ne se leva pas : « Vous ne pensez pas que nous ayons à redouter de démenti?

— Je ne pense pas, dit Henri. D'ailleurs, il n'y a eu aucune publicité autour de cette histoire.

— Non, heureusement, elle a été arrêtée très vite. »

Il y eut un silence qu'Henri n'essaya pas de rompre, et Maître Truffaut finit par se décider : « Eh bien, je vous laisse travailler. J'espère bien que nous nous reverrons un de ces jours, chez Mme Belhomme. » Il se leva : « Si jamais vous aviez le moindre ennui, prévenez-moi.

— Merci », dit Henri sèchement.

Dès que l'avocat fût sorti, Henri ouvrit le tiroir : sa main s'immobilisa sur le papier brun. Ne rien toucher; emporter le paquet dans sa chambre, et le brûler sans un regard. Mais déjà il arrachait les ficelles, il éparpillait sur la table les documents : des lettres en allemand, en français, des rapports, des dépositions; des photographies; décolletée, constellée de bijoux, Lucie au milieu d'Allemands en uniforme; assise entre deux officiers devant un seau à champagne, Josette riait à pleine bouche; elle était debout en robe claire au beau milieu d'une pelouse, le beau capitaine l'enlaçait et elle lui souriait avec cet air de confiance heureuse qui avait si souvent bouleversé Henri; ses cheveux tombaient librement sur ses épaules, elle semblait plus jeune qu'aujourd'hui, et tellement plus gaie! comme elle riait! En reposant les photos sur la table, Henri s'aperçut que ses doigts avaient laissé sur la surface lustrée des traces humides. Il avait toujours su que Josette riait tandis que des milliers de Lisa et d'Yvonne agonisaient dans des camps; mais c'était une histoire ancienne, bien cachée derrière le commode rideau qui confond le passé, l'absence et le néant. Maintenant, il voyait; le passé avait été du présent : c'était du présent.

« Mon cher amour. » Le capitaine écrivait dans un français appliqué, coupé de petites phrases en allemand, de petites phrases passionnées. Il semblait avoir été très bête, très amoureux et très triste. Elle l'avait aimé, il était mort, elle avait dû beaucoup pleurer. Mais d'abord, elle avait ri; comme elle avait ri!

Henri refit le paquet et le jeta dans un tiroir qu'il ferma à clef. « Demain je le brûlerai. » Pour l'instant, il devait finir son article. Il reprit son stylo. Il allait parler de justice, de vérité, protester contre les meurtres et les tortures. « Il faut », se dit-il avec force. S'il renonçait à faire ce qu'il avait à faire, il devenait doublement coupable; quoi qu'il pensât de lui-même, il y avait ces hommes, là-bas, qu'il fallait essayer de sauver.

Il travailla jusqu'à onze heures du soir, sans prendre le temps de dîner; il n'avait pas faim; comme les autres soirs, il alla chercher Josette à la sortie du théâtre, et il l'attendit dans son auto; elle portait un manteau vaporeux, couleur de brume, elle était très maquillée et très belle. Elle s'assit à côté de lui, et disposa avec soin autour d'elle le nuage qui l'enveloppait.

— Maman dit que tout s'est bien passé : c'est vrai? demanda-t-elle.

— Oui, sois tranquille, dit-il, tous les papiers sont brûlés.

— C'est vrai?

— C'est vrai.

— Et on ne te soupçonnera pas d'avoir menti?

— Je ne crois pas.

— J'ai eu tellement peur toute la journée! dit Josette. Je suis à bout de forces. Ramène-moi chez moi.

— D'accord.

Ils roulèrent en silence vers la rue Gabrielle. Josette posa la main sur sa manche : « C'est toi qui as brûlé les papiers?

— Oui.

— Tu les as regardés?

— Oui.

— Qu'est-ce qu'il y avait au juste? Sûrement pas de vilaines photos de moi, dit-elle d'une voix inquiète. On n'a jamais pris de vilaines photos de moi.

— Je ne sais pas ce que tu appelles de vilaines photos, dit-il avec un demi-sourire. Tu étais avec le capitaine allemand et tu étais très jolie. »

Elle ne répondit rien. C'était bien Josette, la même; mais à travers elle il revoyait la belle fille trop gaie qui riait sur une photo, indifférente à tous les malheurs; désormais, elle serait toujours entre eux.

Il arrêta la voiture et suivit Josette jusqu'à la porte cochère : « Je ne vais pas monter, dit-il. Moi aussi je suis fatigué et j'ai un tas de choses à faire. »

Elle ouvrit de grands yeux effarés : « Tu ne montes pas?

— Non.

— Tu es fâché? dit-elle. L'autre jour tu as dit que non mais maintenant tu es fâché?

— Je ne suis pas fâché; ce type t'a aimée et tu l'as aimé, tu étais bien libre. » Il haussa les épaules : « C'est peut-être de la jalousie : je n'ai pas envie de monter ce soir.

— Comme tu voudras », dit Josette.

Elle lui sourit tristement et pressa le bouton; quand elle eut disparu, il resta un long moment à regarder l'imposte éclairée. Oui, c'était peut-être simplement de la jalousie : ça lui aurait été insupportable ce soir de la prendre dans ses bras. « Je suis injuste » se dit-il. Mais la justice n'avait rien à voir ici, on ne couche pas avec une femme par justice. Il s'éloigna.

Quand le lendemain Henri l'invita à dîner, Lambert garda son air renfrogné : « Je regrette, je suis pris, dit-il.

— Et demain?

— Demain aussi. Cette semaine je suis pris tous les soirs.

— Alors, ça sera pour la semaine prochaine », dit Henri.

Impossible d'expliquer à Lambert pourquoi il ne l'avait pas invité plus tôt; mais Henri décida quelques jours plus tard de revenir à la charge : Lambert serait certainement touché de cette insistance. Il montait l'escalier du journal en retournant dans sa bouche un petit laïus persuasif quand il croisa Sézenac.

— Tiens! te voilà! dit-il amicalement. Qu'est-ce que tu deviens?

— Rien de spécial, dit Sézenac.

Il avait engraissé, il était beaucoup moins beau qu'autrefois.

— Tu ne remontes pas une minute? Il y a des siècles qu'on ne s'est vus, dit Henri.

— Pas aujourd'hui, dit Sézenac.

Brusquement, il dévala l'escalier. Henri monta les dernières marches. Dans le corridor, Lambert adossé au mur semblait l'attendre.

— Je viens de rencontrer Sézenac, dit Henri. Tu l'as vu?

— Oui.

— Tu le vois quelquefois? qu'est-ce qu'il devient? demanda Henri en poussant la porte de son bureau.

— Je crois qu'il est indicateur de police, dit Lambert d'une voix bizarre. Henri le regarda avec étonnement : il y avait une buée sur son front.

— Qu'est-ce qui te fait penser ça?

— Des choses qu'il m'a dites.

— Un drogué qui a besoin d'argent : évidemment c'est le genre de gars dont on peut faire un indicateur, dit Henri. Il ajouta avec curiosité : « Qu'est-ce qu'il t'a raconté?

— Il m'a proposé une drôle de combine, dit Lambert. Il me promettait de me donner les salauds qui ont descendu mon père en échange de certains renseignements.

— Quels renseignements? »

Lambert regarda Henri dans les yeux : « Des renseignements sur toi. »

Henri sentit un spasme au creux de l'estomac.

— En quoi est-ce que j'intéresse la police? dit-il d'une voix étonnée.

— Tu intéresses Sézenac. Le regard de Lambert ne lâchait pas Henri : « Il paraît que tu as témoigné l'autre jour en faveur d'un certain Mercier, un gars qui faisait du marché noir du côté de Lyons et qui fréquentait les Belhomme. Tu as prétendu qu'il travaillait en 43-44 dans notre réseau et qu'il t'a accompagné à La Souterraine le 23 février 44.

— C'est exact, dit Henri. Et alors?

— Jamais tu n'avais rencontré Mercier avant ce dernier mois, dit Lambert d'une voix triomphante; Sézenac le sait bien, et moi aussi. Je te suivais comme une ombre, cette année-là : il n'y avait pas de Mercier. Ton voyage à La Souterraine a eu lieu le 29 février, il avait été question que je t'accompagne et la date m'avait frappé. C'est Chancel que tu as emmené.

— Tu es complètement sonné! dit Henri; il se sentait aussi indigné que si Lambert l'avait injustement soupçonné. J'ai fait deux voyages à La Souterraine, le premier avec Mercier que personne ne connaissait sauf moi. » Il ajouta d'une voix irritée : « Tu ne mérites pas que je te réponde : parce qu'en somme, tu es en train de m'accuser de faux témoignage, rien que ça!

— Le 23 tu étais à Paris, dit Lambert, tout est marqué sur mes carnets, je vérifierai, mais je sais que tu n'as fait qu'un voyage, on en a assez discuté! Non, ne me raconte pas d'histoires; la vérité c'est que Mercier tient les Belhomme d'une manière ou d'une autre, et pour

sauver ces deux tondues, tu as blanchi un indicateur de la Gestapo!
— Un autre que toi, je lui casserais la gueule, dit Henri. Sors de ce
bureau tout de suite, et n'y remets plus les pieds.
— Attends! dit Lambert. J'ai encore un mot à te dire. Je n'ai rien
lâché à Sézenac : pourtant je te jure que j'avais envie qu'il cause. Je
ne lui ai rien lâché, reprit-il; alors maintenant, je me sens quitte. Je
reprends ma liberté!
— Il y a longtemps que tu attendais un prétexte! dit Henri. Tu as
fini par t'en inventer un : je te félicite!
— Je n'ai rien inventé! dit Lambert. Bon Dieu! ajouta-t-il, quel
con j'ai été! Je te croyais tellement honnête, tellement désintéressé!
ça m'intimidait! Je m'imaginais que je devais être loyal envers toi.
Tu parles de loyauté! Tu juges tout le monde : mais ça ne t'étouffe
pas plus qu'un autre, les scrupules. »
Il marcha vers la porte avec tant de dignité qu'Henri eut presque
envie de sourire; sa colère était tombée; il ne sentait plus qu'une vague
angoisse. S'expliquer franchement? Non, Lambert était trop instable,
trop influençable; aujourd'hui, il avait refusé de renseigner Sézenac,
mais demain un aveu pouvait devenir dans ses mains, dans celles de
Volange une arme redoutable. Il fallait nier : le danger était déjà assez
grand comme ça. « Sézenac cherche des preuves contre moi, il sait qu'il
pourrait les vendre cher », pensa Henri. Dubreuilh n'avait jamais
entendu parler de Mercier; il se rappelait peut-être que le 23 février 44
Henri était à Paris; si Sézenac le prenait par surprise, il n'avait aucune
raison de truquer la vérité. « Il faudrait le prévenir. » Mais Henri répugnait à lui réclamer une complicité avant d'avoir seulement tenté de
se réconcilier avec lui; d'ailleurs, il ne pouvait pas envisager de lui
confesser la vérité. C'était étrange; il se disait : « Si c'était à recommencer, je recommencerais »; et pourtant, il n'aurait pas supporté que
quelqu'un d'autre fût au courant de ce qu'il avait fait; alors il en aurait
eu honte. Il ne se sentirait justifié qu'aussi longtemps qu'il ne serait
pas découvert : pendant combien de temps? « Je suis en danger », se
répéta-t-il. Quelqu'un d'autre l'était : Vincent. Même si ce n'était pas
son gang qui avait exécuté le vieux, Sézenac en savait long sur lui;
il fallait le prévenir. Et il fallait tout de suite aller voir Luc qui soignait
chez lui une crise de goutte et rédiger avec lui une lettre de démission.
Luc s'attendait depuis longtemps à une crise, il ne se frapperait sans doute
pas trop. Henri se leva. « Je ne m'assoirai plus à cette table », pensa-t-il.
C'est bien fini, L'Espoir n'est plus à moi! » Il regrettait d'abandonner
la campagne qu'il avait amorcée sur les événements de Madagascar :
évidemment les autres allaient noyer le poisson. Mais à part ça, il était
beaucoup moins ému qu'il ne l'aurait cru. En descendant les escaliers,
il se dit vaguement : « C'est la rançon. » La rançon de quoi? d'avoir
couché avec Josette? d'avoir voulu la sauver? d'avoir prétendu garder
une vie privée alors que l'action exige un homme tout entier? de s'être
entêté dans l'action alors qu'il ne s'y donnait pas sans réserve? Il ne
savait pas. Et même s'il avait su, ça n'aurait rien changé.

La nuit où les rotatives imprimèrent sa lettre de démission, Henri recommanda au portier de l'hôtel : « Demain, je n'y suis pour personne, je n'accepte ni visites ni coups de téléphone. » Il poussa sans gaieté la porte de sa chambre : il n'avait pas recouché avec Josette, elle n'avait pas l'air de trop s'en affecter, et c'était très bien comme ça; n'empêche que ce lit où Henri dormait seul lui semblait austère comme un lit d'hôpital. C'est si bon de mélanger son sommeil à celui d'un autre corps tout chaud, tout confiant : on se réveille nourri. Maintenant au réveil, il se sentait vide. Il eut du mal à s'endormir; il était d'avance excédé par tous les commentaires que sa démission allait susciter.

Il se leva tard; il venait d'achever sa toilette quand on lui apporta un pneumatique : il eut un coup au cœur en reconnaissant l'écriture de Dubreuilh. « Je viens de lire votre lettre d'adieux à *L'Espoir*. Vraiment, il est absurde que notre attitude souligne seulement nos désaccords quand tant de choses nous rapprochent. Quant à moi, je suis toujours votre ami. » Il y avait un post-scriptum : « J'aimerais vous parler le plus tôt possible à propos de quelqu'un qui semble vous vouloir du mal. » Longtemps, Henri garda les yeux fixés sur les lignes bleu-noir; il avait pensé à écrire : et c'est Dubreuilh qui l'avait fait. On pouvait taxer d'orgueil sa générosité : mais alors c'est que l'orgueil était chez lui une vertu généreuse. « Je vais y aller tout de suite », se dit Henri; et il lui sembla qu'on venait de lâcher dans sa poitrine une armée de fourmis rouges. Qu'avait dit Sézenac? S'il avait fait naître en Dubreuilh des soupçons, comment mentir avec assez de passion pour les anéantir? Il n'était sans doute pas trop tard pour le mensonge puisque Dubreuilh lui offrait son amitié; mais c'était odieux de répondre à une telle offre par un abus de confiance. Pourtant que faire d'autre? Même Dubreuilh serait scandalisé par un aveu, et alors Henri se sentirait en faute. Il monta dans sa voiture. Pour la première fois, ça lui pesait d'avoir un secret : ça exige qu'on trompe l'autre ou qu'on se trahisse soi-même, l'amitié n'est plus guère possible. Il hésita longtemps devant la porte de Dubreuilh sans se décider à sonner.

Dubreuilh lui ouvrit en souriant :

— Que je suis content de vous voir! dit-il d'un ton naturel et affairé, comme s'ils avaient eu des choses importantes à débattre après une courte absence.

— C'est moi qui suis content, dit Henri. Quand j'ai reçu votre mot, ça m'a fait drôlement plaisir. Ils entraient dans le bureau et il ajouta : « J'avais souvent pensé à vous écrire. »

Dubreuilh l'interrompit : « Qu'est-ce qui s'est passé? demanda-t-il. Lambert vous a lâché? »

La vieille curiosité brillait dans ses yeux, ses yeux rapaces et malins qui n'avaient pas changé.

— Voilà des mois que Samazelle et Trarieux veulent passer au gaullisme, dit Henri. Lambert a fini par marcher avec eux.

— Le petit salaud! dit Dubreuilh.

— Il a des excuses, dit Henri avec gêne. Il s'assit dans le fauteuil habituel et alluma comme d'habitude une cigarette; les vraies excuses de Lambert, il fallait qu'il les garde secrètes. Dubreuilh n'avait pas changé, ni le bureau ni les rites, mais lui n'était plus le même; autrefois on aurait pu l'écorcher, le disséquer sans surprise : maintenant, il cachait sous sa peau une tumeur honteuse. Il dit rapidement :

— Nous nous sommes disputés et je l'ai poussé à bout.

— Ça devait finir comme ça! dit Dubreuilh. Il se mit à rire : « Eh bien, la boucle est bouclée. Le S. R. L. est mort, on vous a volé votre journal : nous voilà revenus à zéro.

— C'est de ma faute, dit Henri.

— Ce n'est la faute de personne », dit vivement Dubreuilh. Il ouvrit un placard : « J'ai du très bon armagnac, vous en voulez?

— Avec plaisir. »

Dubreuilh remplit deux petits verres et en tendit un à Henri. Ils se sourirent.

— Anne est encore en Amérique? demanda Henri.

— Elle rentre dans une quinzaine. Comme elle va être contente, ajouta gaiement Dubreuilh. Elle trouvait si bête qu'on ne se voie plus!

— C'était très bête, dit Henri.

Il aurait voulu s'expliquer, il lui semblait que cette brouille ne serait vraiment liquidée que s'ils en parlaient à cœur ouvert; et il était tout prêt à reconnaître ses torts. Mais de nouveau, Dubreuilh rompit les chiens.

— On m'a dit que Paule était guérie. C'est vrai?

— Il paraît. Elle ne veut plus me voir et j'aime autant ça; elle va s'installer chez Claudie de Belzunce.

— En somme, vous voilà libre comme l'air? dit Dubreuilh. Qu'est-ce que vous comptez faire?

— Je vais finir mon roman. Pour le reste, je ne sais pas. Tout ça s'est passé si vite, j'en suis encore étourdi.

— Ça ne vous réjouit pas de penser que vous allez enfin avoir du temps à vous?

Henri haussa les épaules : « Pas spécialement. Ça viendra sans doute. Pour l'instant, j'ai surtout des remords.

— Je me demande bien pourquoi! dit Dubreuilh.

— Vous avez beau dire; je suis responsable de tout ce qui est arrivé, dit Henri. Si je ne m'étais pas buté, vous rachetiez les parts de Lambert, L'Espoir serait à nous et le S. R. L. tiendrait le coup.

— Le S. R. L. était perdu de toute façon, dit Dubreuilh. L'Espoir, oui, on l'aurait peut-être sauvé : et puis après? Résister aux deux blocs, rester indépendant, c'est ce que j'essaie aussi dans Vigilance : mais je ne vois pas bien à quoi ça avance. »

Henri dévisagea Dubreuilh avec perplexité. Était-ce par délicatesse qu'il se dépêchait d'innocenter Henri? ou voulait-il éviter de mettre en question ses propres conduites?

— Vous pensez qu'en octobre le S. R. L. n'avait déjà plus ses chances? dit Henri.

— Je pense qu'il ne les a jamais eues, dit Dubreuilh d'une voix brusque.

Non, il ne parlait pas ainsi par courtoisie : il était convaincu, et Henri se sentit déconcerté. Il aurait bien aimé se dire qu'il n'était pour rien dans l'échec du S. R. L., pourtant cette déclaration de Dubreuilh le mettait mal à l'aise. Dans son livre, Dubreuilh constatait l'impuissance des intellectuels français; mais Henri n'avait pas supposé qu'il donnât à ses conclusions une portée rétrospective.

— Depuis quand pensez-vous ça? demanda-t-il.

— Ça fait déjà longtemps. Dubreuilh haussa les épaules : « Dès le début la partie s'est déroulée entre l'U. R. S. S. et les U. S. A.; nous étions hors du coup.

— Ce que vous disiez ne me semble pourtant pas si faux, dit Henri : l'Europe avait un rôle à jouer et la France en Europe.

— C'était faux; nous étions coincés. Enfin, rendez-vous compte, ajouta Dubreuilh d'une voix impatiente, qu'est-ce que nous pesions? rien du tout. »

Décidément, il était toujours le même; il vous obligeait impétueusement à le suivre et puis soudain il vous plantait là pour foncer dans une nouvelle direction. Bien souvent, Henri s'était dit : « On ne peut rien »; mais ça le gênait que Dubreuilh l'affirmât avec tant d'autorité : « Nous avons toujours su que nous n'étions qu'une minorité, dit-il; mais vous admettiez qu'une minorité peut être efficace.

— Dans certains cas, pas dans celui-là », dit Dubreuilh. Il se mit à parler très vite; visiblement, il en avait lourd sur le cœur, depuis longtemps : « La Résistance, parfait, une poignée d'hommes y suffisait; tout ce qu'on voulait, somme toute, c'était créer de l'agitation; agitation, sabotage, résistance, c'est l'affaire d'une minorité. Mais quand on prétend construire, c'est une tout autre histoire. Nous avons cru que nous n'avions qu'à profiter de notre élan : alors qu'il y avait une coupure radicale entre la période de l'occupation et celle qui a suivi la Libération. Refuser la collaboration, ça dépendait de nous; la suite ne nous regardait plus.

— Ça nous regardait tout de même un peu », dit Henri. Il voyait bien pourquoi Dubreuilh prétendait le contraire; le vieux ne voulait pas penser qu'il avait eu des possibilités d'action et qu'il les avait mal exploitées : il aimait mieux s'accuser d'une erreur de jugement que d'avouer un échec. Mais Henri restait convaincu qu'en 45, l'avenir était encore ouvert : ce n'était pas pour son plaisir qu'il s'était mêlé de politique; il avait senti avec évidence que ce qui se passait autour de lui le concernait : « Nous avons raté notre coup, dit-il, ça ne prouve pas que nous ayons eu tort de le tenter. »

— Oh! nous n'avons fait de mal à personne, dit Dubreuilh, et autant s'occuper de politique que de se saouler, c'est plutôt moins mauvais

pour la santé. N'empêche que nous nous sommes joliment fourvoyés!
Quand on relit ce que nous écrivions entre 44-45, on a envie de rire :
faites-en l'expérience, vous verrez!

— Je suppose que nous étions trop optimistes, dit Henri; ça se
comprend...

— Je nous accorde toutes les circonstances atténuantes que vous
voudrez! dit Dubreuilh. Le succès de la Résistance, la joie de la Libération, ça nous excuse largement; le bon droit triomphait, l'avenir
était promis aux hommes de bonne volonté; avec notre vieux fond
d'idéalisme, nous ne demandions qu'à le croire. Il haussa les épaules :
« Nous étions des enfants. »

Henri se tut; il y tenait à ce passé : comme on tient, justement, à des
souvenirs d'enfance. Oui, ce temps où on distinguait sans hésiter ses
amis et ses ennemis, le bien et le mal, ce temps où la vie était simple
comme une image d'Épinal, ça ressemblait à une enfance. Sa répugnance
même à le renier donnait raison à Dubreuilh.

— Selon vous, qu'est-ce que nous aurions dû faire? demanda-t-il;
il sourit : « Nous inscrire au parti communiste?

— Non, dit Dubreuilh. Comme vous me le disiez un jour, on ne
s'empêche pas de penser ce qu'on pense : impossible de sortir de sa
peau. Nous aurions été de très mauvais communistes. » Il ajouta brusquement : « D'ailleurs qu'est-ce qu'ils ont fait? rien du tout. Ils étaient
coincés eux aussi.

— Alors?

— Alors rien. Il n'y avait rien à faire. »

Henri remplit de nouveau son verre. Dubreuilh avait peut-être raison, mais alors, c'était bouffon. Henri revit cette journée de printemps
où il contemplait avec nostalgie les pêcheurs à la ligne; il disait à Nadine :
« Je n'ai pas le temps. » Il n'avait jamais de temps : trop de choses à
faire. Et pour de vrai il n'y avait rien eu à faire.

— Dommage qu'on ne s'en soit pas avisé plus tôt. On se serait évité
bien des emmerdements.

— Nous ne pouvions pas nous en aviser plus tôt! dit Dubreuilh.
Admettre qu'on appartient à une nation de cinquième ordre, et à une
époque dépassée : ça ne se fait pas en un jour. Il hocha la tête : « Il faut
tout un travail pour se résigner à l'impuissance. »

Henri regarda Dubreuilh avec admiration; le joli tour de passe-passe!
il n'y avait pas eu d'échec, seulement une erreur; et l'erreur même était
justifiée, donc abolie. Le passé était net comme un os de seiche et
Dubreuilh, une impeccable victime de la fatalité historique. Oui : eh
bien, Henri ne trouvait pas ça satisfaisant du tout; il n'aimait pas penser que d'un bout à l'autre de cette affaire il avait été mené. Il avait eu
de grands débats de conscience, des doutes, des enthousiasmes, et
d'après Dubreuilh les jeux étaient faits d'avance. Il se demandait souvent qui il était; et voilà ce qu'on lui répondait : il était un intellectuel
français grisé par la victoire de 44 et ramené par les événements à la
conscience lucide de son inutilité.

— Vous voilà devenu drôlement fataliste! dit-il.

— Non. Je ne dis pas que l'action en général soit impossible. Elle l'est en ce moment, pour nous.

— J'ai lu votre livre, dit Henri. En somme, vous pensez qu'on ne pourrait faire quelque chose qu'en marchant carrément avec les communistes.

— Oui. Ce n'est pas que leur position soit brillante; mais le fait est qu'en dehors d'eux il n'y a rien.

— Et pourtant vous ne marchez pas avec eux?

— Je ne peux pas me refaire, dit Dubreuilh. Leur révolution est trop loin de celle que j'espérais autrefois. Je me trompais; malheureusement il ne suffit pas de constater ses erreurs pour devenir brusquement quelqu'un d'autre. Vous êtes jeune, vous êtes peut-être capable de sauter le pas : moi pas.

— Oh! moi, il y a longtemps que je n'ai plus envie de me mêler de rien, dit Henri. Je voudrais me retirer à la campagne, ou même foutre le camp à l'étranger, et écrire. Il sourit : « Selon vous, on n'a même plus le droit d'écrire? »

Dubreuilh sourit aussi : « J'ai peut-être un peu exagéré. Après tout, la littérature n'est pas si dangereuse que ça.

— Mais vous trouvez qu'elle n'a plus aucun sens?

— Vous trouvez qu'elle en a? demanda Dubreuilh.

— Oui, puisque je continue à écrire.

— Ce n'est pas une raison. »

Henri regarda Dubreuilh avec soupçon : « Vous écrivez encore ou vous n'écrivez plus?

— On n'a jamais guéri les manies en prouvant qu'elles n'avaient pas de sens, dit Dubreuilh. Sans ça les asiles seraient vides.

— Ah! bon, dit Henri. Vous n'êtes pas arrivé à vous convaincre vous-même : je préfère ça.

— J'y arriverai peut-être un jour », dit Dubreuilh d'un air malin. Délibérément il rompit les chiens : « Dites donc, je voulais vous prévenir : j'ai eu une drôle de visite hier. Le petit Sézenac. Je ne sais pas ce que vous lui avez fait, mais il ne vous veut pas de bien.

— Je l'ai vidé de *L'Espoir*, il y a déjà longtemps de ça, dit Henri.

— Il a commencé par me poser un tas de questions sans queue ni tête, dit Dubreuilh : si je connaissais un certain Mercier, si vous étiez à Paris je ne sais plus quel jour de 44. D'abord je ne me souviens de rien, et puis en quoi ça le regardait-il? Je l'ai renvoyé plutôt sèchement, et alors il s'est mis à inventer une histoire à dormir debout.

— Sur moi?

— Oui; c'est un mythomane, ce petit gars; il peut être dangereux Il m'a raconté que vous aviez fait un faux témoignage pour blanchir un indicateur de la Gestapo; on vous aurait fait chanter, à travers la petite Belhomme. Il faut l'empêcher de colporter des histoires pareilles. »

Avec soulagement, Henri comprit d'après le ton de Dubreuilh que pas un instant il n'avait supposé que Sézenac dît la vérité; il suffisait de jeter en souriant une phrase négligente, et l'incident était réglé; il ne trouvait pas la phrase. Dubreuilh le regarda avec un peu de curiosité :

— Vous saviez qu'il vous détestait à ce point-là?

— Il ne me déteste pas spécialement, dit Henri. Il ajouta brusquement : « Le fait est que son histoire est vraie.

— Ah! elle est vraie? dit Dubreuilh.

— Oui », dit Henri. Ça l'humiliait soudain, l'idée de mentir. Après tout, puisqu'il s'arrangeait de la vérité, les autres n'avaient pas à faire les dégoûtés : ce qui était assez bon pour lui l'était aussi pour eux. Il reprit avec un peu de défi : « J'ai fait un faux témoignage pour sauver Josette qui avait couché avec un Allemand. Vous qui m'avez si souvent reproché mon moralisme, vous voyez que je suis en progrès, ajouta-t-il.

— Alors, c'est vrai que ce Mercier était un indicateur? demanda Dubreuilh.

— C'est vrai. Il méritait parfaitement d'être fusillé », dit Henri. Il regarda Dubreuilh : « Vous trouvez que j'ai fait une saloperie? Mais je ne voulais pas que la vie de Josette soit foutue. Si elle avait ouvert le gaz, je ne me le pardonnerais pas. Tandis qu'un Mercier de plus ou de moins sur terre, j'avoue que ça ne m'empêche pas de dormir. »

Dubreuilh hésita : « Il vaut tout de même mieux un de moins qu'un de plus, dit-il.

— Évidemment, dit Henri. Mais je suis sûr que Josette se serait liquidée : est-ce que je pouvais la laisser crever? demanda-t-il avec véhémence.

— Non », dit Dubreuilh. Il paraissait perplexe : « Vous avez dû passer un sale moment!

— Je me suis décidé presque tout de suite », dit Henri. Il haussa les épaules : « Je ne dis pas que je sois fier de ce que j'ai fait.

— Vous savez ce que ça prouve, cette histoire? dit Dubreuilh avec une soudaine animation. C'est que la morale privée, ça n'existe pas. Encore un de ces trucs auxquels nous avons cru et qui n'ont aucun sens.

— Croyez-vous? » dit Henri. Décidément il n'aimait pas le genre de consolation que Dubreuilh lui dispensait aujourd'hui : « Je me suis trouvé coincé, c'est vrai, reprit-il. A ce moment-là, je n'avais plus le choix. Mais rien ne serait arrivé si je n'avais pas eu cette liaison avec Josette. Je suppose que là, il y a eu faute.

— Ah! on ne peut pas tout se refuser, dit Dubreuilh avec une espèce d'impatience. L'ascétisme, c'est bien si c'est spontané; mais pour ça il faut avoir par ailleurs des satisfactions positives : dans le monde comme il est, on n'en a pas beaucoup. Je vais vous dire : si vous n'aviez pas couché avec Josette, vous en auriez eu des regrets qui vous auraient conduit à faire d'autres sottises.

— Ça, c'est bien possible, dit Henri.

— Dans un espace courbe, on ne peut pas tirer de ligne droite, dit Dubreuilh. On ne peut pas mener une vie correcte dans une société qui ne l'est pas. On est toujours repincé, d'un côté ou d'un autre. Encore une illusion dont il faut nous débarrasser, conclut-il. Pas de salut personnel possible. »

Henri regarda Dubreuilh avec indécision : « Alors qu'est-ce qui nous reste?

— Pas grand-chose, je crois », dit Dubreuilh.

Il y eut un silence. Henri ne se sentait pas satisfait par cette indulgence généralisée : « Ce que je voudrais savoir, c'est ce que vous auriez fait à ma place, dit-il.

— Je ne peux pas vous le dire, puisque je n'étais pas à votre place, dit Dubreuilh. Vous devriez tout me raconter en détail, ajouta-t-il.

— Je vais tout vous raconter », dit Henri.

CHAPITRE X

L'avion a filé sans escale de Gander sur Paris et il est arrivé avec deux heures d'avance. J'ai laissé mes bagages gare des Invalides et j'ai pris l'autobus. C'était un petit matin tout gris, désert, où mon arrivée clandestine, alors qu'on me croyait bien loin dans les nuages, frisait l'indiscrétion; un homme balayait le trottoir devant la porte cochère encore fermée, les poubelles n'étaient pas vidées : je m'amenais avant que le décor fût planté et les acteurs maquillés. On n'est évidemment pas une intruse quand on rentre dans sa propre vie : pourtant, comme j'ouvrais et refermais doucement la porte de l'appartement afin de ne pas réveiller Nadine, mes gestes furtifs me donnaient une vague impression de faute et de danger. Aucun bruit dans le bureau de Robert; j'ai tourné la poignée de faïence : presque tout de suite il a levé la tête, il a repoussé son fauteuil en souriant, il m'a entourée de son bras :

— Mon pauvre petit animal! tu t'amènes comme ça toute seule! j'allais partir te chercher.

— L'avion a eu deux heures d'avance, dis-je. J'embrassai ses joues mal rasées; il était en peignoir, hirsute, avec des yeux gonflés par l'insomnie : « Vous avez travaillé toute la nuit? c'est très mal.

— Je voulais finir quelque chose avant ton retour. Tu as eu une bonne traversée? tu n'es pas fatiguée?

— J'ai dormi tout le temps. Et vous? Quand on ne vous surveille pas, vous n'êtes pas sage du tout. »

Nous avons parlé gaiement, mais quand Robert a passé dans la salle de bains, j'ai retrouvé ce silence qui m'avait suffoquée au moment où dans l'entrebâillement de la porte je l'avais aperçu tête baissée, en train d'écrire, très loin de moi. Quelle plénitude dans ce bureau où je n'étais pas! L'air était saturé de fumée et de travail; une pensée omnipotente convoquait ici à son gré le passé, l'avenir, le monde entier : tout était présent; aucune absence. Sur une étagère ma photographie souriait, une photo déjà vieille et qui ne vieillirait jamais; elle était à sa place; mais moi, Robert avait dû veiller toute la nuit pour me faire une place dans ses journées remplies à ras bord; et il y avait quelque chose qu'il n'avait pas fini parce que j'étais revenue trop tôt. Je me levai. Les jours de retour, de départ, on fait des découvertes qui ne sont pas plus vraies que la vérité quotidienne, je sais; et on a beau savoir, on a beau avoir repéré tous les pièges, on tombe dedans tout bêtement; mais justement il ne me suffisait pas non plus de me dire ça pour en sortir : je n'en sortais pas. Comme ma chambre était vide! et elle est restée tout aussi vide pendant que j'errais avec incertitude entre la fenêtre et le divan. Il y avait du courrier sur ma table; des gens me demandaient quand je rouvrirais mon cabinet; Paule était sortie de clinique, elle m'invitait à venir la voir. Je remarquai que son écriture était moins enfantine que naguère et qu'elle ne faisait plus de fautes d'orthographe; un mot de Mardrus m'assurait qu'elle était guérie. J'allai embrasser Nadine qui m'accueillit avec indulgence; elle avait mille histoires à me raconter et je lui promis ma soirée. Robert, Nadine, des amis, du travail : et pourtant je restai immobile dans l'antichambre, à me demander avec stupeur : « Qu'est-ce que je fais ici?

— Tu m'attendais? a dit Robert, je suis prêt. »

J'étais contente de quitter cet appartement, de me promener dans des rues qui n'étaient ni pleines, ni vides; les quais, les Gobelins, la place d'Italie : nous avons marché longtemps en nous arrêtant ici et là à des terrasses de café, et nous avons déjeuné dans le restaurant du parc Montsouris.

Robert avait senti que je n'avais guère envie de parler et lui il avait des tas de choses à me raconter : il racontait. Il était beaucoup plus gai qu'avant mon départ : ce n'est pas que la situation internationale lui parût brillante, mais il avait repris goût à sa vie. Ça comptait beaucoup pour lui de s'être réconcilié avec Henri; et son livre était éveillé tant d'échos que, contre toute logique, il en avait entrepris un autre. L'action politique restait impossible; mais décidément il ne renonçait pas à penser; il avait même l'impression qu'il commençait seulement à y voir un peu clair. Je l'écoutais. Et il était si impérieusement vivant qu'il m'imposait ce passé dont il me parlait : c'était mon passé, je n'en avais pas d'autre, ni aucun autre avenir que celui qu'il annonçait. Bientôt je reverrais Henri et j'en serais tout heureuse, moi aussi; ces lettres que Robert avait reçues à propos de son livre, bientôt je les lirais avec lui et j'en serais amusée ou touchée comme lui; je me réjouirais comme lui de partir pour l'Italie, bientôt.

— Ça ne t'ennuie pas de voyager encore, après tant de voyages? m'a-t-il demandé.

— Pas du tout. Je n'ai aucune envie de rester à Paris.

Je regardais les pelouses, le lac, les cygnes; un jour, bientôt, j'aimerais de nouveau Paris; j'aurais des ennuis, des plaisirs, des préférences, ma vie allait émerger du brouillard, ma vie d'ici, la vraie, et elle m'occuperait tout entière. J'ai pris brusquement la parole, il me fallait affirmer qu'il était réel lui aussi ce monde dont me séparait un océan, une nuit; j'ai raconté ma dernière semaine. Mais c'était encore pire que de garder le silence; comme l'année précédente, je me suis sentie coupable, odieusement. Robert comprenait tout, trop bien. Là-bas, Lewis se réveillait dans une chambre dévastée par mon absence, il se taisait, il n'avait plus personne. Il était seul, avec dans son lit, dans ses bras, ma place vide. Rien ne rachèterait jamais la désolation de ce matin : le mal que je lui faisais était inexpiable.

Quand nous sommes rentrés, le soir, Nadine m'a dit :

— Paule a téléphoné pour savoir si tu étais là .

— Ça fait la troisième fois, dit Robert; il faut que tu ailles la voir.

— J'irai demain. Mardrus affirme qu'elle est guérie, ajoutai-je; mais vous ne savez pas comment elle va, pour de bon? Henri ne l'a pas revue?

— Non, dit Nadine.

— Mardrus ne l'aurait pas laissée sortir si elle n'était pas vraiment guérie, dit Robert.

Je dis : « Il y a guérison et guérison. »

Avant de me coucher, j'ai causé longtemps avec Nadine; elle sortait de nouveau avec Henri, elle en était très satisfaite; elle me grevilla de questions. Le lendemain, je téléphonai à Paule pour l'avertir de ma visite : sa voix était brève et calme. Je m'amenai vers dix heures du soir dans cette rue qui me paraissait si tragique, l'hiver dernier, et je fus déconcertée par son aspect rassurant; les fenêtres étaient ouvertes sur la douceur du soir, des gens s'interpellaient d'une maison à l'autre, une petite fille sautait à la corde. Sous la pancarte CHAMBRES MEUBLÉ j'ai pressé un bouton et la porte s'est ouverte, normalement. Trop normalement. A quoi bon ces délires, ces grimaces, si tout était rentré dans l'ordre, si la raison et la routine avaient triomphé? à quoi bon mes remords passionnés si je devais un jour me réveiller dans l'indifférence? Je souhaitais presque voir Paule apparaître sur le seuil du studio, hostile, hagarde.

Mais je fus accueillie par une femme souriante et grasse qui portait une élégante robe noire; elle me rendit mon baiser sans élan et sans réticence; la pièce était dans un ordre parfait, les miroirs avaient été remplacés et pour la première fois depuis des années, les fenêtres étaient grandes ouvertes.

— Comment vas-tu? tu as fait un beau voyage; elle est jolie cette blouse : tu l'as achetée là-bas?

— Oui; à Mexico; ça te plairait ces pays. Je lui mis un paquet dans les bras : Tiens! je t'ai rapporté des étoffes.

— Comme tu es gentille! Elle fit sauter la ficelle, ouvrit le carton : « Quelles couleurs merveilleuses! »

Pendant qu'elle déballait les tissus brodés, je m'approchai de la fenêtre; on apercevait, comme d'habitude, Notre-Dame et ses jardins : à travers un rideau de soie jaunissante et caduque le lourd entêtement des pierres; au long du parapet, les boîtes à surprises étaient cadenassées, une musique arabe montait du café d'en face, un chien aboyait et Paule était guérie; c'était un très ancien soir, je n'avais jamais rencontré Lewis; il ne pouvait pas me manquer.

— Il faut que tu me parles de ces pays, dit Paule; tu me raconteras tout; mais ne restons pas ici : je vais t'emmener dans une boîte très amusante : l'Ange Noir; ça vient de s'ouvrir et on y rencontre tout le monde.

— Qui ça, tout le monde? demandai-je avec un peu de crainte.

— Tout le monde, répéta Paule. Ce n'est pas loin; on va y aller à pied.

— D'accord.

— Tu vois, dit Paule comme nous descendions l'escalier, il y a six mois je me serais tout de suite demandé : pourquoi m'a-t-elle dit « Qui ça? » et j'aurais trouvé un tas de réponses.

Je souris avec un peu d'effort : « Tu as des regrets?

— Ça serait trop dire. Mais tu ne peux pas imaginer comme le monde était riche, en ce temps-là; la moindre chose avait dix mille facettes. Je me serais interrogée sur le rouge de ta jupe; tiens, ce clochard, je l'aurais pris pour vingt personnes à la fois. » Il y avait une espèce de nostalgie dans sa voix.

— Alors, maintenant, le monde te paraît plutôt plat?

— Oh! pas du tout, dit-elle d'un ton coupant; je suis satisfaite d'avoir cette expérience derrière moi, c'est tout. Mais je te promets que mon existence ne va pas être plate; je fourmille de projets.

— Dis-moi vite lesquels?

— D'abord je vais quitter ce studio, il m'ennuie. Claudie m'a proposé de m'installer chez elle et j'ai accepté; et j'ai décidé de devenir célèbre, dit-elle; je veux sortir, voyager, connaître des gens, je veux la gloire et l'amour; je veux vivre. Elle avait débité ces derniers mots d'un ton solennel, comme si elle avait été en train de prononcer des vœux.

— Tu penses à chanter, ou écrire? demandai-je.

— A écrire; mais pas le genre de niaiseries que je t'avais montrées. Un vrai livre, où je parlerai de moi. J'y ai déjà beaucoup réfléchi; ça n'aura rien de plaisant, mais je crois que ça fera sensation.

— Oui, dis-je, tu as énormément de choses à dire, il faut les dire!

J'avais parlé avec chaleur; mais j'étais sceptique. Paule était guérie, sans aucun doute, mais sa voix, ses gestes, ses mimiques, m'inspiraient la même gêne que ces visages faussement jeunes qu'on retaille dans de vieilles chairs; elle jouerait probablement jusqu'à sa mort le rôle d'une femme normale, mais c'était un travail qui ne la disposait guère à la sincérité.

— C'est ici, dit Paule.

Nous sommes descendues dans une cave chaude et moite comme la jungle de Chichen-Itza; c'était plein de bruits, de fumées, de garçons et de filles en salopettes qui n'étaient pas du tout de notre âge. Paule choisit près de l'orchestre une table exposée à tous les regards et commanda avec autorité deux doubles whiskies. Elle ne semblait pas sentir que nous étions tout à fait déplacées.

— Je ne veux pas recommencer à chanter, dit-elle. Je ne fais pas de complexe d'infériorité; physiquement, si je n'ai plus tout à fait les mêmes atouts qu'autrefois, je sais que j'en ai d'autres; seulement, dans une carrière de chanteuse on dépend de trop de gens. Elle me regarda gaiement : « Sur ce point, tu avais raison; c'est ignoble, la dépendance. Je veux une activité virile. »

Je hochai la tête; à mon avis, elle n'avait plus aucune des qualités nécessaires pour captiver un public; il valait mieux qu'elle essaie n'importe quoi d'autre.

— Tu penses romancer ton histoire, ou la raconter telle quelle? demandai-je.

— En ce moment je suis à la recherche d'une forme, dit-elle, une forme neuve; ce que Henri justement n'a jamais réussi à inventer; ses romans sont mortellement classiques.

Elle vida d'un trait son verre : « Cette crise a été dure; mais si tu savais quelle joie c'est pour moi de m'être enfin trouvée! »

J'aurais voulu lui dire quelque chose d'affectueux, que j'étais contente de la voir heureuse, n'importe quoi; mais les mots gelaient sur mes lèvres; c'était cette voix volontaire et ce visage rigide qui me glaçaient; Paule me semblait plus étrangère que lorsqu'elle était folle. Je dis avec embarras : « Tu as dû traverser de bien drôles de moments.

— Plutôt! » elle regarda autour d'elle avec une espèce d'étonnement : « Certains jours, tout me paraissait si comique! je riais à en mourir; à d'autres moments, c'était l'horreur; on a dû me mettre la camisole de force.

— On t'a fait des électrochocs?

— Oui; j'étais dans un état si bizarre que sur le moment je n'ai même pas eu peur; mais l'autre nuit, j'ai rêvé qu'on me tirait un coup de revolver dans la tempe et j'ai ressenti une douleur intolérable; Mardrus m'a dit que c'était sans doute un souvenir.

— Il est bien Mardrus, n'est-ce pas? dis-je d'un ton incertain.

— Mardrus! c'est un grand bonhomme! dit Paule avec véhémence; c'est extraordinaire avec quelle sûreté il a trouvé la clef de toute cette histoire; il faut dire que de mon côté, j'ai peu résisté, ajouta-t-elle.

— C'est fini, cette analyse?

— Pas tout à fait, mais l'essentiel est fait. »

Je n'osais pas poser de question, mais elle enchaîna d'elle-même : « Je ne t'ai jamais parlé de mon frère?

— Jamais; je ne savais pas que tu avais un frère.

— Il est mort à quinze mois, j'avais quatre ans; c'est facile de comprendre pourquoi mon amour pour Henri a tout de suite pris un caractère pathologique.

— Henri avait aussi deux à trois ans de moins que toi, dis-je.

— Exactement. Ma jalousie infantile a engendré à la mort de mon frère un sentiment de culpabilité qui explique mon masochisme en face d'Henri; je me suis fait l'esclave de cet homme, j'ai accepté de renoncer pour lui à toute réussite personnelle, j'ai choisi l'obscurité, la dépendance : pour me racheter; pour qu'à travers lui, mon frère mort consentît enfin à m'absoudre. » Elle se mit à rire : « Penser que j'en avais fait un héros, un saint! quelquefois j'en ris toute seule!

— Est-ce que tu l'as revu? demandai-je.

— Ah! non! et je ne le reverrai pas, dit-elle avec élan. Il a abusé de la situation. »

Je gardai le silence; je connaissais bien le genre d'explications dont avait usé Mardrus, je m'en servais aussi, à l'occasion, je les appréciais à leur prix. Oui, pour délivrer Paule il fallait ruiner son amour jusque dans le passé; mais je pensais à ces microbes qu'on ne peut exterminer qu'en détruisant l'organisme qu'ils dévorent. Henri était mort pour Paule, mais elle était morte elle aussi; je ne connaissais pas cette grosse femme au visage mouillé de sueur, aux yeux bovins, qui lampait du whisky à côté de moi. Elle me regarda fixement :

— Et toi? dit-elle.

— Moi?

— Qu'as-tu fait en Amérique?

J'hésitai : « Je ne sais pas si tu te souviens, dis-je. Je t'ai dit que j'avais une histoire là-bas.

— Je me souviens. Avec un écrivain américain. Tu l'as revu?

— J'ai passé ces trois mois avec lui.

— Tu l'aimes?

— Oui.

— Qu'est-ce que tu vas faire?

— Je retournerai le voir l'été prochain.

— Et puis? »

Je haussai les épaules. De quel droit me posait-elle ces questions dont je souhaitais si désespérément ignorer les réponses? Elle appuya son menton sur son poing fermé et son regard se fit encore plus insistant.

— Pourquoi ne refais-tu pas ta vie avec lui?

— Je n'ai aucune envie de refaire ma vie, dis-je.

— Et pourtant tu l'aimes?

— Oui; mais ma vie est ici.

— C'est toi qui le décides, dit Paule. Rien ne t'empêche de la refaire ailleurs.

— Tu sais bien ce que Robert est pour moi, dis-je avec mauvaise grâce.

— Je sais que tu imagines ne pas pouvoir te passer de lui, dit Paule; mais j'ignore d'où vient cette emprise qu'il a sur toi : et tu l'ignores aussi. Elle continuait à me scruter : « Tu n'as jamais pensé à te faire de nouveau analyser?

— Non.

— Tu as peur? »

Je haussai les épaules : « Pas du tout; mais à quoi bon? »

Bien sûr, une analyse aurait pu m'apprendre sur mon compte un tas de petites choses, mais je ne voyais pas à quoi ça m'aurait avancée; et si elle avait prétendu aller plus loin, je me serais insurgée; mes sentiments ne sont pas des maladies.

— Tu as beaucoup de complexes, dit Paule d'un ton méditatif.

— Peut-être; mais tant qu'ils ne me gênent pas...

— Tu n'admettras jamais qu'ils te gênent : ça fait partie précisément de tes complexes. Ta dépendance à l'égard de Robert : ça vient d'un complexe. Je suis sûre qu'une analyse te délivrerait.

Je me mis à rire : « Pourquoi donc veux-tu que je quitte Robert? »

Le garçon avait posé devant nous deux autres verres de whisky, et Paule vida à demi le sien :

— Il n'y a rien de plus pernicieux que de vivre à l'ombre d'une gloire, dit-elle, on s'étiole. Il faut que toi aussi tu te trouves toi-même. Bois donc, dit-elle brusquement en désignant mon verre.

— Tu ne crois pas que nous buvons trop? dis-je.

— Pourquoi trop? dit-elle.

En effet, pourquoi? J'aime bien moi aussi le charivari que l'alcool déchaîne dans mon sang. Un corps, c'est si juste, c'est même étriqué, on a envie d'en faire craquer les coutures; elles ne craquent jamais mais par instants on se donne l'illusion qu'on va sauter hors de sa peau. J'ai bu en même temps que Paule; elle dit avec force :

— Aucun homme ne mérite l'adoration qu'ils exigent de nous, aucun! Toi aussi, tu es dupe; donne à Robert du papier et du temps pour écrire : il ne lui manque rien.

Elle parlait très fort pour couvrir le fracas de l'orchestre et il me semblait que des regards se tournaient vers nous avec surprise; heureusement la plupart des gens dansaient, perdus dans une frénésie glacée.

Je murmurai avec irritation : « Ce n'est pas par dévouement que je reste avec Robert.

— Si c'est seulement par habitude, ça ne vaut pas mieux, dit-elle. Nous sommes bien trop jeunes pour la résignation. » Sa voix s'exaltait et ses yeux s'embuaient. « Je vais prendre ma revanche; tu ne peux pas imaginer comme je me sens heureuse! »

Les larmes traçaient de lourds sillons dans sa chair moite; elle les ignorait; peut-être en avait-elle tant versé que sa peau était devenue insensible. J'avais envie de pleurer avec elle sur cet amour qui avait été pendant dix ans le sens et l'orgueil de sa vie et qui venait de se changer en un chancre honteux. Je bus une gorgée de whisky et je serrai mon verre dans ma main comme s'il avait été un talisman : « Plutôt souffrir à en mourir, me disais-je, que de jamais éparpiller au vent en ricanant les cendres de mon passé. »

Mon verre a frappé brutalement la soucoupe; j'ai pensé : « Moi aussi, je finirai par là! on ricane plus ou moins, mais on finit toujours comme ça, on ne sauve jamais tout le passé; je me veux fidèle à Robert, alors c'est Lewis qu'un jour mes souvenirs trahiront; l'absence me tuera dans son cœur et je l'enterrerai au fond de ma mémoire. » Paule continuait à parler et je n'écoutais plus du tout : « Pourquoi est-ce Lewis que j'ai condamné? » « Non », lui avais-je répondu; et sur le moment une autre réponse me semblait inconcevable; mais pourquoi donc? « Donne à Robert du papier, du temps et il ne lui manque rien », avait dit Paule; je revoyais ce bureau, si plein sans moi. Quelquefois, l'an dernier entre autres, j'avais voulu me donner de l'importance; mais même alors je savais que dans tous les domaines qui comptaient pour Robert, je ne lui étais d'aucun secours; en face de ses vrais problèmes, il était toujours seul. Là-bas il y avait un homme qui avait faim de moi, j'avais ma place entre ses bras, ma place qui restait vide : pourquoi? Je tenais à Robert de toutes mes forces, j'aurais donné ma vie pour lui mais il ne me la demandait pas, au fond il ne m'avait jamais rien demandé; la joie que m'apportait sa présence ne concernait que moi; rester ou le quitter : ma décision ne concernait que moi. Je vidai mon verre. M'installer à Chicago, venir ici de temps en temps : ce n'était pas tellement impossible, après tout; Robert me sourirait à chaque arrivée comme si nous n'avions jamais été séparés, à peine s'apercevrait-il que je ne respirais plus le même air que lui. Quel goût aurait ma vie, sans lui? ça, c'était difficile à imaginer; mais je connaissais trop celui de mes jours à venir, si je les passais ici : un goût de remords et d'absurdité, parfaitement intolérable.

Je suis rentrée très tard, j'avais beaucoup bu, j'ai mal dormi; pendant que nous prenions notre petit déjeuner, Robert m'a considérée d'un air sévère :

— Tu as une sale mine!

— J'ai mal dormi; et j'ai trop bu.

Il est venu derrière ma chaise et il a posé ses mains sur mes épaules : « Tu regrettes d'être rentrée?

— Je ne sais pas, dis-je. Par moments ça me semble absurde de ne pas être là où quelqu'un a besoin de moi; un vrai besoin, comme personne n'en a jamais eu de moi. Et je n'y suis pas.

— Tu crois que tu pourrais vivre là-bas, si loin de tout? tu crois que tu serais heureuse?

— Si vous n'existiez pas, j'essaierais, dis-je. Sûrement j'essaierais. »

Les mains se détachèrent de mes épaules; Robert fit quelques pas et me regarda avec perplexité : « Tu n'aurais plus de métier, plus d'amis, tu serais entourée de gens qui n'ont aucune de tes préoccupations, qui ne parlent même pas ta langue, tu serais coupée de tout ton passé, et de tout ce qui compte pour toi... Je ne crois pas que tu tiendrais le coup longtemps.

— Peut-être pas », dis-je.

Oui, ma vie auprès de Lewis aurait été bien étriquée; étrangère, inconnue, je n'aurais pu ni me faire une existence personnelle ni me mêler à ce grand pays qui ne serait jamais le mien; je n'aurais été qu'une amoureuse serrée contre celui qu'elle aime. Je ne me sentais guère capable de vivre exclusivement pour l'amour. Mais que j'étais donc fatiguée de soulever chaque matin le poids si vain d'une journée où je n'étais exigée par personne! Robert ne m'avait pas répondu qu'il avait besoin de moi. Jamais il ne me l'avait dit. Seulement, auparavant aucune question ne se posait; ma vie n'était ni nécessaire ni gratuite : c'était ma vie. Maintenant Lewis m'avait interrogée : « Pourquoi ne pas rester, toujours. Pourquoi? » Et moi qui m'étais promis de ne jamais le décevoir, j'avais répondu : « Non »; il fallait justifier ce non; et je ne trouvais pas de justification. Pourquoi? pourquoi? sa voix me poursuivait. Dans un sursaut j'ai pensé : « Mais rien n'est irréparable! » Lewis vivait encore, moi aussi; nous pouvions nous parler à travers l'Océan. Il avait promis de m'écrire le premier, d'ici une semaine; si dans sa lettre il m'appelait encore, si ses regrets avaient l'accent d'un appel, je trouverais la force de renoncer à la vieille sécurité; je répondrais : « Oui, je viens. Je viens pour rester près de vous aussi longtemps que vous voudrez me garder. »

Nous avons établi Robert et moi nos plans de voyages, j'ai fait des calculs soigneux et j'ai télégraphié à Lewis d'adresser sa lettre, poste restante, à Amalfi : pendant douze jours mon destin serait en suspens. Dans douze jours je déciderais peut-être de me risquer follement dans un avenir inconnu, ou alors je m'installerais à nouveau dans l'absence, dans l'attente. Pour l'instant je n'étais ni ici ni là, ni moi-même ni une autre, rien qu'une machine à tuer le temps, le temps qui d'ordinaire meurt si vite et qui n'en finissait pas d'agoniser. Nous avons pris un avion, des cars, des bateaux, j'ai revu Naples, Capri, Pompéi, nous avons découvert Herculanum, Ischia; je suivais Robert, il m'intéressait à ce qui l'intéressait, je me rappelais ses souvenirs; mais dès qu'il me laissait seule, quelle hébétude! à peine faisais-je semblant de lire ou de regarder le décor qui se trouvait planté là; par moments je ressuscitais avec une précision de schizophrène mon arrivée à Chicago, la nuit de Chichicastenango, nos adieux; le plus souvent je dormais, jamais je n'ai autant dormi.

Robert a aimé Ischia, nous nous y sommes attardés et nous sommes arrivés à Amalfi trois jours après la date prévue. « Au moins, je suis tranquille, me disais-je en descendant de l'autocar, la lettre est là. » J'ai planté Robert et nos valises sur la place et j'ai marché vers la poste en essayant de ne pas courir; comme toutes les postes, celle-ci sentait la poussière, la colle, l'ennui; il ne faisait ni clair, ni sombre, les employés bougeaient à peine dans leurs cages, c'était vraiment un de ces endroits où les jours se répètent à longueur d'année et les mêmes gestes à longueur de jour sans que rien n'arrive jamais; je comprenais mal que mon cœur pût battre à se briser tandis que je prenais la queue devant un des guichets; une jeune femme a déchiré une enveloppe, un grand sourire a remué son visage : ça m'a encouragée. J'ai montré mon passeport d'un air engageant; l'employé a dédaigné les casiers alignés derrière lui, il a pris dans un placard un paquet qu'il a feuilleté et il m'a tendu une enveloppe : une lettre de Nadine. J'ai dit :

— Il y en a une autre.

— Rien d'autre.

La lettre de Nadine prouvait que la poste fonctionne, que les lettres arrivent quand elles sont envoyées. J'ai insisté :

— Je sais qu'il y en a une autre.

Avec un gentil sourire italien, il a posé le paquet devant moi : « Regardez vous-même. »

Denal, Dolincourt, Dellert, Despeux; je revins en arrière, j'inspectai le paquet de A à Z; toutes ces lettres! il y en avait qui attendaient depuis des semaines et que personne ne réclamait : pourquoi aucun marché n'était-il possible? aucun échange? Je dis avec désespoir :

— Et dans le casier D, il n'y a rien à mon nom?

— Toutes les lettres pour étrangers sont dans ce paquet.
— Regardez tout de même.

Il a regardé et secoué la tête : « Non, rien. »

Je suis sortie de la poste, je suis restée sur le trottoir, les bras ballants. Quel atroce escamotage! Je n'étais plus sûre du sol sous mes pieds, ni du calendrier ni de mon propre nom. Lewis avait écrit, et les lettres arrivent, donc sa lettre devait être ici : elle n'y était pas. Il était trop tôt pour télégraphier : « Sans nouvelles, inquiète », trop tôt pour fondre en larmes, il ne s'agissait somme toute que d'un retard normal, on ne me laissait pas la ressource d'un vaste désespoir; j'avais mal calculé, c'est tout : une erreur de calcul, c'est bien rare qu'on en meure. Pourtant tandis que je dînais avec Robert sur une terrasse fleurie qui surplombait la mer, je n'étais certainement pas vivante. Il me parlait de Nadine qui sortait assidûment avec Henri, je répondais, nous buvions du vin de Ravello, sur l'étiquette un monsieur moustachu souriait; les phares des barques de pêche brillaient sur la mer; autour de nous, il y avait une énorme odeur de plantes amoureuses, rien ne manquait, nulle part, sinon sur une feuille jaune des signes noirs, et ils auraient été les signes d'une absence; l'absence d'une absence : ce n'est vraiment rien; elle dévorait tout.

Une lettre était là le jour suivant. Lewis écrivait de New York. Ses éditeurs avaient donné un grand « party » en l'honneur de son livre, il voyait un tas de gens, il s'amusait beaucoup. Oh! il ne m'avait pas oubliée, il était gai, il était tendre; mais impossible de déchiffrer entre ses lignes le moindre appel. Je me suis assise à la terrasse d'un café, face à la poste, au bord de l'eau; des petites filles en sarraux bleus, coiffées de chapeaux ronds, jouaient sur la plage et je les ai regardées longtemps, le cœur vide. Pendant quinze jours, j'avais disposé de Lewis, son visage hésitait entre le reproche et l'amour, il me serrait contre lui, il disait : « Je ne vous ai jamais tant aimée. » Il disait : « Revenez. » Et il était à New York, avec un visage inconnu, des sourires qui ne s'adressaient pas à moi, aussi réel que ce monsieur qui passait. Il ne me demandait pas de revenir; souhaitait-il encore mon retour? il suffisait de ce doute pour m'ôter la force de le vouloir. J'attendrais, comme l'an dernier; seulement je ne savais plus pourquoi je m'étais condamnée aux horreurs de l'attente.

Il y a eu d'autres lettres, à Palerme, à Syracuse; Lewis en envoyait une par semaine, comme autrefois; et comme autrefois elles s'achevaient toutes par ce mot : Love, qui veut tout dire et ne signifie rien. Était-ce encore un mot d'amour, ou la plus banale des formules? La tendresse de Lewis avait toujours été si discrète que je ne savais pas combien je pouvais prêter à sa discrétion. Autrefois, quand je lisais les phrases qu'il avait inventées pour moi, je retrouvais ses bras, sa bouche : était-ce sa faute ou la mienne si elles ne me réchauffaient plus? Le soleil de Sicile grillait ma peau, mais au-dedans de moi il faisait toujours froid. Je m'asseyais sur mon balcon, ou je me couchais sur le sable, je regardais le ciel brûlant, la mer, et je frissonnais. Certains jours je détestais la mer; elle était monotone et infinie comme l'absence; ses eaux étaient si bleues qu'elles me semblaient sucrées; je fermais les yeux ou je m'enfuyais.

Quand je me suis retrouvée à Paris, dans ma maison, avec des choses à faire, j'ai pensé : « Il faut me reprendre. » Se reprendre, comme on reprend une sauce tournée : ça se fait, c'est faisable. On se recule, on regarde ses soucis, ses ennuis, avec un clin d'œil d'amateur. Je me serais assise à côté de Robert et nous aurions parlé; ou j'aurais bu du whisky avec Paule à cœur ouvert. D'ailleurs, j'étais capable de me faire la leçon toute seule. Lewis n'était dans mon existence qu'un épisode auquel les circonstances m'avaient fait attacher un prix excessif. Après des années d'abstinence, j'avais souhaité un nouvel amour, c'est très délibérément que j'avais provoqué celui-ci; je l'avais exagérément exalté parce que je savais que ma vie de femme touchait à sa fin; mais au fond je pouvais m'en passer. Si Lewis se détachait de moi, je reviendrais facilement à mon ancienne austérité; ou bien je chercherais d'autres amants, et ils disent tous que quand on cherche on trouve. Mon tort, c'était de prendre mon corps tellement au sérieux : j'avais besoin d'une analyse qui m'enseignerait la désinvolture. Ah! c'est difficile de souffrir sans trahir. Une ou deux fois j'ai essayé de me dire : « Un jour cette histoire finira et je me retrouverai avec un beau souvenir derrière moi, autant en prendre tout de suite mon parti. » Mais je me suis révoltée. Quelle dérisoire comédie! Prétendre tenir notre histoire dans mes seules mains : c'est substituer à Lewis une image, c'est me changer en fantôme et notre passé en souvenirs exsangues. Notre amour n'est pas une anecdote que je peux extirper de ma vie pour me la raconter; il existe hors de moi, Lewis et moi nous le portons ensemble; il ne suffit pas de fermer les yeux pour supprimer le soleil : renier cet amour, c'est seulement m'aveugler. Non; je refusai la prudente réflexion, la fausse solitude et ses consolations sordides. Et j'ai compris que ce refus était encore une feinte : en vérité je ne disposais pas de mon cœur; j'étais impuissante contre cette angoisse qui s'emparait de moi chaque fois que je décachetais une lettre de Lewis; mes sages discours ne combleraient pas ce vide au-dedans de moi. J'étais sans recours.

Quelle longue attente! Onze mois, neuf mois, et il restait toujours autant de terre et d'eau et d'incertitude entre nous. L'automne remplaçait l'été. Voilà que Nadine me dit un jour d'octobre :

— J'ai une nouvelle à t'apprendre.

Il y avait dans ses yeux un mélange inquiétant de défi et de confusion.

— Quoi donc?

— Je suis enceinte.

— Tu es sûre?

— Absolument; j'ai vu un médecin.

Je dévisageai Nadine; elle savait se protéger et il y avait une lueur narquoise dans son regard; je dis : « Tu l'as fait exprès?

— Et après? dit-elle. C'est un crime de vouloir un enfant?

— C'est d'Henri que tu es enceinte?

— Je suppose, puisque c'est avec lui que je couche, dit-elle en ricanant.

— Et il est d'accord?

— Il ne sait encore rien.

J'insistai : « Mais il souhaitait un enfant? »

Elle hésita : « Je ne lui ai pas demandé. »

Il y eut un silence et je dis : « Alors, qu'est-ce que tu comptes faire?

— Qu'est-ce que tu veux faire d'un enfant? des petits pâtés?

— Je veux dire : tu comptes te marier avec Henri?

— Ça le regarde.

— Tu as bien ton idée.

— Mon idée, c'est d'avoir un enfant. Pour le reste, je ne demande rien à personne. »

Jamais Nadine ne m'avait soufflé mot de ce désir de maternité; était-ce la malveillance qui me suggérait qu'elle avait surtout souhaité par cette manœuvre obliger Henri à l'épouser?

— Tu seras forcée de demander, dis-je. Pour un temps du moins, il faudra que ce soit ton père ou Henri qui supportent cette charge.

Elle se mit à rire avec un air de condescendance amusée : « Allons, donne-moi un conseil; je vois bien que tu en meurs d'envie. »

— Tu me le reprocheras longtemps.

— Dis toujours.

— Ne suggère pas à Henri de t'épouser sans être sûre qu'il en a vraiment envie; je veux dire qu'il en a envie égoïstement, pour lui-même, et pas seulement pour l'enfant et pour toi. Sans ça, ce sera un mariage désastreux.

— Je ne lui suggérerai rien, dit-elle de sa voix la plus aiguë. Mais qui te dit qu'il n'en a pas envie? Bien sûr, si tu demandes à un homme s'il veut un enfant, il prend peur; mais quand l'enfant est là, il est enchanté. Moi je trouve que ça ferait beaucoup de bien à Henri d'être marié, d'avoir un foyer. La vie de bohème, c'est démodé. » Elle s'arrêta, à bout de souffle.

— Tu m'as demandé un conseil, je te l'ai donné, dis-je. Si tu crois sincèrement que le mariage ne pèsera ni à Henri, ni à toi, mariez-vous.

Je doutais que Nadine pût trouver le bonheur à l'intérieur d'une vie ménagère; je la voyais mal tout absorbée à se dévouer à un mari et à un enfant. Et si Henri l'épousait par devoir, est-ce qu'il ne lui en garderait pas rancune? Je n'osais pas le questionner. Ce fut lui qui provoqua un tête-à-tête; un soir, au lieu d'entrer comme d'habitude dans le bureau de Robert, il vint frapper à la porte de ma chambre : « Je ne vous dérange pas?

— Mais non. »

Il s'assit sur le divan : « C'est là-dessus que vous opérez? demanda-t-il d'un air amusé.

— Oui; vous voulez en tâter?

— Qui sait? dit-il. J'aurais besoin que vous m'expliquiez pourquoi je me sens si désespérément normal : c'est louche, non?

— Il n'y a rien de plus louche! dis-je avec tant d'élan qu'il me regarda d'un air un peu surpris.

— Alors, il faut vraiment que je me fasse soigner, dit-il gaiement. Mais ce n'est pas de ça que je voulais vous parler », ajouta-t-il; il sourit : « Je suis venu en quelque sorte vous demander la main de votre fille. »

Je souris aussi : « Est-ce que vous ferez un bon mari?

— Je m'appliquerai. Vous vous méfiez de moi? »

J'hésitai, et je dis franchement : « Si vous vous mariez seulement parce que ça arrange Nadine, je me méfie un peu.

— Je comprends ce que vous voulez dire, dit-il. N'ayez pas peur. L'histoire de Paule m'a servi de leçon. Non. D'abord je tiens à Nadine; et puis, je vais peut-être vous étonner, mais je crois que j'ai une vocation de père de famille.

— Vous m'étonnez légèrement, dis-je.

— Pourtant c'est vrai; j'en ai été surpris moi-même, mais quand Nadine m'a appris qu'elle était enceinte ça m'a fait un drôle de coup au cœur. Je ne sais pas comment vous expliquer. On se donne tant de mal pour fabriquer des livres que tout le monde critique, ou des pièces qui scandalisent les gens : et puis, simplement en me laissant aller à mon corps, j'ai créé quelqu'un de vivant; pas un personnage de papier, ça sera un vrai enfant de chair et d'os; et si facilement...

— J'espère que je vais vite me découvrir une vocation de grand-mère, dis-je. Je suppose que vous allez vous marier le plus tôt possible? comment allez-vous vous organiser? il vous faudra un appartement.

— Nous n'avons pas envie de rester à Paris, dit Henri; j'aimerais même quitter la France pendant quelque temps; il paraît que dans certains coins d'Italie on trouve à louer des maisons pour pas cher.

— Et en attendant?

— Vous savez, on n'a pas encore eu le temps de faire beaucoup de plans.

— Vous pouvez toujours vous installer à Saint-Martin, dis-je; la maison est assez grande. »

L'idée n'a pas déplu à Nadine; elle n'a pas voulu habiter le pavillon, parce qu'elle y avait de mauvais souvenirs, je suppose; elle a fait aménager deux grandes chambres au second étage. Elle a abandonné son poste de secrétaire, elle s'est mise à compulser des livres de puériculture et à tricoter des layettes dont les couleurs éclatantes bousculaient joyeusement toutes les traditions, elle s'amusait beaucoup. C'était une période faste, semblait-il. Henri se félicitait d'avoir échappé aux tourments de la vie politique, Robert ne paraissait pas trop les regretter. Paule se déclarait enchantée de sa nouvelle vie. Elle habitait à présent l'hôtel Belzunce où elle exerçait les fonctions mystérieuses de secrétaire; Claudie lui prêtait des robes, et l'emmenait partout; elle me parlait goulûment de ses sorties, de ses amants et elle voulait m'entraîner dans sa gloire.

— Enfin! fais-toi faire une robe du soir, me dit-elle. Tu n'as pas envie de t'habiller, de te montrer?

— Me montrer à qui?

— En tout cas, tu as besoin d'une robe d'après-midi. Cette merveilleuse étoffe indienne, qu'en as-tu fait?

— Je ne sais pas; elle est dans mes cartons.

— Il faut la retrouver.

Dérisoirement, elle s'est mise à chercher dans mon armoire la guenille princière qui, à l'autre bout du monde et du temps, avait abrité les épaules d'une vieille Indienne.

— La voilà! on pourrait tailler une blouse extraordinaire là-dedans!

Je touchais avec stupeur l'étoffe aux couleurs de vitrail et de mosaïque. Un jour, dans une ville lointaine où montaient des fumées d'encens, un homme qui m'aimait l'avait jetée dans mes bras : comment avait-elle pu se matérialiser ici, aujourd'hui? De ce vieux songe à ma vie réelle, il n'y avait pas de passage. Pourtant le huipil était là; et soudain, je ne savais plus où moi j'étais, pour de vrai : ici, en proie à des souvenirs délirants? ou ailleurs, rêvant que j'étais ici, mais déjà au bord du réveil qui me rendrait aux marchés indiens et aux bras de Lewis?

— Confie-le-moi, dit Paule. Claudie le fera couper par un couturier; je m'arrangerai pour qu'on te le rapporte avant jeudi. Tu viendras jeudi, c'est juré?

— Ça ne m'amuse vraiment pas.

— J'ai promis à Claudie de t'amener. Je voudrais tant lui revaloir un peu tout ce qu'elle fait pour moi! La voix de Paule était aussi pathétique qu'au temps où elle me suppliait de la réconcilier avec Henri.

— Je viendrai un moment, dis-je.

Pour redorer ses jeudis, Claudie avait inventé de financer un prix littéraire décerné par un jury féminin, qu'elle présiderait bien entendu; elle avait hâte d'annoncer ce grand événement au monde et bien que le projet fût encore vague, elle convoquait le jeudi suivant journalistes et Tout-Paris. Elle se serait fort bien passée de moi, mais un mot impérieux de Paule accompagnait le carton que j'ai reçu le mercredi soir et où gisait, métamorphosé, le vieux huipil. C'était à présent une blouse à ma taille, à la mode; il s'y attachait une odeur du passé perdu et lorsque je l'ai enfilée, j'ai senti s'infiltrer dans mon sang quelque chose qui ressemblait à de l'espoir; avec ma peau je touchais la preuve qu'entre le bonheur évanoui et ma torpeur d'aujourd'hui il y avait un passage : il pouvait donc y avoir un retour. Dans la glace mon image rafraîchie par ma toilette neuve était clémente : d'ici six mois, je n'aurais pas beaucoup vieilli; je reverrais Lewis, il m'aimerait encore. En entrant dans le salon de Claudie je n'étais pas loin de penser : « Après tout, je suis encore jeune! »

— J'avais tellement peur que tu ne viennes pas! dit Paule; elle m'entraîna au fond du vestibule : « Il faut que je te parle, dit-elle d'un air anxieux et important. Je voudrais que tu fasses encore quelque chose pour moi.

— Quoi donc?

— Claudie tient énormément à ce que tu sois membre de notre jury.

— Mais je ne suis pas compétente; et je n'ai pas le temps.

— Tu n'aurais rien à faire.

— Alors pourquoi tient-elle à moi? dis-je en riant.

— Eh bien, à cause du nom, dit Paule.

— Le nom de Robert, dis-je. Le mien ne vaut pas cher.

— C'est le même nom », dit Paule hâtivement. Elle me poussa dans le petit salon : « J'ai peur de t'avoir mal parlé de ce projet; il ne s'agit pas d'un jeu de société. »

Je m'assis avec résignation : depuis qu'elle était guérie, Paule discourait à perte de vue sur des niaiseries; c'était consternant de la voir se passionner pour cette histoire idiote autant que jadis pour le destin d'Henri; longuement elle me vanta les vertus du nombre sept : il fallait sept membres dans ce jury. J'eus un sursaut d'énergie : « Non Paule, je n'ai rien à voir là-dedans. Non.

— Écoute, dit-elle d'un air inquiet, dis au moins à Claudie que tu réfléchiras.

— Si tu veux; mais c'est tout réfléchi. »

Elle se leva et sa voix se fit légère : « C'est vrai ce qu'on raconte : qu'Henri va épouser Nadine?

— C'est vrai. »

Elle se mit à rire : « Que c'est drôle! » Elle reprit son sérieux : « Du point de vue d'Henri, c'est drôle. Mais je plains Nadine. Tu devrais intervenir.

— Elle fait ce qu'elle veut, tu sais, dis-je.

— Pour une fois, use de ton autorité, dit Paule. Il va la détruire comme il a voulu me détruire. Évidemment, pour elle Henri est un substitut de Robert, ajouta-t-elle rêveusement.

— C'est bien possible.

— Enfin, je m'en lave les mains », dit Paule. Elle marcha vers la porte : « Il ne faut pas que je t'accapare! viens vite! » dit-elle avec une soudaine agitation.

Le salon était plein de monde; un petit orchestre jouait sans entrain des airs de jazz, quelques couples dansaient; la plupart des gens étaient occupés à boire et à manger; Claudie dansait avec un jeune poète qui portait un pantalon de velours lavande, un sweatshirt blanc, et un anneau d'or à une oreille; il faut dire qu'il étonnait un peu; il y avait beaucoup de jeunes gens : des candidats au nouveau prix littéraire, sans doute, et ils se donnaient tous des airs d'attachés d'ambassade. Ça me fit plaisir de voir une tête connue : celle de Julien; il était correctement habillé lui aussi et il n'avait pas l'air saoul; je lui souris et il s'inclina devant moi :

— Puis-je vous inviter à danser?

— Oh! non! dis-je.

— Et pourquoi?

— Je suis trop vieille.

— Pas plus que d'autres, dit-il avec un coup d'œil vers Claudie.

— Non, mais presque autant, dis-je en riant.

Il rit aussi, mais Paule dit d'une voix sérieuse :

— Anne est bourrée de complexes! elle regarda Julien avec coquetterie : « Pas moi.

— Quelle chance vous avez! dit Julien en s'éloignant.

— Trop vieille! quelle idée! » me dit Paule d'un ton mécontent : « Jamais je ne me suis sentie plus jeune.

— On se sent comme on se sent », dis-je.

Ce petit coup de jeunesse qui m'avait étourdie un instant, il s'était bien vite dissipé. Les miroirs de verre sont trop indulgents : c'était ça le vrai miroir, le visage de ces femmes de mon âge, cette peau molle, ces traits brouillés, cette bouche qui s'effondre, ces corps qu'on devine curieusement bosselés sous leurs sangles. « Ce sont de vieilles peaux, pensais-je et j'ai leur âge. » L'orchestre s'est arrêté et Claudie a fondu sur moi :

— C'est gentil d'être venue. Il paraît que vous vous intéressez beaucoup à nos projets? Je serais très heureuse que vous soyez des nôtres.

— J'en serais enchantée, dis-je. Seulement j'ai tant de travail en ce moment!

— Il paraît; vous êtes en train de devenir la psychanalyste à la mode. Laissez-moi vous présenter quelques-uns de mes protégés.

J'étais contente, mais un peu déconcertée qu'elle n'eût pas insisté davantage : elle ne tenait pas tant que ça à mon concours, Paule s'était fait des idées. J'ai serré un tas de mains : des jeunes gens, d'autres moins jeunes. Ils m'apportaient des coupes de champagne, des petits fours, ils s'empressaient, certains maniaient le compliment avec délicatesse; tous me confiaient entre deux sourires quelque menu rêve : obtenir une entrevue avec Robert, un article de lui pour une jeune revue qui se lançait, une recommandation auprès de Mauvanes, une critique aimable dans *Vigilance*, ou encore ils souhaitaient tant y voir leur nom imprimé! Quelques-uns plus ingénus ou plus cyniques m'ont demandé des conseils : comment s'y prendre pour décrocher un prix et d'une manière générale, pour arriver? A leur idée, je devais en connaître des combines! Je doutais de leur avenir; on ne devine pas à vue de nez si quelqu'un a ou non du talent, mais on se rend vite compte s'il a de vraies raisons d'écrire : tous ces piliers de salon, ils n'écrivaient que parce qu'on peut difficilement faire autrement quand on tient à mener une vie littéraire, mais aucun d'eux n'aimait le tête-à-tête avec le papier blanc; ils désiraient le succès sous sa forme la plus abstraite, et malgré tout ce n'est pas la meilleure manière de l'obtenir. Je les trouvais aussi ingrats que leur ambition. L'un d'eux m'a presque dit : « Je suis prêt à payer. » Il y en avait beaucoup que Claudie faisait payer, en nature; elle rayonnait tandis qu'elle s'expliquait avec des journalistes au milieu d'un cercle d'admirateurs à la chair fraîche. Paule profitait mal de l'aubaine; elle avait jeté son dévolu sur Julien; assise à côté de lui, les jambes haut croisées, des jambes encore très belles, elle avait appelé dans ses yeux toute son âme et elle parlait à perdre haleine; un novice, étourdi par tant de mots, aurait eu bien du mal à se refuser, mais Julien connaissait toutes les chansons. J'écoutais la voix pressante d'un grand vieillard dont le crâne dégarni imitait l'image traditionnelle du génie, et je me faisais des serments : si jamais je perds Lewis, quand j'aurai perdu Lewis, je renoncerai tout de suite et pour toujours à me croire encore une femme : je ne veux pas leur ressembler.

— Voyez-vous, madame Dubreuilh, disait le vieux, je n'en fais pas une question d'ambition personnelle mais les choses que je dis doivent être entendues; personne n'ose les dire : il faut un vieux fou comme moi pour s'y risquer. Et il n'y a qu'un homme assez courageux pour me soutenir : votre mari.

— Il sera sûrement très intéressé, dis-je.

— Mais il faut que son intérêt soit agissant, dit-il avec véhémence. Ils me disent tous : c'est remarquable, c'est passionnant! et au moment de publier, ils prennent peur. Si Robert Dubreuilh comprend l'importance de cet ouvrage, auquel j'ai consacré, je peux le dire sans mentir, des années de ma vie, il se doit de l'imposer. Il suffirait d'une préface de lui.

— Je lui en parlerai, dis-je.

Il m'excédait, ce vieux, mais j'avais pitié de lui. Quand on réussit, on a un tas de problèmes, mais on en a aussi quand on ne réussit pas. Ça doit être morne de parler et de parler sans jamais éveiller un écho. Il avait publié jadis deux ou trois livres obscurs, celui-ci représentait sa dernière chance et j'avais peur qu'il ne fût pas bien bon non plus : je me méfiais de tous les gens qui étaient ici. Je me faufilai à travers la cohue et je touchai le bras de Paule :

— Je crois que j'ai fait tout mon devoir. Je m'en vais. Tu me téléphoneras.

— Tu as bien une seconde? elle saisit mon bras avec des airs de conspirateur : « Il faut que je te demande un conseil, à propos de mon livre; ça m'a tourmentée toutes ces nuits. Crois-tu qu'il serait de bonne politique de faire paraître le premier chapitre dans *Vigilance?*

— Ça dépend, dis-je : du chapitre et de l'ensemble du livre.

— Sans aucun doute, le livre est fait pour être asséné au lecteur d'un seul coup, dit Paule; il faudrait qu'il le reçoive dans l'estomac sans avoir le temps de se reprendre. Mais d'autre part, une publication dans *Vigilance*, c'est une garantie de sérieux. Je ne veux pas qu'on me prenne pour une femme du monde qui fait des ouvrages de dame...

— Passe-moi le manuscrit, dis-je. Robert te donnera son avis.

— Je ferai poser un exemplaire chez toi demain matin », dit-elle. Elle me planta là et courut vers Julien : « Vous partez déjà?

— Je suis désolé, je dois partir.

— Vous n'oublierez pas de me téléphoner?

— Je n'oublie jamais rien. »

Julien a descendu l'escalier en même temps que moi et il m'a dit de sa voix policée : « Une femme bien charmante, Paule Mareuil;

seulement elle aime trop les queues; remarquez qu'en soi une queue
ce n'est pas une mauvaise chose; mais les collectionneurs m'ennuient.

— Il me semble que vous avez aussi vos collections, dis-je.

— Non! ce qui définit le collectionneur, c'est le catalogue; je n'ai
jamais tenu de catalogue. »

J'étais de mauvaise humeur en quittant Julien : ça me blessait que
Paule fît parler d'elle sur ce ton. Mais tout en échangeant ma toilette
d'apparat contre une robe de chambre, je me demandais : « Après
tout, pourquoi? elle s'en fout de ce qu'on pense d'elle, elle a sans doute
raison. » Je me voulais différente de ces ogresses trop mûres : en vérité,
j'avais d'autres ruses qui ne valaient pas mieux que les leurs. Je me
dépêche de dire : je suis finie, je suis vieille; comme ça j'annule ces
trente ou quarante années où je vivrai, vieille et finie, dans le regret
du passé perdu; on ne me privera de rien puisque j'ai déjà renoncé :
il y a plus de prudence que d'orgueil dans ma sévérité; et au fond
elle couvre un grossier mensonge : je nie la vieillesse en refusant ses
marchandages. Sous ma chair défraîchie j'affirme la survivance d'une
jeune femme aux exigences intactes, rebelle à toutes les concessions,
et qui dédaigne les tristes peaux de quarante ans; mais elle n'existe plus,
elle ne renaîtra jamais, même sous les baisers de Lewis.

Le lendemain, j'ai lu le manuscrit de Paule : dix pages aussi vides,
aussi fades qu'un texte de *Confidences*. Inutile de me frapper : au fond,
elle ne tenait pas tant que ça à écrire, un échec ne serait pas tragique;
elle s'était assurée une bonne fois contre le tragique, elle avait pris son
parti de tout. Mais je me résignai mal à sa résignation. J'en étais même
si attristée que je me dégoûtais de plus en plus de mon métier; souvent
j'avais envie de dire à mes malades : « N'essayez donc pas de guérir,
on guérit toujours assez. » J'avais beaucoup de clients, et justement cet
hiver-là j'ai réussi quelques cures difficiles; mais le cœur n'y était pas.
Décidément, je ne comprenais plus pourquoi il est bon que les gens
dorment la nuit, qu'ils fassent l'amour avec facilité, qu'ils soient capables
d'agir, de choisir, d'oublier, de vivre. Autrefois, ça me semblait urgent
de les délivrer, tous ces maniaques enfermés dans leurs malheurs étri-
qués, alors que le monde est si vaste; à présent, je ne faisais plus qu'obéir
à de vieilles consignes quand j'essayais de les arracher à leurs obses-
sions : voilà que je m'étais mise à leur ressembler! Le monde était
toujours aussi vaste : et je ne réussissais plus à m'y intéresser.

« C'est scandaleux! » me suis-je dit ce soir-là. Ils discutaient dans le
bureau de Robert, ils parlaient du plan Marshall, de l'avenir de l'Europe, de tout l'avenir, ils disaient que les risques de guerre grandis-
saient, Nadine les écoutait d'un air effrayé; la guerre, ça nous concerne
tous, et je ne prenais pas à la légère ces voix inquiètes; pourtant je ne
pensais qu'à cette lettre, à une ligne de cette lettre : « A travers l'Océan,
les bras les plus tendres sont bien froids. » Pourquoi en m'avouant des
aventures sans importance, Lewis écrivait-il ces mots hostiles? je ne
lui avais pas demandé de m'être fidèle, ç'aurait été stupide avec toute

cette eau et toute cette écume entre nous. Évidemment il m'en voulait de mon absence : me la pardonnerait-il jamais ? retrouverais-je un jour son vrai sourire ? Autour de moi ils s'interrogeaient sur le sort qui menaçait des millions d'hommes, c'était aussi mon sort; et je ne me souciais que d'un sourire, un sourire qui n'arrêterait pas les bombes atomiques, qui ne pouvait rien contre rien, ni pour personne : il me cachait tout. « C'est scandaleux », me suis-je répété; vraiment, je ne me comprenais pas. Après tout, être aimée, ce n'est pas une fin ni une raison d'être, ça ne change rien à rien, ça n'avance à rien : même moi, ça ne m'avance à rien. Je suis là, Robert parle avec Henri, ce que pense Lewis, là-bas, en quoi ça me touche-t-il ? Faire dépendre mon destin d'un cœur qui n'est qu'un cœur parmi des millions d'autres, il faut que j'aie perdu la raison! J'essayais d'écouter, mais en vain; je me disais : Mes bras sont froids. « Après tout, ai-je pensé, il suffira d'un spasme de mon cœur qui n'est qu'un cœur parmi des millions d'autres pour que ce vaste monde cesse de me concerner à jamais. La mesure de ma vie, c'est aussi bien un seul sourire que l'univers entier; choisir l'un ou l'autre, c'est aussi arbitraire. » D'ailleurs, je n'avais pas le choix.

J'ai répondu à Lewis, et j'ai dû trouver les mots propices car sa lettre suivante était détendue et confiante. Dorénavant, c'est sur un ton d'amitié complice qu'il m'a tenue au courant de sa vie. Il avait vendu son livre à Hollywood, il avait de l'argent, il louait une maison au bord du lac Michigan. Il semblait heureux. C'était le printemps. Nadine et Henri se sont mariés : eux aussi ils semblaient heureux. Pourquoi pas moi ? J'ai rassemblé tout mon courage. J'ai écrit : « Je voudrais bien voir la maison du lac. » Il pouvait négliger cette phrase, ou me dire : « L'année prochaine vous verrez la maison », ou bien : « Je ne pense pas que vous la voyiez jamais. » Quand j'ai tenu entre mes mains l'enveloppe qui enfermait sa réponse, je me suis raidie comme si j'avais affronté un peloton d'exécution. « Il ne faut pas me faire d'illusion, me disais-je. S'il ne dit rien, c'est qu'il ne veut pas me revoir. » J'ai déplié le papier jaune et les mots m'ont tout de suite sauté aux yeux : « Venez à la fin de juillet, la maison sera tout juste prête. » Je me suis laissée tomber sur le divan : à la dernière seconde on m'avait graciée. J'avais eu si grand-peur que je n'ai éprouvé d'abord aucune joie. Et puis, brutalement, j'ai senti les mains de Lewis contre ma peau et j'ai suffoqué : Lewis! Assise près de lui dans la chambre de New York, j'avais dit : « Nous reverrons-nous ? » Il répondait : « Venez. » Entre nos deux répliques, rien ne s'était passé, cette année fantôme était abolie et je retrouvais mon corps vivant. Quel miracle! Je l'ai fêté comme un enfant prodigue; moi qui d'ordinaire m'en soucie si peu, pendant tout un mois je l'ai chéri; je l'ai voulu poli, verni, paré; je me suis fait faire des robes de plage, des bains de soleil; dans les cotonnades fleuries je possédais déjà le lac bleu, les baisers; on voyait cette année-là dans les vitrines d'absurdes jupons longs et soyeux : j'en achetai; j'acceptai que Paule me fît cadeau du parfum le plus coûteux de Paris. Cette fois j'ai cru aux agences de voyage, au passeport, au visa et aux routes du ciel. L'avion, quand j'y suis montée m'a paru aussi sûr qu'un train de banlieue.

Robert s'était arrangé pour me procurer des dollars à New York. Je retournai à l'hôtel où j'étais descendue à mon premier voyage et on m'y donna, à quelques étages près, la même chambre. Dans les corridors à l'odeur feutrée où veillait un lumignon rouge, je retrouvai le même silence qu'au temps où la curiosité était ma seule passion; pendant quelques heures, j'ai connu de nouveau l'insouciance. Paris n'existait plus, Chicago pas encore, je marchais dans les rues de New York et je ne pensais à rien. Le lendemain matin je me suis affairée paisiblement dans des bureaux et dans des banques. Et puis je suis remontée dans ma chambre pour chercher ma valise. J'ai regardé dans la glace la femme que ce soir Lewis allait prendre dans ses bras. Il décoifferait ces cheveux, j'arracherais sous ses baisers la blouse taillée dans un huipil indien; j'y attachai la rose qui serait tout à l'heure piétinée, je touchai ma nuque avec le parfum que m'avait donné Paule : j'avais vaguement l'impression de préparer pour un sacrifice une victime qui n'était pas moi; une dernière fois je la contemplai : il me semblait qu'on pouvait l'aimer si on m'avait aimée.

J'atterris à Chicago quatre heures plus tard. Je pris un taxi et cette fois je trouvai la maison sans histoires; le décor était exactement planté; l'enseigne SCHILTZ rougeoyait en face de la grande affiche; Lewis assis sur le balcon devant une table lisait. Il m'a fait un signe souriant, il est descendu en courant, il m'a prise dans ses bras et il a dit les mots prévus : « Vous êtes revenue! enfin! » Peut-être la scène se déroulait-elle avec une fidélité trop fatale : elle ne semblait pas tout à fait réelle, on aurait dit une copie un peu floue de celle de l'année passée. Ou peut-être étais-je seulement déconcertée par la nudité de la chambre : plus une gravure, plus un livre. Je dis : « Quel vide! »

— J'ai tout expédié à Parker.

— La maison est prête? Comment est-elle?

— Vous verrez, dit-il. Vous verrez bientôt. » Il me berçait contre lui. « Quelle drôle d'odeur », dit-il avec un petit sourire étonné. C'est cette rose?

— Non, c'est moi.

— Mais vous n'aviez pas cette odeur autrefois? »

Soudain, j'eus honte du parfum le plus coûteux de Paris, de la coupe étudiée de ma blouse et de mes jupons soyeux : à quoi bon tous ces artifices? il n'en avait pas eu besoin pour me désirer. Je cherchai sa bouche; je n'avais pas tellement envie de faire l'amour mais je voulais être sûre qu'il me désirait encore. Ses mains froissèrent la soie des jupons, la rose tomba par terre, ma blouse aussi et je ne me posai plus de question.

Je dormis longtemps; quand je me réveillai il était plus de midi. Pendant que je déjeunais, Lewis s'est mis à me parler des voisins que nous aurions à Parker et entre autres de Dorothy, une ancienne amie, qui avait divorcé après un mariage malheureux et qui vivait avec ses deux enfants, chez sa sœur et son beau-frère, à deux ou trois milles de notre maison. Je ne m'intéressai pas beaucoup à Dorothy et peut-être l'a-t-il senti car il m'a demandé brusquement :

— Ça vous ennuierait que je prenne à la radio un match de base-ball?

— Pas du tout. Je lirai les journaux.

— Je vous ai gardé tous les *New Yorkers*, dit Lewis avec empressement, et j'ai marqué les articles intéressants.

Il posa sur la table de nuit une pile de magazines et il ouvrit la radio. Nous nous sommes étendus sur le lit et je commençai à feuilleter les *New Yorkers*. Mais j'étais mal à l'aise. Ça nous était arrivé souvent les autres années de lire ou d'écouter la radio côte à côte, sans parler : seulement aujourd'hui, je venais tout juste d'arriver, je trouvai étrange que Lewis ne pensât qu'au base-ball quand j'étais couchée près de lui. L'an dernier, nous avions passé toute la première journée à faire l'amour. Je tournai une page, mais je n'arrivais pas à lire. Cette nuit, avant d'entrer en moi, Lewis avait éteint la lumière, il ne m'avait pas donné son sourire, il n'avait pas prononcé mon nom : pourquoi? Je m'étais endormie sans me poser de question, mais oublier une question, ce n'est pas y répondre. « Il ne m'a peut-être pas tout à fait retrouvée, pensais-je. Se retrouver après un an, c'est difficile. Patience, il me retrouvera. » Je commençai un article et je m'arrêtai, la gorge serrée; je me fichais du dernier Faulkner et de tout le reste; j'aurais dû être dans les bras de Lewis et je n'y étais pas : pourquoi? Cette partie de base-ball n'en finissait pas. Des heures ont passé, Lewis écoutait toujours; si au moins j'avais pu dormir, mais j'étais gavée de sommeil; je me suis décidée :

— Vous savez, Lewis, j'ai faim, dis-je gaiement. Vous n'avez pas faim?

— Patientez encore dix minutes, dit Lewis. J'ai parié trois bouteilles de scotch sur les Géants : c'est important trois bouteilles de scotch, non?

— Très important.

Je reconnaissais bien le sourire de Lewis, et cette voix railleuse et tendre; tout ça aurait été très normal un autre jour. Après tout, c'était peut-être normal qu'aujourd'hui ressemble à n'importe quel autre jour; mais le fait est que ces dernières minutes me parurent horriblement longues.

— J'ai gagné! dit Lewis joyeusement. Il se leva, et tourna le bouton. « Pauvre petite affamée, nous allons vous nourrir! »

Je me levai aussi et je me donnai un coup de peigne : « Où m'emmenez-vous? »

— Que diriez-vous du vieux restaurant allemand?

— C'est une bonne idée. »

J'aimais bien ce restaurant, j'y avais de bons souvenirs. Nous avons causé gaiement en mangeant des saucisses au chou rouge. Lewis m'a raconté son séjour à Hollywood. Ensuite il m'a emmenée dans le bar des clochards et dans le petit dancing noir où jouait autrefois Big Billy; il riait, je riais, le passé ressuscitait. Brusquement j'ai pensé : « Oui, tout ça c'est bien imité! » Pourquoi ai-je pensé ça? Qu'est-ce qui clochait? Rien; rien du tout. Ça devait être moi qui me faisais des idées, le voyage en avion m'avait fatiguée, et aussi l'émotion de l'arrivée. Évidemment, je délirais. Lewis m'avait dit un an plus tôt : « Je n'essaierai plus de ne pas vous aimer. Jamais je ne vous ai tant aimée. » Il me l'avait dit, c'était hier et c'était toujours moi, et c'était toujours lui. Dans le taxi qui nous ramenait vers notre lit, je me suis installée dans ses bras; c'était bien lui; je reconnaissais la chaleur râpeuse de son épaule; je n'ai pas retrouvé sa bouche, il ne m'a pas embrassée; et au-dessus de ma tête j'ai entendu un bâillement.

Je n'ai pas bougé; mais je me suis sentie couler au fond de la nuit; j'ai pensé : « Ça doit être comme ça quand on est fou. » Deux lumières aveuglantes déchiraient les ténèbres, deux vérités également sûres et qui ne pouvaient pas être vraies ensemble : Lewis m'aime; et quand il me tient dans ses bras, il bâille. Je montai l'escalier, je me déshabillai. Il fallait que je pose une question à Lewis, une question très simple; d'avance, elle me déchirait la gorge, mais tout valait mieux que cette horreur confuse. Je me couchai. Il se coucha à côté de moi et s'enroula dans les draps :

— Bonne nuit.

Déjà il me tournait le dos; je m'agrippai à lui :

— Lewis. Qu'y a-t-il?

— Rien du tout. Je suis fatigué.

— Je veux dire : toute la journée, qu'y a-t-il eu? Vous ne m'avez pas retrouvée?

— Je vous ai retrouvée, dit-il.

— Alors, c'est que vous ne m'aimez plus?

Il y eut un silence : un silence décisif et je restai stupide. Toute la soirée j'avais eu peur, mais je n'avais pas cru sérieusement que ma peur pût être justifiée; et soudain aucun doute n'était plus possible. Je répétai : « Vous ne m'aimez plus? »

— Je tiens toujours à vous, beaucoup; j'ai beaucoup d'affection pour vous, dit Lewis d'une voix songeuse. Mais ce n'est plus de l'amour. »

Voilà; il l'avait dit; j'avais entendu ces mots de mes oreilles, et rien ne pourrait les effacer, jamais. Je gardai le silence. Je ne savais plus que faire de moi. J'étais restée exactement la même; et le passé, l'avenir, le présent, tout chancelait. Il me semblait que ma voix même ne m'appartenait plus.

— Je le savais! dis-je. Je savais que je vous perdrais. Dès le premier jour, je l'ai su. Au club Delisa, c'est pour ça que j'ai pleuré : je savais. Et maintenant c'est arrivé. Comment est-ce arrivé?

— C'est plutôt qu'il n'est rien arrivé, dit Lewis. Je vous ai attendue sans impatience, cette année. Oui, une femme, c'est agréable; on cause, on couche ensemble, et puis elle repart : il n'y a pas de quoi perdre la tête. Mais je me disais que peut-être en vous revoyant quelque chose se passerait... »

Il parlait d'une voix détachée, comme si cette histoire ne m'avait pas concernée.

— Je comprends, dis-je faiblement. Et il ne s'est rien passé...

— Non.

Je pensai avec égarement : « C'est à cause de cette drôle d'odeur, de ces soieries; il n'y a qu'à tout recommencer : je porterai le tailleur de l'année dernière... » Mais évidemment mes jupons n'y étaient pour rien. J'entendis ma voix de très loin : « Alors, qu'est-ce que nous allons faire ?

— Mais j'espère bien que nous allons passer un plaisant été ! dit Lewis. N'avons-nous pas passé une bonne journée ?

— Une journée d'enfer !

— Vraiment ? » Il avait l'air désolé : « Je pensais que vous n'aviez rien remarqué.

— J'ai tout remarqué. »

Ma voix m'abandonna; je ne pouvais plus parler, et d'ailleurs, à quoi bon ? L'an dernier, quand Lewis avait essayé de ne plus m'aimer, j'avais senti à travers ses rancunes et ses mauvaises humeurs qu'il y parvenait mal : j'avais toujours gardé de l'espoir. Cette année, il ne se forçait pas : il ne m'aimait plus, ça me sautait aux yeux. Pourquoi ? Comment ? Depuis quand ? Peu importait, toutes les questions étaient vaines; comprendre c'est important quand on espère encore et j'étais sûre que je n'avais rien à espérer.

Je murmurai : « Eh bien, bonne nuit. »

Un instant il m'a retenue contre lui : « Je ne voudrais pas que vous soyez triste », dit-il. Il caressa mes cheveux : « Ça n'en vaut pas la peine.

— Ne vous inquiétez pas pour moi, dis-je. Je vais dormir.

— Dormez, dit-il. Dormez bien. »

Je fermai les yeux; oui sûrement, j'allais dormir. Je me sentais plus épuisée qu'après une nuit de fièvre. « Voilà, pensai-je froidement : rien ne s'est passé; c'est normal; l'anormal, c'est qu'un jour quelque chose se soit passé. Quoi ? pourquoi ? » Au fond je n'avais jamais compris : c'est toujours immérité l'amour; Lewis m'avait aimée sans raison valable; je ne m'en étais pas étonnée : maintenant il ne m'aimait plus, ce n'était pas étonnant non plus, c'était même très naturel. Soudain les mots explosèrent dans ma tête. « Il ne m'aime plus. » Il s'agissait de moi, j'aurais dû hurler à la mort. Je me suis mise à pleurer. Chaque matin il me disait : « Pourquoi riez-vous ? pourquoi êtes-vous si rose, si chaude ? » Je ne rirais plus. Il disait : « Anne ! » Plus jamais il ne le dirait avec cet accent. Plus jamais je ne reverrais son visage de plaisir et de tendresse. « Il faudra tout rembourser, pensai-je à travers mes sanglots; tout ce qui m'a été donné sans que je l'aie demandé, il faudra le payer avec son poids de larmes. » Une sirène a gémi au loin, des trains sifflaient. Je pleurais. Mon corps se vidait à grands frissons de sa chaleur, je devenais froide et molle comme un vieux cadavre. Si j'avais pu me supprimer tout à fait! Au moins tant que je pleurais, je n'avais plus d'avenir, je n'avais plus rien en tête : il me semblait que je pourrais sangloter sans ennui jusqu'à la fin du monde.

Ce fut la nuit qui se fatigua la première; le store de la cuisine jaunit, une ombre touffue s'y imprima en traits décidés. Bientôt il me faudrait me tenir debout, articuler des mots, faire face à un homme qui avait dormi sans larmes. Si au moins j'avais pu lui en vouloir, ça nous aurait rapprochés. Mais non : c'était simplement un homme à qui rien n'était arrivé. Je me levai; dans la cuisine le matin était silencieux et familier, pareil à tant d'autres matins. Je me versai un verre de whisky que j'avalai avec un cachet de benzédrine.

— Avez-vous dormi? dit Lewis.

— Pas beaucoup.

— Vous avez eu bien tort!

Il commença à s'affairer dans la cuisine, il me tournait le dos, ça m'aida à parler : « Il y a une chose que je ne comprends pas, dis-je. Pourquoi m'avez-vous laissée venir? vous auriez dû m'avertir.

— Mais j'avais envie de vous voir », dit Lewis vivement. Il se retourna et me sourit avec innocence : « Je suis content que vous soyez là, je suis content de passer cet été avec vous.

— Vous oubliez une chose, dis-je. C'est que moi je vous aime. Ça n'est pas gai de vivre à côté de quelqu'un qu'on aime et qui ne vous aime pas.

— Vous ne m'aimerez pas toujours, dit Lewis d'un ton léger.

— Peut-être. Mais pour l'instant je vous aime. »

Il sourit : « Vous avez trop de bon sens pour que ça dure longtemps. Sérieusement, reprit-il, pour aimer quelqu'un d'amour, il faut se monter la tête; quand on est deux à jouer le jeu, ça peut valoir le coup; mais si on joue seul, ça devient stupide. »

Je le regardai avec perplexité. Était-il vraiment inconscient, ou est-ce qu'il faisait semblant? Peut-être parlait-il sincèrement : peut-être l'amour avait-il perdu toute importance à ses yeux depuis qu'il ne m'aimait plus. En tout cas, délibéré ou étourdi, son égoïsme me prouvait que je ne comptais plus guère pour lui. Je m'étendis sur le lit. J'avais mal à la tête. Lewis se mit à ranger des livres dans des caisses, et je m'avisai soudain que je n'avais pas touché le fond. J'étais couchée sur la couverture mexicaine, je regardais le store jaune, les murs : je n'étais plus aimée mais je me sentais encore chez moi, et peut-être tout ça appartenait-il à une autre. Peut-être Lewis aimait-il une autre femme. Il y avait eu des femmes dans sa vie, cette année; il m'en avait parlé, et aucune ne m'avait paru bien inquiétante; mais peut-être en avait-il rencontré une dont précisément il ne m'avait pas parlé. Je l'appelai :

— Lewis!

Il releva la tête : « Oui?

— Il faut que je vous pose une question : est-ce qu'il y a une autre femme?

— Oh! grands dieux non! dit-il avec élan. Je ne serai plus jamais amoureux! »

Je soupirai. Le pire m'était épargné! ce visage que je ne verrais plus, cette voix que je n'entendrais plus, ils n'existaient pour personne d'autre.

— Pourquoi dites-vous ça? demandai-je, on ne peut jamais savoir.

Lewis secoua la tête : « Je pense que je ne suis pas fait pour l'amour, dit-il d'une voix un peu hésitante. Avant vous, aucune femme n'avait compté. Je vous ai rencontrée à un moment où ma vie me semblait très vide : c'est pour ça que je me suis jeté dans cet amour avec tant de précipitation; et puis ça a fini par finir. » Il me dévisagea en silence : « Pourtant, s'il y a quelqu'un qui était fait pour moi, c'était vous, ajouta-t-il. Après vous, il ne peut plus y avoir personne.

— Je vois », dis-je.

La voix amicale de Lewis acheva de me désespérer. S'il avait été agressif, injuste, j'aurais sans doute essayé de me défendre; mais non; il semblait presque aussi désolé que moi de ce qui nous arrivait. Ma tête me faisait de plus en plus mal et je renonçai à l'interroger davantage. La seule question décisive : « Lewis, si j'étais restée, auriez-vous continué à m'aimer? » elle était inutile puisque précisément je n'étais pas restée.

Lewis a été m'acheter des cachets calmants, j'en ai absorbé deux, j'ai dormi. Je me suis réveillée en sursaut. « Ça a fini par finir! » me suis-je dit aussitôt. Je me suis assise près de la fenêtre; dans mon dos Lewis emballait des assiettes; il faisait déjà très chaud; des enfants jouaient à la balle dans les orties, une petite fille chancelait sur un tricycle rouge et je me mordais les lèvres pour ne pas fondre en larmes. Je suivis des yeux une longue auto luxueuse qui frôlait le trottoir et je détournai la tête : la même vue; la même chambre; sur le store jaune était brochée une ombre noire; Lewis portait un de ses vieux pantalons rapiécés, il sifflotait; le passé me narguait, je ne pouvais plus le supporter. Je me levai :

— Je vais faire un tour, dis-je.

J'ai pris un taxi, je me suis fait conduire jusqu'au Loop et j'ai marché longtemps : marcher, ça occupe presque autant que de pleurer. Les rues me semblaient hostiles. J'avais aimé cette ville, j'avais aimé ce pays : mais les choses avaient changé en deux ans et l'amour de Lewis ne me protégeait plus. Maintenant l'Amérique, ça signifiait bombe atomique, menaces de guerre, fascisme naissant; la plupart des gens que je croisais étaient des ennemis : j'étais seule, dédaignée, perdue. « Qu'est-ce que je fais donc ici? » me demandai-je. A la fin de l'après-midi, je me retrouvai au pied de l'enseigne SCHILTZ; dans l'impasse, les poubelles fumaient avec une bonne odeur d'automne. Je montai l'escalier de bois, je regardai fixement le damier rouge et blanc qui camouflait le réservoir à gaz; un train passa au loin et le balcon trembla. C'était ainsi exactement le premier jour, les autres jours. « Je ferais mieux de rentrer à Paris », me dis-je. J'apercevais le coin de l'avenue où déjà mon départ m'attendait; le taxi qui m'emporterait roulait quelque part dans la ville; Lewis l'arrêterait d'un geste que je connaissais, la portière claquerait, elle avait déjà claqué, une fois, deux fois, trois fois; et cette fois-ci ça serait pour toujours. A quoi bon trois mois d'agonie? « Tant que je verrai Lewis, tant qu'il me sourira, je n'aurai jamais la force de tuer en moi notre amour; mais tuer à distance, tout le monde en est capable. » J'agrippai la balustrade. « Je ne veux pas le tuer. » Non, je ne voulais pas qu'un jour Lewis fût pour moi aussi mort que Diégo.

— J'espère que la maison des dunes va vous plaire! m'a dit Lewis le lendemain matin.

— Oh! sûrement, dis-je.

Il entassait dans des caisses les derniers livres, les dernières boîtes de conserves. J'étais contente de quitter Chicago. Du moins à Parker les choses ne s'entêteraient pas à parodier le passé, il y aurait un jardin et nous aurions deux lits, ça serait moins étouffant. Je me mis à faire ma valise; j'enfouis tout au fond le huipil indien : jamais plus je ne le porterais, il me semblait qu'il y avait quelque chose de maléfique dans ses broderies; je touchai avec répugnance toutes ces jupes, ces blouses, ces bains de soleil que j'avais choisis avec tant de soin. Je refermai la valise et je me versai un grand verre de whisky.

— Vous ne devriez pas tant boire! dit Lewis.

— Pourquoi pas?

J'avalai une pastille de benzédrine; j'avais besoin de secours pour traverser ces journées où je devais réapprendre heure par heure qu'il ne m'aimait plus. Et aujourd'hui des amis venaient nous chercher en auto, je n'aurais pas une minute pour aller pleurer tranquillement dans quelque coin.

— Anne. Evelyne, Ned.

Je serrai les mains. Je souris. L'auto traversa la ville, et puis des parcs et des banlieues; Evelyne me parlait, je répondais. Nous avons traversé une immense plaine hérissée de hauts-fourneaux, des lotissements, des bois bien peignés, et nous nous sommes arrêtés au bout d'une route que barraient des herbes géantes; une allée de gravier conduisait vers une maison blanche; devant, il y avait une pelouse qui descendait en pente douce vers un étang. Je regardai de tous mes yeux les dunes étincelantes, l'eau fleurie de nénuphars, les rideaux d'arbres touffus; j'allais vivre ici pendant deux mois, comme si j'y étais chez moi, et puis je partirais pour ne jamais revenir!

— Alors? dit Lewis.

— C'est magnifique!

Au bout de la pelouse, à côté d'un four de briques dont la cheminée fumait, des gens étaient assis; ils crièrent gaiement : « Bienvenue aux nouveaux locataires! »

Je serrai des mains : Dorothy, sa sœur Virginia, son beau-frère Willie qui travaillait dans les hauts-fourneaux voisins, et le gros Bert qui était instituteur à Chicago. Des hamburgers rissolaient sur la tôle noire du four, ça sentait bon l'oignon frit et le feu de bois. Quelqu'un me tendit un verre de whisky et je le vidai d'un trait : j'en avais grand besoin.

— N'est-ce pas que la maison est un bijou? dit Dorothy. Le lac est juste derrière les dunes; il y a une petite barque pour traverser l'étang : en cinq minutes vous êtes sur la plage.

C'était une femme noiraude, au visage dur et vanné, à la voix exaltée. Elle avait aimé Lewis; peut-être l'aimait-elle encore; pourtant il y avait une sincère chaleur dans son regard.

— Le soir, dit-elle, ça sera merveilleux de faire cuire votre dîner en plein air; les bois sont pleins de branches mortes, il n'y a qu'à les ramasser.

— Je vous achèterai une petite hache, me dit gaiement Lewis, et quand vous ne serez pas sage, vous serez condamnée à fendre du bois. Il me saisit par le bras : « Venez voir la maison. »

Je retrouvai sur son visage le feu joyeux de l'impatience; il m'avait regardée autrefois avec ce sourire de fierté.

— Les derniers meubles arrivent demain. Ici nous mettrons les lits; la pièce au fond, ce sera la bibliothèque.

On aurait vraiment dit un couple d'amoureux en train de préparer son nid; et quand nous sommes revenus dans le jardin, je sentais dans tous les regards une curiosité complice : « Vous gardez un pied-à-terre à Chicago? demanda Virginia.

— Oui, nous gardons un pied-à-terre. »

Leurs regards nous confondaient; et je disais « Lewis et moi », je disais « nous ». Nous resterons ici tout l'été, non nous n'avons pas d'auto, nous espérons bien que vous viendrez nous voir. Lewis disait « nous », lui aussi. Il parlait avec animation; nous avions très peu parlé depuis mon arrivée et c'était la première fois que je le voyais gai : à présent il avait besoin des autres pour être gai. Il faisait beaucoup plus frais qu'à Chicago et l'odeur de l'herbe m'étourdissait. J'avais envie de rejeter ce poids qui m'écrasait le cœur et d'être gaie moi aussi.

— Anne, voulez-vous faire un tour en bateau?

— Oh! j'aimerais beaucoup.

Des lucioles s'allumaient dans le crépuscule tandis que nous descendions le petit escalier; je m'assis dans la barque et Lewis repoussa le rivage loin de nous; des herbes gélatineuses s'enroulaient autour de ses rames. Sur l'étang, sur les dunes, c'était une vraie nuit de campagne; mais au-dessus du pont le ciel était rouge et violet, un ciel sophistiqué de grande ville : les feux des hauts-fourneaux le brûlaient. « C'est aussi beau que les ciels du Mississippi », dis-je.

— Oui. Et dans quelques jours, nous aurons une grosse lune.

Un feu de camp crépitait au flanc des dunes; de loin en loin, une fenêtre brillait à travers les arbres; l'une d'elles était la nôtre. Comme toutes les fenêtres qui luisent au loin dans la nuit, elle promettait le bonheur.

— Dorothy est sympathique, dis-je.

— Oui, dit Lewis. Pauvre Dorothy. Elle travaille dans un drug-store à Parker et son mari lui fait une petite rente; deux enfants, toute la vie ici, sans même un foyer à elle : c'est dur.

Nous parlions des autres entre nous, l'eau noire nous isolait du monde, la voix de Lewis était tendre, son sourire complice; je me demandai soudain : « Tout est-il vraiment fini? » J'avais tout de suite donné dans le désespoir par orgueil, pour ne pas ressembler à toutes les femmes qui se mentent, et aussi par prudence, pour m'épargner les supplices du doute, de l'attente, de la déception : je m'étais peut-être trop pressée. La désinvolture de Lewis, ses excès de franchise n'étaient pas naturels : en fait, il n'est ni léger ni brutal, il n'afficherait pas crûment son indifférence si elle n'était pas l'effet d'une décision. Il avait décidé de ne plus m'aimer, soit : mais prendre une décision et puis s'y tenir, ça fait deux.

— Il faudra baptiser notre petit bateau, dit Lewis. Que diriez-vous de l'appeler Anne?

— Je serais bien fière!

Voilà qu'il me regardait avec un de ses visages d'autrefois; c'était lui qui avait proposé cette promenade d'amoureux. Peut-être commençait-il à se fatiguer de sa fausse sagesse; peut-être hésitait-il à me chasser de son cœur. Nous avons regagné la terre et bientôt nos invités sont partis. Nous nous sommes couchés côte à côte dans le lit étroit dressé provisoirement au fond de la bibliothèque. Lewis éteignit la lumière.

— Pensez-vous que vous vous plairez ici? demanda-t-il.

— J'en suis sûre.

J'appuyai ma joue sur son épaule nue; il caressa doucement mon bras et je me serrai contre lui. C'était sa main sur mon bras, c'était sa chaleur, son odeur, et je n'avais plus ni orgueil ni prudence. Je retrouvai sa bouche et mon corps fondait de désir tandis que ma main rampait sur le ventre tiède; il me désirait lui aussi et entre nous le désir avait toujours été de l'amour; quelque chose recommençait cette nuit, j'en étais sûre. Soudain il fut couché sur moi, il entra en moi, et il me posséda sans un mot, sans un baiser. Ça se passa si vite que je restai interdite. Je dis la première :

— Bonne nuit.

— Bonne nuit, dit Lewis en se retournant vers le mur.

Une rage désespérée m'a prise à la gorge. « Il n'a pas le droit », murmurai-je. Pas un instant il ne m'avait donné sa présence, il m'avait traitée en machine à plaisir. Même s'il ne m'aimait plus, il ne devait pas faire ça. Je me levai, je haïssais sa chaleur. J'allai m'asseoir dans le living-room et je pleurai tout mon saoul. Je n'y comprenais rien. Comment nos corps sont-ils devenus à ce point étrangers, eux qui se sont tant aimés? Il disait : « Je suis si heureux, je suis si fier »; il disait : «Anne! » Avec ses mains, ses lèvres, son sexe, avec toute sa chair il me donnait son cœur : c'était hier. Toutes ces nuits dont le souvenir me brûlait encore : sous la couverture mexicaine, sur notre couchette que berçait le Mississippi, à l'ombre des moustiquaires, devant un feu à l'odeur de résine, toutes ces nuits... Ne ressusciteraient-elles jamais?

Quand je suis revenue dans le lit, épuisée, Lewis s'est soulevé sur un coude; il m'a demandé avec agacement : « C'est votre programme pour l'été? passer de bonnes journées et puis pleurer toute la nuit? »

— Ah! ne prenez pas ce ton supérieur! dis-je avec violence. C'est de colère que je pleure. Coucher comme ça à froid, c'est horrible : vous n'auriez pas dû...

— Je ne peux pas donner une chaleur que je ne ressens pas, dit Lewis.

— Alors il ne fallait pas coucher avec moi.

— Vous en aviez tellement envie, dit-il paisiblement; je n'ai pas voulu refuser.

— Il aurait mieux valu refuser. Je préfère qu'on décide de ne plus jamais coucher ensemble.

— Ça vaut sûrement mieux si après ça vous devez passer la nuit à pleurer. Tâchez donc de dormir. »

Il n'y avait pas d'hostilité dans sa voix, seulement de l'indifférence. Son calme me déconcertait; je restai couchée sur le dos, les yeux fixes; le lac grondait au loin avec un bruit d'usine. Lewis disait-il la vérité? était-ce moi la coupable? Oui, sans aucun doute, j'étais coupable : pas tant d'avoir mendié ses caresses, mais de m'être inventé de faux espoirs. Sûrement Lewis n'était pas tout à fait au net avec lui-même, c'est ce qui expliquait ses sautes de conduite; mais pour un homme tel que lui, il n'y a guère de distance entre le refus d'aimer et l'absence d'amour; il avait décidé délibérément de ne plus m'aimer : le résultat, c'est qu'il ne m'aimait plus. Le passé était bel et bien mort. Une mort sans cadavre, comme celle de Diégo : c'est ce qui rendait difficile d'y croire. Si seulement j'avais pu pleurer sur une tombe, ça m'aurait bien aidée.

— Voilà un séjour qui commence bien mal! m'a dit Lewis le lendemain matin d'un air inquiet.

— Mais non! dis-je. Il n'y a rien eu de bien grave. Laissez-moi m'habituer, et tout ira très bien.

— Je voudrais tant que tout aille bien! dit Lewis. Il me semble que nous pourrions passer du bon temps ensemble. Quand vous ne pleurez pas, je m'entends si bien avec vous.

Son regard m'interrogeait; il y avait bien de la mauvaise foi dans son optimisme, Lewis faisait bon marché de mes sentiments à moi; cependant son anxiété était sincère; ça le désolait de me faire de la peine.

— Je suis sûre que nous passerons un bel été, dis-je.

Ça ressemblait à un bel été. Chaque matin nous traversions en barque l'étang aux herbes gélatineuses, nous escaladions les dunes de sable qui me brûlaient les pieds; à droite, la plage déserte s'étendait à l'infini; à gauche, elle allait mourir au pied des hauts fourneaux empanachés de flammes. Nous nagions, nous nous bronzions au soleil en regardant des oiseaux blancs juchés sur de hautes pattes qui picoraient le sable; et nous revenions vers la maison, chargés comme des Indiens

de morceaux de bois mort. Je passais des heures à lire sur la pelouse
au milieu des écureuils gris, des geais bleus, des papillons, et de gros
oiseaux bruns au poitrail rouge; au loin j'entendais cliqueter la machine
à écrire de Lewis. Le soir nous allumions un feu dans le four de briques,
je faisais fondre un bloc de glace dans lequel était momifié un poulet
désarticulé, ou bien Lewis découpait avec une scie un beefsteak pétrifié et nous faisions cuire sous la cendre des épis de maïs enveloppés
de feuilles humides. Nous écoutions côte à côte des disques, ou bien
nous regardions sur l'écran de la télévision un vieux film, un combat de
boxe. Notre bonheur était si bien imité qu'il me semblait souvent que
d'un instant à l'autre il allait devenir vrai.

Dorothy était prise à ce leurre, il la fascinait; elle s'amenait souvent
le soir sur sa bicyclette rouge, elle flairait l'odeur des hamburgers, elle
respirait la fumée des sarments : « Quelle nuit magnifique! vous voyez
les lucioles? vous voyez les étoiles? et ces feux de camp sur les dunes? »
Elle me décrivait avidement cette vie qui ne serait jamais la sienne et
qui n'était pas vraiment mienne. Elle m'étourdissait de compliments,
de conseils et de dévouement. C'est elle qui avait meublé la maison,
c'est elle qui nous ravitaillait, et elle nous rendait en outre quantité
de services oiseux. Elle arrivait toujours chargée de messages miraculeux : une recette de cuisine, une nouvelle espèce de savon, un prospectus prônant une machine à laver dernier cri, un article critique
annonçant un livre sensationnel; elle pouvait rêver pendant des semaines
aux avantages d'un frigidaire perfectionné capable de conserver pendant six mois une tonne de crème fraîche; elle n'avait pas un toit à
elle et elle était abonnée à une coûteuse revue d'architecture où elle
contemplait avec délices les fabuleuses demeures des milliardaires.
J'écoutais patiemment ses projets sans suite, ses cris d'enthousiasme,
tout son bavardage forcené de femme qui n'espère plus rien. Lewis
s'en agaçait souvent : « Jamais je n'aurais pu vivre avec elle! » me disait-
il. Non, il n'aurait pas pu épouser Dorothy, et je n'avais pas pu l'épouser et il ne m'aimait plus; ce jardin, cette maison promettaient un
bonheur qui n'était pour aucun de nous.

Naturellement, c'est Dorothy qui nous a entraînés un dimanche à
la foire de Parker : elle adorait les expéditions collectives. Bert est
venu nous chercher dans sa voiture et Dorothy a transporté dans sa
vieille auto Virginia, Willie et Evelyne. Lewis n'avait pas su refuser,
mais il manquait d'enthousiasme. Quant à moi la perspective de cet
après-midi de liesse que devait suivre un souper chez Virginia me consternait. J'avais toujours peur, quand j'étais trop longtemps exposée aux
regards, de ne pas tenir jusqu'au bout mon rôle de femme heureuse.

— Mon Dieu! quel monde! quelle poussière! dit Lewis en entrant
dans le parc d'attractions.

— Ah! ne commencez pas à grogner, dit Dorothy; elle se tourna vers
moi : « Quand il se met à être maussade, il voudrait éteindre le soleil! »

Son visage brillait d'un espoir un peu fou tandis qu'elle se précipitait vers un stand de tir aux fléchettes; de baraque en baraque, elle sem-

blait escompter d'extraordinaires révélations. Moi, je m'appliquai à sourire; je contemplai avec toute la curiosité que je pus rassembler les guenons savantes, les danseuses nues, l'homme phoque, la femme tronc; je préférai les jeux qui exigeaient l'attention de tout mon corps : c'est avec passion que je renversai des quilles et des boîtes de conserves, que je dirigeai sur des tapis roulants des automobiles naines, et que je guidai des avions à travers des ciels peints. Lewis m'observait avec malice : « C'est fou comme vous pouvez prendre les choses au sérieux! on dirait que vous jouez votre tête! »

Fallait-il voir des sous-entendus dans son sourire? pensait-il que j'avais apporté en amour le même sérieux futile, la même fausse ardeur? Dorothy rétorqua avec vivacité : « Ça vaut mieux que d'afficher en toute occasion de grands airs blasés. » Elle prit mon bras avec autorité. Comme nous passions devant le stand d'un photographe, elle caressa de sa main rude la soie de ma robe : « Anne! faites-vous photographier avec Lewis! Vous avez une si jolie robe et cette coiffure vous va si bien!

— Oh! oui. Nous aimerions tant une photo de vous! » dit Virginia.

J'hésitais; Lewis me saisit par le bras : « Allons donc vous immortaliser, dit-il gaiement. Puisqu'il paraît que vous êtes si séduisante. »

« Pour d'autres, pensai-je tristement, et plus jamais pour lui. » Je me suis assise à côté de lui dans un aéroplane peint, et j'ai eu bien du mal à sourire; il ne remarquait pas mes robes, pour lui je n'avais plus de corps, et à peine un visage. Si du moins j'avais pu penser qu'un cataclysme m'avait défigurée! Mais c'est moi telle qu'il m'avait aimée qu'il n'aimait plus; l'élan de Dorothy en témoignait et c'est pourquoi il avait bousculé tout mon équilibre; je fondais, je m'effondrais. Et il faudrait me tenir droite et sourire jusqu'au cœur de la nuit.

— Lewis, vous devriez tenir compagnie à Evelyne, dit Dorothy, le soleil la fatigue. Elle veut s'asseoir à l'ombre; quand elle va revenir des toilettes, offrez-lui un verre pendant que nous allons voir les figures de cire.

— Ah! non pas moi! dit Lewis.

— Mais il lui faut un homme pour s'occuper d'elle. Elle ne connaît pas Bert et elle ne peut pas sentir Willie.

— Mais moi je ne peux pas sentir Evelyne, dit Lewis.

— Bon, je resterai avec elle, dit Dorothy avec colère. Je fis un geste et elle dit : « Non, pas vous, Anne. Allez, allez : vous me raconterez. »

Comme nous nous éloignions j'ai dit à Lewis : « Pourquoi n'êtes-vous pas plus gentil avec Dorothy?

— Mais c'est elle qui a invité Evelyne; personne ne lui a demandé de l'inviter. »

J'ai renoncé à discuter, et je me suis absorbée à contempler des assassins figés dans leur meurtre auprès de leurs victimes figées dans leur mort; assise sur son lit d'accouchée, une petite Mexicaine de cinq ans berçait un nouveau-né; Gœring agonisait sur une civière et des pendus vêtus d'uniformes allemands se balançaient à des potences. Derrière des barbelés, des cadavres de cire s'amoncelaient en un énorme charnier. Je les contemplai, stupéfaite. Voilà que Buchenwald et Dachau reculaient au fond de l'histoire, aussi loin que les chrétiens mangés aux lions du Musée Grévin. Quand je me retrouvai dehors, dans l'étourdissement du soleil, l'Europe tout entière avait filé aux confins de l'espace. Je regardais les femmes aux épaules nues, les hommes en chemises fleuries qui croquaient des hot-dogs ou qui léchaient des glaces : personne ne parlait ma langue, moi-même je l'avais oubliée; j'avais perdu tous mes souvenirs, et jusqu'à mon image : il n'y avait pas un miroir chez Lewis qui fût à hauteur de mes yeux, je me maquillais à l'aveuglette dans une glace de poche; c'est à peine si je me rappelais qui j'étais, et je me demandais si Paris existait encore.

J'entendis que Dorothy disait d'une voix fâchée :

— Vous décidez de rentrer, et vous ne demandez même pas l'avis d'Anne. Il paraît qu'à sept heures on va passer de vieux films muets; et on m'a parlé d'un prestidigitateur extraordinaire.

Sa voix suppliait, mais tous les visages autour d'elle restaient fermés.

— Ah! rentrons donc! dit Willie. Il y a des martinis qui nous attendent et tout le monde a faim.

— Les hommes sont tellement égoïstes! murmura-t-elle.

Je me suis assise entre elle et Willie dans sa vieille voiture; elle était si désappointée qu'elle garda le silence pendant tout le trajet : moi aussi. En descendant de l'auto elle saisit mon bras et dit abruptement : « Pourquoi ne restez-vous pas ici? Vous devriez rester.

— Je ne peux pas.

— Mais pourquoi? C'est tellement dommage!

— Je ne peux pas.

— Au moins vous reviendrez? Revenez au printemps : ici, c'est la plus belle saison.

— J'essaierai. »

« De quel droit me parle-t-elle ainsi? me disais-je avec irritation en entrant dans la maison. Pourquoi tant de gentillesse oiseuse alors que Lewis ne m'avait pas dit une seule fois : Vous reviendrez? » J'acceptai avec empressement le verre de martini que me tendait Willie. J'avais les nerfs à vif. Je contemplais avec détresse la table chargée de pâtés, de salades, de gâteaux : ça serait long d'en venir à bout! Dorothy avait disparu; elle revint, poudrée à blanc, vêtue d'une longue robe miteuse et fleurie. Bert, Virginia, Evelyne, Lewis arrivèrent à leur tour en riant. Ils parlaient tous ensemble et je n'essayai pas de suivre la conversation; je regardais Lewis qui était de nouveau très gai et je me demandais : « Quand me retrouverai-je seule avec lui? » C'est ainsi que j'avais guetté jadis le départ de Teddy, celui de Maria. Mais aujourd'hui mon impatience était stupide : loin des autres, Lewis n'en serait pas plus près de moi. Bert posa sur mes genoux une assiette de sandwiches, il me souriait et j'entendis qu'il me demandait :

— Étiez-vous à Paris le 24 août 44?

— Anne a passé toute la guerre à Paris, dit Lewis avec une espèce de fierté.

— Quelle journée! dit Bert. Nous pensions trouver une ville morte : et partout des femmes en robes fleuries, avec de belles jambes hâlées, tellement différentes des Françaises qu'on imagine ici!

— Oui, dis-je, vos reporters ont été déçus par notre bonne santé.

— Oh! quelques imbéciles! dit Bert. C'était facile de comprendre que les malades et les vieillards n'étaient pas dans les rues; ni les déportés, ni les morts. Son gros visage devint rêveur : « C'était tout de même une journée extraordinaire!

— Quand je suis arrivé, dit Willie avec regret, on ne nous aimait plus du tout.

— Oui, nous nous sommes vite fait détester, dit Bert; nous nous sommes conduits comme des brutes.

— Forcément, dit Lewis.

— Ça aurait pu s'empêcher, il aurait suffi d'un peu de discipline...

— Vous trouvez qu'on n'a pas pendu assez de types? dit Lewis, vivement. On jette des hommes dans la guerre, et puis au premier viol on les pend!

— On n'a que trop pendu, d'accord, dit Bert; mais justement : c'est faute d'avoir pris dès le début les mesures nécessaires.

— Quelles mesures? dit Willie.

— Ah! s'ils se mettent à rabâcher leur guerre, nous n'en avons pas fini! » dit Dorothy.

Les visages des trois guerriers brillaient d'animation, ils s'arrachaient volubilement la parole; leur sympathie pour la France n'était pas douteuse, ils n'avaient pour leur propre pays aucune complaisance et pourtant c'est avec gêne que je les écoutais : c'était leur guerre qu'ils se racontaient, une guerre dont nous n'avions été que le prétexte un peu dérisoire; leurs scrupules à notre égard ressemblaient à ceux qu'un homme peut éprouver devant une faible femme ou une bête passive; et déjà avec notre histoire ils fabriquaient des légendes de cire. Quand enfin ils se turent, Evelyne me demanda d'une voix languissante :

— Et comment est Paris en ce moment?

— Envahi d'Américains, dis-je.

— Ça n'a pas l'air de vous plaire? dit Lewis. Quel peuple ingrat! nous l'avons gavé de lait en poudre, nous allons l'inonder de coca-cola et de tanks, et il ne tombe pas à nos genoux! Il se mit à rire : « La Grèce, la Chine, la France; nous aidons, nous aidons, c'est fou : une nation de boy-scouts.

— Vous trouvez ça drôle? dit Dorothy d'une voix agressive. C'est beau l'humour! » Elle haussa les épaules : « Quand nous aurons lâché des bombes atomiques sur toute la terre, Lewis nous régalera encore de quelques bonnes plaisanteries bien noires. »

Lewis me regarda gaiement : « N'est-ce pas un Français qui a dit qu'il valait mieux rire des choses que d'en pleurer?

— La question n'est pas de pleurer ou de rire mais d'agir », dit Dorothy.

Le visage de Lewis changea : « Je vote pour Wallace, je parle pour lui : que voulez-vous que je fasse de plus?

— Vous savez ce que je pense de Wallace, dit Dorothy; jamais cet homme ne créera un vrai parti de gauche; il sert tout juste d'alibi aux gens qui veulent s'acheter une bonne conscience à bas prix...

— Mon Dieu! Dorothy, dit Willie, un vrai parti de gauche, ce n'est pas Lewis qui peut en créer un, ni aucun de nous...

— Pourtant, dis-je, vous êtes nombreux à penser ce que vous pensez : il n'y a pas moyen de vous liguer?

— D'abord nous sommes de moins en moins nombreux, dit Lewis; et puis nous sommes isolés.

— Et surtout vous trouvez beaucoup plus confortable de ricaner que de tenter quelque chose », dit Dorothy.

Moi aussi, la placide ironie de Lewis m'agaçait parfois; il était lucide, critique; souvent même il s'indignait; mais il avait avec les fautes et les tares qu'il reprochait à l'Amérique la même intimité que le malade avec sa maladie, que le clochard avec sa crasse : ça suffisait pour qu'il m'en parût vaguement complice. Je me dis soudain qu'il me faisait grief de n'avoir pas adopté son pays, mais que jamais il ne se fût fixé dans le mien : c'était bien de l'arrogance. « Pour rien au monde je ne serais devenue américaine! » protestais-je en moi-même. Et pendant qu'ils continuaient à se chamailler, je me demandais avec amusement d'où venait de surgir en moi cette Colette Baudoche irritée.

L'auto de Bert nous a reconduits chez nous, et Lewis m'a prise tendrement dans ses bras : « Avez-vous passé une bonne journée? »

Son sourire affectueux me dictait ma réponse; et mes états d'âme n'intéressaient personne.

— Très bonne, dis-je. J'ajoutai : « Comme Dorothy était agressive!

— Elle n'est pas heureuse », dit Lewis; il réfléchit : « Virginia non plus, ni Willie, ni Evelyne. C'est une grande chance que nous avons vous et moi d'être à peu près bien dans notre peau.

— Je n'y suis pas tellement bien.

— Vous avez de mauvais moments, comme tout le monde : mais ce n'est pas chronique. »

Il parlait avec tant d'assurance que je ne trouvais rien à répondre. Il reprit : « Ils sont tous plus ou moins esclaves : de leur mari, de leur femme, de leurs enfants; c'est ça leur malheur.

— L'année dernière, vous m'avez dit que vous souhaitiez vous marier, dis-je.

— Quelquefois j'y pense. » Lewis se mit à rire : « Mais aussitôt enfermé dans une maison avec une femme et des enfants je n'aurais plus qu'une idée : me sauver. »

Sa voix gaie me donna du courage : « Lewis, pensez-vous que nous nous reverrons jamais? »

Brusquement son visage se rembrunit. « Pourquoi non? dit-il d'un ton frivole.

— Parce que nous habitons très loin l'un de l'autre.

— Oui. Nous habitons loin. »

Il disparut dans le cabinet de toilette; c'était toujours ainsi : dès que je me rapprochais de lui, il se dérobait; sans doute avait-il peur que je ne lui réclame une chaleur, ou des mensonges ou des promesses qu'il ne pouvait pas me donner. Je commençai à me déshabiller. J'avais bien prévu que ce tête-à-tête serait décevant; je n'en étais pas moins déçue. C'était encore une chance que ma chair fût accordée à celle de Lewis si exactement qu'elle épousât sans peine son indifférence; nous dormions dans nos lits jumeaux, séparés par un abîme glacé, et je ne comprenais même plus le sens du mot : désir.

J'aurais souhaité que mon cœur fût aussi conciliant. Lewis prétendait que pour aimer il fallait se monter la tête : supposons que je cesse de me la monter? Lewis dormait, j'écoutais sa respiration égale et pour la première fois j'essayai de le voir avec d'autres yeux que les miens : avec les yeux malveillants de Dorothy. C'est vrai qu'il était égoïste. Il avait décidé de tirer de notre histoire le plus d'agrément et le moins d'ennui possible et ce que je ressentais, moi, ça lui était bien égal. Il m'avait laissée venir à Chicago sans m'avertir de rien, parce que ça lui plaisait de me voir; une fois qu'il m'avait eue à sa merci, il m'avait annoncé sans ménagement qu'il ne m'aimait plus; par-dessus le marché il exigeait que je lui fasse bonne figure : vraiment, il ne se souciait que de lui. Et somme toute, pourquoi se défendait-il si âprement contre les regrets, les émotions, la souffrance? Il y avait bien de l'avarice dans cette prudence. J'essayai le lendemain matin de me fortifier dans la sévérité. Je regardai Lewis arroser d'un air réfléchi la pelouse du jardin et je me dis : « C'est un homme parmi d'autres. Pourquoi m'entêterais-je à le regarder comme unique? » J'entendis la voiture des postes. Le facteur arracha le petit drapeau rouge fiché sur la boîte aux lettres, il le jeta à l'intérieur avec le courrier. Je montai l'allée de graviers. Pas de lettres, mais un tas de journaux. J'allais lire les journaux, ensuite je choisirais un livre dans la bibliothèque, j'irais nager, l'après-midi j'écouterais des disques : je pouvais faire un tas de choses agréables sans plus me torturer la tête ni le cœur.

— Anne! cria Lewis. Venez voir : j'ai attrapé un arc-en-ciel. Il arrosait la pelouse et un arc-en-ciel dansait dans le jet d'eau. « Venez vite! »

Je reconnaissais cette voix pressante et complice, ce visage joyeux : un visage qui ne ressemblait à aucun autre. C'était Lewis, c'était bien lui. Il avait cessé de m'aimer, mais il était resté lui-même. Pourquoi aurais-je pensé soudain du mal de lui? Non; je ne pouvais pas m'en tirer à si bon compte. En vérité je le comprenais. Moi aussi je déteste le malheur et je répugne aux sacrifices : je comprenais qu'il refusât à la fois de souffrir par moi et de me perdre; je comprenais qu'il fût trop occupé à se débrouiller avec son propre cœur pour s'inquiéter beaucoup de ce qui se passait dans le mien. Et puis je me rappelai son

accent, quand il m'avait dit en crispant sa main sur mon épaule : « Je
vous épouserais sur l'heure. » A cet instant j'avais répudié toute rancune, pour toujours. Quand vraiment on ne veut plus aimer, on n'aime
plus : mais on ne veut pas à volonté.

Je continuai donc à aimer Lewis : ce n'était pas de tout repos. Il suffisait d'une inflexion de sa voix pour que dans un élan je le retrouve
tout entier; une minute plus tard, je l'avais de nouveau perdu. Quand
il est allé passer une journée à Chicago, à la fin de la semaine, je me sentis
plutôt soulagée : vingt-quatre heures de solitude, ça serait un répit.
Je l'accompagnai à l'arrêt de l'autobus, et je revins lentement vers la
maison, le long de la route bordée de jardins et de villas de plaisance.
Je m'assis sur la pelouse avec des livres. Il faisait très chaud, pas une
feuille ne bougeait; au loin le lac se taisait. Je tirai de mon sac la dernière lettre de Robert; il me racontait en détail le procès de Madagascar;
Henri avait écrit un article qui paraîtrait dans le prochain numéro de
Vigilance, mais c'était bien insuffisant; il aurait fallu avoir en main un
quotidien ou un hebdo à grand tirage pour agir sur l'opinion; ils avaient
pensé à organiser un meeting, mais le temps manquait. Je repliai la
lettre. Je suivis des yeux un avion qui passait au ciel : il en passait tout
le temps; il aurait pu m'emporter à Paris. A quoi bon? Si j'avais été
près de lui Robert m'aurait parlé au lieu de m'écrire mais il n'en aurait
pas été plus avancé; je ne pouvais rien pour lui et il ne me réclamait
pas, je n'avais aucune raison de m'en aller d'ici; je regardai autour de
moi, l'herbe était bien peignée, le ciel lisse, les écureuils et les oiseaux
avaient l'air d'animaux domestiques; je n'avais non plus aucune raison
de rester. Je pris un livre : *La Littérature en Nouvelle-Angleterre;* un
an plus tôt ça m'aurait passionnée; mais à présent le pays de Lewis,
son passé, avaient cessé de me concerner; tous ces livres qui gisaient
sur la pelouse étaient muets. Je m'étirai : que faire? Je n'avais absolument rien à faire. Je suis restée plantée là, immobile, pendant un
temps qui m'a paru très long et soudain j'ai été prise de panique. Être
paralysée, aveugle, sourde, avec une conscience qui veille, je me suis
dit souvent qu'il n'y a pas de pire sort: c'était le mien. J'ai fini par me
lever et je suis rentrée dans la maison. J'ai pris un bain, je me suis lavé
la tête, mais je n'ai jamais su m'occuper longtemps de mon corps. J'ai
ouvert le frigidaire : une carafe de jus de tomate, une autre pleine de
jus d'orange, des salades toutes prêtes, des viandes froides, du lait, je
n'avais qu'à tendre la main; et les placards regorgeaient de conserves,
de poudres magiques, de riz-minute qu'il suffit d'ébouillanter : en un
quart d'heure j'avais dîné. Il y a sûrement un art de tuer le temps, mais
il m'est étranger. Que faire? J'ai écouté quelques disques et puis j'ai
tourné le bouton de la télévision; je m'amusai à sauter d'un poste à
un autre, entremêlant films, comédies, aventures, bulletins d'information, drames policiers, histoires fantastiques. Mais à un moment donné
quelque chose s'est passé là-bas dans le monde; j'avais beau tourner
le bouton, l'écran restait blanc. J'ai pensé à dormir. Mais pour la première fois de ma vie j'avais peur des rôdeurs, des voleurs, des échappés

d'asile, j'avais peur du sommeil et peur de l'insomnie. Maintenant le lac grondait, des bêtes faisaient craquer des branches mortes; dans la maison, le silence était étouffant. J'ai barricadé toutes les portes, j'ai été chercher dans ma chambre une couverture et un oreiller, je me suis couchée tout habillée sur le divan et j'ai laissé la lumière allumée. Je me suis endormie; alors des hommes sont entrés par les fenêtres fermées, ils m'ont assommée. Quand je me suis réveillée un oiseau sifflait, un autre auscultait les arbres à coups de bec. Je préférais encore mes cauchemars à la réalité, j'ai refermé les yeux, mais il faisait grand jour sous mes paupières. Je me suis levée. Comme la maison était vide! comme l'avenir était nu! Autrefois j'aurais regardé avec émotion le peignoir blanc jeté en travers d'un fauteuil et les vieilles pantoufles oubliées sous le bureau; maintenant je ne savais plus ce que ces objets signifiaient. Ils appartenaient à Lewis, oui, Lewis existait toujours : mais l'homme qui m'aimait avait disparu sans laisser de trace. C'était Lewis : ce n'était pas lui. J'étais dans sa maison, et chez un étranger.

Je sortis, je montai l'allée de gravier : le drapeau de la boîte aux lettres avait disparu, le facteur était passé. Je pris le courrier. Il y avait une lettre pour moi : Myriam voyageait au Mexique avec Philipp, au retour ils comptaient s'arrêter à Chicago, ils espéraient bien me rencontrer. Je ne les avais pas revus depuis 46, mais Nancy était venue à Paris au mois de mai dernier et je lui avais donné mon adresse en Amérique; ça n'avait rien d'extraordinaire que Myriam m'eût écrit, et pourtant je regardai la lettre avec stupeur. Elle me rappelait un temps où Lewis n'existait pas pour moi : comment son absence était-elle devenue ce vide dévorant? un vide qui engloutissait tout. Le jardin était mort, mes souvenirs aussi; impossible de m'intéresser une seconde à Myriam, à Philipp, à rien. Seul comptait cet homme que j'attendais et je ne savais même pas qui il était. Je ne savais pas qui j'étais moi-même. Je tournai dans le jardin, je marchai de long en large dans la maison, j'appelai : « Lewis! revenez! aidez-moi! » J'avalai du whisky et de la benzédrine : en vain. Toujours ce vide insupportable. Je m'assis près de la baie vitrée et je guettai.

« Lewis! » Il était environ deux heures quand j'entendis son pas sur le gravier; je m'élançai; il avait les bras chargés de paquets : des livres, des disques, du thé de Chine, une bouteille de chianti; on aurait dit des cadeaux, ce jour était un jour de fête. Je lui ai pris la bouteille des mains :

— Du Chianti : quelle bonne idée! Vous vous êtes bien amusé? Vous avez gagné au poker? Que voulez-vous manger : un beefsteak? du poulet?

— J'ai déjeuné, dit Lewis. Il se débarrassait de ses paquets, il ôtait ses souliers, il enfilait ses pantoufles.

— J'ai eu peur toute la nuit sans vous : j'ai rêvé que des rôdeurs m'assassinaient.

— Je suppose que vous aviez bu trop de whisky.

Il alla s'asseoir dans le fauteuil près de la baie vitrée et je m'installai sur le divan : « Vous allez tout me raconter.

— Il ne s'est rien passé d'extraordinaire. »

Je l'avais accueilli avec la disgrâce habituelle aux femmes qui ne sont plus aimées : trop de chaleur, trop de questions, trop de zèle. Il racontait, mais du bout des lèvres. Oui, il avait joué au poker, il n'avait ni gagné ni perdu. Teddy était en prison, pour les raisons ordinaires. Non il n'avait pas vu Martha. Il avait vu Bert mais ils n'avaient parlé de rien de spécial. Il avait l'air agacé dès que je réclamais un détail. Pour finir il a pris un journal et j'ai ouvert un livre que j'ai fait semblant de lire; je n'avais pas déjeuné, mais je ne pouvais pas manger.

« Mais qu'est-ce que j'attendais donc? » me demandais-je. J'avais renoncé à l'espoir de jamais retrouver le passé; alors, qu'est-ce que j'escomptais? une amitié capable de remplacer l'amour perdu? mais ça ne serait pas grand-chose, un amour, si quelque chose pouvait en tenir lieu. Non, c'était aussi définitif qu'une mort. De nouveau je pensais : « Si au moins il me restait dans les bras un cadavre! » J'aurais voulu m'approcher de Lewis, poser la main sur son épaule, lui demander : « Comment un tel amour a-t-il pu se volatiliser? expliquez-moi. » Mais il me répondrait : « Il n'y a rien à expliquer. »

— Vous ne voulez pas faire un tour sur la plage? proposai-je.

— Non, je n'en ai pas du tout envie, dit-il sans lever les yeux.

Deux heures seulement avaient passé; j'avais encore toute la fin de l'après-midi à vivre, et puis la soirée, la nuit et un autre jour, d'autres jours encore. Comment les tuer? Si seulement il y avait eu un cinéma à proximité, ou bien une vraie campagne avec des forêts, des prairies où j'aurais marché jusqu'à épuisement! Mais ces routes droites bordées de jardins, c'était un préau de prison. Je remplis un verre. Le soleil brillait et pourtant la lumière n'avait pas assez de vigueur pour tenir les choses à distance, elles m'écrasaient; les lettres de mon livre se collaient à mes yeux et m'aveuglaient : pas question de lire. J'essayai de penser à Paris, à Robert, au passé, à l'avenir; impossible; j'étais enfermée dans cet instant, ligotée, un carcan au cou. Mon poids m'étouffait, mon souffle empoisonnait l'air : c'est à moi que j'aurais voulu échapper; et justement, c'est ce qui ne me serait plus jamais donné. « Je veux bien renoncer à faire l'amour, pensais-je, m'habiller en vieille dame, avoir des cheveux blancs : mais ne plus jamais me quitter, quelle torture! » Ma main toucha la bouteille, l'abandonna; j'étais trop entraînée; l'alcool ravageait mon estomac sans m'étourdir ni me réchauffer. Qu'allait-il arriver? il fallait que quelque chose arrive : ce supplice immobile ne pouvait pas s'éterniser. Lewis lisait toujours et j'ai eu une brusque illumination : « Ça n'est plus le même! » L'homme qui m'aimait avait disparu et Lewis aussi. Comment avais-je pu m'y tromper! Lewis! Je me le rappelais si bien! Il disait : « Vous avez un beau petit crâne, tout rond... Savez-vous combien je vous aime? » Il me donnait une fleur, il demandait : « Est-ce qu'on mange les fleurs en France? » Qu'est-ce qu'il était devenu? et qui m'avait condamnée à ce funèbre tête-à-tête avec un imposteur? Soudain, j'entendis l'écho d'un souvenir détesté : un bâillement.

— Ah! ne bâillez pas! dis-je en fondant en larmes.

— Ah! dit-il, ne pleurez pas.

Je m'abattis de tout mon long sur le divan. Je tombais à pic; des disques orangés tournoyaient devant mes yeux et je tombais dans les ténèbres.

— Quand vous commencez à pleurer, j'ai envie de m'en aller pour ne plus revenir, dit Lewis avec colère.

J'entendis qu'il quittait la pièce; je l'exaspérais, j'achevais de le perdre, j'aurais dû m'arrêter; un instant je luttai : et puis je coulai à fond. Très loin, j'ai entendu des pas; Lewis marchait dans le sous-sol, il a arrosé le jardin, il est rentré dans la maison. Je continuais à pleurer.

— Vous n'avez pas fini?

Je ne répondis pas. J'étais épuisée, mais je pleurais toujours. C'est fou la quantité de larmes que peuvent contenir des yeux de femme. Lewis alla s'asseoir à son bureau, la machine à écrire cliqueta. « Un chien, il ne le laisserait pas souffrir, pensais-je. Moi je pleure à cause de lui et il ne fera pas un geste. » Je serrai les dents. Je m'étais promis de ne jamais le haïr, cet homme qui m'avait ouvert sans réserve son cœur. « Mais ce n'est plus lui! » me répétais-je. Mes dents claquaient; ça n'aurait pas été difficile de piquer une crise de nerfs. Je fis un effort qui me déchira de la tête aux pieds, j'ouvris les yeux, j'attachai mon regard au mur :

— Que voulez-vous que je fasse? criai-je. Je suis là enfermée, enfermée avec vous. Je ne peux pas aller me coucher dans un fossé.

— Mon Dieu! dit-il d'une voix un peu plus amicale. Comme vous vous faites souffrir!

— C'est vous, dis-je. Vous n'essayez même pas de m'aider.

— Que peut-on faire contre une femme qui pleure?

— N'importe qui d'autre, vous l'aideriez.

— Je déteste vous voir perdre la tête.

— Croyez-vous que je le fasse exprès? croyez-vous que c'est facile de vivre avec quelqu'un qu'on aime et qui ne vous aime plus?

Il restait assis dans son fauteuil, il ne cherchait plus à fuir, mais je savais qu'il ne s'arracherait pas le mot dont nous avions besoin pour conclure cette scène; c'était à moi d'inventer une fin. Je jetai au hasard des paroles : « Je ne suis ici que pour vous, je n'ai que vous! Quand je vous pèse, qu'est-ce que je peux devenir?

— Il n'y a pas de quoi sangloter parce que je n'ai pas envie de causer juste quand vous le souhaitez, dit-il. Est-ce qu'il faut faire toutes vos volontés?

— Ah! vous êtes trop injuste! » dis-je. Je m'essuyai les yeux : « C'est vous qui m'avez invitée à passer l'été ici, vous m'avez dit que vous étiez content que je sois là. Alors vous ne devriez pas prendre ces airs hostiles.

— Je ne suis pas hostile. Quand vous commencez à pleurer, j'ai envie de m'en aller, c'est tout.

— Je ne pleure pas si souvent », dis-je. Je tordis mon mouchoir dans mes mains : « Vous ne vous rendez pas compte. On dirait à certains moments que je suis une ennemie, que vous vous méfiez de moi, ça m'est odieux. »

Lewis eut un petit sourire : « Je me méfie un peu.

— Vous n'avez pas le droit! dis-je. Je sais très bien que vous ne m'aimez pas; je ne vous demande plus jamais rien qui ressemble à de l'amour; je fais de mon mieux pour que nous ayons de bons rapports.

— Oui, vous êtes très gentille, dit Lewis. Mais justement, ajouta-t-il, c'est pour ça que je me méfie de vous. » Sa voix se monta : « Votre gentillesse, c'est le piège le plus dangereux! C'est comme ça que vous m'avez eu l'année dernière. Ça semble absurde de se défendre contre quelqu'un qui ne vous attaque pas, alors on ne se défend pas, et quand on se retrouve seul, on a de nouveau le cœur sens dessus dessous. Non. Je ne veux pas que ça se répète! »

Je me levai, je fis quelques pas pour essayer de me calmer. Me reprocher ma gentillesse, ça c'était tout de même un comble!

— Je ne peux pas être désagréable exprès! dis-je. Vous ne me rendez vraiment pas les choses faciles, ajoutai-je. Si c'est comme ça, je ne vois qu'une solution : c'est de m'en aller.

— Mais je n'ai pas envie que vous partiez! dit Lewis. Il haussa les épaules : « Les choses ne sont pas faciles pour moi non plus.

— Je sais », dis-je.

Décidément, je ne pouvais pas me mettre en colère contre lui. Il avait souhaité me garder près de lui, pour toujours, et j'avais refusé : si aujourd'hui ses humeurs étaient capricieuses et ses désirs incohérents, il ne fallait pas que je m'en étonne; on se contredit forcément quand on est obligé de vouloir autre chose que ce qu'on veut.

— Je n'ai pas envie de partir, dis-je. Seulement il ne faut pas vous mettre à me détester.

Il sourit : « Nous n'en sommes pas là!

— Tout à l'heure vous m'auriez laissé mourir sur place sans lever un doigt.

— C'est vrai, dit-il. Je n'aurais pas pu lever un doigt; mais ce n'était pas de ma faute : j'étais paralysé. »

Je m'approchai de lui. Pour une fois que nous avions commencé à parler, je voulais profiter de cette chance :

— Vous avez tort de vous méfier de moi, dis-je. Il y a une chose que vous devez savoir : je ne vous en veux pas, je ne vous en ai jamais voulu de ne plus m'aimer; il n'y a pas de raison pour que ça vous soit désagréable de penser à ce que je pense de vous; il n'y a rien en moi qui puisse vous être désagréable.

Je m'interrompis; il me regardait avec un peu d'inquiétude; il avait peur des mots; moi aussi. J'ai vu trop de femmes essayer de calmer avec des mots les regrets de leur chair; j'en connais trop qui ont tristement réussi à reconduire jusqu'au lit un homme étourdi de phrases; c'est affreux, une femme qui travaille à amener contre sa peau les mains d'un homme en s'adressant à son cerveau. J'ajoutai seulement :

— Nous sommes des amis, Lewis.

— Bien sûr! il m'a entourée de son bras et il a chuchoté : « Je regrette d'avoir été si dur.

— Je regrette d'avoir été si sotte.

— Oui! quelle sotte! Vous avez eu une bonne idée pourtant : pourquoi ne pas avoir été vous coucher dans un fossé?

— Parce que vous ne seriez pas venu m'y chercher. »

Il rit : « Après-demain, j'aurais prévenu la police.

— Vous gagnerez toujours, dis-je. Ça n'est pas juste : jamais je ne pourrai me faire souffrir pendant deux jours, ni essayer de vous faire souffrir une heure.

— C'est vrai. Il n'y a pas beaucoup de méchanceté dans ce pauvre cœur. Ni beaucoup de sagesse dans cette tête!

— C'est pour ça qu'il faut être gentil avec moi.

— J'essaierai », dit-il en me serrant gaiement contre lui.

Désormais, il y a eu moins de distance entre nous. Quand nous nous promenions sur la plage, quand nous nous couchions au soleil, ou bien le soir en écoutant des disques, Lewis me parlait avec abandon. Notre entente ressuscitait; il ne craignait plus de m'enlacer, de m'embrasser. Nous avons même fait l'amour, deux ou trois fois. Quand j'ai senti sa bouche qui retrouvait ma bouche, mon cœur s'est mis à battre éperdument : les baisers du désir ressemblent tellement à des baisers d'amour! Mais mon corps s'est vite repris. Il ne s'agissait que d'un bref coït conjugal, un acte si insignifiant qu'on comprend mal comment les grandes idées de volupté et de péché ont jamais pu lui être associées.

Les jours passaient sans trop de peine; c'était surtout les nuits qui m'étaient pénibles. Dorothy m'avait fait cadeau d'un stock de petites capsules jaunes : elle possédait une collection de pilules, de cachets, de comprimés, de capsules à tous usages; j'avalais toujours deux ou trois hypnotiques avant de me mettre au lit, mais je dormais et je faisais de mauvais rêves. Et bientôt j'ai souffert d'un nouveau mal : voilà que dans un mois, dans quinze jours, dans dix jours, j'allais partir. Reviendrais-je jamais? reverrais-je jamais Lewis? sans doute ne connaissait-il pas lui-même la réponse : il prévoyait mal son cœur.

Nous avions décidé de passer la dernière semaine à Chicago. Un soir Myriam a téléphoné de Denver pour me demander si nous pouvions nous voir. J'ai dit oui et nous sommes convenus avec Lewis que je m'amènerais à Chicago un jour avant lui : je le retrouverais à la maison le lendemain vers minuit. Sur le moment ça paraissait très simple. Mais le matin de mon départ, je sentis le cœur me manquer. Nous nous promenions le long de la plage; le lac était d'un vert si dur qu'on aurait pu marcher sur ses flots. Des papillons morts gisaient sur le sable; les cottages étaient tous fermés, sauf la cabane des pêcheurs qui faisaient sécher leurs filets à côté d'une barque noire. Je pensais : « C'est la dernière fois que je vois le lac. La dernière fois de ma vie. » Je regardais de tous mes yeux; je ne voulais pas oublier. Mais pour que le passé reste vivant, il faudrait le nourrir de regrets et de larmes. Comment

garder mes souvenirs et protéger mon cœur? Je dis brusquement :
« Je vais téléphoner à mes amis que je ne viens pas.

— Pourquoi? dit Lewis. Quelle idée!

— Je préfère rester ici un jour de plus.

— Mais vous étiez très contente de les voir », dit Lewis avec reproche,
comme si rien au monde ne lui avait été plus étranger qu'une saute
d'humeur.

— Je n'en ai plus envie, dis-je.

Il haussa les épaules : « Je vous trouve absurde. »

Je ne téléphonai pas. En effet, c'était absurde de rester si Lewis
trouvait ça absurde. Me voir un jour de plus ou de moins, pour lui ça
ne comptait guère, alors qu'est-ce que ça m'apportait de traîner un
jour de plus sur cette plage? J'ai fait mes adieux à la ronde. « Vous
reviendrez? » a dit Dorothy et j'ai dit : « Oui. » J'ai préparé mes valises,
je les ai confiées à Lewis et je n'ai emporté qu'un petit sac de nuit.
Quand il a refermé derrière moi la porte de la maison il m'a demandé :
« Vous ne voulez pas dire au revoir à l'étang? » J'ai secoué la tête et
j'ai marché vers l'arrêt de l'autobus. S'il m'avait aimée, ça n'aurait pas
été un drame de le quitter pour vingt-quatre heures; mais il faisait trop
froid en moi : j'avais besoin de sa présence pour me réchauffer. Dans
cette maison je m'étais fait un nid inconfortable, mais enfin c'était un
nid, je m'en arrangeais. J'avais peur de m'aventurer dans l'air nu.

L'autobus s'est arrêté. Lewis a mis sur ma joue un baiser routinier :
« Amusez-vous bien », et la portière a claqué, il a disparu. Bientôt une
autre portière claquerait, il disparaîtrait, pour toujours : comment allais-
je supporter loin de lui cette certitude? Quand je me suis installée dans
le train, le soir tombait; une rose thé infusait dans le ciel et je comprenais maintenant qu'on pût s'évanouir en respirant une rose. Nous avons
traversé la Prairie. Et puis le train est entré dans Chicago. Je reconnaissais les façades en briques noires flanquées d'escaliers et de balcons
de bois : c'était, tirée à des milliers d'exemplaires, la maison de mon
amour qui n'était plus ma maison.

Je suis descendue à la station centrale. Les fenêtres des buildings
s'allumaient, les enseignes au néon commençaient à briller. Les phares,
les vitrines en fête, l'énorme bruit des rues m'étourdissaient. Je m'arrêtai au bord de la rivière. Ses ponts étaient levés, un cargo aux noires
cheminées fendait en deux avec solennité la ville consentante. Lentement je suis descendue vers le lac, le long des eaux sombres où scintillaient des feux captifs. Ces pierres transparentes, ce ciel peint, ces eaux
d'où montaient les lumières et les rumeurs d'une cité engloutie, ce
n'était pas un rêve rêvé par quelqu'un d'autre : c'était humaine, grouil-
lante, réelle, une ville de la terre où je marchais, en chair et en os. Comme
elle était belle sous ses brocarts d'argent! Je la regardais de tous mes
yeux et quelque chose bourdonnait timidement dans mon cœur. On
croit que c'est l'amour qui donne au monde tout son éclat : mais aussi
le monde gonfle l'amour de ses richesses. L'amour était mort et voilà
que la terre était encore là, intacte, avec ses chants secrets, ses odeurs,

sa tendresse. Je me sentais émue comme le convalescent qui découvre que pendant ses fièvres le soleil ne s'est pas éteint.

Ni Myriam ni Philipp ne connaissaient Chicago; mais ils avaient trouvé moyen de me donner rendez-vous dans le restaurant le plus sophistiqué de la ville. En traversant le hall luxueux, je m'arrêtai devant une glace; c'était la première fois depuis bien des semaines que je me regardais en pied; je m'étais coiffée et maquillée en citadine, j'avais exhumé ma blouse en tissu indien; ses couleurs étaient aussi précieuses qu'à Chichicastenango, je n'avais pas vieilli, je n'étais pas défigurée; ça ne m'était pas désagréable de retrouver mon image. Je me suis assise au bar, et je me suis rappelé avec surprise en buvant un martini qu'il existe des attentes paisibles et que la solitude peut être légère.

— Chère Anne! Myriam m'embrassait. Sous ses cheveux d'ébène et d'argent elle semblait plus jeune et plus décidée que jamais. La poignée de main de Philipp était chargée d'ineffables sous-entendus. Il avait un tout petit peu engraissé; mais il avait gardé son charme d'adolescent, et son élégance distante. Nous avons parlé avec incohérence de la France, du mariage de Nancy, du Mexique; et nous avons été quémander une table dans la grande salle au plafond ruisselant de cristal que régissait un maître d'hôtel dédaigneux. C'était — Dieu sait par quel caprice — la reconstitution exacte de la salle de Bath appelée « Pump-Room » où les Anglais élégants du XVIIIe venaient prendre les eaux. Des serveurs noirs déguisés en maharadjahs indiens brandissaient sur les piques des quartiers de mouton flambants; d'autres, travestis en laquais du XVIIIe, promenaient des poissons géants.

— Quelle mascarade! dis-je.

— J'aime ces endroits ridicules, a dit Philipp, en souriant de son sourire délicat. On lui a enfin concédé la table qu'il avait réservée et il a composé avec scrupule nos menus. Quand nous avons commencé à causer, je me suis aperçue avec surprise que nous n'étions d'accord sur presque rien. Ils avaient lu le livre de Lewis, ils ne le trouvaient pas assez hermétique; à Mexico les courses de taureaux les avaient écœurés; en revanche les villages indiens du Honduras et du Guatemala leur semblaient de poétiques édens.

— Poétiques pour le touriste! dis-je. Mais vous n'avez pas vu tous ces gosses aveugles, et les femmes avec leurs ventres ballonnés? Drôle de paradis!

— Il ne faut pas juger les Indiens d'après nos standards à nous, dit Philipp.

— Quand on crève de faim on crève de faim, c'est pareil pour tout le monde.

Philipp leva ses sourcils : « C'est drôle, dit-il; l'Europe accuse les Américains d'être matérialistes; mais vous accordez beaucoup plus d'importance que nous aux aspects matériels de la vie.

— Il faut peut-être avoir joui du confort américain pour comprendre à quel point le confort compte peu », dit Myriam.

Elle dévorait avec détachement sa portion de canard aux cerises,

sa robe d'un bleu électrique découvrait de belles épaules mûres : elle
était certainement capable de dormir dans la remorque d'un trailer
et de suivre, pendant un temps, un régime végétarien soigneusement
dosé.

— Il ne s'agit pas de confort, dis-je un peu trop vivement; être privé
du nécessaire, ça compte; rien d'autre ne compte.

Philipp me sourit : « Ce qui est nécessaire aux uns ne l'est pas aux
autres. Vous savez mieux que moi combien le bonheur est chose sub-
jective. » Sans me laisser le temps de répondre il enchaîna : « Nous
sommes très tentés d'aller passer un an ou deux au Honduras pour
travailler en paix; je suis sûr que ces vieilles civilisations ont beaucoup
à nous apprendre.

— Je ne vois vraiment pas quoi, dis-je. Dans la mesure où vous blâ-
mez ce qui se passe en ce moment en Amérique, il vaudrait mieux
essayer de faire quelque chose contre.

— Vous aussi, vous donnez dans cette psychose! dit Philipp. Agir :
c'est la hantise de tous les écrivains français. Ça trahit de curieux
complexes : parce qu'ils savent parfaitement qu'ils ne changeront rien
à rien.

— Tous les intellectuels américains plaident l'impuissance, dis-je;
c'est ça ce qui paraît un curieux complexe. Vous n'aurez pas le droit
de vous indigner le jour où l'Amérique sera complètement fascisée
et où elle déclenchera la guerre. »

Myriam laissa retomber sur son assiette la croquette de riz sauvage
piquée au bout de sa fourchette : « Vous parlez comme une communiste,
Anne, dit-elle sèchement.

— L'Amérique ne veut pas la guerre, Anne, dit Philipp en fixant
sur moi un regard chargé de reproche. Dites-le bien à vos amis français.
Si nous la préparons activement, c'est justement pour ne pas avoir à
la faire. Et nous ne serons jamais fascistes.

— Ce n'est pas ce que vous disiez il y a deux ans, dis-je. Vous pen-
siez que la démocratie américaine était sérieusement menacée. »

Le visage de Philipp devint très grave : « Ce que j'ai compris depuis,
c'est qu'il n'est pas possible de défendre la démocratie par des méthodes
démocratiques. Le fanatisme de l'U. R. S. S. nous oblige à un rai-
dissement symétrique; ça entraîne des excès que je suis le premier
à déplorer : mais ils ne signifient pas que nous ayons choisi le fascisme.
Ils expriment le drame général du monde moderne. »

Je le dévisageai avec étonnement; nous nous entendions bien deux
ans plus tôt; il revendiquait alors fermement l'indépendance de sa pensée : et il s'était laissé convaincre avec tant de facilité par la propagande
officielle! Lewis avait sans doute raison quand il me disait : « Nous
sommes de moins en moins nombreux... »

— Autrement dit, dis-je, la politique actuelle du State Department
vous semble exigée par la situation?

— Même si on pouvait en imaginer une différente, chère Anne, dit-
il avec douceur, ce n'est pas moi qui serais capable de l'imposer. Non,

si on souhaite refuser toute complicité avec cette époque désolante, la seule solution c'est de se retirer dans quelque coin perdu et d'y vivre à l'écart du monde.

Ils voulaient continuer à mener sans souci leur confortable vie d'esthète, aucun argument n'entamerait leur égoïsme distingué. Je décidai de laisser tomber : « Je crois que nous pourrions discuter toute la nuit sans nous convaincre, dis-je. C'est bien du temps perdu, les discussions qui n'aboutissent pas.

— Surtout alors que nous avons été privés de vous si longtemps et que nous sommes si heureux de vous revoir ! » dit Philipp avec un sourire. Il se mit à parler d'un nouveau poète américain.

— Anne, nous remettons cette nuit entre vos mains. Je suis sûr que vous êtes un guide admirable, dit Philipp en sortant du restaurant.

Nous sommes montés dans l'auto et je les ai emmenés au bord du lac. Philipp a approuvé : « C'est le plus beau des sky-line d'Amérique, plus beau que celui de New York. » En revanche les burlesques s'avérèrent inférieurs à ceux de Boston, les bars de clochards moins pittoresques que ceux de San Francisco. Ces rapprochements m'étonnaient : à quoi pouvait-on comparer ces endroits qu'une nuit Lewis avait tirés du néant ? avaient-ils donc leur place dans la géographie ? Le fait est que je découvrais avec aisance à travers mes souvenirs les chemins qui y conduisaient. Le club Delisa appartenait à un passé défunt, il ne se situait nulle part sur terre : et voilà qu'il m'apparaissait au coin d'une rue qui en croisait une autre, toutes deux avaient un nom, elles étaient marquées sur une carte.

— L'ambiance est excellente, dit Philipp d'un air satisfait. Et tout en regardant les jongleurs, les danseurs, les acrobates, je me demandais avec malaise ce qui serait arrivé si deux ans plus tôt, au téléphone, il avait répondu : « Je viens. » Certainement nous aurions eu quelques belles nuits ; mais je ne l'aurais pas aimé longtemps, je ne l'aurais jamais aimé d'amour vrai. Ça me semblait bien étrange que le hasard ait décidé pour moi avec tant de sûreté. Sans doute n'était-ce pas un hasard si Philipp m'avait préféré un week-end à Cape Cod, si par déférence pour sa mère il ne m'avait pas rejointe dans ma chambre ; plus passionné, plus généreux, il aurait aussi pensé, senti et vécu autrement : il aurait été un autre. N'empêche que les circonstances un peu différentes auraient pu me jeter dans ses bras, me priver de Lewis ; cette idée me révoltait. Notre histoire m'avait coûté bien des larmes ; pourtant pour rien au monde je n'aurais consenti à l'arracher de mon passé. Et c'était soudain une consolation de penser que même finie, condamnée, elle continuerait à jamais à vivre en moi.

Quand nous sommes sortis du club, Philipp nous a ramenés vers le lac ; les grands buildings s'étaient évaporés dans les brumes de l'aube. Il a arrêté la voiture à côté du planétarium, nous avons descendu les gradins du promontoire pour entendre de plus près le vagissement des eaux bleuissantes : comme elles étaient neuves sous le ciel aux reflets ardoisés ! « Moi aussi, me dis-je avec espoir, ma vie va recommencer :

ce sera encore une vie, ma vie à moi ». Le lendemain après-midi j'ai promené Myriam et Philipp à travers des parcs, des avenues, des marchés qui appartenaient de toute évidence à une ville terrestre où je savais me diriger sans tutelle. Si le monde m'était rendu, l'avenir n'était plus tout à fait impossible.

Pourtant, quand au crépuscule l'auto rouge a filé vers New York, j'ai hésité à rentrer : j'avais peur de la chambre délaissée et du deuil de mon cœur. Je me suis assise dans un cinéma; et puis j'ai marché dans les rues. Jamais encore je ne m'étais promenée seule dans Chicago la nuit; sous ses gazes pailletées, la ville avait perdu son air hostile, mais je ne savais pas que faire d'elle. Je rôdais, désemparée à travers une fête à laquelle je n'étais pas invitée, et mes yeux s'embuaient. Je serrai les lèvres. Non, je ne veux pas pleurer. En vérité, je ne pleure pas, me dis-je; ce sont les lumières de la nuit qui tremblent en moi, et leur scintillement se condense en gouttes salées au bord de mes cils. Parce que je suis là, parce que je ne reviendrai pas, parce que le monde est trop riche, trop pauvre, le passé trop lourd, trop léger; parce que je ne peux pas fabriquer du bonheur avec cette heure trop belle, parce que mon amour est mort et que je lui survivrai.

J'ai pris un taxi; je me suis retrouvée au coin de l'allée jalonnée de poubelles; dans la sentine noire, j'ai heurté la première marche de l'escalier; autour du réservoir à gaz brillait une couronne rouge et au loin un train sifflait. J'ai ouvert la porte; la chambre était allumée, mais Lewis dormait; je me déshabillai, j'éteignis, je me glissai dans ce lit où j'avais tant pleuré. Où avais-je trouvé toutes ces larmes? pour quoi? soudain il n'y avait plus rien qui méritât un sanglot. Je m'écrasai contre le mur; depuis si longtemps je ne m'étais pas couchée dans la chaleur de Lewis qu'il me semblait qu'un inconnu m'avait cédé par pitié un morceau de son grabat. Il bougea, il étendit la main :

— Vous êtes revenue? quelle heure est-il?

— Minuit. Je n'ai pas voulu arriver avant vous.

— Oh! j'étais là à dix heures. Sa voix était tout à fait réveillée. « Comme cette maison est triste, n'est-ce pas?

— Oui. Un hall funéraire.

— Un hall funéraire désaffecté, dit-il. C'est plein de spectres : la petite putain, la folle, le pickpocket, tous ces gens que je ne reverrai plus. Ils ne viendront pas là-bas : j'aime bien la maison de Parker mais elle est très raisonnable. Ici...

— Ici, il y avait une magie, dis-je.

— Une magie? Je ne sais pas. Mais au moins des gens venaient, des choses arrivaient. »

Couché sur le dos dans le noir, il évoquait à haute voix les jours et les nuits passés dans cette chambre, et mon cœur se serrait. Sa vie m'avait paru poétique comme à Philipp celle des Indiens, mais pour lui, quelle austère existence! Que de semaines, que de mois sans une rencontre, sans une aventure, sans une présence! Comme il avait dû souhaiter une femme qui fût tout entière à lui! Un instant il avait cru échapper à la solitude, il avait osé souhaiter autre chose que la sécurité : et il avait été déçu, il avait souffert, il s'était repris. Je passai la main sur mon visage : désormais mes yeux resteraient secs; je comprenais trop qu'il n'ait pas pu s'offrir le luxe du regret, ni celui de l'attente; je ne souhaitais pas être une écharde dans sa vie. Je n'avais pas même droit à un regret; il ne me restait pas une plainte; il ne me restait absolument rien. Soudain, il alluma; il me sourit :

— Anne, vous n'avez pas passé un trop mauvais été?

J'hésitai. « Ça n'a pas été le meilleur de ma vie.

— Je sais, dit-il, je sais. Et il y a bien des choses que je regrette. Vous avez cru quelquefois que je me sentais supérieur ou hostile; ce n'étais pas du tout vrai. Mais par moments, j'ai un nœud dans la poitrine. Je laisserais mourir tout le monde et moi-même plutôt que de faire un geste.

— Je sais aussi, dis-je. Je suppose que ça remonte très loin; ça doit venir de ce que vous avez eu une jeunesse trop dure, et sans doute aussi de votre enfance.

— Ah! vous n'allez pas me psychanalyser! dit-il en riant, mais déjà sur la défensive.

— Non, n'ayez pas peur. Mais je me rappelle, il y a deux ans, quand au club Delisa, j'ai voulu vous rendre ma bague et partir pour New York, vous m'avez dit après : « Je n'aurais pas pu m'arracher un mot... »

— J'ai dit ça! Quelle mémoire vous avez!

— Oui, j'ai bonne mémoire, dis-je. Ça n'aide pas. Vous ne vous rappelez pas que ce soir-là nous avons fait l'amour sans un mot, vous aviez l'air presque hostile, et j'ai dit : « Avez-vous au moins de l'amitié pour moi? » Alors vous vous êtes rencogné contre le mur et vous m'avez répondu : « De l'amitié, mais je vous aime! »

J'avais imité sa voix rogue et Lewis éclata de rire : « Ça semble absurde?

— Vous l'avez dit, sur ce ton-là. »

Le regard fixé au plafond il murmura d'un ton léger :

— Peut-être que je vous aime encore.

Quelques semaines plus tôt, je me serais emparée avidement de cette phrase, j'aurais tenté d'en faire germer un espoir; mais elle n'eut pas d'écho en moi. Il était naturel que Lewis s'interrogeât sur ses états d'âme; et on peut toujours jouer sur les mots; mais de toute façon notre histoire était finie, il le savait et moi aussi.

Nous n'avons parlé ni du passé ni de l'avenir, ni de nos sentiments pendant les derniers jours : Lewis était là et moi près de lui, ça suffisait. Comme nous ne demandions rien, rien ne nous était refusé : nous aurions pu nous croire comblés. Nous l'étions peut-être. La nuit de mon départ, j'ai dit :

— Lewis, je ne sais pas si je cesserai de vous aimer; mais je sais que toute ma vie vous serez dans mon cœur.

Il m'a serrée contre lui : « Et vous dans le mien, toute ma vie. »

Nous reverrions-nous jamais? Je ne voulais plus m'interroger. Lewis

m'a accompagnée à l'aérodrome, il m'a quittée devant les guichets avec un baiser hâtif et j'ai fait le vide en moi. Juste avant de monter dans l'avion, un employé m'a remis une boîte de carton dans laquelle reposait sous un linceul de papier soyeux une énorme orchidée. Quand je suis arrivée à Paris, elle n'était pas encore fanée.

CHAPITRE XI

Une abeille bourdonnait autour du cendrier. Henri leva la tête et respira l'odeur sucrée des phlox. De nouveau sa main glissa sur le papier, il acheva de recopier la page raturée. Il aimait ces matins à l'ombre du tilleul. C'était peut-être parce qu'il ne faisait plus rien d'autre qu'écrire : ça lui semblait de nouveau quelque chose d'important, un livre. Et puis, il était content que Dubreuilh eût aimé son roman; sûrement cette nouvelle lui plairait aussi. Henri avait l'impression que pour une fois, il avait fait exactement ce qu'il s'était proposé de faire : c'était agréable d'être content de soi.

La tête de Nadine apparut à une fenêtre, entre deux volets bleus :

— Comme tu as l'air studieux! On dirait un écolier en train de faire ses devoirs de vacances.

Henri sourit; il se sentait une bonne conscience heureuse d'écolier :

— Maria est réveillée? demanda-t-il.

— Oui, nous descendons, dit Nadine.

Il rangea ses papiers. Midi. Il était temps de partir s'il voulait éviter Charlier et Méricaud. Ils allaient encore entreprendre Dubreuilh, à propos de cet hebdomadaire, et Henri était fatigué de répéter : « Je ne veux pas m'en mêler. »

— Nous voilà! dit Nadine.

Elle portait d'une main un sac à provisions, et de l'autre un engin dont elle était très fière : ça tenait le milieu entre une valise et un berceau. Henri s'en saisit :

— Attention! Ne la bouscule pas! dit Nadine.

Henri sourit à Maria; il était encore tout étonné d'avoir tiré du néant une petite fille toute neuve, une petite fille aux yeux bleus, aux cheveux noirs qui était à lui. Elle regardait le vide avec confiance tandis qu'il l'installait au fond de la voiture.

— Filons vite! dit-il.

Nadine s'assit au volant; elle adorait conduire.

— Je passe d'abord à la gare acheter les journaux.

— Si tu y tiens.

— Bien sûr j'y tiens. Surtout que c'est jeudi.

Le jeudi paraissaient L'Enclume et L'Espoir-Magazine qui avait fusionné avec Les Beaux Jours. Nadine ne voulait pas manquer de si belles occasions de s'indigner.

Ils achetèrent un tas de journaux et ils roulèrent vers la forêt. Nadine ne parlait pas quand elle conduisait, elle était bien trop appliquée. Henri regarda avec amitié son profil têtu. Il la trouvait émouvante quand elle se fascinait sur une tâche avec ce sérieux passionné. C'est ça surtout qui l'avait touché quand il avait recommencé à la voir, sa bonne volonté désordonnée. « Tu sais, j'ai changé », lui avait-elle dit le premier jour. Elle n'avait pas tant changé; mais elle s'était rendu compte que quelque chose en elle ne tournait pas rond et elle essayait de se réformer : il avait voulu l'aider. Il s'était dit que s'il la rendait heureuse, il la délivrerait de ce ressentiment confus qui lui empoisonnait la vie; puisqu'elle avait tellement envie qu'il l'épousât, il avait décidé de l'épouser : il tenait assez à elle pour tenter le coup. Drôle de fille! Il fallait toujours qu'elle vous arrachât de haute lutte ce qu'on était tout disposé à lui donner. Henri était certain qu'elle avait machiné sa grossesse, en trichant sur les dates, pour lui forcer la main; et après ça bien sûr, elle s'était convaincue qu'en le mettant devant le fait accompli elle l'avait seulement aidé à prendre conscience de ses vrais désirs. Il la dévisagea avec perplexité. Elle possédait des trésors de mauvaise foi, mais aussi beaucoup de lucidité; sûrement au fond d'elle-même elle doutait qu'il eût agi de son plein gré; c'est en grande partie pour ça qu'il n'avait pas réussi à la rendre vraiment heureuse : elle se disait qu'il ne l'aimait pas d'amour et elle lui en voulait. « Je ferais peut-être mieux de lui expliquer que je me suis toujours senti libre parce que je n'ai jamais été dupe », se dit Henri. Mais ça humilierait péniblement Nadine, de se savoir déjouée; elle serait convaincue qu'Henri la méprisait et qu'il l'avait prise en pitié : rien ne pouvait la blesser davantage; elle détestait qu'on la juge et aussi qu'on l'accable de cadeaux trop généreux. Non, ça ne servirait à rien de lui dire la vérité.

Nadine arrêta la voiture au bord de l'étang.

— C'est vraiment un bon coin : en semaine, il n'y a jamais personne.

— On va être bien dans l'eau, dit Henri.

Elle vérifia l'installation de Maria et ils se déshabillèrent; sous sa robe de toile, Nadine portait un bikini vert, très exigu. Ses jambes étaient moins lourdes qu'autrefois et ses seins aussi jeunes. Il dit gaiement :

— Tu es une belle gueuse!

— Oh! toi aussi, ça peut aller, dit-elle en riant.

Ils coururent vers l'étang. Elle nageait, couchée sur le ventre et elle tenait avec majesté sa tête toute droite au-dessus de l'eau, on aurait dit qu'elle la portait sur un plateau. Il aimait bien son visage. « Je tiens à elle, se dit-il. J'y tiens même beaucoup : pourquoi n'est-ce pas tout à fait de l'amour? » Quelque chose le glaçait chez Nadine : sa méfiance, ses rancunes, sa mauvaise foi, la solitude hostile dans laquelle elle se butait. Mais peut-être que s'il l'avait aimée davantage, elle serait devenue plus ouverte, plus épanouie, plus aimable. Il y avait là un cercle vicieux. L'amour ne se commande pas, ni la confiance. Aucun des deux ne pouvait commencer.

Ils nagèrent longtemps et ils s'étendirent au soleil. Nadine sortit du sac à provisions un paquet de sandwiches. Henri en prit un.

— Tu sais, dit-il au bout d'un moment, j'ai repensé à ce que tu m'as raconté hier sur Sézenac. Je n'arrive pas à y croire. C'est bien de Sézenac qu'il s'agit, Vincent en est sûr?

— Absolument sûr, dit Nadine. Ça lui a pris un an, mais il a fini par retrouver des gens et par les faire parler. Sézenac faisait le coup du passage de la ligne, il a livré des tas de juifs aux Allemands, c'est bien lui.

— Mais pourquoi? dit Henri.

Il entendait la voix enthousiaste de Chancel : « Je t'amène mon meilleur copain. » Il voyait le beau visage dur et pur qui inspirait immédiatement confiance.

— Pour le fric, je suppose, dit Nadine. Personne ne s'en doutait, mais il devait déjà se droguer.

— Et pourquoi se droguait-il?

— Ça, je n'en sais rien, dit Nadine.

— Où est-il maintenant?

— Vincent voudrait bien le savoir! Il l'a foutu à la porte l'année dernière quand il a su que c'était un poulet; et depuis il a perdu sa trace. Mais il le retrouvera, ajouta-t-elle.

Henri mordit dans son sandwich. Il ne souhaitait pas qu'on retrouve Sézenac. Dubreuilh lui avait promis qu'en cas de coup dur il jurerait avoir très bien connu Mercier; à eux deux ils emporteraient sûrement le morceau : mais il valait tout de même mieux que cette histoire ne revienne jamais sur l'eau.

— A qui penses-tu? dit Nadine.

— A Sézenac.

Il n'avait pas raconté à Nadine l'affaire Mercier. Bien sûr elle n'aurait jamais trahi un secret; mais elle n'encourageait pas aux confidences : elle affichait trop de curiosité et témoignait trop peu de sympathie. De la sympathie, il en fallait beaucoup pour encaisser cette histoire : malgré l'indulgence de Dubreuilh et d'Anne, Henri n'y repensait jamais sans malaise. Enfin, il avait obtenu ce qu'il voulait. Josette ne s'était pas tuée, elle était devenue une starlette dont on parlait beaucoup; toutes les semaines on voyait sa photo dans un journal ou dans un autre.

— On retrouvera Sézenac, répéta Nadine.

Elle déplia un journal; Henri en prit un lui aussi. Tant qu'il était en France, il ne pouvait pas éviter de les regarder et pourtant il s'en serait volontiers passé. Mainmise de l'Amérique sur l'Europe, succès R. P. F., retour massif des collaborateurs, maladresse des communistes : c'était plutôt déprimant. A Berlin, ça ne s'arrangeait pas, la guerre pouvait très bien éclater un de ces quatre matins. Henri se laissa retomber sur le dos et ferma les yeux. A Porto Venere, il n'ouvrirait plus un journal. A quoi bon? Puisqu'on ne peut rien empêcher, autant profiter de son reste en toute insouciance. « Ça scandalise Dubreuilh : mais il trouve raisonnable de vivre comme si on ne devait jamais mourir, c'est pareil, se dit Henri. A quoi bon se préparer? De toute façon on n'est jamais prêt, et on l'est toujours bien assez. »

— C'est incroyable le succès qu'ils font à ce misérable livre de Volange! dit Nadine.

— Forcément : à l'heure qu'il est, toute la presse est à droite, dit Henri.

— Même à droite, ils ne sont pas tous idiots.

— Mais ils ont tellement besoin d'un chef-d'œuvre! dit Henri.

Le livre de Volange était une grosse misère; mais il avait lancé un slogan bien ingénieux : « Intégrer le mal. » Avoir été collabo, c'était s'être abreuvé aux fécondes sources de l'erreur; un lynchage dans le Missouri, c'était le péché donc la Rédemption; bénie soit l'Amérique pour tous ses crimes et vive le plan Marshall. Notre civilisation est coupable : c'est son plus haut titre de gloire. Vouloir réaliser un monde plus juste, quelle grossièreté!

— Dis donc, ma pauvre âme : quand ton roman à toi paraîtra, qu'est-ce qu'ils vont te passer! dit Nadine.

— Je m'en doute! dit Henri. Il bâilla : « Ah! ça n'est plus drôle! Je peux voir d'avance l'article de Volange, et aussi celui de Lenoir. Même les autres, ceux qui se prétendent impartiaux, je sais ce qu'ils diront.

— Quoi? dit Nadine.

— Ils me reprocheront de n'avoir écrit ni *Guerre et Paix* ni *La Princesse de Clèves*. Remarque que les bibliothèques sont pleines de tous les livres que je n'ai pas écrits, ajouta-t-il gaiement. Mais ce sont toujours ces deux-là qu'on vous jette à la tête.

— Mauvanes compte te sortir quand?

— Dans deux mois, à la fin de septembre.

— On ne sera pas loin du départ », dit Nadine. Elle s'étira : « Je voudrais déjà être là-bas.

— Moi aussi », dit Henri.

Ça n'aurait pas été gentil de laisser Dubreuilh seul, il comprenait que Nadine ait tenu à attendre le retour de sa mère pour foutre le camp. Et d'ailleurs Henri se plaisait bien à Saint-Martin. Mais il se plairait encore davantage en Italie. Cette maison au bord de la mer, au milieu des rochers et des pins, c'était juste le genre d'endroit auquel il avait souvent rêvé sans y croire quand il se disait autrefois : tout laisser tomber, partir dans le Midi, écrire.

— On emportera un bon phono et beaucoup de disques, dit Nadine.

— Et aussi beaucoup de livres, dit Henri. On se fera une bonne vie, tu verras.

Nadine se souleva sur un coude : « C'est drôle. On va s'installer dans la maison de Pimienta, et lui se ramène vivre à Paris. Langstone ne veut plus remettre les pieds en Amérique...

— On est tous les trois dans le même cas, dit Henri. Des écrivains qui ont fait de la politique et qui en ont marre. Partir pour l'étranger, c'est la meilleure manière de couper les ponts.

— C'est moi qui ai eu l'idée de cette maison, dit Nadine d'un air satisfait.

— C'est toi. » Henri sourit : « Ça t'arrive d'avoir de bonnes idées. »

Le visage de Nadine se rembrunit; pendant un moment elle regarda l'horizon d'un air dur et elle se leva brusquement : « Je vais donner son biberon à Maria. »

Henri la suivit des yeux. Qu'est-ce qu'elle avait pensé au juste? Ce qui était sûr, c'est qu'elle se résignait mal à n'être plus qu'une mère de famille. Elle s'assit sur un tronc d'arbre, avec Maria dans ses bras; elle lui donnait son biberon avec autorité, avec patience, elle mettait son point d'honneur à être une mère compétente, elle avait acquis de solides principes de puériculture et un tas d'objets hygiéniques; mais jamais Henri n'avait surpris de vraie tendresse dans ses yeux quand elle s'occupait de Maria. Oui, c'est ça qui la rendait difficile à aimer : même avec ce bébé elle gardait ses distances, elle restait toujours murée en elle-même.

— Tu te remets à l'eau? demanda-t-elle.

— Allons-y.

Ils nagèrent encore un moment, se séchèrent, se rhabillèrent et Nadine reprit le volant.

— J'espère qu'ils seront partis, dit Henri quand l'auto s'arrêta devant la grille.

— Je vais voir, dit Nadine.

Maria dormait. Henri la transporta jusqu'à la maison et la déposa sur le coffre du vestibule. Nadine colla l'oreille à la porte du bureau; elle poussa le battant :

— Tu es seul?

— Oui. Entrez, entrez donc, cria Dubreuilh.

— Je monte coucher la petite, dit Nadine.

Henri entra dans le bureau et sourit : « C'est dommage que vous n'ayez pas pu venir avec nous : on était bien dans l'eau.

— J'irai un de ces jours », dit Dubreuilh. Il prit sur son bureau une feuille de papier : « J'ai une commission pour vous : il y a un certain Jean Patureau, le frère de l'avocat que vous connaissez, qui a téléphoné en demandant que vous le rappeliez d'urgence. Son frère lui a fait parvenir de Madagascar des renseignements qu'il veut vous communiquer.

— Pourquoi veut-il me voir moi? dit Henri.

— A cause de vos articles de l'an dernier, je suppose, dit Dubreuilh. Vous êtes le seul à avoir cassé le morceau. » Dubreuilh tendit le papier à Henri : « Si le type vous donne des détails sur ce qui se fricote là-bas, vous avez le temps de faire un article pour *Vigilance*, en retardant un peu le numéro.

— Je lui téléphonerai tout à l'heure, dit Henri.

— Méricaud me disait que c'est sans précédent ce qu'ils font là, de juger les accusés sur place, dit Dubreuilh. Dans tous les cas analogues les procès ont eu lieu en France. »

Henri s'assit : « Ça s'est bien passé ce déjeuner?

— Ce pauvre Charlier décolle de plus en plus, dit Dubreuilh. C'est triste de vieillir.

— Ils ont reparlé de l'hebdomadaire?

— C'est pour ça qu'ils venaient. Il paraît que Manheim veut absolument me voir.

— C'est tout de même marrant, dit Henri. Quand on a eu besoin d'argent, on n'a jamais pu en trouver. Et maintenant qu'on ne demande rien à personne, voilà ce type qui vous poursuit pour que vous lui preniez son fric. »

Manheim était le fils d'un gros banquier mort en déportation; il avait été déporté lui-même et il avait passé trois ans en Suisse dans un sana; il y avait écrit un livre très mauvais mais plein de bonnes intentions. Il s'était mis en tête de créer un grand hebdomadaire de gauche et il voulait que ce soit Dubreuilh qui le dirige.

— Je vais aller le voir, dit Dubreuilh.

— Et qu'est-ce que vous lui direz? demanda Henri. Il sourit : « Vous commencez à être tenté? »

— Reconnaissez que c'est tentant, dit Dubreuilh. A part les canards communistes, il n'existe pas un hebdo de gauche. Si vraiment on peut avoir un machin à grand tirage avec photos, reportages, etc., ça vaudrait tout de même le coup. »

Henri haussa les épaules : « Vous vous rendez compte du travail que ça représente, un grand hebdo à succès? Rien à voir avec *Vigilance*. Il faut s'en occuper nuit et jour, surtout la première année.

— Je sais », dit Dubreuilh. Il chercha le regard d'Henri : « C'est pourquoi je ne peux penser à accepter que si vous marchez aussi.

— Vous savez bien que je pars en Italie, dit Henri avec un peu d'impatience. Mais si vraiment cette histoire vous intéresse, vous n'aurez pas de mal à trouver des collaborateurs », ajouta-t-il.

Dubreuilh secoua la tête : « Je n'ai aucune expérience du journalisme, dit-il; si cet hebdo se fait, j'ai besoin d'un spécialiste à côté de moi; et vous savez comment les choses se passent : pratiquement ce sera lui qui aura la haute main sur tout. Il faut que je puisse me fier à lui comme à moi-même : il n'y a que vous.

— Même si je ne partais pas, jamais je ne me mettrais un pareil boulot sur les bras, dit Henri.

— C'est dommage, dit Dubreuilh avec reproche. Parce que ce genre de boulot-là est juste à notre mesure. On aurait pu faire un truc bien.

— Et après? dit Henri. On est encore plus coincés que l'année dernière. Quelle action peut-on avoir? Aucune.

— Il y a tout de même certaines choses qui dépendent de nous, dit Dubreuilh. L'Amérique veut armer l'Europe : voilà un point sur lequel on peut organiser une résistance; et pour ça, un journal serait drôlement utile. »

Henri se mit à rire : « En somme, vous ne cherchez qu'une occasion pour rentrer de nouveau dans la politique? dit-il. Quelle santé!

— Qui a de la santé? demanda Nadine en entrant dans le bureau.

— Ton père : il n'est pas encore dégoûté de la politique. Il veut remettre ça.

— Il faut bien s'occuper », dit Nadine.

Elle s'agenouilla devant la discothèque et se mit à déranger les disques. « Oui, pensa Henri, Dubreuilh s'ennuie, c'est pour ça qu'il a envie de s'agiter. »

— Je n'ai jamais été si heureux que depuis que j'ai lâché la politique, dit Henri. Je ne rempilerai pour rien au monde.

— C'est pourtant moche, ce marasme, dit Dubreuilh. La gauche complètement dispersée, le parti communiste isolé : il faudrait bien tâcher de se regrouper.

— Vous pensez à un nouveau S. R. L.? demanda Henri d'une voix incrédule.

— Non, surtout pas! dit Dubreuilh. Il haussa les épaules : « Je ne pense à rien de précis. Je constate qu'on est dans de sales draps et je souhaite qu'on s'en sorte. »

Il y eut un silence. Henri se rappelait une scène toute semblable : Dubreuilh le pressait, il se défendait et il pensait que bientôt il serait loin de Paris, ailleurs. Mais en ce temps-là il se croyait encore des devoirs. Aujourd'hui il était assez convaincu de son impuissance pour se sentir absolument libre. Que je dise oui, que je dise non, ce n'est pas du sort de l'humanité qu'il s'agit : seulement de la manière dont je lie mon sort au sien. Dubreuilh tient à les confondre, c'est son affaire; moi pas. De toute façon il ne s'agit que de lui, que de moi, rien d'autre n'est en jeu.

— Je peux mettre un disque? dit Nadine.

— Bien sûr, dit Dubreuilh.

Henri se leva : « Moi je vais travailler.

— N'oubliez pas de téléphoner à ce type, dit Dubreuilh.

— Je n'oublie pas », dit Henri.

Il traversa le hall et décrocha le téléphone. Le type au bout du fil semblait égaré d'importance et de timidité; on sentait qu'il avait reçu de l'au-delà un message impérieux qu'il devait transmettre tout de suite, à tout prix à son destinataire. « Mon frère m'a écrit : personne ne fait rien, mais je suis sûr qu'Henri Perron fera quelque chose », dit-il avec pompe, et Henri pensa : « Je n'y coupe pas d'un article. » Il donna rendez-vous à Patureau pour le lendemain, à Paris et il revint s'asseoir sous le tilleul. Voilà pourquoi il était si pressé de partir pour l'Italie; ici il recevrait encore trop de lettres, trop de visites, trop de coups de téléphone. Il étala ses papiers devant lui. Le phonographe jouait le quatuor de Franck, Nadine écoutait, assise sur le rebord de la fenêtre ouverte; les abeilles bourdonnaient autour du massif de phlox; un char à bœufs passa sur le chemin avec un bruit antique. « Quelle paix! » se dit Henri. Pourquoi l'obligeait-on à s'occuper de ce qui se passait à Tananarive? Il se passe sans cesse des choses horribles sur terre : mais on ne vit pas à travers toute la terre; méditer à longueur de temps sur de lointains malheurs auxquels on ne peut pas remédier, c'est de la

délectation morose. « C'est ici que je vis, et ici c'est la paix », pensa-t-il.
Il regarda Nadine; elle avait un air recueilli qui ne lui était pas habituel;
elle qui avait peine à se concentrer sur un livre, elle pouvait écouter
longtemps une musique qu'elle aimait et dans ces moments-là on sentait qu'il se faisait en elle un silence qui ressemblait au bonheur. « Il
faut que je la rende heureuse, se dit Henri. Ce cercle vicieux doit pouvoir se briser. » Rendre quelqu'un heureux, ça c'est concret, c'est solide
et ça vous absorbe bien assez si vous prenez la chose à cœur. S'occuper
de Nadine, élever Maria, écrire ses livres : ce n'était pas tout à fait la
vie qu'il souhaitait autrefois. Autrefois il croyait que le bonheur, c'était
une manière de posséder le monde : alors que c'est plutôt une façon
de se protéger contre lui. Mais c'était quand même beaucoup d'entendre
cette musique, de regarder la maison, le tilleul, et ur la table les feuilles
manuscrites en se disant : « Je suis heureux. »

L'article d'Henri sur Madagascar parut le 10 août. Il l'avait écrit avec
passion. Exécution illégale du principal témoin, attentats contre les
avocats, supplices infligés aux accusés pour leur arracher de faux aveux :
la vérité était encore bien plus monstrueuse qu'il ne l'avait imaginée.
Et ce n'était pas seulement à Tananarive que ces choses se passaient :
c'était ici, en France, tout le monde était complice. Complices les
Chambres qui avaient voté la levée d'immunité, complices le gouvernement, la Cour de cassation et le président de la République, complices
les journaux qui se taisaient et les millions de citoyens qui s'accommo-
daient de ce silence. « Au moins maintenant, il y en a quelques milliers
qui savent », se dit-il quand il eut le numéro de *Vigilance* dans les mains.
Et il pensa avec regret : « Ce n'est pas grand-chose. » Il avait étudié
cette affaire de si près, il l'avait tellement prise à cœur qu'elle s'était
mise à le concerner personnellement. Chaque matin il cherchait dans
les journaux les maigres entrefilets consacrés au procès et il y pensait
toute la journée. Il avait bien du mal à finir sa nouvelle. Quand il écrivait à l'ombre du tilleul, l'odeur des phlox, les rumeurs du village
n'avaient plus le même sens qu'avant.
Il était en train de travailler ce matin-là, distraitement, quand on
sonna à la grille. Il traversa le jardin pour aller ouvrir : c'était Lachaume.
— Toi! dit-il.
— Oui. Je voudrais te parler, dit Lachaume d'une voix tranquille.
Tu n'as pas l'air content de me voir, mais laisse-moi tout de même
entrer, ajouta-t-il. Ce que j'ai à te dire t'intéressera.
Lachaume avait vieilli pendant ces dix-huit mois et il y avait des
cernes sous ses yeux.
— De quoi veux-tu me parler?
— De l'affaire malgache.
Henri ouvrit la porte : « Qu'est-ce que tu as à faire avec un sale fasciste?
— Oh! laisse tomber! dit Lachaume. Tu sais ce que c'est que la poli-

tique. Quand j'ai écrit cet article, il fallait que je t'exécute. C'est vieux cette histoire.

— J'ai une bonne mémoire », dit Henri.

Lachaume le regarda d'un air peiné : « Garde-moi rancune si tu y tiens. Quoique vraiment, tu devrais comprendre! dit-il avec un soupir. Mais pour l'instant il ne s'agit ni de toi ni de moi : il y a des vies humaines à sauver. Alors tu peux m'écouter cinq minutes.

— Je t'écoute », dit Henri en lui désignant un des fauteuils d'osier. En fait il n'éprouvait plus aucune colère contre Lachaume : tout ce passé était bien trop loin de lui.

— Tu viens d'écrire un très bel article, je dirai même un article bouleversant, dit Lachaume avec décision.

Henri haussa les épaules : « Malheureusement il n'a pas bouleversé grand monde.

— Oui, c'est ça le malheur », dit Lachaume. Il chercha le regard d'Henri : « Je suppose que si on t'offrait la possibilité d'une action plus large, tu ne la refuserais pas?

— De quoi s'agit-il? dit Henri.

— En deux mots, voilà. Nous sommes en train d'organiser un comité de défense des Malgaches. Il aurait mieux valu que ce soit d'autres que nous qui en prennent l'initiative; mais les idéalistes petits-bourgeois n'ont pas toujours la conscience chatouilleuse; à l'occasion ils sont capables d'en encaisser gros sans broncher. Le fait est que personne ne lève le doigt.

— Jusqu'ici vous n'avez pas fait grand-chose non plus, dit Henri.

— Nous ne pouvons pas, dit vivement Lachaume. Toute cette affaire a été montée pour liquider le M. D. R. M.; à travers les parlementaires malgaches, on vise le parti. Si nous les défendons trop bruyamment, ça se retournera contre eux.

— Soit, dit Henri. Alors?

— Alors j'ai eu l'idée d'un comité dans lequel entreraient deux ou trois communistes et une majorité de non-communistes. Quand j'ai lu ton papier, je me suis dit que personne n'était mieux qualifié que toi pour le présider. » Lachaume interrogea Henri du regard : « Les camarades ne sont pas contre. Seulement avant de te faire une proposition officielle, Lafaurie veut être sûr que tu accepteras. »

Henri garda le silence. Fasciste, vendu, salaud, flic : ils l'avaient promis à toutes les trahisons; et soudain ils se ramenaient, la main tendue. Ça lui donnait un petit sentiment de triomphe bien agréable.

— Qui y aura-t-il au juste dans ce comité? demanda-t-il.

— Tous les types un peu importants qui voudront bien marcher, dit Lachaume. Ils ne sont pas légion. Il haussa les épaules : Ils ont tellement peur de se mouiller! Ils laisseraient torturer à mort vingt innocents plutôt que de se compromettre avec nous. Si tu prends l'affaire en main, ça changera tout, ajouta-t-il d'une voix pressante. Toi, ils te suivront. »

Henri hésita : « Pourquoi ne demandez-vous pas plutôt à Dubreuilh? Son nom a plus de poids que le mien et il dira sûrement oui.

— Ça sera bien d'avoir Dubreuilh, dit Lachaume. Mais c'est ton nom à toi qu'il faut mettre en avant. Dubreuilh est trop près de nous. Il ne faut surtout pas que ce comité ait l'air d'inspiration communiste, ou alors c'est foutu. Avec toi, il n'y a pas d'équivoque.

— Je vois, dit Henri sèchement. C'est dans la mesure où je suis un social-traître que je peux vous être utile.

— Nous être utile! dit Lachaume d'une voix irritée. C'est aux accusés que tu peux être utile. Qu'est-ce que tu crois? Qu'est-ce que nous avons à gagner dans cette histoire? Tu ne te rends pas compte, reprit-il en regardant Henri avec reproche. Tous les jours, ce matin encore, on reçoit de Madagascar des lettres et des dépêches déchirantes : « Parlez! Alertez l'opinion. Dites aux gens de la métropole ce qui se passe ici. » Et nous avons les mains liées! Qu'est-ce qui nous reste à faire sinon d'essayer d'agir par la bande? »

Henri sourit; la véhémence de Lachaume le touchait. C'est vrai qu'il était capable d'exécuter de basses besognes mais non d'accepter tranquillement qu'on torture et qu'on massacre à gogo des innocents.

— Qu'est-ce que tu veux! dit-il d'un ton conciliant. Tout est si mélangé chez vous : les mensonges politiques et les sentiments vrais qu'on a du mal à s'y reconnaître.

— Si vous ne commenciez pas tout de suite par nous accuser de machiavélisme, vous vous y reconnaîtriez mieux, dit Lachaume. Vous avez toujours l'air de croire que le parti ne travaille que pour lui-même! Tu te rappelles en 46, quand nous sommes intervenus en faveur de Cristino Garcia, on nous a reproché d'avoir rendu son exécution inévitable. Aujourd'hui nous mettons la sourdine, et alors tu viens me dire : « Vous ne faites pas grand-chose. »

— Ne te monte pas, dit Henri. Tu m'as l'air d'être devenu drôlement susceptible.

— Tu ne te rends pas compte : cette méfiance qu'on rencontre partout! Ça finit par être exaspérant!

Henri eut envie de lui répondre : « C'est bien de votre faute », mais il ne dit rien; il ne se sentait pas le droit de prendre des supériorités faciles. A vrai dire, il n'en voulait plus à Lachaume. Lachaume le lui avait dit un jour, au Bar Rouge : « J'encaisserai n'importe quoi plutôt que de quitter le parti. » Il estimait que sa propre personne ne pesait pas lourd à côté des intérêts en jeu : pourquoi aurait-il accordé plus de prix à celle d'Henri? Bien sûr, dans ces conditions l'amitié n'était plus possible. Mais rien n'empêchait de travailler ensemble.

— Écoute, moi je ne demande pas mieux que de travailler avec toi, dit-il. Je ne pense pas qu'on ait beaucoup de chances de réussir : mais enfin on va essayer.

Le visage de Lachaume s'éclaira : « Je peux dire à Lafaurie que tu accepteras?

— Oui. Mais explique-moi un peu ce que vous envisagez.

— On va en discuter ensemble », dit Lachaume.

« Voilà! se dit Henri. Ça se vérifie une fois de plus : chaque truc correct qu'on fait se solde par de nouveaux devoirs. » Ses éditoriaux de 47 l'avaient amené à écrire l'article de *Vigilance*, ce qui l'amenait à organiser ce comité : il était repincé. « Mais pas pour longtemps », se dit-il.

— Tu devrais aller te coucher, tu as l'air vanné, dit Nadine d'une voix fâchée.

— C'est le voyage en avion qui m'a fatiguée, dit Anne sur un ton d'excuse. Et puis il y a ce décalage des heures : j'ai mal dormi la nuit dernière.

Le bureau avait un air de fête. Anne était rentrée la veille et Nadine avait cueilli toutes les fleurs du jardin pour en remplir la maison. Mais personne n'était bien gai. Anne avait pris un sérieux coup de vieux et elle buvait trop de whisky; Dubreuilh qui était si remonté ces temps derniers semblait soucieux : sans doute à cause d'Anne. Nadine boudait plus ou moins tout en tricotant quelque chose d'écarlate. Le récit d'Henri avait encore assombri la soirée.

— Alors quoi? c'est fini? dit Anne. Il n'y a plus aucun espoir de sauver ces types?

— Je n'en vois aucun, dit Henri.

— C'était couru que la Chambre noierait le poisson, dit Dubreuilh.

— Si vous aviez assisté à la séance, vous auriez tout de même été étonné, dit Henri. Je croyais être blindé : mais à certains moments, j'ai eu envie de tuer.

— Oui, ils ont été forts, dit Dubreuilh.

— Des politiciens, ça ne m'étonne pas, dit Anne. Ce que je n'arrive pas à comprendre c'est que dans l'ensemble les gens aient si peu réagi.

— Pour ça, ils n'ont pas réagi, dit Henri.

Gérard Patureau et les autres avocats étaient venus à Paris, décidés à remuer ciel et terre; le comité les avait aidés de son mieux; mais ils s'étaient heurtés à l'indifférence générale.

Anne regarda Dubreuilh : « Vous ne trouvez pas ça décourageant?

— Mais non, dit-il. Tout ce que ça prouve c'est que l'action ne s'improvise pas. On est parti de zéro, alors évidemment... »

Dubreuilh était entré dans le comité mais il ne s'en était guère occupé. Ce qui l'avait intéressé dans cette histoire, c'est qu'il avait repris des contacts politiques. Il s'était inscrit au mouvement des « Combattants de la liberté »; il avait pris part à un de leurs meetings, et il allait recommencer dans quelques jours. Il n'insistait pas pour qu'Henri le suive, il ne lui reparlait pas non plus de l'hebdomadaire, mais de temps en temps il laissait échapper un reproche plus ou moins déguisé.

— Improvisée ou non, aucune action ne mène nulle part à l'heure qu'il est, dit Henri.

— C'est vous qui le dites, dit Dubreuilh. Si on avait eu derrière nous un groupe déjà constitué, un journal, des fonds, on aurait peut-être réussi à toucher l'opinion.

— Ça n'a rien de sûr, dit Henri.

— En tout cas, dites-vous bien que pour avoir des chances de réussir un peu mieux notre coup, quand une occasion se représentera, il faut le préparer d'avance.

— Pour moi, l'occasion ne se représentera pas, dit Henri.

— Allons donc! dit Dubreuilh. Vous me faites rire quand vous dites que la politique et vous, c'est fini. Vous êtes comme moi. Vous en avez trop fait pour ne plus en faire. Vous serez repincé.

— Non, parce que je vais me mettre à l'abri, dit Henri gaiement.

Les yeux de Dubreuilh s'allumèrent : « Je vous fais un pari : vous ne resterez pas un an en Italie.

— Je tiens le pari », dit Nadine vivement. Elle se tourna vers sa mère : « Qu'est-ce que tu crois?

— Je ne sais pas, dit Anne. Ça dépend comment vous vous plairez là-bas.

— Comment veux-tu qu'on ne s'y plaise pas? Tu as vu la photo de la maison : elle n'est pas jolie?

— Elle a l'air très jolie », dit Anne. Elle se leva brusquement : « Je m'excuse. Je tombe de sommeil.

— Je monte avec toi, dit Dubreuilh.

— Tâche de dormir cette nuit, dit Nadine en embrassant sa mère. Je te jure que tu as une sale mine.

— Je dormirai », dit Anne.

Quand elle eut refermé la porte, Henri chercha le regard de Nadine : « C'est vrai qu'Anne a l'air fatiguée.

— Fatiguée et sinistre, dit Nadine avec rancune. Si elle regrette tant son Amérique, elle n'avait qu'à y rester.

— Elle ne t'a pas raconté comment ça s'est passé là-bas?

— Penses-tu! elle est bien trop cachottière, dit Nadine. D'ailleurs, moi, on ne me dit jamais rien », ajouta-t-elle.

Henri la dévisagea avec curiosité : « Tu as de drôles de rapports avec ta mère.

— Pourquoi drôles? dit Nadine d'un air piqué. Je l'aime bien, mais souvent elle m'agace; je suppose que c'est pareil pour elle. Ça n'a rien de rare, c'est comme ça les rapports de famille. »

Henri n'insista pas; mais ça l'avait toujours frappé : ces deux femmes se seraient fait tuer l'une pour l'autre et pourtant il y avait entre elles quelque chose qui ne collait pas. Nadine devenait beaucoup plus agressive et beaucoup plus butée quand sa mère était là. Anne fit des efforts pour paraître gaie, les jours suivants, et Nadine se dérida; mais on avait toujours l'impression qu'un orage pouvait éclater d'un instant à l'autre.

Ce matin-là, Henri les aperçut de sa chambre qui sortaient du jardin bras dessus, bras dessous, en se riant au visage; quand elles traversèrent de nouveau la pelouse, deux heures plus tard, Anne portait sous son bras une flûte de pain, Nadine des journaux, et elles avaient l'air de se disputer.

C'était l'heure du déjeuner. Henri rangea ses papiers, se lava les mains et descendit dans le living-room. Anne était assise au bord d'une chaise, l'air absent; Dubreuilh lisait *L'Espoir-Magazine* et Nadine, debout à côté de lui, le guettait.

— Salut! Quoi de neuf? dit Henri en souriant à la ronde.

— Ça! dit Nadine en désignant le journal. J'espère que tu vas aller casser la figure à Lambert, ajouta-t-elle sèchement.

— Ah! c'est commencé? Lambert me traîne dans la merde? dit Henri avec un sourire.

— S'il n'y traînait que toi!

— Tenez, dit Dubreuilh en tendant le journal à Henri.

Ça s'appelait « Peints par eux-mêmes ». Lambert commençait par déplorer une fois de plus la néfaste influence exercée par Dubreuilh : c'était sa faute si après un brillant départ Henri avait perdu tout talent. Ensuite Lambert résumait le roman d'Henri à l'aide de citations tronquées et accolées de manière burlesque. Sous prétexte de fournir les clefs d'un livre qui n'en avait pas, il donnait sur la vie privée d'Henri, de Dubreuilh, d'Anne, de Nadine, un tas de détails mi-vrais mi-faux, choisis de façon à les rendre aussi odieux que ridicules.

— Quel salaud! dit Henri. Je me rappelle cette conversation sur nos rapports avec l'argent; et voilà ce qu'il en a tiré; ce paragraphe dégueulasse sur « l'hypocrisie des privilégiés de gauche ». Quel salaud! répéta-t-il.

— Tu ne vas pas laisser passer ça? dit Nadine.

Henri interrogea Dubreuilh du regard : « J'aimerais bien lui casser la figure, ça ne serait d'ailleurs pas difficile. Mais qu'est-ce qu'on y gagnera? Un scandale, des échos dans tous les journaux, un nouvel article, pire que celui-ci...

— Cogne assez fort, et il taira sa gueule, dit Nadine.

— Sûrement pas, dit Dubreuilh. Tout ce qu'il demande, c'est à faire parler de lui : il sautera sur l'occasion. Je suis pour qu'Henri laisse tomber, conclut-il.

— Et alors, le jour où ça lui chantera, qu'est-ce qui l'empêche de faire un nouvel article et d'y aller encore plus fort? dit Nadine. S'il se dit qu'il n'a rien à craindre, il ne se gênera pas.

— C'est comme ça dès qu'on se mêle d'écrire, dit Henri. Tout le monde a le droit de vous cracher dessus : beaucoup regardent même ça comme un devoir.

— Moi je n'écris pas, dit Nadine. On n'a pas le droit de me cracher dessus.

— Oui, au début ça indigne, dit Anne. Mais tu verras : on s'y fait. » Elle se leva : « Si on déjeunait. »

Ils s'assirent autour de la table en silence. Nadine piqua dans le ravier un rond de saucisson et son visage se détendit : « Ça m'agace de penser qu'il va triompher en paix, dit-elle d'un ton perplexe.

— Il ne triomphe pas tant que ça, dit Henri. Il tenait à écrire des

récits, des romans : et à part ses articles, Volange n'a rien publié de lui,
depuis cette fameuse nouvelle qui était si mauvaise. »

Nadine se tourna vers Anne : « On t'a dit ce qu'il a osé écrire la
semaine dernière?

— Non.

— Il a déclaré que les pétinistes avaient aimé la France à leur manière
et qu'ils sont plus près des gaullistes qu'un résistant séparatiste. Personne n'avait encore été jusque-là! dit Nadine d'un air satisfait. Ah!
ils ont drôlement tourné les vieux copains, ajouta-t-elle. Tu as lu
le compte rendu de Julien sur le livre de Volange?

— Robert me l'a montré, dit Anne. Julien! Qui aurait cru ça!

— Ce n'est pas si étonnant, dit Dubreuilh. Un anarchiste aujour-
d'hui, que veux-tu qu'il devienne? Les petits jeux de destruction, à
gauche, ça n'amuse personne.

— Je ne vois pas pourquoi un anarchiste deviendrait fatalement
un R. P. F. », dit Nadine.

Elle prenait toute explication pour une excuse, et souvent elle refusait de comprendre pour ne pas se gâcher le plaisir de s'indigner. Il
y eut un silence. Leurs conversations à quatre n'avaient jamais été
faciles : elles l'étaient moins que jamais. Henri se mit à parler avec
Anne d'un roman qu'elle avait rapporté d'Amérique et qu'il venait de
lire. Dubreuilh pensait à autre chose, Nadine aussi. Tout le monde
fut soulagé quand le repas s'acheva.

— Est-ce que je peux prendre la voiture? demanda Nadine en sortant de table. Si quelqu'un voulait s'occuper de Maria, j'irais bien faire
un tour.

— Je m'occuperai de Maria, dit Anne.

— Tu ne m'emmènes pas? dit Henri en souriant.

— D'abord tu n'en as aucune envie, dit Nadine. Et puis j'aime mieux
être seule, ajouta-t-elle en souriant.

— Ça va, je n'insiste pas! dit Henri. Il l'embrassa : « Promène-toi
bien, et sois prudente. »

Il n'avait pas envie d'aller se promener, mais guère non plus de travailler. Dubreuilh affirmait que sa première nouvelle était bonne, celle
qu'il voulait écrire à présent lui tenait à cœur; mais il se sentait un
peu désemparé ces jours-ci. Il n'était déjà plus en France, et pas encore
en Italie, le procès de Tananarive était fini sans l'être puisque les accusés refusaient de se défendre et que le verdict était prévu d'avance;
les activités de Dubreuilh l'agaçaient et pourtant il lui enviait vaguement les joies qu'il en tirait. Il prit un livre. Grâce au ciel, les heures,
les jours ne lui étaient plus comptés, il n'était pas obligé de se forcer.
Il attendrait d'être installé à Porto Venere pour commencer son nouveau récit.

Vers sept heures, Anne l'appela pour prendre l'apéritif selon un rite
qu'elle avait instauré. Dubreuilh était encore en train d'écrire quand
Henri entra dans le bureau. Il repoussa ses papiers :

— Voilà une bonne chose de faite.

— Qu'est-ce que c'est? demanda Henri.

— Le plan de ce que je dirai vendredi, à Lyon.

Henri sourit : « Vous avez vraiment du courage. Nancy, Lyon : quelles villes sinistres !

— Oui, c'est sinistre Nancy, dit Dubreuilh, et pourtant je garde un bon souvenir de cette soirée.

— Je vous soupçonne d'être un rien vicieux, dit Henri.

— Peut-être », dit Dubreuilh. Il sourit : « Je ne saurais pas vous expliquer. Après le meeting on est allé dans un bistrot manger de la choucroute et boire de la bière, l'endroit n'avait rien de rare, je connaissais à peine les types qui étaient avec moi, on ne parlait presque pas. Mais on avait fait un truc ensemble, un truc dont on était contents : c'était bien.

— Je sais, j'ai connu ça », dit Henri. A la guerre, pendant la Résistance, au journal la première année, il avait eu de ces moments : « Ça ne m'est jamais arrivé au S. R. L., ajouta-t-il.

— A moi non plus », dit Dubreuilh. Il prit des mains d'Anne un verre de martini et en but une gorgée : « Nous n'étions pas assez modestes. Pour avoir de ces petits bonheurs il faut travailler dans l'immédiat.

— Dites donc, ça ne me semble pas si modeste de vouloir empêcher la guerre ! dit Henri.

— C'est modeste, parce que nous ne nous ramenons pas avec des idées préconçues que nous voudrions imposer au monde, dit Dubreuilh. Le S. R. L. avait un programme constructif : c'était forcément de l'utopie. Ce que je fais maintenant ressemble bien plus à ce que j'ai fait en 36. On essaie de se défendre contre un danger donné en utilisant les moyens du bord. C'est beaucoup plus réaliste.

— C'est réaliste si ça sert à quelque chose, dit Henri.

— Ça peut servir », dit Dubreuilh.

Il y eut un silence. « Qu'est-ce qu'il a au juste dans la tête ? » se demanda Henri. Il avait trop facilement accepté le point de vue de Nadine. « Il s'agite parce qu'il s'ennuie. » C'était court, ce cynisme. Il avait appris à ne pas prendre aveuglément Dubreuilh au sérieux : ça n'autorisait pas à le regarder comme un étourdi.

— Il y a une chose que je ne comprends pas, dit Henri. Vous disiez l'année dernière que personnellement vous ne pouviez pas encaisser ce que vous appeliez « le nouvel humanisme », et voilà que vous marchez à fond avec les communistes. Ce qui vous gênait ne vous gêne donc plus ?

— Vous savez, dit Dubreuilh, cet humanisme, c'est tout juste l'expression du monde d'aujourd'hui. On ne peut pas plus le refuser qu'on ne peut refuser le monde. On peut bouder, c'est tout.

« Voilà ce qu'il pense de moi, se dit Henri. Je boude. » Jusqu'à sa mort, Dubreuilh continuerait à prendre des supériorités sur son propre passé et sur celui des autres. « Enfin, c'est moi qui ai été le chercher », se dit Henri. Il voulait le comprendre et non se défendre contre lui. Inutile de se défendre : il se savait en sécurité. Il sourit :

— Pourquoi avez-vous cessé de bouder ?

— Parce qu'un jour je me suis senti de nouveau dans le coup, dit
Dubreuilh. Oh ! c'est très simple, reprit-il. L'année dernière, je me
disais : « Tout est mal, le moindre mal est encore trop dur à avaler pour
que je le regarde comme un bien. » Seulement la situation s'est encore
aggravée. Le pire mal est devenu tellement menaçant que mes réticences à l'égard de l'U. R. S. S. et du communisme me sont apparues
comme très secondaires. Dubreuilh regarda Henri : « Ce qui m'étonne
c'est que vous ne sentiez pas ça comme moi. »

Henri haussa les épaules : « J'ai vu pas mal de communistes, ce mois
ci, j'ai travaillé avec Lachaume. Je comprends bien leur point de vue :
mais ça ne colle pas, avec eux, ça ne collera jamais.

— Il ne s'agit pas d'entrer au parti, dit Dubreuilh. Mais il n'y a pas
besoin d'être d'accord sur tout pour lutter ensemble contre l'Amérique
et contre la guerre.

— Vous êtes plus dévoué que moi, dit Henri. Je ne vais pas sacrifier
la vie que j'ai envie de mener à une cause à laquelle je ne crois qu'à
moitié.

— Ah ! ne me sortez pas ce genre d'argument ! dit Dubreuilh. Ça
me fait penser à Volange quand il dit : « L'homme ne mérite pas qu'on
s'intéresse à lui. »

— Ça n'est pas du tout pareil, dit Henri vivement.

— Plus que vous ne croyez. » Dubreuilh interrogea Henri du regard :
« Vous êtes bien convaincu qu'entre l'U. R. S. S. et l'Amérique il faut
choisir l'U. R. S. S. ?

— Évidemment.

— Eh bien, ça suffit. Il y a une chose dont il faudrait se convaincre,
dit-il avec feu, c'est qu'il n'y a pas d'autre adhésion que le choix, pas
d'autre amour que la préférence. Si on attend pour s'engager de rencontrer la perfection absolue, on n'aime jamais personne et on ne fait
jamais rien.

— Sans réclamer la perfection, on peut tout de même trouver que les
choses sont plutôt moches, et ne pas avoir envie de s'en mêler, dit Henri.

— Moches par rapport à quoi ? dit Dubreuilh.

— Par rapport à ce qu'elles pourraient être.

— C'est-à-dire à des idées que vous vous faites », dit Dubreuilh. Il
haussa les épaules : « L'U. R. S. S. telle qu'elle devrait être, la révolution sans larmes, tout ça ce sont de pures idées, c'est-à-dire zéro. Évidemment, comparée à l'idée la réalité a toujours tort ; dès que l'idée
s'incarne, elle se déforme ; seulement la supériorité de l'U. R. S. S.
sur tous les socialismes possibles, c'est qu'elle existe. »

Henri regarda Dubreuilh d'un air interrogateur :

— Si ce qui existe a toujours raison, il ne reste qu'à se croiser les
bras.

— Pas du tout. La réalité n'est pas figée, dit Dubreuilh. Elle a un
avenir, des possibilités. Seulement pour agir sur elle et même pour la
penser, il faut s'installer en elle et non s'amuser à des petits rêves.

— Vous savez, je ne rêve guère, dit Henri.

— Quand on dit : « Les choses sont moches » ou comme moi l'an dernier : « Tout est mal », c'est qu'on rêve en douce à un bien absolu. Il
regarda Henri dans les yeux : « On ne s'en rend pas compte, mais il
faut une drôle d'arrogance pour placer ses rêves au-dessus de tout. Si
on était modeste, on comprendrait qu'il y a d'un côté la réalité, et de
l'autre rien. Je ne connais pas de pire erreur que de préférer le vide au
plein », ajouta-t-il.

Henri se tourna vers Anne qui buvait silencieusement un second
martini : « Qu'en pensez-vous ?

— Personnellement, j'ai toujours eu de la peine à regarder un moindre
mal comme un bien, dit-elle. Mais c'est que j'ai cru trop longtemps en
Dieu. Je pense que Robert a raison.

— Peut-être, dit Henri.

— Je parle en connaissance de cause, dit Dubreuilh. Moi aussi j'ai
essayé de justifier mes humeurs par l'indignité du monde. »

Henri remplit de nouveau son verre. Est-ce que Dubreuilh n'était
pas justement en train de justifier ses humeurs à coup de théories ?
« Mais si on va par là, c'est aussi par humeur que j'essaie de dévaloriser
ce qu'il me dit », pensa-t-il. Il décida de lui faire crédit, du moins
jusqu'à la fin de la conversation.

— Tout de même, ça me semble plutôt pessimiste, votre manière de
voir les choses, dit-il.

— Là encore, ce n'est pessimiste que par rapport à des idées que je
me faisais autrefois, dit Dubreuilh ; des idées beaucoup trop souriantes ;
l'histoire n'est pas souriante. Mais comme il n'y a aucun moyen de
lui échapper, il faut chercher la meilleure façon de la vivre : à mon avis,
ce n'est pas l'abstention.

Henri aurait voulu lui poser d'autres questions, mais on entendit
dans le hall un bruit de pas et Nadine poussa la porte :

— Salut, bande d'ivrognes ! dit-elle gaiement. Vous pouvez boire à
ma santé : je mérite un toast d'honneur ! Elle les regarda d'un air triomphant : « Devinez ce que j'ai fait ?

— Quoi donc ? dit Henri.

— J'ai été à Paris et je vous ai vengés : j'ai giflé Lambert. »

Il y eut un petit silence.

— Où l'as-tu rencontré ? comment ça s'est-il passé ? demanda
Henri.

— Eh bien, je suis montée à *L'Espoir*, dit Nadine avec fierté. Je me
suis amenée dans la salle de rédaction ; ils étaient tous là, Samazelle,
Volange, Lambert, et un tas de nouveaux, avec de sales gueules ; ça
fait un drôle d'effet de voir ça ! Nadine se mit à rire : Lambert a eu
l'air soufflé, il a bafouillé des choses mais je ne l'ai pas laissé parler. « J'ai
une vieille dette envers toi », je lui ai dit : « Je suis contente que tu m'aies
donné l'occasion de te rembourser. » Et je lui ai balancé ma main dans
la figure.

— Qu'est-ce qu'il a fait ? dit Henri.

— Oh! il l'a fait à la dignité, dit Nadine, il a pris de grands airs. Je me suis dépêchée de partir.

— Il n'a pas dit que je pourrais faire mes commissions moi-même? c'est ce que j'aurais dit à sa place, dit Henri. Il ne voulait pas engueuler Nadine, mais il était très mécontent.

— Je n'ai pas écouté ce qu'il a dit, dit Nadine. Elle regarda à la ronde avec un peu de défi : « Alors? vous ne me félicitez pas?

— Non, dit Dubreuilh. Je ne trouve pas ce que tu as fait là bien malin.

— Moi je trouve ça très malin, dit Nadine. J'ai vu Vincent en sortant de là et il m'a dit que j'étais une gaillarde, ajouta-t-elle d'un ton vindicatif.

— Si tu as envie de publicité, tu as réussi ton coup, dit Dubreuilh. Les journaux vont s'en donner à cœur joie.

— Je m'en fous des journaux, dit Nadine.

— La preuve que tu ne t'en fous pas! »

Ils se toisèrent avec animosité.

— Si ça vous plaît qu'on vous couvre de merde, tant mieux pour vous, dit Nadine avec colère; moi ça ne me plaît pas. Elle se tourna vers Henri : « Tout ça c'est ta faute, dit-elle brusquement. Pourquoi as-tu été raconter nos histoires à tout le monde?

— Voyons : je n'ai pas parlé de nous, dit Henri. Tu sais bien que tous les personnages sont inventés.

— Allons donc! il y a cinquante trucs dans ton roman qui s'appliquent à papa ou à toi; et j'ai très bien reconnu trois phrases de moi, dit-elle.

— Elles sont dites par des gens qui n'ont aucun rapport avec toi », dit Henri; il haussa les épaules : « Évidemment j'ai montré des types d'aujourd'hui, qui sont à peu près dans la situation où nous sommes : mais il y en a des milliers comme ça, ce n'est ni ton père ni moi en particulier; au contraire, sur la plupart des points mes personnages ne nous ressemblent pas du tout.

— Je n'ai pas protesté parce qu'on aurait encore dit que je fais des histoires, dit Nadine aigrement, mais tu crois que c'est agréable? On cause avec vous, tranquillement, on se croit de pair à compagnon, et pendant ce temps vous observez, vous prenez des notes en dedans de vous-même, et toc un beau jour on retrouve noir sur blanc des mots qu'on avait dits pour qu'ils soient oubliés, des gestes qui ne comptaient pas. J'appelle ça de l'abus de confiance!

— On ne peut pas écrire un roman sans piquer des trucs autour de soi, dit Henri.

— Peut-être, mais alors les écrivains, on ne devrait pas les fréquenter », dit Nadine rageusement.

Henri lui sourit : « Tu es bien mal lotie!

— Moque-toi de moi maintenant, dit-elle en devenant très rouge.

— Je ne me moque pas de toi », dit Henri. Il entoura de son bras les épaules de Nadine : « On ne va pas faire un drame avec cette histoire.

— C'est vous qui faites un drame! dit Nadine. Ah! vous avez bonne mine quand vous êtes là tous les trois à me regarder avec des airs de juge!

— Allons, personne ne te juge », dit Anne d'une voix conciliante. Elle chercha le regard de Dubreuilh : « C'est tout de même satisfaisant de penser que Lambert a reçu une bonne gifle. »

Dubreuilh ne répondit rien. Henri essaya de rompre les chiens : « Tu as vu Vincent? Qu'est-ce qu'il devient?

— Qu'est-ce que tu veux qu'il devienne? dit-elle d'un ton rogue.

— Il est toujours à la radio?

— Oui. » Nadine hésita : « J'avais une belle histoire à vous raconter, mais je n'ai plus envie.

— Allez : raconte! dit Henri.

— Vincent a retrouvé Sézenac! dit Nadine. Dans un petit hôtel du côté des Batignolles. Dès qu'il a eu l'adresse, il a été frapper chez Sézenac, il voulait lui dire sa façon de penser. Sézenac a refusé de lui ouvrir. Vincent s'est posté devant l'hôtel et l'autre s'est sauvé par un escalier de secours. Depuis trois jours il n'a pas reparu : ni à l'hôtel, ni à son restaurant, ni dans les bars où il se ravitaille en drogue, nulle part ». Elle ajouta d'une voix triomphante : « C'est un aveu, non? S'il n'avait rien sur la conscience, il ne se cacherait pas.

— Ça dépend de ce que Vincent lui a dit à travers la porte, dit Henri. Même innocent, il a pu prendre peur.

— Mais non. Un innocent aurait essayé de s'expliquer » dit Nadine. Elle se tourna vers sa mère et dit d'un ton agressif : « Ça n'a pas l'air de t'intéresser. Pourtant tu l'as connu, Sézenac.

— Oui, dit Anne. Il m'a paru drogué au dernier degré. Quand on en arrive à ce point-là, on est capable de n'importe quoi. »

Il y eut un lourd silence. Henri pensait avec inquiétude : « Vincent retrouvera Sézenac. Et alors? » Si Sézenac parlait, si Lambert était assez furieux contre Henri pour confirmer son histoire, qu'arriverait-il? Anne et Dubreuilh se posaient peut-être la même question.

— Eh bien, si c'est tout l'effet que ça vous fait, j'aurais mieux fait de garder mon histoire pour moi! dit Nadine avec dépit.

— Mais non, dit Henri. C'est une drôle d'histoire : c'est pour ça qu'on rêve dessus.

— Ne prends pas la peine d'être poli! dit Nadine. Vous êtes de grandes personnes et je ne suis qu'une enfant. Ce qui m'amuse ne vous amuse pas, c'est normal. Elle marcha vers la porte : « Je monte voir Maria. »

Elle bouda toute la soirée. « Cette vie à quatre ne lui vaut rien », pensa Henri. « En Italie ça ira mieux. » Et il pensa avec un peu d'angoisse : « Plus que dix jours. » Tout était réglé. Nadine et Maria partaient en wagon-lit, il les précédait en voiture. Dans dix jours. Par moments il sentait déjà sur son visage un vent tiède à l'odeur de sel et de résine, et une bouffée de bonheur lui montait au cœur. A d'autres instants, il éprouvait un regret qui ressemblait à de la rancune : comme si on l'avait exilé contre son gré.

Toute la journée du lendemain, Henri repensa à la conversation qu'il avait eue avec Dubreuilh et qui s'était prolongée tard dans la nuit. La seule question, affirmait Dubreuilh, c'est de décider parmi les choses qui existent celles qu'on préfère. Il ne s'agit pas de résignation : on se résigne quand entre deux choses réelles on accepte celle qui vaut le moins; mais au-dessus de l'humanité telle qu'elle est, il n'y a rien. Oui, sur certains plans, Henri était d'accord. Préférer le vide au plein, c'est ce qu'il avait reproché à Paule : elle se cramponnait à de vieux mythes au lieu de le prendre tel qu'il était. Inversement, il n'avait jamais cherché en Nadine « la femme idéale »; il avait choisi de vivre avec elle tout en connaissant ses défauts. C'est surtout quand on pensait aux livres et aux œuvres d'art que l'attitude de Dubreuilh semblait justifiée. On n'écrit jamais les livres qu'on veut et on peut s'amuser à regarder tout chef-d'œuvre comme un échec; pourtant nous ne rêvons pas d'un art supra-terrestre : les œuvres que nous préférons, c'est d'un amour absolu que nous les aimons. Sur le plan politique, Henri se sentait moins convaincu : parce que là le mal intervient; il n'est pas seulement un moindre bien : il est l'absolu du malheur, de la mort. Seulement si on attache de l'importance au malheur, à la mort, aux hommes un à un, il ne suffit pas de se dire : « De toute façon l'histoire est malheureuse », pour se sentir autorisé à s'en laver les mains : c'est important qu'elle soit plus ou moins malheureuse. Le soir tombait; Henri ruminait à l'ombre du tilleul quand Anne apparut en haut du perron :

— Henri ! Elle l'appelait d'une voix calme, mais pressante et il pensa avec ennui : « Encore un drame avec Nadine. » Il marcha vers la maison.

— Oui?

Dubreuilh était assis à côté de la cheminée et Nadine debout en face de lui, les mains enfoncées dans les poches de son pantalon, l'air buté :

— Sézenac vient de s'amener, dit Anne.

— Sézenac?

— Il prétend qu'on cherche à le tuer. Il se cache depuis cinq jours mais il ne peut plus tenir : cinq jours sans drogue, il est à bout. Elle désigna la porte de la salle à manger : « Il est là, couché sur le divan, malade comme un chien. Je vais le piquer. »

Elle tenait une seringue à la main et il y avait une boîte de pharmacie sur la table.

— Tu le piqueras quand il aura causé, dit Nadine d'une voix dure. Il espérait que maman serait assez poire pour l'aider sans lui poser de questions, ajouta-t-elle. Seulement, pas de chance, j'étais là.

— Il a parlé? demanda Henri.

— Il va parler, dit Nadine. Elle marcha vivement vers la porte et l'ouvrit; d'une voix presque aimable, elle appela : « Sézenac! »

Henri s'immobilisa sur le seuil à côté d'Anne tandis que Nadine s'approchait du divan; Sézenac ne bougea pas, il gisait sur le dos, il

gémissait, ses mains s'ouvraient et se crispaient spasmodiquement :
« Vite! dit-il, vite!

— Tu vas l'avoir ta piqûre, dit Nadine; maman t'apporte de la mor-
phine, regarde. »

Sézenac tourna la tête, son visage ruisselait de sueur.

— Seulement d'abord tu vas me répondre, dit Nadine. En quelle
année as-tu commencé à travailler pour la Gestapo?

— Je vais mourir, dit Sézenac; des larmes coulaient sur ses joues et
il lançait des coups de pied dans le vide. C'était un spectacle difficile
à supporter et Henri aurait bien voulu qu'Anne y mît fin tout de suite;
mais elle semblait paralysée; Nadine s'approcha du divan :

— Réponds et on te fera ta piqûre, dit-elle. Elle se pencha sur Sézenac : « Réponds ou ça va aller mal. En quelle année?

— Jamais », murmura-t-il dans un souffle. Il donna encore un coup
de pied et retomba sur le lit, inerte; il y avait un peu de mousse blanche
au coin de ses lèvres.

Henri fit un pas vers Nadine : « Laisse-le!

— Non; je veux qu'il parle, dit-elle avec violence. Il parlera ou il
crèvera. Tu entends, reprit-elle en revenant sur Sézenac, si tu ne parles
pas, on te laisse crever. »

Anne et Dubreuilh restaient figés sur place; le fait est que si on voulait savoir à quoi s'en tenir sur Sézenac, c'était le moment ou jamais
de le questionner; et mieux valait savoir.

Nadine attrapa Sézenac par les cheveux : « On sait que tu as donné
des juifs, des tas de juifs : quand as-tu commencé? dis-le. » Elle lui
secouait la tête et il gémit :

— Tu me fais mal!

— Réponds, combien de juifs as-tu donnés? dit Nadine.

Il poussa un petit cri de douleur : « Je les aidais, dit-il, je les aidais à
passer. »

Nadine le lâcha : « Tu ne les aidais pas; tu les donnais. Tu en as
donné combien? »

Sézenac se mit à sangloter contre l'oreiller.

— Tu les donnais, avoue! dit Nadine.

— Un de temps en temps, pour sauver les autres, il fallait, dit Sézenac. Il se souleva et regarda autour de lui d'un air hagard : « Vous êtes
injustes! J'en ai sauvé. J'en ai sauvé beaucoup.

— C'est le contraire, dit Nadine. Tu en sauvais un sur vingt, pour
qu'il t'envoie des clients, et tu donnais les autres. Combien en as-tu
donné?

— Je ne sais pas », dit Sézenac. Soudain il cria : « Ne me laissez pas
crever!

— Oh! ça suffit », dit Anne en marchant vers le divan; elle se pencha
vers Sézenac et releva sa manche; Nadine revint vers Henri : « Tu es
convaincu?

— Oui, dit-il; pourtant, ajouta-t-il, je n'arrive pas encore à y croire. »

Souvent il avait vu Sézenac l'œil vitreux, les mains moites, il le voyait prostré sur ce divan; mais tout ça n'effaçait pas l'image du jeune héros cravaté de rouge qui se promenait de barricade en barricade avec un grand fusil sur l'épaule. Ils revinrent s'asseoir dans le bureau et Henri demanda :

— Et alors, qu'est-ce que nous allons faire?

— Il n'y a pas de question, dit Nadine vivement; il mérite une balle dans la tête.

— C'est toi qui vas la tirer? dit Dubreuilh.

— Non; mais je vais téléphoner à la police, dit Nadine qui tendit la main vers l'appareil.

— La police! tu te rends compte de ce que tu dis! dit Dubreuilh.

— Tu livrerais un type à la police? dit Henri.

— Merde alors! un type qui a donné des dizaines de juifs à la Gestapo, tu parles que je vais me gêner! dit Nadine.

— Laisse ce téléphone, et assieds-toi, dit Dubreuilh avec impatience. Il n'est pas question d'appeler les flics. Ceci dit, il faut prendre une décision : on ne peut pas le soigner, l'abriter et le rendre tranquillement à son joli métier.

— Ça serait logique! dit Nadine. Elle s'était adossée au mur et elle regardait les autres d'un air noir.

Il y eut un silence. Quatre ans plus tôt tout aurait été simple : quand l'action est une réalité vivante, quand on croit à des buts, le mot de justice a un sens; un traître, ça s'abat. Que faire d'un ancien traître quand on n'espère plus rien?

— Gardons-le ici deux ou trois jours, le temps de le remettre sur pied, dit Anne; il est vraiment très malade. Et puis on l'expédiera en quelque colonie lointaine : en A.-O. F. par exemple, nous connaissons des gens là-bas. Il ne reviendra jamais : il a trop peur de se faire descendre.

— Et qu'est-ce qu'il deviendra? On ne va pas lui donner des lettres de recommandation, dit Dubreuilh.

— Et pourquoi pas? Faites-lui donc une rente pendant que vous y êtes, dit Nadine. Sa voix tremblait de passion.

— Tu sais, jamais il ne se désintoxiquera, c'est une vraie loque, dit Anne. De toute façon, la vie qu'il a devant lui est bien assez horrible.

Nadine frappa du pied : « Il ne s'en tirera pas comme ça!

— Il y en a tant d'autres qui s'en sont tirés! dit Henri.

— Ce n'est pas une raison. » Elle regarda Henri avec soupçon : « Est-ce que tu aurais peur de lui par hasard?

— Moi?

— Il avait l'air de savoir des choses sur ton compte.

— Il suppose qu'Henri faisait partie du gang de Vincent, dit Dubreuilh.

— Mais non, dit Nadine. Tu l'as entendu. Il m'a dit : « Si je parlais, ton mari risquerait les mêmes ennuis que moi. »

Henri sourit : « Penses-tu que j'aie été agent double?

— Je ne sais pas ce que je dois penser, dit-elle. Moi on ne me dit jamais rien. Je m'en fous, ajouta-t-elle. Vous pouvez garder vos secrets. Mais je veux que Sézenac paye! Vous vous rendez compte de ce qu'il a fait, non?

— Nous nous rendons compte, dit Anne. Mais à quoi ça t'avancerait de le faire payer? On ne ressuscite pas les morts.

— Tu parles comme Lambert! on ne les ressuscite pas, mais ça n'est pas une raison pour les oublier. Nous ne sommes pas morts, nous pouvons encore penser à eux et ne pas baiser les pieds de ceux qui les ont assassinés.

— Mais nous les avons oubliés, dit Anne d'une voix brusque. Ce n'est peut-être pas notre faute; mais ça fait que nous n'avons plus aucun droit sur le passé.

— Je n'ai rien oublié, dit Nadine; pas moi.

— Toi comme les autres; tu as ta vie, tu as une petite fille; tu as oublié. Et si tu tiens tant à ce qu'on punisse Sézenac c'est pour te prouver le contraire; mais c'est de la mauvaise foi.

— Refuser d'entrer dans vos petites cuisines, c'est de la mauvaise foi! » dit Nadine; elle marcha vers la porte-fenêtre :

— Eh bien, vos scrupules, moi j'appelle ça de la lâcheté! cria-t-elle avec violence. Elle claqua la porte derrière elle.

— Je la comprends, dit Anne; quand je pense à Diégo, je la comprends. Elle se leva : « Je vais lui préparer un lit dans le pavillon; il dort, vous n'avez qu'à le transporter... » Elle sortit brusquement et Henri eut l'impression qu'elle était au bord des larmes.

— Autrefois, j'aurais été capable de le descendre moi-même, dit Henri. Aujourd'hui ça n'aurait aucun sens. Et pourtant c'est scandaleux d'aider un type pareil à vivre, ajouta-t-il.

— Oui, toute solution sera forcément mauvaise, dit Dubreuilh. Il regarda Sézenac : « Le seul moment où les problèmes comportent une solution, c'est quand ils ne se posent pas. Si nous étions dans le coup, il n'y aurait pas de problème. Seulement maintenant, on est dehors; alors notre décision sera forcément arbitraire.» Il se leva : «Couchons-le. »

Sézenac dormait, son visage était calme; les yeux fermés, il retrouvait un peu de son ancienne beauté. Il ne pesait pas lourd. Ils le transportèrent jusqu'au pavillon et le couchèrent tout habillé sur le lit. Anne étendit une couverture sur ses jambes.

— Ça semble si inoffensif, quelqu'un qui dort, murmura-t-elle.

— Il n'est peut-être pas si inoffensif que ça, dit Henri. Il sait sûrement un tas de choses sur Vincent et sur ses copains. Et à l'heure qu'il est, il y en a beaucoup qui blanchiraient volontiers un ancien gestapiste pour pouvoir sacquer d'anciens maquisards.

— Vous ne croyez pas que s'il savait des choses, Vincent aurait déjà eu des ennuis? dit Anne.

— Écoute, dit Dubreuilh, tout en le soignant, essaie donc de le cuisiner : les drogués parlent facilement, nous saurons peut-être ce qu'il a dans le ventre. Il réfléchit : « Je pense que de toute façon, le mieux ça sera de l'embarquer.»

— Pourquoi a-t-il fallu qu'il se ramène ici ! » dit Anne.

Elle semblait si bouleversée qu'Henri pensa qu'il fallait la laisser seule avec Dubreuilh. Il monta dans sa chambre en disant qu'il avait l'appétit coupé et qu'il mangerait un morceau un peu plus tard avec Nadine.

Il s'accouda à la fenêtre; il apercevait au loin la masse sombre d'une colline, et tout près, le pavillon où Sézenac gisait : c'est ainsi qu'il gisait dans le studio de Paule, par une joyeuse nuit de Noël. Ils se riaient au visage, ils se félicitaient de la victoire, ils criaient avec Preston : « Vive l'Amérique » et ils buvaient à la santé de l'U. R. S. S. Et Sézenac était un traître, la secourable Amérique se préparait à asservir l'Europe, et quant à ce qui se passait en U. R. S. S., il valait mieux ne pas y regarder de trop près. Vidé des promesses qu'il n'avait jamais enfermées, le passé n'était plus qu'un attrape-nigaud. Dans la colline noire, les phares d'une auto creusèrent une large rainure brillante. Longtemps, Henri resta immobile à regarder serpenter dans la nuit ces routes de lumière. Sézenac dormait et ses crimes avec lui. Nadine arpentait la campagne; il n'avait aucune envie d'une explication. Il se coucha sans attendre son retour.

A travers un rêve confus, Henri crut entendre soudain un bruit insolite, un bruit de grêle; il ouvrit les yeux; un rai de lumière fusait sous la porte : Nadine était rentrée et sa colère veillait, mais le bruit ne venait pas de sa chambre; il y eut une pluie de petits cailloux contre les vitres. « Sézenac », pensa Henri en sautant du lit. Il ouvrit la fenêtre et se pencha : Vincent. Il enfila hâtivement des vêtements et descendit dans le jardin.

— Qu'est-ce que tu fous ici?

Vincent était assis sur le banc de bois vert appuyé au mur de la maison; son visage était calme mais son pied gauche battait le sol d'un mouvement convulsif, la jambe de son pantalon tremblait.

— J'ai besoin de toi. Tu as ton auto?

— Oui; pourquoi?

— Je viens de descendre Sézenac : il faut l'enlever d'ici.

Henri regarda Vincent avec stupeur : « Tu l'as descendu?

— Il n'y a pas eu de parti, dit Vincent, il dormait, je me suis servi de mon silencieux, ça n'a fait aucun bruit. » Il parlait d'une voix nette et rapide; il ajouta : « Seulement ce salaud n'a pas voulu brûler.

— Brûler?

— On a fauché des tablettes de phosphore aux Chleuhs dans le maquis; ça marche très bien d'habitude; mais peut-être que maintenant elles sont trop vieilles, j'avais pourtant fait attention à les garder au sec; j'ai attendu trois heures et le ventre est à peine entamé; il commence à se faire tard; on va l'embarquer dans l'auto.

— Pourquoi as-tu fait ça! » murmura Henri. Il s'assit sur le banc; il savait que Vincent était capable de tuer, qu'il avait tué; mais c'était un savoir abstrait; jusqu'ici, Vincent était un meurtrier sans victime; sa manie, comme la boisson ou la drogue ne mettait en danger que lui;

et voilà qu'il était entré dans le pavillon, un revolver au poing, il avait posé le canon sur une tempe vivante, et Sézenac était mort; pendant trois heures, Vincent était resté en tête à tête avec un copain qu'il venait d'abattre et qui ne voulait pas brûler : « On l'aurait expédié dans quelque jungle d'où il ne serait jamais revenu!

— Plus souvent! dit Vincent; sa jambe se calmait, mais sa parole semblait moins sûre. Sézenac! une donneuse! tu te rends compte! qu'est-ce qu'il nous a possédés! Chancel qui disait : « C'est mon petit frère! » et moi, pauvre con! si je ne m'étais pas méfié, question drogue, il me filait aux poulets; et j'ai fait des trucs pour lui que je n'ai jamais faits pour personne. Même si j'avais été certain que ça me coûtera ma peau, je me serais offert la sienne.

— Comment as-tu su qu'il était ici?

— J'avais suivi sa piste », dit Vincent d'un air vague. Il ajouta : « Je suis venu en vélo, j'aurais fourré les débris dans un sac, attaché une pierre au sac et balancé le tout dans la rivière; je me serais bien débrouillé tout seul. Je ne comprends pas pourquoi il n'a pas brûlé! » répéta-t-il d'un air perplexe. Un instant il médita en silence et il se leva : « On ferait aussi bien de se dépêcher.

— Qu'est-ce que tu veux faire?

— On va l'emmener prendre un bain, un petit bain d'éternité; j'ai repéré un endroit au poil. »

Henri ne bougea pas; il lui semblait qu'on lui demandait de tuer Sézenac avec ses propres mains.

— Qu'est-ce qui ne colle pas? dit Vincent. On ne peut pas le laisser là, non? Maintenant si tu ne veux pas m'aider, ça va, prête-moi seulement la bagnole et je tâcherai de m'en tirer sans toi.

— Je vais t'aider, dit Henri; mais je te demande une chose en échange : promets-moi de quitter ce gang.

— Ce que je viens de faire là, c'est du travail d'isolé, dit Vincent; et pour mon gang, je te répète ce que je t'ai dit autrefois : tu n'as rien de mieux à m'offrir. Tous ces salauds qui se ramènent, qu'est-ce que vous faites contre eux? rien. Alors laisse-nous défendre.

— Ce n'est pas une manière de se défendre.

— Tu n'en as pas de meilleure à me proposer. Viens ou ne viens pas, ajouta Vincent, mais décide-toi.

— Ça va, dit Henri; je viens.

Ça n'était pas le moment de discuter; d'ailleurs il ne savait pas de quoi il parlait, rien ne semblait vrai; un petit vent jouait avec les branches du tilleul, l'odeur des roses vieillissantes montait vers la maison aux volets bleus, c'était une de ces nuits comme toutes les nuits, où rien n'arrive. Il suivit Vincent à l'intérieur du pavillon, et ce fut le monde quotidien qui bascula dans le néant; l'odeur était irréfutable : épaisse, triomphante, l'odeur qui remplit les cuisines quand on flambe les duvets d'un poulet. Henri regarda le lit et retint une exclamation : un nègre. L'homme couché sur le drap blanc avait un visage tout noir.

— C'est le phosphore, dit Vincent. Il rejeta le drap : « Regarde ça! »

Le petit trou dans la tempe était bouché avec du coton, pas une trace de sang, Vincent était méticuleux. Le corps aux côtes saillantes avait la couleur du pain brûlé et le phosphore avait creusé au milieu du ventre une faille profonde; il n'y avait aucun rapport entre Sézenac et ce gisant noirâtre.

— Et les vêtements? dit Henri.

— Je les embarque dans mes sacoches; je m'en charge. Il saisit le cadavre sous les bras : « Attention qu'il ne se casse pas en deux; ça ferait du vilain », dit-il d'une voix compétente d'infirmier. Henri prit le cadavre par les pieds et ils le transportèrent jusqu'au garage.

— Attends que je prenne mon attirail, dit Vincent.

Il avait caché sa bicyclette derrière un buisson; il en ramena une corde et un sac alourdi par une pierre.

— Il ne tiendra pas dans le sac; mais je vais m'arranger, dit Vincent. Il ligota solidement contre le ventre de Sézenac la pierre enveloppée dans le sac qu'il amarra par un nœud coulant autour du corps : « Comme ça, il est sûr d'aller au fond », dit-il avec satisfaction.

Ils couchèrent la chose sur la banquette arrière et la recouvrirent d'un plaid. La maison semblait dormir; seule la fenêtre de Nadine restait allumée : se doutait-elle de quelque chose? Ils poussèrent la voiture jusqu'à la route, et Henri s'efforça de démarrer en silence; le village aussi semblait dormir, mais il y avait sûrement des insomniaques qui épiaient tous les bruits.

— Il en a donné beaucoup de juifs? demanda Henri. La justice n'avait pas grand-chose à voir dans cette histoire, mais il avait besoin de se convaincre des crimes de Sézenac.

— Des centaines; c'était du travail à la grosse, ces passages de ligne. Salaud! quand je pense qu'il a failli m'échapper! dit Vincent. C'est ma faute, j'ai fait une maladresse; quand j'ai retrouvé sa piste, j'ai eu la connerie de courir à son hôtel, je l'aurais descendu dans sa chambre ce qui n'aurait pas été bien malin; il a refusé de m'ouvrir et il m'a filé entre les doigts. Je l'ai eu tout de même eu!

Il parlait, d'une voix qui bredouillait un peu, tandis que la voiture roulait sur la route endormie; on avait peine à croire, sous ce ciel silencieux, que des hommes, un peu partout, étaient en train de mourir, de tuer, et que cette histoire était vraie.

— Pourquoi travaillait-il avec la Gestapo? dit Henri.

— Besoin de fric, dit Vincent. Je croyais qu'il se droguait seulement depuis la mort de Chancel, depuis que tout a commencé à devenir dégueulasse; mais non, ça remonte loin. Pauvre Chancel! il disait que Sézenac aimait la vie dangereuse et il admirait ça, il ne se doutait pas que ça voulait dire la drogue et du fric à tout prix.

— Mais pourquoi se droguait-il? c'était un jeune bourgeois bien de chez lui.

— C'était un dévoyé, dit Vincent d'un air puritain, un dévoyé qui est devenu un salaud. Il se tut et au bout d'un instant il fit un signe :
« Voilà le pont. »

La route était déserte, la rivière déserte; en une seconde ils balancèrent au-dessus du parapet la chose qui avait été Sézenac; il y eut un bruit d'eau, un remous, quelques rides et de nouveau une rivière ingénue, la route déserte, le ciel, le silence. « Jamais je ne saurai qui vient de s'engloutir » pensa Henri; cette idée le gênait comme s'il avait au moins dû à Sézenac une exacte oraison funèbre.

— Je te remercie, dit Vincent quand ils eurent fait demi-tour.

— Garde tes remerciements, dit Henri; je t'ai aidé parce qu'il fallait bien; mais je suis contre, plus que jamais.

— Un salaud de moins, c'est un salaud de moins, dit Vincent.

— Sézenac, je comprends que tu aies tenu à lui régler son compte, dit Henri; mais des types que tu ne connais pas, ne me dis pas que tu as de vraies raisons de les descendre : c'est une espèce de drogue que tu as trouvée là, toi aussi, une manie.

— Tu te trompes, dit Vincent vivement; je n'aime pas tuer; je ne suis pas un sadique, je déteste le sang. Il y en avait des types dans le maquis pour qui descendre des miliciens c'était une partie de plaisir : ils les découpaient en rondelles, avec leurs mitraillettes; moi j'avais horreur de ça. Je suis un type normal, tu le sais bien.

— Il doit y avoir quelque chose qui cloche, dit Henri; ce n'est pas normal de tuer pour tuer.

— Je ne tue pas pour tuer, mais pour que certains salauds crèvent.

— Et pourquoi tiens-tu tellement à ce qu'ils crèvent?

— Un gars que tu détestes vraiment, c'est normal de souhaiter qu'il crève; c'est dans le cas contraire qu'on serait tordu. Il haussa les épaules : « C'est des salades ces histoires que les tueurs c'est des obsédés sexuels et tout le fourbi; je ne dis pas que dans la bande il n'y ait pas un ou deux cinglés; mais les plus déchaînés, c'est de bons pères de famille qui baisent tout leur content et sans histoire. »

Ils roulèrent un moment en silence.

— Tu comprends, dit Vincent. Il faut savoir de quel côté on est.

— Pas besoin de tuer pour ça, dit Henri.

— Il faut se mouiller.

— Gérard Patureau, quand il va défendre des Malgaches au risque de se faire lyncher, il se mouille et ça a un sens. Arrange-toi pour te mouiller en faisant quelque chose d'utile.

— Qu'est-ce que tu veux faire d'utile quand on va tous crever dans la prochaine guerre? On peut régler des comptes, c'est tout.

— Il n'y aura peut-être pas la guerre.

— Tu parles! On est fait comme des rats! dit Vincent.

Ils arrivaient devant le jardin et Vincent ajouta :

— Écoute, si jamais il y avait un pépin, tu ne sais rien, tu n'as rien vu, rien entendu. Sézenac a disparu et vous avez pensé qu'il avait mis les bouts. S'ils te racontent que j'ai parlé, sois sûr et certain que c'est un bluff. Nie tout.

— S'il y a un pépin, je ne te laisserai pas tomber, dit Henri. Pour l'instant, fous le camp en silence.

— Je fous le camp.

Henri rentra l'auto dans le garage; quand il ressortit, Vincent avait disparu; on pouvait supposer en effet que Sézenac s'était envolé; Vincent n'avait pas mis les pieds à Saint-Martin; il ne s'était rien passé.

Il s'était passé quelque chose; dans la grisaille du petit matin ils étaient assis tous les trois au milieu du living-room, Anne et Dubreuilh enveloppés de robes de chambre, et Nadine tout habillée; elle pleurait; elle releva la tête et dit d'une voix hagarde : « D'où viens-tu? »

Il s'assit à côté d'elle et passa un bras autour de ses épaules. « Pourquoi pleures-tu?

— C'est ma faute! gémit Nadine.

— Qu'est-ce qui est ta faute?

— C'est moi qui ai téléphoné à Vincent. J'ai téléphoné du café. Pourvu qu'on n'ait rien entendu! »

Anne dit vivement : « Elle voulait seulement que Vincent dénonce Sézenac à la police.

— Je l'ai supplié de ne pas venir, dit Nadine; mais rien à faire. Je l'ai attendu sur la route, j'avais peur. Il m'a juré qu'il voulait causer avec Sézenac, il m'a renvoyée dans ma chambre. Beaucoup plus tard, il a jeté des cailloux dans ma fenêtre, il m'a demandé quelle était la tienne. Qu'est-ce qui est arrivé? demanda-t-elle d'une voix terrorisée.

— Sézenac est au fond de la rivière avec une grosse pierre au cou, dit Henri; on ne le retrouvera pas de sitôt.

— Oh! mon Dieu! Nadine pleurait avec des sanglots qui remuaient tout son corps vigoureux.

— Sézenac méritait une balle dans la peau, tu l'as dit toi-même, dit Dubreuilh; et je crois bien que c'est ce qui pouvait lui arriver de mieux.

— Il était vivant, et maintenant il est mort! dit Nadine; c'est tellement horrible! »

Un long moment ils la laissèrent pleurer sans rien dire; elle releva la tête : « Qu'est-ce qui va se passer maintenant?

— Rien du tout.

— Si on le retrouve?

— On ne le retrouvera pas, dit Henri.

— On va s'inquiéter de sa disparition; qui sait s'il n'a pas dit à son amie ou à des copains qu'il venait ici? est-ce que personne au village n'a remarqué tes allées et venues et celles de Vincent? et s'il y a près de Vincent un autre mouton et qu'il devine tout?

— Ne t'agite pas. Si le pire arrive, je me défendrai.

— Tu es complice d'un assassinat.

— Je suis sûr qu'avec un bon avocat je serai acquitté, dit Henri.

— Non, ce n'est pas sûr! » dit Nadine.

Elle pleurait avec une passion de remords qui consternait Henri; c'est par rancune contre ses parents et contre lui-même qu'elle était entrée dans la cabine téléphonique; était-ce vraiment impossible de déraciner en elle le ressentiment têtu dont elle était la première victime? comme elle se rendait malheureuse!

— On te mettra en prison, pendant des années! dit-elle.

— Mais non! dit Henri.

Il prit Nadine par le bras : « Viens te reposer. Tu n'as pas dormi de la nuit.

— Je ne pourrai pas dormir.

— Tu vas essayer. Moi aussi. »

Ils montèrent l'escalier et ils entrèrent dans la chambre d'Henri. Nadine s'essuya les yeux et se moucha bruyamment : « Tu me détestes, n'est-ce pas?

— Tu es cinglée! dit Henri. Tu sais ce que je pense? ajouta-t-il : c'est que toi tu détestes un peu tout le monde. Les autres, ça m'est égal; mais il ne faut pas que tu me détestes, moi : parce que moi, je t'aime, mets-toi ça dans la tête.

— Mais non tu ne m'aimes pas, dit Nadine. Et tu as raison : je ne suis pas aimable.

— Assieds-toi là », dit Henri. Il s'assit à côté d'elle et posa sa main sur la sienne. Il avait bien envie de se retrouver seul, mais il ne pouvait pas abandonner Nadine à ses remords; il en avait lui-même parce qu'il n'avait pas réussi à gagner sa confiance : « Regarde-moi! » dit-il.

Elle tourna vers lui un pauvre visage aux yeux battus et il eut un grand élan vers elle. Oui, ce qu'on préfère à tout, on l'aime; il tenait à elle plus qu'à n'importe qui : il l'aimait et il fallait qu'il l'en convainque.

— Tu penses vraiment que je ne t'aime pas? c'est sérieux?

Nadine haussa les épaules : « Pourquoi m'aimerais-tu? Qu'est-ce que je t'apporte? Je ne suis même pas jolie.

— Ah! laisse tomber ces complexes idiots, dit Henri. Tu me plais comme tu es. Et ce que tu m'apportes, c'est toi : c'est tout ce que je te demande puisque je t'aime. »

Nadine le regarda d'un air désolé : « Je voudrais bien te croire.

— Essaie.

— Non, dit-elle. Je me connais trop.

— Je te connais aussi, tu sais.

— Justement.

— Je te connais et je ne pense que du bien de toi : alors?

— Alors c'est que tu me connais mal. »

Henri se mit à rire : « Voilà un beau raisonnement!

— Je suis moche! dit Nadine. Tout le temps je fais des choses moches.

— Mais non. Ce soir tu étais en colère et ça se comprend. Tu n'as pas prévu ce qui allait se passer. Cesse donc de te ravager.

— Tu es gentil, dit Nadine. Mais je ne le mérite pas. » Elle se remit à pleurer : « Pourquoi est-ce que je suis comme ça? Je me dégoûte.

— Tu as bien tort, dit Henri tendrement.

— Je me dégoûte! répéta-t-elle.

— Il ne faut pas, mon chéri, dit Henri. Vois-tu, tout irait beaucoup mieux si tu n'avais pas décidé que personne ne t'aime : tu en veux aux gens de leur soi-disant indifférence, alors de temps en temps tu leur mens ou tu leur fais un coup en vache, par représailles. Mais ça ne va jamais très loin, et ça ne part pas d'une âme bien noire. »

Nadine secoua la tête : « Tu ne sais pas de quoi je suis capable. »

Henri sourit : « Je le sais très bien. »

— Non, dit-elle d'une voix si désespérée qu'Henri la prit dans ses bras.

— Écoute, dit-il, si tu as quelque chose sur le cœur, tu ferais mieux de me le dire. Ça te paraîtra moins terrible, quand tu l'auras dit.

— Je ne peux pas, dit Nadine. C'est trop moche.

— Ne le dis pas si tu ne veux pas, dit Henri. Mais si c'est ce que je pense, ce n'est pas si grave. »

Nadine le regarda avec inquiétude : « Qu'est-ce que tu penses?

— Il s'agit de quelque chose qui nous concerne toi et moi?

— Oui, dit-elle sans le quitter des yeux. Ses lèvres tremblaient.

— Tu as fait exprès d'être enceinte? C'est ça qui te tourmente? »

Nadine baissa la tête : « Comment as-tu deviné?

— Il fallait bien que tu aies triché : c'était la seule explication.

— Tu avais deviné! dit-elle. Ne me dis pas que je ne te dégoûte pas!

— Mais Nadine, tu n'aurais jamais accepté que je t'épouse à contre-cœur, jamais tu ne m'aurais fait de chantage! C'est juste un petit jeu que tu as joué avec toi-même. »

Elle leva les yeux vers lui d'un air suppliant :

— Non, je n'aurais jamais fait de chantage.

— Je sais bien. Tu as dû avoir une crise d'hostilité contre moi, pour une raison ou pour une autre, alors tu as machiné cette histoire; ça t'amusait de m'imposer une situation que je n'avais pas voulue; mais tu risquais plus que moi puisque tu n'as jamais eu sérieusement l'intention de me forcer la main.

— C'était quand même moche! dit Nadine.

— Mais non. C'était surtout inutile : un peu plus tôt un peu plus tard, on se serait mariés et on aurait eu un enfant.

— C'est vrai, ça? dit Nadine.

— Évidemment. On s'est mariés par ce que ça nous plaisait à tous les deux. Je me sentais d'autant moins de devoirs envers toi que je me doutais que tu avais voulu ce qui t'arrivait.

Nadine hésita : « Je suppose bien que si ça t'avait déplu de vivre avec moi, tu ne l'aurais pas fait, dit-elle.

— Fais un petit effort de plus, dit Henri gaiement. Comprends que ça me déplairait si je ne t'aimais pas.

— Ça, c'est autre chose, dit Nadine. On peut se plaire avec quelqu'un sans l'aimer.

— Pas moi, dit Henri. Enfin! pourquoi ne veux-tu pas croire que je t'aime? ajouta-t-il avec un peu d'impatience.

— Ce n'est pas ma faute, dit Nadine en soupirant. Je suis méfiante.

— Tu ne l'as pas toujours été, dit Henri. Avec Diégo tu ne l'étais pas. »

Nadine se raidit : « C'était différent.

— En quoi?

— Diégo était à moi.

— Pas plus que je ne le suis, dit Henri vivement. La différence c'est qu'il était un enfant : mais il aurait vieilli. Et si tu ne décidais pas a priori que tout adulte est un juge, donc un ennemi, mon âge ne te gênerait pas.

— Avec toi, ça ne sera jamais comme avec Diégo, dit Nadine fermement.

— Il n'y a pas deux amours qui soient pareils, dit Henri. Mais pourquoi comparer? Évidemment si tu cherches dans notre histoire autre chose que ce qu'elle est, tu ne le trouveras pas.

— Je n'oublierai jamais Diégo, dit Nadine.

— Ne l'oublie pas. Mais ne te sers pas de tes souvenirs contre moi. C'est ce que tu fais, ajouta-t-il. Pour un tas de raisons, tu boudes ta vie présente; alors tu te réfugies dans le passé; au nom du passé, tu prends des supériorités sur tout ce qui t'arrive. »

Nadine le regarda d'un air un peu hésitant : « Oui, je tiens à mon passé, dit-elle.

— Je te comprends bien, dit Henri. Seulement, il faut voir une chose: ce n'est pas parce que tu as des souvenirs très forts que tu mets de la mauvaise volonté à vivre; c'est l'inverse; tu utilises tes souvenirs pour te justifier. »

Nadine garda un moment le silence; elle se mordait la lèvre inférieure d'un air concentré : « Pourquoi est-ce que je suis de mauvaise volonté?

— Par ressentiment, par méfiance. Ça fait un cercle vicieux, dit Henri. Tu doutes de mon amour, alors tu m'en veux et pour me punir, tu te méfies de moi et tu boudes. Mais réfléchis, dit-il d'une voix pressante : si je t'aime, je mérite ta confiance et tu es injuste en ne me la donnant pas. »

Nadine haussa les épaules d'un air désolé : « Si c'est un cercle vicieux, on ne peut pas en sortir.

— Tu peux, dit Henri. Si tu le veux, tu peux. » Il la serra contre lui : « Décide de me donner ta confiance même sans être sûre que je la mérite. L'idée d'être dupe te fait horreur : mais ça vaut encore mieux que d'être injuste. Et tu verras, ajouta-t-il : je la mériterai.

— Tu me trouves injuste avec toi? dit Nadine.

— Oui. Tu es injuste quand tu me fais grief de ne pas être Diégo. Injuste quand tu me regardes comme un juge alors que je suis un homme qui t'aime.

— Je ne veux pas, dit Nadine d'une voix anxieuse, je ne veux pas être injuste. »

Henri sourit : « Ne le sois plus. Si tu y mets un peu de bonne volonté, je finirai bien par te convaincre », dit-il en l'embrassant.

Elle jeta les bras autour de son cou : « Je te demande pardon, dit-elle.

— Je n'ai rien à te pardonner. Viens, ajouta-t-il. Maintenant tu vas essayer de dormir. On reparlera de tout ça demain. »

Il l'aida à se coucher et la borda dans son lit. Il regagna sa chambre. Jamais il n'avait parlé si franchement avec Nadine et il lui semblait

que quelque chose en elle avait fléchi. Il fallait persévérer. Il soupira.
Et alors? Pout la rendre heureuse il aurait fallu qu'il le fût lui-même.
Ce matin, il ne savait plus du tout ce que ce mot pouvait bien vou-
loir dire.

Deux jours plus tard les journaux n'avaient pas signalé la disparition
de Sézenac. Henri croyait encore sentir autour du pavillon une odeur
de brûlé, l'image du visage boursouflé, du ventre entaillé, ne s'effaçait
pas; mais ce cauchemar était déjà recouvert par une autre angoisse : les
Trois venaient de rompre avec Moscou, la situation était si tendue entre
l'Est et l'Ouest que la guerre semblait imminente. Henri et Nadine
conduisirent Dubreuilh en auto gare de Lyon cet après-midi-là : il
était sombre, comme tant de monde. Henri le regarda de loin serrer des
mains dans le hall de la gare : il devait penser que c'était dérisoire de
s'en aller justement aujourd'hui défendre la paix à coup de discours.
Pourtant, quand il se dirigea vers les quais en compagnie de trois autres
types, Henri les suivit des yeux avec une espèce de regret. Il avait l'impression d'être exclu.
— Qu'est-ce qu'on fait? demanda Nadine.
— D'abord allons chercher ton billet, et le tryptique.
— On y va quand même?
— Oui, dit Henri. Si on voit que la situation s'aggrave, on remettra
notre départ. Mais peut-être il y aura une détente. On a fixé une date :
pour l'instant, on s'y tient.
Ils firent des courses, ils achetèrent des disques, ils passèrent à *Vigilance*, et puis à *L'Enclume*, voir Lachaume : les communistes avaient
décidé de prendre officiellement l'affaire malgache en main, aussitôt
le verdict rendu; le bureau politique ferait une déclaration, on ferait
circuler des pétitions, on organiserait des meetings; Lachaume s'appliquait visiblement à l'optimisme, mais il savait bien qu'on n'obtiendrait
rien; touchant la situation internationale, il n'était pas gai non plus.
Henri emmena Nadine au cinéma. Au retour, comme ils roulaient sur
l'autoroute, à travers un crépuscule mouillé, elle le harcela de questions
auxquelles il ne pouvait pas répondre. « S'ils veulent te mobiliser,
qu'est-ce que tu feras? Comment ça se passera-t-il si les Russes occupent
Paris? Qu'est-ce qu'on deviendra si l'Amérique gagne? » Le dîner fut
morne et tout de suite après Anne monta dans sa chambre. Henri resta
dans le bureau avec Nadine. Elle tira de son sac deux enveloppes gon-
flées et son coupon de wagon-lit :
— Tu veux voir ton courrier?
— Oui, donne-le-moi.
Nadine lui passa une des enveloppes, elle examina son billet : « Tu
te rends compte! Je vais voyager en wagon-lit : j'aurai honte.
— Tu n'es pas contente? Autrefois tu avais tant envie de voyager
en wagon-lit.

— Quand je voyageais en troisième, j'enviais les gens des wagons-lits; mais je n'aime pas penser que maintenant c'est moi qu'on va envier » dit Nadine. Elle remit le coupon dans son sac : « Depuis que j'ai ce billet dans les mains, ça me paraît terriblement réel ce départ.

— Pourquoi dis-tu : terriblement?

— C'est toujours un peu terrible, un départ, non?

— Moi, ce qui me gêne, c'est l'incertitude, dit Henri. Je voudrais être sûr qu'on pourra partir.

— De toute façon, on aurait pu reculer la date, dit Nadine. Ça ne t'ennuie pas de ne pas prendre part à ce meeting dont parlait Lachaume?

— Puisque les communistes vont donner à fond, on n'a plus besoin de moi, dit Henri. Si on commence à remettre ce départ, il n'y a pas de raison de s'arrêter, ajouta-t-il vivement. Le 14, un nouveau procès commence. Et quand on en aura fini avec Madagascar, il arrivera d'autres choses. Il faut couper court.

— Oh! ça te regarde », dit Nadine.

Elle se mit à tripoter les *Argus* et il déplia une lettre : une lettre de jeune homme, très aimable. Il y avait beaucoup de lettres aimables. D'ordinaire, ça lui faisait plaisir. Mais cette nuit, sans qu'il sût trop pourquoi, ça l'irritait de penser qu'aux yeux de certaines gens il passait pour un beau spécimen humain. La pendule sonna dix heures. Dubreuilh était en train de parler contre la guerre. Henri pensa soudain qu'il aurait voulu être à sa place. Il s'était dit souvent : « La guerre, c'est comme la mort, ça ne sert à rien de s'y préparer. » Mais quand un avion pique du nez, il vaut mieux être le pilote qui essaie de le redresser qu'un passager terrorisé. Faire quelque chose, ne fût-ce que parler, c'était mieux que de rester assis dans son coin avec ce poids obscur sur le cœur. Henri imagina la salle pleine de monde, les visages tendus vers Dubreuilh, Dubreuilh tendu vers eux, leur lançant des mots : pas de place en eux pour la peur, pour l'angoisse; ensemble ils espéraient. A la sortie, Dubreuilh irait manger du saucisson en buvant du beaujolais : ça serait un bistrot quelconque, personne n'aurait grand-chose à dire aux autres, mais ils se sentiraient bien. Henri alluma une cigarette. On n'arrête pas une guerre avec des mots; mais la parole ne prétend pas forcément changer l'histoire : c'est aussi une certaine manière de la vivre. Dans le silence de ce bureau, abandonné à ses cauchemars intimes, Henri sentait qu'il la vivait mal.

— Le dernier numéro a une bonne presse, dit Nadine. On dit beaucoup de bien de ta nouvelle.

— Elle se tient, cette revue, dit Henri avec indifférence.

— Son seul tort, c'est d'être une revue, dit Nadine. Évidemment, pour ce qui est de l'actualité, ça serait autre chose si on avait un hebdo.

— Pourquoi ton père ne se décide-t-il pas? dit Henri. Il en grille d'envie. Les types de son mouvement en seraient ravis et les communistes voient le projet d'un très bon œil. Qu'est-ce qui l'arrête?

— Tu sais bien, dit Nadine. Il ne veut pas s'en mêler sans toi.

— C'est absurde, dit Henri. Il trouvera tous les collaborateurs qu'il voudra.

— Ça n'est pas pareil, dit Nadine vivement. Il aurait besoin de quelqu'un sur qui il puisse se reposer les yeux fermés. Il a changé, tu sais, ajouta-t-elle. Ça doit être l'âge. Il ne se croit plus capable de n'importe quoi.

— Je pense qu'il finira tout de même par se décider, dit Henri. Tout le monde l'y pousse.

Nadine chercha le regard d'Henri : « Si nous n'étions pas partis pour l'Italie, ça t'aurait amusé de t'en occuper?

— On part justement pour fuir ce genre de trucs, dit Henri.

— Pas moi, dit-elle. Moi je pars pour vivre au soleil dans un bel endroit.

— Bien sûr, il y a ça aussi », dit Henri.

Nadine tendit la main vers les lettres : « Je peux lire?

— Si ça t'amuse. »

Il se mit à feuilleter les *Argus* mais sans conviction; il ne s'occuperait plus de *Vigilance*, tout ça ne le concernait plus.

— Elle est gentille la lettre du petit étudiant, dit Nadine.

Henri se mit à rire : « Celui qui dit que ma vie lui sert d'exemple?

— On suit les exemples qu'on peut, dit Nadine avec un sourire. Sérieusement, reprit-elle, il a compris des trucs.

— Oui. Mais c'est idiot cette idée d'homme total. En fait je suis un écrivain petit-bourgeois qui se débrouille tant bien que mal et plutôt mal que bien entre ses obligations et ses goûts : rien de plus. »

Le visage de Nadine s'assombrit : « Et moi, qu'est-ce que je suis? »

Henri haussa les épaules : « La vérité c'est qu'il ne faut pas s'occuper de ce qu'on est. Sur ce plan-là, on ne peut pas s'en tirer. »

Nadine le regarda d'un air indécis : « Sur quel autre plan veux-tu que je me mette? »

Henri ne répondit rien. Et lui : sur quel plan allait-il se mettre, quand il serait en Italie? Il recommencerait à se passionner pour ce qu'il écrirait, alors, il ne serait plus tenté de se mettre en question comme écrivain. Soit. Mais ça ne sauve pas tout d'être un écrivain. Il voyait mal comment il éviterait de penser à lui.

— Tu as Maria, tu as ta vie, tu as des choses qui t'intéressent, dit-il mollement.

— J'ai aussi beaucoup de temps, dit Nadine. A Porto Venere on aura énormément de temps.

Henri dévisagea Nadine : « Ça te fait peur?

— Je ne sais pas, dit-elle. Je me rends compte qu'avant d'avoir ce billet en poche, je n'avais jamais vraiment cru à ce départ. Tu y croyais, toi?

— Évidemment.

— Ce n'est pas si évident, dit Nadine d'une voix un peu agressive. On parle, on échange des lettres, on fait des préparatifs : mais tant qu'on n'est pas monté dans le train, ça pourrait très bien n'être qu'un jeu. »

Elle ajouta : « Est-ce que tu es seulement sûr que tu as envie de partir?
— Pourquoi demandes-tu ça? dit-il.
— Une impression que j'ai, dit-elle.
— Tu penses que j'ai peur de m'ennuyer avec toi?
— Non. Tu m'as dit vingt fois que je ne t'ennuyais pas et j'ai décidé de te croire, dit-elle d'un ton grave. Je pense à l'ensemble...
— Quel ensemble? » dit Henri.

Il était un peu irrité. Ça ressemblait bien à Nadine : elle voulait des trucs, plus âprement que n'importe qui, et quand elle les obtenait, elle s'affolait. C'est elle qui avait eu l'idée de cette maison, elle semblait y tenir si fort que pas un instant Henri n'avait remis ce projet en question. Soudain elle le laissait seul devant un avenir qui n'était plus donné.

— Tu dis que tu ne liras plus les journaux : mais tu les liras, dit Nadine. Ça fera drôle quand on recevra *Vigilance*, ou cet hebdomadaire, si un jour il paraît.

— Écoute, dit Henri, quand on s'en va comme ça pour longtemps il y a toujours un mauvais moment à passer. Ce n'est pas une raison pour changer brusquement tous ses plans.

— Ça serait bête de partir seulement pour ne pas changer nos plans, dit Nadine posément.

— Tu as entendu ce que disait ton père l'autre jour? Si je restais, tout recommencerait comme autrefois, quand tu me reprochais de ne pas prendre le temps de vivre.

— J'ai dit beaucoup de bêtises autrefois, dit Nadine.

— Cette année, j'ai pris mon temps et j'ai été très heureux, dit Henri. Je pars en Italie pour que ça continue.

Nadine le regarda d'un air hésitant : « Si tu penses vraiment que tu seras heureux là-bas... »

Henri ne répondit pas. Heureux : le fait est que le mot n'avait plus de sens. On ne possède jamais le monde : pas question non plus de se protéger contre lui. On est dedans, c'est tout. A Porto Venere comme à Paris, toute la terre serait présente autour de lui avec ses misères, ses crimes, ses injustices. Il pouvait bien user le reste de sa vie à fuir, il ne serait jamais à l'abri. Il lirait les journaux, il écouterait la radio, il recevrait des lettres. Tout ce qu'il gagnerait, c'est qu'il se dirait : « Je n'y peux rien. » Brusquement, quelque chose explosa dans sa poitrine. Non. La solitude qui l'étouffait ce soir, cette muette impuissance, ce n'est pas ça qu'il voulait. Non. Il n'accepterait pas de se dire à jamais : « Tout se passe sans moi. » Nadine avait vu clair : pas un instant il n'avait vraiment choisi cet exil. Il se rendait compte soudain que depuis des jours il en subissait l'idée avec horreur.

— Tu serais contente si on restait ici? demanda-t-il.

— Je serai contente partout si toi tu l'es, dit-elle avec élan.

— Tu avais envie de vivre au soleil, dans un bel endroit?

— Oui. Nadine hésita : « Tu sais, les gens qui rêvent au paradis, quand on les met au pied du mur, ils ne sont plus si pressés d'y aller, dit-elle.

— Autrement dit, tu regretterais de partir? »

Nadine le regarda d'un air sérieux : « Je te demande une chose : fais ce dont tu as envie, toi. Je pense que je suis aussi égoïste qu'avant, ajouta-t-elle, mais je suis moins courte. Si je pense t'avoir forcé la main, ça m'empoisonnera l'existence.

— Je ne sais plus bien ce dont j'ai envie », dit Henri. Il se leva et mit sur le plateau du phonographe un des disques qu'il venait d'acheter. S'il ne partait pas, il ne trouverait pas souvent le temps de les écouter. Il regarda autour de lui. S'il ne partait pas, il savait ce qui l'attendait; cette fois, il était prévenu : « Au moins j'éviterai certains pièges », se dit-il; et il pensa avec résignation : « Je tomberai dans d'autres. »

— Veux-tu qu'on écoute un peu de musique? dit-il. Nous n'avons pas besoin de rien décider ce soir.

Mais il savait qu'il était déjà décidé.

CHAPITRE XII

Est-ce que je pressentais déjà que j'en viendrais là? Quand j'ai fauché cette fiole dans le sac de Paule, je comptais la jeter : et je l'ai cachée au fond de ma boîte à gants. Il suffit de monter dans ma chambre, il suffit d'un geste, et j'en aurai fini. Ça me rassure de penser ça. J'appuie ma joue contre l'herbe chaude, je dis à voix basse : « Je veux mourir »; ma gorge se dénoue, je me sens soudain très calme.

Ce n'est pas à cause de Lewis. Voilà quinze jours que la grosse orchidée s'est fanée, que je l'ai jetée, une affaire classée. Déjà à Chicago, j'ai commencé à guérir : je guérirai, je ne pourrai pas m'en empêcher. Ce n'est pas à cause de ces hommes qu'on assassine un peu partout, ni à cause de la guerre qui menace : être tué ou mourir, ça ne fait pas tant de différence, et tout le monde meurt, au même âge à peu près, à quarante ans près. Non. Rien de tout ça ne me touche; si les choses me touchaient, je me sentirais vivante, je ne souhaiterais pas cesser de l'être. Mais de nouveau, comme en ce jour de mes quinze ans, où j'ai crié de peur, la mort me traque. Je n'ai plus quinze ans. Je n'ai plus la force de fuir. Pour quelques jours d'attente, le condamné à mort se pend dans sa cellule : et on voudrait que je patiente pendant des années! A quoi bon? Je suis fatiguée. La mort semble bien moins terrible, quand on est fatigué. Si je peux mourir du désir que j'ai d'elle, profitons-en.

Voilà quinze jours que ça dure : depuis le moment où j'ai débarqué à Paris. Robert m'attendait gare des Invalides. Il ne m'a pas vue tout de suite. Il marchait le long du trottoir, à petits pas de vieillard et j'ai pensé dans un éclair : « Il est vieux! » Il m'a souri, son regard était toujours aussi jeune : mais son visage a commencé à se défaire, il se défera jusqu'au jour où il se décomposera. Depuis, je ne cesse plus de penser : « Il en a pour dix ou quinze ans, pour vingt ans peut-être : c'est court vingt ans! Et puis il mourra. Il mourra avant moi. » La nuit, je me réveille en sursaut, je me dis : « Il mourra avant moi. » Il parlait avec Henri ce matin, ils disaient qu'il fallait recommencer, qu'on recommence toujours, qu'on ne peut pas faire autrement, ils tiraient des plans, ils discutaient. Et moi je regardais ses dents; il n'y a que ça de loyal dans un corps : les dents où le squelette se découvre; je regardais le squelette de Robert et je me disais : « Il attend son heure. » L'heure viendra. On nous laisse languir plus ou moins longtemps, mais il n'y a jamais de grâce. Je verrai Robert couché sur un lit, le teint cireux, un faux sourire aux lèvres, je serai seule devant son cadavre. Quel men-

songe, les tranquilles gisants de pierre qui dorment côte à côte dans
les cryptes, et ces époux enlacés sur leurs urnes funéraires! On peut
bien mélanger nos cendres : on ne confondra pas nos morts. J'ai cru
pendant vingt ans que nous vivions ensemble; mais non; chacun est
seul, enfermé dans son corps, avec ses artères qui durcissent sous la
peau qui se dessèche, avec son foie, ses reins qui s'usent et son sang
qui pâlit, avec sa mort qui mûrit sourdement en lui et qui le sépare de
tous les autres.

Je sais ce que Robert me dirait, il me l'a déjà dit : « Je ne suis pas
un mort en sursis. Je suis un vivant. » Il m'avait convaincue. Mais
c'est qu'alors il parlait à une vivante, et la vie est la vérité des vivants.
Je jouais avec l'idée de mort : avec l'idée seulement; j'étais encore de
ce monde. Aujourd'hui, c'est autre chose. Je ne joue plus. La mort
est là; elle masque le bleu du ciel, elle a englouti le passé et dévoré
l'avenir; la terre est glacée, le néant l'a reprise. Un mauvais rêve flotte
encore à travers l'éternité : une bulle, que je vais crever.

Je me soulève sur un coude, je regarde la maison, le tilleul, le berceau où dort Maria; c'est un jour comme les autres, et en apparence
le ciel est bleu. Mais quel désert! Tout se tait. Peut-être ce silence,
c'est seulement le silence de mon cœur. Il n'y a plus d'amour en moi,
pour personne, pour rien. Je pensais : « Le monde est vaste, inépui-
sable, on n'a pas assez d'une existence pour s'en saouler! » Et je le
regarde avec indifférence, il n'est plus qu'un immense exil. Que m'importent les lointaines galaxies et les milliards d'hommes qui m'ignorent
à jamais! Je n'ai que ma vie, elle seule compte, et justement elle ne
compte plus. Je ne vois plus rien à faire sur terre. Mon métier, quelle
plaisanterie! comment oserais-je empêcher une femme de pleurer, obliger un homme à dormir? Nadine aime Henri, je ne compte plus pour
elle. Robert a été heureux avec moi comme il l'aurait été avec une autre
ou moi seul. « Donne-lui du papier, du temps, il ne lui manque rien. » Il
me regrettera, bien sûr; mais il n'est pas doué pour les regrets et d'ailleurs il sera bientôt sous terre, lui aussi. Lewis avait besoin de moi;
j'ai pensé : « Il est trop tard pour commencer, trop tard pour recommencer », je me suis donné des raisons, toutes les raisons m'ont quittée; il n'a plus besoin de moi. Je tends l'oreille : pas un appel, nulle
part. Rien ne me défend contre cette petite fiole qui m'attend au fond
de la boîte à gants.

Je me suis redressée, j'ai regardé Maria. Sur son petit visage fermé,
c'est encore ma mort que j'aperçois. Un jour, elle aura mon âge et je
ne serai plus là. Elle dort, elle respire, elle est bien réelle : elle est la
réalité de l'avenir et de l'oubli. Ce sera l'automne, elle se promènera
dans ce jardin peut-être, ou ailleurs; si par hasard, elle prononce mon
nom, personne ne répondra : et mon silence se perdra dans le silence
universel. Mais elle ne le prononcera même pas; mon absence sera si
parfaite que tout le monde l'ignorera. Ce vide me donne le vertige.

Pourtant je me rappelle, la vie a été belle comme une foire, quelquefois, et le sommeil tendre comme un sourire. A Gao, nous dormions

sur la terrasse de l'hôtel, à l'aube la brise s'engouffrait dans la moustiquaire et le lit tanguait comme une barque; c'était sur le pont d'un
bateau à l'odeur de goudron, une grosse lune orange se levait derrière
Égine; le ciel et la terre se mélangeaient dans les eaux du Mississippi,
le hamac se balançait dans la cour où coassaient des crapauds et je
voyais les constellations se bousculer au-dessus de ma tête. J'ai dormi
dans le sable des dunes, dans le foin des granges, sur la mousse, sur
des aiguilles de pin, sous des tentes, dans le stade de Delphes et dans
le théâtre d'Épidaure avec le ciel pour toit, sur le plancher des salles
d'attente, sur des banquettes de bois, dans de vieux lits à baldaquin,
de grands lits campagnards rembourrés de duvet, et sur des balcons,
sur des bancs, sur des toits. J'ai dormi aussi dans des bras.

Assez! Chaque souvenir réveille une agonie. Que de morts je porte
en moi! Morte la petite fille qui croyait au paradis, morte la jeune fille
qui pensait immortels les livres, les idées et l'homme qu'elle aimait,
morte la jeune femme qui se promenait comblée dans un monde promis
au bonheur, morte l'amoureuse qui se réveillait en riant dans les bras
de Lewis. Elles sont aussi mortes que Diégo et que l'amour de Lewis;
elles non plus, elles n'ont pas de tombe : c'est pour ça qu'on leur interdit la paix des enfers; elles se souviennent encore, faiblement, et elles
appellent en gémissant le sommeil. Pitié pour elles. Enterrons-les toutes
à la fois.

J'ai marché vers la maison, j'ai passé sans bruit devant la fenêtre
de Robert. Il est assis à sa table, il travaille; comme il est près! comme
il est loin. Il suffirait de l'appeler, il me sourirait : et après? Il me sourirait à distance : une distance infranchissable. De sa vie à ma mort,
il n'y a pas de passage. Je suis montée dans ma chambre, j'ai ouvert
la boîte à gants : j'ai pris la fiole. La mort qui est en moi, je la tiens
dans ma main : tout juste une petite fiole brunâtre. Soudain, elle ne
me menace plus, elle dépend de moi. Je me suis couchée sur le lit,
en serrant la fiole, et j'ai fermé les yeux.

J'avais froid et pourtant j'étais en sueur; j'avais peur. Quelqu'un
allait m'empoisonner. C'était moi, ce n'était plus moi, il faisait nuit
noire, tout était très loin. Je serrai la fiole. J'avais peur. Mais de toute
mon âme, je voulais vaincre la peur. Je la vaincrai. Je boirai. Sinon
tout recommencera. Je ne veux pas. Tout recommencera; je retrouverai mes idées en ordre, toujours dans le même ordre, et aussi les choses,
et les gens, Maria dans son berceau, Diégo nulle part, Robert paisiblement en marche vers sa mort, Lewis vers l'oubli, moi vers la raison,
la raison qui maintient l'ordre : le passé en arrière, l'avenir en avant,
invisible, la lumière séparée des ténèbres, ce monde émergeant victorieusement du néant et mon cœur tout juste là où il bat, ni à Chicago, ni près du cadavre de Robert, mais dans sa cage, sous mes côtes.
Tout recommencera. Je me dirai : « J'ai fait une crise de dépression. »
L'évidence qui me cloue sur ce lit, je l'expliquerai par de la dépression.
Non! J'ai assez renié, assez oublié, assez fui, assez menti; une fois,
une seule fois et à jamais, je veux faire triompher la vérité. La mort

a vaincu : à présent, c'est elle qui est vraie. Il suffit d'un geste, et cette vérité deviendra éternelle.

J'ai ouvert les yeux. Il faisait jour; mais il n'y avait plus de différence entre la nuit et le jour. Je flottais sur du silence : un grand silence religieux comme au temps où je me couchais sur mon édredon en attendant qu'un ange m'enlève. Le jardin, la chambre se taisaient. Moi aussi. Je n'avais plus peur. Tout consentait à ma mort. J'y consentais. Mon cœur ne bat plus pour personne : c'est comme s'il ne battait plus du tout, c'est comme si tous les autres hommes étaient déjà retombés en poussière.

Des bruits sont montés du jardin : des pas, des voix; mais ils ne dérangeaient pas le silence. Je voyais, et j'étais aveugle, j'entendais et j'étais sourde. Nadine a dit très haut d'une voix irritée : « Maman n'aurait pas dû laisser Maria seule. » Les mots ont passé au-dessus de ma tête sans m'effleurer, leurs mots ne pouvaient plus m'atteindre. Soudain, il y a eu en moi un faible écho : un petit bruit rongeur. « Est-il arrivé quelque chose? » Maria seule sur la pelouse : un chat pouvait la griffer, un chien la mordre. Non : on riait dans le jardin; mais le silence ne s'est pas refermé. L'écho répéta : « Je n'aurais pas dû. » Et j'ai imaginé la voix de Nadine, énorme et indignée : « Tu n'aurais pas dû! tu n'avais pas le droit! » Le sang m'est monté au visage et quelque chose de vivant m'a brûlé le cœur : « Je n'ai pas le droit! » La brûlure m'a réveillée. Je me suis redressée, j'ai regardé les murs avec hébétude; je tenais la fiole dans ma main, la chambre était vide, mais je n'étais plus seule. Ils entreront dans la chambre; je ne verrai rien, mais ils me verront. Comment n'y ai-je pas pensé? Je ne peux pas leur infliger mon cadavre et tout ce qui s'ensuivra dans leurs cœurs à eux : Robert penché sur ce lit, Lewis dans la maison de Parker avec des mots qui dansent devant ses yeux, les sanglots furieux de Nadine. Je ne peux pas. Je me suis levée, j'ai fait quelques pas, je suis tombée assise devant ma coiffeuse. C'est étrange. Je mourrai seule; pourtant ma mort ce sont les autres qui la vivront.

Longtemps, je suis restée devant la glace à regarder mon visage de rescapée. Les lèvres seraient devenues bleues, les narines pincées; mais pas pour moi : pour eux. Ma mort ne m'appartient pas. La fiole est encore là, à portée de ma main, la mort est toujours présente : mais les vivants le sont davantage encore. Du moins tant que Robert vivra, je ne pourrai pas leur échapper. Je range la fiole. Condamnée à mort; mais aussi condamnée à vivre; combien de temps? dix ans? vingt ans? Je disais : vingt ans, c'est court. Maintenant dix ans, ça me semble infini; un long tunnel noir.

— Tu ne descends pas?

Nadine a frappé, elle est entrée, elle est debout à côté de moi. Je me sens pâlir. Elle serait entrée, elle m'aurait vue sur le lit, le corps convulsé : quelle horreur!

— Qu'est-ce que tu as? tu es malade? demande-t-elle d'une voix inquiète.

— J'avais mal à la tête. Je suis montée prendre de l'aspirine.

Ma voix sort sans effort de ma bouche, elle me paraît normale.

— Et tu as laissé Maria seule, dit Nadine d'un ton grondeur.

— Je serais redescendue tout de suite, mais je t'ai entendue. Alors je suis restée me reposer un moment. J'ajoute : « Ça va bien mieux. »

Nadine me regarde d'un air soupçonneux : mais tout ce qu'elle soupçonne, c'est que j'ai des ennuis de cœur.

— C'est vrai? tu te sens mieux?

— L'aspirine m'a fait du bien. Je me lève pour échapper à ce regard inquisiteur : « Descendons. »

Henri m'a tendu un verre de whisky. Il regardait des papiers avec Robert qui s'est mis à m'expliquer des choses d'un air joyeux. Je me demandai avec stupeur : « Comment ai-je pu être si étourdie? Comment n'ai-je pas pensé aux remords sans fin que je lui préparais? » Non, ce n'était pas de l'étourderie. Pendant un instant, j'ai vraiment passé de l'autre côté, là où plus rien ne compte, où tout est égal à rien.

— Tu m'écoutes? dit Robert. Il me sourit : « Où es-tu?

— Ici », dis-je.

Je suis ici. Ils vivent, ils me parlent, je suis vivante. De nouveau, j'ai sauté à pieds joints dans la vie. Les mots entrent dans mes oreilles, peu à peu ils prennent un sens. Voilà les devis de l'hebdomadaire et les maquettes que propose Henri. Est-ce que je n'ai pas d'idée pour un titre? aucun de ceux auxquels on a pensé jusqu'ici ne convient. Je cherche un titre. Je me dis que puisqu'ils ont été assez forts pour m'arracher à la mort, peut-être qu'ils sauront m'aider de nouveau à vivre. Ils sauront sûrement. Ou on sombre dans l'indifférence, ou la terre se repeuple; je n'ai pas sombré. Puisque mon cœur continue à battre, il faudra bien qu'il batte pour quelque chose, pour quelqu'un. Puisque je ne suis pas sourde, je m'entendrai de nouveau appeler. Qui sait? peut-être un jour serai-je de nouveau heureuse. Qui sait?

ACHEVÉ D'IMPRIMER
PAR L'IMPRIMERIE FLOCH
MAYENNE
(5586)
LE 28 FÉVRIER 1963
Nº d'éd. : 9.337. Dépôt lég. : 4ᵉ trim. 1954
Imprimé en France

DATE DUE